भारतीय दलित साहित्य
परिप्रेक्ष्य

सम्पादक
पुन्नीसिंह
कमला प्रसाद
राजेन्द्र शर्मा

वाणी प्रकाशन

वाणी प्रकाशन
4695, 21-ए, दरियागंज, नयी दिल्ली 110 002
शाखा
अशोक राजपथ, पटना 800 004
फ़ोन : +91 11 23273167 फ़ैक्स : +91 11 23275710
www.vaniprakashan.in
vaniprakashan@gmail.com
sales@vaniprakashan.in

BHARATIYA DALIT SAHITYA : PARIPREKSHYA
Edited by Punnisingh, Kamla Prasad, Rajendra Sharma

ISBN : 978-93-5000-836-2
Dalit Literature

संस्करण 2003, 2012
आवृत्ति 2017

मूल्य : ₹795

बालाजी ऑफ़सेट प्रेस, दिल्ली-110 093 में मुद्रित

वाणी प्रकाशन का लोगो मक़बूल फ़िदा हुसेन की कूची से

अनुक्रम

मराठी कविता

पुस्तक चर्चा

दलित नाटक

क्यों विश्वास करूँ

मैं तुम्हारे
झूठे धर्म पर
करता रहा गर्व
लेकिन—
तुम्हारा मेरे प्रति
छिपा रहा सदैव
अपमान का भाव ही।

तुम्हारी नैतिकता की छतरी में
छेद ही छेद हैं—
अनाचारों के
और पैनाए हुए हैं
धर्म की आड़ में
हिंसा के नाखून।

तुम्हारे—
दिलों में भरी है कलुषता
और ओछी प्रतिद्वन्द्विता।

फिर भला मैं
कैसे विश्वास करूँ
तुम्हारी सहिष्णुता
एवं भाईचारे की भावना पर।

लेखक : सूरजपाल चौहान
शीघ्र प्रकाशित पुस्तक 'क्यों विश्वास करूँ' में से

खेत उदास हैं

चिड़िया उदास है—
जंगल के खालीपन पर
बच्चे उदास हैं—
भव्य अट्टालिकाओं के
खिड़की-दरवाजों में कील की तरह
ठुकी चिड़िया की उदासी

खेत उदास हैं—
भरपूर फसल के बाद भी
सिर पर तसला रखे हरिया
चढ़-उतर रहा है एक-एक सीढ़ी
ऊँची उठती दीवार पर

लड़की उदास है—
कब तक छिपाकर रखेगी जन्मतिथि

किराये के हाथ
लिख रहे हैं दीवारों पर
'उदास होना
भारतीय के खिलाफ है'!

लेखक-ओमप्रकाश वाल्मीकि
पुस्तक—'बस्स! बहुत हो चुका' मे से..

दलित साहित्य में अपनी अग्रगामी भूमिका के लिए जाने गये वरिष्ठ मराठी कवि नामदेव ढसाल लगभग हर वर्ष डॉ. आम्बेडकर पर एक कविता लिखते हैं। चंद्रकांत पाटील ने उनकी ऐसी कविताओं का संकलन किया है। वे इन कविताओं के हिन्दी अनुवाद की एक छोटी-सी पुस्तिका प्रकाशित करना चाहते हैं। उसी संकलन से एक कविता यहाँ प्रस्तुत है— संपादक

नामदेव ढसाल

डॉ. आम्बेडकर 1986

उत्तर की हवाओं से मेरी नदी कानाबाती कर रही है
मैं गा रहा हूँ तुम्हारा गीत
प्रेम को आँखें नहीं होनी चाहिए
प्रेषितों के प्रेषितों ने भी गिरना चाहिए तुम्हारे चरणों पर
कितना निश्छल तुम्हारे-मेरे बीच का ऋणानुबन्ध

सदियों की पाषाण-निद्रा से जगाया तुमने
हमें
कर दिया हमारा पुनरुत्थान
अब हमारी अभिलाषाओं के खेत में उग आता है सबकुछ
स्टेनगन् और गुलाब के फूल
तुमने ही कहा था किसी दिन विस्फोट होगा इसका
शान्ति अपने पैरों पर खड़ी होकर मुक्त हो जाएगी
परछाई पर का लांछन धो दिया जाएगा
दिन का नहीं होगा पर्दाफाश
तूने बख्श दी है हमें रोज़ीरोटी
तथा आतुर विवस्त्र चन्द्रमा

परस्पर हेतुओं का सुघड़ हाथ

दया का ही एक रूप होता है समुद्र

अब मेरी रात की दीवार को कुतरते नहीं चूहे
अपने आप को हलाक करने की सभी कोशिशें नाक़ाम हुईं मेरी
गहरे-हरे टेबिल पर की ज़िन्दगी
घास ने ही निगल लिया है स्याह गाय को
सात परतों का मेरा निरन्तर आकाश
उसमें झूलनेवाला नक्षत्र का झाड़-फानूस
कितना अद्भुत चमत्कार
किस की हिम्मत है
इस आईने-के भीतर हमारे बिम्बों को
मिटाने की

हमारे प्रियतर ऋतु लौट गए हैं फिर से बस्ती में
दानापानी और कपड़ालत्ता अब हमारे लिए नहीं है दुर्लभ
और दो रातों के बीच का वह अद्भुत संगीत भी
कस्तूरी की गाँठ आ गई है बाहर
हर कोई ढूँढ़ रहा है अपनी मादी को
हमारे हृदयों पर के फौलादी अस्तर को
फाड़ दिया है तुमने

अब नहीं हैं हम काँसे के ढले हुए पुतले
जाने कब से इकट्ठा हुआ था नर्क हमारे अंतःकरण में
तुमने हटाया उसे जादुई छड़ी घुमा कर
भर दिया हृदय का घट अमृत से
उसी क्षण हमारे देह-भीतर के जानवर
मर गए पटापट

हम बन गए जीते-जागते आदमी
हमारा मरा हुआ ख़ून लहलहाने लगा फिर से
वह हो गया तलवार के फल से भी ज़्यादा जालिम
सचमुच इतना बल कहाँ से दिया तुमने हमें
चेहरों पर से सभी मुखौटों को हटा कर मुझे जगाने दो
तुम्हारे-मेरे बीच के दायित्व को

मैं इतना अनाड़ी नहीं हूँ

कि हर सवाल का जवाब माँग लूँ तुमसे
आखिरी तृष्णा का घर ध्वस्त कर मैं आ रहा हूँ तुम्हारे पास
तुम्हारे सम्मुख
मैं जानता हूँ हो गया है मेरे युग का सवेरा
अब बसाया जाएगा मिट्टी की नगरी को
जिसमें नहीं होगा कड़ी कैद का अन्धेरा
जिसमें नहीं होगा रोज़मर्रा यातनाओं का महाभयानक फैलना
विच्छन्नता के आकाश के बाद
टूट गई हैं झट् से कसी हुई मुश्कें
और आखिरकार मेरे लोगों की स्वतन्त्रता बन गई है अबाध
अब यहाँ कोई नहीं है बदकिस्मत
हर किसी के दिन हो गए हैं लकलक घोड़ों-जैसे
हर किसी को आती है बू जलते बालों की
क्रोध के चमकते नमक के बाद
जड़ पकड़ी है यहाँ की अनुर्वर ज़मीन में विद्रोह के सपने ने
अब हमारे दरवाज़ों के सामने झूलते हैं सफेद हाथी

अब चुस्त भाषा की टहनी ऐसी ही झूलती रहेगी
नए इतिहास की रचना होगी
कभी निद्रा में कभी जागृति में
हर्ष के बवण्डर से खेल रही है मेरी किश्ती
महासागर भी महसूस होता है मुझसे छोटा
बग़ावत करते हुए
मैं आ रहा हूँ आगे-आगे
मैं नहीं बताता मेरे चेहरे को नया बना कर
पानी की एक-एक दीवार टूट रही है
मुझे होने दे तेरे सभी बच्चों में से सब से सुन्दर
अब मौत को गवाही है अश्वत्थ का पत्ता
मैं अपनी देह के पाँवडे बिछा कर
इन्तज़ार कर रहा हूँ तुम्हारे आदेश का
अब इस
ज्वालामुखी की बेल को कहाँ लगाऊँ मैं?

(मराठी से अनूदित : चंद्रकान्त पाटील)

डी-5, रेणुका एन्क्लेव, चेतना नगर शेजारी,
नवीन श्रेयनगर (पूर्व) औरंगाबाद-431005

अतिथि सम्पादक की ओर से

दलित वर्ग के साथ सदियों से जो निर्मम, निष्ठुर और अमानवीय व्यवहार निरन्तर हुआ है, उसके परिणामस्वरूप कला, साहित्य, संस्कृति आदि से उसका नाता टूट सा गया था। उसमें उस वर्ग की भागीदारी कम से कम होती गयी थी। बल्कि वह भागीदारी लोक संस्कृति तक सीमित हो गयी थी। हाँ, खासतौर से मध्यकाल में एक दौर ज़रूर ऐसा आया जब लेखन और चिन्तन के क्षेत्र में दलित, वंचित, मुसलमान, महिला आदि वर्गों का सर्वाधिक योगदान रहा है। और शायद उसी दौर में रचना को समाज और आदमी के हित में एक कारगर हथियार के बतौर इस्तेमाल किया जा सका था। लेकिन बाद में धीरे-धीरे उस रचनाशीलता का प्रभाव भी कम होता गया। और फिर कला, साहित्य, संस्कृति पर से उन वर्गों की पकड़ ढीली होती गयी। दलित वर्ग को फिर से एक लम्बे समय तक उसमें अपनी समुचित भागेदारी के लिए तरसना और छटपटाना पड़ा। आज के संदर्भ में जिसे हम दलित साहित्य कहते हैं वह उसी छटपटाहट का प्रतिफलन है। उसका उद्गम और विकास मूलत: मराठी में सबसे पहले सन साठ के आस-पास हुआ और जिसकी जड़ें अम्बेडकरवादी विचार में तलाशी जा सकती हैं।

सन् 1920 के बाद का समय भारत में कई तरह के नये विचारों के विस्तार का समय है। अम्बेडकरवादी विचार भी उसी समय कम से कम दलित वर्ग के एक छोटे से हिस्से तक पहुँचने लगे थे। बाबा साहेब आम्बेडकर का विचार था कि भारत में सारी सामाजिक गड़बड़ी की जड़ वर्ण व्यवस्था है। उसे समाप्त किये बिना न तो जातिवाद समाप्त किया जा सकता है और न छुआछूत। इसलिए उन्होंने प्रारम्भ से ही वर्ण व्यवस्था के खिलाफ मुहिम छेड़ी थी। लेकिन वे यह भी जानते थे कि वर्ण-व्यवस्था की जड़ें बहुत

गहरी हैं। उसे इतनी आसानी से उखाड़कर नहीं फेंका जा सकता है। यह तभी सम्भव है जब दलित वर्ग शिक्षित, संगठित और स्वाभिमानी बने। इसलिए उन्होंने बार-बार दलित वर्ग को शिक्षित, संगठित और स्वाभिमानी होने का आह्वान किया। 1920 के बाद में 'मूक नायक' पत्र के माध्यम से बाबा साहेब आम्बेडकर के यही विचार दलित वर्ग तक पहुँचने लगे थे। कम से कम मराठी भाषी क्षेत्र में ये विचार दलित वर्ग को न केवल शिक्षित कर रहे थे बल्कि संगठित और आन्दोलित भी कर रहे थे। धीरे-धीरे दलित वर्ग का आन्दोलन जनसंघर्ष का रूप ले रहा था और जैसा कि ज़्यादातर लोग इस बात को स्वीकार करते हैं कि बाद में उन्हीं जनसंघर्षों से दलित साहित्य की परम्परा विकसित हुई।

मराठी में दलित साहित्य का विकास एक तरह के सांस्कृतिक विस्फोट के रूप में हुआ था। इसलिए कम से कम समय में उसने सफलता की काफी ऊँची छलांग लगाई और अपने पहले ही दौर में मूल मराठी साहित्य से प्रतिस्पर्धा करने की स्थिति में आ गया। अनेक लेखक, न केवल दलित साहित्य के बल्कि, मराठी साहित्य के शीर्ष साहित्यकारों में गिने जाने लगे। जो साहित्यकार इतने कम समय में शीर्ष पर पहुँचे थे उनमें से कई वो साहित्यकार भी थे जो मार्क्सवादी होते हुए भी बाबा साहेब आम्बेडकर के विचारों से प्रभावित हुए थे। वे मानते थे कि जहाँ तक दबे, कुचले, वंचित, शोषित जन के अधिकारों की लड़ाई का सवाल है वहाँ ये दोनों विचार एक-दूसरे से बहुत दूर नहीं जा सकते।

मराठी के साथ-साथ गुजराती, मलयालम, तेलुगु, तमिल, पंजाबी इत्यादि भाषाओं में दलित साहित्य का धीरे-धीरे प्रवेश और विकास हुआ। लेकिन हिन्दी में दलित साहित्य का प्रवेश अपेक्षाकृत विलम्ब से और खासी कशमकश के साथ हुआ। कभी तो हिन्दी के साहित्यकार दलित साहित्य के नाम को सुनकर ऐसे बिदकते थे जैसे दलित की सूरत या परछाई से यहाँ का प्रभुत्वशाली वर्ग दूर भागता था। तब मराठी के दलित साहित्य की बात सामने आते ही दो तरह के तर्क दिये जाते थे। पहला तर्क यह था कि हमारे यहाँ न केवल हिन्दी में बल्कि संस्कृत साहित्य में भी सैकड़ों साल से दलित साहित्य मौजूद रहा है, इसलिए हिन्दी में इस तरह के साहित्य की कोई ज़रूरत नहीं है। और दूसरा तर्क यह कि ऐसा ज़रूरी नहीं है कि दलित-साहित्य दलित ही लिखेगा, उसे गैर दलित भी लिख सकता है। और जैसा कि हिन्दी में लिखा भी खूब गया है। इस दूसरे तर्क की पुष्टि में लोग प्रेमचन्द जैसे महान कथाकार को आगे करके अक्सर बात करते थे।

दरअसल हिन्दी क्षेत्र में दलित-साहित्य के बारे में चर्चा गत सदी के नौंवे दशक के प्रारम्भ में शुरू हुई। मराठी दलित-साहित्य के चर्चित कथाकार दया पवार को 1980 के बाद साहित्य अकादमी अवार्ड प्राप्त हुआ और उनकी चर्चित आत्मकथा 'बलूत' का हिन्दी में अनुवाद 'अछूत' के नाम से छपा, तभी हिन्दी लेखकों की उत्सुकता मराठी के दलित साहित्य की ओर बढ़ी। 1981 में ग्वालियर में इसी विषय पर एक गोष्ठी आयोजित हुई जिसमें हिन्दी और मराठी के कई साहित्यकारों ने हिस्सा लिया।

लेकिन उस समय भी हिन्दी में दलित साहित्य को लेकर निहायत ऊहापोह की स्थिति थी। उसके कुछ महीने पश्चात भोपाल से प्रकाशित 'साक्षात्कार' पत्रिका में जब नामदेव ढसाल की कविता मराठी से अनुवादित होकर प्रकाशित हुई और उसको लेकर जिस तरह से बवाल मचा, उससे साफ़ झलकता था कि हिन्दी जगत दलित साहित्य के प्रति ठीक वैसा ही रूढ़िवादी रवैया अपनाये रहना चाहता है जैसा उसने सैकड़ों साल से दलित वर्ग के साथ अपनाया हुआ है।

उसके भी लगभग एक दशक बाद स्थिति में बहुत तेजी से बदलाव आया। मराठी से संपर्क बनने के कारण और हिन्दी क्षेत्र में दलित-चेतना के तीव्र विकास के चलते हिन्दी साहित्यकारों पर दबाव बढ़ने लगा कि वे पूर्वाग्रहों को त्यागकर मराठी में साहित्य की जो जीवंत और उत्प्रेरक परम्परा विकसित हुई है, उसका खुले दिल से स्वागत करें। इसी सिलसिले में अगस्त 1992 में 'हंस' के तत्वावधान में दिल्ली में दलित साहित्य पर केन्द्रित एक गोष्ठी आयोजित हुई। उसमें हिन्दी के अनेक चोटी के साहित्यकारों ने भाग लिया। यद्यपि उस गोष्ठी का मूल स्वर दलित-साहित्य के प्रति आश्वस्ति का नहीं था लेकिन उसमें एक बात स्पष्ट थी कि हिन्दी में दलित साहित्य का प्रवेश शुरू हो गया है। उसके विकास को उलटबाँसियों में उलझाकर ज़्यादा दिनों तक रोका नहीं जा सकता है। उसके कुछ महीने बाद शिवपुरी में जून 1993 में 'दलित कलम' के नाम से दलित साहित्य पर केन्द्रित एक बड़ा सम्मेलन मध्यप्रदेश प्रगतिशील लेखक संघ की शिवपुरी इकाई के द्वारा आयोजित किया गया। उस सम्मेलन की विशेष बात यह थी कि उसमें हिन्दी और मराठी के चोटी के अनेक साहित्यकारों ने भाग लिया। चार सत्रों में तीन दिन तक उस सम्मेलन में दलित साहित्य के विविध पक्षों पर अच्छी चर्चा हुई। उस चर्चा में भाग लेने वाले और उसे सुनने-समझने वालों को महसूस हुआ कि अब हिन्दी जगत दलित साहित्य के बारे में अपने पूर्वाग्रहों को त्यागने को तत्पर है। उस सम्मेलन का एक निष्कर्ष यह भी था कि हिन्दी साहित्य में पहले से दलित-साहित्य जैसा कुछ खास नहीं है और जो कुछ नया होने जा रहा है वह मराठी दलित साहित्य की तर्ज पर होगा। सुप्रसिद्ध आलोचक डॉ. नामवर सिंह ने कहा कि शिवपुरी में यह 'दलित कलम' रोपी जा रही है। हिन्दी के लिए शीघ्र ही यह महावृक्ष हो जायेगी।

शिवपुरी सम्मेलन के बाद हिन्दी क्षेत्र में गोष्ठियों और सम्मेलनों की मानो बाढ़ आ गई थी। अब चर्चाओं में सघनता और निष्कर्षों में एकरूपता आने लगी। इस चर्चा ने सत्ता-व्यवस्था को भी सचेत कर दिया। राजनीति को भी चौंका दिया। अब हिन्दी क्षेत्र की राजधानियों में दलित साहित्य अकादमियों की स्थापना ताबड़तोड़ स्तर पर होने लगी। उस समय जो दलित वर्ग के साहित्यकार थे वे 'मूलधारा' के साहित्यकारों की भीड़ में अपने आप को अलग-थलग और हाशिये पर पड़ा अनुभव कर रहे थे। वे सब मानो अब एक नये जोश के साथ उठ खड़े हुए। एक नई पहचान के साथ संगठित होकर लेखन में जुट

गये। वे लोग अब बहस-मुबाहिमों में भी भाग लेने लगे। वे न केवल दलित साहित्य के पक्ष में तर्क पेश करने लगे बल्कि अपने वर्ग-हितों के लिए संघर्ष के लिए भी कटिबद्ध होने लगे। ठीक उसी समय हिन्दी क्षेत्र में दलित राजनीति में जो उफान आया उसने दलित लेखन के तेवर को और भी अधिक धारदार बना दिया। और उसकी व्यापकता को बढ़ा दिया।

सामग्री जुटाने के क्रम में एक बात मैंने लगातार अनुभव की है। कुल मिला कर अभी हिन्दी दलित में साहित्य का पहला फेज़ चल रहा है। इसलिए जल्दबाजी में रचना लिखने की प्रकृति साफ दिखाई देती है। कहीं-कहीं यह दुराग्रह भी झलकता कि क्योंकि हम दलित है (जातिगत) तो हम जो भी और जैसा भी लिखेंगे वही दलित साहित्य होगा। हम यह जानते है कि यह लेखक की कमजोरी मात्र नहीं है बल्कि प्रारम्भिक दौर की अनिवार्यता भी है। आगे आने वाले फेज़ में सम्भवतः यह सब देखने को नहीं मिलेगा। मराठी दलित साहित्य में शायद ऐसा हुआ भी है। मुख्यरूप से इसी बात को समझ लेने के लिए हमने मराठी दलित साहित्य की कुछ रचनाओं को सम्मिलित किया है। लातीनी अमेरिका से लेकर अफ्रीका के देशों की पद दलित-शोषित लेकिन संघर्षशील जनता का साहित्य इस बात का प्रमाण है कि इस तरह का साहित्य कभी सीमित उद्देश्य के लिए नहीं लिखा गया। उसमें दलित-वंचित, शोषित-पीड़ित समग्र जनों की पीड़ा ध्वनित होती है। उसकी मुक्ति का आह्वान होता है। मराठी के दलित साहित्य में यही सब हो चुका है, हिन्दी दलित साहित्य में यह धीरे-धीरे आ रहा है। उसे आना ही है।

इस संयोजन में मुझे अनेक रचनाकारों का बहुमूल्य सहयोग मिला है। मैं इसके लिए उन सब का हृदय से आभारी हूँ। जिनका सहयोग ज़रूरी था लेकिन मिल नहीं पाया, उसमें शायद मेरी ही अक्षमता बाधक रही होगी। मराठी के डॉ. सदा कन्हाड़े, गुजराती के डॉ. जयन्त परमार, पंजाबी के द्वारिका भारती और मलयालम के डॉ. ए. अच्युतन का मैं विशेष रूप से आभारी हूँ।

पुन्नीसिंह
सर्जना,
इन्द्रप्रस्थ नगर,
भारतीय विधालय मार्ग
शिवपुरी- 473551

दलितों के साथ साझा लड़ाई की ज़रूरत है

दलित सबसे पहले महाराष्ट्र में एकत्र हुए। उनका आन्दोलन व्यापक और आक्रमक हुआ। महात्मा फुले और आम्बेडकर वैचारिक स्त्रोत थे। इस आन्दोलन से महत्त्वपूर्ण दलित रचनाकार सामने आए। जीवन का वह क्षेत्र रचना की अन्तर्वस्तु बना, जो वर्जित था। मराठी के दलित आन्दोलन में मार्क्स और आम्बेडकर की सामाजिक परिकल्पना को एक सत्य प्रेरक निगाह से देखने वालों का एक बड़ा समूह था। कालान्तर में आन्दोलन बिखर गया। बिखरने के बावजूद भारतीय समाज में न केवल आलोचना की पहचान बनी, उसकी आक्रमक आवाज़ से गैर दलितों में डर पैदा हुआ तथा अन्य भारतीय भाषाओं में दलित लेखक उत्प्रेरित हुआ। इसी क्रम में हिन्दी समाज में जन्मे दलित आन्दोलन को देखा जाना चाहिए। पंजाबी, बंगला, तमिल, मलयालम, कन्नड़, तेलगू, डोंगरी, काश्मीरी और उड़िया आदि भाषाओं में मराठी से उत्प्रेरित दलित आन्दोंलन छोटी-बड़ी सीमाओं में सक्रिय है। राजनीति हो या साहित्य दलित विमर्श एजेन्डे में शामिल है। दलितों ने अपनी परम्परा और इतिहास की खोज सर्वत्र शुरू भी है। वेद-उपनिषद-शास्त्रों के समानान्तर दलितों की वाणी देशकाल के अनुरूप अपना विरोध दर्ज करती दिखती है। सामाजिक उत्खनन जैसे-जैसे तीव्र हो रहा है, समाज में दूसरी परम्परा दृश्यमान हो रही है। वर्णव्यवस्था में ब्राह्मण-ठाकुर सबसे ऊपर थे। इन्होंने राज्य किया, आचार संहिता बनायी और शूद्रों को नीचे पायदान में रख दिया। उत्पादन करना और अछूत रहना। उनकी कमाई उनके ही हाथ से छूटकर अछूत हो जाती थी। जिन्हें आज हम दलित कहते हैं। इनमें

कुल की स्थिति तो इस तरह होती थी कि वे घंटी बाँधकर चलें। घंटी की आवाज़ सुनकर गैर दलित घर से बाहर न निकलें। उनकी छाया गैर दलितों पर न पड़े। दलित जहाँ से निकलें, वहाँ गंगाजल छिड़का जाए। आम्बेडकर ने मद्रास प्रेसीडेन्सी के तिन्नेवेली जिले की पुरादा वन्नान जाति का जिक्र किया है जिन्हें दिन में बाहर निकलने की इजाज़त नहीं है। इन्हें देखने से सवर्ण अपवित्र हो जाते हैं। इसलिए ये निशाचर हैं— वन विलाव, लकड़बग्घा और गीदड़ की तरह दुबके। जातिवाद की कठोरता का इतिहास इस देश में लम्बा चला है। इसके नियामक ब्राह्मण थे। इसीलिए दलितों के सबसे शत्रु ब्राह्मण और उनका ब्राह्मणवाद है।

(2)

भारत में आज़ादी का आन्दोलन सुधारवादी अपेक्षाओं से शुरू हुआ जो धीरे-धीरे साम्राज्यवाद विरोधी होता गया। साम्राज्यवाद विरोध का एक पक्ष था— सत्ता परिवर्तन अर्थात् अंग्रेज़ों के स्थान पर भारत की जनता द्वारा चुनी हुई सरकार हो— जनतंत्र हो और दूसरा पक्ष कि यहाँ जातिहीन-वर्गविहीन आधुनिक समाज बने। इसीलिए शूद्रों-पिछड़ों-महिलाओं के उन्नयन की बातें हुईं तथा देशी संसाधनों के इस्तेमाल के लिए स्वदेशी आन्दोलन की नींव रखी गई।

नीतिगत मतभेदों के कारण साम्राज्यवाद विरोध और स्वराज्य की स्थापना की कोख से जन्मीं-कम्यूनिस्ट पार्टी और कांग्रेस अलग-अलग हो गईं। कांग्रेस पार्टी की नीति से बाबा साहेब आम्बेडकर की असहमति थी, इसलिए उन्होंने दलितों को अपनी तरह से संगठित करना शुरू किया। उनका मानना था कि इस देश में जातिवाद की जड़ें इतनी गहरी हैं कि उसे कुचले बिना सामाजिक परिवर्तन असंभव है। आज़ाद भारत का संविधान बाबा साहेब की अध्यक्षता में बना तो इतना अवश्य हुआ कि उसमें दलितों के लिए चिन्ता है और विशेष प्रावधान भी। व्यवहार में पाँच दशकों के बाद दलितों को मूल नागरिक अधिकार नहीं मिले हैं। जैसे-जैसे वे जाग रहे हैं, उन्हें अपनी मतपेटियों तक चालाकी से ले जाने के प्रपंच और और गढ़े जा रहे हैं। दलितों की अपनी राजनीति और अपना राजनीतिक संगठन नेतृत्व के अभाव में दिशाहीन है। बुनियादी सामाजिक परिवर्तन पर भरोसे के बाद भी वामपंथियों और दलितों के बीच अनबन है। बाबा साहब आम्बेडकर और कम्युनिस्टों के बीच सन् 1936 में सूती मिलों की हड़ताल के समय एकता का आधार बना था। आम्बेडकर क्रांतिकारी परिवर्तन के लिए वामपंथियों से सहमत थे पर मतभेद का आधार वर्ग और वर्ण की समस्या को लेकर था। समान लक्ष्य के होते हुए आज तक जो खाईं बनी हुई है उसका कारण भी यही है। उसे पाटने का प्रयास नहीं हुआ।

शरण कुमार लिम्बाले मराठी के दलित कवि हैं। उन्होंने 'मार्क्स' शीर्षक से कई कविताएँ लिखी हैं। कुछ पंक्तियाँ चुनकर देखें—

(1) महलों के मार्क्स महलों में मर जायेंगे

(2) पत्थर तोड़ने वाली बड़ारन के पेट से
पैदा होता मार्क्स तो पत्थर को आकार देता।

(3) एक मार्क्स हवेली में बैठा पढ़ रहा है कैपिटल

(4) मुख में मार्क्स पैदा होने से क्या होगा

घर में तो शंकराचार्य का विधान चल रहा होगा।

लिम्बाले की चिन्ता यहाँ मार्क्सवाद से सैद्धान्तिक बहस की नहीं है। महलों-हवेलियों और सभाओं में होने वाली मार्क्सवाद की गोष्ठियों से कवि का लेना-देना नहीं है। उसकी चिन्ता व्यावहारिक और पत्थर-पत्थर को आकार देने की है। दलितों को आकार मिलने की है। दलितों के जीवन के बारे में बहुतों ने लिखा है पर क्या वह सब लिखा जा सका है जो 'मैं भंगी हूँ', 'अक्करमाशी', 'अछूत' 'अपने-अपने पिंजरे' और 'जूठन' में है।

दलितों का यथार्थ उनकी आत्म कथाओं में अंकित है। आत्मकथाओं में दलितों ने जाति विशेष के होने के कारण आप बीती की जिन दारुण-दशाओं का चित्रण किया है, उसमें जाति के संकट से बड़ा कुछ नहीं हो सकता। दलितों की लगभग पहली आत्मकथा **'मैं भंगी हूँ' (भगवानदास) के कुछ शब्द यों हैं— "अब भंगी शब्द से आप क्या समझते होंगे और शायद अंग्रेज़ों तथा कुछ हिन्दुओं की पुस्तकों में लिखा भी है कि भंगी नाम भंग पीने के कारण पड़ा।.... इस वास्तविकता से आप अच्छी तरह परिचित होंगे कि जिस वर्ग या जाति से मैं सम्बन्धित हूँ, उसके सदस्यों में क़भी भंग का ऐसा प्रयोग नहीं किया कि उनका नाम भंगी रख दिया जाए। इसके विपरीत मथुरा, बनारस और अन्य स्थानों के ब्राह्मण आज भी दिन रात भंग पिया करते हैं। आप ही बताइए कौन श्रेष्ठ है।" भगवानदास ने यहाँ जो सवाल उठाया है, उसके सूत्र वेद-उपनिषद-शास्त्र से नहीं जीवन से आये हैं। दलितों के लिए वर्ण संघर्ष दीर्घजीवी है, और कठोर घेरेबन्दी में है। वर्ण से वर्ग तक की उसकी** यात्रा के बीच हत्या, आत्महत्या, बलात्कार, सामूहिक नरसंहार, और साम्प्रदायिक दंगों की पिशाच लीलाएँ घटित होती हैं। उसके सामने इसीलिए पहला बुनियादी मोर्चा वर्ण संघर्ष बना रहता है। बिहार में आए दिन यह होता है। तमिलनाडु के जातीय संघर्ष की कहानियाँ प्राय: दृश्य में बनी होती हैं। ऐसी स्थिति में वामपंथी सामाजिक कायाकल्प की दृष्टि और दलितों के सामने खड़ी की चुनौतियों का रिश्ता नहीं बन पाता। दूरियाँ बढ़ती जाती हैं।

(3)

वामपंथी राजनीति का हिन्दुस्तान में दृश्य, लोकोन्मुख, धर्मनिरपेक्ष किन्तु अस्त व्यस्त रहा है। वह टूट-टूटकर सिकुड़ता भी गया है। एक ज़माने में किसान मज़दूरों-उद्योग-मज़दूरों के सबसे बड़े संगठन इनके पास थे। अब छोटे हो गए। इनकी लड़ाई गरीबों-मज़दूरों-दलितों के लिए है, पर तीनों के लोग उनमें कम होते गए। युवा पीढ़ी का शामिल होना रुका। महिलाओं के संघर्ष का नेतृत्व न कम्युनिस्टों के पास आया है और दलितों के। दलितों ने सामाजिक संघर्ष शुरू किया है। वे समाज में बराबरी की हैसियत चाहते हैं पर हुआ यह कि जो पढ़ लिख गए उनमें अधिकांश ओहदों में आ गए, उन्हें आधी-अधूरी हैसियत मिली और वे त्रिशंकु होते गए। दलितों के बीच मध्य वर्ग का उदय हुआ। उनका वर्ग उठ गया। वे अपनी ही जाति के लोगों से छिपने लगे। सभी सुविधाओं से वंचित दलित किसकी बाट जोहें। उनके लिए वर्ण संघर्ष ज्यों का त्यों है। मुश्किल यह

है कि दलितों में से दलितों का जागरूक प्रतिनिधि नहीं आया। बाबा नागार्जुन ने 'हरिजन गाथा' कविता लिखी है फैन्टेसी में। अवतारी मिथक का इस्तेमाल किया है। दलितों ने ऐसी कविताओं में अपना पक्ष नहीं देखा। मार्क्सवाद में 'डी क्ला ' की प्रक्रिया है। उच्चवर्ग का आदमी अपने वर्ग से आत्मसंघर्ष द्वारा नीचे उतर सकता है। दलितों के साथ हो सकता है। दलितों में जन्में लोग भी अपने ही वर्ग से कट सकते हैं। वे अप क्लास हो सकते हैं। आरक्षण से चुने विधायक और सांसदों में इसके प्रमाण मिलते हैं। ऐसे में वे नये सवर्ण हो जाते हैं। व्यवहार में देखा गया कि वर्णों से प्राप्त सदियों से धंसे संस्कारों की जकड़न पीछा नहीं छोड़ती डी क्लास या अप क्लास में। पीढ़ियाँ-दर-पीढ़ियाँ गुजर जाती हैं। कम्युनिस्ट देशों में पाँच-छः दशकों के प्रयोग में भी यह नहीं हो पाया। इसलिए सिद्ध हुआ कि 'डी क्लास' की प्रक्रिया पीढ़ियों के बाद, लगातार अनुशासन के बाद, संस्कारी जकड़नों से मुक्त हो सकती है। अन्यथा यह केवल आदर्श है। आर्थिक समानता और जातिवाद हीनता से यह प्रक्रिया तीव्र हो सकती है। कसौटी यह कि जाति के स्थान पर ऊँच-नीच, बड़ा-छोटा नये आकार में न उदित हो। इस प्रसंग को यो समझें। एक पेड़ में दो आदमी बैठे थे। दोनों नीचे गिर पड़े। एक कुयें में गिरा और एक तालाब में। तालाब वाला तैरकर बाहर आ गया। कुयें वाला तैरता तो था, पर चक्कर अन्दर ही लगाता रहा। अन्ततः किसी की मदद से कई दिनों का कष्ट भोगने के बाद बाहर आया। पेड़ से गिरने वाले दोनों इन आदमियों में बहस छिड़ी कि असली कष्ट क्या है कौन अधिक दुखी है। तालाब वाले का कष्ट था कि उसे पानी में तैरना पड़ा, उसके घुटनों में दर्द हुआ। कुयें वाले का कष्ट था कि वह कुयें में सड़ता रहा। तैरने से काम नहीं चला। कई बार मृत्यु करीब दिखी। पानी के कीड़ों ने नोच-नोचकर उसका माँस भक्षण किया। लहुलुहान हुआ। वर्ण और वर्ग का यही फर्क है। सवर्ण जाति के लोग गिरते हैं पर उन्हें अवसर मिला तो दौड़ने लगते हैं। दलितों को जातिवाद के कुयें से बाहर निकालने के बाद ही तैरने-दौड़ को कहा जा सकता है। दलितों में महिलाओं की कथा और त्रासद है। उन्हें जाति के संकट के साथ मर्द का संकट भी झेलना होता है। उसके लिए दो-दो कुयें हैं। स्त्री के लिए पुरुष का अहंकार और पुरुष के लिए सवर्णों का अहंकार— कहु रहीम कैसे पटै केर-बेर को संग। कम्युनिस्टों की वर्गदृष्टि वैज्ञानिक है। इस छवि में बुनियादी लड़ाई से लेकर समाज के पुर्ननिर्माण की संकल्पना है, पर हिन्दुस्तान में वर्ण की जटिल लड़ाई मैदान में रास्ता रोके खड़ी है। वर्ण से घिरा आदमी उदात्तता की दीक्षा लेकर वर्ग में बदलने के लिए क्या करे? उल्टे लिम्बाले के अनुभव में यदि यह आए कि मार्क्सवादी केवल अकादमिक बहसों और टकराहटों से संतुष्ट हैं तो? उनका— डी क्लास नहीं हो रहा तो? दलितों-महिलाओं की सहभागिता नहीं बढ़ रही है तो? कथनी-करनी में भेद बढ़ रहा है तो? बराबरी के संकल्प के बावजूद जातिवाद के खिलाफ़ उन्होंने खुली जंग का एलान अभी तक नहीं किया है तो? मुझे लगता है कि कम्युनिस्टों को अपनी यह चूक माननी होगी। दलितों की शिकायतें दूर करनी होगी।

(4)

जहाँ तक दलित आन्दोलन का सवाल है, बाबा साहब आम्बेडकर के सिद्धान्तों के भाष्य और व्यवहार-पालन में उसकी अनेक चूकें हैं। महाराष्ट्र में चूके तो बँट गए। कुछ शिवसेना तक के साथ हो गए। कभी दक्षिण में ज़स्टिस पार्टी के रूप में सामाजिक न्याय की बात उठी थी। वह भी बिखर गई। नतीजतन डी.एम.के. और ए.डी.एम.के. के माध्यम से कैसा दुर्भाग्यपूर्ण सामाजिक हित प्रकट हुआ है? इसके विवेचन की जरुरत नहीं है। उत्तर भारत में पिछड़ों की राजनीति का नेतृत्व मुख्यत: यादव बन्धुओं के हाथ में है और दलितों की कमान कांशीराम-मायावती से जुड़ी है। दरअसल यह गुमराह हुआ नेतृत्व है। स्थिति यह है कि इनकी लड़ाई ऐसी प्रक्रिया से नहीं गुजर रही है, जो जातिभेद के मिटने और आर्थिक बराबरी के मुकाम तक ले जाए। सामाजिक न्याय का मुद्दा इनके लिए सोचा समझा और सुलझा नहीं है। यहाँ से आर्थिक समानता के प्रश्न को छूने की कार्यवाही ही नहीं दिखती। ब्राह्मणवाद का विरोध है, वेद-शास्त्रों से परहेज है पर इसका मन्तव्य किसी प्रकार सत्ता प्राप्ति है। भ्रष्ट पद्धति को अपनाने में हिचक नहीं है। अपने लोगों के साथ तानाशाही रवैया अपनाने से जनतंत्र नहीं आता है। इधर साहित्य और संस्कृति के क्षेत्र में एक बहस है कि क्या दलित लेखन केवल दलितों द्वारा ही लिखा जा सकता है या गैर दलितों द्वारा दलितों के जीवन पर लिखना दलित साहित्य हो सकता है। प्रेमचन्द ने कफ़न कहानी लिखी जो दलितों के बारे में है। निराला ने चतुरीचमार और कुल्लीभाट, अमृत लाल नागर ने "नाच्यों बहुत गोपाल" में भंगी परिवार के बारे में लिखा। कंवल भारती जैसे अनेक दलित लेखक मित्रों का मानना है कि ये लेखक दलितों के साथ सहानुभूति रख सकते हैं पर ये ब्राह्मणवाद द्वारा निर्मित जातिवाद पर हमला नहीं बोलते। मात्र सहानुभूति से दूरियाँ नहीं घटतीं। फिर दलितों के लेखन में जो आत्मपीड़ा है, उसके सामने ये रचनाएँ नहीं ठहरतीं। उस पीड़ा के इर्द-गिर्द भी नहीं पहुँच पातीं। मुझे लगता है कि गैर दलितों द्वारा दलितों पर लिखे साहित्य को दलित साहित्य मनवाने की ज़िद बेमानी है। दोनों ओर से आने वाली रचनाओं को आमने-सामने रखें तो दलितों का कथन ही सिद्ध होता है।

आज का समय बहुत जटिल हुआ है। विश्व व्यवस्था पर अमरीकी तानाशाही मंडरा रही है। भारत की राजनीति में ध्रुवीकरण की प्रक्रिया तेज हुई है। संस्कृति के क्षेत्र में यह प्रक्रिया कुछ पहले शुरू हो गयी थी। प्रलेस-जलेस और जसम से जुड़े लेखकों ने सम्प्रदायवाद-फासीवाद के विरुद्ध संघर्ष में एकता का आह्वान किया है। साम्प्रदायिक शक्तियों ने अपने लिए लेखकों-संस्कृतिकर्मियों का समूह खड़ा किया है। उनके साथ मिलकर वे राष्ट्रीय मूल्यों में ज़हर घोलते हैं। वे मृदुला सिन्हा को प्रेमचन्द के समकक्ष रखते हैं। दलित लेखकों के आन्दोलन का रुख संगठित रूप से अभी स्पष्ट नहीं हुआ है। सामाजिक संघर्ष में वे अनीश्वरवादी हैं, ब्राह्मणवाद से निपट रहे हैं, अपने अधिकार की माँग कर रहे हैं, इन सभी आकांक्षाओं की दिशा सम्प्रदायवाद से गठजोड़ नहीं बनाती। पिछले दिनों गोष्ठियों में दलित लेखकों ने उत्तरप्रदेश में बने बसपा और भाजपा गठजोड़ से असहमति जताई है, यह अच्छी

बात है। उनकी निगाह में ब्राह्मणवाद की संरक्षक शक्तियाँ स्पष्ट हैं। भाजपा-शिवसेना इसकी चैम्पियन हैं। दलित मित्रों ने अभी व्यापक साझे सांस्कृतिक मोर्चे के प्रति उत्सुकता नहीं प्रकट की है। उनके भीतर छिपे डर को समझा जा सकता है। पहले के अनुभव हैं कि वे जिनके साथ हुए, उन्होंने उनके आक्रोश को ठंडा किया, अपने में एप्रोप्रियेट किया, पर इस पहलु का दूसरा छोर यह है कि जहाँ भी देखें, जिनके भीतर एप्रोप्रियेट होने के लक्षण हैं, वे ही रहे हैं। ऐसा न होता तो दलित आन्दोलन बार-बार विभाजित न होता। भारतीय भाषाओं में जो दलित आन्दोलन हैं, वह संगठित रूप में बहुत अनुशासित नहीं है। हिन्दी में भी नहीं। उनमें आपसी एकता नहीं है। सबकी जीवन राहें निजी क्षेत्र में अलग-अलग हैं। संकल्पना में वे बार-बार गतिशीलता की जगह आवृत्तिमुखी हो जाते हैं। मराठी के महान दलित लेखक बाबूराव बागुल ने खुद देखा आज अस्पृश्यता को नकारने वाली भीम स्मृति और अस्पृश्यता का पालन करने वाली मनुस्मृति एक ही सभागृह और एक ही घर में साथ-साथ राज करती है। इस कथन की व्यंजनाएँ दूर तक जाती हैं। इसी में पूर्वअनुभवों का सार छिपा है। वस्तुतः अब तक दलित मित्रों ने बुद्ध-आम्बेडकर की दार्शनिक भूमि का भी विस्तार नहीं किया है। आम्बेडकर ने जिन शक्तियों में सहयात्रा की पहचान की थी, वह इनकी पकड़ में नहीं है। इन्होंने अपने पूर्वजों के अनुभवों का संश्लेष तैयार नहीं किया है। अपने को संगठित और निष्कलंक बनाए रखने के दार्शनिक दूरगामी आत्मदीक्षा की कसौटियाँ निर्मित करना शेष है। अपने समाज को, ब्राह्मणवाद-जातिवाद से मुक्त कराकर किधर-कैसे ले जाना है? क्या यह व्यक्तिगत मुक्ति है? सामाजिक मुक्ति का अभियान किस प्रकार आगे बढ़ेगा? आत्मकथाओं के अलावा सृजन का व्यापक क्षेत्र उतना ही यथार्थ और अग्रगामी कैसे ढलेगा? इन प्रश्नों पर उन्हें विचार करना है?

(5)

दलित मित्रों को याद होगा कि जिनेवा के बाद पिछले दिनों डरबन में दलित मीमाँसा का एक और अन्तर्राष्ट्रीय प्रयास हुआ है। इस सम्मेलन में दलित प्रश्नों को एक ओर मंच मिला, दूसरी आरे इसको दिग्भ्रमित करने की कोशिशें हुई। इसके भीतर मुख्य मुद्दा यह बना कि क्या दलितों को पश्चिमी धारणा के परिप्रेक्ष्य में नस्लवाद और रंगभेद से जोड़कर अल्पसंख्यक राजनीति के रूप में विकसित किया जाए या जातिभेद मिटाकर उन्हें भारतीय समाज की मुख्यधारा से जोड़ा जाए। नस्लवाद के साथ जोड़ने वालों का तर्क है कि इससे दलितों को फायदे होंगे। उनके लिए अन्तर्राष्ट्रीय मंच होगा। उनकी समस्याएँ मानवाधिकार की परिधि में आवेंगी। कुछ दलित मित्र इससे सहमत हो सकते हैं, पर दूसरा पक्ष यह है कि बहुसंख्यक समाज इन सूत्रों से दलितों को अपनी सत्ता में विलीन करने के और रास्ते खोलेगा। सम्पूर्ण मुक्ति के रास्ते बन्द करेगा और तुष्टिवादी राजनीति चलायेगा। यह कोशिश हिन्दुस्तान में बार-बार दिखती है, जैसे कि काश्मीर के पंडितों, तमिलनाडु के

ब्राह्मणों, लद्दाख के वौद्धों के बारे में दलितों की समस्याओं की तरह विचार होना चाहिए। पश्चिमी चिन्तक हिन्दुस्तान के दलितों के बारे में उस लोक के ब्लैक पैंथर की समस्याओं की तरह देखते हैं। अनुभव यह है कि नस्लभेद के कारण पश्चिम में पैंथर समुदाय को जो भी झेलना पड़ता है, हिन्दुस्तान में जातिवाद की समस्या उससे अधिक जटिल है। ज़ाहिर है कि भूमण्डलीकरण के इस प्रपंच पूर्ण व्यापार में से दलितों को अपने रास्ते समझने हैं और संघर्ष का मोर्चा तैयार करना है। डॉ. आम्बेडकर के आख्यान में इसके संकेत हैं। वे धर्म परिवर्तन के अपने संदेश में भी कहा करते थे कि वे दलितों की पूर्णमुक्ति चाहते हैं। वे दलितों की धार्मिक पहचान के बजाय आधुनिक समाज के सक्रिय, सदस्य और वैज्ञानिक दृष्टि सम्पन्न नागरिक की तरह देखना चाहते थे। मुझे लगता है कि दलित लेखकों-बुद्धिजीवियों को एप्रोप्रियेट किए जाने के खतरे से बचने के लिए डॉ. आम्बेडकर का समकालीन पाठ विकसित करना होगा। उनकी उद्धराणी से काम नहीं चलेगा। संघर्ष को धारदार और दीर्घजीवी बनाने के लिए अपने स्त्रोत, क्षेत्र, संगठन, सामूहिकता, अन्तर्राष्ट्रीय परिप्रेक्ष्य और अपनी विशिष्टता के लिए ज्ञान मीमाँसा के कोण और निकटतम सहयोगी तलाशने होंगे। अपने भीतर महिलाओं को जनतंत्र में भागीदार बनाने के प्रयत्न करने होंगे। मोर्चे की तस्वीर स्पष्ट रखनी होगी। धर्मनिरपेक्ष चरित्र पर टिकना होगा। दलित राजनीति को विपथगामी होंने से बचाने का अभियान चलाना होगा। आन्दोलन को चन्द सुविधाओं को अर्जित करने से बचाना होगा। जातिवाद से मुक्ति पहली जीत और और बराबरी की स्थापना अंतिम जीत होगी। साहित्य के साथ दलित विशेषण तब अनावश्यक हो जायेगा।

प्रगतिशील लेखकों का नज़रिया स्पष्ट है वे दलित लेखकों के साथ हैं। उनकी असहमति होगी तो इकतरफ़ा भी। उनकी सापेक्ष स्वायत्तता की कामना के साथ भी। पिछले दिनों दलित साहित्य पर केन्द्रित अनेक पत्रिकाओं के अंक निकले हैं। इस विमर्श को विस्तार देने के लिए अनेक किताबें सामने आई हैं, इसलिए यह प्रयत्न उन्हीं के साथ जुड़ता है। हमारा प्रयास यह रहा है कि दलित विमर्श और दलित लेखन का राष्ट्रीय स्वरूप सामने आ सके। कुछ हद तक यह हुआ है। इस काम में हमें दलित लेखक मित्रों का भरपूर सहयोग मिला है। इसे इस स्थिति तक ले आने का श्रेय पुन्नी सिंह को है। कुछ मित्रों को हमने अलग से काम सौंपा, जैसे- कृपाशंकर चौबे, चन्द्रकान्त पाटिल, अरविन्द जैन, लीलाधर मण्डलोई और अजीत राय आदि। इन लोगों ने बहुत मदद की। हमारे सहयोगियों में वाणी प्रकाशन नई दिल्ली का नाम भी जुड़ा है।

कमला प्रसाद

एम-31, निराला नगर

दुष्यन्त कुमार मार्ग, भदभदा रोड,

भोपाल- 462 003

एक कवि ने कहा है—
हम धन्य हैं कि हम इस क्रांतिकारी युग में जन्मे हैं।
हम धन्य हैं कि हमारे पूर्व किसी को भी दुख देने वाले नहीं दिखे थे।
भगवान बुद्ध को मात्र दुख दिखे थे।
परन्तु हमें दुख और दुख देने वाले, दोनों ही दिखे हैं।

दलित साहित्य : उद्देश्य और वैचारिकता

बाबूराव बागुल

देवताओं, मंदिरों, ऋषियों का यह देश! इसलिए क्या यहाँ सब कुछ अमर है? वर्ण अमर, जाति अमर, अस्पृश्यता अमर! दीनता, दासता, दुख और उपेक्षा भी अमर! या फिर यहाँ के मनुष्य हजारों वर्ष पहले के हैं? सब के सब सैकड़ों साल की आयु के? तब क्या ये यंत्र, ये तकनीक, ये कारखाने, ये रेलवे, ये वायुयान, ये प्रजातंत्र, ये समाजवाद, ये शहर, ये संघर्ष सब कुछ काल्पनिक है? मायाजाल है? सच क्या है? वर्ण-व्यवस्था, पुराण और ये देवी-देवता या यह क्रांतिरत युग?

युग के बाद युग आये। बड़े-बड़े चक्रवर्ती आये। महाकवि आये। महापंडित आये। दार्शनिक आये। विदेशियों के आक्रमण आये। उनकी सत्ता आयी। धर्म आये। संत आये, पंथ आये। फिर भी अस्पृश्यता, विषमता अमर है।

यह सब कैसे हो गया? किसी भी महाकवि, पंडित, दार्शनिक, सत्ताधारी, संत की आँखों में यह अमानुषिक व्यवस्था चुभी क्यों नहीं? किसी ने भी इस क्रूर व्यवस्था के विरुद्ध विद्रोह क्यों नहीं किया? बुद्धिजीवियों, संतों और सामर्थ्यवानों का यह अंधापन, यह संवेदनशून्यता दुनिया भर में खोजने पर भी नहीं मिलेगी।

इससे एक ही अर्थ निकलता है कि यह व्यवस्था बुद्धिजीवियों, संतों और राज करने वालों को मंजूर थी। यानी इस व्यवस्था को बनाने और उसे बनाये रखने में बुद्धिजीवियों और शासकों का हाथ है।

मनुष्य समाज में जबसे स्वामित्व, सत्ता का उदय हुआ, तबसे सत्ता और उसकी संरक्षक धर्मसत्ता (अर्थात् ब्राह्मण और शासक) अपने स्वार्थ की रक्षा के लिए अनेक तत्वों, प्रथाओं, रूढ़ियों, प्रतीकों और व्यवस्थाओं का निर्माण करते रहे हैं, और जन्मजात विषमता दृढ़ होती गयी है। जो लोग अस्पृश्य (अछूत) माने गये हैं, जिन्हें शूद्र-अस्पृश्य (शूद्रातिशूद्र) कहा गया है। मनुष्य के रूप में उनके अधिकारों को नकारा गया है। उनको अवसर, साधन और शिक्षा से वंचित रखा गया है।

जो स्पृश्य हैं, उनके लिए अवसर, साधन, शिक्षा और आत्मविकास का द्वार काफी खुला रखा गया है। इसलिए स्पृश्यों में से तो कोई गरीब अपने गुण और कृत्य के बूते पर आगे बढ़ सकता है, पर अस्पृश्यों में से, शूद्रों में से, गुणी और कर्मठ व्यक्ति भी आगे नहीं बढ़ सकता, क्योंकि धर्मदंड-सत्ता ने सभी क्षेत्रों में उसका प्रवेश निषिद्ध कर रखा है। इतना ही नहीं, पूजनीय माने गये ऋषियों-देवताओं ने पाप, पूर्व-कर्म, पूर्व-जन्म को खोज कर इस क्रूर विषमता के साथ ईश्वरीय न्याय-बुद्धि को भी जोड़ दिया है। पिछले जन्म के पाप-पुण्य के फलस्वरूप सुख-दुख, दीनता-दासता, नीच-ऊँच कुल में जन्म होता है। इसे बार-बार दोहरा कर वे अन्याय-अत्याचार करने वाले शासकों-शोषकों पर परदा डाल देते हैं और सर्वोच्च कर्ता के रूप में परमेश्वर को आगे ला खड़ा करते हैं।

जब सारा दुख, दैन्य, दासता परमेश्वर के दंड-विधान का ही प्रतिफल है, तो जागृति कैसे आयेगी? क्रोध किस लिए आयेगा? शोषक कैसे दिखेगा?

इसलिए, शत्रु है कहाँ? अत्याचारी तो दिखता ही नहीं। उसके विरुद्ध अपनी कर्मशूरता दिखाने का क्षेत्र ही नहीं है। और न ही है अपनी बुद्धि, शारीरिक शक्ति, ज्ञान के उपयोग के लिए अवसर-अधिकार। क्या ऐसे लोग सड़-गल नहीं जायेंगे? हम कौन हैं, किस हालत में हैं, इसका बोध कैसे होगा? जब बोध ही नहीं होगा, तो वे अपने अस्तित्व के लिए जूझेंगे कैसे?

धर्मदंड-सत्ता की परिकल्पना ही ऐसी रही है कि वे जूझें नहीं, विद्रोह न करें। अस्पृश्यों पर लादे गये बंधनों और वर्ण-व्यवस्था की अमरता से इसकी पुष्टि होती है।

आर्य-अनार्य के सत्ता-संघर्ष, बौद्ध-ब्राह्मण धर्म में सत्ता, सांस्कृतिक और वैचारिक स्तर पर हुए संघर्ष के फलस्वरूप हिंदू धर्म, वर्ण-व्यवस्था, अस्पृश्यता निर्मित हुई है। जिन देवताओं को हिंदू धर्म ने पूजनीय बना कर मंदिरों में बिठाया, उनमें से अनेक युद्धों में लड़े हैं। उनकी युद्धगाथाएँ पूजनीय ग्रंथों में शामिल हो गयी हैं। अनेक उत्सव-त्यौहार युद्ध में इन देवताओं की जय-पराजय से जुड़े हुए हैं। सत्ता-संघर्ष, जय-पराजय, विजेता का उदात्तीकरण और पराजित का राक्षसीकरण हिंदू समाज की संस्कृति और वाङमय की एक विशिष्टता है।

● ●

ये युद्ध युग विशेष में समाप्त हो गये थे। अत: युद्ध की मन:स्थिति को स्थायी रूप देने की कोई आवश्यकता नहीं थी। किसी-न-किसी को युद्ध की मन:स्थिति से हुई इस समाज-रचना को बदलना चाहिए था। जीत-हार पर आधारित इन संबंधों में परिवर्तन होना चाहिए था और प्रेम, करुणा, बंधुत्व को अमर कर आगे आना चाहिए था। पर हजारों वर्षो के इतिहास में इनको अमर कर आगे आने का अवसर नहीं मिला, इनको उभरने नहीं दिया गया।

स्पष्ट ही प्रत्येक सत्ता, प्रत्येक पंडित, कवि और दार्शनिक को यह अमानुषिकता मान्य थी। वह वर्ण-व्यवस्था को स्वीकार करता था। प्रत्यक्ष अनुभव के आधार पर अपने लेखन को 'दलित साहित्य' कहने वाले कलाकारों,-बुद्धिजीवियों को यह विदारक सत्य स्पष्ट रूप से दिखा है। उन्होंने स्पष्ट शब्दों में कहा कि हमारा हिंदू धर्म और उसकी साहित्य-परंपरा से कोई संबंध नहीं है।

'दलित साहित्य' वह लेखन है, जो वर्ण-व्यवस्था के विरोध में और उसके विपरीत मूल्यों के लिए संघर्षरत मनुष्य से प्रतिबद्ध है। वर्ण-व्यवस्था अर्थात द्वेष, शत्रुता, मत्सर, तिरस्कार की युद्ध-भावना। इसके विपरीत मूल्य अर्थात प्रेम, बंधुत्व, समता, भ्रातृभावपूर्ण शांति और समृद्धि। 'दलित' शब्द से अनेक प्रकार का बोध होता है, जैसे दुख-बोध, अपमान-बोध, दैन्य-दासत्व-बोध, जाति-वर्ग-बोध, विश्व-बंधुत्व-बोध और क्रांति-बोध।

एक अर्थ में आज के सामान्य मनुष्य के जीवन और शूद्र-अस्पृश्य के जीवन में दुख, दैन्य, अपमान की व्यथा-वेदना भर गयी है। इस दृष्टि से सामान्य मनुष्य, चाहे वह स्पृश्य हो या अस्पृश्य, एक ही धरातल पर आ गये हैं। किसी हद तक यह काम पूँजीवादी व्यवस्था ने किया है। परिवर्तन दोनों चाहते हैं। पर परिवर्तन करेगा कौन?

स्त्री, शूद्र-अस्पृश्यों को सिर्फ़ राजनीतिक परिवर्तन पर्याप्त नहीं दिखता। उदाहरण के लिए, बरतानवी राज गया और स्वराज आया— प्रजातंत्र आया। फिर भी अस्पृश्यता है। और है आर्थिक तथा मानसिक विषमता।

पुरानी सामंतवादी अर्थ-व्यवस्था कमजोर हो रही है और पूँजीवादी अर्थ-व्यवस्था प्रबल हो रही है। पाकिस्तान के साथ हुए युद्ध को जीत कर उसने अपना सामर्थ्य दिखला दिया है। फिर भी अस्पृश्यता है, विषमता है।

बरतानवी राज के समय से भारतीय पूँजीवाद का विकास हो रहा है, तब भी अस्पृश्यता, जातिभेद, धर्म-भेद कायम हैं। अलबत्ता, मध्ययुग में ये जितने उग्र थे, उतने नहीं, पर कायम तो हैं। इससे यही अर्थ निकलता है, अस्पृश्यता, जाति-भेद और धर्म-भेद को बनाये रखने से पूँजीवाद के विकास में कोई बाधा नहीं आती है। ऐसा नहीं है कि पूँजीवाद के विकास के साथ अस्पृश्यता का उन्मूलन हो जायेगा, विषमता समाप्त हो जायेगी। अमेरिका में पूँजीवाद का विकास पराकाष्ठा तक पहुँचा, तो भी वहाँ काले लोगों की स्थिति दोयम है। इस दोयम स्थिति को नष्ट करने के लिए गोरों ने गोरों के विरुद्ध एक युद्ध तक लड़ा है। और आज भी कई गोरे कालों के साथ हैं। यहाँ गाँधीजी और कुछ

गाँधीवादियों को अपवाद के रूप में छोड़ दें, तो दूसरों को तो इस समस्या की जानकारी भी नहीं है।

● ●

प्रजातंत्र मनुष्य को उसका अधिकार और स्वातंत्र्य देता है। भारतीय गणराज्य ने अस्पृश्यता को अस्वीकार कर वर्ण-व्यवस्था को नकारा है और शूद्र-अस्पृश्यों को सभी मानवीय अधिकार दिये हैं। पर भारत में जैसे प्रजातंत्र है, वैसे ही वर्ण-व्यवस्था भी है। प्रजातंत्र अधर बीच में, समाचार पत्रों और विद्वानों के मंचों पर व्यक्त होता है। परंतु वर्ण-व्यवस्था मन-ही-मन में, हर क्षण प्रकट होती है। सच कहें, तो दोनों व्यवस्थाएँ एक साथ रह नहीं सकतीं, वे परस्पर विरोधी हैं, किंतु भारत में तो चमत्कार दिखता है। इतना ही नहीं, अस्पृश्यता को नकारने वाली भीम-स्मृति (आंबेडकरवाद) और अस्पृश्यता का पालन करने वाली मनुस्मृति, ये दोनों ही स्मृतियाँ एक ही सभागृह में और एक ही घर में साथ-साथ राज करती हैं। यानी देश एक ही समय में दो स्मृतियों, दो सत्ताओं और दो जीवन-पद्धतियों में जीता है।

स्पृश्य और अस्पृश्य दोनों ही तरह के सामान्य जन को एकजुट हो कर देश को लोकशाही और भीम-स्मृति (आंबेडकरवाद) के अंतर्गत लोकशाही समाजवाद की ओर लें जाना चाहिए।

सामान्य मनुष्य की ओर से सबसे बड़ा आघात करने वाली शक्ति है शहरी कामगारों और बुद्धिजीवियों की। परंतु कामगारों और बुद्धिजीवियों ने अपना यह स्वाभाविक कर्त्तव्य निभाया नहीं।

यह सच है कि आंबेडकर-आंदोलन में भाग लेने वाले अस्पृश्य कामगारों ने अस्पृश्यता-निवारण के आंदोलन में काफी बड़ा काम किया है। लेकिन इस संघर्ष में स्पृश्य कामगारों और बुद्धिजीवियों ने उनका साथ नहीं दिया। संयुक्त महाराष्ट्र का आंदोलन इसका अपवाद रहा है। परंतु वह वातावरण स्थायी नहीं बन सका। शासक दल और वामपंथी और दक्षिणपंथी विरोधी दलों ने इस वातावरण को बनाये रखने में मदद नहीं की। इसका अर्थ यह हुआ कि प्रहारक कामगार वर्ग में से स्पृश्य कामगार और बुद्धिजीवी वर्ण-व्यवस्था तथा मनुस्मृति के पूर्ण विरोधी नहीं बने अर्थात वे तानाशाही के प्रबल विरोधी बनकर सामने नहीं आये। दूसरे शब्दों में, यदि देश में तानाशाही आयी तो वह युगों-युगों से स्थापित और वर्ण-व्यवस्था के निर्माता उच्चवर्णीय लोगों द्वारा ही आयेगी। उच्चवर्णीय लोगों और स्पृश्य सामान्य जनता को अभी भी इतिहास और अतीत गौरवमय लगता है।

अतीत में जिन लोगों को कभी समाज का शीर्ष स्थान नहीं मिला और जिनकी इतिहास में कोई छोटी-मोटी भूमिका तक नहीं रही, उन्हें उसके प्रति ममत्व कैसे होगा? उसके लिए तो उनके मन में शत्रुत्व ही है। उनके लिए तो जो कुछ है, वह वर्तमान है। वर्तमान, जिसमें लोकतांत्रिक समाजवाद की संभावनाएँ निहित हैं। वर्तमान, जिसने सामान्य

जनता को संघर्ष के शस्त्र-अस्त्र दिये हैं। जिसने निर्माण और क्रांति का विज्ञान दिया है, समाज बदलने में समर्थ नयी उत्पादन-प्रणाली दी है और दिया है भविष्य में भ्रातृभावपूर्ण, संपन्न, सुखी जीवन का आशावाद! वर्तमान से अपार प्रेम करने वाला और भविष्य के निर्माण के लिए प्राणपन से जूझने वाला, भारत का सबसे प्रभावी वर्ग सिर्फ़ दलितों का है।

अतः दलित साहित्य ने उन बहिष्कृत लोगों को अपना नायक बनाया है, जिन्हें संपूर्ण वर्ण-व्यवस्था ने अमंगल और अपवित्र माना, पूर्वजन्म का अपराधी कह कर जिनकी निंदा की गयी, सभी स्मृतिकारों ने जिनके साथ शत्रुत्व बरता और जिन्हें कभी साहित्य में नायक या उपनायक का स्थान नहीं मिला। दलित साहित्य ने इन्हीं बहिष्कृतों को अपने विचार-रचना का केंद्र बिंदु बनाया है। क्योंकि सम्यक परिवर्तन इनका स्वाभाविक कार्य है।

सम्यक परिवर्तन अर्थात दलितों को अपने साहित्य में नायकत्व दे कर दलित साहित्य ने बहुत कुछ हासिल किया है। उदाहरण के लिए—

- उसने प्राचीन पारंपरिक नायक-नायिका को नकारा है। उनके साथ ही दलित साहित्य ने इस नायकत्व को गरिमा देने वाले सांस्कृतिक, नैतिक, पारंपरिक और साहित्यिक आदर्शों-संदर्भों को भी अस्वीकार कर दिया है।
- पौराणिकता को अमान्य किया है।
- वर्ण-व्यवस्था और उसके साथ जुड़ी हुई सत्ता-स्पर्धा, शत्रुत्व को नकारा है।
- प्राचीन काल से जिन्हें खलनायक और राक्षस कहा गया है, उनके खलनायकत्व और राक्षसत्व को भी दलित साहित्य ने नकारा है। उसने उन पूजनीय समझे गये वीरों को भी अस्वीकार कर दिया है, जिनकी अलग-अलग युगों में गाथा गायी गयी है।

हमारा यह नकार कुछ लोगों को भारतीयता का नकार भी लग सकता है। हम लोग वर्ण-व्यवस्था और मनुस्मृति को मानने वाले भारत के नागरिक नहीं हैं। हम स्त्रियों और शूद्र-अस्पृश्यों को समान दर्जा देने वाले और इन्हें समाजवाद की ओर ले जाने वाले भारत के नागरिक हैं।

भारतीय विचार, समाज और साहित्य-परंपरा वर्ण-व्यवस्था से संबद्ध है। इस परंपरा को दलित साहित्य पूर्णतया नकारता है। वह स्वतः को ज्ञान-विज्ञान और विश्व-साहित्य की उस मानववादी क्रांतिदर्शी परंपरा से जोड़ता है, जिसमें मानव-स्वातंत्र्य के मूल्य पोषित पल्लवित हुए हैं। वर्ण-व्यवस्था को मानने वाला भारतीय और मातृभाषा भाषी व्यक्ति हमारा कुछ नहीं लगता पर मनुष्य के लिए संघर्ष करने वाला, मनुष्य को महानता देने वाला व्यक्ति, चाहे वह अभारतीय भी हो, तो भी वह हमारा अपना है। कारण, हमारे लेखन का उद्देश्य ही मनुष्य की मुक्ति और महानता है।

दलित साहित्य में भाषिक, प्रांतीय, राष्ट्रीय दुराभिमान नहीं है। दलित साहित्य तो मनुष्य को सर्वोपरि मानता है। अतः मनुष्य की महानता के लिए जो कुछ भी अच्छा हो

रहा है, वह सब कुछ दलित साहित्य का है।

पृथ्वी पर जो कुछ है, उसके निर्माण में जितना योग निसर्ग का है, उतना ही मनुष्य का अपना भी। देश को देशत्व मनुष्य से मिलता है। संपूर्ण विश्व का नामकरण मनुष्य ने ही किया है। वर्ण, जाति, देव, धर्म और देश तो परिकल्पनाएँ हैं, जिनको नकारा जा सकता है, परंतु मनुष्य को नकारा नहीं जा सकता। निराकार और अवास्तव को साकार रूप मिलता है उसके मानवीकरण से। तभी वह सत्य का रूप लेता है और प्रिय बनता है। इसीलिए सभी धर्मों में ईश्वर मनुष्य जितना और मनुष्य समान ही हैं। मानवीय प्रतिमान के बिना उसे पहचाना भी नहीं जा सकता।

इसलिए सभी कला-साहित्य का नायक मनुष्य है। मनुष्य कभी दलित नहीं होता। उसे हिंदू धर्म शूद्र-अस्पृश्य कह कर संबोधित करे, तो भी वह छः विकारों, वासना-भावना, अनेकानेक ऋतुओं, प्रातः-संध्या और रात्रि का साक्षात्कार हर क्षण देता है। कभी तो वह वर्षा ऋतु जैसा होता है, कभी ग्रीष्म ऋतु जैसा और कभी शरत ऋतु जैसा। मनुष्य अर्थात सजीव, सुंदर, साकार निसर्ग। वह जिसका नायक होता है, वह लेखक वर्णातीत, धर्मातीत और देशातीत यानी विश्वात्मक होता है।

कला-साहित्य को यह विश्वात्मकता शब्दों से नहीं प्राप्त होती। शब्द तो रूढ़ संकेत और संस्कृतिबद्ध होते हैं। परंतु साहित्य के केंद्र में स्थित मनुष्य असीम होता है। मनुष्य को यह असीमता उसके नश्वर समझे जाने वाले शरीर से मिलती है। सभी धर्मों में स्वर्गधाती कहे गये इस नश्वर शरीर के वासना-विकार ही उसे विश्वात्मकता देते हैं। मानवीय देह में वंश, वर्ण, देश, धर्म की कृत्रिम सीमाओं के पार जाने की सहज क्षमता होती है।

इस मानवीय देह और इसके वासना-विकार, भावना-बुद्धि पर जब कभी भी धर्म-संस्कृति का संस्कार हुआ है तब-तब ही इसका विश्वात्मक चरित्र भी सीमाबद्ध हुआ है। मनुष्य पर देश, धर्म, संस्कृति का बंधन आया है, अर्थात् जैसी धर्म-संस्कृति, वैसा ही मनुष्य। वैसा ही हो जाता है उसका सुख-दुख, जन्म-मरण भी। साहित्य में भी उसकी वैसी ही अभिव्यक्ति होती है।

भारत में वर्ण-अधिष्ठित हिंदू धर्म सबसे बड़ा और प्राचीन धर्म है। अनामवादी, अनीश्वरवादी और बुद्धि-प्रामाण्यवादी बौद्ध धर्म का लोप हो जाने के परिणाम स्वरूप भारतीय संस्कृति और जन-मानस पर हिंदू धर्म का सर्वाधिक प्रभाव है। भारत की बहुसंख्यक जनता उसकी अनुयायी है। वह आत्मा, परमात्मा, ब्रह्म-माया, कर्म-पुनर्जन्म, पाप-पुण्य, देवता, अवतार आदि धारणाओं, पोथी-पुराणों को मानती है। वह जाति में ही जीवित है। भारत में अहिंदुओं की तुलना में हिंदुओं का प्रबल बाहुल्य है। इतना अधिक कि अहिंदुओं की प्रार्थना-पूजा और देवताओं के नाम जुदा रहने पर भी उनकी मानसिकता हिंदुओं की ही रहती है। अतः भारतीय साहित्य पूरी तरह से हिंदू साहित्य है।

संस्कृत और प्राकृत साहित्य पर ध्यान दें, तो हम यह कह सकते हैं कि जो सत्ताधारी नहीं थे और जिन्हें वरिष्ट वर्गों में मान्य नहीं किया गया था, उनमें से कोई भी नायक-उपनायक नहीं बन सका। मनुष्य के रूप में उनका जीवन कथा की विषय-सामग्री रहते हुए भी यह हिंदू लेखकों को आकृष्ट नहीं कर सका। अर्थात लेखक-कवि की अपनी स्वतंत्र सत्ता नहीं रही। उनका लेखन धर्मदंड-सत्ता से प्रतिबद्ध था। वह ब्राह्मणों तथा शासकों के हित-साधन के लिए किया गया लेखन था। उनका श्रेष्ठत्व साबित करना ही उसका उद्देश्य था। इसलिए इन दोनों सत्ताधारी वर्गों को देवत्व, परमेश्वरत्व देता हुआ भारतीय ललित तथा धार्मिक साहित्य संख्यात्मक दृष्टि से बढ़ता गया। इन दोनों वर्णों के सिवा अन्य कोई वर्ण, अलग विचार-प्रणाली ललित और धार्मिक साहित्य में व्यक्त ही नहीं हुई, वर्ण-व्यवस्था ध्वस्त न होने के कारण और संपत्ति, सत्ता तथा स्वामित्व इन दोनों वर्गों के पास सदैव बना रहने के फलस्वरूप सारा धार्मिक-ललित लेखन इनसे बंधा रहा है।

इस्लामी आक्रमण भारत पर होने लगे। इस्लामी सत्ता की विजय और हिंदू सत्ता की पराजय के संक्रमण काल में संत साहित्य लिखा जाने लगा। एक के बाद एक संत कवि समाज के विभिन्न स्तरों से उभर कर सामने आने लगे। जब हिंदू धर्म और शासन-सत्ता स्वस्थ तथा स्थिर थी, तब समाज के विभिन्न स्तरों, शूद्र-अस्पृश्यों में से संत और कवियों के आने की गुंजाइश ही कहाँ थी? इस्लामी आक्रमण से हिंदू धर्मदंड-सत्ता का दमन-यंत्र प्रभावहीन हो जाने के कारण ही यह चमत्कार संभव हुआ। समाज, अल्पकाल के लिए, सृजनशील हो सका।

बाद में जब इस्लामी सत्ता स्थिर हो गयी, तो हिंदू सत्ता भी उसकी छत्रछाया में अथवा स्वतंत्र रूप से स्थिर हो गयी। परिणामस्वरूप, हिंदू धर्मदंड-सत्ता का दमन-यंत्र संहार-सिद्ध हो गया। ब्रिटिश सत्ता के आने तक शूद्र-अस्पृश्यों में से कोई प्रतिभावान नहीं पनपा।

देखा जाये तो बुद्धकाल में जन्मे संत साहित्य पर बुद्ध का कोई प्रभाव नहीं था। वह पूर्ण रूप से वर्ण-व्यवस्था और उसके अंतर्गत रचित धार्मिक तथा ललित साहित्य से जुड़ा हुआ था। इस साहित्य ने रूढ़ धारणाओं,.सिद्धांतों, नायकत्व, देवताओं, आदर्शों और शोषण का समर्थन करने वाले तत्वों को जनता की भाषा में अधिक प्रभावी रूप से प्रचारित किया। इससे शोषण-व्यवस्था, वर्ण-व्यवस्था और भी पुख्ता हो गयी।

इनकी भक्ति से धार्मिक एवं सामाजिक समता स्थापित न हो सकी। दंभ के विरुद्ध उनकी टीका आदर्श बन कर पौराणिकता से आगे नहीं जा सकी। भक्तिमार्ग का सर्वत्र प्रचार हुआ, पर भक्तों की जातिवार टोलियाँ जाति तक ही सीमित रहीं। सच कहें तो इन दोनों सत्ताओं के दीर्घ संघर्ष-काल में रचे गये ललित साहित्य का रूप थोड़ा-बहुत अलग

होना चाहिए था। इस्लाम धर्म के कई सिद्धांतों, विचारों, हिंदू-मुसलमान समाजों के सत्ता संपर्क, मुसलमान सत्ताधारियों के साथ यहाँ के राजघरानों के शादी-ब्याह आदि से नये लेखन के लिए बहुत कुछ मिल सकता था। कम-से-कम कई हिंदू-मुसलमान युवक-युवतियों के प्रेम-प्रसंगों, हिंदू से मुसलमान बने किसी चंड-प्रचंड सामंत के जीवन पर भी काव्य लिखा जाना चाहिए था। लेकिन ऐसा कुछ भी नहीं हुआ। हुआ तो सिर्फ़ पुराने संस्कृत, प्राकृत साहित्य का पुनरुच्चार तथा अनुवाद।

● ●

अंग्रेज़ आये और हिंदू-मुसलमान दोनों सत्ताओं का पूर्ण पराभव कर भारत के शासक बने। उनका ज्ञान-विज्ञान आया। कानून का शासन स्थापित हुआ। उनकी भाषा के माध्यम से यूरोप-अमेरिका के नव जागरण का संदेश भी यहाँ आया। विषय, आशय और स्वरूप की दृष्टि से नये ललित साहित्य का अध्ययन आरंभ हुआ आधुनिक साहित्य का सृजन होने लगा। समाज और साहित्य अध्यात्मिक, धार्मिक प्रश्नों के बजाय सामाजिक प्रश्नों पर विचार करने लगे। इनकी परिधि समाज के अग्रगणों की कौटुंबिक समस्याओं तक ही सीमित रही। कुटुंब में सीमित स्त्री सैकड़ों वर्ष बाद साहित्य की विषयवस्तु बनी। बाल-विधवा, बाल-विवाहिता, नव विवाहिता आदि नारी-रूप संयुक्त परिवार में कुचली जाने वाली स्त्री के रूप में साहित्य में आने लगे।

उत्पीड़ित स्त्री के साहित्य में आ जाने के बाद शूद्र अस्पृश्य को वाङ्मय का विषयवस्तु बनाने में कहीं कोई बाधा नहीं रह गयी थी। एक बड़ी शक्ति सामाजिक आंदोलन के पीछे खड़ी हुई थी। अब कोई शासक स्त्री को साहित्य में चित्रण करने, शूद्रों का विचार करने तक उनके निरुपाय जीवन का चित्रण करने के लिए शंबूक के शिरच्छेद की घटना नहीं दोहरा सकता था। यह बड़ी शक्ति थी उदारवाद की। शूद्र-अस्पृश्यों के नेता महात्मा ज्योतिराव फुले थे। शूद्रों को नये उद्योग-धंधे उपलब्ध हो जाने से ब्राह्मणों के मुंह बंद हो चुके थे। सरकार जाति-भेद की समर्थक नहीं रह गयी थी। इतनी अनुकूलता होने पर भी स्त्रियों के साथ शूद्र साहित्य में स्थान नहीं पा सके, क्यों? साम्राज्य के गोरे लेखक को अपने यहाँ के गोरे शूद्र तो दिखते थे, वे उनके दुख-दैन्य को महसूस करते थे पर उनके उपनिवेशों में रहने वाले अश्वेत लेखकों को अपने स्वयं के गाँव के शूद्र-अस्पृश्य क्यों नहीं दिखे? क्या ये लेखक कलावादी-सौंदर्यवादी थे? क्या वे नव जागरण नहीं लाना चाहते थे? क्या उनमें अंग्रेज़ और फ्रेंच लेखक की तरह दुख-दैन्य, दास्य पर लिखने की सामर्थ्य नहीं थी।

वे असमर्थ थे, यह नहीं कहा जा सकता। वे सामाजिक सुधारों के भी समर्थक थे और नव जागरण के प्रतिपादक भी। इसीलिए तो उन्होंने हिंदू कुटुंब में पिस रही स्त्री की व्यथा साहित्य में व्यक्त की। लेकिन महात्मा ज्योतिराव फुले तथा ईसाई मिशनरी जिन शूद्रों

को देख सकते थे उन्हें ये लेखक नहीं देख पाये। कारण— उनके संस्कार उनके मन की सीमाएँ।

ईसाई मिशनरियों, बुद्धिजीवियों, कलाकारों की दृष्टि शूद्रों की ओर गयी, तो उसका कारण ईसाई मानसिकता थी। ईसाई धर्म के प्रवर्तक ईसा मसीह ने दीन-गरीबों को गले लगाया था। वह भी पाप की धारणा स्वीकार करते थे, परंतु उनके पास प्रेम और करुणा की संपत्ति भी थी। लोकशाही के बीजतत्व इस प्रेम और करुणा में निहित थे। प्रेम, करुणा और क्रोध से ही क्राँतिकारिता उदित होती है।

ईसाई लेखकों की तरह हिंदू लेखकों की दृष्टि शूद्र-अस्पृश्य तक क्यों नहीं पहुँची? कारण स्पष्ट है— सैकड़ों वर्षों तक शूद्र-अस्पृश्य परमेश्वर समझे जाने वाले तथा अपौरुषेय ग्रंथों की दृष्टि से भी वंचित रहे थे। अनेक अवतार हुए। अनेकानेक संत आये। परंतु इनमें से किसी की भी दृष्टि स्त्रियों तथा शूद्र-अस्पृश्यों के असहाय जीवन पर नहीं पड़ी, बल्कि इन सभी की दीन-दुखियों से जबरदस्त शत्रुता थी। जब देव, संत, धर्म पग-पग पर शूद्रों-अस्पृश्यों के लिए तुच्छता, शत्रुता प्रकट करेंगे, तो हिंदू पौराणिकता के संस्कार शूद्रों को अपना स्थान कैसे लेने देंगे?

हिंदू धर्म में करुणा, प्रेम, भ्रातृभाव के लिए स्थान न होने के कारण शूद्र-अस्पृश्यों का समाज और साहित्य में स्थान नहीं रहा। परंतु यदि भगवान बुद्ध के धर्म की लोक-मानसिकता के निर्माण में प्रभावी भूमिका रहती, तो भारतीय पौराणिकता में प्रेम, करुणा, भ्रातृभाव की परंपरा भी होती। और तब साहित्य में गरीब, दुर्बल, शूद्र-अस्पृश्य का भी स्थान रहता। उदाहरण के लिए, जातक कथाओं, थेर-थेरी गाथाओं को लिया जा सकता है, जिनमें उपेक्षितों का उल्लेख हुआ है।

परंतु अब तो राजपाट हिंदू धर्म का रह नहीं गया था। यह अंग्रेज़ों के हाथों में था। वे धर्म से ईसाई थे और प्रजातंत्र में उनकी आस्था थी। अत: शूद्र-अस्पृश्यों के बारे में लिखने, महात्मा ज्योतिराव फुले के विचारों की अभिव्यक्ति में अब कोई अड़चन नहीं रह गयी थी। कर्म क्या है? पूर्व-कर्म का अर्थ क्या है? पाप-पुण्य किसे कहते हैं? आत्मा, पवित्रता, माँगल्य का अर्थ क्या है? इसे अब वे बता सकते थे। वे दिखा सकते थे कि अस्पृश्यता के पीछे किस तरह की शत्रुता और शोषण छिपा है। वे प्रमाणित कर सकते थे कि स्त्री-पुरुष के समागम से जन्म लेने वाले एक व्यक्ति को श्रेष्ठ और दूसरे को कनिष्ठ मानने की परंपरा किस तरह खोटी और जाली है। महात्मा ज्योतिराव फुले ने यह सब करके दिखाया। किंतु उनके कार्य, उनके विचारों को किसी ने भी आगे नहीं बढ़ाया।

हमारे बुद्धिजीवियों की वर्ण तथा स्थापित व्यवस्था के प्रति प्रतिबद्धता का यह एक सबूत है। डॉ. बाबासाहेब आंबेडकर ने ठीक ही पूछा है कि 'ब्राह्मणों की इतनी दीर्घ ज्ञान-परंपरा रहते हुए भी वे एक भी वॉल्तेयर क्यों नहीं दे पाये?'

वॉल्तेयर बनने के लिए धर्मसत्ता-दंडसत्ता के विरुद्ध खड़ा करना पड़ता है। यह

ब्राह्मणों के लिए संभव नहीं था। हिंदू धर्म के अंतर्गत उनको श्रेष्ठता, सुअवसर, साधन और एक अद्वितीय स्थान जन्मना रूप से मिला हुआ था। उनके लिए हिंदू धर्म के विरुद्ध जाने का अर्थ होता अपने अस्तित्व, अपने श्रेष्ठत्व को नष्ट करना। अपना स्वयं का यह विनाश कौन करना चाहेगा? हमारे अधिकांश लेखन के मनुस्मृति की कोटि में आने का भी यही कारण है। हमारे बुद्धिजीवियों के लिए वर्ण-व्यवस्था के विरुद्ध जाना संभव ही नहीं था। वर्ण-व्यवस्था का जाप करना, उसका उदात्तीकरण करना, अधिक सुखकर था।

जब कभी भी वर्णव्यवस्था के लिए कोई चुनौती आती थी, तभी हमारे बुद्धिजीवियों को अपना इतिहास-पुराण, प्राचीन काल याद आने लगता था। तब ऐतिहासिक, पौराणिक नाटकों, उपन्यासों, काव्यों का थोक सृजन शुरू हो जाता था। राष्ट्रीय नव जागरण के प्रभात काल में भी यही हुआ। सभी क्षेत्रों में अंग्रेज सत्ता की श्रेष्ठता, उनके ज्ञान-विज्ञान की श्रेष्ठता को जैसे-जैसे सारा समाज मान्य करने लगा, हिंदू धर्म और उसके ज्ञान की समीक्षा होने लगी, अनेक सामाजिक आंदोलनों का जन्म होने लगा, स्त्रियों-शूद्रों के प्रश्नों को लेकर महात्मा ज्योतिराव फुले हिंदू धर्म और वर्ण-व्यवस्था को ललकारने लगे, समाज के सभी स्तरों में जागृति आने लगी और शासन इस सबको बर्दाश्त करने लगा और ब्राह्मण बुद्धिजीवियों को अपना अस्तित्व बनाये रखने की तीव्र आवश्यकता अनुभव होने लगी। उन्होंने सारे सामाजिक आन्दोलन के विरुद्ध एक आक्रामक अभियान छेड़ दिया। वे जिस युग में सर्वश्रेष्ठ थे, वीर थे, नेता थे, समाज के शीर्ष स्थान पर आसीन थे, उस काल को काव्य, नाटक, उपन्यास के रूप में समाज के सामने चित्रित करने लगे। अतीत की गाथा को, पूर्वज-पूजा को उन्होंने राष्ट्रीय नव जागरण का रंग दे दिया।

● ●

सच कहा जाये तो अतीत काल सामान्य जन की दृष्टि से एक भयानक युग था। उस युग में सामान्य जन की स्थिति बेगारी-गुलामी करने वाले, हाड़तोड़ मेहनत करने वाले की थी। वह बेमतलब रौंदा जाता था, वह राज्य-विस्तार और लूट के लिए आगाजनी का दौर था, कत्ल और आक्रमणों का काल था। संहार को तब पराक्रम कह कर पूजा जाता था। धर्म, जाति के नाम पर कोई भी व्यक्ति पूजनीय बन जाता था। वस्तुतः वह सामंतशाही युग था। उस युग को सामान्य जन, शूद्र-अस्पृश्य के लिए अपना युग समझना संभव ही नहीं था! इस सामान्य जन, देश के बहुसंख्यक जन के प्रश्नों पर नयी उभरती हुई संस्कृति के संदर्भ में विचार का सूत्रपात महात्मा ज्योतिराव फुले ने किया था। इसे आगे बढ़ाने के लिए सभी सामाजिक वर्गों के लोगों में एकजुट लोकशाही के विचार और भावना भरने की ज़रूरत थी। परंतु ऐसा कुछ भी नहीं हुआ। 'शेरनी का दूध पीने वाले शेर बच्चे' बुद्धिजीवी एक हो कर नयी उभरती हुई संस्कृति पर धुंआधार प्रहार करने लगे। वे इतिहास-पुराणों का उदात्तीकरण करने लगे। वर्तमान, भविष्य की नयी संस्कृति को उन्होंने अपना शत्रु घोषित

किया। उन्होंने वर्ण-व्यवस्था पर आघात करने वाले, बुद्धि-प्रामाण्यवाद में विश्वास रखने वाले, नयी राष्ट्रीय अर्थ-रचना पर विचार करने वाले ज्योतिराव फुले, आगरकर, गोखले, रानडे तथा उनकी सहायता करने वाले अंग्रेज़ी शासन को अपना शत्रु कहा। शत्रु पर आक्रमण करने के लिए उन्होंने इस नयी संस्कृति के लिए उद्यम करने वालों पर हमला किया। उनको विदेशी सत्ता का पिट्ठू कहा गया। कारण, आधुनिकता की विजय का अर्थ था सामंतशाही संस्कृति की पराजय, वर्ण-व्यवस्था का पराभव और अंततः लोकशाही की विजय। राष्ट्रीयता को निमित्त बना कर उन्होंने इन सब पर प्रहार किया। विभिन्न सामाजिक वर्गों के लोगों में परस्पर शत्रुता भड़कायी गयी। मुसलमानों को खलनायक बना दिया। हिंदू-मुस्लिम जनता को दो धड़ों में बाँट दिया और अनेक स्तरों पर व्यक्त हो रही प्रजातांत्रिक चेतना को कुचल दिया। वे इस संघर्ष में सफल रहे, समाज-सुधारकों को अंग्रेज़ों का पिट्ठू घोषित करने में मिली इस सफलता के जो अनेक कारण हैं, उनमें वर्ण-व्यवस्था और स्पृश्य-अस्पृश्य भेद भी एक बड़ा कारण है।

स्पृश्यता से वर्ग-चेतना नष्ट होती है। वह स्पृश्य गरीब और स्पृश्य श्रीमंत को तो एक करती है, परंतु स्पृश्य गरीब और अस्पृश्य गरीब को विभक्त करती है।

स्पृश्य अर्थात वह जिसे धर्म ने अवसर, साधन, सहूलियतें, विशेषाधिकार दिये हैं। अस्पृश्य अर्थात वह जिसे इन सब से वंचित रखा गया है। स्पृश्यता पुण्य, भाग्य, देवता, धर्म की धारणाओं को सजीव रखती है, उनका पोषण करती है। जो उच्च स्थान पर है, वह अपने प्रारब्ध, पूर्व-पुण्यों के प्रताप, भाग्य के कारण वहाँ तक पहुँचा है। इसलिये प्रत्येक दरिद्र को अपना वर्ग बदलने की आशा बंधती है। अस्पृश्यता हरेक नव अंकुर, महत्त्वाकांक्षा, स्वप्न को नष्ट कर देती है। अपने लिए कोई स्थान ही नहीं है, इसे वह भिन्न-भिन्न प्रकार से समझा कर अदृश्य रूप से भयंकर संहार करती है।

जनता की एकता स्थापित करने के लिए यानी मनुष्य को इस संहारलीला से मुक्त कराने के लिए हुआ वैचारिक आंदोलन ही सही अर्थों में राष्ट्रीय उत्थान का आंदोलन हो सकता था। असल में यह कार्य राष्ट्रीय आंदोलन और उसका नेतृत्व करने वाले बुद्धिजीवियों को करना चाहिए था। परंतु उन्होंने यह किया नहीं। वर्ण-व्यवस्था से प्रतिबद्ध हमारा बुद्धिजीवी वर्ग यह करता भी कैसे?

लेकिन यूरोप में ऐसी बात नहीं रही। नये विचार, नये उत्पादन-साधन, नया तत्व-ज्ञान लेकर वहाँ के बुद्धिजीवियों ने स्थापित हितों के साथ सतत संघर्ष किया है। अपने विचारों, अपनी खोजों को स्थापित करने के लिए वे जनता के साथ रहे हैं। इसके लिए उन्होंने मृत्यु का सामना किया है। इन दो भौगोलिक इकाइयों, दो संस्कृतियों, दो धर्मों में यह अंतर क्यों हैं? इसका उत्तर यही है कि यूरोप के बुद्धिजीवी यहाँ की तरह जाति के बूते पर नहीं टिके थे वे अपनी-अपनी ज्ञान-उपासना के बल पर बुद्धिजीवी थे इसके विपरीत यहाँ की वर्ण-व्यवस्था ने यहाँ के बुद्धिजीवियों (ब्राह्मणों) को समाज में एकदम

वरिष्ठ स्थान पर आसीन कर रखा है। उस व्यवस्था को बनाये रखने में उनका हित है। आर्थिक दृष्टि से वे कितने ही कनिष्ठ रहे। पर उनको पुरानी व्यवस्था को नष्ट करने के लिए उतनी तीव्र आवश्यकता महसूस नहीं होती, जितनी ज्योतिबा फुले, डॉ. बाबा साहेब आंबेडकर को हुई। कारण, ये बुद्धिजीवी अत्यंत प्रारंभ से ही अपने उच्च स्थान पर आसीन है। उनके पूर्वज पूजनीय हैं, ईश्वर-तुल्य हैं। पोथी-पुराण में वे आराध्य देव कहे गये हैं। शासक रहने का यह इतिहास भी निकट अतीत का ही था। अंग्रेज़ों की सत्ता जाने पर फिर से सत्ता में आने की संभावना वे साक्षात् रूप से देख रहे थे। इस मानसिक अवस्था में ही उन्होंने साहित्य रचना की। स्वाभाविक ही उस साहित्य में पूर्वज-पूजा, अतीत-प्रेम, अहंकार और दूसरों के प्रति द्वेष का आधिक्य रहा। उस साहित्य में इकसुरापन भी बहुत रहा, क्योंकि रचनाकारों के संस्कार और इसीलिए, उनके अनुभवों का संसार भी वर्ण-व्यवस्था की चौखट में कैद था।

● ●

जिन दिनों यहाँ के बुद्धिजीवियों के लिए आंबेडकर के दलित आंदोलन का आकलन करना, उस पर सहानुभूतिपूर्वक विचार करना संभव नहीं था, उन्हीं दिनों आंबेडकरवादी अस्पृश्यों का आंदोलन तेजी से उभरा '...अस्पृश्यता का आंदोलन वर्ग-कलह का आंदोलन है'.... जिसे अस्पृश्यता मान्य है, वह धर्म नहीं है— और हो भी, तो वह हमारा धर्म नहीं है'.... 'देवता, धर्म, देश की अपेक्षा मनुष्य बड़ा है।' इस तरह की घोषणा के साथ दलितों का आंदोलन मंदिरों, पनघटों, देवताओं, धर्म, गाँवों को चुनौती देता हुआ उठ खड़ा हुआ। शासन-सत्ता हिंदू धर्म के हाथों में न होने के कारण वह कुचला नहीं जा सका।

हिंदू-मुसलमानों की दोहरी संधि नहीं थी। कामगार वर्ग का आंदोलन गाँधीवादियों के हाथों में नहीं था। ब्राह्मणेतर आंदोलन कांग्रेस के बाहर था। और आंबेडकरवादी आंदोलन कांग्रेस के वर्गीय और वर्णीय स्वरूप के कारण उसके साथ सहयोग करने को तैयार नहीं था। जिन लोगो ने कांग्रेस की ओर से होने वाली सामाजिक परिषद् को कुचल दिया था, वे ही लोग कांग्रेस के नेता बने हुए थे तब तक लोकतांत्रिक समाजवाद के ध्येय को कांग्रेस ने स्वीकार नहीं किया था। और डॉ बाबासाहेब आंबेडकर को कांग्रेसी नेताओं के स्थापित वर्ग तथा ब्रिटिश सरकार के संघर्ष में से दलित जनता का हित साधना था।

दो संघर्षशील राजनीतिक शक्तियों के बाहर खड़े रहकर डॉ. बाबासाहेब आंबेडकर जकड़ कर रखी गयी दलित जनता के बंधन तोड़ रहे थे। संघर्ष कर रहे थे। उधर समाचारपत्रों, नेताओं, साहित्यिकों का डॉ. बाबासाहेब आंबेडकर के विरुद्ध जबरदस्त प्रचार चल रहा था। जिस तरह ज्योतिबा फुले के विचारों की घेरेबंदी की गयी थी, वैसे ही बाबासाहेब और उनके सामाजिक क्रांति के आंदोलन की घेरेबंदी की जा रही थी। दलित

आंदोलन को बिना शर्त-शिकायत के कांग्रेस आंदोलन में शामिल करने के लिए सभी स्तरों पर प्रयत्न चल रहे थे। इन विचारों की प्रतिध्वनि साहित्य में भी उभरने लगी थी। इन्हीं दिनों सैकड़ों वर्षों बाद भारतीय साहित्य में शूद्र-अस्पृश्य को नायक-उपनायक के रूप में प्रवेश मिला। परंतु वे ज्योतिबा फुले अथवा डॉ. आंबेडकर के विचारों के प्रतिनिधि न होकर हिंदुत्ववाद अर्थात् गाँधीवादी या सावरकरवादी विचारों के प्रतिपादक थे। इस धारा के अंतर्गत प्रायः ब्राह्मण अथवा उसके अनुरूप कुल के किसी नायक-उपनायक, नायिका-उपनायिका का किसी अस्पृश्य के घर में पालन-पोषण चित्रित किया जाता था। या फिर अस्पृश्य बालक-बालिका के ब्राह्मण या तत्सम घर में पालन का चित्रण होता था। बाद में इन्हें किसी-न-किसी तरह अपनी स्थिति का भान करा दिया जाता था।

इस तरह के कथानक आने का एक कारण जहाँ प्रत्यक्ष अनुभव का अभाव था, वहाँ दूसरा महत्त्वपूर्ण कारण यह भी रहा कि गाँधीवादी अथवा सावरकरवादी लेखकों ने हिंदुत्व को कभी नहीं नकारा। उनका विचार-पिंड हिंदू पौराणिकता और हिंदू विचार-व्यवस्था में ही गढ़ा हुआ था। कर्ण और एकलव्य जैसे नायक इन लेखकों ने अपने संस्कार और पौराणिकता के माध्यम से ही आत्मसात किये थे। स्वाभाविक ही ये नायक अपने रचनाकारों के मनोगठन के अनुरूप वर्ण-व्यवस्था की शरण में जाते हैं, पर उसमें अपने लिए समुचित स्थान नहीं बना पाने के कारण जन्म को दुख मानने लगते हैं। धर्म प्रतिकूल रहने के कारण प्रारब्ध-विरोधी शूरवीर नायक कथा को नाटकीयता, संघर्ष-प्रसंग, उत्कटता और रक्षात्मकता देता है। इस नायक के माध्यम से भाग्यवादी दर्शन अभिव्यक्त होता है। इस तरह के चरित्र-चित्रण को हिंदू लेखकों के पाठक सहज में भी अनुभव कर सकते हैं। उनको अनुभव की पुनरावृत्ति का सुख मिलता है। इस तरह की कलाकृति हिंदू धर्म की सारी पौराणिकता को पूर्णतया व्यक्त करती है।

हिंदू संस्कारों में विकसित तथा हिंदू पौराणिकता से गढ़े हुए मानसिक गठन वाले लेखक फुले-आंबेडकरवादी नायक, विचार, विषय और इस आंदोलन के अनुभवों का यथार्थ रूप से चित्रित नहीं कर पाते। लेकिन जिनके मन पर हिंदू पौराणिकता का प्रभाव नहीं पड़ा है, जिनका वैचारिक गठन हिंदू संस्कारों के अंतर्गत नहीं हुआ है, वे लेखक इस तरह की असमर्थता नहीं बता सकते। वे फुले-आंबेडकर के विचारों से रूपांतरित जीवन को सशक्त रूप से प्रस्तुत कर सकते हैं।

हिंदुत्ववादी (सावरकर-गाँधीवादी) लेखकों ने दलित आंदोलन में से वर्ण-व्यवस्था के समांतर चलते हुए, हिंदू पौराणिकता की ओर जाने वाले जैसे कथानायक-नायिका चुने हैं, ठीक वैसे ही कथानक और नायक-नायिकाएँ मार्क्सवाद के स्वीकारने वाले प्रगतिशील लेखकों ने भी चुने हैं। दोनों के ही नायक हरिजन यानी गाँधीभक्त, राष्ट्रीय आंदोलन के निकट जाने वाले और हिंदू-पौराणिकता के अनुसार जन्म को दुख मानने वाले हैं।

जन्म को दुख मानने की बात फुले-आंबेडकरवादी नायक के मन में भी आ सकती

है, पर वह जाति-व्यवस्था बनाने वाले धर्म, जाति का पालन करने वाले समाज से जूझता है। वह जिस तरह से अपनी जाति नकारता है, उसी तरह से दूसरे की नीची या ऊँची मानी गयी जाति को भी नकारता है— और वह मार्क्सवाद के लिए अभिप्रेत 'वर्ग' को मानता है। वह मार्क्सवादी विचारों के अधिक करीब है। इतना ही नहीं, जाति के बाहर निकल कर जाति को नकारने की बात श्रमजीवियों के आंदोलन को भी आगे बढ़ाने वाली है। वस्तुत: आंबेडकर का आंदोलन मार्क्सवादी आंदोलन के काफी करीब था। अत: गाँधीवादी नायक की तुलना में आंबेडकरवादी नायक का आकलन प्रगतिशील लेखकों के लिए अधिक आसान था। क्रांतिदर्शी विश्व-साहित्य में पुरानी व्यवस्था को नकारने वाले, नयी व्यवस्था की माँग करने वाले अथवा वैचारिक विद्रोह का झंडा उठाने वाले नायक का चित्रण हुआ है। यह नायक प्रगतिशील नायिकाओं के लिए एक आदर्श था। इसके बावजूद फुले-आंबेडकर के आंदोलन को मानने वालों में से प्रगतिशील लेखकों के नायक नहीं निकले। स्वतंत्रता के बाद भी नहीं। स्वातंत्र्य-पूर्ण काल के उनके नायक को समझा जा सकता है। वे कह सकते हैं कि राष्ट्रीय स्वतंत्रता का संघर्ष सबसे प्रगतिशील संघर्ष होता है। परंतु स्वातंत्र्य के बाद भी उनका ध्यान दलित समाज की ओर नहीं गया। उनमें से प्रत्येक का ध्यान दलित समाज की ओर जाये ही, यह आग्रह नहीं किया जा सकता। यह भी नहीं कहा जा सकता कि वे हिंदुत्ववादी हैं। इससे केवल यह स्पष्ट होता है कि भारतीय बुद्धिजीवी वर्ग, चाहे प्रगतिवादी हो या यथास्थितिवादी, किस तरह से सामाजिक समस्याओं को देखता है और किस तरह दोनों की ही दृष्टि से सामाजिक समस्याएँ उपेक्षित रह जाती हैं।

● ●

अस्पृश्यता-उन्मूलन का आंदोलन सम्यक परिवर्तन का आंदोलन है। मात्र राजनीतिक, आर्थिक, सामाजिक अथवा धार्मिक परिवर्तन से अस्पृश्यता नष्ट नहीं होती। इससे समझा जा सकता है कि यह कितना बड़ा और व्यापक आंदोलन है। यह पूर्ण परिवर्तन हो जाता, तो भारत का सब कुछ बदल जाता... एक निराले और महान भारत का निर्माण होता। इतने व्यापक और विराट प्रश्न की जटिलता को जो प्रगतिशील कलाकार नहीं समझ पाते, उनकी क्रांतिकारी संवेदनशीलता पर आश्चर्य होता है।

इसके आधार पर यह कहा जा सकता है कि आर्थिक और राजनीतिक विचार क्रांतिकारी रहने पर भी रक्त में मिले संस्कार मिट नहीं पाते। पौराणिकता छूटती नहीं। वर्ण-वर्ग के बंधन टूटते नहीं। इसीलिए, स्थितिवादी बुद्धिजीवियों और प्रगतिशील बुद्धिजीवियों की साहित्यिक अभिव्यक्तियों में अधिक अंतर नहीं आता। कारण; दोनों के मानसिक गठन की पार्श्वभूमि एक-सी होती है।

ऐसा नहीं है कि यह कोई बड़ा अपराध हो। परंतु यह तो वस्तुस्थिति है। इस वस्तुस्थिति के फलस्वरूप ही राष्ट्रीय कांग्रेस के रहते हुए, वामपंथी दलों (कम्युनिस्ट,

सोशलिस्ट) के रहते हुए डॉ. आंबेडकर के नेतृत्व में दलितों का अलग दल बना। उसने दलितों के लिए संघर्ष किया। वह इसमें सफल भी रहा। यह बात कांग्रेस और वामपंथी दलों की कमी को बताती है। इससे सिद्ध होता है कि वर्णीय-वर्गीय मर्यादाएँ कितनी शक्तिशाली होती हैं। इससे यह भी स्पष्ट होता है कि प्रगतिशील साहित्यधारा के चलते हुए भी दलित साहित्य की अलग धारा का उदय और निर्माण क्यों हुआ।

एक कवि ने कहा है— हम धन्य हैं, कि हम इस क्रांतिकारी युग में जन्मे हैं, हम धन्य हैं, कि हमारे पूर्व किसी को भी दुख देने वाले नहीं दिखे थे। भगवान बुद्ध को मात्र दुख दिखे थे। परंतु हमें दुख और दुख देने वाले दोनों ही दिखे हैं....

इसीलिए आज यह प्रश्न उपस्थित हुआ है कि साहित्य को किसका विचार करना चाहिए, किसे अपने विचार का केंद्र बनाना चाहिए— अत्यंत प्राचीन और अर्वाचीन काल के प्रारंभ में यह प्रश्न उपस्थित नहीं हो सकता था। ऐसा नहीं है कि तब विषमता नहीं थी। ऐसा भी नहीं था कि तब समाज दो वर्गों में विभाजित नहीं रहा हो। यह भी नहीं कि तब वर्ण नहीं थे। परंतु आज सामाजिक उत्पादन-साधनों-यंत्र-तंत्र-ने जो स्थिति पैदा की है, इस युग तथा इसके क्रांतिकारी विज्ञान ने इन दो वर्णों में संघर्ष सुलगाया है। पुरातन युग से अब तक यह तत्व-ज्ञान बखाना गया है कि सुख-वैभव, अन्याय-अत्याचार पर विचार नहीं करना चाहिए। वासना-भावना और मानवीय मूलभूत प्रवृत्तिनष्ट करने को, इस संसार में रहते हुए भी इस संसार के नहीं होने की तरह जीने, चित्त को शुद्ध रखने, निर्विकार बनने, पुण्य प्राप्त करने, स्थितप्रज्ञ बनने, शांत चित्त हो कर मन की शांति प्राप्त करने और मरने के बाद स्वर्ग मिलने का उपदेश दिया गया है।

इस बखान के पीछे उद्देश्य यही रहा कि विषमतापूर्ण रचना को व्यक्तिगत स्तर पर भी विद्रोह का धक्का न लग सके। असंतोष और बुद्धिवाद का जन्म न हो।

परंतु इस क्रांतिकारी युग ने यह षड्यंत्र नष्ट कर दिया है। मनुष्य को न सिर्फ़ अपने दुख दिख रहे हैं, बल्कि यह भी स्पष्ट दिख रहा है कि ये दुख देने वाले कौन हैं।

यहीं से दो दर्शनों, दो विचारधाराओं, और दो साहित्यधाराओं का आरंभ हुआ।

जहाँ भारत की तरह की जाति-व्यवस्था, वर्ण-व्यवस्था नहीं थी, वहाँ के लेखकों-कलाकारों को अपने यहाँ की परिस्थिति अधिक स्पष्ट रूप से दिखी। परंतु भारत में जाति-व्यवस्था के फलस्वरूप, उसके द्वारा की गयी सामाजिक, सांस्कृतिक, आर्थिक एवं मानसिक रचना के परिणाम स्वरूप भारत के साहित्यिकों का बोध जितना प्रखर होना चाहिए था, उतना प्रखर कभी भी नहीं रहा।

भारत के शोषक और शासक उन वर्णों में से उभरे हैं, जिन्हें हिंदू धर्म ने उच्च वर्ण कहा है। और भारत का बुद्धिजीवी वर्ग तथा मध्यवर्ग भी उन्हीं वर्णों जातियों से आता है, जिनसे आज के शोषक उभरे हैं। इसलिए भारत में बुद्धिजीवी तथा मध्यवर्ग फ्रेडरिक एंगेल्स द्वारा वर्णित मध्यवर्ग की अपेक्षा कहीं अधिक त्रिशंकु जैसा है। जाति-वर्ण के कारण और

सामाजिक-सांस्कृतिक बंधनों के परिणामस्वरूप उसे उच्च वर्ग अधिक निकट प्रतीत होता है।

इन सामाजिक, सांस्कृतिक और मानसिक कारणों के साथ ही आर्थिक एवं राजनीतिक कारण भी हैं देश अर्धविकसित है। देश में सामंती और पूँजीवादी अर्थ-व्यवस्था, समाज-व्यवस्था है। प्रबल सामंती व्यवस्था है, जिसकी वजह से वर्ग-विभाजन पूर्ण रूपेण विकसित नहीं हुआ है।

भारतीय प्रजातंत्र का स्वरूप साधारण तौर पर जातीय है। जो जाति जहाँ बहुसंख्यक है, वह वहाँ सत्ता पर है। और जो सत्ता पर पहुँच जाता है, उसे धर्म-सत्ता अपने अनुकूल लगती है। उसके अतिरिक्त सभी को (गरीबों-श्रीमंतों को) जाति, वर्ण और सत्ता के मिले-जुले प्रभाव के कारण धनसत्ता अपनी पहुँच के भीतर दिखती है। विकासमान देश होने तथा शासन की कल्याणकारी राज्य की घोषणाओं के फलस्वरूप, अधिकांश मध्यवर्गीयों को धनवान बनने का प्रबल प्रलोभन रहता है।

इन सारी परिस्थितियों के कारण भारतीय मध्यवर्ग बुद्धिजीवी वर्ग मोहग्रस्त, दोलायमान,दुविधा की मन:स्थिति में जीता है। वह त्रिशंकु की तरह अधर में झूलता रहता है। बल्कि बड़े पैमाने पर वह शासन-सत्ता, धन-सत्ता और स्थापित वर्ग का शरणागत रहता है...

इस कुहासे में ही भारतीय सिनेमा, नाटक और साहित्य तैयार होता है। महात्मा गाँधी द्वारा बताया गया वर्ग-समन्वयवाद, विनोबा जी का सर्वोदयवाद, मध्यवर्ग की अवस्था को और भी त्रिशंकु समान बना देता है। और कुहासा और भी बढ़ जाता है। भारतीय सिनेमा, नाटक, प्रचार-प्रसारण के साधन-संस्थान, शिक्षा-केंद्र, राजनीतिक पक्ष इसी मध्यवर्ग के हाथ में हैं।

आज की समस्त भारतीय कला, साहित्य, इसी मानसिकता में व्यक्त हो रही है। इस कला-साहित्य में आज के भारत का दर्शन होना असंभव है, क्योंकि जो कला-साहित्य के निर्माता हैं, उनको ही संपूर्ण देश दिख नहीं रहा है— संपूर्ण समाज दिख नहीं रहा है। इतना ही नहीं, उनको तो संपूर्ण मनुष्य भी नहीं दिख रहा है।

परंतु ऐसे भी कुछ समर्थ लेखक हैं, जिन्हें दुख दिखते हैं, दुख देने वाले भी दिखते हैं और इन दुखों तथा दुख देने वालों के रक्षक भी दिख रहे हैं। यह दिखना अत्यंत महत्त्वपूर्ण और मूल्यवान है।

जिन्हें दुख, दुख देने वाले और उनके रक्षक दिखते हैं, उनका लेखन हिंदी में 'समांतर साहित्य' के रूप में व्यक्त हुआ है। आश्चर्य की बात है कि मराठी में 'दलित साहित्य' और हिंदी में 'समांतर साहित्य' एक ही कालखंड में सामने आया है।

समांतर साहित्य के लेखकों ने अपने को 'दिखे हुए' को अत्यंत स्पष्ट रूप से लिखना प्रारंभ किया है। उनके लेखक से कई तत्त्व प्रखर रूप से सामने आये हैं। वे इस

प्रकार हैं:— (1) सामान्य आदमी से संबद्धता, (2) सामान्य जन की अभिव्यक्ति, (3) क्रांतिकारी युग से प्रतिबद्धता और मार्क्सवाद का स्वीकार, तथा (4) वामत्व।

समांतर लेखन में व्यक्त होने वाले ये तत्व, रचना की दृष्टि से उनके द्वारा घोषित स्वातंत्र्य, क्या कहा गया और क्यों कहा गया को दिया गया महत्त्व, युग-युगों के उपेक्षितों को अपने लेखन में दिया गया नायकत्व, जीवन से साक्षात संबंध, उनके वैशिष्ट्य को स्पष्ट करते हैं।

'हम सामान्य जन हैं, और हमारा लेखन सामान्य जन से प्रतिबद्ध हैं...' समांतर साहित्य की यह धारण दलित साहित्य को अत्यंत मूल्यवान प्रतीत होती है। कारण, इस देश की संस्कृति और समाज में सामान्य जन के प्रति तिरस्कार है, उसे तुच्छ माना गया है, उसे अपमानित और अवसर-रहित रखने का आग्रह किया गया है।

शासन-सत्ता, धन-सत्ता और धर्म-सत्ता विषमता को पाल रही हो और वामपंथी आंदोलन संवेदनाशून्य दिख रहा हो, तब यह घोषणा करना कि हम सामान्य जन और वामत्व से संबद्ध हैं, सचमुच वामत्व है। साधारणतया भारतीय मनुष्य की प्रवृत्ति ऊँची जाति या वर्ण धारण करने की है। इस देश में और जातिभेद-ग्रस्त समाज में वर्ग-विमुक्त (डिक्लास) होने को दलित साहित्य अत्यंत महत्त्वपूर्ण मानता है। यह प्रवृत्ति समांतर और दलित साहित्य के माध्यम से प्रकट हुई, यह इसका प्रमाण है कि आधुनिक भारत का नेतृत्व करने और प्रवक्ता बनने का दायित्व साहित्य ने स्वीकार किया है। विश्व-क्रांतिकारी आंदोलन के इतिहास में इस प्रकार के नेतृत्व के अनेक उदाहरण मौजूद हैं।

जब साहित्य सामान्य जन के साथ— शूद्र-अतिशूद्र के साथ—संबद्ध होता है, तब वह सम्यक परिवर्तन का अर्थात आर्थिक, राजकीय, सामाजिक, सांस्कृतिक और मानसिक परिवर्तन का पक्षधर बन जाता है। इसी पक्षधरता को 'दलित साहित्य' ने भी स्पष्ट रूप से पहचाना है। वह भी इस निष्कर्ष पर पहुँच है कि शोषण-सत्ता ने सदैव अपने अनुकूल प्रथाओं, व्यवस्थाओं, धारणाओं और व्याख्याओं को जीवंत बनाये रखने की चेष्टा की है तथा उसने प्रतिकूल पड़ने वाली प्रथाओं आदि को नष्ट किया है। इसलिए 'दलित साहित्य' हिंदू पौराणिकता, वैचारिकता, मानसिकता, संस्कार, आदर्शों, धारणाओं, प्रतीकों और उनकी प्रत्यक्ष-अप्रत्यक्ष परिणतियों को नकारता है। और व्यापक स्तर पर 'समांतर' की तरह हर तरह के शोषण का विरोध करता है।

हमारे इस नकार से साहित्य के कई समीक्षक क्षुब्ध हो उठते हैं। वे हमसे यह अपेक्षा करते हैं कि हम स्थापित साहित्य की किसी-न-किसी विचारधारा के झंडे के नीचे ही खड़े रहें अर्थात् हम भोगवाद, जंतुवाद, शून्यवाद, नियतिवाद, निराशावाद अथवा अराजकतावाद स्वीकारें और साथ-ही साथ स्वीकार करें उनका साहित्यशास्त्र भी। उसके रचनाविधान का पालन करें। इस संबंध में दलित साहित्य का दृष्टिकोण यह है कि कलाकृति पहले आती है और शास्त्र बाद में। अभी दलित साहित्य का सृजन हो रहा है।

बाद में इसका साहित्यशास्त्र भी स्वतः विकसित हो जायेगा। वर्ण-व्यवस्था और विषमता की भूमिका पर खड़े हुए वर्तमान साहित्यशास्त्र और सौंदर्य-शास्त्र से दलित साहित्य जैसी परंपरा को नकारने वाली क्रांतिकारी साहित्यधारा की व्यवस्था नहीं हो सकती। फुले-आंबेडकरवादी आंदोलन से उभरे नायक-कथानक हिंदू पौराणिकता के प्रतिकूल हैं, परंतु वे समाजवादी, प्रजातंत्रवादी, आधुनिक ज्ञान-विज्ञान तथा इस युग के समांतर चलने वाली कथा-साहित्य की धारा से एकरूप हैं!

जब हमने सभी कुछ नकारा है, तो पूछा जा सकता है कि हमने स्वीकारा क्या है? इसका यही उत्तर दिया जा सकता है कि हमने सिर्फ़ मनुष्य, ज्ञान-विज्ञान और अपने समय को स्वीकारा है। आज का युग बड़ा ही विलक्षण है। इस युग का उदय होने के साथ ही अनेक संत, मसीहा, परमेश्वर मृत हो गये हैं। इस युग ने अनेक प्रथाओं, धारणाओं, परंपराओं, सत्ताओं को धूलि-ध्वस्त किया है। यह इस युग का वामत्व है। यह वामत्व और नवनिर्माणत्व हमने स्वीकारा है। जो कि 'समांतर' भी स्वीकारता है! इस स्वीकार से दलित साहित्य स्वतः ही युग-समांतर बन गया है। वह हमारे क्रांतिकारी युग की विशेषताओं का प्रतिबिंब बन गया है। वह विशेषता है— मनुष्य की शोषण-उत्पीड़न, दुख-दैन्य से मुक्ति! उसका स्वभाव-सिद्ध महात्म्य और विश्व-बंधुत्व!

सारिका / मई, 1975 से साभार

विहित गाँव, जिला नासिक (महाराष्ट्र)

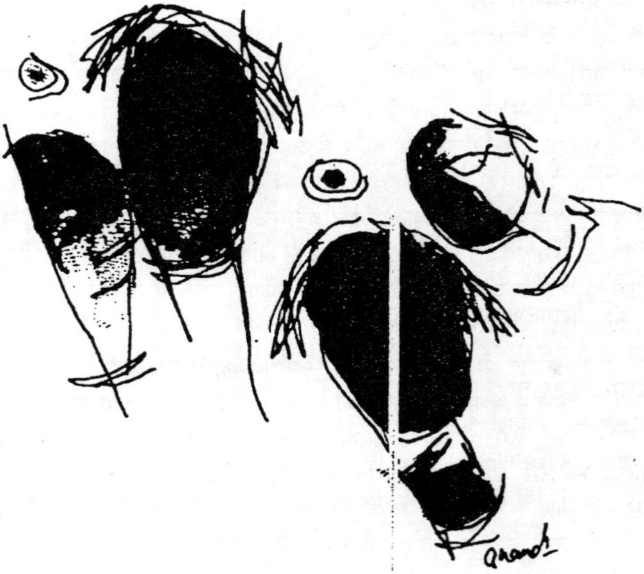

'कला के लिए कला' अथवा 'जीवन के लिए कला' इस विवाद में 'जीवन के लिए कला' का सही अर्थ मार्क्स-लेनिन के विचारों में सूचित है। मार्क्सवादी साहित्य, जीवनवादी साहित्य है। भले ही दलित साहित्य की प्रत्यक्ष प्रेरणा मार्क्सवाद में न हो, लेकिन दलित साहित्य भी तो जीवनवादी साहित्य है।

मार्क्सवाद और दलित साहित्य

सदा कन्हाडे

मार्क्सवाद एक विचारधारा है। प्रगतिशील साहित्य की निर्मिति का मूलस्त्रोत इसी विचारधारा में है। दलित साहित्य की निर्मिति का मूलस्त्रोत डॉ. बाबासाहब आंबेडकर की विचारव्यवस्था में है, जो आंबेडकरवाद नाम से परिचित है। दलित साहित्य भी प्रगतिशील साहित्य का एक सशक्त रूप है। मार्क्सवाद का उदय 19वीं सदी के मध्य में और विकास 20वीं सदी में हुआ। हिंदुस्तान में इस विचारधारा का परिचय स्वाधीनता संग्राम के दौरान 1920 के बाद ही होने लगा। डॉ. बाबासाहब आंबेडकर की विचारधारा का परिचय भी 1920 के बाद होता रहा। और इस विचारधारा से प्रेरित होते हुए महाराष्ट्र में दलित साहित्य का निर्माण होने लगा। और दलित कवि, दलित कहानीकार, दलित उपन्यासकार अपनी अलग पहचान देने लगे। साहित्य की यह धारा प्रगतिशील होते हुए भी दलित लेखकों की अलग पहचान के कारण मार्क्सवादी विचारधारा से प्रेरित एवं प्रभावित प्रगतिशील साहित्यधारा से भिन्न रूप में विकसित होते चली। और उसका ठोस रूप 1960 के आसपास दृष्टिगोचर होने लगा। मार्क्सवादी साहित्य और दलित साहित्य की प्रकृति परिवर्तनवादी एवं प्रगतिशील होने के कारण ये दो साहित्यधाराएँ एक दूसरे के विरोध में नहीं हैं। शायद यही मानना उचित है कि ये एक ही सिक्के के दो पहलू हैं। विचारों की दिशा और व्यवहार का रास्ता अलग होते हुए भी मार्क्सवाद और आंबेडकरवाद का अंतिम लक्ष्य एक ही है, शोषणमुक्त समाज का निर्माण। जिस शोषणमुक्त समाज में मनुष्य को भौतिक एवं अभौतिक प्रगति का समान अवसर मिलते हुए हर मनुष्य स्वाधीनता, समानता,

बंधुता और सामाजिक न्याय का लाभार्थी होगा। सदियों से प्रचलित समाज व्यवस्था में आर्थिक और सामाजिक विषमता के कारण इन मूल्यों का अभाव है। और पद (designation), प्रतिष्ठा (Status) एवं सत्ता (Power) के बूते पर एक मनुष्य दूसरे मनुष्य का, एक वर्ग दूसरे वर्ग का शोषण करता रहा है। इस वास्तविकता की स्थिति-गति में आमूलचूल बदलाव करने का दिशा दिग्दर्शन मार्क्सवाद में मिलता है और आंबेडकरवाद में भी। शोषित, पीड़ित, वंचित और दलित समाज समूहों को प्रबोधित करते हुए क्रांति के लिए एवं परिवर्तन के लिए प्रवृत्त करना यह साहित्य का— प्रगतिशील साहित्य का एक सामाजिक उद्देश्य है। इस उद्देश्य पूर्ति के लिए मार्क्सवादी विचारधारा सशक्त है और आंबेडकरवादी विचारधारा भी। दोनों विचारधाराओं का समन्वय प्रगतिशील साहित्य को सशक्त बना सकता है। 21वीं सदी में प्रारंभ से ही यह महसूस हो रहा है कि आर्थिक और सामाजिक विषमता के संकट शोषित, पीड़ित और दलित वर्गों को झेलने पड़ने के कारण उनके खिलाफ संघर्ष करने के लिए प्रगतिशील शक्तियों में समन्वय की आवश्यकता है। ऐसा समन्वय इस युग का तकाजा है। इसीलिए मार्क्सवाद और दलित साहित्य का पुनर्विचार शायद अनिवार्य है।

19वीं सदी के मध्य में जब पूँजीवाद की मर्यादाएँ स्पष्ट हो रही थी, और इतिहास के मंच पर श्रमिकवर्ग का प्रभाशाली उदय हो रहा था उसी समय मार्क्स-एंगल्स ने दार्शनिक, आर्थिक, सामाजिक एवं राजनीतिक दृष्टिकोण की शास्त्रीय विचार व्यवस्था निर्माण की। इस विचारव्यवस्था में (1) ऐतिहासिक भौतिकवाद (2) द्वन्द्वात्मक भौतिकवाद (3) राजनीतिक अर्थशास्त्र और (4) शास्त्रीय साम्यवाद (Seientific Communism) का समावेश है।

मार्क्स-एंगल्स ने द्वन्द्वात्मक भौतिकवादी एवं ऐतिहासिक भौतिकवादी सिद्धान्तों के आधार पर सामाजिक परिस्थिति का अध्ययन किया और विश्लेषण भी। इस प्रक्रिया में जिन निष्कर्षों तक वे पहुँचे उनमें से कुछ महत्त्वपूर्ण निष्कर्ष इस प्रकार हैं :—

(अ) प्रत्येक वस्तु के मूल में कुछ अंतर्विरोध होते ही हैं। अंतर्विरोध याने दो परस्पर विरोधी तत्त्वों का अस्तित्व। जैसे कि चल-अचल, निश्चित-अनिश्चित, स्थिर-गतिशील इत्यादि। गतितत्व विकसनशील एवं परिवर्तनशील होने के कारण स्थिततत्व से उसका संघर्ष होता रहता है। इस संघर्ष के पूर्वविकास की अवस्था में ही दूसरी अवस्था अंकुरित होती है। इसी प्रकार संघर्ष के द्वारा वस्तु का विकास होता जाता है। विकास की इस प्रक्रिया में गतितत्व स्थिति तत्त्व का निषेध करते हुए एक अवस्था को नष्ट कर देता है। और दूसरी उच्चस्तर की अवस्था को जन्म देता है। जैसे कि कली (Bud) की पूर्ण विकसित स्थिति एवं अवस्था नष्ट होने पर ही फल (Fruit) जन्म लेता है। दूसरे शब्दों में वस्तु की एक पूर्ण विकसित अवस्था दूसरी अवस्था को जन्म देती है और दूसरी अवस्था पहली अवस्था से उच्चतर होती है। बीज की स्थिति नष्ट होने से ही अंकुर जन्म लेता है

और अंकुर की अवस्था में परिवर्तन होते हुए पौधा उगता है। शिशु अवस्था खत्म होने पर ही बालक की अवस्था जन्म लेती है।

यही कार्ल मार्क्स का 'निषेध-सिद्धान्त' (Theory of Negation) है। यह गत्यात्मक विकास की प्रक्रिया चक्राकार (Circular) नहीं बल्कि सर्पिल (Spiral) है। आगे बढ़ने, ऊपर उठने एवं उच्चस्तर की ओर जाने वाली इस प्रक्रिया में वस्तु की अवस्था में परिवर्तन होता है और वस्तु के सत्त्व (Essence) का विकास होता रहता है।

कार्ल मार्क्स ने इस सिद्धान्त का आधार लिया और समाज व्यवस्था का और इतिहास का विश्लेषण करते हुए यह निष्कर्ष प्रस्तुत किया कि सामन्ती (Feudal) व्यवस्था की पूर्ण विकसित अवस्था में ही पूँजीवादी (Capiatalist) व्यवस्था ने जन्म लिया। एक सामाजिक व्यवस्था जन्म लेने की प्रक्रिया में मानवीय संबंधों (Human Ralations) एवं सामाजिक संबंधों (Social Relations) में भी अनिवार्य रूप से परिवर्तन होता रहता है। मनुष्य और समाज का 'सत्त्व' (Essence) इन संबंधों में ही व्यक्त होता है।

आध्यात्मिक युग में ये संबंध धार्मिक स्वरूप के थे। आत्मा-परमात्मा, जीवात्मा-परमात्मा अथवा ईश्वर-मनुष्य के संबंधों का विश्लेषण धार्मिक स्तर पर ही किया जाता था। क्योंकि मनुष्य धार्मिक अथवा आध्यात्मिक प्राणिमात्र (Being) है, यही धारणा प्रचलित थी। समाज विकास की प्रक्रिया में इस धारणा में परिवर्तन हुआ और मनुष्य समाजशील प्राणिमात्र (Social Being) है, यह धारणा प्रचलित होती रही। और सामाजिक संबंधों का विश्लेषण तथा निर्वचन होता रहा। जैसे कि स्वामी और दास, मालिक और मज़दूर शासक और शासित, शोषक और शोषित इत्यादि। एक दृष्टि से यह अध्यात्मवाद से इहवाद एवं भौतिकवाद की ओर संक्रमण था। मार्क्स की विचारधारा इहवादी है। मार्क्स ने यह प्रस्थापित किया कि किसी भी युग में समाज की रचना एक वर्गीय नहीं बल्कि द्विवर्गीय होती रहती है और इन वर्गों का सत्त्व (Essence) और स्वरूप (Form) और स्वभाव (Character) परस्पर विरोधी बना रहता है।

वस्तु के मूल में अंतर्विरोध के कारण ही वस्तु का संभाव्य विकास होता रहता है। इसी तरह समाज व्यवस्था के मूल में ही वर्गीय अंतर्विरोध के कारण समाज के विकास की संभावना होती है।

मार्क्स-एंगल्स के द्वन्द्वात्मक भौतिकवाद का ही दूसरा नाम है गत्यात्मक भौतिकवाद अथवा विरोध विकासवाद।

(ब) समाज की रचना द्विवर्गीय होने और दो वर्गों का सत्त्व, स्वरूप और स्वभाव, भिन्न-भिन्न होने के कारण दो वर्गों में संघर्ष होना अनिवार्य है। इस वस्तुस्थिति के आधार पर मार्क्स इस निष्कर्ष पर आ पहुँचा कि मानवी समाज का इतिहास वर्ग संघर्ष का ही इतिहास है। 'कम्युनिस्ट पार्टी के घोषणा पत्र' का प्रारंभ इसी विधान से है— 'The history of all hitherto existing society is a history of class struggle.' मार्क्स-एंगल्स की

यह धारणा थी कि समाज का विकास वर्ग संघर्ष द्वारा ही होता आ रहा है। वर्ग संघर्ष कभी पोशीदा (Now hidden) तो कभी खुले आम (Now open) होता आया है।

मार्क्स ने पूँजीवादी व्यवस्था को नष्ट करने के लिए पूँजीवादी अवस्था की विकास प्रक्रिया में ही इतिहास के मंच पर उदित हुए दुनिया के मज़दूरों के हाथों में वर्ग संघर्ष का हथियार दिया और विश्व में परिवर्तन अथवा बदलाव लाने की जिम्मेदारी भी मज़दूर वर्ग पर ही सौंप दी। इसी लिए तो 'कम्युनिस्ट पार्टी के घोषणा-पत्र' के अंत में दुनिया के मज़दूरों को संबोधित करते हुए मार्क्स ने क्रांति का ऐलान किया– "Working men of all countries Unite!"

यही मार्क्स का "वर्ग सिद्धान्त" है।

(स) मार्क्स ने यह भी प्रस्थापित किया कि वर्गयुक्त समाज की सम्पूर्ण रचना आर्थिक संबंधों पर आधारित होती है। मनुष्य को जीवित रहने के लिए, अपने और अपने परिवार के निर्वाह के लिए उत्पादन की आवश्यकता होती है। उत्पादन, उत्पादन के साधन और शक्तियाँ, उत्पादन साधनों पर स्वामित्व, उत्पादन का विनिमय इन सभी पर समाज की आर्थिक व्यवस्था का ढाँचा निर्भर होता है। प्रचलित समाज व्यवस्था में एक वर्ग के पास उत्पादन के साधनों और शक्तियों का स्वामित्व होता है। दूसरे वर्ग के पास सिवा मेहनत के अन्य साधनों एवं शक्तियाँ न होने के कारण उसे निर्वाह के लिये अपना श्रम बेचना अनिवार्य होता है। इसी दूसरे वर्ग को मार्क्स-एंगल्स ने 'प्रोलेतारिअत' कहा है। यह वर्ग श्रम के द्वारा धन का उपार्जन करता है और पहला वर्ग जिसे मार्क्स-एंगल्स ने 'बूर्ज्वा' कहा है। यह वर्ग उक्त धन का स्वेच्छानुसार उपभोग करता है। बढ़ते वर्ग संघर्ष के साथ ही समाज उत्पादन की उच्च अवस्था को प्राप्त होता है।

अंत में सर्वहारा वर्ग की क्रांति सफल होने पर समाज विकास के हर मोड़ पर बूर्ज्वा वर्ग का कुछ हिस्सा श्रमिक वर्ग में विलीन होने के कारण वर्गहीन समाज एवं शोषण मुक्त समाज स्थापित होता है। वर्गहीन अथवा शोषण मुक्त समाज का निर्माण, यही वर्ग संघर्ष का अंतिम लक्ष्य है।

(द) मार्क्स के इन विचारों का निष्कर्ष यह है कि आर्थिक व्यवस्था एवं आर्थिक संबंध सम्पूर्ण समाज व्यवस्था का मूलाधार (Infrastructure) है। मनुष्य के जीवन में आर्थिक व्यवहार के अलावा धर्मनीति, समाजनीति, राजनीति, कानून, कला, साहित्य इत्यादि व्यवहारों की भी आवश्यक होती है। इन सभी व्यवहार क्षेत्रों का अस्तित्व आर्थिक संबंधों के मूलाधार पर निर्भर होने के कारण उन्हें 'ऊपरी रचना' अथवा 'अधिरचना' (Super Structure) कहा जाता है।

मानवीय समाज का सम्पूर्ण व्यवहार इसी 'मूलाधार और अधिरचना' के तहत होता रहता है। वर्ग संघर्ष के द्वारा आर्थिक संबंधों में परिवर्तन होने के परिणामस्वरूप अधिरचनाओं में अनिवार्यतः परिवर्तन होता रहता है।

इसीलिए 'मूलाधार और अधिरचनाएँ' (Base And Super Structure) ऐतिहासिक भौतिकवाद की बुनियाद है और वर्ग संघर्ष ही समाज के संपूर्ण विकास का एवं आमूल समाज परिवर्तन का एकमात्र क्रांतिकारी मार्ग है।

'मूलाधार और अधिरचना' यह सिद्धान्त तो मार्क्सवाद एवं मार्क्सवादी विचारधारा का केंद्रस्थान माना जाता है। इस सिद्धान्त के विवेचन में ही मार्क्स ने 'अतिरिक्त मूल्य' (Surplus Value) का दूसरा सिद्धान्त स्थापित किया और साबित किया कि 'अतिरिक्त मूल्य' ही पूँजीपति के लाभ और संपत्ति का मूलस्रोत है। लाभ और संपत्ति के कारण ही पूँजीपति मेहनतकश मज़दूरों का शोषण करता रहता है। शोषण के ही परिणामस्वरूप मज़दूरों का अपने स्वयं से ही वियोगीकरण अथवा वियुक्तिकरण (Alienation) होने लगता है। साथ ही मनुष्यत्व-वर्जन (Dehumanisation) की प्रक्रिया शुरू होने के कारण मनुष्य का वस्तुकरण (Reification) भी होने लगता है। इस भयावह परिस्थिति को रोकने के लिए श्रमिक एवं मेहनतकश मज़दूरों का शोषण मुक्त होना आवश्यक है।

मार्क्स ने इस बात का पूरा यकीन दिलाया कि वर्ग संघर्ष ही शोषण मुक्ति का क्रांतिकारी हथियार है। और क्रांति द्वारा समाज में आमूलचूल परिवर्तन करने की जिम्मेदारी मेहनतकश मज़दूर वर्ग को ही निभानी होगी।

इस क्रांतिकारी वर्ग को प्रचलित सामाजिक वास्तविकता (Social Reality) का परिचय देते हुए उसको क्रांति सम्मुख करना एवं उसकी पूर्वसिद्धी (PreConditioning) करना जितना आवश्यक है उतना ही इस क्रांतिकारी वर्ग को वास्तविकता की स्थिति गति से अवगत कराते हुए राजकीय और सामाजिक दृष्टि से शिक्षित करना भी आवश्यक है। यह महत्त्वपूर्ण एवं अनिवार्य कार्य साहित्य के माध्यम से ही होना संभव है। इसीलिए कहा गया है कि— "Marx found, in Art, a powerful weapon to educate the masses." समाज की नैतिक, धार्मिक, सामाजिक, राजनीतिक और सांस्कृतिक अभिव्यक्ति से अथवा निवेदन से सत्ताधारी वर्ग की आशा और हित संबंध जुड़े रहते हैं। और अपने हित संबंधों की सुरक्षा के लिए वह सभी व्यवस्थाओं को अपरिवर्तित स्थिति में परंपराबद्ध करना चाहता है। इसीलिए समाज में दूसरी शक्ति को जगा कर उसका संगठन करते हुए उसी को समाज परिवर्तन तथा समाज क्रांति का कार्य सौंपा जाता है। मार्क्स-एंगल्स ने दुनिया भर के मेहनतकश मज़दूरों को संबोधित करते हुए इस जिम्मेदारी का संदेश दिया। इस वर्ग को शिक्षित करते हुए उसका मार्गदर्शन करना साहित्य का ही महत्त्वपूर्ण उत्तरदायित्व है।

इसी पृष्ठभूमि को लेकर मार्क्सवाद और साहित्य के अटूट संबंधों का विमर्श एवं मार्क्सवादी साहित्य को पूर्व प्रस्थापित साहित्य परम्परा से अलग हटकर स्वतंत्र रूप से परिभाषित करने की आवश्यकता प्रतीत होती है। मार्क्सवादी साहित्य परिवर्तनवादी है और प्रगतिशील भी। जीवनाभिमुख है और यथार्थवादी भी। अभिव्यक्ति का माध्यम है और क्रांति का साधन भी। इस वस्तुस्थिति को स्वीकारते हुए कि दलित साहित्य की निर्मिति का

मूलस्रोत डॉ. आंबेडकर की विचारधारा में है। मार्क्सवादी साहित्य की ये सारी विशेषताएँ दलित साहित्य में दृष्टिगत होती आयी है। क्योंकि कार्ल मार्क्स की विचारधारा और डॉ. आंबेडकर की विचारधारा एक दूसरे के विरोध में नहीं है। एक ही सिक्के के वे दो पहलू हैं। पूँजीवादी अर्थव्यवस्था के परिणामस्वरूप समाज में सर्वस्व वंचित तबकों का शोषण होता रहा है। इसीलिए मार्क्स-एंगल्स पूँजीवादी अर्थव्यवस्था में क्रांतिकारी बदलाव चाहते है। वर्णवादी समाज व्यवस्था के परिणामस्वरूप समाज में अछूतों जैसे सर्वस्व वंचित तबकों का शोषण होता रहा है। इसीलिए डॉ. आंबेडकर वर्णवादी समाज व्यवस्था में क्रांतिकारी बदलाव चाहते थे। शोषणमुक्त समाज का निर्माण तब प्रत्यक्षरूप से होना संभव है जब आर्थिक विषमता और सामाजिक विषमता का निर्मूलन होगा।

सन् 1960 के आसपास महाराष्ट्र में दलित साहित्य का निर्माण होने लगा। दलित कवि, कहानीकार, उपन्यासकार आत्मकथाकार अपनी अलग पहचान देने लगे। अनुभव और अभिव्यक्ति की दृष्टि से उनका साहित्य पारंपरिक एवं प्रस्थापित मराठी साहित्य की मुख्य धारा से सर्वथा अलग था। इतना ही नहीं बल्कि तत्कालीन गाँधीवादी और मार्क्सवादी साहित्य की प्रेरणा और प्रवृत्तियों से दलित साहित्य की प्रेरणा और प्रवृत्तियाँ भी भिन्न थी। मार्क्सवादी साहित्य की प्रेरणा मार्क्स की विचारधारा में है और यह साहित्य महान् अक्टूबर क्रांति के फलस्वरूप प्राप्त हुए अनुभवों से जुड़ा हुआ है। सभी भारतीय भाषाओं में लिखा साहित्य अक्टूबर क्रांति से प्रभावित रहा है। इसी तरह दलित साहित्य डॉ. बाबा साहब आंबेडकर की विचारधारा से और उनके द्वारा छेड़े हुए 'दलित मुक्ति आंदोलन' से जुड़ा हुआ है। सन् 1927 में डॉ. आंबेडकर ने महाड़ में वर्णवादी हिंदूधर्म के विरोध में जो आंदोलन छेड़ा था वही 'दलित मुक्ति आंदोलन' का प्रेरणास्रोत था। 1920 में डॉक्टर साहब ने 'मूक नायक' नाम की एक पत्रिका शुरू की थी। उस पत्रिका द्वारा वर्णव्यवस्था की शोषक स्थिति गति पर कठोर आघात करते हुए दलित समाज का प्रबोधन किया था जिसके फलस्वरूप इस समाज के वर्णजागृत तबके 1927 के क्रांतिकारी आंदोलन में शरीक हुए थे। डॉ. आंबेडकर के विचारों से प्रभावित होते हुए सामान्य दलित मनुष्य भी इस आंदोलन में शरीक होनें के कारण यह आंदोलन धीरे-धीरे व्यापक होता गया और उग्र भी।

महात्मा गाँधी ने सत्य, अहिंसा, अस्तेय आदि मूल्यों के साथ 'सर्वधर्मसमभाव' की संकल्पना को लेकर धर्माधिष्ठित मानवता का समर्थन किया था। समाज में अछूत तबकों को हरिजन कहते हुए जातिभेद के कारण प्रचलित सामाजिक विषमता नष्ट करने की दृष्टि से महात्मा गाँधी ने स्वाधीनता संग्राम के साथ कई विधायक कार्यक्रमों पर बल दिया। उनकी दृष्टि से अन्य सभी विधायक कार्यक्रमों में अस्पृश्यता निर्मूलन एक कार्यक्रम के रूप में आवश्यक था लेकिन एक मात्र कार्यक्रम नहीं था। दूसरे शब्दों में कहना हो तो महात्मा गाँधी ने इस सामाजिक समस्या को अग्रस्थान नहीं दिया था। और यह भी सच है कि उन्होंने 'सर्वधर्मसमभाव' के नाम पर वर्णव्यवस्था को सुरक्षित रखा था। अछूतों के

उद्धार के पक्षधर होते हुए भी वर्णव्यवस्था को उन्होंने स्वीकार किया था। आगे चलकर वे कहते रहे थे कि अछूत वर्ग हिंदू जमात का ही एक तबका है।

दूसरी ओर तत्कालीन साम्यवादी आंदोलन के प्रमुख नेता के रूप में कामरेड डांगे ने एक सिद्धान्त प्रस्तुत किया था कि मार्क्सवाद के अनुसार अगर वर्ग संघर्ष के द्वारा मेहनतकश मज़दूर वर्ग अंतिम विजय हासिल कर ले तब सभी वर्ग भेद अपने आप नष्ट हो जायेंगे और जातिभेद एवं अस्पृश्यता भी।

डॉ. आंबेडकर का अंदाज़ सही था कि महात्मा गाँधी की विचारधारा में वर्णाश्रम तथा वर्णव्यवस्था का स्थान होने, तथा साम्यवादी विचारधारा में वर्णव्यवस्था का नगण्य स्थान होने के कारण जातिभेद का निर्मूलन होना असंभव है। परिणामस्वरूप सामाजिक विषमता का भी निर्मूलन असंभव है।

डॉ. आंबेडकर गाँधीवाद से सहमत नहीं थे और न ही साम्यवाद से। उनकी अपनी वास्तविक धारणा यह थी कि भारतीय समाजव्यवस्था का मूलाधार वर्गभेद नहीं बल्कि वर्णभेद है। वर्णव्यवस्था के कारण ही आर्थिक विषमता बढ़ती जा रही है। हिंदूधर्म की परिभाषा के अनुसार दलितों को अभ्युदय के अवसर एवं हक़ से भी वंचित रखा गया था। इतना ही नहीं 'मुनस्मृति', जिसमें चार वर्णों की आचारसंहिता निहित है, ने ब्राह्मण, क्षत्रिय तथा वैश्य को षट्कर्मों के अधिकार प्रदान करते हुए शूद्र वर्ण को उन तीन वर्णों की मात्र सेवा करने के लिए मानो नियुक्त कर रखा था। परिणामस्वरूप सदियों से शूद्र वर्ण, जिसका बड़ा हिस्सा अछूत समाज है, पर सामाजिक दासता लादी गयी और अछूत समाज न केवल आर्थिक शोषण का बल्कि सामाजिक और सांस्कृतिक शोषण का भी शिकार बन गया था।

कार्ल मार्क्स ने कम्युनिस्ट पार्टी के मेनिफेस्टो में प्रारम्भ में ही कहा कि मानव समाज का इतिहास वर्ग संघर्ष (Class Struggle) का ही इतिहास है। शोषक और शोषित वर्ग एक दूसरे के विरोध में खड़े होने के कारण वर्ग युद्ध निरंतर जारी रहता है। वर्ग संघर्ष ही मात्र सामाजिक विकास को प्रेरित और परिचालित करने वाली शक्ति (Moving Force) है। लेकिन डॉ. आंबेडकर ने अपनी विचार प्रणाली में यह प्रमाणित कर दिया कि भारतीय समाज का इतिहास निश्चित रूप में वर्ण संघर्ष (Caste Struggle) का इतिहास है। ब्राह्मण, क्षत्रिय और वैश्य ये तीन वर्ण उच्च माने गये और शूद्र वर्ण को नीच बरकरार कर देने के कारण अछूत समाज ही सर्वथा वंचित एवं सर्वहारा समाज है। हिंदू समाज की धर्म व्यवस्था ने अछूतों का शोषण किया, और हिंदू समाज की अर्थव्यवस्था धर्माधिष्ठित होने के कारण उत्पादन एवं उत्पादन साधनों का स्वामित्व त्रैवर्णिकों को प्राप्त हुआ। उसके बल पर ही उन्होंने शूद्रातिशूद्रों का शोषण किया। इसीलिए सर्वप्रथम धार्मिक व्यवस्था में आमूलचूल परिवर्तन करना अनिवार्य है और आवश्यक भी।

धार्मिक व्यवस्था पर कुठाराघात करना महात्मा गाँधी को मंजूर नहीं था और धर्म

को अफ़ीम कहते कहते मार्क्स ने धर्म के अग्रस्थान पर अर्थ की प्रस्थापना करने के कारण साम्यवाद ने धर्मव्यवस्था पर कुठाराघात करने को दखलअंदाज़ नहीं माना। मानवीय जीवन के सभी व्यवहार अर्थमूलक होते हैं यही मार्क्स के 'मूलाधार और अधिरचना' सिद्धान्त का निष्कर्ष है। लेकिन भारतीय समाज की धारणा में सभी व्यवहार धर्ममूलक होते हैं। धर्म यह मूलाधार (Base) और अर्थ, काम आदि पुरुषार्थों से संबंधित बाकी सारी व्यवस्थाएँ अधिरचना (Super Structure) हैं। इसीलिए डॉ. आंबेडकर ने दलित मुक्ति के लिए हिंदूधर्म के विरोध में आंदोलन छेड़ा। यह आंदोलन साम्यवादी आंदोलन के विरोध में नहीं था। हिंदू समाज व्यवस्था के विरोध में था।

कार्ल मार्क्स की वर्ग संघर्ष की संकल्पना में ही एक मूलभूत अंतर्विरोध है। सामाजिक विकास के दौरान हर मोड़ पर 'संघर्ष करने वाले वर्ग' (Contending Classes) बदलते रहते हैं। सामाजिक परिवर्तन में वर्ग संघर्ष की एक समस्या का हल निकालने की प्रक्रिया में नये संघर्षशील वर्ग एवं नये संघर्ष और आते हैं। बीसवीं सदी के दो दशकों में मार्क्सवादी विचारधारा से प्रभावित होकर औद्योगिक विकास की प्रक्रिया में पूँजीवाद के विरोध में मेहनतकश मज़दूर वर्ग को संगठित करते हुए वर्ग-संघर्ष (Class Struggle) तीव्र किया जा रहा था। जबकि तीसरे-चौथे दशक में डॉ. आंबेडकर के नेतृत्व में अछूत समाज एक संघर्षशील वर्ग के रूप में उभर आया। इस वर्ग की आर्थिक सामाजिक एवं सांस्कृतिक समस्याएँ मेहनतकश मज़दूरों से अलग थी। मेहनतकश मज़दूर शोषित अवश्य था लेकिन बहिष्कृत नहीं था। अछूत समाज तो बहिष्कृत था। सदियों से लादी गयी सामाजिक दासता से उसे मुक्त करने के लिए डॉ. आंबेडकर ने 'मूकनायक' पत्रिका और 'बहिष्कृत' प्रबोधन करते करते मुक्ति आंदोलन संगठित किया और वर्ण संघर्ष (Cast Struggle) मजबूत होने लगा। मेहनतकश मज़दूरों के साम्यवादी नेताओं को डॉ. आंबेडकर की वर्णवादी भूमिका का ठीक से अंदाज़ नहीं हो पाया। 1960 के बाद जब दलित साहित्य की धारा प्रभावी होती रही तब मार्क्सवादी नेताओं और लेखकों का आंबेडकर विचारधारा का विमर्श शुरू हुआ जिसका प्रमाण कामरेड प्रभाकर संझगिरी की 'डॉ आंबेडकर का मार्क्सवादी आकलन' पुस्तिका में मिलता है।

आदिम समाज एक वर्गीय और अखंड ही था। समाज विकास की प्रक्रिया में वर्गभेद निर्माण हुए। भौतिक उत्पाद की शक्तियाँ (Material Productive Forces) और प्रचलित उत्पादन के सामाजिक संबंध (Social Relation of Production) के विरोध में कार्ल मार्क्स ने वर्ग संघर्ष (Class Struggle) का मूलाधार देखा। भारतीय समाज व्यवस्था में गुण और कर्म के अनुसार हक़ एवं अधिकार प्राप्त होने के कारण वर्ग को ही प्राधान्य दिया गया। ब्राह्मण, क्षत्रिय, वैश्य ये उत्पादन शक्तियाँ और उत्पादन के हकदार बने, केवल उच्च जाति के होने के कारण और शूद्र वर्ग के लोग सभी मानवी हक़ से एवं अधिकारों से वंचित रहे। इस गुण कर्मानुसारी व्यवस्था में डॉ. आंबेडकर ने सामाजिक विषमता का

मूलस्रोत देखा और यही वर्ण संघर्ष का मूलाधार माना।

वर्ग संघर्ष (Class Struggle) के द्वारा वर्ग विहीन समाज (Classless Society) निर्माण करना यही मार्क्स का अंतिम लक्ष्य था और वर्णसंघर्ष द्वारा जातिभेद का आधार नष्ट करते हुए वर्णविहीन समाज (Casteless society) निर्माण करना यही डॉ. आंबेडकर का अंतिम लक्ष्य था। अंतिम अवस्था में वर्गविहीन और वर्णविहीन समाज शोषण मुक्त ही रहेगा। इसी दृष्टि से मार्क्सवादी और आंबेडकरवादी विचारधाराओं का अंतिम लक्ष्य एक ही है।

कार्ल मार्क्स का यह प्रतिपादन था कि सामाजिक, राजकीय एवं बौद्धिक प्रक्रियाओं का निर्धारण भौतिक जीवन की उत्पादन पद्धति से ही होता है। आगे चलकर मार्क्स ने यह भी कहा कि मनुष्य के अस्तित्व का निर्धारण मानवी चेतना से नहीं होता, बल्कि मानवी चेतना का निर्धारण भौतिक परिस्थिति से निर्धारित सामाजिक अस्तित्व से होता है। डॉ. आंबेडकर का ठोस प्रतिपादन था कि वर्णयुक्त समाजव्यवस्था में अछूत तबकों को उत्पादन पद्धति से तो वंचित ही रखा था। और जातिभेद के कारण उनके लिए नारकीय जीवन जीना अनिवार्य हो जाता था और उनका सामाजिक अस्तित्व बेज़बान पशुओं से भी बदतर था। मनुष्य होते हुए भी वे मानो मानवी चेतना से ही (Human Consciousness) वियुक्त थे (Alienated)। इसी के कारण डॉ. आंबेडकर उन्हें सामाजिक दासता से मुक्त करना चाहते थे। पूँजीवादी व्यवस्था में मेहनतकश मज़दूरों का शोषण होता रहता है लेकिन उन पर ऐसा नारकीय और पशुवत् जीवन नहीं लादा जाता जैसा अछूतों पर सदियों से लादा हुआ है। डॉ. आंबेडकर के तत्वविचारों का विश्लेषण भारतीय समाज व्यवस्था की दृष्टि से महत्त्वपूर्ण था।

मार्क्स-एंगल्स ने कभी इस बात पर बल नहीं दिया कि कोई मात्र आर्थिक संबंधों पर टिक जाये। उन्होंने सर्वत्र सावधान किया ये संबंध ही निर्णायक मानदण्ड हैं लेकिन अन्ततः वे अवश्य प्रभावित होते हैं अधिरचनाओं से (Super Structures)। मार्क्स-एंगल्स पूरे जीवनभर यह समझाते रहे कि ऐतिहासिक भौतिकवाद कोई जड़ मत नहीं है बल्कि यही एक ऐसा मत है जो सतत गतिशील और नवनवोन्मेषी है क्योंकि अंतर्विरोधों के गुणों के कारण इसमें सदा ही अनुभवों और नवीनतम सिद्धान्तों को आत्मसात करने की क्षमता है और दोनों में एकता का आदर्श स्थापित करने की क्षमता भी इसी में है। भारतीय कम्युनिस्ट नेताओं ने मार्क्सवाद का अनुसरण अवश्य किया लेकिन भारतीय समाज व्यवस्था के संदर्भ में उसकी सही व्याख्या नहीं की जिसके कारण वे डॉ. बाबा साहेब आंबेडकर की भूमिका पूरी तरह से समझ नहीं पाये।

कार्ल मार्क्स ने तीन मुद्दों पर बल दिया था। (1) उत्पादन की शक्तियाँ अथवा उत्पादन के साधन और पद्धति (2) उत्पादन संबंध अथवा उत्पादन के साधन और संबंधों के कारण प्रचलित होने वाले सामाजिक संबंध (3) और मानवीय चेतना का स्वरूप।

जैसा कि मैंने इसके पहले ही उल्लेख किया कि मार्क्स के विचारों के मुताबिक़

मानवीय चेतना का निर्धारण सामाजिक अस्तित्व के द्वारा होता है। मार्क्स का निष्कर्ष था कि मानवीय चेतना की सारी संरचनाओं का मूलाधार उत्पादन पद्धति ही है। डॉ. आंबेडकर इससे सहमत नहीं थे। उनके विचारों के मुताबिक भारतीय समाज व्यवस्था में मानवीय चेतना की सभी सामाजिक संरचनाएँ वर्णों पर आधारित होने के कारण जातिभेद ही उनका मूलाधार है। संरचनाओं में हर बात यंत्र की तरह एवं कठोरतापूर्वक उत्पादन पद्धति के मुताबिक निर्धारित होती रहती है ऐसा स्वीकार करने में भूल हो सकती है। किसी भी सिद्धान्त के ऐसे साधारणीकरण का मार्क्स और एंगल्स ने निषेध किया है। एंगल्स ने स्पष्ट रूप में कहा था कि, "इतिहास का निर्णायक तत्त्व अन्ततोगत्वा वास्तविक जीवन का उत्पादन और पुनरुत्पादन है।" लेकिन साथ में यह भी कहा है कि, "इससे अधिक न मार्क्स ने और न मैंने ही कभी कहा है। अत: यदि कोई इसे तोड़-मरोड़कर यों कहे कि आर्थिक तत्त्व ही एक मात्र निर्णायक तत्त्व है तो वह हमारी प्रस्थापना को निरर्थक, अपूर्ण और खोखली शब्दावली मात्र बना देता है।"

इतना स्पष्ट इशारा देने के बावजूद मार्क्सवाद के भारतीय अनुयायियों ने साम्यवादी आंदोलन के द्वारा वर्गसंघर्ष को आर्थिक सतह तक ही सीमित रखा। डॉ. आंबेडकर इस वस्तुस्थिति को नज़रअंदाज़ कैसे करते? वे समझ गये थे कि वर्ग संघर्ष द्वारा जातिभेद का निर्मूलन होना असंभव है और जातिभेद का निर्मूलन होने तक अछूतों को सामाजिक न्याय मिलना विलंबित होता जाएगा। इसीलिए आर्थिक तत्त्व को स्वीकार करते हुए भी उन्होंने वर्ण संघर्ष पर ही बल दिया और दलित मुक्ति का आंदोलन छेड़ा। वर्ग संघर्ष का हथियार देकर मार्क्स ने क्रांति की जिम्मेदारी श्रमजीवी वर्ग एवं मेहनतकश मज़दूरों के हाथों में सौंप दी थी। जबकि वर्णसंघर्ष का हथियार देकर डॉ. आंबेडकर ने भारतीय समाज में आमूलचूल क्रांति करने की जिम्मेदारी दलितों पर सौंप दी। दलित साहित्य यह ज़िम्मेदारी निभाने के लिए आंबेडकरवादी विचारधारा से प्रतिबद्ध है।

मार्क्सवादी साहित्य से मिली जुली दृष्टि को स्वीकार करते हुए भी दलित साहित्य के निर्माण की मूलभूत प्रेरणा डॉ. आंबेडकर के तत्त्व विचारों में है। उनके तत्त्व विचारों में तीन प्रमुख सूत्र थे— (1) स्वाभिमान, स्वावलंबन और स्वोद्धार। ये मुक्ति की मूलभूत प्रेरणाएँ हैं। (2) शिक्षा (Education), संगठन (Organisation) और संघर्ष (Struggle)। ये मुक्ति के साधन है और (3) मानवीय हक़ एवं अधिकार भीख माँगने से नहीं मिलते बल्कि उनको पाने के लिए संघर्ष करना एवं लड़ना अनिवार्य होता है।

इन विचार सूत्रों के द्वारा दलित समाज में न केवल जागृति होती रही बल्कि सदियों की दासता के विरोध में तीव्र संघर्ष करने की आत्मशक्ति भी विकसित होती रही। सामाजिक अन्याय के खिलाफ़ एक तीव्र जनसंघर्ष शुरू हुआ जिसका सूत्रपात डॉ. आंबेडकर ने 1927 में किया था, इसका जिक्र मैंने प्रारंभ में ही किया है। 1956 में धर्मांतरण के बाद दो महिनों में डॉ. आंबेडकर का महानिर्वाण हुआ। उसके पश्चात् उनके छेड़े जनसंघर्ष को

गतिमान करने के प्रयास दलित साहित्यकारों ने जारी रखे। अण्णा भाऊ साठे कम्युनिस्ट थे, मार्क्सवाद से प्रभावित होने के फलस्वरूप वे साम्यवादी आंदोलन से जुड़े हुए थे। कहानी, उपन्यास, शायरी आदि साहित्य विधाओं में उनका महत्त्वपूर्ण योगदान है। लेकिन 1956 के आसपास वे डॉ. आंबेडकर की विचारधारा को भी स्वीकारते रहे। बाबुराव बागुल जो विद्रोही दलित कहानी के आदिप्रवर्तक माने जाते हैं वे भी मार्क्सवाद से प्रभावित थे। मार्क्स की विचारधारा स्वीकार करने के बावजूद 1960 के आसपास वे डॉ. आंबेडकर की विचारधारा के समर्थक बने और भाष्यकार भी। उनसे प्रेरित होकर कतिपय दलित युवा लेखकों ने साहित्य निर्मिति का आरंभ किया। 1960 में भारतीय स्वाधीनता के बारह वर्ष पूर्ण हो चुके थे और उसके पहिले ही भारतीय संविधान, जिसके शिल्पकार डॉ. आंबेडकर माने जाते हैं, कार्यान्वित हो चुका था। संविधान के मुताबिक़ कानूनी तौर पर अस्पृश्यता एवं जातिभेद पर प्रतिबंध लगाया गया था। लेकिन प्रत्यक्ष व्यवहार में अछूतों को स्वाधीनता के कुछ भी फल नहीं मिले और छुआछूत व्यवहार तो होता ही रहा, धर्मांतरण के कारण उपेक्षा भी होती रही। दलित समाज की युवा पीढ़ी विफलता का अनुभव करती हुई संतप्त हो रही थी। इस विफलता और संताप के कारण दलित युवा पीढ़ी की भावनाओं एवं विचारों का विस्फोट हुआ। अपनी दमित भावनाओं, विचारों एवं व्यथा वेदनाओं को दलित लेखक वाणी प्रदान करने लगे। इसी प्रक्रिया में दलित साहित्य की धारा प्रभावी होकर प्रवाहित होने लगी। दूसरे शब्दों में कहना हो तो हम कह सकते हैं कि 1960 के आसपास दलित समाज का संघर्ष तो व्यापक जनसंघर्ष का ही एक रूप बनते गया। ऐसे जनसंघर्ष से ही जनता के कलाकार निर्माण होते हैं और जनसाहित्य भी। अगर मार्क्सवादी साहित्य जनसाहित्य का एक रूप है तो दलित साहित्य भी जनसाहित्य का ही एक रूप है।

एंगल्स ने स्पष्ट रूप में कहा है कि, राजनीतिक परिस्थिति और सामाजिक उथलपुथल के स्पंदन प्रथम कोटि साहित्य में और विशेष तौर पर कविता में प्रतिबिंबित होते रहते हैं। जब प्रत्यक्ष रूप में कोई राजकीय कृति असंभव एवं नामुमकिन होती है तब जनता की भावनाएँ विचार एवं विकार साहित्य द्वारा ही प्रकट होते रहते हैं। अगर एंगल्स का यह अनुमान सही रूप में स्वाभाविक प्रवृत्ति मानी जाती है तो 1960 के आसपास की राजनीतिक एवं सामाजिक उथल पुथल के संदर्भ में दलित साहित्य की निर्मिति जितनी स्वाभाविक है उतनी ही अनिवार्य है। दलित साहित्यकारों ने प्रस्थापित समाज व्यवस्था के विरोध में विद्रोह की भूमिका स्वीकार की। ईश्वर, आत्मा, पुनर्जन्म, कर्मविषयक इत्यादि हजारों वर्षों के विश्वास को दलित साहित्य ने नकारा। ऊँच-नीच का भेद ईश्वर और धर्म के नाम पर वर्णयुक्त समाज व्यवस्था ने ही किया है, इस दृढ़ धारणा से परंपरागत सामाजिक ढाँचा बदलने का क्रांतिकारी कार्य संपन्न करने में दलित साहित्य महत्त्वपूर्ण उत्तरदायित्व को निभाता है। भले ही दलित साहित्य की निर्मिति मार्क्सवाद से प्रेरित न हो। लेकिन मार्क्सवाद का यह विश्वास है कि आर्थिक, सामाजिक और सांस्कृतिक शोषण को समाप्त करने का कार्य इस प्रकार क्रांतिकारी स्तर पर ही होता है। और इस क्रांतिकारी

परिवर्तन में साहित्य का अपना महत्त्वपूर्ण योगदान होता है। इस दृष्टि से दलित साहित्य भी अपना उत्तरदायित्व निभाता है।

मेरी अपनी दृष्टि से इस पृष्ठभूमि को ध्यान में रखते हुए दलित साहित्य की आलोचना मार्क्सवादी दृष्टि से करनी होगी। दलित साहित्य का स्वरूप सामाजिक अन्याय के विरोध में है, इसका मतलब यह नहीं कि दलित साहित्य आर्थिक अन्याय के विरोध में नहीं है। मतलब यह है कि दलित साहित्य सामाजिक अन्याय को विरोध के प्राधान्य देता है। जिस सामाजिक ढाँचे में दलित समाज का शोषण होता रहा, उस ढाँचे को दलित साहित्य तोड़ना चाहता है।

किसी भी सामाजिक ढाँचे में मनुष्य जाति के हजारों वर्षों के विश्वास, शोषण की पद्धति, जीवन व्यवहार की प्रणालियाँ और सांस्कृतिक-आर्थिक संबंध बने रहते हैं। यह परंपरागत ढाँचा तब टूटेगा जब इन विश्वासों और सामाजिक-सांस्कृतिक विरासत को बदलने के लिए क्रांतिकारी स्तर पर काम होगा। जन साहित्य इस काम में अपनी अहम भूमिका निभाता है। मार्क्सवादी साहित्य और दलित साहित्य जन साहित्य की ही दो धाराएँ हैं।

समाज की भौतिक सुख की प्रगति एवं वृद्धि प्रचलित सामाजिक संबंध के कारण रुक जाती है। सामाजिक संबंध भिन्न प्रकार के होते हैं जैसे कि दास और स्वामी, भूदास और ज़मींदार, मज़दूर और कारखानदार, छूत और अछूत इत्यादि। जब शोषित, पीड़ित तथा दलित जनसमूह इस रुकावट को हटाने के लिए प्रचलित संबंधों के विरोध में संघर्ष अथवा आंदोलन छेड़ते रहते हैं तब नये मूल्य, नयी भावनाएँ, नया सत्य, नया यथार्थ उभर आता है। इस नयी यथार्थ भावभूमि को प्रकटीकरण की ज़रूरत होती है। जिस साहित्य में यह प्रकटीकरण होने लगता है, उसी को प्रगतिशील साहित्य (Progressive Literature) कहा जाता है। मार्क्स की विचारधारा से प्रेरित साहित्य जितना प्रगतिशील है उतना ही डॉ. आंबेडकर की विचारधारा से प्रेरित दलित साहित्य भी प्रगतिशील है।

मार्क्सवादी साहित्य 'संघर्षशील वर्ग' (Conteding Classes) का पक्षधर होने के कारण प्रगतिशील साहित्य ही है। मार्क्सवादी विचारों के मुताबिक़ समाजविकास के हर दौर पर नया संघर्षशील वर्ग अपने संघर्ष के साथ उभर आता है। इसी तौर पर दलित समाज अपना जीवन संघर्ष लेकर उभर आया है। लेनिन के 'परावर्तन सिद्धान्त' के (Theory of Reflection) मुताबिक़ जीवन संघर्ष साहित्य में प्रतिबिंबित होता रहता है जिसके परिणामस्वरूप साहित्य 'यथार्थवादी' (Realistic) बनता है। 'यथार्थवाद' का (Realism) सूत्रपात कार्लमार्क्स ने अपनी 'राजनीतिक अर्थशास्त्र की समीक्षा' पुस्तक की प्रस्तावना में किया। लेनिन ने उसका विस्तार किया और मॅक्सिम गोर्की ने उसका विश्लेषण करते हुए कहा कि गतकालीन वास्तविकता का आकलन करते हुए वर्तमानकालीन वास्तविकता के चित्रण द्वारा भविष्यकालीन वास्तविकता का संकेत देना ही प्रगतिशील लेखकों का उद्दिष्ट है। इसीलिए 'यथार्थवाद' (Realism) मार्क्सवादी एवं प्रगतिशील साहित्य की विशेषता है। गौरतलब है

कि यह विशेषता दलित साहित्य में भी पेशेनज़र आती है। सदियों की सामाजिक दासता में नारकीय, पशुतुल्य, बहिष्कृत और वंचित जीवन का जो अनुभव दलित समाज ने किया था उसको दलित साहित्य में उद्गार प्राप्त हुआ। संत ज्ञानेश्वर से शुरू हुई मराठी साहित्य की दीर्घकालीन परंपरा में दलित समाज का स्थान नहीं के बराबर रहा। भले ही अछूतों के प्रति कुछ कवियों अथवा लेखकों ने कभी-कभार अपनी रचनाओं में सहानुभूति व्यक्त की होगी, लेकिन अछूतों की अनुभूति को किसी ने वाणी प्रदान नहीं की और वर्णव्यवस्था के कारण जो अर्थ शून्य जीवन दलित समाज को मजबूरी से भुगतना पड़ता था उसका यथार्थ चित्र भी प्रस्थापित मराठी साहित्य में नहीं के बराबर है। इस प्रकार साहित्य व्यवहार में भी दलित जीवन बहिष्कृत ही रहा। डॉ. आंबेडकर की विचारधारा से प्रेरित दलित साहित्य अब किसी की सहानुभूति का नहीं बल्कि दलित लेखकों के अनुभूति का साहित्य है। इस साहित्य में गतकालीन जीवन की यथार्थता प्रकट होती रही है। जिस प्रस्थापित व्यवस्था ने दलितों पर यह जीवन लादा था इस व्यवस्था के विरोध में दलित समाज का संघर्ष जारी है। यह संघर्ष दलितों के वर्तमान जीवन की यथार्थता है जो दलित साहित्य में व्यक्त होती रही है। और भविष्य में शोषण रहित एवं जातिभेद रहित समाज की रचना का जो लक्ष्य है उसकी ओर इस संघर्ष का निर्देश है। इसी प्रकार लेनिन के 'परावर्तन का सिद्धान्त' का परिचय दलित साहित्य में मिलता है और माक्सिम गोर्की की 'यथार्थवाद' की भूमिका भी दलित साहित्य से प्रमाणित होती है।

यथार्थवाद का मूल सिद्धान्त है वस्तु को उसके यथार्थ रूप में चित्रित करना। मार्क्स और लेनिन ने लेखकों की स्वतंत्रता को (Writers Freedom) स्वीकार किया है। मानवीय अस्तित्व की वस्तुगत (Obejective) और आत्मपरक (Subjective) विशेषता होती है। इसीलिए मानवीय अस्तित्व एवं जीवन की यथार्थ के सारे पहलू साहित्यकृति में प्रतिबिंबित होने चाहिए। मनुष्य की बाह्य सृष्टि का परावर्तन (Reflection) लेखक की अंत:सृष्टि में होता है और साहित्यकृति में लेखक के अनुभव का परावर्तन होता है तो अंत:सृष्टि के साथ ही होता है, और अंत:सृष्टि में लेखक के निजी मनोव्यापार होते ही हैं जो अनुभव के साथ साहित्य कृति में प्रतिबिंबित होना तो स्वाभाविक है। इसीलिए यथार्थ का चित्रण साहित्यकृति में हो। मार्क्स और लेनिन की यही धारणा थी। साहित्य एवं कला की सृजनप्रक्रिया में स्फूर्ति, प्रतिभा, कल्पना इत्यादि सृजन शक्तियों का स्थान स्वीकारते हुए भी मार्क्स-लेनिन ने यथार्थता अथवा वास्तविकता पर बल दिया क्योंकि उनकी दृष्टि से भौतिक जीवन ही साहित्य एवं कला का मूल आधार है। 'कला के लिए कला' अथवा 'जीवन के लिए कला' इस विवाद में 'जीवन के लिए कला' का सही अर्थ मार्क्स-लेनिन के विचारों में सूचित है। मार्क्सवादी साहित्य जीवनवादी साहित्य है। भले ही दलित साहित्य की प्रत्यक्ष प्रेरणा मार्क्सवाद में न हो, लेकिन दलित साहित्य भी तो जीवनवादी साहित्य है। बाबुराव बागुल, नामदेव ढसाल, अर्जुन डांगले, यशवंत मनोहर आदि शीर्षस्थ दलित लेखक डॉ. आंबेडकर की विचारधारा से प्रतिबद्ध है। फिर भी मार्क्सवादी विचारों

से प्रभावित रहे। डॉ. आंबेडकर के आंदोलन से शोषित दलित नारी भी प्रबोधित हुई और निजी व्यथा वेदनाओं का आविष्कार करते हुए संघर्ष में शरीक होने लगी। ज्योति लांजेवार, हिरा बनसोडे, मल्लिका अमर शेख आदि दलित कवयित्रियों की रचनाओं ने पाठकों का ध्यान आकर्षित किया। दया पवार की पुत्री प्रज्ञा लोखंडे का दलित साहित्य में लक्षवेधी योगदान है। महिला लेखकों की साहित्य निर्मिति की प्रेरणा डॉ. आंबेडकर की विचारधारा में ही है। फिर भी वर्ग संघर्ष और वर्ण संघर्ष के संयोग की भावना इनकी रचनाओं में अभिव्यक्त होती है। इसका मतलब तो यही हुआ कि भले मा. केशव मेश्राम जैसे कुछ कट्टर आंबेडकरवादी लेखक मार्क्सवाद को स्वीकार न करे, लेकिन मार्क्सवाद का खुलेआम विरोध भी नहीं करते। क्योंकि मार्क्सवाद एक दर्शन (Philosoply) है जिसमें शोषित, पीड़ित दलित वर्ग की मुक्ति का और मानवता की प्रस्थापना का मार्गदर्शन है।

मार्क्स ने लिखा है कि तत्वचिंतकों ने (Philosopher) भिन्न-भिन्न तरीके से विश्व का मात्र स्पष्टीकरण दिया है। लेकिन महत्त्वपूर्ण मुद्दा यह है कि विश्व को कैसे बदले। (Philosophers merely explained the world in different way, the point is how to change the world.) इस विश्व को कैसा बदला जाये यही तो मार्क्स ने विभिन्न सिद्धान्तों के रूप में बताया है। दलित साहित्यिक जानते हैं कि डॉ. आंबेडकर भी अपने तत्त्वविचारों द्वारा यही समझाते रहे कि विश्व को कैसे बदला जाये। इसीलिए यह मानना ठीक नहीं कि दलित साहित्य का मार्क्सवाद से कुछ ताल्लुक नहीं। मार्क्स के सिद्धान्तों और आंबेडकर के तत्वविचारों को व्यवहार में किस तरह चरितार्थ किया जाये यह राजनीतिक पार्टियों का कार्य है। 'सिद्धान्त और व्यवहार' के प्रत्यक्षगत अनुभवों का यथार्थ चित्रण करना यह साहित्य का एक महत्त्वपूर्ण कार्य है।

बीसवीं सदी में विश्वयुद्धोत्तर काल में 'प्रतिबद्ध लेखन' (Committed Writing) की संकल्पना उभरकर आयी जिसका मूलाधार साहित्य में यथार्थ का अथवा वास्तविकता को सामाजिक एवं राजनीतिक जिम्मेदारी से (Socio-political Responsibility) चित्रण करने के पक्ष में है। राजनीतिक और सामाजिक जिम्मेदारी तब तक महसूस नहीं होती जब तक लेखक यथार्थ की स्थिति से सम्बद्ध नहीं हो सकता। इसीलिए प्रतिबद्ध लेखन की संकल्पना में सम्बद्धता (involvement) का भी अंतर्भाव है। प्रतिबद्धता की संकल्पना ने मार्क्सवादी विचारधारा को नया आयाम दिया और आंबेडकरवादी विचारधारा को भी। इस दिशा में लेखक अपनी भूमिका कहाँ तक निभाता है इसका मूल्य मापन करना यह मार्क्सवादी आलोचना का कार्य है।

साहित्य की आलोचना समाजशास्त्रीय दृष्टि से (Sociological Approach) की जाती है और मार्क्सवाद की जीवन एवं साहित्य की ओर देखने की दृष्टि समाजशास्त्रीय ही है। दलित साहित्य की समाजशास्त्रीय दृष्टि से आलोचना करनी होगी तो आंबेडकर की विचारधारा के साथ मार्क्सवाद का भी आधार लेना आवश्यक है। रावसाहब कसबे एक मशहूर दलित लेखक और समाज चिंतक हैं। मूलतः कसबे आंबेडकरवादी हैं। लेकिन

मार्क्सवाद के समर्थक भी है। का. शरद पाटील कम्युनिस्ट पार्टी (महाराष्ट्र) के सक्रिय नेता माने जाते हैं। भारतीय कम्युनिस्ट पार्टी से कुछ मतभेद के कारण अलग होते हुए उन्होंने सत्यशोधक मार्क्सवादी पार्टी का गठन किया। डॉ. आंबेड्कर की विचारधारा का उनका आकलन परिपूर्ण है। वे समन्वयवादी है। समाज परिवर्तन के लिए परिवर्तनवादी प्रगतिशील साहित्य निर्मिति के लिए मार्क्सवाद और आंबेडकरवाद का समन्वय आवश्यक है क्योंकि ऐसा समन्वय तो इस युग का तकाजा है। यह विचार दृढ़ होता जा रहा है। राव साहेब कसबे जैसे दलित लेखक और शरद पाटील जैसे मार्क्सवादी लेखक इस विचार के पक्षधर है। समन्वय की संभावना मैंने 1971 में सूचित की थी जिसका जिक्र कॉ. शरद पाटील ने अपनी 'मार्क्सवाद और आंबेडकरवाद' किताब में किया है।

मराठी दलित साहित्य की एक विशेषता यह है कि विविध आंदोलनों के साथ दलित साहित्य के अंत:स्वरूप में सतत परिवर्तन होता रहा। 'दलित मुक्ति आंदोलन' का प्रारंभ 1927 में हुआ। इस आंदोलन के माध्यम से दलित समाज प्रबोधित होता रहा। डॉ. आंबेडकर ने अपने समाज को स्वाभिमान्, स्वावलंब्रन और स्वोद्धार की प्रेरणा देते हुए शिक्षा, संगठन और संघर्ष का मार्ग दिखाया। वे निर्धारपूर्वक कहा करते थे कि– "गुलामों को बारबार उनकी दासता की याद दिलाने से ही वे दासता के विरुद्ध बगावत करने उठते हैं।" इसी विचार को लेकर 1927 से 1956 के कालावधि में कविता-कहानियाँ लिखी जा रही थीं जिनका प्रमुख उद्देश्य यही था कि डॉ. आंबेडकर के क्रांतिकारी विचारों के प्रसारण के द्वारा दलित समाज को जागृत करना। हिंदू धर्म में सुधार करने एवं जातिव्यवस्था का निर्मूलन करनें के सारे प्रयास विफल होते हुए देखने की हताशा के परिणामस्वरूप अपने पूर्व घोषित निर्णय के मुताबिक डॉ. आंबेडकर ने अपने अनुयायियों के साथ 1956 में बौद्ध धर्म को स्वीकार किया। यह एक ऐसी ऐतिहासिक घटना रही जिसके कारण 'दलित मुक्ति आंदोलन' ने नया मोड़ लिया। हिंदू समाज व्यवस्था की दासता से दलित समाज मुक्त हो चुका। बौद्ध धर्म में जातिभेद न होने के कारण मात्र बंधुता का ही संदेश है, और बंधुता का ही दूसरा नाम मानव धर्म है। डॉ. आंबेडकर की यह धारणा थी।

धर्मांतरण का अर्थ यह नहीं था कि दलित समाज यकायक मानवी अधिकार एवं सामाजिक प्रतिष्ठा का हकदार बन गया। डॉ. आंबेडकर हिंदू मानसिकता में परिवर्तन चाहते थे और साथ ही जाति व्यवस्था का निर्मूलन भी। समता, स्वाधीनता, बंधुता और सामाजिक न्याय आदि मूल्यों पर आधारित बौद्ध धर्म के प्रसार के द्वारा वे यह कार्य, जो उनका सही जीवित कार्य था, पूरा करना चाहते थे। लेकिन धर्मांतरण की, ऐतिहासिक घटना के कुल दो-ढाई महीनों बाद डॉ. आंबेडकर का महा निर्वाण हुआ। कुछ समय तक दलित समाज बिना नेतृत्व के कारण दिशाहीन हो गया। डॉ. आंबेडकर के शीर्षस्थ अनुयायियों में नेतृत्व की होड़ शुरू हुई। डॉ. आंबेडकर का जीवित कार्य पूरा करने के प्रयास के बदले ये शीर्षस्थ नेता राजनीतिक आकांक्षाओं से प्रेरित होने लगे। इसके परिणामस्वरूप डॉ.

आंबेडकर के विचारों एवं धर्मांतरण की ऐतिहासिक घटना से प्रभावित तथा प्रेरित दलित समाज की नवशिक्षित युवा पीढ़ी संतप्त होने लगी। और इस संतप्त युवा पीढ़ी ने डॉ. बाबा साहेब का जीवित कार्य पूरा करने की प्रतिबद्धता स्वत:-स्फूर्ति से स्वीकार की। उनका संताप दोहरा था। एक ओर जिस वर्णव्यवस्था ने उन पर सदियों की सामाजिक दासता लादी थी उस वर्ण व्यवस्था से संतप्त थे। और दूसरी ओर अपने ही समाज के राजकीय आकांक्षा से प्रेरित हुए नेताओं से भी। इस संतप्त मनोवस्था में सदियों से कौंधता रहा आक्रोश फूटने लगा। व्यथा, वेदना, वंचना एवं विद्रोह की तीखी भावनाएँ व्यक्त होने लगी। अभिव्यक्ति का यह विस्फोट, 1960 के बाद शुरू हुए दलित साहित्य की एक धारा का मूलस्रोत था।

गौरतलब है कि 1960 के दशक में यूरोपीय देशों में भी संतप्त युवा पीढ़ी प्रस्थापित व्यवस्था और प्रस्थापित साहित्य के विरोध में आंदोलन छेड़ रही थी। इस आंदोलन की प्रेरणा मार्क्सवाद में थी। भले ही दलित युवा पीढ़ी यूरोपीय संतप्त पीढ़ी से प्रभावित रही हो, लेकिन दलित संतप्त युवा पीढ़ी की प्रेरणा डॉ. आंबेडकर के विचारों में ही थी। कुछ प्रमुख दलित लेखकों का नाम निर्देश मैंने पहले ही किया है। इन लेखकों का झुकाव मार्क्सवाद की ओर अवश्य था। फिर भी यह तो सच है कि अधिकांश दलित लेखक इनसे सहमत नहीं थे। क्योंकि डॉ. आंबेडकर की विचारधारा से प्रभावित होने के कारण दूसरी किसी विचारधारा, जिस पर डॉ. आंबेडकर ने आपत्ति उठायी हो, उसको स्वीकार करने की उसकी मानसिक तैयारी नहीं है।

डॉ. बाबा साहेब आंबेडकर स्वयं एक अर्थशास्त्री होने के नाते कार्लमार्क्स के आर्थिक सिद्धान्तों से अवगत थे। लेकिन उनके विचार का मुख्य मुद्दा यही था कि भारतीय समाज व्यवस्था की दृष्टि से जातिव्यवस्था का निर्मूलन होना सर्वप्रथम आवश्यक है। इसीलिए उन्होंने वर्ण संघर्ष पर बल दिया। फिर मार्क्सवाद पर आपत्ति का सवाल ही कहाँ उठता है? सही बात यह है कि बौद्धधर्म को स्वीकार करने के पश्चात् डॉ. आंबेडकर ने बौद्धधर्म की दृष्टि से मार्क्सवाद की आलोचना की और ऐसा निष्कर्ष प्रस्थापित किया कि कार्ल मार्क्स का दिखाया हुआ शोषण मुक्ति का क्रांतिकारी मार्ग हिंसा का मार्ग था। दूसरे शब्दों में कहें कि मार्क्सवाद में हिंसा को स्थान है जबकि बुद्ध के तत्वविचारों में हिंसा वर्ज्य है। अहिंसा का ही मार्ग मात्र समता, स्वाधीनता एवं बंधुता के द्वारा मनुष्य को मानव धर्म की ओर ले जाने वाला है। डॉ. आंबेडकर का अपने अनुयायियों को यही संदेश था कि इसी 'मुक्तिपथ' से चलना है।

अधिकांश दलित लेखक मार्क्सवादी विचारों के प्रभाव से अपने आपको बचाकर डॉ. आंबेडकर के विचारों तक सीमित रखना पसंद करते रहे। लेकिन बावजूद इसके समकालीन परिवर्तित राजनीतिक एवं सामाजिक परिस्थितियों का दलित युवा पीढ़ी पर असर अनिवार्य रूप से होता रहा, जिसके कारण उनकी विद्रोह की भावना अधिक तीव्र होती गयी। मात्र वर्णव्यवस्था के विरोध में ही नहीं बल्कि स्वाधीनतोत्तरकालीन राजनीति के

विरोध में भी उनका प्रक्षोभ तीव्र हुआ। इसके परिणामस्वरूप दलित पँथर्स के नाम से एक नये आंदोलन का सूत्रपात हुआ। यह आंदोलन उग्रवादी था। दलित पँथर्स के नामदेव ढसाल और राजा ढाले जैसे संतप्त विद्रोही नेताओं ने डॉ. आंबेडकर के विचार तो आत्मसात कर ही लिए थे। लेकिन आगे चलकर उन्होंने अप्रत्यक्ष रूप में कार्ल मार्क्स की भाषा का ही प्रयोग किया। ठीक मार्क्स के समान उन्होंने कहा कि, "दलित वर्ग के पास गँवाने के लिए कुछ नहीं है, हासिल करने के लिए बहुत कुछ है। इसीलिए उग्र आंदोलन के द्वारा ही उसे सब कुछ पाना है। एक ओर डॉ. आंबेडकर के शीर्षस्थ अनुयायी राजनीतिक आकांक्षा से प्रेरित होते हुए सत्ता की होड़ में आपसी झगड़ा करने में मशगूल थे, और दूसरी ओर दलित पँथर्स, सामाजिक अन्याय के विरोध में अपना आंदोलन तीव्र कर रहे थे। दलित पँथर्स की उग्रवादी विचारधारा का प्रभाव दलित साहित्य पर विशेष रूप में दलित कविता पर कही अधिक दिखाई देता है। इतना कि 1970 से 1980 के कालावधि में नवोदित दलित युवा कवि अभिमान के साथ अपनी पहचान देते समय, 'मैं पँथर्स का कवि हूँ।' ऐसा कहने लगा था। इसी आंदोलन के समान्तर मराठवाडा विद्यापीठ के नामांतरण के प्रश्न को लेकर 'नामांतरवादी आंदोलन' छेड़ा गया। कहना होगा कि इस आंदोलन से भी दलित कविता प्रभावित हुई। कतिपय दलित युवा कवियों ने इस आंदोलन से प्रेरित होकर काफी अच्छी कविता लिखी है। उसका संपादित मजमुआ प्रा. दामोदर मोरे ने प्रकाशन किया। इस आंदोलन के समान्तर ही आरक्षण के प्रश्न को लेकर आंदोलन गठित होता रहा जिसका असर भी 1980 के बाद की दलित कविता पर दिखाई देता है और दलित साहित्य पर भी।

कहने का मतलब यह है कि दलित साहित्य, विशेषत: दलित कविता प्रारंभ से ही दलित आंदोलनों से जुड़ी हुई है। ध्यान रहे कि फ्रेडरिक एंगल्स ने कहा था कि -- "जब कोई राजनीतिक कृत्य करने की एवं राजनीतिक कृति द्वारा परिवर्तन की प्रक्रिया व्यवहार्य करने की गुँजाईश नहीं होती तब साहित्य के माध्यम द्वारा ही संवेदनशील कवि और लेखक अपनी भावनाओं तथा विचारों को प्रकट रूप देता है।" एंगल्स के इस महत्त्वपूर्ण विधान के प्रमाण दलित साहित्य में मिलते हैं।

1960 के बाद दलित साहित्य को विद्रोही साहित्य के रूप में देखने की भूमिका सर्वप्रथम बाबुराव बागुल ने ही अपनायी। सर्वसाधारण श्रमजीवी वर्ग से अछूत एवं दलित वर्ग के जीवानुभव अलग होने के कारण दलित चेतना, दलित संवेदना, दलित अनुभव आदि की अपने ही ढंग से परिभाषा करने के प्रयास बाबुराव बागुल करते रहे। मार्क्सवाद से प्रभावित रहते हुए भी उनकी दलित साहित्य की परिभाषा का मूलाधार डॉ. आंबेडकर की विचारधारा ही रहा। दलित साहित्य के सैद्धान्तिक विवेचन को उन्होंने 'क्रांति विज्ञान' नाम देकर यह साबित किया कि जिस दृष्टि से मार्क्सवाद क्रांतिकारी दर्शन है उसी दृष्टि से आंबेडकरवाद भी क्रांतिकारी दर्शन है। बाबुराव बागुल स्वयं एक सशक्त कहानीकार और उपन्यासकार है। 1960 के बाद दलित लेखकों को उन्होंने नयी दृष्टि देने के कारण दलित

साहित्य की प्रेरणा डॉ. आंबेडकर के तत्वविचारों में है और बाबुराव बागुल के साहित्य में भी। बाबूराव बागुल की यह विशेष खूशी थी कि वर्णव्यवस्था तथा जातिव्यवस्था में अछूत वर्ग का सदियों से जो शोषण होता आया है उसमें वे आम आदमी के शोषण का ही रूप महसूस करते थे। क्योंकि उनकी भूमिका को मार्क्सवाद का भी एक परिमाण एवं आयाम था। दया पवार, अर्जुन डांगले, यशवंत मनोहर जैसे लेखक आंबेडकरवादी होते हुए भी उनकी साहित्यकृतियों में मार्क्सवादी तत्वविचारों का प्रमाण मिलता है। इसी लिए गं.बा. सरदार, दि.के. बेडेकर, शरच्चंद्र मुक्तिबोध जैसे समाजचिंतक एवं साहित्य विमर्शक मार्क्सवादी होते हुए भी शुरू से ही दलित साहित्य के पक्षधर रहे और समर्थक रहे। आगे चलकर उन्होंने मार्क्सवादी और दलित साहित्य की धाराओं को एक मंच पर लाने के भी प्रयास किये थे। क्योंकि उनकी यह धारणा थी, उनका यह विश्वास था कि मार्क्सवाद और आंबेडकरवाद एक ही सिक्के के दो पहलू है। और मार्क्सवादी साहित्य और दलित साहित्य ये प्रगतिशील साहित्य की दो धाराएँ हैं, जो एक ही लक्ष्य की ओर जा रही हैं। मात्र आंबेडकरवाद को ही स्वीकार करने वाले जो दलित लेखक हैं उनके लिए यह समझना उनकी सोच के परे ही रह गया। परिणामस्वरूप दलित साहित्य में मार्क्सवादी बनाम आंबेडकरवादी ऐसे दो खेमे स्पष्ट रूप में दृष्टिगत होते रहे थे। दलित पँथर्स में फूट पड़ने के कारण दलित साहित्य के क्षेत्र में भी गुटबाजी शुरू हुई। फिर भी मार्क्सवादी लेखक प्रगतिशील एवं परिवर्तनवादी दृष्टि से दलित साहित्य के पक्षधर बने रहते है। दलित समज के आंदोलनों को सक्रिय सहायता करते रहते हैं एवं दलित साहित्य के आंदोलनों में भी शरीक होते रहते हैं। मराठी में 'अस्मितादर्श' यह नियतकालिक 1968 में शुरू हुआ जिसका दलित साहित्य के विकास में काफी महत्त्वपूर्ण योगदान रहा है। 1960 के आसपास दलित साहित्य की धारा शुरू हुई, इस धारा को दिशा देने और आगे बढ़ाने का ऐतिहासिक कार्य इसी पत्रिका ने किया। विद्यमान कालखंड के बहुतांश कवि, कहानीकार, उपन्यासकार, दलित आत्मकहानीकार एवं दलित साहित्य के आलोचक इसी पत्रिका के विचार मंच पर उभरे हैं। भले दलित साहित्य के क्षेत्र में उनका निजी योगदान एवं उनकी निजी पहचान हो, उनका झुकाव 'आंबेडकरवाद' की ओर कही अधिक है। गौरतलब है कि डॉ. आंबेडकर की विचारप्रणाली से प्रतिबद्ध होते हुए भी इस पत्रिका ने सभी प्रागतिक वाङ्मर्यान विचारधाराओं को स्वीकार करने की भूमिका अपनाने के कारण कतिपय मार्क्सवादी प्रगतिशील लेखक 'अस्मितादर्श' के विचारमंच पर प्रस्तुत होते रहे साहित्यिक उपक्रमों में अपना योगदान दे चुके हैं। 21वीं सदी के आसपास इस पत्रिका एवं विचारमंच का प्रभव आहिस्ता आहिस्ता कम होता जा रहा है। दलित साहित्य का आंदोलन भी इतना गतिमान नहीं दिखाई देता जितना 20वीं सदी के अंतिम दहाई में था। यहाँ उसकी वजह की आलोचना करना अप्रस्तुत है। लेकिन एक बात तो सही है कि मराठी दलित साहित्य के परिणामस्वरूप अन्य भारतीय भाषाओं में डॉ. बाबासाहब की विचारधारणाएँ परिचित होने का कारण वर्णवाद का उतना ही महत्त्व महसूस होने लगा जितना मार्क्स के वर्गवाद का होता रहा है।

और अन्य भारतीय भाषाओं में भी दलित साहित्य की धारा विकसित हो रही है।

बीसवीं सदी के अंतिम दशक में सामाजिक और राजनीतिक व्यवहार में धर्मवाद बनाम धर्मनिरपेक्षतावाद ऐसा संघर्ष उभर आया है। 1990 के आसपास सोवियत संघ राज्य का विघटन हुआ उसी समान्तर काल में अपने देश में मूलतत्ववाद एवं सांप्रदायिकता के दृढ़मूल होते हुए प्रतिगामी शक्तियाँ संगठित होने लगी। और ऐसा प्रचार होने लगा कि मार्क्सवाद परास्त हो चुका है। लेकिन मार्क्सवाद एक भौतिकवादी दर्शन है और कोई भी दर्शन कभी परास्त नहीं होता। परास्त होते रहते हैं वे लोग जो दार्शनिक सिद्धान्तों का व्यवहार करने में कुछ गलतियाँ कर बैठते हैं। साहित्यकार एक दृष्टि से जीवन का भाष्यकार एवं आलोचक भी होता है और अपने साहित्य के द्वारा इन गलतियों की ओर समाज का ध्यान आकर्षित करता है। प्रगतिशील साहित्य का यह भी एक महत्त्वपूर्ण उद्देश्य होता है। यह ध्यान में रखते हुए धर्मवाद बनाम धर्मनिरपेक्षता के संघर्ष के दौरान प्रगतिशील साहित्य को अपनी भूमिका निश्चित करनी होगी और सभी प्रगतिशील शक्तियों का संगठन करना होगा। इस प्रक्रिया का मूल शायद मार्क्सवाद और आंबेडकरवाद के संयोग में ही दृष्टिगत होने की संभावना है। क्योंकि धर्मनिरपेक्षता (Secularism) की मूल संकल्पना ये दो महापुरुषों की विचारधाराओं में एंव तत्वविचारों में विहित है। मेरी अपनी दृष्टि से मार्क्सवादी और दलित साहित्य प्रगतिशील साहित्य की दो धाराएँ हैं। और प्रगतिशील साहित्य धर्मवाद का नहीं बल्कि धर्म निरपेक्षता का पक्षधर है। क्या जीवन संघर्ष के आधुनिक संदर्भ में हम इस तथ्य को नज़र अंदाज़ कर सकते हैं?

3 चैतन्य
109, जय प्रकाश नगर,
गोरेगाँव (पूर्व), मुम्बई 400063

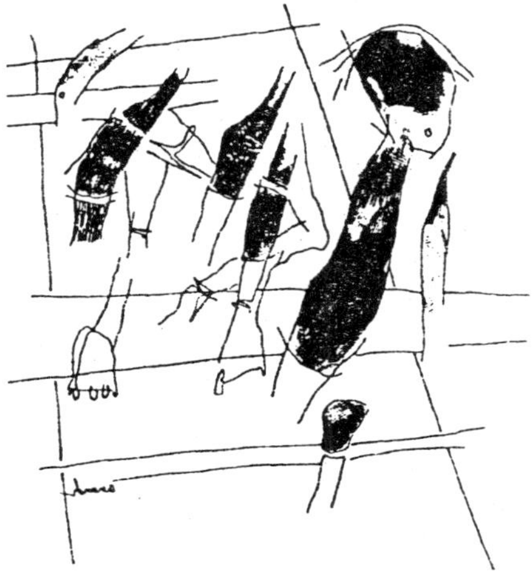

मध्यकालीन निर्गुण पंथी संत कवियों की प्रगतिशील चेतना

चयन एवं टिप्पणी ■ प्रो. गोविंद रजनीश

मध्यकालीन— निर्गुणपंथी, कवियों में अधिकांश हिन्दुओं और मुसलमानों के निम्न वर्गों व जातियों से आये थे। उन्होंने उच्च जातियों, दोनों वर्गों के कट्टरपंथियों, सामंतों, पुरातन पंथियों और विशेषकर जाति-मदान्ध ब्राह्मणों का उत्पीड़न सहा था। यहाँ जिन कवियों की रचनाएँ दी जा रही हैं उनमें नामदेव-छीपी, कबीर-मुसलमान जुलाहा, रैदास-चमार, दादूदयाल-मुसलमान धुनिया और बखना-मुसलमान मीरासी (गाने-बजाने वाली जाति) के थे, लेकिन इनकी साधना, काव्य-भूमि एवं भाव-भूमि अत्यन्त व्यापक और संवेदना जन-मन स्पर्शिनी रही है। इनकी ऐतिहासिक भूमिका यह रही है कि इन्होंने मज़हब व जाति-भेद से ऊपर उठकर मानवीय भाव को परख कर, विशाल मानवीय-बोध जगाया था।

भेद-भाव फैलाने वाली भिन्न-भिन्न ब्राह्य-विधियों से जन-मन का ध्यान हटाया, समाज में व्याप्त बाहयाडम्बरों, कुरीतियों, जड़ताओं, रुढ़ियों, विगलित परम्पराओं और विसंगतियों की कटु आलोचना की, विशुद्ध ईश्वर-प्रेम और सात्विक-जीवन अपनाने पर बल दिया। इसलिए ये कवि हिन्दू और मुसलमान सभी को किसी और मिथकीय शासन की प्रजा बताते हैं। ऐसे शासन की प्रजा जिसमें न हिन्दू हिन्दू रहता है, न मुसलमान मुसलमान, न ब्राह्मण ब्राह्मण रहता है; न छीपी, जुलाहा, धुनिया, कलाल, मीरासी, चमार, नाई, माली और कुम्हार अन्त्यज। उसके 'अलख दरीबा' में सभी बराबर हो जाते हैं, न किसी का मज़हब रहता है और न किसी की जाति। पूरे भारत में सामाजिक, धार्मिक और दार्शनिक चेतना को जगाने और एक विराट सांस्कृतिक आंदोलन खड़ा करने में इनकी अग्रणी भूमिका रही है।

इनकी प्रगतिशील चेतना सम्पन्न रचनाओं की प्रस्तुति प्राचीन पांडुलिपियों के आधार पर की जा रही है—

नामदेव

(1)

कहा करूं जग देखत अंधा।
तजि आनंद बिचारै धंधा॥ टेक॥
पाहन आगै देव काटीला, बाको प्रांण नहीं बाकी पूजा रचीला॥1॥
निरजीव आगै सरजीव मारै, देखत जनम आपनौ हारै॥2॥
आंगणि देव पिछौकडि पूजा, पाहन पूजि भए नर दूजा॥3॥
नांमदेव कहै सुनौ रे धगड़ा, आतमदेव न पूजौ दगड़ा॥4॥

(2)

बापजी एतलौं अंतरौ कीधौं।
जनम नांव दरजी नौं दीधौं।टेक॥
ब्राह्मण औचरै वेद नैं बांणी, जेत लौं अंतरौ दूध नैं पांणीं॥1॥
जाग्र नै आव्या ब्यास नैं भाटा, ऊठौ नांमदेव नाखियैं छांटा॥2॥
अम्हारी भगति न जांणीं हो रांमां, हसि करि कृश्न बुलाए नांमां॥3॥

(3)

आजु नामै बीठलु देखिआ।
मूरख को समझाऊ रे।टेक॥
पांडे तुमरी गाइत्री, लोधे का खेतु खाती थी।
लेकरि ठेगा टंगरी, तोरी लागत लागत जाती थी॥1॥
पांडे तुमरा महादेउ, धउले बलद चडिआ आवत देखिआ था।
मोदी के घर खाणा पाका, वाका लड़का मारिआ था॥2॥
पांडे तुमरा रामचंदु, सो भी आवतु देखिआ था।
रावन सेती सरबर होई, घर की जोई गवाई थी॥3॥

कबीर

(1)

कहा भयौ तिलक गरैं जपमाला।
मरम न जांणै मिलन गोपाला।टेक॥
दिन प्रति पसू करै हरिहाई[1], गरै काठ[2] वाकी बांनि न जाई॥
स्वांग सेत करणीं मन काली, कहा भयौ गलि माला घाली[3]॥
बिन ही प्रेम कहा भयो रोवैं, भीतरि मैल बाहरि कहा धोयैं॥
गलगल स्वाद भगति नहीं धीर, चीकन चंदवा कहै कबीर॥

शब्दार्थ– 1. उदंडता, 2. उदंड पशु के गले में काठ बाँध दिया जाता है, 3. पहनना

(2)

ताथैं कहिये लोकाचार।
बेद कतेब[4] कथैं ब्यौहार।टेक॥
जारि बारि करि आवै देहा, मूंवां पीछै प्रीति सनेहा॥
जीवत पित्रहि मारहिं डंगा[5], मूंवां पित्र ले घालैं गंगा॥
जीवत पित्र कूं अन्न न ख्वावैं, मूवां पाछैं प्यंड भरावैं॥
जीवत पित्र कूं बोलैं अपराध, मुवां पीछै देहि सराध॥
कहि कबीर मोहि अचिरज आवै, कऊवा खाइ पित्र क्यूं पावै॥

(3)

कहु पांडे सुचि कवन ठांउं।
जिहि घरि भोजन बैठि खाउं।टेक॥
माता जूठी पिता पुनि जूठा, जूठे फल चित लागे।
जूठा आंवन जूठा जांनां, चेतहु क्यूं न अभागे॥
चौका जूठा गोबर जूठा, जूठी काढ़ी कारा।
कहै कबीर तेई जन सूचे, जे हरि भजि तजहिं बिकारा॥

(4)

अलह ल्यौ लायें कहो न रहिये।
अहनिसि केवल रांम नांम कहिये।टेक॥
सुरमुखिकलसां ग्यांन मुखि छुरी, हुई हलाल पंचूं पुरी।
मन मसीति मैं किनहू न जांनां, पंच पीर मालिम भगवांनां॥
कहै कबीर मैं हरि गुण गाऊं, हिंदू तुरक दोऊ समझाऊं।

शब्दार्थ— 4. धर्म ग्रंथ, 5. लट्ठ (लकड़ी)

रैदास

(1)

रे चित चेति चेति अचेत काहे, बालमीकौं[1] देख रे।
जाति थैं कोई पदि न पहुच्या, राम भगति बसेख रे[2]।टेक॥
षट क्रम सहित जु विप्र होते, हरि भगति चित द्रिढ नांहि रे।
हरि कथा सूँ हेत नांहीं, सुपच तुलै तांहि रे॥1॥
स्वांन सत्र अजाति सब थैं, अंतरि लावै हेत रे।
लोग वाकी कहा जांनैं, तीनि लोक पवित रे।॥2॥
अजामिल गज गनिका तारी, काटी कुंजर[3] की पासि रे।

शब्दार्थ— 1. वाल्मीकि ऋषि, 2. देख, 3. श्वपच (पौराणिक ऋषि जिसने भूख मिटाने के लिए कुत्ते का माँस खाया था, 3. गज (गज-ग्राह की कथा की ओर संकेत-गजेन्द्र-मोक्ष)

अैसे दुमति[4] मुकति कीये, क्यूं न तिरं रैदास रे।।3।।

(2)

ताथैं पतित नहीं को अपांवन, हरि तजि आंनहि ध्यावै रे।
हम अपूजि पूजि भये हरि थैं, नांउं अनूपम गावै रे।।टेक।।
अष्टादस ब्याकरन[5] बखांनै, तीनि काल षद जीता रे।
प्रेम भगति अंतरगति नांहीं, ताथैं धानुक[6] नीका रे।।1।।
ताथैं भलौ स्वांन कौ सत्रू, हरि चरनां चित लावै रे।
मूवां मुकति बैकुंठा बासा, जीवत इहाँ जस पावै रे।।2।।
हम अपराधी नीच घरि जनमे, कुटंब लोग करैं हासी रे।
कहै रैदास राम जपि रसनां, काटै जम की पासी रे।।3।।

शब्दार्थ— 4. दुष्ट या पापी। 5. अष्टाध्यायी, 6. जुलाहा-कबीर।

दादूदयाल

(1)

हिंदू तुरक न जाणों दोइ।
सांई सबनि का सोई है रे, और न दूजा देखौं कोइ।।टेक।।
कीट पतंग, सबै जोनिन मैं, जल थल संगि समाना सोइ।
पीर पैकंबर[1] देवा दानव, मीर[2] मलिक मुनि जन कौं मोहि।।1।।
करता है रे सोई चीन्हौं, जिंनि वै क्रोध करै रे कोइ।
जैसे आरती मंजन कीजै, रांम रहीम देही तन धोइ[3]।।2।।
सांईं केरी सेवा कीजै, पायौ धन काहे कौं खोइ।
दादू रे जन हरि जपि लीजै, जनमि जनमि जे सुरिजन[4] होइ।।3।।

(2)

को स्वामी[4] को सेख[5] कहै।
इस धुनिये का मर्म न कोई लहै।।टेक।।
कोई रांम कोई अलह सुनावै, पुन अलह रांम का भेद न पावै।।1।।
कोई हिंदू कोई तुरक करि मानैं, पुनि हिंदू तुरक की खबरि न जानैं।।2।।
यहु सब करणीं दून्यूं बेद[6], समझि परी तब पाया भेद।।3।।
दादू देखै आतम एक, कहिबा सुनिबा अनंत अनेक।।4।।

शब्दार्थ— 1. पैगम्बर, 2. अमीर (सरदार), 3. जैसे दर्पण को मांजकर स्वच्छ करने से प्रतिबिम्ब स्पष्ट दिखाई पड़ता है वैसे ही हृदय को मांज कर (प्रक्षालित करके) राम और रहीम के प्रतिबिम्ब को एक सा ही देख सकते हैं। 4. हिंदू संत, 5. मुसलमान संत, 6. भेद रूपी कर्म का व्यवहार मय ज्ञान।

बखना

(1)

भाई रे क्या न्हाया क्या धोया।
तीरथां तीरथां भ्रमता भ्रमता, तिल भी मैल न खोया।टेक॥
करि करि पाप पृथमीं संगली, पांणी मांहैं न्हावै।
महिषी का माछर की नांई, लार अपूठौ आवै॥1॥
गंगा नैं गोदावरी न्हाया, पुहकर तीरां पैली।
आंखि उघाड़ि देखैं क्यू नांहीं, ऊजल हुई कि मैली।।2॥
जण जण कै गलि बांध्यौ दीसै, ठाकुर बटावा मांहीं।
इहि नैं छोड़ि पुहकर[1] वाला कै तू, चाल्यौ कयाह कै तांई।।3॥
कयूह ग्यान बिचार साध की संगति, सेवौ हरि अबिनासी।
बखना पाप बड़ा ल्हौड़ा कौ, राम भजन तैं जासी।।4॥

(2)

फुरमाया रे फुरमाया रे भाई।
खाण मतै ऐसी मति आई।टेक॥
आपण मारि आपण ही खावै, पैकंबर नैं दोस लगावै॥1॥
रोज़ा घर्‌या निवाज गुजारी, सांझ पड्या थैं मुरगी मारी।।2॥
बेमिहर कौं मिहर[2] न आवै, गलै परायै छुरी चलावै।।3॥
बखना बहुत हिरस के घाले, मिस्त छोड़ि दोजग कूं चाले।।4॥

शब्दार्थ— 1. राजस्थान की गायक जाति की स्त्री, पुजारिन, 1. पुष्कर, 2. दया।

(3)

ऐसी काहे न बूझै काजी।
जे तैं एक एक करि जांण्यां, तौ दूसरी दगाबाजी।टेक॥
एकै खाना एक ही माटी, एक ही घड़नैंहारा[1]।
एक चाक परि सबै उतार्‌या, सारा सकल पसारा॥1॥
एक ही कूवा एक ही पानी, जिनि भरि आण्या जिसका।
भरिया पाछै अपूठा न्यौंडहिं, तब वो पांणी किसका।।2॥
जैसी कौड़ी जौंहरी पाये, हीरे का पारीखा।।3॥
पाणीं अरूपा खाण मांहि तू, जल थल मैं अंस तेरा।
बखनौं कहै न देखौं दूजा, सारै साहिब मेरा।।4॥

---

1. ईश्वर रूपी कुम्मकार

515, शीला भवन, पश्चिम पुरी,
सिकन्दरा, आगरा-282007

सितम्बर 1914 की 'सरस्वती' में पटना के हीरा डोम की कविता 'अछूत की शिकायत' प्रकाशित हुई थी। यह भोजपुरी भाषा में है और सम्भवत: 'सरस्वती' में भोजपुरी भाषा की यह पहली रचना है। हिन्दी में यद्यपि उस समय तक दलित साहित्य जैसी कोई चीज़ नहीं थी और किसी डोम के द्वारा इस तरह के तेवर वाली कविता लिखने की तो कल्पना भी नहीं की जा सकती थी। कई विद्वान इस कविता की विषय वस्तु और उसके तेवर को देखते हुए इसको हिन्दी दलित साहित्य की पहली कविता मानते हैं।

— संपादक

हीरा डोम

अछूत की शिकायत

हमनी के रात-दिन दुखवा भोगत बानी;
हमनी के सहेबे से मिनती सुनाइब।

हमनी के दुख भगवनओं न देखताजे;
हमनी के कबले कलेसवा उठाइब।

पदरी सहेब के कचहरी में जाइबिजां;
बेधरम होके रंगरेज बनि जाइब।

हाय राम! धरम न छोड़त बनत बाजे,
बे-धरम होके कैसे मुंखवा दिखाइब।।1।।

खंभवा के फारि पहलाद के बंचवले जां
ग्राह के मुँह से गजराज के बचवले।

धोती जुरजोधना कै भैया छोरत रहै,
परगट होकै तहां कपड़ा बढ़वले।

मरले रवनवां कै पलले भभिखना के,
कानी अंगुरी पै धर के पथरा उठवले।

कहंवा सुतल बाटे सुनत न वारे अब,
डोम जानि हमनी के छुए डेरइले।।2।।

हमनी के राति दिन मेहनत करीले जां,
दुइगो रुपयवा दरमहा में पाइबि।

ठकुरे के सुख सेत घर में सुतल बानी,
हमनी के जोति जोति खेतिया कमाइबि।

हाकिमे के लसकरि उतरल बानी,
जेत उहओ बेगरिया में पकरल जाइबि।

मुँह बान्हि ऐसन नौकरिया करत बानी,
ई कुलि खबर सरकार के सुनाइबि।।3।।

बमने के लेखे हम भिखिया न माँगव जां,
ठकुरे के लेखे नहिं लडरि चलाइबि!

सहुआ के लेखे नहि डांड़ी हम मारब जां,
अहिरा के लेखे नहिं गइया चोराइबि।

भंटऊ के लेखे न कबित्त हम जोरबा जां,
पगड़ी न बान्हि के कचहरी में जाइब।

अपने पसिनवा के पैसा कमाइब जां,
घर भर मिलि जुलि बांटि चोंटि खाइब।।4।।

हड़वा मसुइया के देहियां है हमनी के;
ओकारै कै देहियां बमनऊ के बानी।

ओकरा के घरे घरे पुजवा होखत बाजे
सगरै इलकवा भइलैं जजमानी।

हमनी के इतरा के निगिचे न जाइलेजां,
पांके में से भरि-भरि पिअतानी पानी।

पनहीं से पिटि पिटि हाथ गोड़ तुरि दैलैं,
हमनी के एतनी काही के हलकानी।।5।।

अछूतानन्द

मनुजी तुमने वर्ण बना दिए चार।
जा दिन तुमने वर्ण बनाये, न्यारे रंग बनाये क्यों ना?
गोरे ब्राह्मण लाल क्षत्री बनिया पीले बनाये क्यों ना?
शूद्र बनाते काले वर्ण के, पीछे को पैर लगाये क्यों ना?
कैसे ही पहिचान पोप जी दो अक्षर डलवाये क्यों ना?
पाँच तत्व तो सब मैं दीखें, ज़्यादा तत्व लगाये क्यों ना?
वह सर्वज्ञ सर्व में व्यापक, उससे भी जुदे बनाये क्यों ना?
पाँच तत्व तीन गुण बराबर बढ़कर तत्व लगाये क्यों ना?
एक चूक बड़ी भारी पड़ गयी न्यारेऊ मुल्क बसाये क्यों ना?
लोहे के बर्तन पर पानी कंचन को दयौ डार॥ मनुजी....

महाराष्ट्र में सामान्यतः, और देश के पैमाने पर, वामपंथी इतिहासकारों ने दलित चेतना को चिह्नित करना शुरू किया है पर इतिहास में दलित पक्ष अभी भी अनुपस्थित है। इससे प्रचलित इतिहास को नकारने या उस पर शंका करने का भरपूर आधार दिखाई पड़ता है।

इतिहास में न होने का मतलबः दलित नजरिया

लाल बहादुर वर्मा

आज तो अपने-अपने अजनबी बने लोग वर्तमान में भी अजनबियत के शिकार हैं। ऐसे में अतीत को, जिससे निजता पैदा करने में इतिहास की महत्वपूर्ण भूमिका होती है, प्रासंगिक और आवश्यक समझ कर उससे तभी जुड़ा जा सकता है जब उससे कोई अपनापन पैदा हो। सभी अपना-अपना अतीत अपने तरीके से जीते ही हैं- कभी अतीतोन्मुख होकर, कभी अतीतग्रस्त होकर। पर अतीत को इतिहास और इतिहास को इतिहास बोध बनाने के लिए अतीत का वही सारसंकलन उपयुक्त होगा जो न तो ऊपर से हो न नीचे से (हिस्ट्री फ्राम बिलो)। वह जहाँ भी रचा जा रहा हो वहीं उजागर हो और समदर्शी हो।

परंतु प्रायः यह हो नहीं पा रहा है-आज भी, जब इतिहास महापुरुषों की जीवनी नहीं रहा, आज भी जब जन-इतिहास की अवधारणा धीरे-धीरे स्वीकार्य होती जा रही है, आज भी जब इतिहास लेखन की सबसे प्रमुख धारा मार्क्सवाद यानी-ऐतिहासिक-भौतिकवादी है जो मेहनतकश को ही इतिहास का निर्माता मानती है, आज भी इतिहास में न दलित उपस्थिति दर्ज है, न नारी की, न बच्चों की, न गाँवों की। आज भी इतिहास मुख्यतः नागर अभिजनों, उनमें भी मुख्यतः पुरुषों की कहानी कहता है। रजिया या एलिजाबेथ का जिक्र अपरिहार्य अपवाद स्वरूप होता है। बच्चे और इतिहास, उनमें बचपना जो होता है और इतिहास तो वयस्क 'गंभीर' लोगों से सरोकार रखता है। इसी तरह किसी गुलाम, किसान या मजबूर का जिक्र तब आता है जब वह स्पार्टकस या विरसामुंडा या पावेल हो जाए।

उनका जिक्र हो भी जाए तो उन्हें प्रस्तुत करने का नजरिया तो उनका अपना नहीं होता-उन्हें लेखक अपने ढंग से मूल्यांकन करके पेश करता है। इतिहास में नारी या दलित का नजरिया नहीं होता-यानी बहुमत का नजरिया नहीं होता। अगर ऐसे में दलित इस इतिहास को नकारे तो अपना ही नहीं इतिहास का भी भला करेगा। यहाँ यह बात अच्छी तरह चिह्नित होना चाहिए कि नकार मात्र पर्याप्त नहीं-सकार में वैकल्पिक रचना आनी ही चाहिए।

बात दलित साहित्य के माध्यम से सुस्पष्ट की जा सकती है। दलित समस्या जब से है तब से उस पर विचार का क्रम भी है। कभी नियति और कर्मफल के षड्यंत्रात्मक घटाटोप के माध्यम से प्रतिकार की संभावना को ही नकार दिया जाता था। दंड और अवमानना की तलवार लटकती ही नहीं गिरती भी रही। संवेदनशील कवियों ने भी जब अपना पक्ष चुन लिया तो नारी समेत सभी दलितों को ताड़न का ही अधिकारी बताया।

लेकिन दूसरी ओर मुक्ति आंदोलन के दौरान सारे देश में दलित भक्तों की मुखरता ने समस्या को चिह्नित किया था पर अभिजन की सर्वशक्तिमानता ने उसे हाशिए पर ही बनाए रखा। आधुनिक काल में नागर और मध्यवर्गीय जागरण की प्रकृति हिन्दू-सवर्ण के हित पोषण की थी, फिर भी नए माहौल में दलित में भी चेतना का संचार हुआ। उससे ज्योतिबा-सावित्रीबाई फुले से डॉ. भीमराव आम्बेडकर तक की सामाजिक-सांस्कृतिक से राजनीतिक यात्रा पूरी हुई। राष्ट्रीय आंदोलन के दौरान साहित्य में दलित के प्रति सहानुभूति ही नहीं तद्नुभूति तक अभिव्यक्त होने लगी, परंतु जब दलित साहित्य के रूप में पिछले दो-तीन दशकों के दौरान पहले महाराष्ट्र फिर अन्य क्षेत्रों में एक सुकेन्द्रित 'असरशन' शुरू हुआ तो सक्रिय मध्यवर्ग के कान खड़े हुए। तरह-तरह के विवाद खड़े हुए और जारी है। पर आज हकीकत यह है कि साहित्य में दलित उपस्थिति अपनी शर्तों पर मौजूद है और अनिषेधेय है। दलित लेखक आज प्रेमचंद और निराला जैसे निर्विवाद श्रेष्ठता से विभूषित साहित्यकारों को भी कठघरे में खड़ा कर रहे हैं और उत्तर में या तो ब्राह्मणवादी दम्भ है या मानकों का तर्क है जो प्रश्नों को हल नहीं करता। इसी तरह इतिहास पर गौर करें।

राष्ट्रीय आंदोलन के दौरान केवल शासकों की खिड़की से अतीत में झाँकने का चलन छोड़कर सामाजिक-आर्थिक और एक हद तक सांस्कृतिक इतिहास लिखने का चलन शुरू हुआ। यूरोप केन्द्रित चेतना में यूरोपीय इतिहास लेखन का प्रभाव शामिल था। दूसरे, भारतीय जागरण से भी पहले प्राचीन भारत में पश्चिम की रुचि के कारण उद्घटित प्राचीन भारत का इतिहास मुख्यत: सांस्कृतिक इतिहास था। यह सच है कि वह संस्कृति भी शासक वर्गों की संस्कृति थी। फिर भी उसका फलक विस्तृत था।

जब ज्योतिबा फुले ने बीड़ा उठाया तो 'गुलामी' के विरुद्ध और सत्यशोधन के अभियान में इतिहास की व्याख्या शामिल थी। डॉ. आम्बेडकर ने अपने विशद ज्ञान क्षेत्र में इतिहास को निर्णायक माना और उसकी समुचित दलित व्याख्या की। दूसरी ओर

ऐतिहासिक भौतिकवाद से उत्प्रेरित मार्क्सवादी इतिहास लेखन ने निश्चित ही इतिहास का फलक व्यापक बनाया। अर्थ व्यवस्था के केन्द्र में आते ही समाज का मेहनतकश केन्द्र में आ गया। उसकी भूमिका इतिहास में चिह्नित होने लगी। पर दलित सर्वहारा के रूप में तो वहाँ उपस्थित था पर अछूत के रूप में नहीं। उसका आर्थिक शोषण तो विषय था पर सामाजिक-सांस्कृतिक उत्पीड़न उसी शिददत के साथ नहीं उपस्थित था।

पिछले तीन दशकों के दौरान किए गए 'सब आल्टर्न स्टडीज' ने हर तरह के दलित को अपने 'नीचे से इतिहास' प्रोजेक्ट का विषय बनाया। पर उनकी विखन्डित प्रस्तुति देश-काल विशेष में किसी समुदाय की पीड़ा और भूमिका को चिह्नित करने के अतिरिक्त इतिहास की गतिदायिनी शक्ति को उद्वेलित नहीं कर सकी। इसलिए इस प्रयास ने भी दलित को सही ऐतिहासिक परिप्रेक्ष्य नहीं दिया।

यह स्थिति केवल दलित विरोधी नहीं पूरे समाज को एक अपूर्ण और असंतुलित आधार पर खड़ा करती है और अपनी अपूर्णता की पहचान करने और उसे दूर करने से भी रोकती है। सच कहें तो वह समाज को वास्तव में पूरी तरह मानवीय और समकालीन बनने से रोकती है।

पहले तो हम आधुनिक इतिहास से कोई एक उदाहरण लेकर उसकी विवेचना से समस्या को समझें और फिर उसके माध्यम से आज के इतिहास लेखन की सीमाएँ समझें।

वास्तव में एक बहुत समीचीन उदाहरण उपस्थित है। राजा राममोहन राय को आधुनिक भारत का हिरावल व्यक्तित्व माना जाता रहा है। उन्हें आधुनिक भारत का जनक तक कहने का चलन रहा है। दूसरी ओर ज्योतिबा फुले को दलित चेतना के क्षेत्र में करीब-करीब वही स्थान प्राप्त है। पर सामान्य इतिहास पुस्तकों की स्थिति देखें।

प्राथमिक स्तर से विश्वविद्यालयी स्तर तक की सामान्य पुस्तकों में राजा राममोहन राय राष्ट्रनिर्माता के रूप में हर कहीं उपस्थित है, इतिहासकार किसी भी विचार और विचारधारा का क्यों न हो। निकट अतीत में हुए शोधों में राय की सीमाओं और उनके सुधारों की मध्यवर्गीय प्रवृत्ति उजागर हुई पर सामान्यतः उन्हें सभी कमोबेश पहला आधुनिक भारतीय मानते हैं-कुछ-कुछ यूरोप के संदर्भ में एरासमस जैसा व्यक्तित्व। पर अधिकांश पुस्तकों में फुले का जिक्र तक नहीं होता। महाराष्ट्र में सामान्यतः और देश के पैमाने पर वामपंथी इतिहासकारों ने दलित चेतना को चिह्नित करना शुरू किया है पर इतिहास में दलित पक्ष अभी भी अनुपस्थित है। इससे प्रचलित इतिहास को नकारने या उस पर शंका करने का भरपूर आधार दिखाई पड़ता है।

इस स्थिति को समझने के लिए पहले राजा राम मोहन राय और ज्योतिबा फुले की भूमिकाओं का विश्लेषण कर लें फिर तुलनात्मक मूल्यांकन करें और वह भी शोध ग्रंथों के आधार पर नहीं पाठ्य पुस्तकों के आधार पर यानी इतिहास को सामान्य जन तक सबसे अधिक ले जाने वाली पुस्तकों के आधार पर और फिर देखें कि इतिहास में उन्हें जो स्थान

दिया जाता रहा है वह क्यों और क्या वह उचित है।

राजा राममोहन राय तो आधुनिक भारत के निर्माताओं में सबसे अधिक प्रतिष्ठित माने जाते हैं। रवीन्द्रनाथ टैगोर के अनुसार अपने समकालीनों में उन्होंने ही सबसे पूर्णता के साथ आधुनिक काल की अर्थवत्ता समझी। पहले मार्क्सवादी इतिहासकार रजनी पाम दत्त राजा को भारतीय राष्ट्रीयता का पितामह करार देते हैं।

थोड़े विस्तार में जायें तो हम देखेंगे कि राजा नवोदित मध्यवर्ग के सर्वोत्कृष्ट मॉडल थे। वह सर्वोत्तम भारतीय और पाश्चात्य परम्परा के समन्वयक थे। शिक्षित, नागर और मध्यवर्गीय संवेदना का बेहतरीन उदाहरण प्रस्तुत करने वाले राय को बिपिन चन्द्र शेर की तरह साहसी मानते हैं। उन्होंने पारंपरिक रूढ़िवादी धार्मिक और सामाजिक व्यवस्था का विरोध किया और सती जैसी भयानक कुरीति को समाप्त करने में अहम् भूमिका निभाई। वह वेदांत और अंग्रेज़ी भाषा के एक जैसे हिमायती थे। उन्होंने राजनीति में संवैधानिक विरोध को ज़रूरी बताया और संकीर्ण जाति व्यवस्था तथा नारी बंधन की आलोचना की। इस प्रकार पारंपरिक भारतीय समाज के आधुनिकीकरण में बाधक मूल्य-मान्यताओं को समाप्त करने पर बल दिया।

दूसरी ओर यूरोप की क्रांतियों की प्रशंसा करते हुए उन्होंने भारत में उनकी प्रासंगिकता के बारे में नहीं सोचा। भारत में तो वह ब्रिटिश राज को सकारात्मक ही समझते रहे बस उसके उदार और न्याससंगत-ब्रिटिश न्याय व्यवस्था के अनुरूप ही न्याय संगत-होने पर बल देते रहे। उनके ब्रह्म समाज में ईसाई उदारवाद का पुट था पर वह सार था भारतीय वेदान्त आधारित। राजा राममोहन राय के बारे में किसी भी शिक्षित व्यक्ति को एक रूपरेखा का पता होता ही है इसलिए उसके विस्तार में यहाँ न भी जाया जाये तो काम चल सकता है। अगर देखा जाये तो राजा राममोहन राय सुधारवादी थे- भारतीय समाज में सुधार के प्रवर्तक-बिना उसकी आधारभूत संरचना पर तनिक भी प्रहार किए। इसीलिए वह आधुनिक भारत का नेतृत्व करने वाले मध्यवर्ग और ब्रिटिश राज दोनों को एक तरह स्वीकार्य थे।

दूसरी ओर, ज्योतिबा फुले महाराष्ट्र में माली जाति में जन्मे और स्वाध्याय और संवेदना को ही आधार बना समाज की रूढ़ियों को झकझोर कर रख दिया। वैसे तो उन्हें विशेष रूप से शूद्रों और अतिशूद्रों की गुलामी का ही विरोध करने और नारी शिक्षा में पहल कर पत्नी सावित्री बाई को उस ओर उन्मुख करने के लिए ही विशेष रूप से जाना जाता है पर उन्होंने विधवाओं, अवैध संतानों, किसानों, मज़दूरों, देवदासियों-अर्थात् समाज के हर उत्पीड़ित और दलित समुदाय के लिए अनेक प्रयास किए।

सबसे बड़ी बात यह कि उन्होंने प्राचीन इतिहास के प्रति जनमानस में संदेह उत्पन्न किया। उनका सत्यशोधक समाज वास्तव में उस जिज्ञासा का जन्मदाता था जो समाज के लिए अनिवार्य है। उनके विचार से प्राणियों में मनुष्य श्रेष्ठ है और मनुष्यों में नारी श्रेष्ठ

है। यह समझने के बाद कि शिक्षा हीन होना शूद्रों के हर दु:ख का कारण है उन्होंने उन्हें शिक्षित करने का बहुविध प्रयास किया। उन्होंने लिखा:

विद्या बिना मति गयी। मति बिन नीति गयी।
नीति बिना गति गयी। गति बिना वित्त गया।
वित्त बिना शूद्र गए। इतने अनर्थ एक अविद्या ने किए।

इसमें मेहनतकश का सहज 'कामनसेंस' है जो अनुभव और उसकी समझदारी से जन्मता है। उन्होंने समझ लिया कि जिनके हाथ में अर्थव्यवस्था की बागडोर है उनके ही हाथ में शिक्षा व्यवस्था, न्याय व्यवस्था और अर्थव्यवस्था की भी बागडोर है। इसलिए एक तरह से उन्हें व्यवस्था के विरुद्ध संघर्ष करना पड़ेगा। ऐसे समाज में ब्रिटिश राज की स्थापना को उन्होंने दलितों के लिए वरदान समझा। उन्होंने नवजागरण के मूल प्रश्नों--क्यों, क्या, कैसे को भारतीय समाज के उत्पीड़ित लोगों की समस्याओं के संदर्भ में उठाया। उनके लिए ये दार्शनिक प्रश्न नहीं थे। इसलिए उन्होंने कुछ ठोस प्रश्न रखे समाज के सामने:

1. मनुष्य- मनुष्य में भेद क्यों?
2. स्त्री और पुरुषों में भेद क्यों?
3. ईश्वर और भक्त के बीच दलाल क्यों?
4. धर्म भेद और जाति भेद क्यों?

उन्हें मराठी का टामस पेन, यानी इंग्लैंड, फ्रांस और अमेरिका में क्रांतिकारी विचारों का प्रवक्ता कहा जाता है। 1873 में रची 'गुलाम गिरी' नामक पुस्तक को शूद्रों की मुक्ति का घोषणा-पत्र कहा जाता है। बीसवीं शताब्दी में राहुल सांकृत्यायन सामाजिक परिवर्तन के लिए लोगों को तैयार करने के लिए लगातार लोगों की भाषा हिन्दी में दर्शन से नाटक तक लिखते रहे। ज्योतिबा फुले भी लगातार मराठी में कविता, नाटक, निबंध लिखते रहे ताकि लोग समझें और उद्वेलित हों। बात को ग्राह्य बनाने के लिए उन्होंने मिथकों में से राजा बली और इतिहास में से शिवाजी को चुना। उनके लिए शिवाजी गो-ब्राह्मण प्रति पालक नहीं 'दीन-दलित प्रति पालक' थे।

मराठी में प्रकाशित गुलाम गिरी के प्रथम पृष्ठ पर अंग्रेज़ी में भी छपा था : (SLAVERY IN THE CIVILISED BRITISH GOVERNMENT UNDER THE CLOAK OF BRAHMANISM)

इसके अलावा यह भी छापा था कीमत 12 आणे, गरीब शूद्रातिशूद्रांस छ: आणे। इस शीर्षक पृष्ठ से ही फुले की दृष्टि स्पष्ट हो जाती है। वह सभ्य कहे जाने वाले ब्रिटिश सरकार पर भी व्यंग्य करते हैं और ब्राह्मणवाद को एक लबादा समझते हैं जिसके नीचे ब्राह्मणवाद छद्म रूप से कार्यरत है। वह अपनी पुस्तक गरीबों तथा दलितों तक पहुँचाना चाहते हैं और उनके लिए उसका दाम आधा कर देते हैं।

यह किताब उसी समय लिखी गयी थी जब अमेरिका में गृहयुद्ध समाप्त हुआ था

और अब्राहम लिंकन के नेतृत्व में अमेरिकी समाज गुलामी की शर्मनाक प्रथा से मुक्त हुआ था। फुले अपनी किताब को अमेरिकी जनता को समर्पित करते हैं- राष्ट्रपति को नहीं, जिन्होंने अपने समर्पण से गुलामी प्रथा खत्म की थी और आशा करते हैं कि भारतजन ब्राह्मण दासता से अपने शूद्रों की मुक्ति के लिए उनसे प्रेरणा लेंगे।

इसके बाद ब्राह्मणवादी मिथकों की पोल खोलते हुए उन्होंने उन्नीसवीं शताब्दी में अंग्रेज़ों के राज में भी ब्राह्मण वर्चस्व को उजागर करते हुए शूद्रों-अतिशूद्रों की गुलामी का अंत करने की वकालत की।

फुले केवल विचारक नहीं थे। एक व्यावहारिक व्यक्ति की तरह सिद्धांत और व्यवहार का समन्वय करते हुए उन्होंने ज़रूरत के मुताबिक संस्थाएँ बनाईं और उनके माध्यम से समस्या का व्यावहारिक हल ढूँढ़ा।

गैल ओमवेट ने महराष्ट्र के गैर ब्राह्मणवादी आंदोलन का विशद अध्ययन किया है (Cultural Revolt in a Colonial Society : The Non Brahaman Movement in Western India 1873-1938 by Gail Omvedit)

उनके अनुसार इस आंदोलन में दो धाराएँ विकसित हुई- एक तो मध्यवर्गी और पिछलग्गू प्रवृत्ति की साबित हुई। पर दूसरी धारा सारे भारत में निराली थी। इसने अंग्रेज़ी की जगह मराठी भाषा इस्तेमाल करते हुए जाति व्यवस्था पर हमला किया और 'सेठ जी-भटजी' (ब्राह्मण बनिया संश्रय) के विरुद्ध बहुजन समुदाय के हितों की वकालत की।

बिना छोटा-बड़ा सिद्ध करने के अनावश्यक आग्रह के हम यही कहना चाहेंगे कि दोनों की भूमिका ऐतिहासिक थी। राजा राममोहन राय औपनिवेशिक स्थिति में उपजे मध्यवर्ग के उपयुक्त प्रतिनिधि थे और बंगाल के नवजागरण की सही और उदात्त तस्वीर प्रस्तुत करते हैं? भारत का शासक वर्ग राष्ट्रीय आंदोलन के दौरान आजतक किसी आमूल परिवर्तन की ओर कदम नहीं बढ़ा सका और धीरे-धीरे पीछे हटता गया है। बंधनों के विध्वंस और नवनिर्माण का साहस भारतीय मध्यवर्ग में कभी नहीं रहा और राजा राममोहन राय ने ऐसे ही नवजागरण की नींव डाली थी। वह अंग्रेज़ परस्त थे और उनकी मदद से भारतीय समाज में सुधार करना चाहते थे।

अंग्रेज़ परस्त फुले भी थे और उन्होंने 1857 के विद्रोह को भी ब्राह्मणों का षड्यंत्र ही माना था पर उनके सामने उस समुदाय की मुक्ति का प्रश्न था जिसकी गुलामी का कारण देश की पारंपरिक व्यवस्था में था। उसे तोड़े बगैर वास्तविक मुक्ति की कोई संभावना नहीं थी।

दोनों की तुलना करने पर स्पष्ट हो जाता है कि राजा राममोहन राय के मुकाबले ज्योतिबा फुले के सरोकार अधिक गहरे थे, अधिक रैडिकल थे। सैद्धांतिक विवेचन कभी-कभी सबके लिए ग्राह्य और प्रासंगिक नहीं होता पर एक व्यावहारिक तथा सुगम तरीका है परिणामों के माध्यम से चीज़ों को समझने का। राजा राममोहन राय ने जिन सुधारों और उपकरणों की बात की थी वे समाज को आधुनिक बनाने के लिए ज़रूरी थे पर उनका क्षेत्र

सीमित था और आज 150 वर्षों बाद भी उनसे समाज का अभिजन ही मुख्य रूप से प्रभावित है। हाँ यह ज़रूर हुआ कि उनकी समझ और शक्ति बढ़ी है, पर ज्योतिबा फुले के सुधार समाज में कुछ आधारभूत परिवर्तन के बिना लागू ही नहीं हो सकते थे। उन्होंने जो मुद्दे उठाये थे वे सामाजिक परिवर्तन के एजेंडे पर आज सबसे ऊपर हैं और जो शूद्र-अतिशूद्र उनकी चिंता-चिंतन के केन्द्र में थे वे आज अपनी दलित स्थिति को स्वीकारने को तैयार नहीं है। ब्राह्मणवाद जो सामाजिक विषमता को नैसर्गिक मानता है और दलित परिघटना के लिए पूर्णतया जिम्मेदार है आज तरह-तरह के समझौते कर दलित वर्ग को ललचाए-भटकाए रखना चाहते हुए भी उसके साथ-साथ मिलाने के तत्पर रहता है। मार्क्सवादी जो जड़सूत्रवादी हो जाने पर सामाजिक यथार्थ को वर्ग माध्यम से ही समझने की जिद पर अड़े थे आज वर्ग के साथ वर्ण व्यवस्था को भी यथार्थ की एक अभिव्यक्ति मानने की समझदारी विकसित करने में लगे हैं। इस तरह देखें तो फुले की भूमिका अधिक निर्णायक सिद्ध होगी ही।

फिर भी इतिहास लेखन की स्थिति क्या है?

स्वतंत्र भारत में दो सबसे प्रचलित पाठ्य पुस्तकों को लें। बहुत दिनों तक आर.सी. मजूमदार, के.के. दत्ता और एच.सी. राय चौधरी की किताब 'ऐन एडवांस्ड हिस्ट्री ऑफ इंडिया' कई पीढ़ियों तक मानक टेक्स्टबुक बनी रही। उसमें राजा राममोहन राय पर तो विस्तार से चर्चा है, कई-कई बार कई संदर्भों में, पर फुले का जिक्र तक नहीं है।

भारत सरकार ने माध्यमिक शिक्षा के लिए मानक पाठ्य पुस्तकें विकसित करने के लिए 'नेशनल कार्उंसिल ऑफ एजूकेशनल रिसर्च एंड ट्रेनिंग की स्थापना की। उसने जो पाठ्य पुस्तकें विकसित कीं उनमें इतिहास की पाठ्य पुस्तकों को असाधारण लोकप्रियता प्राप्त हुई। उन्हें न केवल स्कूल के विद्यार्थी बल्कि आई.ए.एस. के परीक्षार्थी भी पढ़ने लगे। कहा जाता है कि उन्हें वामपंथी इतिहासकारों ने तैयार किया है। उसमें माडर्न इंडिया पर देश के एक प्रखर इतिहासकार बिपिनचन्द्र ने लिखा है। इस पुस्तक में भी राजा राममोहन राय पर विस्तार से लिखा गया है। उन्हें आधुनिक भारत का पहला महान नेता बताया गया है जिसने जीवन भर अपने लोगों और देश (फॉर हिज पीपुल एंड कन्ट्री) के सामाजिक, धार्मिक बौद्धिकता तथा राजनीतिक पुनर्जागरण के लिए अनथक प्रयास किया। इस किताब में लोक हितवादी कहे जाने वाले गोपाल हरि देश मुख और गोपाल गणेश अगरकर का तो जिक्र है, पर ज्योतिबा फुले का बस एक बार नाम आया है। बाद में फुले को अपना गुरू मानने वाले डॉ. आम्बेडकर को तो महत्व दिया गया है पर फुले की ऐतिहासिकता नहीं चिह्नित की गई है।

आजकल आधुनिक भारत के इतिहास के लिए सभी स्तरों पर सबसे अधिक महत्वपूर्ण मानी जाती वाली सुमित सरकार की पुस्तक 'माडर्न इंडिया' 1885 से शुरू होती है जब फुले जिंदा थे। इसमें फुले का दो बार जिक्र आता है तो हाल के वर्षों में इतिहास

में आए सकारात्मक परिवर्तन का सूचक है पर सरकार भी फुले का उतना विस्तृत वर्णन-विश्लेषण नहीं करते जब कि 'कास्ट कांशसनेस' (जाति चेतना) को महत्वपूर्ण समझते हैं और उस पर विस्तार से लिखते भी हैं।

प्रकट या प्रच्छन्न रूप से शम्बूक विरोधी राम और एकलव्य विरोधी द्रोणाचार्य की व्यवस्था को नैतिक दृष्टि से भी समझने वाले लोग दलित विमर्श को महत्व न दें तो बात समझ में आती है पर वामपंथी कहे जाने वाले साहित्यकार और इतिहासकार की भी दलित पीड़ा के प्रति तद्नुभूति (इमपैथी) न हो तो कारण ढूँढ़ना ज़रूरी हो जाता है। इसका सबसे बड़ा कारण है मार्क्सवाद में समाज की वर्ग व्याख्या को पर्याप्त मान उसे जड़सूत्र के रूप में लागू करना। भारत का दलित वर्ग कुछ अपवादों को छोड़ प्रायः श्रमिक ही रहा है। एक श्रमिक के रूप में उसका शोषण-उत्पीड़न-वंचना मार्क्सवादी वर्ग विश्लेषण का आधार रही है। ऐसे में उनकी अलग से पीड़ा को समझते हुए भी उसे कारक समझने की ज़रूरत नहीं समझी गयी।

एक और बात ध्यान आकर्षित करती है। दलितों की सामाजिक सांस्कृतिक वंचना को राजनीति में भी मुद्दा बनाकर जब डॉ. आम्बेडकर ने उन्हें संगठित करना शुरू किया तो राष्ट्रीय आंदोलन में कांग्रेस और कम्युनिस्टों की दो स्पष्ट धाराओं से अलग आम्बेडकर की तीसरी धारा भी बहने लगी थी। कांग्रेस विदेशी सत्ता से मुक्ति को सभी भारतवासियों का समान संघर्ष बनाकर प्रस्तुत कर रही थी और अन्य तमाम वंचनाओं और अन्तर्विरोधों को बाद के लिए टालने का तर्क देकर बहुमत को लामबंद कर ले रही थी। कम्युनिस्ट विदेशी शासकों से मुक्ति को पर्याप्त न समझ मेहनतकश की मुक्ति पर जोर दे रहे थे और विशेष रूप से शहरी सर्वहारा को संगठित कर समाजवादी क्रांति करने की बात करते थे। तभी सबकी वास्तविक मुक्ति संभव थी। डॉ. आम्बेडकर हिन्दू समाज में अभिशप्त और प्रताड़ित दलित वर्ग की मुक्ति को पहला एजेंडा बनाकर धीरे-धीरे दलितों के सबसे बड़े पैरोकार के रूप में उभर रहे थे। विचारधारात्मक रूप से कम्युनिस्टों और डॉ. आम्बेडकर के बीच निकटता वांछित ही नहीं संभव भी थी, पर दोनों ने विशेषकर कम्युनिस्टों ने दूरदर्शिता और विदग्धता का परिचय नहीं दिया और दोनों के बीच वैमनस्य सा पैदा हो गया। आम्बेडकर ने कम्युनिस्टों को भी ब्राह्मणवादी करार दिया और कम्युनिस्टों ने आम्बेडकर को अंग्रेज़ों का पिछलग्गू और दलितों के लिए भटकाव करार दिया। ऐसे में मार्क्सवादी विश्लेषणों में आम्बेडकर का ज़िक्र तो आने की अनिवार्यता थी क्यों कि डॉ. आम्बेडकर एक शक्ति केन्द्र बन चुके थे और उनकी राजनीति गाँधी तक को उलझाने लगी थी। पर फुले तो एक विचारक-सुधारक थे। उन्हें नज़रअंदाज़ किया जा सकता था और किया जाता रहा।

इतिहास के प्रति दलित दृष्टिकोण को समझने के लिए हमें वर्तमान परिदृश्य की दो बातों को ध्यान में रखना चाहिए। महाराष्ट्र में उभरे दलित साहित्य का आंदोलन आज अन्य भाषा क्षेत्रों में भी फैल गया है। इस साहित्य के प्रति मुख्यधारा के साहित्याकारों का दृष्टिकोण पहले तो उपेक्षापूर्ण रहा। पर जब दलित साहित्य ने अपनी जड़ें जमा लीं तो उनसे

संवाद शुरू हुआ। अभी भी उनके दृष्टिकोण को ठीक से समझा नहीं जा रहा है। आज दलित तर्क की सबसे सांघातिक मार यह है कि जो दलित नहीं है वह दलित चेतना और पीड़ा को समझ ही नहीं सकता। इस तर्क से वह लोग प्रेमचंद के 'कफन' और निराला के 'बिल्लेसुर बकरिहा' आदि रचनाओं पर भी प्रश्न उठा रहे हैं। इन तर्कों को प्राय: खारिज करने का अंदाज़ यह रहता है कि इनकी मजाल की प्रेमचंद और निराला पर प्रश्न उठाए? यह वैज्ञानिक तरीका नहीं है। अप्रश्नेय कोई नहीं है। इस तर्क में अतिरेक भी हो तो इसमें निहित सत्य को इसके मर्म को समझना होगा।

दूसरी स्थिति आंध्र के शिक्षक और सामाजिक कंचा इलैया की हाल ही में प्रकाशित 'मैं क्यों हिन्दू नहीं हूँ' (Why I am Not A Hindu) में उजागर हुई है। उनके अनुसार सवाल केवल दलितोद्धार का नहीं है, भारतीय समाज के पुनर्मानवीकरण (Rehumanise) करने का है और इसके लिए समाज के दलितीकरण का है क्योंकि श्रम के प्रति सही दृष्टिकोण सामुदायिकता, सामाजिकता और समता अभी भी उनमें बाकी है।

तो इस प्रकार हम सकारात्मक रूप से लें तो दलित प्रश्न के उजागर होने ने समाज के पुनर्गठन की जटिलता को उजागर कर दिया है और यह इस वक्त गैर दलितों के लिए सहानुभूति या तद्नुभूति का मुद्दा नहीं रह गया है। सवाल आत्मानुभूति यानी समग्र भारतीय समाज के आत्मसाक्षात्कार का है। यह सच है कि समाज की सबसे सामान्यीकृत विषमता वर्ग के रूप में ही चरितार्थ होती है पर दलित और नारी की वंचना की एक विशेष कोटि भी है जिसके ठोस ऐतिहासिक कारण हैं और उन पर विशेष ध्यान देने से मुख्य अन्तर्विरोध को हल करने के संघर्ष का आधार विस्तृत होगा तथा और अधिक मज़बूत होगा।

दलित साहित्य कोई स्थायी कोटि नहीं है क्योंकि समाज में जाति व्यवस्था, जिसे कोई जातिवादी राजनीति चिरस्थायी नहीं कर सकती क्योंकि उसका आधार ही दरक गया है, के अंत के बाद धीरे-धीरे समस्त साहित्य सामाजिक यथार्थ जटिलताओं और उनकी गतिकी तथा दिशा को अभिव्यक्त करने लगेगा। फिर अलग से दलित या नारीवादी साहित्य की ज़रूरत नहीं रह जाएगी।

इसी तरह कहा जा सकता है कि सही ढंग से मार्क्सवादी इतिहास लेखन न होने के कारण ही सब आल्टर्न इतिहास लेखन को ज़मीन मिली। पर चूँकि उसकी नीयत और पद्धति वास्तव में सब आल्टर्न के हित में नहीं थी इसलिए यह प्रयास मध्यवर्गीय उद्वेलन तक सीमित रह गया। पर उसने धारणा और पद्धति के तौर पर मार्क्सवादी इतिहास लेखन के सामने एक ज़रूरी चुनौती खड़ी कर दी। आज ज़रूरत है कि इतिहास लेखन में दलित दृष्टि और उनकी वास्तविक स्थिति को चिह्नित किया जाए। तभी इतिहास वास्तव में प्रामाणिक और जन इतिहास बन सकेगा।

बी-239, मेंहदौरी कॉलोनी
तेलियर गंज, इलाहाबाद

आरक्षण की चर्चा खूब हो, लेकिन गत पचास सालों में लाभ कितना मिला— इस पर चर्चा न हो। कितना पैसा लगा— इसे प्रचारित किया जाये। कितना पहुँचा— इसका अध्ययन न हो। योजनाएँ कितने दलितों तक पहुँची, और कितने लोग शिक्षित हो के अपने अधिकारों के लिए लड़ सके— ये चर्चा से गायब हो। सो एक चुस्त-चौकन्ना मीडिया है, जो दिखावा जरूर करता है, लेकिन सच को दबा के।

मीडिया और दलित : सच की तस्वीर

लीलाधर मंडलोई

देश की एक चौथाई जनसंख्या दलितों की है। यह सर्वाधिक उपेक्षित और शोषित वर्ग है। इन तक सरकार के पहुँचने का आकर्षक भ्रम है। चूँकि यह एक सौलिड वोट बैंक है अत: शासकीय विज्ञापनों में एक ब्रांड है सरकार का। तमाम योजनाओं में आती रकम इसकी आड़ के बगैर मुमकिन नहीं। दलितों की आर्थिक सामाजिक, शैक्षिक स्थिति के प्रकाशन की व्यूह रचना ही वह आधार है जो अंतर्राष्ट्रीय मुद्रा कोष विश्व बैंक समर्थ देशों व अन्य विदेशी संस्थानों से पूँजी झटकने के काम आती है। फिर दशकों से आने वाले पैसा किस खाते में गया और कितना इसका कोई रिकार्ड मीडिया के पास नहीं। कोई ताज्जुब नहीं कि मीडिया की सत्ता से प्रत्यक्ष या परोक्ष रूप से जुड़े संगठनों, व्यक्तियों आदि की रहस्यमय दुनियां में यह पैसा सरकता रहा हो। एन. जी. ओ. के पास ऐसी मदों से भारी पैसा बह रहा है। पूँजी की ताक़त के बावजूद कागजी खानापूर्ति से इधर दलितों के पक्ष में अगर मीडिया तक खबरें नहीं पहुँचती तो यह एक भयावह सच है। एन. जी. ओ. जिन फिल्मों अथवा रेडियो के स्पॉट, फीचर या वृत्त रूपक आदि बनाते भी हैं तो वे मीडिया में खबरों की तरह उपयोग होने की जगह उत्पाद बनकर बाजार की सेवा करते हैं। ऐसे उत्पाद अंतर्राष्ट्रीय स्तर पर पुरस्कृत होते हैं और दलित जीवन की चर्चा की जगह मीडिया पुरस्कार की खबरें प्रसारित-प्रकाशित करते हैं, देखा जाए तो ऐसे रेखांकन और उपलब्धियाँ एन.जी.ओ. के लिए अगली बड़ी पूँजी के द्वार खोलते हैं। कहना न होगा कि दलितों की उपस्थिति जीवन से अधिक कला जरूरत में बदल रही हैं। दलितों की दुनिया में उपस्थित प्रतीक,संस्कार, टोटेम रीति-रिवाज,धर्म, मूल्य आदि को

लगातार चमकदार चीज़ों में बदलकर व्यवसाय किया जा रहा है। कला व्यवसाय की इस दुनिया का दलित हितों से कोई संबंध नहीं है। इधर फैशन इंडस्ट्री का एक बड़ा व्यापार इस दुनिया के सौंदर्य को लगातार उत्पाद की शक्ल में रिड्यूस कर रहा है। उत्पाद के इस माया जगत में दलित युवतियों का लोक पहनावा, जेवर, निर्मल हँसी, पुष्ट देह की छवियां हैं। विज्ञापनों के जरिये ये छवियां सेटेलाइट पर सवार होके दूर दराज के इलाकों में अपने ब्रांड बेचने के उपयोग में लायी जा रही हैं। मानों दलितों की दुनिया संपन्न और प्रसन्न हो और अभावों से मुक्त। मीडिया की आँखें बाजार के दबाव में वह दुख-दर्द देखना ही नहीं चाहती जिससे बाजार के हितों पर चोट हो। दलितों के इस सजे-धजे रूप दिखाने में जो अनवरतता है वह उनके अंधेरों को दिखाने में नगण्य फिल्मों के जरिए हॉलीवुड ने जिस तरह लगातार इन्हें असभ्य, अशिक्षित और बर्बर दिखाते हुए अपनी 'कास्ट और कलर सुप्रीमेसी' को स्थापित किया। वह सिलसिला टेलीविजन में भी बदस्तूर जारी है।

यदि शासकीय और प्राइवेट रेडियो अथवा टी.वी. के 'फिक्स प्वाइंट चार्ट' अथवा कुछ सालों के प्रोग्राम शेड्यूल उठाके अध्ययन करेंगे तो यह सहज पता चल जाएगा कि 'दलित' मीडिया के एजेंडे में नहीं है। विकास की पब्लिसिटी के नाम पर आधी-अधूरी 'सक्सेस स्टोरीज' को पूरे ग्लैमर के साथ गुपचुप तरीके से एक सच में बदल दिया जाता है। मार्खेज का कथन याद आता है- यदि कविता में एक भी सच हो तो पूरी कविता महत्वपूर्ण हो जाती है और समाचार में एक भी झूठ हो तो पूरा समाचार बेकार हो जाता है।' कहना न होगा दलितों के संबंध में मीडिया का नजरिया मार्खेज के कथन के अनुरूप है। हिंसा, बलात्कार, हत्या आदि जिसमें सनसनी और रोमांच का भाव होता है और जो खबर के नाम पर बिकता है, मीडिया अतिरंजना के साथ उसे उत्पाद के रूप में बदलता है और यह व्यवहार दलितों के साथ खास कोण के साथ किया जाता है। आज तमाम टी.वी. चैनल अधिकतर दलितों के साथ हो रही बर्बरताओं जैसे उनकी हत्याएं, स्त्रियों के साथ बलात्कार और नंगा करके घुमाये जाने को प्रमुखता से दिखाते हैं। दरअसल ये कृत्य मीडिया के लिए ऐसे बिंब हैं जो उनमें सनसनी वाले स्वभाव को पुष्ट करते हैं। समाचार भी इस तरह बनाए जाते हैं कि दर्शक के मन में क्रोध और घृणा की जगह मात्र एक सनसनी का भाव ही जाग पाए। दर्शकों के लिए कोई 'फॉलो अप' स्टोरी कभी तैयार नहीं की जाती। वे एक इसी तरह का समाज चाहते हैं कि ऐसी घटनाएं होती रहें और उन्हें चैनल का पेट भरने के लिए मसाला मिलता रहे। संचार का कोई भी माध्यम चाहता भी यही कि उसका दर्शक अथवा पाठक मात्र उसके संपर्क में रहे। एक उपभोक्ता की तरह बस..। वह मनुष्य की हर संभावित सक्रियता को क्रमशः बर्फ करता है और अपने को जीवन की जगह अपरिहार्य बनाता है। डब्ल्यू.डब्ल्यू. एफ. की हिंसा यही करती है। वह हिंसा को एक आनंद में बदल देती है। समूचा युवा वर्ग यदि आज इस हिंसक 'रेसलिंग' का दीवाना है तो उसमें यह भी देखा जाना चाहिए कि हिंसा उनके मन में 'वेलिडेटी' पा रही है। यही एच.बी.ओ. और ए.एक्स.एन. जैसे चैनल एक्शन फिल्मों के नाम पर करते हैं। इस प्रक्रिया में धीरे-धीरे हिंसात्मक लक्ष्य के बिंब आपको आम जरूरत उपभोक्ता वस्तु की तरह सहज लगते

हैं। आपके भीतर कब मनुष्यता की जगह दरिंदगी प्रवेश कर घर बना लेती है आपको पता ही नहीं चलता। धीरे-धीरे यह समय का 'पापुलर कल्चर' बनने लगता है जिसमें जनसामान्य की जगह खत्म होने लगती है। जनसामान्य में ही दलितों आदिवासियों की 90 प्रतिशत से अधिक की जनसंख्या है जो मीडिया के शेड्यूल से दूर जा पड़ती है। दरअसल अभाव दैन्य, भूख, गरीबी आदि में आकंठ डूबे चेहरे चैनल को एस्थेटिक व्यूह रचना (कलर स्क्रीम, पैकेजिंग) को धक्का पहुँचाते हैं। देखना चाहिए कि इस व्यूह रचना में जो लाखों रुपये लगाये गये हैं उनका सीधा उद्देश्य बाजार से पैसा उगाहना है। क्लाइंट की इच्छाओं के मुताबिक की गयी इस व्यूह रचना में लुटे-पिटे चेहरे, भूख से मरते लोग, गरीबी की छवियां आदि चैनल व्यवसाय को धक्का पहुँचाती हैं। यही वजह है कि लोक सेवा प्रसारक चैनलों पर भी दलितों का यथार्थ सिरे से उस रूप में गायब रहता है, जिस रूप में हकीकी तौर पर वह होता है।

आज उदारता के इस दौर में आपके पास सौ से अधिक चैनल हैं। इन चैनलों को चलाने में एक बड़ा खर्चा है। यह खर्चा स्टुडियो, मशीनें, उपग्रह अप लिंकिंग, कार्यक्रम निर्माण रिसर्च, पैकेजिंग, हयुमन रिसोर्स जनसंपर्क से लेकर अनेक मदों में नियमित खर्च होता है। अपने इन खर्चों को चैनल मुख्यत: विज्ञापन राशि के जरिए जुटाते हैं। भारतीय बाजार में यह विज्ञापन राशि आज लगभग 3000 करोड़ रुपये हैं। विज्ञापन दाता यह राशि टेम (टेलीविजन आडिएंस मेजरमेंट) द्वारा प्रत्येक कार्यक्रम अथवा चैनल की दर्शक संख्या के विश्लेषण के आधार पर लगाते हैं। टेम के पूरे अध्ययन विश्लेषण संजाल का आधार देश के लगभग 27 शहरों में लगे लगभग 4000 पीपुल मीटर हैं जो देखे जा रहे कार्यक्रमों को इस मीटर में दर्ज करते हैं। दिलचस्प यह कि नगरों में लगे पीपुल मीटर मध्य या उच्च मध्य वर्ग के घरों में स्थापित है। वे जिन कार्यक्रमों को देखते हैं उनमें दलितों के प्रति न कोई सहानुभूति है न कोई कार्यक्रम। सो यह तय है कि उनकी कोई टी.आर.पी. नहीं बनेगी। जब टी.आर.पी. के आंकड़ों में शून्य है तो कोई भी टेलीविजन दलितों की न्यूज स्टोरी को कितना और क्यों दिखाएगा? अधिक से अधिक एक निष्पक्ष चेहरे और छवि के लिए एक योजना के तहत वह दलितों से संबंधित कुछ ऐसा फुटेज दिखाएगा जो उसके व्यवसायिक हितों में रोड़ा न बनता हो। उसकी पूरी कोशिशों में ऐसे प्रोमो, होर्डिंग्स, विज्ञापन होत हैं जो दर्शकों के बीच उनकी टी.आर.पी. बढ़ा सके। वस्तुत: टी.आर.पी. ही उनके लिए विज्ञापन राशि दिलाता है न कि दलितों का यथार्थ। सो विज्ञापन राशि के इस संजाल को समझने के बाद यह सच मान लेना चाहिए कि जब तक दलितों का यथार्थ एक उत्पाद की जगह नहीं घेरता, मीडिया की उसमें न कोई दिलचस्पी है न उनके प्रोग्राम कन्टेंट की जरुरत।

यह खुली आँखों से देखा जा सकता है कि हम से कम से कम आज हमारे सामने भू-मंडलीय सूचना का एक विराट तंत्र है। पूरी दुनिया से दौड़ती समुद्री लहरों की तरह सूचनाएं। इन सूचनाओं के प्रक्षेपक तंत्र पर बहुराष्ट्रीय मीडिया कंपनियों का साम्राज्य है। ये कंपनियां अपने सूचना प्रक्षेत्र में अमेरिकी जीवन शैली की सूचनाओं को ही पालती-पोसती हैं।

तीसरी दुनिया की खबरें उनके मुआफिक नहीं बैठती। अतः यह तय है कि शोषित समाज की खबरें जब उनकी जरूरतों के अनुरूप होती है और व्यापार में सहायक तो उनके अमेरिकी शिल्प में ही बाहर जाती हैं। एक बनी बनाई खबर चैनलों को अपेक्षाकृत कम मूल्य में प्राप्त होती है जबकि एक चैनल अगर स्वयं उसे बनाए तो वह एक महंगा विकल्प होती है। चैनल इसलिए किसी भी तरह के तैयार मसाले की सिम्त दौड़ लगाते हैं। यह एक सर्वविदित षड्यंत्र है जिसमें सारे चैनल बिन चाहे शामिल हैं। यह ज़रूर है कि भारत में कार्यरत चैनल एक जातीय चेहरे का भ्रम बनाए हुए हैं। भारतीय अनुभव की रोशनी को दिखाने का वे दम भरते हैं किन्तु टी.आर.पी के चक्कर में वे भी 'टेम' आश्रित है। और 'टेम' भारतीय नहीं विदेशी कंपनी है जो दुनिया भर में टी.आर.पी. व्यवसाय में अरबों रुपये कमाती है।

यह सच है कि हमारे बुद्धिजीवी बाजार के सांस्कृतिक (पापुलर) आक्रमण के विरुद्ध हैं। मीडिया की सशक्त सामाजिक भूमिका के वे पक्षधर हैं। दलितों के पक्ष में भी वे सक्रिय हैं और बहुराष्ट्रीय कंपनियों के षड्यंत्र से भी वाकिफ हैं किन्तु सिर्फ़ इतनी चेतना शक्ति पर्याप्त नहीं है। इस चेतना शक्ति में थोड़ा कुछ कर लेने की राहत का भाव अधिक छुपा होता है जबकि दूसरी तरफ़ अपने हितों के लिए विरोधी शक्तियों दिन-रात एक कर रही है। वे मानवीय संबंधों की जगह व्यावसायिक संबंधों को बनाने में जुटे हैं। संबंध जगत का ऐसा ब्लू प्रिंट उनका बनाया हुआ है जिसमें गरीब और अमीर के बीच खाई बढ़े। दलित अपनी स्थिति से और बदतर स्थिति को प्राप्त हो। उन्हें उनके वाजिब हक़ न मिलें।

आरक्षण की चर्चा खूब हो लेकिन गत् पचास सालों में आरक्षण का लाभ कितना मिला, पर चर्चा न हो। कितना पैसा लगा इसे प्रचारित किया जाए, कितना पहुँचा इसका कोई अध्ययन न हो। शिक्षा के नाम पर जितनी योजनाओं में पैसा पहुँचा, यह ज़रूर चर्चा में हो लेकिन ये योजनाएं कितने दलितों तक पहुँची और कितने लोग शिक्षित हो के अपने अधिकारों के लिए लड़ सकें, ये चर्चा से गायब हो। सो एक चुस्त-चौकन्ना मीडिया है जो दिखावा ज़रूर करता है लेकिन सच को दबा के। आज जितने भी बहस के शिल्प के कार्यक्रम है उस पे सवर्णों का कब्जा है। कोई दलित चैनलों क़े ऐसे फोरम में अपनी जगह नहीं बना पाता। तो इस सच को समझे बिना उस सच को नहीं पाया जा सकता जिसके लिए लेखक, कलाकार संघर्षरत होने का दावा करते हैं या कि हैं।

ज़रूरी यह है कि भू-मंडलीकरण के बाद मीडिया के मायाजगत में सक्रिय दलित विरोधी षड्यंत्र को जड़ों से पहचानें। बिना इस शिनाख्त के दलितों के पक्ष में की गयी कोई भी लड़ाई अधूरी होगी।

ए-2492, नेताजी नगर, नई दिल्ली-23

निर्धन, अशिक्षित, भूमिहीन और सामाजिक आर्थिक विषमताओं के शिकार दलितों पर हर घंटे दो हिंसक हमले, हर दिन तीन दलित औरतों के साथ बलात्कार, दो दलितों की हत्या, और दो दलित घरों में आग लगा दी जाती है। कानून कितने लोगों को सजा सुनाता (सुना पाता) है। कितने अपराध संदेह से परे सिद्ध होते (हो पाते) हैं।... माई लार्डस, ससम्मान अपनी असहमति के लिए विवश हूँ। चुप रहना सुविधाजनक हो सकता है, मगर बेहद खतरनाक भी।

अछूत की शिकायत कौन सुनेगा ?

अरविन्द जैन

"अछूत, जाति -प्रथा का ही एक उपउत्पाद है। अछूत रहेंगे क्योंकि जातियाँ बरकरार हैं। जाति - प्रथा के विनाश के सिवाय अछूतों के उद्धार का कोई रास्ता नहीं है। आगामी संघर्ष में इस घिनौनी कट्टरता को मिटाने के अलावा हिंदुओं को बचाने और उनका अस्तित्व सुरक्षित रखने का कोई और रास्ता नहीं है।" (बाबा साहेब आंबेडकर, हरिजन खण्ड एक, 1933 पृष्ठ 3)

दलितों पर लगातार बढ़ते अत्याचारों(अपराधों) को रोकने के लिए भारतीय संसद द्वारा 'अनुसूचित जाति और जनजाति (अत्याचार निरोधक) अधिनियम 1989 पारित किया गया था। राष्ट्रपति की अनुमति 11 सिम्तबर 1989 को ही मिल गई थी लेकिन अधिनियम को 30 जनवरी 1990 (महात्मा गाँधी बलिदान दिवस) से लागू किया गया। इस विशेष कानून के तहत विशेष अदालतों का भी गठन किया गया , मगर दलितों के विरुद्ध हिंसा और यौन हिंसा के आँकड़ों में कमी होने की बजाए वृद्धि ही होती रही है। अनुसूचित जाति के विरुद्ध हुए अपराधों में उत्तरप्रदेश और जनजाति के विरुद्ध होने वाले अपराधों में मध्यप्रदेश सबसे आगे है। गुजरात, राजस्थान और महाराष्ट्र इनके पीछे-पीछे । अधिनियम बनने के तेरह साल बाद भी वस्तुस्थिति यह है कि देश के अधिकांश दरोगाओं और कानून व्यवस्था के प्रहरियों को प्रावधानों की भाषा -परिभाषा अकसर उलझन में डाले रहती है। परिणाम स्वरूप 95 प्रतिशत अपराधी 'संदेह का लाभ' उठाते हैं और या बाइज़्ज़त बरी हो जाते हैं या सजा कम करवाने में कामयाब । सालों कोर्ट -

कचहरी के बाद पता चलता है कि अभी तक मुकदमा जिस अदालत में चल रहा था, उसे सुनवायी करने का अधिकार ही नहीं है। अपराध सार्वजनिक रूप से नहीं हुआ या अपराधी ने पीड़िता के साथ सिर्फ़ इसलिए बलात्कार नहीं किया था कि वह दलित कन्या है। जाति विशेष के नाम से पुकारना, इस कानून के अनुसार कोई अपराध नहीं बनता ।.......'सख्त कानूनों की व्याख्या कठोरता से करनी होगी।

उद्देश्यों और कारणों की सरकारी प्रस्तावना

अधिनियम बनाने के कारणों और उद्देश्यों को स्पष्ट करते हुए कहा गया था-

(i) अनुसूचित जाति और जनजातियों की सामाजिक -आर्थिक स्थितियों में सुधार के लिए उठाए तमाम कदमों के बावजूद , वे क्षति पहुँचाने योग्य वर्ग बने रहते हैं। उन्हें बहुत से नागरिक अधिकार तक प्राप्त नहीं हैं। उन्हें विभिन्न अपराधों, अशिष्टताओं, अपमानों और उत्पीड़न का शिकार बनाया जाता है बहुत सी नृशंस घटनाओं में उन्हें अपना जीवन और संपत्ति गँवानी पड़ी है। अनेक ऐतिहासिक , सामाजिक और आर्थिक कारणों की वजह से उनके विरुद्ध गंभीर अपराध होते (किये जाते) हैं;

(ii) अनुसून्ति जातियों और जनजातियों के बीच शिक्षा के माध्यम से बढ़ी जागरूकता के कारण वे अपने अधिकारों को पाने का प्रयास कर रहे हैं और अन्य लोग इसे बहुत स्वाभाविक रूप से नहीं स्वीकारते। जब वे अपने अधिकारों के लिए आग्रह करते हैं और अपने खिलाफ अस्पृश्यता का विरोध करते हैं या निर्धारित न्यूनतम मनदूरी माँगते हैं या बँधुआ और जबरदस्ती मज़दूरी करने से मना करते हैं तो सम्पृक्त स्वार्थ वाले लोग इन्हें झुकाने और आतंकित करने की कोशिश करते हैं। अनुसूचित जातियाँ और जनजातियाँ जब अपने आत्मसम्मान या अपनी औरतों की प्रतिष्ठा बचाने की कोशिश करते हैं तो वर्चस्वशाली और शक्तिशाली लोगों के लिए वे उत्तेजनशील बन जाते हैं। अनुसूचित जातियों और जनजातियों द्वारा सरकार से मिली ज़मीन तक पर कब्जा और खेती करने तक का विरोध होता है और प्राय:ये लोग सम्पृक्त स्वार्थ वाले लोगों के हमलों का शिकार बनते हैं। अभी हाल में, कुछ ऐसे विशेष अत्याचारों के क्षुब्धकारी झुकाव में वृद्धि हुई है जैसे दलितों को न खाने योग्य वस्तु जैसे मानवी विष्ठा खाने के लिए मजबूर करना और हमले या उनकी सामूहिक हत्याएँ और दलित औरतों से बलात्कार करना। इन परिस्थितियों में, मौजूदा कानून जैसे नागरिक अधिकार सुरक्षा अधिनियम 1955 और भारतीय दंड संहिता के सामान्य प्रावधान इन अपराधों से निबटने के लिए नाकाफी पाये गए हैं। इसलिए ऐसे अपराधों को रोकने और निबटने के लिए जो गैर-अनुसूचित जातियों और जनजातियों द्वारा उन पर किए जाते हैं- एक विशेष अधिनियम बनाना अनिवार्य हो गया है।

(iii) अभी तक 'एँट्रासिटी' (अत्याचार या क्रूरता) शब्द को परिभाषित नहीं किया गया है। यह ज़रूरी समझा गया है कि न केवल अत्याचार को परिभाषित किया जाए बल्कि ऐसे अपराधों के लिए अधिक सजा निर्धारित करने वाले कठोर उपाय भी किये जाने चाहिए । यह भी प्रस्तावित किया गया है कि राज्यों और संघीय क्षेत्रों के साथ अनुसूचित जातियों और जनजातियों को शिकार बनने से रोकने के लिए विशिष्ट प्रतिबंधात्मक और दण्डात्मक कदम उठाए जाएँ और जहाँ अत्याचार हों , वहाँ उनके पुनर्वास के लिए समुचित राहत और सहायता प्रदान की जा सके।

(iv) यह विधेयक उपरोक्त उद्देश्यों को हासिल करने के लिए है।"

प्रस्तावना की भाषा

अधिनियम बनाने के कारणों और उद्देश्यों की प्रस्तावना पढ़ने से ही स्पष्ट हो जाता है कि तमाम विधान-संविधान, दलितों की सामाजिक- आर्थिक स्थिति में सुधार लाने में असफल रहे। नागरिक अधिकारों तक से वंचित दलित वर्ग पर, तरह- तरह के अत्याचार और अमानवीय क्रूरताएँ की जाती रहीं। हत्या, आगजनी, बेगार, बलात्कार, हिंसा और अन्य बर्बर अपराधों के दोषी कौन हैं? ऐतिहासिक, सामाजिक, आर्थिक कारण क्या हैं? कौन हैं 'वर्चस्व शाली' और 'शक्तिशाली' जो यह सब अपराध करते- करवाते (रहे) हैं? किस वर्ग-वर्ण-धर्म, राज्य के लोग हैं, जो दलितों को हिंसा और दलित स्त्रियों को यौन हिंसा और उत्पीड़न का शिकार बनाते (रहे) हैं ? प्रस्तावना की पूरी भाषा इन सवालों के संदर्भ में मौन है। बेहद गोल-मोल शब्दों का इस्तेमाल किया गया है। निश्चित रूप से यह सत्ता की बहुत सोची- समझी चतुर भाषा-परिभाषा है। राजनीति की कूटनीतिक भाषा। 'फेंसी लेंग्वेज' या माया आवरण में दबी-ढँकी भाषा। तटस्थ राज्य भाषा। सर्वशक्ति संपन्न 'सवर्ण' मतदाता नाराज नहीं होना चाहिए। "किसी भी अधिनियम की प्रस्तावना में, विधायिका की मंशा को पढ़ा समझा जा सकता है। यही कानून बनाने वालों के दिमागों के खोलने की कुंजी है।"

संवैधानिक वैधता को चुनौती

अधिनियम बनने के बाद, इसकी संवैधानिक वैधता को चुनौती दी गई। चुनौती देने के लिए, बहुत से तर्क (कुतर्क) रचे-गढ़े गए, लेकिन उच्च न्यायालय नहीं बल्कि सर्वोच्च न्यायालय तक ने इस अधिनियम के सभी प्रावधानों को संविधान सम्मत ही ठहराया। जयसिंह और अन्य बनाम भारत सरकार (1993 क्रिमिनल लॉ जनरल 2705) में राजस्थान उच्च न्यायालय की पूर्व पीठ के न्यायमूर्ति के.सी. अग्रवाल, एम.बी. शर्मा और एन.एल. टिबरीवाल ने अस्पृश्यता की ऐतिहासिक पृष्ठभूमि, संविधान के अनुच्छेद 17 और 35, अन्य संबंधित कानूनों और न्यायिक निर्णयों की रोशनी में इस अधिनियम की विद्वतापूर्ण व्याख्या करते हुए याचिका रद्द कर की। माननीय न्यायमूर्तियों ने कहा " हमारे देश में हिन्दू जो बहुमत में हैं, चार वर्णों में बँटे हैं— ब्राह्मण, क्षत्रिय, वैश्य और शूद्र। 'अस्पृश्यता' हिन्दू जाति व्यवस्था की

ही उपज है।.... उच्च वर्ग के हिन्दू वैसे ही व्यवहार करते रहे हैं, जैसे आज़ादी से पहले करते थे।"

अग्रिम जमानत का अधिकार

याचिका कर्त्ता के वकीलों का मुख्य आधार तर्क यह था कि इस अधिनियम की धारा 18 के अनुसार अपराधी को अग्रिम जमानत पाने का अधिकार नहीं होगा, क्योंकि आपराधिक दंड प्रक्रिया संहिता की (अग्रिम जमानत संबंधी) धारा 438 को इस अधिनियम के संदर्भ में लागू नहीं किया जा सकता है। अन्य गंभीर अपराधों में तो अग्रिम जमानत ले सकते हैं लेकिन इस अधिनियम के छोटे से छोटे अपराध के लिए भी अग्रिम जमानत नहीं मिल सकती। इसलिए यह संविधान के अनुच्छेद 14 और 21 का उल्लंघन है। मौलिक अधिकारों के विरुद्ध है। माननीय न्यायमूर्तियों ने अपने निर्णय में कहा कि संसद को ऐसा कानून बनाने का अधिकार है और इस अधिनियम को बनाने का खास उद्देश्य। ऐसा सिर्फ़ यहीं नहीं हो रहा टाडा में भी ऐसा प्रावधान किया गया था। अग्रिम जमानत पाना हर अपराधी का अधिकार या मौलिक अधिकार नहीं है। संसद द्वारा पारित अधिनियम के अनुसार देखना पड़ेगा कि अदालत को अग्रिम जमानत स्वीकार करने का अधिकार दिया गया है या नहीं। दरअसल इस अधिनियम को लेकर सवर्ण समाज की सबसे बड़ी परेशानी यह है कि पहले गंभीर से गंभीर अपराध करके भी अग्रिम जमानत पा (लेते) सकते थे जो अब असंभव हो गया है। अग्रिम जमानत पर छूटने के बाद अपराधी अक्सर पीड़ितों को आतंकित करता है, डराता, धमकाता और फुसलाता है और जाँच-पड़ताल ठीक-ठाक नहीं होने देता। इस दुरुपयोग को रोकने के लिए ही ऐसा प्रावधान किया गया है, क्योंकि पीड़ित दलित समाज का कमजोर व्यक्ति है। अपराधियों के बारे में उपरोक्त आशंका, भय या खतरा, आधारहीन भी तो नहीं है।

जीवन और आज़ादी के लिए अग्रिम जमानत अनिवार्य

क़रीब एक साल बाद डॉ. रामकृष्ण बालोठिया बनाम भारत सरकार (ए.आई. आर. 1994 मध्यप्रदेश 143) के मामले में अधिनियम की विभिन धाराओं (3,8, और 18) की संवैधानिक वैधता को मध्यप्रदेश उच्च न्यायालय के सामने चुनौती दी गई। इस बार 'अधिकांश याचिकाकर्त्ता उच्च जाति के हिन्दू और कुछ मुस्लिम थे, जिनके विरुद्ध मुकदमे दर्ज थे' माननीय न्यायमूर्ति यू.एल. भट्ट और पी.पी. नावलेकर ने अपने निर्णय में अधिनियम के अन्य प्रावधानों को तो संविधान सम्मत ठहराया लेकिन अग्रिम जमानत संबंधी धारा 18 को असंवैधानिक घोषित कर दिया। राजस्थान उच्च न्यायालय की पूर्णपीठ के न्यायमूर्तियों से सम्मान पूर्वक असहमति जताते हुए, न्यायमूर्तियों का मानना था कि सर्वोच्च न्यायालय के विभिन्न फैसलों (गुरूबख्श सिंह (1980) मेनका गाँधी (1987) व अन्य) के अनुसार कानूनी प्रक्रिया के बिना किसी भी व्यक्ति को स्वतन्त्रता से वंचित नहीं किया जा सकता और कानूनी प्रक्रिया सही, उचित और तर्कसंगत होनी चाहिए- मनमानी,

अनुचित और दमनकारी नहीं। अगर कोई प्रक्रिया ही निर्धारित न हो तो यह संविधान के अनुच्छेद 21 में प्रदत्त जीवन और व्यक्तिगत स्वतंत्रता के मौलिक अधिकार का हनन होगा। अग्रिम जमानत के प्रावधान का पूर्णतया लागू ही न होना, इस अधिनियम की धारा 18 को वास्तव में अनुचित, अतार्किक और दमनकारी बनाता है। परिणामस्वरूप यह प्रावधान असंवैधानिक है।

गरिमा और सम्मान से जीने का हक-वंचितों को भी

मध्यप्रदेश उच्च न्यायालय के फैसले के खिलाफ राज्य सरकार की अपील पर सर्वोच्च न्यायालय के न्यायमूर्ति बी.पी. जीवनरेड्डी और सुजाता बी. मनोहर ने अपने फैसले (1995भाग 3 सुप्रीम कोर्ट केसेस 221) में कहा कि इस अधिनियम के अन्तर्गत अभियुक्तों को अग्रिम जमानत की सुविधा न होने का अर्थ यह नहीं है कि यह (धारा 18) संविधान द्वारा प्रदत्त मौलिक अधिकारों (अनुच्छेद 14 और 21) का उल्लंघन है। अनुच्छेद 21 के अनुसार हर व्यक्ति को मानवीय गरिमा और सम्मान से जीने का हक़ है और यह बहुमूल्य अधिकार सबके लिए है, उनके लिए भी जिन्हें सदियों से इस हक़ से वंचित रखा गया है। अग्रिम जमानत का प्रावधान तो पहली बार 1973 में बना है। उत्तरप्रदेश, बंगाल और केरल में अग्रिम जमानत के प्रावधान उपलब्ध नहीं हैं या बिना नोटिस कोई अंतिम फैसला नहीं किया जा सकता। भारतीय दंड संहिता के अपराधों की तुलना, इस अधिनियम के अपराधों से नहीं की जा सकती। इस अधिनियम में निर्धारित अपराध निश्चित रूप से दलितों को समाज में नीचा दिखाने और उन्हें गरिमा और आत्म सम्मान से जीवन-यापन करने से रोकते हैं। ऐसे अपराध उन्हें अपमानित और प्रताड़ित करने के लिए किए जाते हैं ताकि उन्हें दासता की स्थिति में रखा जा सके। इस संदर्भ में हम जयसिंह केस में राजस्थान उच्च न्यायालय की पूर्ण पीठ से सम्मान सहित सहमत हैं।

अदालत अन्धी नहीं हो सकती

संवैधानिक वैधता के सवालों पर तो सालों बहस के बाद, अतत: सुप्रीम कोर्ट की भी मुहर लग गई, लेकिन विवाद सिर्फ़ इतना ही तो नहीं है। अधिनियम की धाराओं उपधाराओं पर लम्बी बहस और ऐतिहासिक (आश्चर्यजनक) फैसले पढ़ना-समझना शेष है। विधान-संविधान से 'अग्रिम जमानत' के रास्ते बंद हो गए, तो कुछ नए न्यायशास्त्रीय सिद्धांतों की शरण ली गई। रामास्वामी व अन्य बनाम राज्य (1997 (2) क्राइम्स 684) में मद्रास उच्च न्यायालय के न्यायमूर्ति रेंगास्वामी ने अग्रिम जमानत पर लगी 'निषेधाज्ञा' में अप्रत्यक्ष छूट देते हुए कहा "इस पर विवाद नहीं किया जा सकता कि अगर किसी अभियुक्त ने एस.सी. एंड एस.टी. एक्ट के अन्तर्गत अपराध किया है तो निश्चित रूप से वह दण्ड प्रक्रिया संहिता की धारा 438 का सहारा नहीं ले सकता, क्योंकि ऐसा करने की अधिनियम की धारा 18 में अनुमति नहीं। लेकिन सवाल यह है कि क्या अदालत को यह अधिकार (शक्ति) है कि तथाकथित आरोपों को देखकर जान सके कि कोई प्रथम दृष्ट्या

मामला बनता है- अधिनियम की धाराओं के उल्लंघन का। अगर किसी व्यक्ति को इस अधिनियम के तहत सजा होनी है तो सिर्फ़ इस स्थिति में उसे अग्रिम जमानत नहीं दी जा सकती। लेकिन अगर अपराध इस अधिनियम के अन्तर्गत नहीं बनता तो अदालत अंधी नहीं हो सकती- सिर्फ़ इसलिए कि आरोप में इस अधिनियम के प्रावधानों का उल्लेख है। इस लक्ष्य के लिए आरोपों का मूल्यांकन करते हुए इस सवाल के विस्तार में जाना अदालत के लिए अनिवार्य नहीं है। अगर प्रथम सूचना रपट या आरोप पत्र से ही इस अधिनियम के अन्तर्गत होने वाला कोई भी अपराध नहीं बनता तो अभियुक्त को अग्रिम जमानत के अधिकार से वंचित नहीं किया जा सकता।"

विद्वान न्यायमूर्ति ने उपरोक्त दर्शन के पक्ष में कुछ अन्य उच्च न्यायालयों के प्रबुद्ध न्यायमूर्तियों के निर्णयों को आधार भूमि बनाते हुए लिखा "राम दयाल बनाम मध्यप्रदेश राज्य (1991 (3) क्राइम्स 152) में मध्यप्रदेश उच्च न्यायालय का निष्कर्ष है कि जब इस अधिनियम के अन्तर्गत अपराध होने के विषय में संदेह के लिए समुचित सामग्री नहीं है, तो अग्रिम जमानत याचिका के बारे में यह नहीं कहा जा सकता है कि इस पर कोई कानूनन रोक है। पंकज डी. सुथार बनाम गुजरात राज्य (1992(1) क्राइमस 1122) में गुजरात उच्च न्यायालय का भी विचार था कि कोई भी अदालत सिर्फ़ संदेहास्पद आरोपों और अनुमान के आधार पर अग्रिम जमानत को खारिज करने की बाधा नहीं खड़ी कर सकती कि इस पर तो यह अधिनियम लागू होता है। किसी भी अदालत को यह अनुमति नहीं हो सकती और न ही होनी चाहिए कि अपीलार्थी जो चाहे, जैसा चाहे चम्मच से खिला दें और अदालत को गटकने के लिए विवश करे ताकि वह अपने अनुचित लक्ष्य को प्राप्त कर सके।"

माननीय न्यायमूर्ति ने रमेश प्रसाद मनजा बनाम उड़ीसा राज्य (1996 क्रिमिनल लॉ जरनल 2743), राकेश और अन्य बनाम राजस्थान (1994(4) क्राइम्स 562) और गिरधारी लाल बनाम राजस्थान (1996 क्रिमिनल लॉ जरनल 1613) में हुए- किए निर्णयों का भी उल्लेख किया है, जिनमें कहा गया है कि अधिनियम की धारा 18 का दुरुपयोग करने की अनुमति नहीं दी जा सकती और उद्देश्यों की प्राप्ति के लिए यह परम अनिवार्य है कि अदालत ही इसकी जाँच-पड़ताल करे कि अधिनियम के अन्तर्गत प्रथम दृष्टया अपराध बनता भी है या नहीं। अगर अदालत संतुष्ट हो कि अधिनियम के अन्तर्गत अपराध नहीं बनता या बनाया गया है, तो अभियुक्त को अग्रिम जमानत दे सकती है। अग्रिम जमानत के लिए धारा 18 द्वारा लगाई रोक (बार)- संपूर्ण रोक (कंपलीट बार) नहीं है।

डॉ. बालोठिया के मामले में सर्वोच्च न्यायालय के आदेश के बावजूद अग्रिम जमानत पर रोक के सवाल पर, मध्यप्रदेश, गुजरात, उड़ीसा, राजस्थान और मद्रास उच्च न्यायालय के उपरोक्त फैंसलों (विशेषकर बाद के फैसले) को विधायिका और न्यायपालिका के बीच 'वर्चस्व की टकराहट' के रूप में भी (ही) पढ़ा-समझा जा सकता है और

वर्गहितों की रक्षा में बदलती न्यायिक व्याख्याओं के रूप में भी। सिर्फ़ कानून बनने-बनाने या बदलने से ही, सामाजिक सोच और मानसिक बनावट या सदियों के संस्कारों में बदलाव नहीं आता। नहीं आ सकता। ऐसे वैधानिक प्रावधानों का विरोधी वर्ग द्वारा हर स्तर पर विरोध-प्रतिरोध अवश्यंभावी है। स्त्रियों के संदर्भ में पितृसत्ता और दलितों के मामलों में सवर्ण समाज की वर्तमान सक्रिय भूमिका को, ऐतिहासिक परिप्रेक्ष्य और मौजूदा सामाजिक पृष्ठभूमि में पारदर्शी ढंग से पढ़ा-परखा जा सकता है। विधायिका कार्यपालिका और न्यायपालिका ही नहीं, बल्कि प्रेस में भी इस विरोध प्रतिरोध की संक्रामकता को गंभीरता से रेखांकित किया जा सकता है। जातीय अस्मिता के प्रश्नों की आग में लगातार घी डाला जा रहा है और वर्गीय घृणा के शिकार लोगों को जिन्दा जलाने वाले, उन्मादी हत्यारे फरार हैं या 'अग्रिम जमानत' पर रिहा। ऐसे खतरनाक समय में हर किसी को कानून और न्याय व्यवस्था ही अंतिम उम्मीद नज़र आती है।

कानून से बेखबर न्याय व्यवस्था

एम.सी. प्रसन्ना बनाम राज्य (1999(3) क्राइम्स 135) में अभियुक्त (स्कूल मास्टर) ने एक आदिवासी लड़की (13-15 साल) के साथ शादी के झूठे वायदे करके, सहवास के लिए सहमत किया (बहकाया) और जब लड़की गर्भवती हो गई तो मुकर गया। अभियुक्त ने कोशिश की थी कि लड़की गर्भपात करवा ले, मगर लड़की इसके लिए राजी नहीं थी। बात परिवार और पंचायत तक पहुँची और अंततः 2 मार्च, 1991 को बलात्कार का मुकदमा दर्ज हुआ। जाँच के बाद पुलिस ने भारतीय दण्ड संहिता, 1860 की धारा 376 के तहत आरोप-पत्र दाखिल किया।

सत्र न्यायाधीश ने 9 दिसम्बर, 1996 को बलात्कार का आरोप तय किया। लेकिन 29 अक्टूबर, 1997 को सरकारी वकील की याचिका पर एस.सी. एंड एस.टी. एक्ट की धारा 3 (i)(xii) का आरोप भी जोड़ दिया गया। सत्र न्यायाधीश ने दोनों अधिनियमों के अन्तर्गत दोषी मानते हुए सजा सुनाई। अपील में कलकत्ता उच्च न्यायालय की खंडपीठ ने अभियुक्त को 'संदेह का लाभ' देकर बाइज़्ज़त बरी कर दिया- लड़की की उम्र सोलह साल से अधिक भी हो सकती है और संभोग उसकी पूर्ण सहमति से हुआ, सो उसकी इच्छा पर 'डोमिनेट' करने या शोषण करने का प्रश्न ही नहीं उठता। खंडपीठ के माननीय न्यायमूर्ति एस.के. सेन ने लिखा है-

"अनुसूचित जाति और जनजाति (अत्याचार निरोधक) अधिनियम, 1989 संसद द्वारा 1989 में ही पारित हो गया था और 30 जनवरी, 1990 को गजट में भी प्रकाशित कर दिया गया था। 9 दिसंबर, 1996 को धारा 376 आई.पी.सी. के तहत तय आरोप से स्पष्ट है कि जाँच अधिकारी को इस अधिनियम के पारित या गजट होने के बारे में ज्ञान और / या सूचना तक नहीं थी। अधिनियम की धारा 3 (i)(xii) के अन्तर्गत आरोप 29 अक्टूबर, 1997 को सत्र- न्यायाधीश द्वारा लगाया गया है- तथाकथित अपराध के लगभग

सात साल बाद/ धारा 3 (i)(xii) के अन्तर्गत आरोप लगाने में हुई इस देरी के बारे में आसानी से अनुमान लगाया जा सकता है कि न जाँच अधिकारी और न विद्वान प्रोसिक्यूटर न विद्वान सत्र न्यायाधीश और न मुख्य दण्डाधिकारी-यानी कि कोई भी इस अधिनियम (1989) के बारे में कुछ जानता ही नहीं था।"

कलकत्ता उच्चन्यायालय के न्यायमूर्तियों की यह टिप्पणी कानून और न्याय व्यवस्था के मौजूदा जर्जर ढाँचे की वस्तुस्थिति से अवगत ही नहीं कराती, बल्कि बुरी तरह डराती भी है। अगर पुलिस, प्रोसिक्यूटर और मुख्य दण्डाधिकारी से लेकर सत्र न्यायाधीश तक कानूनी प्रावधानों से सालों बेखबर हो या रह सकते हैं, तो दलितों के साथ होने वाले न्याय (अन्याय) की कल्पना भी नहीं की जा सकती। कैसी दुर्भाग्यपूर्ण स्थिति है! क्या नहीं?

'अछूत की शिकायत' कौन सुनेगा?

अधिनियम (1989) की धारा 14 में विशेष अदालतों के गठन संबंधी प्रावधान किए गये हैं ताकि ऐसे तमाम मुकदमों का तेजी से निपटारा हो सके। राज्य सरकार हर जिले में एक सत्र न्यायालय को विशेष अदालत घोषित करेगी। विशेष अदालतों का गठन इसलिए किया गया कि अधिनियम (1989) के तहत होने वाले अपराधों के मुकदमों की प्राथमिकता पर सुनवायी हो सके। लेकिन विशेष अदालतों के पास आने वाले मुकदमों में अधिनियम (1989) के साथ-साथ भारतीय दण्ड संहिता, 1860 के आपराधिक मामले भी जुड़े रहते हैं। उदाहरण के लिए दलित महिला का यौन शोषण धारा 3(i)(xii) और बलात्कार के लिए भारतीय दंड संहिता की धारा 376 ऐसे ही अन्य अनेक अपराध जिनमें दोनों अधिनियमों के प्रावधान शामिल होते हैं। ऐसे में विवादास्पद प्रश्न यह रहा है कि क्या विशेष अदालत दोनों अधिनियमों में होने वाले अपराधों की सुनवाई एक साथ कर सकती है? आरंभ में तो सत्र न्यायाधीश उर्फ विशेष न्यायाधीश तक को अपने अधिकारों और प्रक्रिया के बारे में सही कानूनी स्थिति का अनुमान तक नहीं था। एक मामले में तो विशेष न्यायाधीश ने स्थिति स्पष्ट करने के लिए उच्च न्यायालय को ही लिखकर भेज दिया। खैर.... महानिदेशक (अभियोजन) के मामले में केरल उच्च न्यायालय के माननीय न्यायमूर्ति के श्रीधरन और एल. मनोहरन ने स्थिति स्पष्ट करते हुए कहा कि विशेष अदालत अभियुक्त के खिलाफ, दोनों अपराधों की सुनवाई एक-साथ कर सकती है। भारतीय दंड संहिता के अपराधों के लिए अलग से 'आर्डर ऑफ कमिटमेंट' की कोई ज़रूरत नहीं। विशेष अदालत को आपराधिक न्याय क्षेत्र की मूल अदालत ही समझा जाएगा। (1993 क्रिमिनल लॉ जरनल 760) माननीय न्यायमूर्तियों ने सर्वोच्च न्यायालय द्वारा दिये निर्णय (ए.आर. अंतुले बनाम आर.एस.नायक, ए.आई. आर. 1984 सुप्रीम कोर्ट 718) के आधार पर ही समस्या का समाधान करने का प्रयास किया, लेकिन अभी भी अनेक प्रश्न अनुत्तरित ही रह गये। यही नहीं बाद में सर्वोच्च न्यायालय ने इस निर्णय (28.1.2000)

को गंगुला अशोक बनाम राज्य (2000(2) एस.सी.सी. 504) में ओवर रूल कर दिया।

सबसे अधिक विवादास्पद और पेचीदा स्थिति उन मामलों में रही है, जहाँ पुलिस द्वारा शिकायत दर्ज नहीं करने पर पीड़ित व्यक्ति को अपनी शिकायत सीधे अदालत को करनी पड़ी। वह अपनी शिकायत (अधिनियम, 1989 के तहत) कहाँ दर्ज करे? विशेष अदालत में या संबंधित मजिस्ट्रेट की अदालत में? मंगली प्रसाद बनाम अतिरिक्त सत्र न्यायाधीश (1996 क्रिमिनल लॉ जरनल 3596) में इलाहाबाद उच्च न्यायालय का फैसला था कि विशेष न्यायाधीश को सीधे शिकायत पर संज्ञान लेने का अधिकार ही नहीं है। विशेष न्यायाधीश को इस अधिनियम के तहत हुए अपराधों की सजा सुनाने का अधिकार तो है लेकिन संज्ञान सिर्फ़ उन्हीं मामलों में ले सकता है जो मजिस्ट्रेट 'कॅमिट' करके भेजे- आपराधिक दंड प्रक्रिया संहिता के अनुसार लेकिन ठीक इसके विपरीत केरल उच्च न्यायालय की पूर्ण पीठ का हरीनंदन बनाम शारदा (1995(2) आर.सी.आर. 19) केस में कहना था कि अधिनियम (1989) के तहत अपराध का संज्ञान लेने का न्याय क्षेत्र सिर्फ़ विशेष न्यायाधीश को ही है, न कि मजिस्ट्रेट को। देवेन्द्र सिंह बनाम पंजाब राज्य (1997 (3) आर.सी.आर. 575) में पंजाब एवं हरियाणा उच्च न्यायालय के न्यायमूर्ति का भी कहना था कि विशेष न्यायाधीश ही शिकायत सुनकर संज्ञान ले सकता है। अगर शिकायत में अधिनियम (1989) और भारतीय दंड संहिता के अपराध शामिल हैं और विशेष न्यायाधीश को यह लगता है कि अधिनियम (1989) का कोई अपराध नहीं बनता, तो ऐसी स्थिति में उसे शिकायत रद्द करने की बजाए मजिस्ट्रेट को भेजनी चाहिए, ताकि भारतीय दंड संहिता के अपराधों के बारे में संज्ञान लिया जा सके। इस मसले पर राजमल बनाम रतन सिंह (1998 क्रिमिनल लॉ जनरल 3922) में पंजाब एवं हरियाणा उच्च न्यायालय के न्यायमूर्ति के.एस. कुमारन ने इलाहाबाद उच्च न्यायालय के निर्णय से सम्मानपूर्वक असहमति प्रगट करते हुए केरल उच्च न्यायालय की पूर्णपीठ के फैसले को ही सही ठहराया। मगर सर्वोच्च न्यायालय के विद्वान न्यायमूर्ति के.टी. थामस और एम.बी शाह ने गंगुला अशोक के मामले में केरल उच्च न्यायालय के दोनों फैसलों को 'ओवर रूल' करते हुए कहा कि हमें कोई संदेह नहीं है कि **विशेष अदालत इस अधिनियम(1989) में सेशन कोर्ट भी ही है, और सिर्फ़ उन्हीं मामलों में संज्ञान ले सकती है, जो आपराधिक दंड संहिता के अनुसार मजिस्ट्रेट 'कमिट' करके भेजे। दूसरे शब्दों में अधिनियम (1989) के अन्तर्गत शिकायत या आरोप-पत्र सीधे विशेष अदालत के समक्ष नहीं रखे जा सकते।**

सर्वोच्च न्यायालय के विद्वान न्यायमूर्तियों ने केरल उच्च न्यायालय के दोनों फैसलों में दिए गए तर्कों को भ्रामक बताते हुए कहा कि हमारे विचार से मीरा बनाम भुजबल। (1995 क्रिमिनल लॉ जनरल 2376 मध्यप्रदेश) पप्पू सिंह बनाम उ.प्र. राज्य (1995 क्रि. लॉ. ज. 2803, इलाहाबाद), झगडू महतो बनाम बिहार (1993 (1) क्राइम्स 643,

पटना) और ज्योति अरोड़ा बनाम हरियाणा (1998(2) क्रिमिनल लॉ रिपोर्ट 73) में विभिन्न उच्च न्यायालयों के न्यायमूर्ति भी हमारी ही तरह सोच समझ रहे थे।

खैर.... सच तो यह है कि सर्वोच्च न्यायालय के फैसले से पहले विभिन्न उच्च न्यायालयों ही नहीं, बल्कि एक ही उच्च न्यायालाय की खण्डपीठों में इस मुद्दे पर गहरे मतभेद रहे हैं, जिसका असली नुकसान या दुष्परिणाम भुगतने के लिए आम जनता अभिशप्त है। विधायिका द्वारा स्पष्ट कानूनी प्रावधान न बनाने से ही ऐसी अव्यवस्था फलती-फूलती रहती है।

विवाद जितना सुलझा.... उससे अधिक उलझा

सर्वोच्च न्यायालय के फैसले (गंगुला अशोक) से जहाँ कुछ कानूनी विवाद सुलझे, वहाँ बहुत से नये मामले बुरी तरह उलझे भी, मध्यप्रदेश राज्य बनाम भूरा जी (2001-(2) सुप्रीम कोर्ट केसेस 679 में सर्वोच्च न्यायालय के माननीय न्यायमूर्ति के. टी. थामस और के. जी. बालाकृष्णन के सामने एक और नया कानूनी संकट-झंझट यह आ खड़ा हुआ कि मध्यप्रदेश उच्च न्यायालय ने (गंगुला अशोक के आधार पर) विशेष न्यायाधीश को एक मामले की दुबारा से सुनवाई के आदेश जारी कर दिए, क्योंकि आरोप-पत्र सीधे विशेष अदालत में दायर हुए थे और अभियुक्तों (अपराधियों) का कहना था कि विशेष न्यायाधीश की अदालत में चला मुकदमा बिना किसी न्याय क्षेत्र के था। 'ट्रायल विद-आऊट ज्यूरिसडिक्शन।'

संक्षेप में मुकदमे के तथ्य-सत्य यह हैं कि 26 अगस्त, 1991 को ग्यारह अभियुक्तों ने एक की हत्या की और कुछ को घायल। सत्र न्यायाधीश धार के यहाँ सीधे आरोप पत्र दायर हुआ और 1992 में सुनवाई शुरू। 23 अगस्त 1996 को विशेष न्यायाधीश ने सबको उम्र कैद की सजा सुनाई। अपराधियों ने उच्च न्यायालय में अपील दाखिल कर दी। इस बीच मध्यप्रदेश उच्च न्यायालय की खंडपीठ का फैसला (मीराबाई बनाम भुजबल सिंह) यह था कि विशेष अदालत के सामने सीधे शिकायत या आरोप पत्र दायर नहीं हो सकते और वह संज्ञान तभी ले सकता है, जब मैजिस्ट्रेट केस कमिट करके भेजे। लेकिन बाद में मध्यप्रदेश उच्च न्यायालय की पूर्ण पीठ ने 23 अगस्त, 1995 को आनंद स्वरूप तिवारी बनाम राम रतन जाटव (1996 मध्यप्रदेश लॉ जरनल 141) के मामले में कहा कि 'अधिनियम (1989) के मामलों में आपराधिक दण्ड प्रक्रिया संहिता की धारा 193 लागू नहीं होती तो 'कमिटल आर्डर' की कोई ज़रूरत नहीं।' जब गंगुला अशोक केस में सुप्रीम कोर्ट का फैसला आया तो खण्डपीठ का फैसला 'पुनर्जीवित' हो गया और पूर्णपीठ के फैसले को पूर्ण ग्रहण लग (डस) गया। अपराधियों की अपील विचाराधीन थी, सो उन्होंने गंगुला अशोक के निर्णय का फायदा उठाने के लिए एक और प्रार्थना-पत्र दायर किया कि विशेष न्यायाधीश का फैसला निरस्त किया जाए। अपील का फैसला सुनते समय खण्डपीठ ने बेहद विवश होकर कहा "यह मामला करीब नौ साल

से घसीटा जा रहा है और इसका कोई अंत नज़र नहीं आ रहा क्योंकि दुबारा सुनवाई के आदेश भी अपरिहार्य लग रहे हैं।" विशेष याचिका का निर्णय सुनाते हुए सर्वोच्च न्यायालय ने कहा कि प्रक्रिया में अनियमितताओं या अवैधताओं के आधार पर ही मामला दूषित नहीं हो जाता, बशर्ते कि 'मिस कैरिज ऑफ जस्टिस' न हुआ हो और योग्यता के आधार पर अपील का फैसला करने के लिए वापस उच्च न्यायालय को ही भेज दिया। अपील की बहस दुबारा हो।

विशेष अदालत में न्यायक्षेत्र और अधिकारों के प्रश्न पर ही एक और विशेष अनुमति याचिका है- हिमाचल प्रदेश राज्य बनाम गीता राम (2000 (7) सुप्रीम कोर्ट केसेस 452)। सर्वोच्च न्यायालय के विद्वान न्यायमूर्ति के. टी. थामस और आर. पी. सेठी के सामने इस बार सवाल यह था कि क्या विशेष न्यायधीश सिर्फ़ अधिनियम (1989) के अपराधों का ही संज्ञान ले सकता है? केवल भारतीय दंड संहिता के अंतर्गत हुए अपराध का संज्ञान लेने का न्यायक्षेत्र नहीं?

इस मामले में अभियुक्त पर अधिनियम (1989) की धारा 3 और भारतीय दंड संहिता की धारा 376 (बलात्कार) का आरोप था। मजिस्ट्रेट ने केस कमिट करके विशेष अदालत को भेजा। विशेष न्यायाधीश ने सिर्फ़ धारा 376 का आरोप लगाकर मुकदमा चलाया और अंततः सात साल कारावास का दण्ड सुनाया। अपील में अभियुक्त के वकीलों ने कहा कि विशेष न्यायाधीश का न्यायक्षेत्र ही नहीं है क्योंकि वह तो अधिनियम (1989) के अंतर्गत विशेष न्यायाधीश है, सत्र न्यायाधीश नहीं। उच्च न्यायालय के न्यायमूर्तियों ने भी तर्क सही मानते हुए कहा कि विशेष अदालत को धारा 376 की सुनवाई करने या संज्ञान लेने का ही अधिकार नहीं है। अपील स्वीकार करते हुए न्यायमूर्ति ने विशेष न्यायालय के आदेश को निरस्त कर अपराधी के मुकदमे की नए सिरे से दुबारा सुनवाई के आदेश जारी किए।

सर्वोच्च न्यायालय के माननीय न्यायमूर्तियों ने 8-9-2000 को गंगुला अशोक केस का हवाला देते हुए फिर बताया— समझाया कि अधिनियम (1989) के अंतर्गत गठित विशेष अदालत दरअसल सत्र न्यायालय ही है। विशेष अदालत न रहने पर भी, वह सत्र न्यायालय बना रहेगा। हम बहुत खेद और दुःख के साथ कह रहे हैं कि सरकारी वकील द्वारा न्यायमूर्ति को ऐसा करने के दुष्परिणामों के बारे में नहीं बताया गया। नहीं बताया गया कि ऐसा निर्णय करने पर तमाम गवाहों को दुबारा बुलाना पड़ेगा, अभियुक्त का बयान, बहस और निर्णय सत्र दुबारा से करना होगा। इसमें समय, पैसा और ऊर्जा-व्यर्थ बर्बाद होगी। अगर अभियुक्त को प्रक्रिया पर कोई आपत्ति हो तो, प्रथम उपलब्ध स्टेज पर विरोध करना चाहिए। अगर उसने पहले कोई आपत्ति नहीं की तो अब मुकदमा समाप्त होने के बाद अपील में आपत्ति करने पर नहीं सुना जा सकता। उच्च न्यायालय के न्यायमूर्ति द्वारा तकनीकी आधार पर ऐसा आदेश देना सरासर गलत है। लिहाजा हम अपील

की योग्यता के आधार पर दुबारा सुनवाई और फैसले के लिए उच्च न्यायालय को वापस भेज रहे हैं।

लाखों लंबित मुकदमों के रहते किसी भी मुकदमे की दुबारा सुनवाई करने का अर्थ (अनर्थ) हम सब समझते हैं। माई लार्ड्स! भी समझते हैं, लेकिन कानूनी पेचीदगियों का क्या करें?

'मुकदमा दूषित' कैसे हो गया?

अनुसूचित जाति और जनजाति (अत्याचार निरोधक) अधिनियम, 1989 को 30 जनवरी, 1990 से लागू कर दिया गया लेकिन इस अधिनियम को सुचारु रूप से चलाने के लिए जो नियम बनाए जाने ज़रूरी थे, उन्हें बनने-बनाने में सरकार को 6 साल से भी ज़्यादा समय लगा। अंततः नियम 31 मार्च, 1995 से ही लागू हो सके। नियम बनने में छह साल की देरी का परिणाम यह हुआ कि 30 जनवरी, 1990 से लेकर 31 मार्च, 1995 तक हुए अपराधों की जाँच-पड़ताल,पीड़ितों को आर्थिक सहायता, गवाहों को यात्रा भत्ता बगैरा के बारे में कोई कायदा-कानून या तय प्रक्रिया ही नहीं थी। जिसको जो उचित लगा किया (नहीं किया)। कुछ ऐसे मामलों में तो नियमों का पालन न करने के कारण ही अपराधियों को बरी कर दिया गया। (हालाँकि नियम बने ही 31 मार्च, 1995 से)। इस संदर्भ में आंध्रप्रदेश उच्च न्यायालय के न्यायमूर्ति बिलाल नाजकी का एक फैसला दिनांक 26 फरवरी, 1999 (डी. रामालिंगा रेड्डी बनाम आंधप्रदेश, 1999 क्रिमिनल लॉ जनरल 2918) उल्लेखनीय है।

9 नवंबर, 1993 को करीब 10 बजे श्रीमती मेकाला राजअम्मा को अभियुक्त ने खेत में जबरदस्ती हाथ पकड़ कर कहा 'हे येनादी रंडी, आओ मैं तुम्हारे साथ अपनी आग के समान जलती कामना पूरी करना चाहता हूँ।' इसके बाद वह उसे पकड़कर घसीटता हुआ खेत में ले गया और इस 'संघर्ष' में उसका ब्लाऊज फट गया। चीख-पुकार सुनकर कुछ लोगों को आता देख अभियुक्त भाग गया। रिपोर्ट दर्ज हुई, मुकदमा चला और सत्र न्यायाधीश ने अभियुक्त को भारतीय दंड संहिता की धारा 341 और एस. सी.एण्ड एस. टी. एक्ट की धारा 3 (i) (xi) के अंतर्गत दोषी ठहराते हुए सजा सुनाई। मगर अपील में उच्च न्यायालय के माननीय न्यायमूर्ति ने कहा "इस तथ्य पर कोई विवाद नहीं है कि प्रस्तुत मामले की जाँच-पड़ताल पुलिस के सहायक निरीक्षक द्वारा की गई है न कि नियम सात में निर्धारित अफ़सर द्वारा। चूँकि मुकदमे की पूरी तफ्तीश एक ऐसे अधिकारी द्वारा की गई है, जिसे कानूनन कोई अधिकार ही नहीं, इसलिए मुकदमे की कार्यवाही ही दूषित हो गई है। ऐसा ही विचार एन. रामू. बनाम पुलिस अधीक्षक (1998 मद्रास लॉ जरनल 132) में लिया गया था। परिणामस्वरूप अपीलार्थी को धारा 3 (i) (xi) में सुनाई सजा निरस्त की जाती है और न्याय के हित में धारा 341 के अंतर्गत सजा घटाकर पाँच सौ रुपया जुर्माना किया जाता है।" सरकारी वकील से लेकर न्यायमूर्ति तक का इस ओर ध्यान

ही नहीं (दिलाया) गया कि नियम सात 31 मार्च से बना है जबकि मुकदमा की जाँच-पड़ताल 1993 में कई गई थी। उस समय कौन जानता था कि सरकार 1995 में जो नियम बनाएगी उससे जाँच-पड़ताल करने का अधिकार 'डिप्टी-सुपरइनटेंडेंट ऑफ पुलिस' के पद से नीचे के पुलिस अधिकारी को नहीं होगा। डी. एस. पी. भी वो जिसको इस काम के लिए राज्य सरकार या महानिदेशक पुलिस या अधीक्षक नियुक्त करे। नियुक्ति से पहले डी. एस. पी. का अनुभव, इस प्रकार के मामलों के परिणाम समझने की न्याय क्षमता और कम से कम समय में, सही दिशा में जाँच करने की योग्यता को ध्यान में रखा जाएगा। उपधारा 2 में लिखा होगा कि नियुक्त जाँच अधिकारी तीस दिन के भीतर मामले की जाँच प्रथम प्राथमिकता के आधार पर करेगा और जाँच रिपोर्ट अधीक्षक को सौंपेगा, जो फौरन रिपोर्ट को राज्य सरकार के महानिदेशक पुलिस को भेजेगा।... वगैरा...... वगैरा। सचमुच 1993 में स्थानीय पुलिस अधिकारी इसकी कल्पना तक नहीं कर सकते थे। मान लो करते भी तो क्या नियम बनने की (1995 तक) प्रतीक्षा करते रहते? जब मुकदमा दायर होने के समय या जाँच-पड़ताल के वक्त ऐसा कोई नियम बना-बनाया ही नहीं गया था, तो मुकदमा दूषित कैसे हो गया? माई लार्ड्स! हाऊ दें 'ट्रायल इज विशियेटड?'

ठीक इसी मुद्दे पर पेंटाकोटा कोटेश्वरराव बनाम राज्य के मामले में अपने ही उच्च न्यायालय के माननीय न्यायमूर्ति हनुमंथू का निर्णय दिनांक 11 दिसंबर, 1998 (1999 (3) क्राइम्स 582) देखना पढ़ना, कैसे भूल गये माई लार्डस ! आंध्रप्रदेश उच्च न्यायालय से लेकर सर्वोच्च न्यायालय तक के उन तमाम फैसलों की लिस्ट मिल जाती, जिनमें कहा गया कि जाँच-पड़ताल में हुई अनियमितताओं के कारण मुकदमा दूषित नहीं होता, बशर्ते. कि 'न्याय का गर्भपात' या अभियुक्त के साथ पूर्वाग्रहपूर्ण व्यवहार न हुआ हो। इस संदर्भ में विस्तृत जानकारी के लिए ए.आई. आर. 1955 सुप्रीम कोर्ट 196, ए. आई. आर. 1964 सुप्रीम कोर्ट 28, ए. आई. आर. 1964 सुप्रीम कोर्ट 221, ए. आई. आर. 1971 सुप्रीम कोर्ट 508 और 1525, ए. आई. आर. 1969 आंध्रप्रदेश 99 पढ़ने-समझने की भी आवश्यकता नहीं पड़ती। आश्चर्य और खेद सहित, क्षमा चाहता हूँ माई लार्डस! ससम्मान अपनी असहमति के लिए विवश हूँ। चुप रहना सुविधाजनक हो सकता है, मगर बेहद खतरनाक भी।

'पब्लिक प्लेस' और 'पब्लिक व्यू' का अंतर समझना होगा

अधिनियम की धारा 3 (i) (x) में प्रावधान किया गया है कि अगर कोई गैर-दलित किसी दलित को 'अपमानित करने की मंशा से, जनता के सामने (विद इन पब्लिक व्यू) जानबूझकर बेइज़्जत करता है या डराता-धमकाता है' तो यह दण्डनीय अपराध होगा। यहाँ सार्वजनिक स्थान की बजाय सार्वजनिक रूप से या जनता के सामने (विद इन पब्लिक व्यू) का प्रयोग किया गया है। 'पब्लिक व्यू' और 'पब्लिक प्लेस' के अंतर को समझने-समझाने के लिए करण सिंह बनाम मध्यप्रदेश राज्य (1992 क्रिमिनल लॉ जनरल 3054)

में मध्यप्रदेश उच्च न्यायालय के माननीय न्यायमूर्ति वी. एस. कोकजे का फैसला उल्लेखनाय है।

इस केस में 27 जून, 1991 को रामा भील अपने कुछ साथियों के साथ रात करीब आठ बजे मछलियाँ पकड़ने तालाब पर पहुँचा। रात को लगभग ग्यारह बजे अभियुक्तों ने वहाँ आकर उनसे गाली-गलौज और मारपीट की और डराने-धमकाने और जान से मारने की धमकियाँ दीं। प्रथम सूचना रिपोर्ट और जाँच-पड़ताल के बाद मुकदमा चला तो अभियुक्तों ने शिकायत रद्द करवाने की याचिका के साथ उच्च न्यायालय का दरवाजा खटखटाया। विद्वान न्यायमूर्ति ने दोनों पक्षों की जिरह सुनने के बाद अपने निर्णय में कहा "प्रावधान में 'पब्लिक व्यू' शब्द का प्रयोग किया गया है, न कि 'पब्लिक प्लेस'। घटना (दुर्घटना) का सार्वजनिक स्थल पर होने और सार्वजनिक रूप से होने में साफ़तौर पर बहुत फर्क है। घटना रात को ग्यारह बजे ऐसे स्थान पर हुई, जहाँ सिर्फ़ अभियुक्त थे और वहाँ जो भी हुआ उसे 'पब्लिक व्यू' में हुई घटना नहीं माना जा सकता। इन परिस्थितियों में यह नहीं कहा जा सकता कि अधिनियम की धारा 3 (i) (x) की सभी अनिवार्य शर्तें पूरी होती हैं। अभियुक्तों के विरुद्ध मुकदमा चलाने के लिए बिल्कुल कोई सामग्री (सबूत) उपलब्ध नहीं है। आरोप आधारहीन है और जाँच स्तर पर ही रद्द करने योग्य है।"

माननीय न्यायमूर्ति ने अपने निर्णय के अंत में कुछ महत्वपूर्ण मौलिक सुझाव भी दिये हैं। विद्वान न्यायमूर्ति ने लिखा है "यह मुकदमा निपटाने से पहले मैं यह ध्यान दिलाना अपना कर्तव्य समझता हूँ कि आजकल (इन दिनों) पुलिस द्वारा इस अधिनियम के अंतर्गत बहुत से मामले दर्ज किए जा रहे हैं- बिना गंभीरता से यह देखे कि इस अधिनियम के अंतर्गत अपराध बनता भी है या नहीं। चूँकि इस अधिनियम में विशेष और सख्त प्रावधान बनाए गये हैं, इसलिए अभियोजन पक्ष की जिम्मेवारी है कि वह ऐसे मामलों को अधिक ध्यान से देखे। उन्हें इस अधिनियम के दुरुपयोग को रोकने के लिए बेहद चौकन्ना रहना होगा ताकि ऐसे निर्दोष नागरिकों को परेशानी न हो, जिन्होंने इस अधिनियम के तहत कोई अपराध किया ही नहीं।.......अदालतों को भी तत्काल यह देखना चाहिए कि क्या केस डायरी में उपलब्ध सामग्री के आधार पर इस अधिनियम के अन्तर्गत प्रथम दृष्ट्या अपराध बनता है या नहीं। अगर ऐसी कोई सामग्री उपलब्ध नहीं है तो अदालतों को ऐसे मुकदमें चलाने से इंकार करने में कोई झिझक नहीं होनी चाहिए और उन्हें चाहिए कि इस संदर्भ में समुचित निर्देश दें कि मामले सामान्य रूप से निपटाए जाएँ ।"

1989 अधिनियम के अन्तर्गत अपराध न बनने का फैसला सुनाते हुए, माननीय न्यायमूर्ति ने अभियुक्तों को अग्रिम जमानत पर रिहा करने का भी आदेश सुनाया ।

चन्द्रा पुजारी बनाम कर्नाटक राज्य (1998 क्रिमिनल लॉ जरनल 53) में कर्नाटक उच्च न्यायालय के न्यायमूर्ति एम. पी. चिन्नैया ने भी कहा कि इस अधिनियम की धारा 3

को आकर्षित करने के लिए यह ज़रूरी है कि घटना स्थल ऐसा होना चाहिए, जहाँ से जनता देख सके । विद्वान न्यायमूर्ति ने बी. एन. चेत्रागौडा बनाम कर्नाटक राज्य के मामले में 27 जनवरी, 1997 के एक निर्णय का हवाला दिया जिसमें कहा गया है कि अभियुक्त ने जो भी कहा अपीलार्थी के निजी कक्ष में कहा था, जहाँ देखने -सुनने वाला कोई और नहीं।

मतलब यह कि दलितों को अपमानित करने या डराने -धमकाने की घटना - दुर्घटना ऐसे स्थल पर होनी चाहिए , जहाँ जनता भी देख- सुन सके। अकेले, निर्जन स्थान पर दलितों को अपमानित करना या डराना -धमकना अपराध नहीं है। अनुसूचित या जनजाति के किसी भी अफ़सर या अधिकारी को उसके चैम्बर में गाली देना , अपमानित करना या डराना-धनकाना कोई अपराध नहीं-बशर्ते उस समय वहाँ कोई और देखने - सुनने वाला न हो। यानी घटनास्थल पर कोई गवाह मौजूद नहीं होना चाहिए।

दलितों की शिकायत - 'कानून का दुरुपयोग'

राजस्थान उच्च न्यायालय के न्यायमूर्ति अरुण मदान (रिश्वत में अस्मत की माँग के आरोपों की जाँच के बाद न्यायमूर्ति के पद से हटा दिए गये थे) ने भीषण लाल बनाम हरगोविंद व अन्द (1999(3) क्राइम्स 445) में इस अधिनियम के उद्देश्यों, कारणों और व्यापक स्तर पर दुरुपयोग के बारे में गंभीरता पूर्वक विश्लेषण करते हुए लिखा है " मेरे विचार से, विधायिका ने यह अधिनियम अल्पसंख्यकों के हितों की रक्षा और बचाव के लिए बनाया था न कि बेबुनियाद के बेकार झगड़ों में व्यक्तिगत बदला लेने के लिए इसे हथियार के रूप में प्रयोग करने के लिए। इस केस में अधिनियम के दुरुपयोग से अधिक, दुरुपयोग का उदाहरण नहीं मिल सकता।"

अभियुक्तों की रिहाई को सही ठहराते हुए माननीय न्यायमूर्ति ने पुलिस और अभियोजन पक्ष को सावधानी के लिए आगाह करते हुए कहा कि "उन्हें इस प्रकार की शिकायतों को बड़ी चौकसी से देखना-परखना चाहिए, जिनमें ग्रामीण क्षेत्र के दोनों पक्ष आपस में संबंधी हों या पड़ोसी। अदालत के सामने प्रायःऐसे मामले आते रहे हैं, जिनमें विभिन्न जातियों के सदस्यों के विरुद्ध बदले की भावना से इस अधिनियम के प्रावधानों का शर्मनाक ढंग से दुरुपयोग किया गया है। देश में जातीय दुश्मनियाँ काफी हद तक प्रचलित हैं। इसलिए किसी को भी यह अनुमति नहीं होनी चाहिए कि वह पुलिस स्टेशन में प्रथम सूचना रपट दर्ज करवा कर किसी निर्दोष व्यक्ति को कानून के चंगुल में फँसा सके। जाँच अधिकारी को चाहिए कि वह शिकायत के पहले ही अवसर पर, सारे प्रमाण व सामग्री को देख ले जो विश्वास जनक हो और जिसके आधार पर पुलिस जाँच आरंभ की जा सके।"

विद्वान न्यायमूर्तियों के लिए कोई भी अपराध (शिकायत) तभी सही माना जा सकता है, जब संदेह से परे तक सिद्ध हो (किया) जाए.... वरना शिकायत 'झूठी', 'बेबुनियादी' या 'बदले की भावना' से परेशान करने के लिए की गई है, जो सरासर

'कानूनी प्रक्रिया का दुरुपयोग है।' भारतीय समाज में अछूत या दलित (गैर-द्विज) आज़ादी के 55 साल बाद भी बहिष्कृत, अपमानित और कलंकित पहचान के साथ जीने-मरने को अभिशप्त हैं। ग्रामीण क्षेत्रों के सामंती परिवेश में ही नहीं, बल्कि महानगर के मेडिकल कालेज के उच्च जाति के छात्र भी शूद्र छात्रों को जूतों में पानी पीने के लिए विवश करते (रहे) हैं। कानूनन पाबंदी होने के बावजूद, देश के अधिकांश राज्यों में छुआछूत जारी है। निर्धन, अशिक्षित, भूमिहीन और सामाजिक-आर्थिक विषमताओं के शिकार दलितों पर हर घंटे दो हिंसक हमले, हर दिन तीन दलित औरतों के साथ बलात्कार- दो दलितों की हत्या और दो दलित घरों में आग लगा दी जाती है। कानून कितने लोगों को सजा सुनाता (सुना पाता) है? कितने अपराध संदेह से परे तथा सिद्ध होते (हो पाते) हैं? दलित की शिकायत कौन सुनता है।

बलात्कार किस 'आधार' पर हुआ?

अनुसूचित जातियों और जनजातियों की स्त्रियों के साथ बढ़ते बलात्कारों को रोकने के लिए इस अधिनियम की धारा 3(2)(v) में प्रावधान किया गया है कि अगर कोई गैर दलित, भारतीय दंड संहिता के अन्तर्गत कोई ऐसा अपराध करता है, जिसके लिए दस साल या अधिक कैद की सजा हो सकती है और किसी व्यक्ति या संपत्ति के विरुद्ध अपराध इस आधार पर करता है कि व्यक्ति अनुसूचित जाति का जनजाति का व्यक्ति है या संपत्ति अनुसूचित जाति या जनजाति के सदस्य की है, तो इस दंडनीय अपराध के लिए उम्र कैद और जुर्माना होगा। संक्षेप में जिन अपराधों के लिए भारतीय दंड संहिता में दस साल कैद या अधिक सजा का प्रावधान है, उन अपराधों के लिए उम्र कैद और जुर्माना होगा अगर अपराध किसी दलित व्यक्ति या उसकी संपत्ति के विरुद्ध किया गया है। प्राय: जिन अपराधों के लिए सजा जितनी कठोर होती है, अदालतें अक्सर सजा सुनाने में उतनी ही चौकन्नी और सख्त व्याख्या की पक्षधर। आमतौर पर अपराधी को ही 'उदार व्याख्या' का फायदा या 'संदेह का लाभ' मिलता (रहा) है। इस संदर्भ में नरेश बनाम हरियाणा राज्य (1997 (2) क्राइम्स 587) विशेष रूप से महत्वपूर्ण मामला है।

इस केस में 15 फरवरी 1993 को 12 वर्षीय हरिजन कन्या कुमारी सुनीता के साथ बलात्कार करने के अपराध में अपीलार्थी को, भिवानी के सत्र न्यायाधीश ने भारतीय दंड संहिता की धारा 376 और अनुसूचित जाति-जनजाति अधिनियम की धारा 3(2)(v) के तहत उम्र कैद और एक हजार रुपए जुर्माना की सजा सुनाई। मगर अपील में पंजाब और हरियाणा उच्च न्यायालय के माननीय न्यायामूर्ति एच.एच. बेदी और के.के. श्रीवास्तव की खंडपीठ ने अपने निर्णय में लिखा "यह नहीं कहा जा सकता है कि नरेश ने बलात्कार (भारतीय दंड संहिता की धारा 376 के अंतर्गत दंडनीय अपराध) इस आधार पर किया था कि वह (सुनीता) अनुसूचित जाति या जनजाति की सदस्य है और इसलिए 1989 अधिनियम की धारा 3(2)(v) तो इस केस में लागू (आकर्षित) ही नहीं होती।" विद्वान

वरिष्ठ वकील की दलीलों को सही समझते हुए, न्यायमूर्तियों ने आंशिक रूप से अपील स्वीकारते हुए बलात्कार के अपराधी की सजा उम्र कैद से घटाकर सात साल कैद कर दी।

नाबालिग,निर्दोष और दलित 12 वर्षीय बालिका के साथ बलात्कार किया गया। गैर दलित द्वारा किया गया। अपराध सिद्ध हुआ। विशेष अदालत से लेकर उच्च न्यायालय के न्यायमूर्तियों ने माना। अब यह कैसे मानेंगे आप कि बलात्कार हुआ ही इसलिए कि वह एक निर्धन, दलित और हरिजन बाप की बेटी थी। दलित थी स्वयं। इसीलिए तो बलात्कार की शिकार हुई। अगर वह किसी ब्राह्मण और राजपूत ज़मींदार की बहू-बेटी होती, तो क्या नरेश सपने में भी 'रेप' करने की सोच सकता था? क्या नरेश का यह जानना काफी नहीं कि वह दलित/ हरिजन कन्या है? निस्संदेह नरेश यह जानता-समझता था कि सुनीता एक दलित परिवार की लड़की है। क्या वह नहीं जानता था? क्या उसका यह जानना काफी पुख्ता आधार नहीं? आधार मतलब-क्यों? किसलिए? सामाजिक, आर्थिक जातीय कारण और संभावनाएँ ही ना! 'आधार' के संदर्भ में निर्णय में कोई तर्क (कुतर्क), कोई कारण, कोई व्याख्या और कोई ठोस स्थिति-परिस्थिति स्पष्ट नहीं है। 'आधार भूमि' समझे बिना 'आधार' ढूँढ़ना-समझना नामुमकिन है।

- रामास्वामी बनाम राज्य (1997(2)क्राइम्स 684) में मद्रास उच्च न्यायालय के न्यायमूर्ति रेंगा स्वामी ने अपने निर्णय के पैरा 10 में कहा था कि अपराध का यह उद्देश्य और आधार होना ज़रूरी है कि पीड़ित/ पीड़िता अनुसूचित जाति या जनजाति के सदस्य हैं। इसलिए उम्र कैद की सजा के बजाय पाँच साल कैद की सही है।
- अब्दुल गफर साब बनाम कर्नाटक राज्य (1998 क्रिमिनल लॉ जरनल 2488) में कर्नाटक उच्च न्यायालय के न्यायमूर्ति एम.एफ.सलदाना और बी.एन.मल्लिकार्जुन का मानना था कि अधिनियम की धारा 3 (2)(v)के लिए सिर्फ इतना काफी नहीं कि पीड़ित अनुसूचित जाति या जनजाति का सदस्य है बल्कि अभियुक्त के व्यवहार से भी यह लगना चाहिए कि उसने जाति के संदर्भ में भी मृतक की संवेदना को आहत किया था।
- कुमुदी लाल बनाम उ.प्र.राज्य (ए.आई. आर. 1999 सुप्रीम कोर्ट) के मामले में सर्वोच्च न्यायालय के न्यायमूर्ति जी.टी. नानावती और एस.पी. कुरदुकर ने 14 वर्षीय हरिजन कन्या के साथ बलात्कार और हत्या के जुर्म में फाँसी की सजा को उम्र कैद में बदलने का निर्णय लिया था,मगर धारा 3(2)(v) के संदर्भ में एक शब्द भी नहीं लिखा। उम्र कैद की सजा सुनाने के कारण विशेष पर अलग से चर्चा करेंगे।
- मसूम शा हसन शा मुसलमान बनाम महाराष्ट्र राज्य (2000(3) सुप्रीम कोर्ट केसेस 557) में सर्वोच्च न्यायालय के विद्वान न्यायमूर्ति एस. राजेन्द्र बाबू और एस.एस.मोहम्मद कादरी का भी फैसला यही कहता है कि धारा 3 (2)(v) के लिए अपराध और जाति के बीच अन्तर्संबंध ज़रूरी है।

बलात्कार से पहले क्यों नहीं चिल्लाई?

कुमुदी लाल बनाम उत्तरप्रदेश राज्य में 7 दिसम्बर, 1995 को एक जघन्य दुर्घटना हुई जिसमें चौदह वर्षीय हरिजन लड़की माड़ी के साथ बलात्कार किया गया और उसके बाद हत्या। विशेष न्यायालय और उच्च न्यायालय द्वारा सुनाई सजा-ए-मौत को आजीवन कारावास में बदलते हुए सर्वोच्च न्यायालय के विद्वान न्यायमूर्ति जी.टी. नानावती और एस.पी. कुरदुकर ने लिखा "लेकिन उपलब्ध साक्ष्य उच्च न्यायालय द्वारा मृत्युदंड दिये जाने के कारणों को उचित नहीं ठहराते। साक्ष्यों से यह नहीं लगता कि अभियुक्त (अपराधी) ने माड़ी को अचानक पकड़ लिया था और वह एक दम विवश थी। उसने अपनी सलवार पूरी तरह से उतार रखी थी जो शायद आवश्यक नहीं थी--अगर वह केवल निवृत्त होने गई थी। घटना स्थल पर कोई पाखाना नहीं मिला। अगर उस पर इस प्रकार अचानक हमला हुआ था तो वह पहले ही चिल्लाती न कि अपीलार्थी द्वारा बलात्कार शुरू करने के बाद।... उसने अपनी सलवार ही नहीं उतारी हुई थी बल्कि कुर्त्ता भी गर्दन तक चढ़ाया हुआ था। इसीलिए गवाह और जाँच अधिकारी ने कहा कि माड़ी की लाश नग्न थी। ...परिस्थितियाँ बताती हैं कि संभवत: आरंभ में वह स्वयं भी अपीलार्थी को कुछ हद तक आज़ादी ले लेने के प्रति अनिच्छुक नहीं थी। अपीलार्थी अपनी कामेच्छा नहीं रोक पाने कारण लड़की की संभोग के लिए अनिच्छा के बावजूद आगे बढ़ गया। इस पर लड़की ने कुछ प्रतिवाद किया और शोर मचाना शुरू कर दिया। लड़की को शोर मचाने से रोकने के लिए अपीलार्थी ने सलवार उसके गले में बाँध दी जिससे उसकी दम घुटने से मृत्यु हो गई। हमारे विचार से इन सब साक्ष्यों पर विचार किये बिना उच्च न्यायालय द्वारा मृत्यु दंड की पुष्टि करना गलत था।"

माननीय न्यायमूर्तियों ने 'मानवीय दृष्टिकोण' अपनाते हुए, मृत्युदंड की सजा को आजीवन कारावास में बदल दिया जो बिल्कुल आश्चर्यजनक नहीं है, लेकिन चौदह वर्षीय लड़की की सहमति या असहमति का प्रश्न उठाना व्यर्थ है। अगर वह सिर्फ़ 'छेड़छाड़' के लिए तो उत्सुक थी मगर संभोग के लिए सहमत नहीं थी, तो उसे सलवार उतारने की क्या ज़रूरत थी? बिना सलवार उतारे बलात्कार कैसे होता? क्या अपीलार्थी कुर्त्ता ऊपर नहीं कर सकता? बलात्कार के लिए सलवार उतारना ज़रूरी था और लड़की को शोर मचाने से रोकने के लिए सलवार से ही गला घोंटना। सवाल सजा का नहीं बल्कि बलात्कार की शिकार हुई, मृतक दलित स्त्री के सम्मान का भी है। 'शायद' या 'संभवत:' कह कर सत्य-तथ्य को विरूपित या विकृत नहीं किया (जा सकता) जाना चाहिए। घटना स्थल को सालों बाद निर्णय स्थल से दुबारा देखना संभव नहीं और अनुमान के आधार पर (ऐसा, वैसा, कैसा) कुछ भी कहना 'न्याय के हित' में नहीं हो सकता।

4648, अंसारी रोड
21 दरियागंज, नई दिल्ली

ये आत्मकथाएँ दलित लेखकों के अदम्य जीवन संघर्ष के साथ आगे बढ़ने का संदेश देती है। दलित आत्म कथाकार बताना चाहते हैं कि जो नारकीय और दासतापूर्ण जीवन हमें मिला उसमें व्यक्ति विशेष का नहीं, व्यवस्था का अपराध है। दलित आत्मकथाएँ, व्यवस्था परिवर्तन की माँग करती है।

हिन्दी में दलित आत्मकथाएँ

डॉ. रजत रानी मीनू

साहित्य में आत्मकथा लेखन बहुत पुरानी विद्या है। हिन्दी में अनेक आत्मकथाएँ लिखी जा चुकी हैं। सवर्ण समृद्ध वर्गों से आए जिन लेखकों ने इस क्षेत्र में प्रवेश किया, उन लोगों के लिए यह कोई जोखिम भरा कार्य भी नहीं था, बल्कि लेखकों ने अपनी विभिन्न अवस्थाओं के अनुभवों को साहित्यिकता का जामा पहना कर स्वयं को आनंदित व गौरवान्वित महसूस किया।

हिन्दी आत्मकथाकार विषयान्तर भी होते रहे हैं। जबकि आत्मकथा का आशय एकदम स्पष्ट है। यह आत्मकथाकार की सच्ची कथा या कहानी होती है। डॉ. वीरभारत तलवार के अनुसार पं. जवाहर लाल नेहरू ने 'डिस्कवरी ऑफ इंडिया' लिख कर हिन्दी क्षेत्र से आत्मकथा लेखन प्रारंभ किया था।[1] यह गलत मान्यता है। हिन्दी में बनारसी दास जैन ने 18वीं शताब्दी में अर्द्ध कथानक आत्मकथा लिखी थी। इसके अलावा आधुनिक हिन्दी साहित्य में सबसे पहले डॉ. श्यामसुन्दर दास ने अपनी आत्मकथा लिखी पर यहाँ प्रश्न उठता है कि अंग्रेज़ी की इस पुस्तक से हिन्दी आत्मकथा लेखन की शुरुआत कैसे मानी जाए? जबकि इस पुस्तक का कथ्य स्वरूप व नामकरण आत्मकथा प्रवृत्ति के एकदम विपरीत है। 'भारत एक खोज' एक ऐतिहासिक ग्रन्थ है। आत्मकथा नहीं और साहित्यकार की आत्मकथा तो बिलकुल नहीं। यही प्रवृत्ति श्री रामविलास शर्मा की आत्मकथा के द्वितीय खंड 'अपनी धरती अपने लोग' में दिखाई देती है। इस पुस्तक का मूल विषय दास और स्वामित्व के संबंधों के उदय व विकास की विवेचना करना है, जो मार्क्सवादी ऐतिहासिक

भौतिकवाद का अध्ययन जैसा है। उदाहरण के रूप में एक प्रसंग देख सकते हैं। समाज के उत्थान में आदिम साम्यवाद के पश्चात दास व्यवस्था का आगमन नहीं वरन् सीधे सामंती व्यवस्था आई। कम से कम भारत में दास व्यवस्था कभी नहीं थी।[2] श्री शर्मा ने अपने तर्कों से व्यवस्था को बचाया किन्तु क्या यहाँ जाति व्यवस्था दासप्रथा से कम अमानवीय रही? क्या अस्पृश्य दास से भी गया गुज़रा नहीं रहा? क्या आज भी प्रतिदिन जानवरों की भाँति दलित लोग सामंती अत्याचारों के शिकार नहीं होते हैं? यदि हाँ तो शर्मा जी किस गौरवशाली इतिहास की बात करते हैं? भारत में कौन सी दास व्यवस्था नहीं थी? क्या हर देश के समाजों में भिन्नता नहीं है? क्या भारतीय समाज में अछूत दास नहीं है? क्या उनकी स्थिति दास से भी ख़राब नहीं है? अछूत की दासता केवल इतिहास का कोई अध्याय मात्र नहीं है बल्कि आज भी उनकी आत्मकथाएँ सामाजिक भेदभाव का ज्वलंत प्रमाण है। वे दासता का ही एक रूप है।

सन् 1985 में प्रकाशित शिवपूजन सहाय की आत्मकथा 'मेरा जीवन' असल में संस्मरण, रिपोर्ताज, टिप्पणियाँ, लेखों, निबंध आदि का आलोचनात्मक संग्रह है। समीक्षा के बहाने श्री कृष्णदत्त पालीवाल आत्मकथा लेखन की प्रवृत्ति पर प्रश्नचिन्ह लगाते हुए गर्व से कहते हैं कि इस आत्मकथा में मैं की महिमा न करके शिवपूजन सहाय ने सत्य को पूरी ईमानदारी से उजागर करने का प्रयत्न करते हैं। इस आत्मकथा के भीतर से गुज़रने पर हमें यह विश्वास बेंधता है कि दूसरों का सत्य कहने के लिए आत्मकथा एक सशक्त माध्यम है। ढर्रेदार आत्मकथा का कचरा प्रलाप अलाप भी इसमें नहीं है।[3]

आत्मकथा में मैं और कूड़ा कचरा का प्रलाप अलाप कहकर श्री पालीवाल ने परोक्ष रूप से दलित आत्मकथाओं पर व्यंग्य किया है। और उनका उपहास उड़ाते हुए अपनी ब्राह्मणवादी मानसिकता का परिचय दिया है। आत्मकथाएँ तो मैं शैली में ही लिखी जाती हैं। दलित लोग जिस शैली को अपनाते हैं। पालीवाल जैसे संकीर्ण आलोचक उस का बहिष्कार करते रहे हैं। मज़ाक उड़ाते हैं या व्यर्थ का कूड़ा-कचरा बताने लगते हैं। इस तरह वे आत्मकथा लेखन के विरोध की भूमिका में खड़े हो जाते हैं। बेशक गैर दलित लेखक दूसरों के बारे में ही अधिक लिखते हैं। वह लिखते रहें इससे कोई आपत्ति नहीं किन्तु प्रामाणिक तौर पर तो आत्मकथाकार अपने जीवन की सच्चाई ही लिख सकता है, जिसमें वर्णित घटनाओं का वह स्वयं साक्षी होता है। परन्तु परम्परागत लेखकों की पुस्तकों में दूसरों के महिमा मंडन की संभावना अधिक होती है। डॉ. महीप सिंह 'अपने-अपने पिंजरे' की भूमिका में कहते हैं। यह विधा कई बार ऐसी नंगी सच्चाई को प्रकट करने का साहस माँगती है, जो भारतीय (संभ्रान्त) चरित्र में बहुत कम संभव है बल्कि होता भी यही रहा हैं। इस तथ्य को अन्य आत्मकथाओं जैसे हरिवंशराय बच्चन की 'क्या भूलूँ क्या याद करूँ' गाँधी जी की 'सत्य के साथ मेरे प्रयोग' में देखा जा सकता है। मी कसा झाला[4] (मैं कैसे बना) से मराठी दलित आत्मकथाओं की शुरुआत मानी जाती है। उसके बाद से

दयापवार की 'वलूत', प्रा.ई. सोन काँबले की 'यादों के पंछी', शरण कुमार लिम्बाले की 'अक्करमाशी', लक्ष्मण गायकवाड़ की 'उठाईगीर' मुख्यत: चर्चा में है। मराठी दलित महिलाएँ भी आत्मकथा लेखन में आगे आई हैं। बैबी, काँबले, शांताबाई, मुक्खतास गौड़ और कौशल्या वैसन्त्री आदि की आत्मकथाएँ आ चुकी हैं। नवें दशक में हिन्दी दलित आत्मकथा लिखने की शुरुआत पत्रकार राजकिशोर द्वारा संपादित हरिजन से दलित में दलित लेखक ओम प्रकाश वाल्मीकि के आत्मकथांश से मानी जा सकती है। हिन्दी पाठकों व साहित्यकारों में दलित आत्मकथाओं के प्रति रूझान बढ़ा है और यह साहित्य की प्रमुख विधा बन रही है। 1995 ई. में मोहन दास नैमिशराय की आत्मकथा 'अपने-अपने पिंजरे' पुस्तककार में छप कर आई। ओमप्रकाश वाल्मीकि की 'जूठन' 1969 में प्रकाशित हुई। इन दोनों आत्मकथाओं का सार संक्षेप में देना आवश्यक है।

दलित लेखकों को आत्मकथा लिखने के ख़तरे भी बहुत हैं। तब सवाल यह उठता है कि ऐसे जोखिमपूर्ण कार्य को ये लोग कर क्यों रहे हैं? जब शरण कुमार लिम्बाले की पत्नी यह प्रश्न करती है कि यह सब लिखने से क्या फायदा? तुम क्यों लिखते हो? कौन अपनाएगा हमारे बच्चों को?[5] या ओमप्रकाश वाल्मीकि की पत्नी उनके सरनेम को लेकर कहती हैं कि हमारे कोई बच्चा होता तो मैं इनका सरनेम ज़रूर बदलवा देती।[6] तब यह समस्या कितनी गंभीर है? यह सोचने की ज़रूरत है। लिम्बाले जी कहते हैं फिर भी मैं लिखता हूँ यह सोचकर कि जो जीवन मैंने जिया यह सिर्फ़ मेरा नहीं है। मेरे जैसे हज़ारों, लाखों का जीवन है।

मुख्य प्रेरणा यहाँ मिलती है कि अमानवीय जीवन को जिया और उसे लाखों यंत्रणाओं का सामना करना पड़ा। फिर भी वह यहाँ तक पहुँचा। आत्मकथाएँ दलित लेखकों के अदम्य जीवन संघर्ष के साथ आगे बढ़ने का संदेश देती हैं क्योंकि दलित आत्मकथाकार बताना चाहते हैं कि जो नारकीय और दासतापूर्ण जीवन हमें मिला, उसमें व्यकित विशेष का अपराध नहीं है। दलित आत्मकथाएँ व्यवस्था परिवर्तन की माँग भी करती हैं।

शिक्षा, साहित्य और भूमि भवन आदि साधनों से वंचित और सामाजिक गतिविधियों से अलग-थलग कर हमें मजबूर बना दिया गया। यह हमारे पूर्व जन्मों के कारण नहीं है, बल्कि पक्षपातपूर्ण सामाजिक व्यवस्था की नियति के कारण है। डॉ. आम्बेडकर ने भी अपनी आत्मकथा 'मी कसा झाला' (मैं कैसे बना) शीर्षक से लिखी। जिससे उन्होंने बताया कि मेरा विकास किसी अद्‌भुत शकित के कारण नहीं हुआ बल्कि मेरे जीवन निर्माण में परिश्रम और संघर्ष मुख्य बिन्दु रहे हैं। ऐसा मत प्रतिपादित करने वाले डॉ. आम्बेडकर से दलित लेखकों ने क्या प्रेरणा ली है?

1. **'अपने-अपने पिंजरे'**— गैर दलित जातियों की तरह भारतीय दलित भी विभिन्न जातियों व समुदायों में विभक्त हैं। इनकी विभिन्न उपजातियों की पीड़ाएँ भी बहुरूपी हैं। चतुर्थ वर्ण से बाहर की अस्पृश्य जातियों में अस्पृश्यता के साथ-साथ अर्थाभाव मुख्य समस्या रही है। सामाजिक स्थितियाँ समान होते हुए भी वैयक्तिक व पारिवारिक स्तर पर

एक आत्मकथा दूसरी आत्मकथा से एकदम भिन्न है। अत: दलित आत्मकथाओं को दलित समाज के दस्तावेज़ कहें तो अतिशयोक्ति नहीं होगी। 'अपने-अपने पिंजरे' की कथावस्तु में मेरठ के चमार गेट में जन्में, पले बड़े हुए बालक मोहनदास नेमिशराय के जीव की विभिन्न घटनाएँ पढ़ने को मिलती हैं। तथा चमार दरवज्जा के चमारों की दिनचर्या की खासी जानकारी मिलती है। वहाँ रह रहे चमारों के अर्थाभाव, शोषण और बेगारी का यथार्थ चित्रण इस आत्मकथा में पढ़ने को मिलता है। चमार दरवज्जे के मोहनदास नैमिशराय का परिवार अन्य चमारों से सम्पन्न अवश्य है, लेकिन कथित छोटी जाति से होने के दंश से उनका परिवार तथा वह स्वयं भी दंशित होते रहे हैं। कभी चप्पलों का ठेकेदार उनका दोहन करता है तो कभी सवर्ण हिन्दुओं की जगह मुसलमान नवाबों ने उनका शारीरिक, आर्थिक तथा मानसिक शोषण किया है। वे लिखते हैं कि 'हमारे मुसलमान पड़ौसी भी अधिकांश मज़दूरी पेशा करते थे। उनमें कोई सैय्यद, शेख, पठान न था। अधिकांश जुलाहे, कसाई, कलाल, अंसारी ही थे पर उनके तेवर पठानों से कम न थे। बोलने का लहजा उसी मानसिकता से प्रभावित था। वे बात-बात पर हमें चमट्टे कहते थे। और महिलाओं को चमट्टी। हम उनकी नज़रों में घटिया लोग थे। हमारी जात की औरतों को तो बार-बार ज़लील होना पड़ता था। कभी-कभी वे ऐसा भी सोचते थे कि हम उनके रहमो-करम पर जिंदा हैं।' (अपने-अपने पिंजरे पृ. 18) ज़ाहिर है कि सभी धर्मों पर ब्राह्मणवाद का प्रभाव था। इसीलिए हिन्दुओं से इतर धर्मान्तरित बौद्ध, ईसाई और अन्य धर्मों के तथाकथित धार्मिक लोग चमारों के साथ हिन्दुओं जैसी अस्पृश्यता का बर्ताव करते हैं।

महाराष्ट्र में पेशवाओं के राज्य में दलितों को सड़क पर थूकने व सिर उठाकर चलने पर भी प्रतिबंध था। इसलिए उन्हें गले में हांडी (मिट्टी का बर्तन) बाँधनी पड़ती थी। कथाकार नैमिशराय की आत्मकथा से पता चलता है कि लगभग इसी तरह की परम्परा का न्यूनाधिक निर्वाह मेरठ के मुसलमान लोग दलितों के साथ करते थे। 'ईद या अन्य किसी खुशी के अवसर पर वे स्वयं रात भर रँडियों का नाच देखते और हुक्का गुड़गुडाते। हुक्कों की चिलम दलितों को भरनी पड़ती। ऐसे समय पर दलित उगालदान को अपने हाथों में पकड़े खड़े रहते थे। पता नहीं कब वे थूकें, और जब वे थूकें तो उगालदान को झट से आगे करना पड़ता था। परन्तु आश्चर्य की बात थी कि जो चीज़ वे खाते थे (पान या अन्य क़िसी भी खाने की चीज़) उसे चमार छू नहीं सकते थे।' इस नफ़रत भरी बेगार की दृष्टि से पूरे भारत के दलितों की स्थिति एक जैसी है। मराठी दलित लेखक खासकर दया पवार की आत्मकथा में मरे हुए जानवरों का माँस खाने का प्रसंग आया है। तो 'अपने-अपने पिंजरे' में चमारों को महीनों इंतजार के बाद ईद के मौके पर गाय, भैंस, बकरा और बकरी के फेंके जाने वाला भाग उनको मुसलमानों के दरवाज़े पर घंटों खड़े रहने के बाद छटनी किया गया माँस मिलता था। साथ में चर्बी भी मिल जाती, जिसे वे लोग फेंक देते थे। इसलिए कि यहाँ कहीं हृदय रोग से पीड़ित न हो जाए। उस चर्बी को पाकर

दलितों को खुशी होती थी, क्योंकि माँस पकाने के लिए इसमें घी तेल नहीं डालना पड़ता था। उनके यहाँ जिसका अभाव रहता था। नैमिशराय जी ने लिखा है कि हमारे मोहल्ले के सब चमार मुसलमानों से माँस नहीं लेते थे और न मुर्दारी खाते। इस कारण 'बा' (पालक पिता) दूसरे गुट में थे। 'जा' को लोग बगुला भगत कहकर चिढ़ाते थे।

इस प्रसंग से ज़ाहिर है कि इस्लामिक लोगों में भी छूतछात और गहरा जाति भेद है। यहाँ नैमिशराय जी इस आत्मकथा को दलित समाज का वृत्तांत नाम देते तो ज्यादा उपयुक्त रहता, क्योंकि उनकी इस कथा में वे स्वयं बहुत कम दिखते हैं। यह बात पुस्तक की भूमिका में कथाकार महीप सिंह ने कही है कि मोहनदास नैमिशराय की यह कृति इस अर्थ में आत्मकथा न होकर आत्मवृत्त है। वर्णन व विवेचन में समाज अधिक आया है। शायद इसलिए जो गैरदलित समीक्षक दलित आत्मकथा में दूसरों की कथा लिखने की राय देते हैं। यह उनके विचारों के अनुकूल हैं। क्या कारण है कि 'अपने-अपने पिंजरे' पर प्रमुख दलित समीक्षक कम बोले हैं और जो बोले हैं उन्होंने इसे दलितों के निचले स्तर के जीवन का प्रतिनिधि कृति क्यों नहीं माना है। इस रचना पर दलित समाज तो और भी चुप है, जबकि गैर दलितों ने इसे प्रमुखता दी है। क्या यह दलित हित की रचना नहीं है? इस आत्मकथा में नैमिशराय जी के परिवार और समाज का चित्रण अधिक हुआ है। आत्मकथा के अनुसार नैमिशराय जी स्वयं दलित समाज के अन्य लोगों से सम्पन्न जीवन जी रहे थे। यह अच्छी बात है कि व्यक्ति कम अभावों में रहकर भी अपने समाज के दर्द को समझे। वह उन लोगों से बेहतर है जो दुःख यंत्रणाओं से भरा जीवन तो जीते हैं, परन्तु उसका बोध नहीं करते, यानी गुलाम नहीं जानते कि वे गुलाम हैं लेकिन दलित साहित्यकारों का कर्तव्य साहित्य सृजन के साथ-साथ गुलामों को गुलामियत का अहसास कराना भी होना चाहिये। उनका साहित्य इसका माध्यम हो सकता है पर तब जब वह दलित पाठक की पहुँच में हो। ऐसे में दलित साहित्यकार के दायित्व तिहरे हैं। एक परिवार जो अशिक्षित और पराश्रित है, उसकी मदद करना। दूसरा बुनियादी दोषपूर्ण शिक्षा व्यवस्था और आर्थिक विषमता के प्रति विद्रोह करना। दलितों के हालातों से इसके अलावा कोई विकल्प उनके पास नहीं है। आधुनिक तकनीक के सम्पर्क में जाना संभव नहीं होगा। कला माध्यमों और तमाम साधनों में अपनी जगह बनानी होगी। तभी दलितों में आधारभूत सुधार हो पाना संभव होगा।

नैमिशराय जी के अनुसार उन दिनों उनके घर की स्थिति खासकर मेरठ के चमारों की आर्थिक स्थिति अपेक्षाकृत बेहतर थी। पिता सरकारी नौकरी में थे। 'बा' नगर पालिका के मेम्बर चुने जा चुके थे। बालक मोहन को उन दिनों स्कूल जाते समय हर रोज़ 10 पैसे जेब खर्च को मिलते थे। जोकि उन दिनों सस्ताई के ज़माने में बहुत बड़ी बात थी, एक दलित छात्र के लिए दस पैसे का मूल्य आज लगभग 20 रुपये से कम नहीं होगा। वह दो हवेलियों में रहते थे। यदि वे हवेलियाँ किराये पर लेते थे तो हैसियत ओर भी बड़ी साबित होती है। उनके छोटे बड़े बहुत से कमरे थे। इतना ही नहीं उसमें विलायती लैम्प,

आदमकद शीशा, मेज़, कुर्सी, पेचदार हुक्का, झालरदार पंखा जिसे एक दूसरा व्यक्ति हिलाता है, आदि का होना किसी सम्पन्न मध्य वर्ग के घर का आभांस कराता है। यदि हम सब मानें तो कथा अभाव ग्रस्त दलित को कोई प्रेरणा नहीं देती? क्योंकि साधन सुलभ व्यक्ति के विकास के रास्ते किसी भी युग में बंद नहीं होते हैं और संदेह करें तो आत्मकथा की ईमानदारी पर प्रश्नचिह्न लगता है। यदि वास्तव में यह सब समृद्धि थी तो यह दलितों में अपवाद ही होती है। और अपवाद बड़े समाज समूह की स्थिति का प्रतिनिधि उदाहरण नहीं बनते। डॉ. एन.सिंह ने अपने-अपने पिंजरे पर संदेह व्यक्त करते हुए लिखा है कि 'प्रामाणिकता के पलस्तर बीच-बीच में उखड़े दिखाई देते हैं। जैसे उस दौर में जिस व्यक्ति के तीन भाइयों के परिवार में दो सरकारी नौकरी करते हों तथा दो घर हों, उनमें भी एक पक्का घर (हवेली) हो तथा ताऊ नगर पालिका के मेम्बर हों, उसे गरीब नहीं कहा जा सकता। आत्मवृत्त के रंगमंच पर अभिनीत आगे का घटनाक्रम इससे महत्त्वपूर्ण हो, जिसकी पाठकों और उन दलित लोगों का ज़्यादा आवश्यकता थी, जो रास्ते की तलाश में है।'[7] फिर भी घृणित सडांध जैसे वातावरण में पले बढ़े यह इनकी विवशता ही थी। ऐसे संत्रास भरे पारिवारिक वातावरण का नमूना देखें, जिस घर में चप्पलों का काम होता था उसे हम दुकान कह कर पुकारते थे। वहाँ ढेर सारा सूखा चमड़ा पड़ा होता था। चमड़ा भी अलग-अलग तरह का। बनवट, कटाई, कॉक (गाय का चमड़ा) पुट्ठा। कुछ कटे हुए टुकड़े तो कुछ साबुत। बनी हुई चप्पलें और बच्चों के सैंडिल भी होते थे। 'बा' उन दिनों बच्चों के सैंडिल अधिक बनाता था। एक दो कारीगर भी वहाँ बैठे रहते थे। दुकान में कसैली गंध फैली होती थी। 'बा' हुक्का भी पीता था। (पृ. 16)

खान-पान बहिष्कार की परम्परा शहरों की अपेक्षा गाँव में अभी भी अपने पुरातन रूप में कायम है। बहन को उसके गाँव से बुलाने गए। तो भाई के साथ आते समय रास्ते में तेज़ प्यास से गला ही सूख रहा था। भाई ने पड़ोस के गाँव के एक घर से पानी माँगा। जाति का पता चलने पर जानवरों की भाँति भगा दिया। फिर मजबूरन गंदे जोहड़ (गड्ढे) में भरे हुए पानी को पीकर प्यास बुझानी पड़ी। यदि एक बार इनको ऐसी विवशता का सामना करना पड़े तो शायद इनकी राय बदले। यहाँ प्रेमचंद की कहानी 'ठाकुर का कुँआ की याद' आती है। यहाँ कहा जा सकता है कि हिन्दू समाज ही ठाकुर का कुआं नहीं है, बल्कि दलितों के लिए गैर हिन्दू समाजों में भी कुए कम नहीं हैं। दलितों के प्रति संवेदना का तकाज़ा यह नहीं है कि इन कुओं की नाप तोल बताई जाये। बड़ा सवाल यह है कि दलित इस स्थिति से मुक्त कैसे हों, इन कुओं से बाहर कैसे आएँ?

मेरठ के ही कवि बूम ने 'चमारीनामा' लिखा था पर 'चमारियों' के लिए सहानुभूति ओर हमदर्दी बतौर नहीं। केवल नमक-मिर्च लगाकर बेचने के लिए। श्रोतागण उसकी कविताई चटखारे ले लेकर सुनते थे। उसकी कविताओं में चमारियों का उपहास होता था। दूसरे मज़े लेते थे और दलित कुढ़ते थे। (पृ. 10) नैमिशराय जी का समर्थन

किया जा सकता है, क्योंकि गैर दलित विषयक रचनाएँ सहानुभूति और संवेदना के स्तर पर कम ही लिखते हैं। उसके पीछे व्यक्ति हित छिपा होता है। उनमें धुसपैठ, पुरस्कारों की आकांक्षा और स्वयंभू लायक बनने की राजनीति छिपी होती है। यदि ऐसा नहीं होता तो प्रेमचंद से लेकर महाश्वेता तक गैरदलितों की परम्परा के साहित्य का दलितों और आदिवासियों पर कोई प्रभाव क्यों नहीं पड़ा? महाश्वेता का साहित्य आदिवासियों के प्रति सहानुभूति जगा रहा है या नहीं? किन्तु वह चेतना पैदा नहीं कर पाया। उसके प्रभाव से एक भी आदिवासी लेखक नहीं बन पाया। वह स्वयं लेखिका ने ऐसा माना है।

अपने-अपने पिंजरे की भाषा शैली उपन्यासत्मक है। लेखक ने पूरे मेरठ के मचारों की पीड़ा का विस्तार से यथार्थ शब्दबद्ध करने का प्रयास किया है। नैमिशराय जी अपनी वर्गीय यंत्रणा को लेकर पूरी आत्मकथा में चिन्तित दिखाई पड़ते हैं। जातीय उपेक्षा की स्थिति हर स्थान पर विद्यमान रही है। चाहे गाँव हो या शहर मठ हो मंदिर अथवा गंगा का घाट ही क्यों न हो। यहाँ तक मेले में आये हर तीर्थ यात्री को भी जातिभेद की बीमारी परेशान करती थी। हमारी जाति के लोग किस तरफ़ है पता चल ही जाता था।

बौद्ध धर्म के बारे में भी लेखक का मानना है कि वहाँ भी वह अस्पृश्यता का शिकार होता है। "बुद्धम् शरणम् गच्छामि" कहने से तो हम बौद्ध नहीं हो जाते। फिर हम क़ौन हैं? दंगे भड़कने पर मुसलमान हमें हिन्दू समझ कर मारते हैं और जब कर्फ्यू नहीं होता है तो हिन्दू चमार कह कर अपमानित करते हैं। इसी तरह की चिंता से घिरे हुए सवाल 'जूठन' और 'अक्करमाशी' में भी देखने को मिलते हैं। परन्तु सवाल उठता है कि फिर ऐसी स्थिति में हम क्या करें? केवल गैर दलितों को गाली देने से हमारी स्थिति में सुधार नहीं होने वाला बल्कि प्रतिक्रिया में हमें गाँव बस्तियों में निर्मूल किया जा रहा है।

'अपने-अपने पिंजरे' में कुछ अप्रसांगिक घटनाओं को जोड़कर फिज़ूल में विस्तार किया गया है। जैसे नपुंसक भाई और भाभी का प्रसंग वैश्याओं का प्रसंग रसवंती का ज़िक्र मात्र और बंबई में दो बहनों की किशोरावस्था का स्वाभाविक आकर्षण इन घटनाओं को भी छेड़ा गया किन्तु अधर में अटकी युगांतरकारी ख़बर की तरह उन्हें पूरी अभिव्यक्ति नहीं दी है। वे यह लिख कर क्या चाहते हैं कि मेरे जीवन में अनेक काली महिलाएँ आईं या सामने कोई मोटी औरत अपने भारी चूतड़ खोले वही कर रही थी जो मैं करने जा रहा था। ऐसे वाक्यों को डालने के क्या मायने हैं? क्या स्त्री का ऐसा भद्दा चित्रण अनुचित नहीं है? क्या स्त्री का काला होना अपराधी है। और क्या सुन्दरता श्यामल नहीं होती और क्या केवल दैहिक सौन्दर्य ही स्त्री का व्यक्तित्व है? पर लेखक का आग्रह स्त्री को भोग्या के रूप में देखने का है। क्या दलित मुक्ति के युद्ध में दलितों को बतौर साथी दलित स्त्री की कोई ज़रूरत नहीं है? कुछ संदर्भहीन घटनाओं को आत्मकथा में जोड़ कर लेखक ने अपनी अतिरिक्त ईमानदारी का परिचय दिया है। जो भी हो इससे हल्कापन आया है और लेखक का व्यक्तितत्व गैर ज़िम्मेदार साबित हुआ है।

अंत में समीक्षकों की नज़र से भी देखें इसे श्री गोपाल प्रधान ने 'अपने-अपने पिंजरे' की तुलना 'मुझे चाँद चाहिए' (सूरेन्द्र शर्मा) से की है। पर यहाँ स्थितियाँ एक दम उलट दिखाई देती हैं। श्री प्रधान ने रेखांकित किया है कि मुझे चाँद चाहिए के परिवेश का निर्माण श्री वर्मा संस्कृत की पोथियों और श्लोक से करते हैं तो 'अपने-अपने पिंजरे' में रांपी, चमड़ा और बकखल।[8] तो स्थितियों में उभरा ज़मीन, आसमान का अंतर असमान विधाओं की तुलना करके उनमें संगति ढूँढ़ने की असफल कोशिश क्यों?

हिन्दी की पत्रिकाओं के समीक्षकों की दलित लेखन संबंधी जानकारी भी देखें। दिलीप मंडल ने इंडिया टुडे (15 अप्रैल, 1996) में 'अपने-अपने पिंजरे' की समीक्षा लिखी। इसमें उन्होंने लिखा कि 'महावीर प्रसाद द्विवेदी की कविता हीराडोम की तरह ओम प्रकाश कर्दम और सुमन प्रभा दलित साहित्य का सौन्दर्यशास्त्र रच रहे हैं।' असल में ओम प्रकाश कर्दम कोई लेखक नहीं है। हाँ, जय प्रकाश कर्दम ज़रूर है। जो अपरिचित नहीं है परन्तु इस तरह की ऊट पटांग सूचनाएँ दर्ज़ करने वाले दिलीप मंडल इंडिया टुडे जैसी बड़ी पत्रिका के समीक्षक हैं और संपादक महोदय भी मोटी सूचनाएँ तक अपनी जानकारी में रखना ज़रूरी नहीं समझते। बाक़ी हीराडोम की एक कविता 'अछूत की शिकायत' द्विवेदी जी ने सरस्वती में छापी थी। पर समीक्षक कवि को शीर्षक ओर संपादक को कवि बना दिया। वे आगे कहते हैं कि यह रचना मराठी दलित लेखक दया पवार की 'अछूत' और शरण कुमार लिंबाले की 'अक्करमासी' के जोड़ की नहीं बन पाई है। ऐसी स्पर्धा का आग्रह क्यों? समाज शास्त्रीय अध्ययन में मददगार इस कृति को खारिज क्यों किया जाए? जबकि गैर दलितों तक की दलित विषयक कृतियाँ हमें अमान्य नहीं हैं। उनके अलग दृष्टिकोण को हम ग्रहण करते रहे हैं।

2. जूठन —

प्रमुख दलित लेखक ओम प्रकाश वाल्मीकि ने अपनी आत्मकथा का आरंभ प्राथमिक विद्यालय में पढ़ रहे खुद एक अछूत बालक के साथ उसके सवर्ण गुरू के अनुदार व्यवहार के प्रकटीकरण से किया है। वर्णित प्रसंग साबित करता है कि शिक्षित होकर भी व्यक्ति जातिभेद की भावना से मुक्त नहीं होता। वे द्रोणाचार्य की परम्परा में आज के एकलव्यों को राजकीय शिक्षा संस्थानों में शिक्षा ग्रहण करना दुर्लभ कर देते हैं। यह आत्मकथा संकेत करती है कि आत्मकथाकार की भाँति वाल्मीकि समुदाय के बहुत से बच्चे शिक्षक के रौद्र रूप से भयभीत होकर शिक्षा लेना ही छोड़ देते हैं।

छात्रों को पढ़ाने से अधिक उन्हें मारने, पीटने में लगे शिक्षकों की संख्या आज भी कम नहीं है। ओमप्रकाश जैसे बच्चे माता-पिता की जागरूकता व स्वयं की पात्रता के कारण ही इतने दमन के बावजूद पढ़ जाते हैं। छात्र ओमप्रकाश से तो हेड मास्टर ने पहले दिन से ही स्कूल के लंबे चौड़े प्रांगण में दो दिन तक झाड़ू लगवाई थी। तीसरे दिन वह बालक चुपके से कक्षा में कुछ सीखने के लिए बैठ जाता है। यहाँ शिक्षक का कुटिल रूप

उन्हीं के शब्दों में देखें तो ज़्यादा बेहतर ढंग से होगा, 'अब चूहड़े के मादरचोद कहाँ घुस गया .... अपनी माँ का। उनकी दहाड़ सुन कर मैं थर-थर काँपने लगा था। एक त्यागी लड़के ने चिल्लाकर कहा, "मास्साब वो बेट्ठा है कोणे में।" हैडमास्टर ने मेरी गर्दन दबोच ली थी। उनकी उँगलियों का दबाव मेरी गर्दन पर बढ़ रहा था। जैसे कोई भेड़िया बकरी के बच्चे को उठा लेता है। कक्षा से बाहर खींचकर उसने मुझे बरामदे में ला पटका। चीख कर बोला, 'लगा पूरे मैदान में झाडू .... नहीं लगाई तो गाँड में मिर्ची डाल के बाहर काढ़ (निकाल) दूँगा।' (पृ 15)

कथित शुद्ध व स्पृश्य अभिजात लोगों कोद लितों पर हाथ उठाते समय अस्पृश्यता का भूत नहीं पकड़ता और न दलित स्त्रियों के साथ अनैतिक रूप से हमले करते वक्त। यहाँ कहा जा सकता है कि एक अध्यापक छात्र में सेवा सफाई की आदत डाले तो यह करना किसी का भी कर्तव्य है, यह राष्ट्रीय सेवा योजना के तहत सभी छात्रों से स्कूल की सफाई करायी जाए तो स्वीकार्य है किन्तु यहाँ तो बेगारी ही थी। यह अछूत होने की सज़ा थी। अधिकांश गाँवों में यह स्थिति अभी भी बदली नहीं है। जाति भावना से ग्रसित लोग मजबूरन ही अछूत बच्चों को स्कूलों में दाखिला देते हैं। छात्र ओमप्रकाश द्रोणाचार्य नामक पाठ पढ़ाये जाने के दौरान अपने मन में उठे प्रश्न को अध्यापक से पूछ बैठता है। जो उसका विद्यार्थीय अधिकार है। अश्वत्थामा को तो दूध की जगह आटे का घोल पिलाया गया और उस पर महाकाव्य रचा गया। हमें चावल का मांड फिर किसी महाकवि ने हमारे जीवन पर एक भी शब्द क्यों नहीं लिखा। यही प्रखर तर्क और ज्ञान जो उस और शिक्षा के स्तर से आगे का प्रश्न करता बालक ओम प्रकाश को आगे चलकर दलित साहित्यकार ओमप्रकाश वाल्मीकि बना देता है। मास्टर साहब चीख उठते हैं, क्योंकि दलितों को प्रश्न करने का अधिकार भी इस सवर्ण वर्ग ने अपने निहित स्वार्थों के चलते छीन लिया था। 'द्रोणाचार्य से अपनी बराबरी कर रहा है। ले तेरे ऊपर मैं महाकाव्य लिखूँगा।' मास्टर सटाक-सटाक छड़ी से बालक ओम प्रकाश की पीछ पर महाकाव्य रच देता है। पत्रकार कंवल भारती कहते हैं कि 'यह आत्मकथा वास्तव में पीठ पर अंकित महाकाव्य ही है, जो मास्टर ने नहीं व्यवस्था ने अंकित किया है। यह व्यवस्था सवर्ण के लिए स्वर्ग और दलितों के लिए नरक का निर्माण करती है।'[9]

शिक्षकों द्वारा दलित छात्रों के साथ उत्पीड़न के कठोर यातना क्रम प्राथमिक स्कूलों से ही शुरू हो जाते हैं। बड़ी कक्षा में पहुँचने पर उत्पीड़न व भेदभाव के रूप बदल जाते हैं। अस्पृश्यता शारीरिक रूप से हटकर बौद्धिक व मानसिक रूप ग्रहण कर लेती है। बृजपाल सिंह जैसे अध्यापक दलित छात्रों को प्रैक्टिकल में कम अंक देकर फेल करते रहे हैं या परीक्षाओं में कम अंक देकर भविष्य को अधर में अटकाते हैं। क्या इसका कारण शिक्षक का अविकसित मस्तिष्क है या अपनी यथास्थितिवादी व्यवस्था के समाप्त होने के ख़तरों से भयभीत होना है? कारण अनेक हो सकते हैं एक तो यह कि जब वह

अपने मुफ़्त के सेवकों की स्थिति बदलते देखते हैं, तो स्वार्थ व ईर्ष्या वश हर स्तर पर अनुदार व्यवहार करने लगते हैं। यह ऐसी समाज व्यवस्था है जिसमें परम्परागत ज्ञान की दिशा में जैसे-जैसे ऊँचे उठो भेदभाव बढ़ता जाता है। कायदे कानून सब कमज़ोर पड़ जाते हैं ओर जातिगत संस्कारों की पकड़ बढ़ती जाती है। दलितों की उच्च शिक्षा संस्थानों में भागीदारी कम होती जाती है। शिक्षा में राष्ट्रीय आरक्षण नीति लागू नहीं होती है वहाँ दलित शिक्षिकों की संख्या सोचनीय हद तक नगण्य हो जाती है। वहाँ भागीदारी का लोकतांत्रिक तत्त्व व्यवहारतया समाप्त है, वल्कि पूरी योग्यता शर्तों के बावजूद अनारक्षित उम्मीदवार को ही वरीयता है। स्वतंत्रता के 55 वर्षों के बाद भी यह स्थिति सोचनीय बनी हुई है, किन्तु श्री वाल्मीकि जी के बचपन की घटना क्या केवल इतनी माँग करती है कि प्राइमरी अध्यापक दलित छात्रों के साथ तमीज़ से पेश आएँ या वह शिक्षा तंत्र का वह नमूना पेश करते हैं जिससे समतामूलक समाज निर्माण के हक़ में परिवर्तन की आवश्यकता बेचैन करती है।

जो लोग बच्चों की शिक्षा के प्रति वाल्मीकि जी के पिताश्री की भाँति सजग नहीं हैं। उनके बच्चों का भविष्य क्या होगा? या कहें कि जो हुआ है वह यह दर्शाता है कि ख़ासकर वाल्मीकि समाज में अभी भी शिक्षा की भारी कमी है। प्रसंग ध्यातव्य है कि जब छात्र ओमप्रकाश के पिता उस समय अचानक रास्ते से गुज़र रहे थे। तब उन्होंने स्कूल के प्रांगण में अपने प्रिय बच्चे को शिक्षा ग्रहण करने के बजाय झाडू लगाते देखा, जो उनकी आशा के विपरीत था उनके क्रोधित होने का यह एक उचित कारण था। अत: उनका गुस्से में भर कर भभक उठना स्वाभाविक घटना थी। इस आवेश में उन्होंने बच्चे के हाथ से झाडू छीन कर दूर फेंका और एक बहादुर सिपाही की भाँति अध्यापक की शक्ल में उपस्थित शत्रु का सामना किया। आत्मकथाकार ने उनके शब्दों को स्मरण करते हुए लिखा है 'देखें कौण सा द्रोणाचार्य की औलाद है जो मेरे लड़के से झाडू लगवावे है।' वे जाते-जाते भी धमकी दे जाते हैं यो ही नहीं, इसके बाद और भी आवेंगे पढ़ने कूँ। (पृ. 16)

एक प्रसंग में अपने बच्चे की शिक्षा की ख़ातिर स्वाभिमानी पिता ने प्रधान के सामने गिड़गिड़ा कर विनती करना भी बुरा नहीं माना। जबकि उन्होंने बड़े बेटे की शादी में सलाम प्रथा का विरोध किया था। इस प्रथा में वर वधू को अपनी अपनी ससुराल में अपनी अपनी सास के साथ सलाम करने वहाँ-वहाँ जाना पड़ता। जहाँ-जहाँ उनकी सास सफाई का काम करती हैं। वास्तव में यह परम्परा के नाम पर नव विवाहिताओं के मनोबल को तोड़ने के लिए सोच समझ कर रची गई साजिश थी, जिस से इन लोगों में माँगने की प्रवृत्ति वनी रहे और स्वयं को दूसरों से हीन समझते रहें।

'जूठन' का मूल्यांकन करते हुए ज्ञान प्रकाश विवेक लिखते हैं कि 'आत्मकथा में अशिक्षा का घटाकोप अंधविश्वासों के कुहासे, कमतरी के अहसास की मानसिक यंत्रणा है। दरिद्रता एक रोग की तरहपसरी है।'[10] यहाँ ज्ञान प्रकाश विवेक दलित आत्मकथाओं को

मार्क्सवादी नज़रिए से देखते हैं इसीलिए उनको दरिद्रता एक रोग की भाँति मुख्य समस्या लगती है। ऐसा नहीं है कि किसी दलित के लिए दरिद्रता रोग न होकर औषधि हो, किन्तु दरिद्रता के कारण 'जाति' समस्या की भयंकरता की ओर उनका ध्यान नहीं गया और जाति को गौण मान लिया गया, क्योंकि भारतीय समाज व्यवस्था में जातियाँ समान सह अस्तित्व की भावना के साथ नहीं जुड़ती हैं। अस्पृश्यता की समस्या के कारण मेहनतकश जातियाँ अपने मानवीय हकों से वंचित हैं और गैर दलित जातियाँ इस संक्रमण के युग में कुछ भयाक्रांत है। तो इसलिए कि उन्हें अपने जन्मगत वर्चस्व की स्थिति टिकाऊ नहीं दिखाई पड़ रही। यही कारण है कि समीक्षक ज्ञान प्रकाश विवेक को यह आपत्तिजनक लगता है कि लेखक का बार बार उपस्थित होकर कहना कि दलित समाज ने बदहाल और भयावह स्थितियाँ जो कुलीनों द्वारा उत्पन्न की गई हैं, व्यर्थ का आग्रह प्रतीत होता है।[11] इन प्रश्नों का जवाब ढूँढ़ा जाए तो हिन्दी समीक्षक अपने इन कुलीनों को बचा नहीं पाएंगे क्योंकि यह कोई नहीं कह सकता कि दलितों की व्यापक दुर्दशा के कारण हिन्दू समाज व्यवस्था में निहित नहीं रहे हैं। जीवन निर्वाह करने के साधनों से वंचित दलित समाज के सामने सैकड़ों सालों से मजबूर होकर वरिष्ठ वर्ग की गुलामी करने के सिवाय कोई विकल्प नहीं रहा है।

सामान्य तौर पर कुछ समीक्षकों को वाल्मीकि जी द्वारा व्यक्त की गई राजेन्द्र यादव के प्रति कृतज्ञता ज्ञापन करना अतिरिक्त चाटुकारिता लगती है। कंवल भारती ने 'जूठन' की कमज़ोरियों को गिनाते हुए कहा कि राजेन्द्र यादव की प्रशंसा वहाँ तो उचित लगती है जहाँ लेखक 'सारिका' की नकारात्मक भूमिका की चर्चा करता है, वहीं पर अन्य कुछ स्थलों पर राजेन्द्र यादव की प्रशंसा में जो लिखा गया है। उससे संदर्भ का मेल नहीं बैठता। इस ठाकुर सुहाती के बिना भी काम चल सकता था, जो इस आत्मकथा में स्पष्ट पहचान ली जाती है।[12] वाल्मीकि जी द्वारा व्यक्त की गई इस कृतज्ञता के पीछे की पृष्ठभूमि को समझ लिया जाए तो इसमें कुछ भी अतिरिक्त नहीं लगेगा। जातिभेद की भावना से ग्रस्त हिन्दी संपादक आज तक कितनी दलित प्रतिभाओं का हनन कर साहित्य को कमज़ोर करते रहे हैं। यदि इस तथ्य को जान लिया जाए तो भारती जी का समाधान हो सकता है। ऐसी ही समस्याओं से पीड़ित होने के कारण वाल्मीकि जी भावुकता में असंदर्भित स्थान पर भी राजेन्द्र यादव की प्रशंसा कर गए परन्तु पहचान के लिए तड़प रहे लेखक को पहचान दिलाने वाले के प्रति कृतज्ञता ज्ञापित करना दलितों के स्वभाव और संस्कारों में समाया हुआ विशेष गुण है न कि मतलब परस्ती होना। अकृतघ्नता दलितों का संस्कार नहीं है। यहाँ खतरा उस सोच का है जो साबित करती है कि वाल्मीकि जी का लेखकीय अस्तित्व उनकी रचनात्मकता के कारण नहीं हैं बल्कि यादव जी की कृपा के कारण है पर ऐसा नहीं कि वे हंस से इतर नहीं छपे हों पर उन्हें वाल्मीकि जी पहचान दिलाने वाली पत्र-पत्रिकाएँ नहीं समझते। यहाँ 'हंस' का महत्त्व और अधिक बढ़ जाता है। वाल्मीकि जी के कथन का आशय यह निकलता है कि साहित्य में वही ज़िन्दा है या ज़िन्दा रहेगा। जो 'हंस' में छपा है या छपेगा। इसके विपरीत

उसे मरने से कोई नहीं बचा पाएगा जो 'हंस' में नहीं छपेगा। सारिका में जंगल की रानी कहानी न छपने का कारण लेखक का वाल्मीकि होना ही मुख्य रहा होगा। विषय तो वहीं था। जिस विषय पर लिख कर महाश्वेता सम्मानित हुई हैं। दूसरा कारण नए हिन्दी दलित साहित्यकार के रूप में उनका उभरना सारिका को स्वीकार नहीं रहा होगा क्योंकि हिन्दी में दलित साहित्य के उभार से परंपरागत साहित्य के वर्चस्व समाप्त होने के ख़तरे दिखाई पड़ रहे थे। महाराष्ट्र प्रदेश इसका उदारहण है। इसलिए हमारे देश के तथा कथित प्रगतिशील लोग विदेशी समाजों की समस्याओं जैसे अश्वेतों, नीग्रों आदि पर बढ़-चढ़ कर लिखते और बोलने लगते हैं। पर लगभग उन्हीं जैसी समस्याओं से घिरे और उनसे भी बदतर स्थिति में जी रहे अपने भारतीय दलित बन्धुओं की समस्याओं से मुँह मोड़ते हैं।

आत्मकथा में वाल्मीकि जी 12वीं कक्षा में आने तक डॉ. बाबा साहब आम्बेडकर के नाम तक से अनभिज्ञ थे। सामान्य तौर पर यह बात अटपटी लगती है और उनकी सामान्य बुद्धिलब्धि (आईक्यू) पर शंका पैदा करती है किन्तु मुझे लगता है कि शिक्षा साहित्य से लगाव रखने वाले विद्यार्थी का ऐसा अल्पज्ञान नहीं हो सकता। असल में यह समस्या छात्र की नहीं, बल्कि संकुचित शिक्षा नीति के तहत दोषपूर्ण पाठ्यक्रम की है। यह स्थिति आज भी पर्याप्त रूपसे सुधरी नहीं हे। विद्यालयों, महाविद्यालयों और विश्वविद्यालयों तक में आज भी ऐसे बहुत से छात्र हैं जिन्होंने आम्बेडकर की रचनाएँ पढ़ना तो क्या देखी तक नहीं हैं। पाठ्यक्रम में न होने के कारण वे इसके लिए बाध्य जो नहीं हैं। इस बारे में प्रोफ़ेसर अरूण प्रभा मुखर्जी का एक कथन ध्यातव्य है। '25 वर्ष की उम्र में सागर विश्वविद्यालय छोड़ते समय तक मुझें कतई ज्ञान नहीं हुआ था कि अमेरिका में बहुत बड़ी संख्या में अश्वेतों ने साहित्य रचना की थी। ना ही मुझे जानकारी थी उस नए उभरते साहित्य की जो कैरीवियन तथा अफ्रीका में लिखा जा रहा था। अंग्रेज़ी में लिख रहे भारतीय लेखकों से भी मैं अवगत नहीं थी। इस व्यक्तिगत अज्ञान को मैं अपनी भूल न मान कर भारतीय शिक्षा तंत्र की साजिश मानती हूँ। सागर के प्रांतीय विश्वविद्यालय में बाहर की दुनिया में चल रही हवाओं के झोंके मेरे सहपाठियों के बंद कमरों में कभी प्रवेश न कर सके। 1965-66 में श्वेत अमेरिकी पुरुष लेखकों द्वारा लिखा गया अमेरिकी साहित्य पढ़ते रहे, परन्तु रोज़ा मार्टिन लूथर किंग, अफ्रीकी मूल के अमेरिकियों के नागरिक अधिकारों के लिए किसी भी अध्यापक ने इन युग परिवर्तनकारी घटनाओं का हमारी कक्षाओं में कभी ज़िक्र तक नहीं किया? क्या अपने विद्यार्थियों की तरह वे भी इन क्रांतिकारी घटनाओं से अपरिचित थे? या वे सोचते थे कि इनका साहित्य से कोई संबंध नहीं है? जो भी वजह हो, शिक्षा तंत्र की दीन दुनिया से अनभिज्ञ रखने की ताक़त से मैं भयाक्रांत हूँ।'[13] प्रो. मुखर्जी का यह अनुभव दलित साहित्य के संदर्भ में भारतीय शिक्षा तंत्र पर पूरी तरह लागू होता है क्योंकि हमारे .... शिक्षा पाठ्यक्रमों में प्राथमिक विद्यालयों से विश्वविद्यालयों तक कक्षाओं के पाठ्यकमों में तक में अप्रसांगिक विषय दशकों तक पढ़ाये जाते रहते हैं।

समाजोन्मुखी ज्ञानदायी रोज़गार से जुड़ी शिक्षा का अभाव है। सामाजिक चेतना का प्रतीक दलित साहित्य को पाठ्यक्रम में शामिल करने का जब-जब मुद्दा उठता है, तब-तब अड़चनें पेश आती हैं।

चर्चित मार्क्सवादी आलोचक प्रो. मैनेजर पाण्डेय यह कह कर समस्या की गंभीरता को व्यक्त करते हैं कि, पाठ्यक्रम तो अजायबघर है। इसमें चीज़ें बहुत ज़्यादा पुरानी हो जाती हैं तब रख दी जाती हैं। दलित साहित्य जैसे जीवंत साहित्य को इस अजायब घर में लाकर निर्जीव क्यों करना चाहते हैं? 56 (रपट अर्जुनमंद अंगुत्तर अप्रैल मई जून 1997) प्रोफेसर पाण्डेय जी ने दलित साहित्य को जीवंत साहित्य कह कर पाठ्यक्रम में न रखने की सलाह देकर दलितों की संवेदना का पक्ष तो लिया है लेकिन यह तर्क पूर्णतया सत्य नहीं है। यदि ऐसा है तो विद्यालयों, विश्वविद्यालयों में जीवित शिक्षकों की पुस्तकों को क्यों पढ़ाया जा रहा है? या फिर सारा दलित साहित्य निर्जीव मान लिया गया है तो उसे पढ़ाने का औचित्य क्या है?

विश्वविद्यालयी शिक्षकों के अलावा बहुत कम ऐसे शिक्षक हैं जो तोता रटन्त के अंदाज़ में सालों एक ही पाठ्यक्रम से निकल कर बाहर की दुनिया की नवीनतम जानकारियों का शिक्षा साहित्य के बारे में ज्ञान तो रखते हैं परन्तु कुछ तो अपने पूर्वाग्रहों में फँसे रहते हैं तो कुछ जानबूझकर दलित लेखन नकारते हैं।

3. **तिरस्कृत** — कथाकार सूरजपाल चौहान की आत्मकथा 2002 में प्रकाशित हुई है। यह आत्मकथा पुस्तक जूठन के समान लेखक के जीवन संघर्ष का परिचय कराती है। जातीय उत्पीड़न की मार्मिक घटनाएँ व्यथित करती हैं। जूठन में आया प्रसंग बालक ओमप्रकाश के साथ अध्यापक द्वारा जाति का ओछापन दिखने की घटनाएँ। यहाँ भी अध्यापक उसी रूप में दलित छात्र का रास्ता रोके खड़े हैं। तिरस्कृत का सबसे संवेदनशील पहला अध्याय है। जो आत्मकथाकार की माँ से संबंद्ध है। इस अध्याय में प्रमुख बात यह है कि लेखक के बचपन का यह पहला पन्ना है, जिसको पढ़कर उनके बचपन को समझ सकते हैं। जिसमें अशिक्षा, अंधविश्वासों, रूढ़ियों और ओझा, झाड़ फूँक में विश्वास के कारण लेखक अपनी माँ से असमय बिछड़ जाता है। उसके बाद कष्टों का पहाड़ मानों उन पर टूटता है। यही से शुरू होती है उनके नए जीवन की शुरुआत जब पिता उनको साथ दिल्ली ले आते हैं।

तिरस्कृत की समीक्षा करते हुए दलित कथाकार मोहनदास नैमिशराय अपनी राय इस प्रकार रखते हैं 'हम नहीं कहते कि उन्हें आत्मकथा लिखने के लिए बुढ़ापे का न सही, रचनाधर्मिता की परिपक्वता की प्रतीक्षा तो करनी चाहिए थी। केवल आक्रोशमय होने से तो आत्मकथाएँ नहीं लिखी जाती? गंभीर लेखन के लिए समूचे समाज से संवाद हेतु ठहराव चाहिए। सूरजपाल ने आत्मकथा में व्यर्थ के उदाहरण दे देकर तारतम्य को ख़त्म भी किया है। जैसा मैंने पहले लिखा कि उन्होंने कलम को हथोड़ा बना लिया। जहाँ भी कुछ

विषमतापूर्ण देखा, वही हथौड़ा चला दिया। सड़क पर अगर किसी व्यक्ति में वह सब देखा तो चलते-चलते हथौड़े का इस्तेमाल कर दिया। उन्होंने हथौड़ा मारने सेपूर्व पल भर सोचा तक नहीं। असल में उनके भीतर की कुंठाओं, दर्द, पीड़ा ने उन्हें इतना बेचैन कर दिया कि गंभीरता पूर्वक लिखने का अवसर ही खो दिया।[14] यहाँ मोहनदास नैमिशराय ने कुछ ज़्यादा ही आलोचना कर दी है। किन्तु आलोचना के अपने फ़ायदे भी हैं। मंथन का मौका मिलता है। सुधार की संभावनाएँ बढ़ जाती हैं। आत्मकथा पुस्तक में लेखक वाकई डंडा लेकर खड़ा है। इस डंडे से उसका अपना घर भी बर्बाद हुआ है। पत्नी पर भी डंडे की मार इतनी तीव्र पड़ी है कि वह घर से बाहर दूसरे की छत के नीचे कराह रही है। यहाँ बिना प्रमाण के एक पक्ष को तो दोषी मान लेना उस स्त्री के साथ नाइंसाफ़ी होगी जो आज अपना घर खो चुकी है। कारण क्या रहे कौन दोषी है यहाँ मैं उस गहराई में नहीं जा रही। न ही उसकी वकालत कर रही हूँ परन्तु मुझे ऐसा लगता है कि यह आत्मकथा के अंश नहीं होने चाहिये। क्योंकि तत्काल घटी घटनाओं के रिज़ल्ट आने में समय लगता है। कई बार आपसी ग़लत फहमियाँ दूर हो जाती हैं। ऐसी स्थिति में इस तरह के प्रसंगों को देना क्या जल्दबाजी नहीं है? एक स्त्री होने के नाते मैं स्त्री के मर्म को समझ सकती हूँ। यह त्रासदी है कि दलित स्त्रियाँ कथाकार मन्नू भंडारी नहीं हैं जो पतियों द्वारा लिखी आत्मकथाओं में अपनी आलोचना की सफाई दे सकें। या अपना पक्ष प्रकट कर सकें। अभी एक पक्ष ही पाठकों के सामने आ रहा है।

अरूणाचल प्रदेश के राज्यपाल रह चुके श्री माता प्रसाद जी की आत्मकथा झोपड़ी से राजभवन शीघ्र ही प्रकाशित हुई है। जैसा कि पुस्तक का शीर्षक है कि झोपड़ी से राजभवन शीर्षक से सहज ही ध्वनित होता है कि लेखक को विरासत में राजभवन नहीं मिला। यह उनका स्वयं का संघर्ष है। पुस्तक में अत्यन्त महत्त्वपूर्ण अध्याय दलित जीवन के दर्द हैं जो महत्त्वाकांक्षी साधनहीन, अभावग्रस्त युवक-युवतियों को अपने जीवन को स्वयं के संघर्ष से संभालने की प्रेरणा मिलती है। मेहनत, संघर्ष से जीवन को सुन्दर बनाया जा सकता है।

हालाँकि झोपड़ी से राजभवन साहित्य कम राजनैतिक ज़्यादा हो गई है। यदि राजनीति हावी न रहती और वोटों की चिंता प्रमुख न होती तो आत्मकथा अधिक सफल होती। हालाँकि इसमें उनके पास सलाहकार रहे परन्तु उन्होंने वही भूमिका अपनायी जो राजनेता के सलाहकार जी खूब अपनाते हैं।

डी.आर. जाटव की आत्मकथा मेरा सफर मेरी मंजिल एक सतत अध्येयता और शोधार्थी के नोट्स हैं। जिनमें जीवन विवरण भी कम महत्त्व का नहीं है।

'अपने-अपने पिंजरे', 'जूठन' और तिरस्कृत के उपरांत बहुत सी फुटकर आत्मकथांश छपकर आए हैं। प्रमुख हैं 'चमार की' शीर्षक से डॉ. श्यौराज सिंह 'बेचैन' की आत्मकथा के धारावाहिक युद्धरत आम आदमी में और समकालीन साहित्य (जुलाई-अगस्त 2000)

में 'बचपन कंधों पर' शीर्षक से प्रकाशित हो चुके हैं। प्रकाशित हो रहे कुछ अंश इनसे इतर आत्मकथात्मक कहानी के रूप में भी छपे। जैसे 'हंस' फरवरी 1996 में अस्थियों के अक्षर, मैली (वैचारिक नव. दिस. 1997) एन.आर. सागर का 'जब मुझे चोर कहा', जय प्रकाश कर्दम का 'मेरी जात' आदि महत्त्वपूर्ण हैं। हिन्दी में शीघ्र ही और अधिक स्वस्थ आत्मकथाएँ पुस्तककार रूप में आएंगी। ऐसे आसार दिख रहे हैं।

उपर्युक्त आत्मकथाओं में लेखक तमाम विरोधी परिस्थितियों में अदम्य जिजीविषा और जीवन संघर्ष की झलक देते हैं। हिन्दी पाठकों, आलोचकों और समीक्षकों को लगने लगता है कि यह उपन्यास है। आत्मकथाओं में वर्णित सच्चाईयों को नकारने की यह नाकाम कोशिशें हैं। शरण कुकार लिम्बाले की 'अक्करमाशी' के प्रकाशक ने आत्मकथा को उपन्यास के रूप में प्रकाशित किया। हिन्दी पाठक नैमिशराय जी और वाल्मीकि जी की आत्मकथाओं को भी उपन्यास की तरह पढ़ रहे हैं। उदाहरण के लिए भगवानदास मोरवाल को 'जूठन' आत्मकथात्मक उपन्यास लगने लगी है। उपन्यास में पात्र और घटनाएँ काल्पनिक होने की संभावनाएँ अधिक होती हैं। घटनाओं में अतिशयोक्ति भी होती है जबकि आत्मकथा में लेखक के जीवन की प्रामाणिक घटनाओं का वर्णन होता है। आत्मकथा समाज परिवर्तन की माँग करती है। यह कोई मन बहलाव की पुस्तकें नहीं हैं।

संदर्भ :—

1. अंगुत्तर, अप्रैल/जून, 1996, पृ. 28
2. राम स्नेही - हंस, सितम्बर 1996, पृ. 82
3. कृष्णदत्त पालीवाल - जनसत्ता , 3 अगस्त, 1997
4. सं. सूर्यनारायण रणसुभे - कमलाकर - गंगावणेदलित कहानियाँ, 1991, पृ. 21
5. शरण कुमार लिंबाले - अक्करमाशी, पृ. 9
6. ओमप्रकाश वाल्मीकि, जूठन, पृ. 151
7. डॉ. एन. सिंह, हंस, फरवरी 1996
8. गोपाल प्रधान, समकालीन जनमत 15 मार्च 1996 पृ. 40
9. कंवल भारती, दूसरा शनिवार, 12 अप्रैल 1997, पृ. 30
10. ज्ञान प्रकाश विवेक, जनसत्ता, 1 जून 1997
11. वही,
12. कंवल भारती, दूसरा शनिवार, 12 अप्रैल 1997
13. अरूण प्रभा मुखर्जी, देशकाल, जून 1996
14. हंस, सितम्बर 2002, पृ. 90

4ए/3157, वसुन्धरा
गाज़ियाबाद, 201012
उत्तर प्रदेश

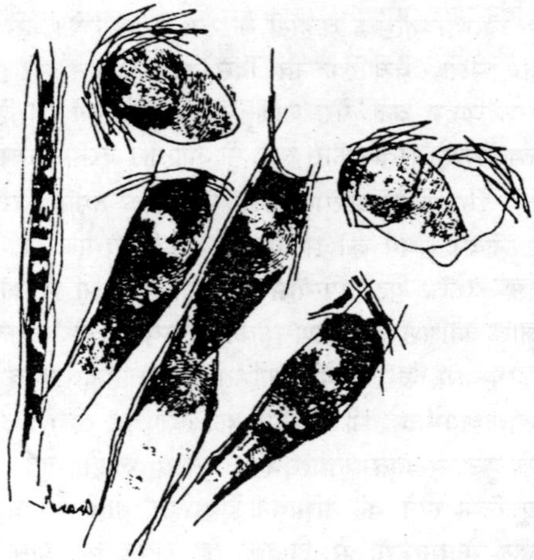

जूठन

ओम़ प्रकाश वाल्मीकि

...एक रोज़ हेडमास्टर कलीराम ने अपने कमरे में बुलाकर पूछा, "क्या नाम है बे तेरा?"

"ओम प्रकाश", मैंने डरते-डरते धीमें स्वर में अपना नाम बताया। हेडमास्टर को देखते ही बच्चे सहम जाते थे। पूरे स्कूल में उनकी दहशत थी।

"चूहड़े का है?" हेडमास्टर का दूसरा सवाल उछला।

"जी।"

"ठीक है ... वह जो सामने शीशम का पेड़ खड़ा है; उस पर चढ़ जा और टहनियाँ तोड़ के बणा ले, पत्तो वाली झाड़ू बणाना। और पूरे स्कूल कू ऐसा चमकादे जैसा सीसा। तेरा तो यो खानदानी काम है। जा फटाफट लग जा काम पे।"

हेडमास्टर के आदेश पर मैंने कमरे, बरामदे साफ़ कर दिये, तभी वे ख़ुद चलकर आए और बोले, "इसके बाद मैदान भी साफ़ कर दे।"

लम्बा-चौड़ा मैदान मेरे वजूद से कई गुना बड़ा था। जिसे साफ़ करने से मेरी कमर दर्द करने लगी थी। धूल से चेहरा, सिर अट गया था। मुँह के भीतर धूल घुस गयी थी। मेरी कक्षा में बाक़ी बच्चे पढ़ रहे थे और मैं झाडू लगा रहा था। हेडमास्टर अपने कमरे में बैठे थे लेकिन निगाह मुझ पर टिकी हुई थी। पानी पीने तक की इजाज़त नहीं थी पूरा दिन मैं झाड़ू लगता रहा। तमाम अनुभवों के बीच कभी इतना काम नहीं किया था। वैसे भी घर में भाइयों का मैं लाड़ला था।

दूसरे दिन स्कूल पहुँचा। जाते ही हेडमास्टर ने फिर झाडू के काम पर लगा दिया।

पूरे दिन झाड़ू ही देता रहा। मन में एक तसल्ली थी कि कल से कक्षा में बैठ जाऊँगा।

तीसरे दिन मैं कक्षा में चुपचाप जाकर बैठ गया। थोड़ी देर बाद उनकी दहाड़ सुनाई दी। "अबे, ओ चूहड़े के मादरचोद कहाँ घुस गया? .... अपनी माँ ...."

उनकी दहाड़ सुनकर मैं थर-थर काँपने लगा था। एक त्यागी लड़के ने चिल्ला कर कहा, मास्साब वो बैठा है कोणे में।

हेडमास्टर ने लपककर मेरी गर्दन दबोच ली। उनकी उँगलियों का दबाव मेरी गर्दन पर बढ़ रहा था। जैसे कोई भेड़िया बकरी के बच्चे को दबोच कर उठा लेता है। कक्षा से बाहर खींच कर उसने मुझे बरामदे में ला पटका। चीख कर बोले, "जा लगा पूरे मैदान में झाड़ू .... नहीं तो गांड में मिर्ची डाल के सकूल से बाहर काढ़ (निकाल) दूँगा।"

भयभीत होकर मैंने तीन दिन पुरानी वही शीशम की झाड़ू उठा ली। मेरी तरह ही उसके पत्ते सूख कर झड़ने लगे थे। सिर्फ़ बची थी पतली-पतली टहनियाँ। मेरी आँखों से आँसू बहने लगे थे। रोते-रोते मैदान में झाड़ू लगाने लगा। स्कूल के कमरे की खिड़की दरवाज़ों से मास्टरों और लड़कों की आँखें छिप-छिप कर तमाशा देख रही थी। मेरा रोम-रोम यातना की गहरी खाई में लगातार गिर रहा था।

मेरे पिताजी अचानक स्कूल के पास से गुज़रे। मुझे स्कूल के मैदान में झाड़ू लगाता देख कर ठिठक गये। बाहर से ही आवाज़ देकर बोले, मुंशीजी, "यो क्या कर रहा है?" वे प्यार से मुझे मुंशी जी कहा करते थे। उन्हें देखकर मैं फफक पड़ा। वे स्कूल के मैदान में मेरे पास आ गए। मुझे रोता देखकर बोले, "मुंशीजी रोते क्यों हो? ठीक से बोल क्या हुआ है?"

मेरी हिचकियाँ बंध गयी थीं। हिचक-हिचक पूरी बात पिताजी को बता दी कि तीन दिन से रोज़ झाड़ू लगवा रहे हैं। कक्षा में पढ़ने भी नहीं देते।

पिताजी ने मेरे हाथ से झाड़ू छीन कर दूर फेंक दी। उनकी आँखों में आग की गर्मी उतर आई थी। हमेशा दूसरों के सामने कमान बने रहने वाले पिताजी की लंबी-लंबी घनी मूंछें गुस्से से फड़फड़ाने लगी थीं। चीखने लगे, "कौन सा मास्टर है वो दोणाचार्य की औलाद, जो मेरे लड़के से झाड़ू लगवावे है .... ?"

पिताजी की आवाज़ पूरे स्कूल में गूँज गई थी, जिसे सुनकर हेडमास्टर सहित सभी मास्टर बाहर आ गए थे। कलीराम हेडमास्टर ने गाली देकर मेरे पिताजी को धमकाया। लेकिन पिता जी पर धमकी का कोई असर नहीं हुआ। उस रोज़ जिस साहस और हौंसले से पिताजी ने हेडमास्टर का सामना किया, मैं उसे कभी भूल नहीं पाया। ..... (पृ. 14 से 16 तक)

.... मेरी माँ इन सब मेहनत मज़दूरियों के साथ-साथ आठ दस तगाओं (हिन्दू-मुसलमान) के घर तथा घेर (मर्दो का बैठक खाना तथा मवेशियों को बाँधने की जगह) में साफ़-सफाई का काम करती थी। इस काम में मेरी बहन, बड़ी भाभी तथा जसवीर

और जनेसर (दो भाई) माँ का हाथ बटाते थे। बड़ा भाई सुखबीर तगाओं के यहाँ वार्षिक नौकर की तरह काम करता था।

प्रत्येक तगा के घर में दस से पन्द्रह मवेशी (गाय, भैंस और बैल) सामान्य बात थी। उनका गोबर उठाकर गाँव से बाहर कुरड़ियों पर या उपले बनाने की जगह पर डालना पड़ता था। प्रत्येक घेर से हर रोज़ पाँच छः टोकरे गोबर निकलता था। सर्दी के महीनों में यह काम बहुत ही कष्टदायक होता था। गाय, बैल और भैंस को सर्दी से बचाने के लिए बड़े-बड़े दालानों में बाँधा जाता था जिन में गन्ने की सूखी पाती या फूस बिछा होता था रातभर जानवरों का गोबर और मूत्र उसी दालान में फैलता रहता था। दस पन्द्रह दिनों एक बार पाती बदली जाती थी या उस के ऊपर सूखी पाती बिछा दी जाती थी। इतने दिनों में दालानों में भरी दुर्गंध से गोबर ढूँढ़ ढूँढ़कर निकालना बहुत तकलीफदेह होता थां दुर्गंध से सिर भिन्ना जाता था।

इन सब कामों के बदले में मिलता था दो जानवर पीछे फसल के समय पाँच सेर अनाज यानी लगभग ढाई किलो अनाज। दस मवेशी वाले घर से साल भर में 25 सेर (12 13 किलो) अनाज। दोपहर के समय हर घर से एक बची खुची रोटी जो ख़ासतौर पर चूहड़ों को दोने के लिए आटे में भूसी मिलाकर बनाई जाती थी। कभी-कभी जूठन भी भंगन की टोकरी में डाल दी जाती थी।

शादी-ब्याह के मौकों पर जब मेहमान या बारात्ती खाना खा रहे होते थे तो चूहड़े दरवाज़े के बाहर बड़े-बड़े टोकरे लेकर बैठे रहते थे। बारात के खाना खा चुकने पर जूठी पत्तलें उन टोकरों में डाल दी जाती थीं, जिन्हें घर लेजा कर वे जूठन इकट्ठी कर लेते थे। पूरी के बचे खुचे टुकड़े, एक आध मिठाई का टुकड़ा या थोड़ी बहुत सब्जी पत्तल पर पाकर बाँखे खिल जाती थीं। जिस बारात की पत्तलों से जूठन कम उतरती थी कहा जाता था कि भुक्खड़ लोग आ गये हैं सारा चट कर गए हैं। अक्सर ऐसे मौकों पर बड़े-बूढ़े ऐसी बारातों का जिक्र बहुत रोमांचक लहज़े में सुनाया करते थे कि उस बारात से इतनी जूठन आई कि महीनों तक खाते रहे थे।

पत्तलों से जो पूरियों के टुकड़े एकत्र होते थे उन्हें धूप में सुखा लिया जाता था। चारपाई पर कोई कपड़ा डालकर उन्हें फैला दिया जाता था। अक्सर मुझे पहरे पर बैठाया जाता था क्योंकि सूखने वाली पूरियों पर कौए, मुर्गियाँ, कुत्ते अक्सर टूट पड़ते थे। जरा सी आँख बची कि पूरियाँ साफ़, इसलिए डंडा लेकर चारपाई के पास बैठना पड़ता था।

ये सूखी पूरियाँ बरसात के कठिन दिनों में बहुत काम आती थीं। उन्हें पानी में भिगोकर उबाल लिया जाता था। उबली हुई पूरियों पर बारीक मिर्च ओर नमक डालकर खाने में मज़ा आता था। कभी-कभी गुड़ डालकर लुगदी जैसा बन जाता था, जिसे सभी बड़े चाव से खाते थे।

आज जब मैं इन सब बातों के बारे में सोचता हूँ तो मन के भीतर काँटे जैसे उगने लगते हैं। कैसा जीवन था।

दिन रात मर खप कर भी हमारे पसीने की क़ीमत मात्र जूठन, फिर भी किसी को

कोई शिकायत नहीं। कोई शर्मिन्दगी नहीं, कोई पश्चाताप नहीं।

जब मैं छोटा था, माँ के साथ जाता था। माँ पिता जी का हाथ बंटाने। तगाओं (त्यागियों) के खाने को देखकर अक्सर सोचा करता था कि हमें ऐसा खाना क्यों नहीं मिलता है? आज जब सोचता हूँ तो जी मितलाने लगता है।

अभी पिछले वर्ष मेरे निवास पर सुखदेव सिंह त्यागी का पोता सुरेन्द्र आया था, किसी इन्टरव्यू के सिलसिले में। गाँव से मेरा पता लेकर आया था। रात में रुका।

मेरी पत्नी ने उसे यथा संभव अच्छा खाना खिलाया। खाना खाते-खाते वह बोला, "भाभी जी आप के हाथ का खाना तो बहुत ज़ायकेदार है। हमारे घर में तो कोई भी ऐसा खाना नहीं बना सकता है।"

उसकी बात सुनकर मेरी पत्नी तो खुश हुई लेकिन मैं काफ़ी देर तक विचलित रहा। बचपन की घटनाएँ स्मृति का दरवाज़ा खटखटाने लगीं।

सुरेन्द्र तब पैदा भी नहीं हुआ था। उसकी बड़ी बुआ यानी सुखदेव सिंह त्यागी की लड़की की शादी थी। उनके यहाँ मेरी माँ सफाई करती थी। शादी से दस बारह दिन पहले से माँ-पिता जी सुखदेव सिंह त्यागी के घर आँगन से लेकर बाहर तक के अनेक काम किये थे। बेटी की शादी का मतलब गाँव भर की इज़्ज़त का सवाल था। कहीं कोई कमी नहीं रह जाए। गाँव भर की चारपाईयों को ढो-ढोकर इकट्ठी की थी पिताजी ने।

बारात खाना खा रही थी। माँ टोकरा लिए दरवाज़े से बाहर बैठी थी। मैं और मेरी छोटी बहन माया माँ से सिमटे बैठे थे, इस उम्मीद में कि भीतर से जो मिठाई और पकवानों की महक आ रही है वह हमें भी खाने को मिलेंगे।

जब सब लोग खा खाकर चले गये तो मेरी माँ ने सुखदेव सिंह त्यागी को दालान से बाहर आते देखकर कहा, "चौधरी जी, ईब तो सब खाणा खा के चले गये .... म्हारे जाकतों कू भी एक पत्तल पर धर के कुछ दे दो! वो बी तो इस दिन का इंतज़ार कर रे ते।"

सुखदेव सिंह ने जूठी पत्तलों से भरे टोकरे की तरफ़ इशारा करके कहा, "टोकरा भरके जो जूठन ले जा री है ... ऊपर से जाकतों के लिए खाणा माँग री है। अपणी औकात में रह चूहड़ी। उठा टोकरा दरवाज़े से और चलती बन।"...

..... उन दिनों मैं नौंवी कक्षा में था। घर की आर्थिक हालत कमजोर हो। एक-एक पैसे के लिए परिवार के प्रत्येक सदस्य को खटना पड़ता था। मेरे पास पाठ्य पुस्तकें हमेशा कम रहती थीं। दोस्तों से माँग कर काम चलाना पड़ता था। कपड़ों की भी वही स्थिति थी। जो मिल गया वही पहन लिया। जो वक्त पर मिला खा लिया, उन दिनों गाँव में मरने वाले पशुओं को उठाने का काम भी चूहड़ों के जिम्मे था। जिसके घर में जो काम करता था, उसके मरे हुए पशु भी उसी को उठाने पड़ते थे। इसके बदले में कोई मेहनताना

या मज़दूरी नहीं मिलती थी। एक गाय, बैल या भैंस को उठाने के लिए चार से छ: लोगों की ज़रूरत होती थी। जिसका मवेशी मर जाता था उसे जल्दी लगी रहती थी। इसलिए वह बार-बार बस्ती में आकर चिल्लाता था। देर होने पर गालियाँ बकता था। उठाने वाले को इकट्ठा करने में अक्सर देर हो ही जाती थी।

मरे हुए पशु को उठाना बड़ा कठिन काम होता है। उसके अगले पिछले पैरों को रस्सी से बाँध कर बाँस की मोटी-मोटी बाहियों से उठाना पड़ता था। इतने श्रम साध्य काम के बदले में मात्र गालियाँ .....।

कितने क्रूर समाज में रहे हैं हम, जहाँ श्रम का कोई मोल ही नहीं बल्कि निर्धनता को बरकरार रखने का एक षड्यंत्र ही था यह सब।

मरे हुए पशु की खाल मुज़फ्फर नगर के चमड़ा बाज़ार में बिक जाती थी। उन दिनों एक पशु की खाल 20 से 25 रुपये में बिकती थी। आने-जाने और मरे हुए पशु को उठाने की मज़दूरी देकर मुश्किल से एक खाल के बदले दस पन्द्रह रुपये हाथ में आते थे। तंगी के दिनों में दस पन्द्रह रुपये भी बहुत बड़ी रक़म दिखाई पड़ते थे।

चमड़ा ख़रीदने वाला दुकानदार खाल में बहुत मीन-मेख निकालता था। कट-फट जाने पर खाल बेकार हो जाती थी। खाल को निकालते ही उस पर नमक लगाना पड़ता था, वर्ना दूसरे दिन ही खाल ख़राब हो जाती थी। जिसे दुकानदार ख़रीदने से मना कर देता था।

एक रोज़ ब्रह्मदेव तगा का बैल खेत से लौटते समय रास्ते में गिर पड़ा। उठ नहीं पाया, मर गया। कुछ ही देर बाद ब्रह्मदेव ने हमारे घर ख़बर कर दी थी। पिताजी और मुझ से बड़े भाई जनेसर उस रोज़ किसी रिश्तेदारी में गये थे। घर पर माँ, मेरी बहन माया, और सब से बड़ी भाभी रहती देवी ही थी। जसवीर उन दिनों देहरादून में था मामा के पास।

माँ परेशान हो गयी थी। बैल की खाल उतारने किसे भेजे? बस्ती में एक-दो लोग थे लेकिन कोई भी उस समय जाने को तैयार नहीं था। माँ ने चाचा से बात की। वे तैयार हो गये थे। लेकिन उन के साथ किसी को जाना चाहिए। अकेले वे खाल नहीं उतार पायेंगे।

मैं उस समय स्कूल में था। माँ ने थकहार कर मुझे ही बुला लिया। माँ नहीं चाहती थी कि वह काम मुझे करना पड़े लेकिन खाल बेचकर जो दस पन्द्रह रुपये मिलने वाले थे, उन्हें छोड़ पाने की स्थिति में माँ नहीं थी। हार कर माँ ने मुझे चाचा के साथ भेज दिया। मेरे चाचा, सोल्हड़ महा कामचोर थे। बस, सारा दिन ढोल ताशों में लगे रहते थे, मेहनत के काम से कतराते थे।

माँ को फिकर लगी थी कि कहीं हमारे पहुँचने से पहले ही बैल पर गिद्ध या जंगली जानवर न टूट पड़ें।

चाचा ने खाल उतारना शुरू किया। मैं उन की मदद कर रहा था। चाचा का हाथ धीरे-धीरे चल रहा था। पिताजी जैसी कुशलता उन में नहीं थी। थोड़ी देर बाद वे थक कर बीड़ी पीने बैठ गए।

चाचा ने एक छुरी मेरे हाथ में पकड़ा दी। बोले, धीरे-धीरे खाल उतारो। अकेले से तो शाम तक नहीं उतरेगी।

छुरी पकड़ते ही मेरे हाथ काँप रहे थे। अजीब से संकट में फँस गया था। चाचा ने छुरी चलाने का ढंग सिखाया। उस रोज़ मेरे भीतर बहुत कुछ था जो टूट रहा था। चाचा की हिदायत पर मैंने बैल की खाल उतारी थी। मैं जैसे स्वयं ही गहरे दलदल में फँस रहा था। जहाँ से मैं उबरना चाहता था। हालात मुझे उसी दलदल में घसीट रहे थे। चाचा के साथ तपती दुपहरी में जिस यातना को मैंने भोगा था आज भी उसके ज़ख्म मेरे तन पर ताज़ा हैं।

जैसे-जैसे खाल उतर रही थी मेरे भीतर का रक्त जम रहा था। खाल उतारने में हमें कई घन्टे लग गये थे। चाचा ने खाल को ज़मीन पर फैला दिया। उस पर लगे ख़ून को सूखी ज़मीन ने सोख लिया था।

चाचा ने खाल को चादर में बाँध दिया था। गठरी उठा कर सिर पर रख ली थी। लगभग दो मील की दूरी पर हमारा घर था। बोझ के कारण चाचा तो तेज़ चलना पड़ रहा था। मैं हाथ में छुरी पकड़े उसके पीछे-पीछे लगभग दौड़ता जाता था। बसेड़ा जाने वाली पक्की सड़क से हम लोग बस अड्डे के पास पहुँच गये थे। गठरी सिर से उतार कर चाचा ने ज़मीन पर रख दी थी। "यहाँ से आगे तुम ले जाओ, मैं थक गया हूँ।"

उस रोज़ मैंने चाचा से बहुत कहा लेकिन वे नहीं माने। "चाचा बस अड्डे की भीड़ पार करा दो मेरे स्कूल की छुट्टी का समय है। मेरे स्कूल के साथी यह ले जाते हुए देखेंगे तो वे स्कूल में मुझे तंग करेंगे।" मैंने गिड़गिड़ा कर रुआंसी आवाज़ में चाचा से कहा था। किन्तु वे नहीं पसीजे। गठरी उठाकर मेरे सिर पर रख दी। गठरी का वज़न मेरे वज़न से ज़्यादा था। मजबूरन उठकर चलना पड़ा। बस अड्डे की परिचित भीड़ से मैं उस रोज़ जिस तरह से निकला मेरा ही मन जानता है। एक भय लगातार मेरा पीछा कर रहा था कोई देख न ले। कोई सहपाठी न मिल जाए। अगर कोई पूछ बैठा तो क्या बताऊँगा?

घर तक पहुँचते-पहुँचते मेरी टाँगे जवाब दे गयी थीं। लग रहा था कि अब गिरा। गाँव के किनारे किनारे चलकर, लंबा चक्कर काटा था, बस्ती तक पहुँचने के लिए।

मुझे उस हालत में दखकर माँ रो पड़ी थी। मैं सिर से लेकर पाँव तक गंदगी से भरा हुआ था। कपड़ों पर ख़ून के धब्बे साफ़ दिखाई दे रहे थे। बड़ी भाभी ने उस रोज़ माँ से कहा था, "इनसे ये ना कराओ ... भूखे रह लेंगे ... इन्हें इस गंदगी में ना घसीटो!" भाभी के ये शब्द आज भी मेरे लिए अंधेरे में रोशनी बन कर चमकते हैं। मैं उस गन्दगी से बाहर निकल आया हूँ लेकिन लाखों लोग आज उस घिनौनी ज़िन्दगी को जी रहे हैं। .... (पृ. 45 से 48 तक)।

चयन : पुन्नीसिंह

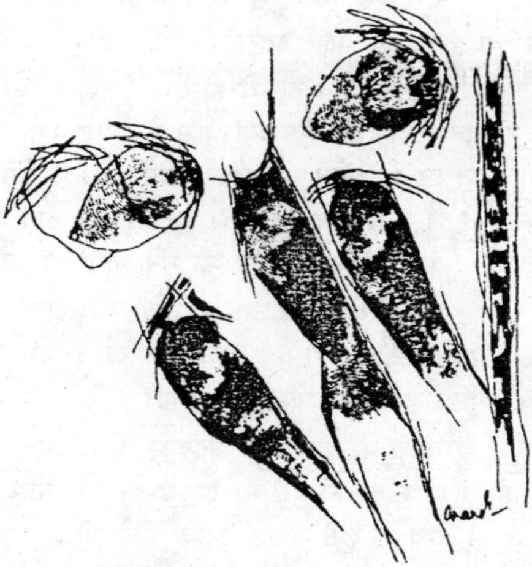

अपने-अपने पिंजरे

मोहनदास नैमिशराय

.... शहर की अन्य दलित बस्तियों की तरह हमारी बस्ती से भी ढ़ेर सारी औरतें जंगल जाती थीं। उन्हें अकेला पाकर उनके शरीर को नौचने के लिए गिद्ध तैयार बैठे रहते थे। उनमें से कुछ बच जाती थीं तथा कुछ अपनी इज़्ज़त गंवाए बिना भाग जाती थीं। मजबूरीवश या कैसे ही जिसने एक बार अपना शरीर उन गिद्धों को दे दिया, फिर लम्बे समय तक उन्हीं महिलाओं को अपना शरीर नुचवाना खिंचवाना पड़ता था। बस्ती में ऐसी महिलाओं की ख़ूब चर्चा होती थी। कभी-कभी पंचायतें भी बैठ जाती थीं। अकेली महिला को ही नहीं उनके घरवालों पर भी थू-थू होती थी। उनके मुँह में गू दिया जाता था। अस्मत लुटाई हुई महिला की ताक झाँक बस्ती के मर्द भी करते थे। स्साली बाहर वालों से तो नुचवा आई और अपनों से ..... उसके दर्द को टटोलने का कोई प्रयास नहीं करता था। हां, उनके अंगों की गोलाई, मोटाई, गहराई सभी नापते थे। यही कारण था कि हमारी बस्ती में अपने-अपने फलान उठाये तथा कथित नवाब। ज़मीदार/काश्तकार ऐसी औरतों के घर आ धमकते और सरेआम अपना रुआब गाँठते। इनमें हिन्दू भी होते और मुसलमान भी। उनके सम्बोधन भी बड़े अजीबोगरीब होते। अरी ओ चमारी, अरी ओ लंडुए की घरवाली, अगर कोई गोरी चिट्टी हुई, अरी ओ भूरी, काले रंग की हुई तो अरी ओ कल्लो, टाँग ख़राब हुई तो लंगड़ी, आँख ठीक नहीं तो कानी, कुछ नाम वे स्वयं बना लेते थे जैसे छमियाँ, झुनिया, फिरकनी, यों बस्ती की औरतों के नाम गंगा, चंपा, चमेली, राधा, सावित्री नहीं होते थे। जाति के हिसाब से ही पंडित नाम भी सुझाता था। ऐसे ही गिरे पड़े नाम उनके हिस्से में आते थे। वे नाम कभी-कभी उपहास का कारण भी बन जाते थे।

ऐसे ही एक दिन इक्के-तांगे में कोई काश्तकार आया। वह जाट था। बस्ती के सभी लोग उसे जानते थे। झुनिया के घर के सामने इक्का-तांगा रोक कर वही से गरजा। अरी ओ झुनिया। झुनिया का बेटा बुखार से तप रहा था। वह उसके पास बैठी थी। उसने फिर पुकारा, सुनती नहीं, तेरी खाल मसाला माँग रही है क्या? अब तक चार छः मर्द औरतें वहाँ जमा हो गये थे। वहीं काश्तकार इक्के-तांगें पर बैठा-बैठा आल बवाल बोल रहा था। किसी ने टोक दिया "ऐसे क्यूं कह रहा है भई?"

"तू कोन है बे भोसड़ी के?"

सुनकर बस्ती के मर्द-औरतों की खोपड़ी गर्म हो गई थी। बाहर हल्ला सुनकर अब तक झुनिया भी आ गई थी। उसे देखकर वह बोला — "चल री चल म्हारेखेत में भौम कात पड़ा है।" बस्ती के दो लोग बीच में बोल उठे — "तू कैसे ले जाएगा ज़बर्दस्ती" बस्ती के ही दो तीन मर्द अब सामने आ गए थे। एक तांगे में पीछे से चढ़ा दूसरा आगे से। इक्के तांगे में जुती घोड़ी भागने को हुई। उसकी लगाम उसने मजबूती के साथ पकड़ रखी थी। पर बस्ती वालों पर उसकी लगाम न रह सकी। परिणामस्वरूप मार पिटाई हो गयी।

मौका देखकर उसी जाट ने यह कहते हुए घोड़ी की लगाम ढीली कर दी, "चमारों, मैं अभी आकर तुम्हें देखूँगा। तुम्हारी खाल में भुस नहीं भरवा दिया तो मेरा नाम जागीर सिंह नहीं।"

वह धमकी देकर चला गया। पीछे रह गये भुनभुनाते हिनहिनाते बस्ती के मर्द-औरतें। उनके बीच में इस पर चर्चा छिड़ गयी थी कि लौटकर आयेगा या नहीं। अधिकांश का मानना था कि वह अवश्य ही आएगा। अकेला, नहीं लाठी बल्लम लेकर, बन्दूक भी हो सकती है। उसके साथ उसके जाति भाई भी होंगे। सभी के बीच उनके आने की आशंका से भय की लहर दोड़ गयी थी। बूढ़े गुस्से में बड़बड़ा रहे थे। जबकि जवान मर्द उनसे लड़ने को तैयार थे। दिन के ग्यारह बजे थे। कुछ मर्द अपने-अपने काम पर जा चुके थे। जो शेष बचे थे। उनके सामने संकट खड़ा हो गया था। औरतों के समूह बन गये थे। उनमें से अधिकांश झुनिया को ही कोस रही थीं। बस्ती में नई पीढ़ी के कुछ आग लगाऊ नौजवान भी थे। वे अपने-अपने घरों में लाठी-डंडा तलाश कर रहे थे। कुछ ने लाठी से रांपी बांध कर उसे बल्लम की शक्ल दे दी थी। जिसके घर में लाठी नहीं थी उन्होंने चारपाई से बाई निकाल कर सुरक्षा के लिए दख ली थी। घर घर में हथियारों की ढूँढ़ा भाली हो रही थी उनके सिरों पर जुनून था, हमलावरों से टकराने का। हमलावरों को ईट का जवाब पत्थर से देने के लिए वे सजग हो गये थे। समूची बस्ती में उनके आने की दहशत फैल गयी थी। जो मर्द थोड़ा डर रहे थे उन्हें उनकी घरवालियाँ और अधिक डरा रही थीं। साथ ही उन्हें कहीं छुपने या बस्ती से भाग जाने की सलाह दे रही थीं। वहीं कुछ औरते मर्दो से आगे निकलकर अपने-अपने घरों की मुंडेर पर ईंट पत्थर इकट्ठा कर रही थीं।

मेरे लिए यह सब तमाशा था, मन में जिज्ञासा भी। हमलावरों के पास बन्दूक-कारतूस होंगे, लाठी-बल्लम होंगे, इस बात का न भय था, न डर। बा, ताई, भाई, बहन

सभी के पेट का पानी हिल डुल रहा था। मुझे ताई माँ बार-बार घर में रहने की हिदायत दे रही थी। हमारे आँगन में खड़ा नीम चुप था और पत्ते शान्त, पर हमारे भीतर जैसे अंगारे दहक रहे थे। हमारी ही बस्ती में कोई हमारी बेइज़्ज़ती करके जाए। इसी बात को लेकर लोग लुगाइयों में तू-तू मैं-मैं हो रही थी। हम जड़ नहीं हो गये थे। हमारे भीतर ख़ून खौलने लगा था। साँसें तेज़ी के साथ चलने लगी थीं।

थोड़ी देर में बस्ती के पूर्वी छोर से हल्ला मचा। हमलावर आ गये हमलावर आ गये। समूची बस्ती में यह गूँज उठा। लोग सतर्क हो गये। औरतें भयभीत थी। बूढ़ों के बदन की नसें खिचने लगीं। बच्चे उत्सुक हो उठे। कुछ मर्द पूर्वी दिशा से भागे चले आ रहे थे। उन्होंने ख़तरे का अलाराम बजा दिया था। लोग इधर-उधर ही भागे चले। किसी के हाथ में लाठी, किसी के हाथ डंडा। किसी की मुट्ठी में रांपी किसी के पास फला। अब तक माँओं ने अपनी अपनी जवान बहू-बेटियों को घर में छुपा दिया था। बाहर से कुन्दे लगा दिये थे। भीतर जवान औरतें थीं। बाहर बड़ी बूढ़ियाँ। कुछ बच्चे छतों पर चढ़ गये थे। कुछ दाएं-बाएं होकर सड़कों पर उतर आये थे।

हमारी बस्ती की सीमा पर एक कुआँ था जिसे सकर कुइया कहते थे, वहीं तक सवर्ण हमलावर आ गये थे। उससे पहले की बस्ती का नाम इलाही बख्श था। बीच की इस पट्टी में मुसलमान रहते थे। हमारी बस्ती के लोग बजीर बिल्डिंग तक आ पहुँचे थे। सकर कुइया के बाद बजीर बिल्डिंग पड़ती थी। यह युद्ध क्षेत्र के बीच की रेखा थी। पर युद्ध हुआ नहीं। न लाठियाँ चली न बल्लम। हाँ, सवर्णों के दल में से हमें डराने के लिए हवाई फायर ज़रूर किया गया, पर हमारी जाति का कोई भी मर्द बूढ़ा पीठ दिखा कर भागा नहीं था।

बाद में दोनों तरफ़ के बूढ़ों के कारण मार-काट होने से बची थी। सवर्ण हमलावर वापस लौट गये थे। इस लिए भी कि उनके सामने दलित अस्मिता कीरक्षा करने हेतु बस्ती के मर्दों की भीड़ खड़ी थी। .... (पृ. 27 से 29 तक)

.... इस तरह की ख़बरें मुझे उत्तेजित करती थीं, क्रांति का दर्शन मुझे मंत्रमुग्ध करता था। मेरे भीतर से तरह-तरह के सवाल उपजते थे। जिनके सवाल और जवाब की कशमकश में मैं अपने आप से जूझता रहता था। मेरठ शहर के टॉउनहॉल स्थित पुस्तकालय में मैं घन्टों-घन्टों बिना नागा पत्र-पत्रिकाएँ पढ़ता था। ब्लिट्ज़ साप्ताहिक उन दिनों मेरा प्रिय अखबार था। आर.के. करंजिया का व्यक्तित्व एवं कृतित्व मुझे प्रभावित करता था। ब्लिट्ज़ में दलित उत्पीड़न के समाचार बहुत छपते थे। वैसे समाचार मुझे दहकाने का काम करते थे। जितना मैं दहकता उतना ही आक्रोश मेरे भीतर से उभरता। अजीब सी तृप्ति मुझे मिलती थी। हालाँकि इस तरह के समाचार पढ़ने के बाद मेरे भीतर और भी बैचेनी भर जाया करती थी।

बाद के दिनों में मैंने एक लाल डायरी बनाई थी। जिसमें मैं दलित उत्पीड़न और विशेपतौर पर महिला उत्पीड़न की ख़बरें लाल स्याही के पैन से लिखा करता था। वे ख़बरें मेरे लिए आग की तरह से होती थीं। जिस आग को मैं अपनी डायरी में संजोकर रखता

था, वह डायरी कहाँ थी, सचमुच में भट्टी थी। मैं ही नहीं उसके आस-पास का परिवेश भी दहकता होता था। मेरे भीतर हर रोज़ नये तरह का उद्वेलन होता था। वह उद्वेलन मुझे किसी सैलाब की तरह शहर में होने वाले प्रदर्शन या रैलियों की तरफ़ बहाकर ले जाता था। मेरे भीतर ब्राह्मणवाद को ध्वंश कर देने के भाव घुमड़ते थे। जैसे कभी-भी वे तेज़ाबी वर्षा कर दें। क्रांति, विस्फोट, विद्रोह, उत्पीड़न इन शब्दों के यथार्थवादी दर्शन से मेरी जुड़ने की लालसा होती थी। ऐसा ही कुछ करने को मैं छटपटाता भी था।

हिन्दू धर्म, व्यवस्था, परम्परा तथा रुढ़ियों के प्रति अजीब सी घृणा मेरे भीतर कहीं गहरे जाकर बैठ गई थी। बचपन से ही मुझे यह सवाल बार-बार परेशान करता था कि मंदिरों में मूर्तियों का औचित्य क्या है? ईंट, गारा, बालू, सीमेंट से बनाये गये मंदिर और उनमें पत्थरों को तराश कर बनाई गई रंग-बिरंगी मूर्तियाँ, उन मूर्तियों को रंग-बिरंगे महँगे रेशमी कपड़े पहनाए जाते थे। उन्हें नहलाया धुलाया जाता था। उन मूर्तियों को दूध से भी नहलाया जाता था। हालाँकि जितने लोग मंदिर में आते थे, अधिकांश के बदन पर साबुत कपड़े नहीं मिलते थे, न ही उनके बच्चों को दूध ही मयस्सर होता था। वे लोग उन्हीं पत्थर की मूर्तियों के सुबह शाम दर्शन करते, उनकी आराधना करते और अपनी हैसियत के अनुसार पुजारी को दान दक्षिणा भी देते थे।

मंदिर के आस पास भयानक रूप से गंदगी होती। भिखमंगों की भीड़ होती थी। स्वर्ग नरक के बीच की मानसिकता वाले भक्तजन एक-एक, दो-दो पैसा उनकी तरफ़ उछालकर पुण्य कमाते। मंदिर आदमी को और अपंग बनाता। उसे अपने पैरों पर खड़े होने का आत्म विश्वास नहीं देता था बल्कि भाग्य और भगवान के भरोसे उसे बीच मझधार में ही छोड़ देता। मंदिर के भीतर और बाहर का यथार्थ मुझे बार-बार कचोटता। अधिकांश मंदिर अलालों, भड़वों तथा रंडियों से घिरे होते थे। एक ओर तो भूख में थाली कटोरे बजाते भिखमंगे दूसरी ओर लाज बचाती महिलाएँ। यह सवाल बार-बार मैं अपने आपसे पूछता, कौन सा ऐसा मंदिर बचा होगा जिसमें किसी महिला की साड़ी न उतारी गई होगी या उसके साथ बलात्कार न हुआ होगा। मुझे बलात्कार की ख़बरें बहुत बेचैन करतीं। मैं उन भड़वे सरीखे देवताओं पर उबलता, आक्रोशमय होता और अपनी लाल डायरी में वे दुर्घटनाएँ दर्ज़ कर लेता। ऐसी दुर्घटनाओं का शिकार भी दलित महिलाएँ ज़्यादा होती थीं। घास वालियों से लेकर कूड़ा-साफ़ करने वालियों तक। यूँ अख़बारों में सामूहिक हत्याकांड की ख़बरें भी छपतीं। दलितों को जलती हुई भट्ठियों में ज़िन्दा ही झोंक दिया जाता। तब किसी मंदिर में आग नहीं लगती थी। न आकाश टूट कर गिरता और न धरती फटती। तब सब कुछ वैसा ही चलता रहता? कुछ समय के लिए सवाल उभरते और शान्त हो जाते, पर मैं स्वयं शान्त नहीं हो पाता था। मैं उग्र हो उठता था, मेरे भीतर विद्रोह उठने लगता था। ऐसे समय पर मेरी आस्था न हिन्दू धर्म में रह पाती थी और न देवी देवताओं में। ..... (पृ. 30, 31)

चयन : पुन्नीसिंह

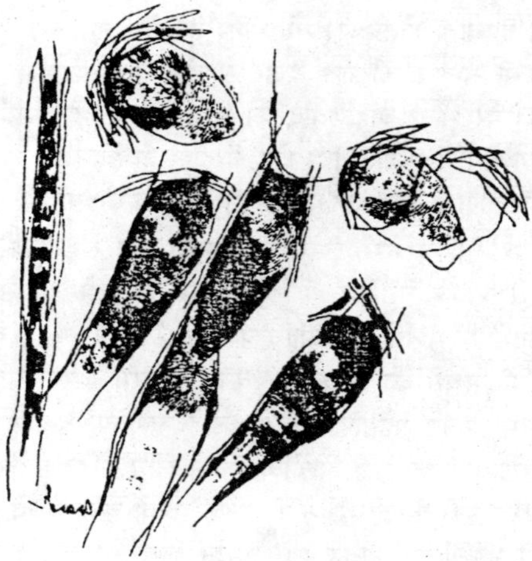

तिरस्कृत

सूरजपाल चौहान

...... सात आठ की उम्र रही होगी मेरी। उस दिन माँ हाथ में काँसे का कटोरा थामें घर-घर घूम रही थी। मैं हैरान था कि वह ऐसा क्यों कर रही है। अभी कुछ देर पहले ही तो उसने मुझे और छोटे भाई रगबर को सूखी पूरियाँ की लपसी (हलवा जैसा खाद्य पदार्थ) बनाकर खिलाई है। गाँव के राधे लोधे की लड़की के विवाह में उस दिन मैं ही माँ के साथ जूठन उठाने गया था। चाचा ने उस दिन माँ को जूठन के काम में सहयोग देने के लिए साफ़ मना कर दिया था। माँ ने चाचा को फटकार लगाते हुए कहा था — **"लल्ला! तुम संग नाय चलत हो तो मत चलो। मेरौ छोरा अब जा लाइक है गयौ है।"**

मन की बात सुनकर चाचा मन मसोस कर रह गया था। (फिर) चाचा ने भी पिनक कर कहा, **"हाँ हाँ, जा, लेजा छोटे से कूं संग। तोए पतौ चल जाबैगो कि जूटी पूरिन** ते भरी डलिया और दही से भरी मटकियाँ कैसे उठाबत है।"

माँ ने चाचा की बात पर कतई ध्यान नहीं दिया। मैं मन ही मन बहुत खुश था कि आज माँ के साथ जूठन उठाने जा रहा हूँ। माँ ने डलिया और एक खाली मटकी अपने हाथों में उठा ली और मुझे खाली बाल्टी पकड़ा दी। चलते-चलते माँ ने मुझे एक कोने में रखे डंडे को भी उठाने को कह दिया। मैंने माँ के कहने से डंडा तो हाथ में उठा लिया, लेकिन मैं सोच रहा था कि डलिया में पूरियाँ, मटकी में दही और बाल्टी में तरकारी भर लेंगे। माँ ने डंडा उठाने को क्यों कहा है? बिना बात का यह बोझा क्यों? हम, दोनों माँ-बेटा कुछ ही देर में उस स्थान पर पहुँच गये जहाँ राधे लोधे की लड़की के विवाह में आए

बाराती पंक्तियों में बैठे पंगत खा रहे थे। बारातियों के लिए परोसे गये पकवान की खुशबू दूर-दूर तक फैली हुई थी। राधे लोधे ने मेरी माँ को हाथ के संकेत से पंगत से दूर बैठ जाने को कहा। मैं भी हाथ में डंडा लिए उसकी बगल में बैठ गया। बारातियों को भोलुओं (मिट्टी की बनी प्यालियों) में दही बूरा, पत्तलों पर पूरियों के साथ-साथ आलू और सीताफल से तैयार की गई सब्जियाँ परोसी गई थीं। मैं बैठा-बैठा सोच रहा था कि राधे मुझ को और मेरी माँ को पत्तलों पर खाना परोस कर देने को कहेगा। लेकिन उसने ऐसा नहीं किया। मैं खाना खाते बारातियों को टुकुर-टुकुर देख रहा था। मेरे मुँह से जैसे लार टपकने वाली थी। मैं रह-रहकर माँ की ओर देखता और माँ बिना कुछ कहे मेरे सिर पर हाथ फेरे जा रही थी। मैंने माँ से कहा "जीजी, ये हमें खाएबे कूं नाय देंगे।"

"दिंगे, नैक देर रुक जा!" माँ ने मुझे तसल्ली देते हुए कहा।

पंगत में से एक आदमी खाना खा चुका था। वह अपनी पत्तल उटाए हमारी ओर बढ़ा चला आ रहा था। माँ टोकरा और मटकी लिए तैयार बैठी थी। लेकिन मैं तैयार नहीं था। ग़लती मेरी भी न थी। माँ ने मुझे तैयार रहने को कहा कब था? जैसे ही उस आदमी ने अपनी झूठी पत्तल और दही बूरे वाला भोलुआ डलिया के पास रखा कि पलक झपकते ही एक कुत्ता पत्तल से पूरी के टुकड़े मुँह में दबाए चलता बना। माँ भोलुए से बूरे मिला जूटा दही मटकी में उँगली से पोंछ-पोंछ कर डाल रही थी। जब उसका ध्यान पत्तल पर मुँह मारते कुत्ते पर गया तो वह आँखें दिखाते हुए मुझ से बोली— "कढ़ी खाए, कुत्ता आँखन के सामने से पूरी उटाए के लै गयौ और तू देखत रहयौ .... तौपे डंडा नाय भरौ गयौ।?"

जूठन उटाने का मेरा यह पहला अनुभव था। अब मेरी समझ में आया कि माँ ने घर से चलते समय मुझे डंडा साथ में ले चलने के लिए क्यों कहा था? कोई कुत्ता डलिया में मुँह न डाल दे, उस समय मुझे इस डंडे का प्रयोग करना था। इस बार मैं पूरी तरह तैयार होकर बैठ गया। दावत खाने के बाद एक-एक आदमी अपनी जूठी पत्तल उटाए माँ की ओर आता गया और डलिया के पास डालकर आगे बढ़ता गया।

माँ दोनों हाथों से जूठन सकेलने (बटोरने) में लगी हुई थी। और मैं डंडा लिए होशियार था। कुत्ते मेरे ऊपर गुर्रा रहे थे लेकिन डंडे की मार से घबरा कर दूर खड़े थे। कुत्तों का गुर्राना उचित था क्योंकि हम उनके हिस्से का माल समेट रहे थे। हम में इतनी समझ नहीं थी कि हमें ऐसा नहीं करना चाहिए था। ऐसी समझ तब आती है जब पेट भरा हो। स्वाभिमान की बात भी तभी सूझती है। परन्तु जब रूखे सूखे निवालों के भी लाले हों। और आदमी-आदमी के हाथों नारकीय जीवन जीने को विवश हो तब वह स्वयं में और पशुओं में अन्तर नहीं कर पाता है, लगभग ऐसी ही स्थिति हमारी थी। पूरियों के छोटे-छोटे टुकड़ों से डलिया भर चुकी थी। माँ के चेहरे पर संतोष की रेखाएँ स्पष्ट नज़र आ रही थीं। माँ ने एक पत्तल से पूरियों के कुछ टुकड़े मेरे हाथ में थमा दिए और मैं उन टुकड़ों को स्वाद ले लेकर खा रहा था। माँ भी सारी जूठन पत्तलों मे इकट्ठी कर चुकी थी।

माँ जैसे ही जूठन से भरा टोकरा सिर पर रखकर चलने लगी तभी राधे लोधे ने माँ से कहा कि पहले वह जूठी पत्तले इकट्ठा कर के घूने पर फेंक आए। माँ ने राधे से कहा कि वह पहले जूठन को घर छोड़ आए फिर आकर पत्तलों को ठिकाने लगा देगी। लेकिन राधे नहीं माना। माँ मुझे जूठन के पास खड़ाकर के पत्तलों को इकट्ठा करने में लग गई। माँ जब भी पत्तलें फेंकने घूरे तक जाती, मैं नज़र बचाकर तुरन्त टोकरे से पूरियों के टुकड़े उठाकर मुँह में रख लेता। गली के कुत्ते अवसर की तलाश में थे। मैं टोकरे से पूरियों के टुकड़े उठाने में लगा था कि एक कुत्ते ने दही बूरे से लबालब भरी मटकी में मुँह डाल ही दिया। मैंने तुरन्त ही हड़बड़ाहट में डंडा कुत्ते को फेंक कर मारा। डंडा कुत्ते पर लगने के बजाय मटकी पर जा लगा। अब जूठन दही की मटकी फूट चुकी थी। आस पास चारों ओर दही बिखर गया था। मैं फूटी मटकी के पास रुआंसा खड़ा-खड़ा सोच रहा था, माँ पत्तले फेंक कर आएगी और फूटी मटकी को देखेगी तो क्या कहेगी?

माँ समीप आ चुकी थी। उसने मुझ से पूछा कि यह सब कैसे हुआ? मैंने सोचा कि कहीं माँ गुस्से में आकर मेरी पिटाई न कर दे, इसलिए मैंने उससे कहा कि कुत्ते गिरा कर भाग गये। माँ की आँखों में आँसू थे। कितनी मेहनत की थी उसने जूठा दही इकट्ठा करने में। उसने अपनी धोती के पल्लू से आँखों के आँसू पौंछते हुए मुझ से घर चलने के लिए कहा। गली के कुत्ते ज़मीन पर बिखरे दही को चाटने में लगे थे। हम माँ-बेटे जूठन से भरा टोकरा और सब्जी से भरी बाल्टी लेकर घर आ गये। घर पहुँचकर माँ ने पूरी के साबुत और बड़े बड़े टुकड़े अलग कर लिए। परिवार के सभी सदस्य कई दिनों तक उन टुकड़ों को आलू और सीताफल की तरकारी से खाते रहे। जब जब बसीठों (सवर्णों) के घरों में शादी-ब्याह का कार्यक्रम होता, हमारे भंगी मौहल्ले में त्यौहार जैसा माहौल उत्पन्न हो जाता था। ऐसा जान पड़ता था जैसे हमारे मौहल्ले में ही किसी के यहाँ ब्याह बारात हो। ... (पृ. 14 से 17 तक)

...... गाँव का ठाकुर प्रताप मेरी माँ के नाम के साथ-साथ मेरे दादा का नाम लेकर ज़ोर-ज़ोर से टेर लगाये जा रहा था "अरी ओ अशरफियाँ, और टिल्लुआ की पुतबहू।" माँ पिछले चार रोज़ से बुखार से पीड़ित थी। कई दिनों से माँ गाँव के ठाकुरों के मोहल्ले कमाने नहीं जा सकी थी। उस दिन ठाकुर प्रताप सुबह-सुबह हमारे घर की चौखट पर आ पहुँचा। वह लगातार आवाज़ लगाये जा रहा था। ठाकुर की आवाज़ सुन माँ किसी तरह चारपाई से उठी और आँगन में आ गई। मैं भी घर के अन्दर से माँ के पीछे आकर खड़ा हो गया। मुझे अच्छी तरह से याद है कि ठाकुर ने मेरी माँ को जाति का ओछापन याद दिलाते और भद्दी गाली देते हुए कहा था "साली भंगिनिया चार दिन से काम पे नहीं आई, हमारे घर के सारे कूड़े के ढेर लगौ पड़ौ है।

"ठाकुर मैं चार रोज़ से बुखार ....., मो से चलो फिरो ना जातु।" माँ पूरे जिस्म की शक्ति लगाकर ठाकुर से कहा था, लेकिन फिर भी माँ के गले से आवाज़ नहीं निकल पा रही थी।

"अरे, तोपे चलो फिरो ना जातु तो काहै, तेरे पीछे खड़ो तेरो ये हाथी नाय आए सकत, जाई के हाथ में पकड़ाये देती झाड़ू और टोकरी।"

"ठाकुर, अभई जे छोटो है, जाके बस की बात नाय है .... गू मूत के टोकरा के संग पटक खा के गिर पड़ेगौ।" माँ ने मेरे सिर पर हाथ रखते हुए ठाकुर से कहा।

"अच्छा! यह छोटो है, ने कसो लल्ला है, वा दिना तेरे संग मेरी छोटी के ब्याह में जूठन उठाये वे कूं तो लपक के चलौ आयौ।"

ठाकुर मेरी माँ से बहस किये जा रहा था। वह अपनी ज़िद पर अड़ा हुआ था। माँ मजबूरी की हालत में लगातार रोये जा रही थी। उस दिन मेरे सिवाय घर में कोई और सदस्य भी नहीं था। मेरे चाचा गुलफाम गाँव से दूर सिकन्दरा राऊ रिश्तेदारी में गये हुए थे। आख़िर कार माँ ने बड़े अनमने मन से मेरे हाथ में झाड़ू और टोकरा थमा ही दिये।

झाड़ू और टोकरा उठा कर मैं ठाकुर प्रताप के संग-संग चल पड़ा। ठाकुर का घेर और दगड़ा बहुत लम्बा-चौड़ा था। इतने बड़े मैदान में झाड़ू लगाते-लगाते मेरी कमर दोहरी हो गयी। उस दिन मुझे एहसास हुआ कि माँ को इतने बड़े घेर दगड़े को झाड़ते व गाय भैंस का गोबर उठाते हुए कितनी पीड़ा होती होगी। शायद मेरी माँ का अधिक दिनों तक बीमार रहने का यही कारण रहा होगा। मेरा सिर नाक कान मिट्टी से अट गये थे। साँस लेना दूँभर हो रहा था। मैं झुक-झुक कर झाड़ू से घर साफ़ कर रहा था कि इतने में ठाकुर प्रताप की पुत्र वधू भगवन्ती, जिसे गाँव में भग्गो कहा जाता था, हाथ में भैंस का पगहा थामे बढ़ी चली आ रही थी। उसने भैंस को एक खूंटे से बाँधते हुए मेरी ओर देखा और बोली, "अरे, आज तू आया है? तेरी माँ क्यों नहीं आई?"

"माँ को तेज़ बुखार है।"

"तो अपने चाचा गुलफान को भेज देता।" ठकुराइन भग्गो मुझ से बोली।

"चाचा दूर रिश्तेदारी में गये है। मैंने ठकुराइन से कहा।

"अच्छा कब लौटेगा तेरा चाचा?" ठकुराइन ने हैरानी से पूछा।

मैंने कहा, मौय पतो नाय है।"

ठकुराइन ने बड़बड़ाते हुए चाचा के विषय में कुछ कहा। मैं बस इतना ही सुन सका। कम्बख्त तभी तो इतने दिनों से दिखाई नहीं दिया।

ठकुराइन भगवन्ती का पति शहर में नौकरी करता था। वह साल में एक दो महीने ही अवकाश पर गाँव में रह पाता था। ठकुराइन भगवन्ती नव-यौवना थी। उस का शरीर सुडौल और सुन्दर था। तीखे नैन नक्श वाली थी वह। मेरे चाचा गुलफान से उसकी आँखे

चार हो गयी थी, अवसर पाते ही वे दोनों एकान्त में मिला करते थे। ठकुराइन भग्गो मुझसे और मेरी माँ से बहुत छूत मानती थी, लेकिन चाचा से एकान्त में अठखेलियाँ करती। चाचा भी मौका पाकर उसे छेड़ बैठता था। मैं अपनी बाल बुद्धि पर ज़ोर डालता और सोचता, यह ठकुराइन मुझसे इतना छूत मानती है, ज़रा सा छू जाने पर अपने ऊपर पानी के छींटे डालती है .... चाचा में ऐसा क्या है कि टीका की मढ़ैया के पीछे अरहर के खेत में उसके साथ उलझी पड़ी रहती है?

आज मेरी समझ में ठीक-ठीक आ रहा है। ठकुराइन भग्गो से अपने आप को संभाला नहीं जा रहा था। वह मेरे युवा चाचा गुलफान का भरपूर उपयोग कर रही थी। एक दिन जब मैं दिशा मैदान के लिए अरहर के खेत में बैठा था तो कुछ फुसफुसाहट कानों में पड़ी। मैं देख कर दंग रह गया। ठकुराइन और चाचा आपत्तिजनक अवस्था में थे। वे दोनों मुझे देखकर सकपका कर रह गये। चाचा से कुछ बन नहीं पा रहा था। बस, वे मेरे ऊपर लात घूंसे लेकर पिल पड़े। बरसात कर दी थी चाचा ने उस समय मेरे ऊपर थप्पड़ों की। मैं भौचक्का उस समय कुछ समझ नहीं पाया। चाचा ने मेरे कान ऐंठते हुए कहा, "सुजपला, तेने यह बात किसी और कूं बताई तो तोये जिन्दो ही धत्ती में गाड़ दूंगा।"

मैंने चाचा को विश्वास दिलाया कि मैं कभी किसी से नहीं कहूँगा। और उस दिन के बाद ठकुराइन भग्गो ने मुझसे छूत करना बन्द कर दिया। .... (पृ. 34 से 37 तक)

चयन : पुन्नीसिंह

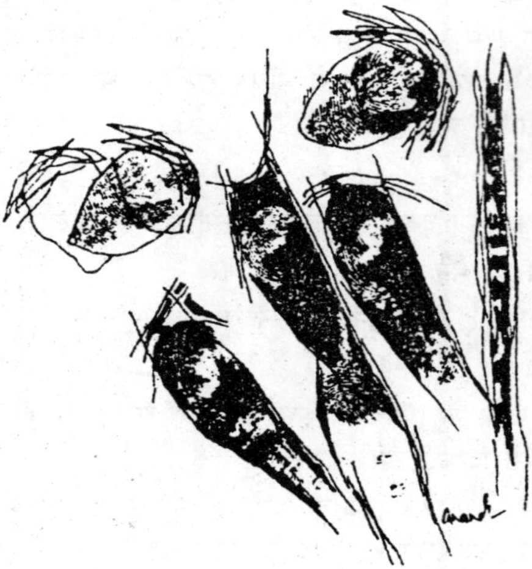

ओमप्रकाश वाल्मीकि

कोई खतरा नहीं

शहर की सड़कों पर
दौड़ती-भागती गाड़ियों के शोर में
सुनायी नहीं पड़ती सिसकियाँ
बोझ से दबे आदमी की
जो हर बार फंस जाता है
मुखौटों के भ्रम जाल में

जानते हुए भी कि उसकी पदचाप
रह जायेंगी अनचिन्ही
नहीं आयेगा उसके हिस्से
समन्दर की रेत में पड़ा सीपी का मोती

लहरें नहीं धोयेंगी पांव
हवायें भी निकल जायेंगी
अजनबी बनकर

फिर भी वह देखता है
टकटकी लगाये

भीड़ के सैलाब को
मुश्किल होता है
चेहरों को पहचान लेना

घोषणा होती है
अंतर्राष्ट्रीय मंच से—
'नस्ल और जाति का प्रश्न हल करना है
मानव विकास के लिए'

चुप्पी साध लेती है दिल्ली
खामोश हो जाते हैं गलियारे
संसद के गलियारे
राष्ट्रपति भवन की दीवारें
और धार्मिक पंडे

आवाज़ें फुसफुसाती हैं—
'नस्ल और जाति जैसा कोई कंसैप्ट नहीं है
हमारी महान संस्कृति में'

चारों ओर खामोशियों का घना अरण्य
उग आता है
खड़ी हो जाती है
रास्ता रोककर कंटीली बाड़

महान सभ्यता की चिंता में
शामिल हो जाते हैं
पेड़-पौधे, पशु-पक्षी

पर्यावरण पर बोलना और सोचना
कितना आसान होता है
नहीं रहता कोई खतरा
न धर्म-विरोधी होने का डर
न साम्प्रदायिकता का भय
नहीं आयेगा डराने-धमकाने
कोई दल
आदि देवता का अस्त्र हाथ में लेकर

संस्कृति भी बची रह जायेगी

वैसे भी संस्कृति अक्सर चुप ही रहती है
उस वक्त जब चीखते हैं
बेलछी, कफल्टा, पारस बिगहा,
नारायणपुर, सांढ़ूपुर,
मिनाक्षी पुरम, झज्जर-दुलीना
और गोधरा-गुजरात...

संस्कृति और धर्म जश्न मनाते हैं
जब सिसकता है आदमी
आग में झुलसकर

सड़क पर बिखरी लाशें
सड़ने लगती हैं
जिनकी शिनाख्त करने
कोई नहीं आता

जो भी आयेगी
फोड़ दी जायेंगी उसकी आँखें
या फिर कर दिया जायेगा घोषित
राष्ट्र विरोधी

घोषणा होती है–
खिड़की दरवाज़ें बंद कर लो
महाराजा विक्रमादित्य की सवारी
आने वाली है

सड़कों पर सुनायी पड़ती हैं
कदमताल करने बूटों की ध्वनि
हवा में तैरती है बारूदी गंध
चुनाव होते हैं हर बार
सभ्य नागरिक निकल पड़ते हैं
संसद और विधानसभाओं की ओर
बिना असलाह के

भूख और मौत से भयभीत आदमी

नहीं जानता
यह सब क्यों होता है
इतनी जल्दी-जल्दी

क्यों गिने जाते हैं
जातियों के सिर
चुनाव के दिनों में
बड़े से बड़ा नेता खड़ा होता है
जाति की जनगणना के बाद ही
यह अलग बात है
सब मौन रहते हैं
'डरबन' की घोषणा पर

पड़ौसी देश का राजा
परिक्रमा करता है मंदिर की
चढ़ाता है बलि भैंसे की

और,
पशु-पक्षियों के हितैषी
निकल जाते हैं टूर पर
देश से बाहर
या फिर किसी तहखाने में बैठकर
देख-सुन रहे होते हैं प्रवचन
लखटकिया संतों का

सवाल रहते हैं सिर्फ़ सवाल
जिनके उत्तर ढूँढ़ना ज़रूरी नहीं है
सभ्य नागरिकों के लिए

'कहीं कोई खतरा नहीं है
मामला धर्म का है
चुप रहने में ही भला है'—
सलाह देकर निकल जाता है
राष्ट्रीय अखबार का संपादक
चमचमाती गाड़ी में

मैं देख रहा हूँ वह सब
जिसे देखना जुर्म है
फिर भी करता हूँ गुस्ताखी

चाहो तो मुझे भी मार डालो
वैसे ही जैसे मार डाला एक प्यासे को
जिसने कोशिश की थी
एक अंजुली जल पीने की
उस तालाब का पानी
जिसे पी सकते हैं कुत्ते-बिल्ली
गाय-भैंसे
नहीं पी सकता एक दलित

दलित होना अपनाध है उनके लिये

जिन्हें गर्व है संस्कृति पर

वह उतना ही बड़ा सच है
जितना उसे नकराते हैं

एक साजिश है
जो तब्दील हो रही है
स्याह रंग में
जिसे अंधेरा कहकर
आँख मूँद लेना काफी नहीं है!

सी-5/2
आर्डनैंस फैक्टरी इस्टेट
देहरादून-248008

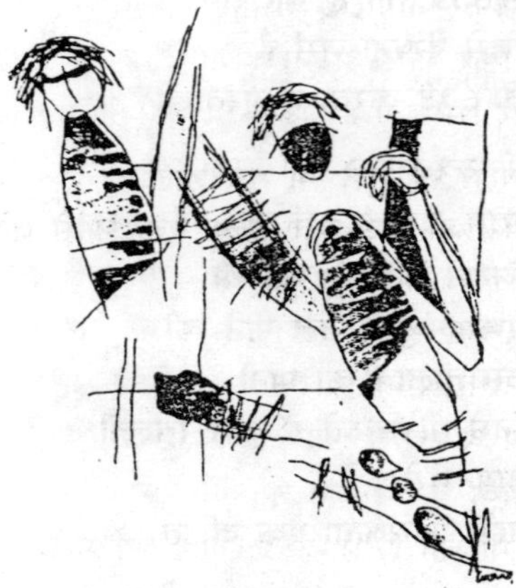

देवेश कुमार चौधरी 'देव'

बुरे समय का आख्यान

•

कहीं कुम्हेर तो कहीं भोजपुर का बथानीटोला
कहीं पनवाड़ी तो कहीं बेलछी
बन गये है रक्त के भरे हुये डबरे
जहाँ लिखा था कोलार
वहाँ और जोड़ दो चकवाड़ा
कुछ नहीं होता है
अखबारों की सुर्खियाँ, राजनेताओं की चिल्लपों
संसद और विधान सभाओं में हंगामें
महीने भर अफ़सरों के दौरे
मीडिया के पेट भरने को भोजन
कुछ घड़ियाली आँसू, थोड़े से आश्वासन
कुछ कागज के टुकड़े, कुछ मुआवज़े की हरी चादर
ओढ़ाकर चले जाते हैं वे
और हम उस हरी चादर के नीचे
सिसक रही अनगिनत चीखों को
कर जाते हैं अनसुना

और फिर जागते हैं तभी
जब फिर कोई झज्जर होता है।
झज्जर सिर्फ़ एक घटना ही नहीं होती
उसमें मात्र वर्णन नहीं होता
तोताराम, दयानंद, वीरेन्द्र आदि का
वह कुछ के लिए सत्ता पाने का साधन
और सत्ता के लिए असुविधा का सवाल भी होती है
वे निरपराध जो मारे गये हैं, और मारे जायेंगे
रावण थे! कुछ भद्र लोगों के लिए
क्योंकि वे चौपाया माँ की हत्या कर रहे थे
उस माँ की जिसे कुछ हजार वर्ष पूर्व
हलाल कर अपने अतिथियों को
सुस्वादु व्यंजन परोसते थे आर्य पुत्र
समय के अनुसार चोला बदलने का विधान
नहीं था उन द्रोहियों के लिए
जिनका गौकशी के एवज में, वध किया गौ सेवकों ने
ये बात बिल्कुल विचित्र भी नहीं है
कि इन्हीं रावणों को आगे किया जाता है
अयोध्या में राम के मंदिर निर्माण के लिए
कार-सेवा कार्यक्रम में गोली खाने के लिए
कुछ मृतकों के परिजनों ने चिता की राख ठंडी होते ही
"वसुधैव कुटुम्बकम" वाले धर्म का त्याग किया
हमारे समय के नायक?
वे चेहरे जो इस समय मीडिया को
अपनी जेब में रखे हैं
पश्चाताप की जगह, शर्मसार होने की बजाय
हत्या के औचित्य को प्रतिपादित कर रहे थे
और झज्जर के रणबाकुरों पर!
कार्यवाही होने की दशा में
सरकारों को परिणाम भुगतने की चेतावनी दे रहे थे
ये हमारे समय के खूंखार चेहरे

जिनके रक्तबीज इस समय गाँव, कस्बों, मोहल्लों
और हमारे दैनिक जीवन में
हर दिन हस्तक्षेप कर रहे हैं
झज्जर एक हत्याकांड नहीं है
ठीक वैसे ही जैसे गोधरा मात्र हत्याकांड नहीं था
उससे भी आगे बहुत कुछ था
गोधरा में मारे गये रामभक्तों?
का लहू लाल था, झज्जर में मारे गये चर्मकारों
का लहू सफेद था
इसलिये उस ख़ून का नोटिस नहीं लिया गया
झज्जर पर होगी कुछ दिनों तक
अखबार की इबारतें काली, बुद्धिजीवियों में छिड़ेगी बहस
काफी हाऊसों में होगी गोष्ठियाँ
दलित साहित्य में लिखी जायेगी कोई मार्मिक रचना
सरकारें देकर मुआवजा, अपना कर्त्तव्य कर लेंगी पूरा
दलितों के रहनुमा भौकेंगे एक दूसरे के ऊपर
शत्रु को छोड़कर, जो अभी है उनका पार्टनर
सुविधा के खेल खेले जायेंगे, लाशों पर रोटी सेंकी जायेगी
विधवाओं को सात्वना दी जायेगी,
कुछ एन.जी.ओ. अन्तर्राष्ट्रीय मंच पर
दलित दुखों का दस्तावेज रखेंगे
गौरांश प्रभू फटी निगाहों से देखेंगे
कुछ खिंचाई होगी, कुछ दबाव बनेगा
फिर दलित अत्याचार की घटनाएँ
"दंतकथा" मात्र ठहरा दी जावेंगी
चाहे डर्बन हो या जिनेवां, या जोहांसबर्ग या लंदन
हर जगह हमारी भूमिका रहेगी
एक ओरेटर की, याचक की
कोई नहीं कहता आओ
दो-दो हाथ कर लें इन विषधरों से
या तो जियेंगे शान से या फिर मौत को गले लगायेंगे

लेकिन हमारे समय के इन विद्रूप चेहरों से
हर हालत में नकाब नोचेंगे।

मेरे पुरखों मुझे क्षमा करना

मेरे पुरखों मुझे क्षमा करना
मैंने तुम्हारी रस्मे तोड़ी हैं
मैंने सिर झुकाकर पांय लागू
अपनाने की परम्परा नकारी है
रूखा-सूखा जूठन खाने की बज़ाय
मैंने धरती का सीना फाड़कर, अन्न उगाया है
मैंने ज़मींदार के खेत में मजूरी करने की बज़ाय
जो जोते ज़मीन उसी की माँग की है
मैंने बहुत कोशिश की कि
मानव को मानव समझा जाये
उसे भेड़-बकरियों की तरह न हकाला जाये
पर अफसोस! सारे प्रयत्न निरर्थक रहे
मैं रहा जन का जन वे बने रहे हरी
मुझे नहीं मुक्ति दिला पाये उनके अन्यायों से
अब मैं अपने कंधों पर उनकी
अय्याशी का जुंआ उठाने को तैयार नहीं
मेरे पुरखों! मुझे क्षमा करना
मैंने तुम्हारी तरह समर्पण करने की बजाय
प्रतिशोध लेने की कसम खाई है।

प्लाट नं. 75-ए, त्रिमूर्ति नगर
निकट प्रस्तावित ट्रांस्पोर्ट नगर
दमोह रोड, जबलपुर (म.प्र.)

सुदेश तनवर

चुप नहीं रहूँगा

तुम्हें अधिकार है
जानवरों से प्रेम करने का
आदमी से छूतछात बरतने का
उनके मुँह में हग-मूत देने का
गरम सलाखों से आँखें फोड़ देने का
लाठी और कोड़े से चमड़ी उधेड़ देने का
जंबूल से हाथ-पैरों के नाखुन नींच लेने का
गंडासे-फरसी से हत्या कर लाशें खेतों में फेंक देने का
उन्हें झोंपड़ियों समेत जिंदा जला देने का।

तुम्हें अधिकार है
अबोध बच्चियों के साथ
उनकी माँओं समेत
सामूहिक बलात्कार करने का
देवदासी बना मंदिरों में
वेश्यावृत्ति के लिए मजबूर कर देने का
विरोध पर

तुम्हें अधिकार है
नाक-कान काट लेने का
नंगा कर गाँव-भर में घुमाने का
गुप्तांगों को काट
उनमें नमक-मिर्च डाल देने का
चुड़ैल-डायन बता, पत्थर फैंक-फैंक कर मार देने का।

तुम्हें अधिकार है
गुरु-दक्षिणा के नाम पर अंगूठा कटवा देने का
तपस्या करने पर तलवार से गरदन उड़ा देने का
अपनी ही बहू-बेटियों, गुरु-पत्नियों तक पर चढ़ जाने का
गर्भवती पत्नियों को घर से निकाल देने का
कायरतावश बलधारियों को सौंप देने का
दिन-दहाड़े अपहरण कर लेने का
जुए में दाव पर लगा देने का।

तुमने—
विरोध तक नहीं किया
अपने पुरखों की हैवानियत के खिलाफ़
और न कभी करोगे
क्योंकि—
यही है तुम्हारा धर्म
तुम्हारे जीवन का मर्म, पर

मैं—
विद्रोह करूँगा
उन सारे शब्दों के खिलाफ़
जिनसे गढ़े गए तुम्हारे धर्मशास्त्र, और
झूठ भरे इतिहास।

मैं विद्रोह करूँगा
चुप नहीं रहूँगा।

युगों युगों तक

तुमने
मेरे सहज स्वाभिमान को
घृणा से प्रचारित किया
अहंकार बताकर
छल से तोड़ दिया मुझे
कदम-कदम पर।

गढ़ ली
अनेकों उक्तियाँ
अपने ही मानिंद--
'घमंड तो
रावण का भी नहीं रहा'।

मेरे पुरखे
अहंकार में नहीं
स्वाभिमान में जिए हमेशा
उन्होंने--
किया नहीं किसी से छल
की नहीं किसी की छुपकर
हत्या।
भिक्षा में माँगकर
उतरवाए नहीं
कवच-कुंडल।
चुराए नहीं
तालाब में नहाती हुई
बालाओं के वस्त्र।
डाह में कटवाए नहीं
किसी के अंगूठे।

जब-जब तुमने
मेरे स्वाभिमान को
अहंकार की आड़ में
तोड़ना चाहा
तब-तब
उठ खड़ा हुआ

मैं—
तुम्हारी घिनौनी
वृत्तियों के खिलाफ
और—
हमेशा
खड़ा रहूँगा
युगों-युगों तक
ढाल बनकर।

धीमा विष

गाँवों से
पलायन
थके हुए
अपमानित
शोषित लोग।

उन्होंने
बस्तियाँ बसाईं
फसलें उगाईं
फूल खिलाए।

वो आया
मंदिर बना
दुकानें सजीं।

उजड़ने लगीं
बस्तियाँ
सूख गईं
हरी-भरी फसलें
मुरझाने लगे
खिले हुए
फूल।

'आस्था', 224-ए, राजोकरी पहाड़ी
नई दिल्ली-110038

दिनेश कुशवाह

उस माँ की कोख से जनमे बिना

जितना सहती है गरीब की बेटी
क्या सहेगी धरती!
ओफ! शताब्दियों से इतने
भयानक अनाचार
अगर सही में फटती धरती
तो न जाने कितनी बार फटी होती

जितना जलता है गरीब का बेटा
क्या जलेगा सूरज!
ओफ! शताब्दियों से इतने
भयानक अत्याचार
अगर सही में टूटकर गिरता आसमान
तो न जाने कितनी बार गिरा होता

जितनी पीड़ा भोगती है गरीब की माँ
क्या भोगेगा कोई!
भूख से बिलबिलाते बेटे को देख
जितना हाहाकार करती है उस माँ की छाती
कोई भी पार्टी उतना हल्ला नहीं बोलती।

साँप

ज़िन्दगी तमाशा नहीं है
पर तमाशा ज़रूरी चीज़ है
ज़िन्दगी के लिए।

सँपेरे ज़िन्दगी को दूरबीन से देखते हैं

डरे हुए और उपयोगितावादी मन को
दुनिया की कोई आँख नहीं बाँध सकती
होती होंगी मोहक आँखें साँप की!
साँप जानता है
किस तरह अभियोग लगाकर
बिलों में छिपने के लिए मजबूर किया जाता है?
कि उसकी जाति पर क्यों
बने हैं इतने कुत्सित मुहावरे?

साँप जानता है
इतिहास के हाशिये पर
कैसे चली जाती है कोई क़ौम?
कि दुनिया में
सिर्फ़ मुँह से नहीं लड़ा जा सकता।

एकलव्य की तरफ़ से

गज़ब की राम-माया है
ये कैसी धूप-छाया है
कि जिनके पास फंदे हैं
उन्हीं के पास दाना है।

भला क्या भेष धारे हैं
वे सारा देश तारे हैं
कि उनकी कोठियों, औ
थालियों में भरा सोना है।

ये कैसी अग्निदीक्षा है

कठिन कितनी परीक्षा है
कि कोदो की पढ़ाई में
किसी नर का अँगूठा है।

ये गीता भी उन्हीं की है
गदा-गाँडीव जिनके हैं
जो अपने थे वे गूँगे थे
यही तो रोना-रोना है।

मगर जब बात बोलेगी
तो कितने भेद खोलेगी
तुम्हारा बोलना भी
इस सदी में तंत्र-टोना है।

आत्मालोचन

मैं तुम्हें लिखना चाहता हूँ
इसलिए कि
सहज ही समझ सकोगी तुम मुझे
पर इस समाज में यह आश्चर्य बात नहीं है
कि मेरे पास नहीं है तुम्हारा पता
कि मैं नहीं जानता आजकल कहाँ हो तुम?

मुझे इसलिए नहीं चाहिए तुम्हारा पता
कि कर सकूँ प्रेमालाप
या सुना सकूँ प्रेम-कविताएँ
मैं तो तुम्हें सिर्फ़ यह बताना चाहता हूँ
कि तुमसे बिछुड़कर भी
मैं अकेला नहीं पड़ा था
परन्तु यह भी कि इन दिनों
मैं वर्गशत्रु से नहीं करता अन्यतम घृणा
कि मेरी बात्त पर काट खाने नहीं दौड़ते
मेरा दुशमन!
कि मेरी कविताओं को वे चार्वाक की तरह
ज़िन्दा नहीं जलाते

कि मैं मित्रों पर भी
आँख मूँद कर नहीं कर पाता विश्वास
मेरे लिए यह कितने शर्म की बात है
कि जानना चाहता हूँ
अपने कॉमरेड की जाति
कि दिखता नहीं कोई ठौर
जहाँ समर्पित कर दूँ सम्पूर्ण आस्था
कि ऐसा नहीं है कोई साथी
जिससे निर्द्वन्द्व कहूँ मन की बात
तुम शायद बता सको
कहाँ से पैदा हो रही मुझमें यह खोट
इन कमज़ोरियों का ज़िम्मेदार
अगर सिर्फ़ मैं हूँ
तो मुझे इसकी सज़ा मिलनी चाहिए
मुझे इस बात का डर नहीं है कि
मेरी स्थिति जान जायेंगे मेरे साथी
कहने लगेंगे मुझे घर का न घाट का
मुझे डर है तो सिर्फ़ इस बात का
कि ऐसे ही रहा कुछ दिनों तो
तुम मुझे सामने पाकर भी
पहचान न सकोगी, कि मैं
तुमसे आँखे चुराने लगूँगा।

सच मानो मैं आँखें मिलाकर
सिर उठाकर जीना चाहता हूँ
खौलता रहना चाहता हूँ
ठंढ़ा हो जाना मेरी मौत है
और मैं जानता हूँ
चाहे जो भी हो मेरा तुम्हारा वास्ता
तुम कभी नहीं चाहोगी दिनेश मर जाय
तुम्हारा।

हिन्दी विभाग
अ.प्र.सिं.वि.वि. रीवा

पवन करण

तुम जिसे प्रेम कर रही हो इन दिनों

तुम्हें पता है, इन दिनों तुम जिसे प्रेम कर रही हो
उसकी जाति क्या है

जिसे तुम अपना सब कुछ सौंपती जा रही हो लगातार
क्या तुम उसकी इस बात का मर्म समझती हो
जो वह तुमसे कहता है हर बार
एक बात जो मैं तुम्हें अपने बारे में बता नहीं रहा हूँ
मैं उसे तुमसे छुपा नहीं रहा
बल्कि मैं उसे तुम्हें बताना नहीं चाहता हूँ
वह बात उसकी जाति को लेकर है

तुम्हारा प्रेम है कि उसने तुम्हें इस बात पर कभी
ध्यान नहीं देने दिया कि क्यों ऐसा होता है जब भी
जाति को लेकर सबके बीच कोई कोई बात चलती है
वह चुप बना रहता है
अपनी जाति को लेकर नहीं करता कोई बात
और वह यह भी चाहता है जितनी जल्दी हो

बदले उसके लिये कष्टप्रद यह विषय

जब तुम छोटी जातियों को लेकर घृणा उगलती हो
वह तुमसे अपनी आँखें चुराने लगता है
क्यों वह अपनी जाति को लेकर तुम्हें
तपाक से कोई उत्तर नहीं देता
तुम्हारे आगे क्यों टाल जाता है वह
अपनी पहचान का उल्लेख

यह बात जिसे इस भय से कि वह
किस जाति का है जानकर छोड़ न दो तुम उसे
बताना चाहते हुए भी नहीं बता पा रहा है तुम्हें
बताना चाहता हूँ मैं

तुम जो उसे छोड़ने को तैयार नहीं कतई
तुम जो उसके साथ बिताना चाहती हो जीवन
तुम जो उसे अपने प्रति मानती हो सबसे संवेदनशील
मुझे नहीं लगता उसकी असलियत जानकर
उसकी ओर वह बहाव रह पायेगा तुम्हारा
जो अभी है तुम्हारे भीतर अपार

उसकी जाति उसकी जाति उसकी जाति
यह शोर कान पका डालेगा तुम्हारे
उसकी जाति की तरफ़ हमेशा तनी रहने वाली उंगली
अपनी आँखें बंद कर लेने के लिये कर देगी तुम्हें विवश
और यह सब तुम्हारे द्वारा उनकी पसंद के पुरुष के
न चुन पाने की वजह से नहीं
उसकी छोटी जाति का होने की वजह से होगा

पता नहीं ये बातें सुन-सुनकर
तुम कितना अडिग रह पाओगी
कि कम से कम तुम्हें जाति तो देखनी थी
तुम कहीं भी कुछ कर लेतीं हमें मंजूर होता
लेकिन वह, वह तो कतई स्वीकार नहीं

हम किसी को उसके बारे में किस मुँह से बतायेंगे

सिर्फ़ अपना बनाये रहने के लिये
तुमने कितनी कस्में नहीं दी उसे
कितने प्रण नहीं लिये उससे
उसकी जीभ पर कितने खारे आँसू नहीं बरसायें अपने
मुझे नहीं लगता सदियों से संताप झेलते
उसके दायरे में शामिल होने की सोचकर ही
अपने कलेजे को कांपने से बचा पाओगी तुम

क्या होता है इससे जो उसके लिये तुम अपना
सब कुछ लुटाने और वह तुम्हारे लिये
गर्दन कटाने तैयार हो,
गर्दन कट सकती है, पहचान नहीं

तुम जब भी उसके साथ जीवन गुजारने की कहती हो
वह झुका लेता है अपना सिर, साथ-साथ चलने को
सुनते ही ठिठक जाते हैं उसके कदम,
इसलिये नहीं कि वह कमजोर है बहुत, बल्कि इसलिये कि
तुमसे बेहद प्रेम करता वह भी नहीं चाहता
उसके प्रेम की जगह जीवन भर
उसकी जाति का बोझ ढोती रहो तुम

देह में धसकर रह जाने वाली जाति की इस फांस को
भले ही दबा लो तुम आज, ज़रूरी तो नहीं
वह भीतर दबी रहे हमेशा, उभरे नहीं कभी
क्या पता कल यही फांस तुम्हें बार-बार
गहरी नींद से उठाकर तुम्हारे बगल में सोते
आदमी की जाति का कराये अहसास।

सावित्री, आई-10, साईट-1
सिटी सेंटर, ग्वालियर

मोहन सगोरिया

चीता उर्फ निश्चितता का गीत

(एक मंत्री के निज सचिव के नाम)

पूरी सफ़ाई से करते हो शिकार
और पूरी सफ़ाई से खाना
शिष्ट व्यवहार
कहाँ से सीखा भाई
नहीं आया तुम्हें चट कर जाना
बिल्ली जैसा
बाप रे बाप!
दबे पाँव
रक्खे सूखे पात पर
आहट न खड़खड़ाहट
फुर्ती ऐसी जैसे विद्युत
जंगल-जंगल
क्यूँ रोते हो बच्चे जैसे
नहीं
लकदक
घाघ हो

बाघ हो
नहीं-नहीं बाघ नहीं, शेर नहीं।

देते दस्तक दरवज्जे पर
आदम जैसी
वाह! क्या खूबी
जंगल के राजा नहीं हो तुम
बस रह गई
सुई भर .... कसर
क्या ग़म!

कठिन समय में

(कवि लीलाधर मंडलोई को याद करते हुये)

बाज़ी जीतने और अंत तक लड़ते जाने में
फ़र्क़ नहीं कुछ कवि और क्रांतिकारी होने में
कठिन समय स्मृति पर
उभर आयी रेख
देख-देख
क्या किसी ने सुना क्रंदन
आर्त्तनाद अंतस का
स्वयं.... जन्मना संघर्षरत्
नहीं खला कोई
चला, नहीं चला क़ोई

सूर्योदय की मुस्कान
सूर्यास्त की थकन
उम्मीद की आभा
ज़द में खड़े लोग
सब कुछ पीछे छोड़ता
वह कठिन समय की कविता का कवि

क्या खोया, क्या पाया
दूर ऽऽ.... दूर
चला गया था कोई
करीब-करीब बहुत करीब आया
करीब-करीब सच था सच
चलता-चलता-थमता
बर्फ़-सा नसों में जमता
साँसों में पिघलता उबलता सच।

भौंरा, जिला-बैतूल (म.प्र.) पिन-460 440

असंग घोष

शैतान

शैतान का
कोई रूप नहीं होता
हमारे जैसा ही
परिवेश लिए होता है
चेहरे पर अपने
मासूमियत धरे
हर कहीं घुसपैठ कर
वह आतंक फैलाने,
मार डालता है
मनुष्यता को,

शैतान का
कोई रूप नहीं होता
भ्रूण हत्या करने
वह फाड़ देता है
गर्भवती औरतों का पेट,

चीर देता है
योनि
बलात्कार के बाद,
छलनी कर गोलियों से
टुकड़ों-टुकड़ों
जाति धर्म की भाँति
काट बाँट देता है
मासूमों का शव,

शैतान का
कोई रूप नहीं होता,
वह जला देता है
घर, झोपड़ी, दुकान,
माल असबाब
यहाँ तक कि
जिन्दा इन्सानों को भी बेरहमी से,

शैतान का
कोई रूप नहीं होता
कोई जात नहीं होती,
कोई धर्म नहीं होता,
कोई ईमान भी नहीं होता,
वह हमारे जैसा ही
परिवेश लिये होता है
मानव को जाति-धर्म में
विभाजित करने।

बाबूलाल दाहिया

बघेली के कुछ मुक्तक

(1)

सबका मिलत सहोल जो जोन्हरिउं अस होत कविता,
ओढ़त गनी गरीब जो खोम्हरिउ अस होत कविता।
बपुरे थके मजूर क, कुछ ता मिलत उसासी,
मूँडे के ओखे जो कहौं गोन्हरिउं अस होत कविता।।

(2)

जाड़े कै जबर रात कटाई नही कटै,
कथरी म फाट देह अटाई नही अटै।
पेटे कै ससुरी खाई त यतनी गहिर खनी,
पाटेव म रोज़ रोज़ पटाई नही पटै।।

(3)

झूठ का नारा लगाबा ना लगी,
जीभ मा तारा लगाबा ना लगी।
ईंट सगली खत गईं दीबाल की जब,
तब व मा गारा लगाबा ना लगी।।

---

(1) सहोल-सस्ती, जोन्हरी-ज्वार 'एक मोटा अनाज', खोम्हरी-धूप और वर्षा से बचाने वाला गरीबों का छाता नुमा पत्तियों का टोप, गोन्हरी - वह लपेटा हुआ कपड़ा जिसे सिर में रखकर उसके ऊपर श्रमिक बोझ रखते हैं, उसासी-सहारा

(4)

घोड़ बधनेरू कि नई चर रह्या है कुछ जने,
लीद कस भाषन सड़क मा कर रह्या है कुछ जने।
देंह पकिगै काम मा गदहा किनांई कुछ जनेन कै,
लूट के मेहनत क उनके धर रह्या है कुछ जने॥

(5)

लगी जब भूँख सब भकती भजन उद्यान लागा थै,
बड़े ज्ञानिउं क रोटी मा घुसा भगमान लागा थै।
फिरै सब जीव बस चारिउ कइत ओहिन के भरमाये,
भरा जब पेट तबहिन जिउ कुछू हलुकान लागा थै॥

(6)

भेड़िया भेड़ के खलरीक ओढ़े भेड़ ना होई,
कबौं आंमा बिही कस बेसरम का पेड़ ना होई।
भले पोगड़ी म बेड़े सीध लागै पूँछ कुकुरा कै,
पै जब निकरी त है केखर य जुम्मा टेढ न होई॥

(7)

घास से धोड़ा कै यारी भै कबौं,
मूस कै सगही बिलारी भै कबौं।
बैद बन जब जब फिरे हैं कट्टहा।
मउत भै पै कम बेजारी भै कबौं॥

(8)

गरीबी दूर भाषन से न होई काम से होई।
न बलबूते कै दक्खिन के जब होई बाम से होई।
भले आगी के तापे थोर का राहत मिलै हमही।
खतम या पूष के टाही सुरिज के घाम से होई॥

(9)

कवि जी अब कुछ करी चला अइसन कविताई
पर्वत का प्रतिकार करै जउने मा राई।
बहुत दिना भर रही मगर अब रहैं न देबै,
सकल गॉव कै निवले कै मेहरी भउजाई॥

---

(4) बघनेरू घोड़ा- वह घोड़ा जिसे बांध कर खिलाया जाता हो पर काम कुछ न लिया जाता हो।

(5) उद्यान-निरर्थक, हलुकान-हल्का।

(7) आंमा-आम, बिही-अमरूद, कट्टहा-मृत्यु का दान लेने वाला।

(9) सकल गाँव-सारे गाँव, मेहरी-घरवाली।

(10)

छीन छातिन कै धड़क कविता हमार,
तऊ बिजुली कस कड़क कविता हमार।
आम मनइउ आय मूड़ उचाय हींठा,
घर से दिल्ली तक सड़क कविता हमार॥

बघेली गज़ल

अकेले डांग मा गोरू चरावै कोल बरसइता,
घरै वा दिन रहत कबहूँ न अबै कोल बरसइता।
सकारे तीन ठे रोटिन म धइके नोन का डर्रा,
मजे से भोग ओहिन का लगावै कोल बरसइता॥

विरासत मा मिला है बाप दादन का जउन थाका,
त ओही मूड़ माटी दै पटावै कोल बरसइता।
सहै बरसात भुँभुर जेठ कै औ पूष कै ठांही,
पै एक चिथरा का हिलगाये बितावै कोल बरसइता॥

भले अनिवार शिक्षा देश मा सरकार चलवाये,
तऊ देख्यां पढ़े बपुरा जो पावै कोल बरसइता।
करे अइसी कि तइसी बाल श्रमिक कानून कै रोज़ै,
धरे कांधा म लाठी गीत गावै कोल बरसइता॥

कहौं बिरहा कहौ टप्पा कि दादर तान कोलहाई,
चढ़े बिरवा म कि बसुरी बजाबै कोल बरसइता।
न पावै दूध करमोमौ भरे का एक सूतिउ बा।
पै दोहू जून खुद गइया दुहाबै कोल बरसइता॥

गोरू-गाय भैंस, थाका-कर्ज, मूड़माटी-सिरोधार, कोलहाई दादर-कोल जाति के गीत, बिरवा-पेड़, करमोमा-इतना कम दूध जो चावल के साथ सानने पर हाथ में न लगे, सूती-सीपी, दोहू जून-दोनो बेरा 'सुबह शाम'।

द्वारा- संतोष खरे, एडवोकेट
राजेंद्र नगर, सतना

एक लेखक की हैसियत से समानता पर आधारित वर्गहीन समाज की रचना का स्वप्न देखना ठीक है... सवाल यह है कि काम्य परिवर्तन और प्रत्यक्ष यथार्थ इन दोनों के अंतर्क्रियात्मक संबंधों को लेखक किस तरह रचना के स्तर पर उठाते हैं जहाँ रचनात्मक स्वायत्तता और उसकी सामयिकता में अंतर्विरोध पैदा न हो सके।

दलित अस्मिता और हिन्दी उपन्यास

डॉ. पुरुषोत्तम सत्यप्रेमी

भारतीय अस्मिता के साहित्यकार रवीन्द्रनाथ टैगोर ने कहा है कि साहित्य का उद्देश्य मानव है। इस कथन का निहितार्थ यही है कि साहित्यकार चाहे जिस किसी का भी चित्रण करे वहाँ ज़िन्दगी ज़रूर होगी— मनुष्य ज़रूर होगा। अन्यार्थ में यही कि वह व्यष्टि के बारे में कहेगा तो भी वहाँ समष्टि ज़रूर होगी या समष्टि के बारे में कहेगा तो व्यष्टि वहाँ मौजूद होगी। यह तो बूंद और समुद्र का रिश्ता है। तत्वत: दोनों में फर्क क्या है? निकेनार पारा ने भी अपनी एक छोटी सी कविता 'पियानी सोलो' में कहा था मैं अपने पावों से पैदा करना चाहता हूँ एक शोर। मैं चाहता हूँ कि मिल जाए मेरी आत्मा को उसके ही मुनासिब देह। और इसी कविता में उसने यह भी कहा था कि अब हम बोलते नहीं महज़ इसलिए कि सुने जाएँ हम। बोलते हैं तो सिर्फ़ इसलिए कि बोले वे भी जो रहते हैं चुप। मैं समझता हूँ कि प्राय: प्रत्येक संवेदनशील रचनाकार की मूल चिन्ता अपनी अभिव्यक्ति को लेकर कुछ इस तरह की होती है। साहित्यिक लेखन की विधा वह कोई भी चुने और अगर एसा नहीं है तो लिखने या कुछ रचने का कोई मतलब ही नहीं रह जाता। यहाँ हम मानववादी दलित अस्मिता की दृष्टि को सामने रखते हुए उसके तहत समाविष्ट कुछ उपन्यासों की विस्तृत चर्चा करना चाहेंगे।

अपने घोषित प्रगतिवादी दृष्टिकोण को रचनात्मक स्तर पर सहजता से व्यकत कर सकने की क्षमता रखने वाले नागार्जुन प्रेमचन्द की परम्परा को सशकत ढंग से आगे बढ़ा सके हैं। प्रेमचन्द समय के साथ उच्च वर्ग की शोषणकामी साज़िशों का पर्दाफाश करते हैं,

नागार्जुन कहीं इससे आगे बढ़कर शोषितों में अपने अधिकारों के प्रति जागरूकता पैदा करके अपने चरित्रों को किसान आन्दोलनों की अगुआई करने लगते हैं। यह सब सहज, स्वाभाविक क्रम से निर्माण किया जाता है। 'बलचनमा' इसका सशक्त उदाहरण है। "प्रेमचन्द किसानों की गरीबी, बेकारी की कहानी लिख गए थे, पर उनकी मुक्ति की दास्तान वे नहीं कह पाये थे। इस उपन्यास में बलचनमा का विकास स्वाभाविक रूप में हुआ है। यदि बलचना अचानक विद्रोही हो जाता तो उसका यह विद्रोह आरोपित होता; पर नागार्जुन ने यह कलात्मक भूल नहीं की है। उसकी राजनीतिक चेतना क्रमशः धीरे-धीरे विकसित होती है। इसी क्रम में वह विकास आन्दोलन का पहले सिपाही और फिर अगुवा बन जाता है।"

'बलचनमा' इस उपन्यास का प्रारंभ बलचनमा के बचपन की घटना से होता है। बाद में उपन्यास का मुख्य चरित्र बलचनमा आत्मकथा के रूप में पाठकों के सामने उपस्थित होता है। उसकी ज़िन्दगी की सबसे पहली घटना थी, मालिक के दरवाज़े पर उसके बाप को खंभेली के सहारे कसकर बांध दिया गया है, और ज़मींदार उसे कोड़े लगवा रहा है। ज़ुर्म बिलकुल छोटा सा था। बलचनमा की दादी और माँ इस दृश्य को देखकर गिड़गिड़ाते हैं, कुछ नहीं कर पाते। छोटे बलचनमा के मस्तिष्क पर यह बिम्ब घर कर गया। पिता के बाद परम्परा में उसने कर्ज़ और मालिक के यहाँ नौकरी पायी। शोषण के वही तरीके। छोटे ज़मींदारों की ज़मीनें हड़पने के क़िस्से, बाबू लोगों की इसमें सहायता करने वाले पंडित ओर अन्य मध्य वर्गीय लोग, सारा का सारा सामन्ती परम्परा में उसी ढंग से चल रहा है और इसे भाग्यवाद मानकर ये लोग सहते चले आ रहे हैं पीढ़ी दर पीढ़ी। लेकिन बलचनमा समय के विकास के साथ साथ चल रहा है। स्थितियों ने उसे सजग और चौकन्ना बना दिया है। शोषण के चक्र में घूमता हुआ धीरे-धीरे इस चक्र को तोड़ने की शक्ति को बटोरता चला जा रहा है। बलचनमा के पास कुल सात कठा ज़मीन है। मंझले मालिक ने बापू के मरने के बाद बारह रुपये कर्ज दिये थे। बदले में सादे कागज़ पर अंगूठे का निशान ले लिया था। सूद देते देते ये लोग थक गये। लेकिन ऋण से मुक्ति तो दूर ही रही, ज़मीन भी चली जाती है।

बहेलिया जिस प्रकार चिड़िया फँसाता है उसी तरह से दौलत वाले गरीबों को फँसाते हैं। बलचनमा की शोषण की कहानी इस तरह आरंभ होती है और फिर कई घटनाएँ, कई प्रसंग आते हैं। जैसे-जैसे वह बड़ा हो जाता है वैसे वैसे ज़मींदारों की विकृतियाँ, मालकिन की बदमाशियों आदि को क़रीब से देखता हुआ एक गवाह की तरह भुक्तभोगी भी है और निरीक्षक भी। खुद पर किए जाने वाले अत्याचार के बावजूद उसकी जवान बहन रेवनी को अपनी वासना का शिकार बनाने वाले बाबू की कोशिश बलचनमा के जवान मन में विद्रोह की आग पैदा करती है। दादी की मृत्यु, बहन का गौना आदि घरेलू संकटों को झेलता हुआ बलचनमा इन्हीं ज़मींदारों के एक रिश्तेदार युवक के साथ शहर चला जाता है।

शहरी जीवन की अनुभूतियाँ उसे और ज़्यादा चुस्त और सजग बनाती हैं। यह गाँधीजी के स्वाधीनता आन्दोलन का ज़माना था। सामान्य आदमी के साथ साथ बड़े ज़मींदार उसमें शामिल हो जाते हैं। बलचनमा के मन पर भी स्वराज्य का आकर्षण तथा स्वाधीनता की चेतना प्रभाव डाल रही थी। मालिक के जेल चले जाने के बाद वह बंगाली परिवार में रहता है, अपने घर लौट आता है और क़रीब से गाँधीजी के आश्रमों में सम्मिलित ज़मींदारों को देखता है। रेवनी की घटना के बाद उसने अपनी शिकायत को आश्रमवासी ज़मींदार के कानों पर डाल दिया है लेकिन इस मामले में जनता के तथाकथित प्रतिनिधि कुछ नहीं करते। उसको समझ में आ गया है कि शोषकों की कोई जाति, धर्म, पंथ नहीं होता। ये सारी चीज़ें वो अपने लक्ष्य अर्थात सामन्ती अधिकारी की रक्षा के लिए करते रहते हैं। बलचनमा ने इसे जब माना तब वे अपने अधिकारों के प्रति एक नयी चेतना उसके मन में जागी और स्वराज्य के साथ भूमिहीनों के किसान संगठनों में वह दाखिल हो जाता है। इसके बाद वह समाजवादी क्रांति के एक अगुआ के रूप में उभरता है। उपन्यास के अन्त में लेखक ने उसे ज़मींदार के एक गुण्डे के हाथों लाठी का शिकार होकर गिरते हुए दिखाया है।

इस प्रकार बलचनमा की कहानी समय के परिपार्श्व पर सामाजिक, सांस्कृतिक और राजनीतिक चेतनाओं के बदलते स्तरों के अनुमान में निम्नवर्गीय समाज में उभरती जनचेतना को ज़ुबान देने में सफल हुई है। यही कारण है, बलचनमा बिहारी के कृषक जीवन का अंतरंग एवं मर्मस्पर्शी चित्र तो प्रदान करता ही है, साथ ही एक बार जीवन की उन शैलियों को उभारता है जो सामाजिक विषमता दूर कर सकती हैं, रूढ़ियों को नाश करके मानव विकास कर सकती है। उसका जीवन हीन, सामान्य होने पर भी असंख्य कृषकों को अपनी विषमताओं से संघर्ष लेने की अदम्य प्रेरणा देता है।

समाजवादी विचारधारा की एक रचनात्मक पहल के रूप में 'बलचनमा' को लिया जा सकता है। इस उपन्यास में समाजवादी चेतना का स्पष्ट रूप दिखाई देता है। बलचनमा इस बात को जानता है कि हर तरह की आज़ादी के लिए समाजवादी मार्ग ही प्रमुख मार्ग है। इस भरोसे पर वह एक सुनहरे भविष्य की कामना करता है। वह सोचता है कि जब महाजनों का अतिरिक्त धन, समाजवादी क्रांति के बाद उस जैसे लोगों में बंट जाएगा तो फिर उनके रोज़ी रोटी का सवाल हल हो जाएगा। ज़िन्दगी की छोटी-छोटी आवश्यकताएँ अपने आप पूरी हो जायेंगी। अमीरी और गरीबी के आधार पर लोगों में फर्क नहीं किया जाएगा। सरकार प्रजा के सारे प्रश्नों को अपने ज़िम्मे लेगी। सब काम करेगा, सब दाम पायेगा। लूले, अपंग, बूढ़े, बेकार सबकी ज़िम्मेदारी सरकार को उठानी पड़ेगी। पैसे के बल पर कोई किसी को बंधुआ गुलाम नहीं बना सकेगा। स्पष्ट है कि इस उपन्यास के मूल्यों का संक्रमण दिखायी देता है, अब निम्न वर्ग जागरूक हो गया है। अपने अधिकारों के प्रति उसमें एक तरह की सजगता आ गई है। वह अब पहले की तरह भाग्य और भगवान पर भरोसा कर स्थितिवादी बनकर रहना नहीं चाहता। नये वैज्ञानिक मूल्यों की, ख़ासकर

आर्थिक मूल्यों की केन्द्रीय धूरी को वह समझने लगा हैं संगठन की शक्ति का रहस्य उसकी समझ में आने लगा है। यह बात दीगर है कि उसमें अभी व्यवस्था की ताक़तवर दीवार को पूरी तरह तोड़ सकने की क्षमता नहीं आई है, लेकिन उस दिशा में उसकी पहल जारी है। वर्तमान समय में निम्न वर्ग की स्थिति में परिवर्तन आ रहा है। संविधान में उसको समान अधिकार मिला है। जब वर्ण व्यवस्था एवं जाति व्यवस्था की संकीर्ण कड़ियाँ टूट रही हैं। निम्न वर्ग अपने पर किए जाने वाले अत्याचारों के विरुद्ध संघर्ष कर रहा है। अपने अधिकारों के लिए लड़ रहा है। निम्न वर्ग के पास जन शक्ति है और उच्च वर्ग के पास धन शक्ति। सम्पूर्ण समाज को अब तक यही अर्थ शक्ति निर्यंत्रित करती रही है। पर अब इस अर्थ शक्ति को चुनौती देने वाला सर्वहारा वर्ग तैयार हो रहा है।

इस तरह समय और स्थितियों के यथार्थ की पृष्ठभूमि पर चरित्रगत रचनादृष्टि के स्तर पर समाजवादी क्रांति की सम्पूर्ण प्रक्रिया में फैलाने का यह सफल प्रयास जनचेतना के व्यापक रूप को प्रस्तुत करता है। व्यवस्था की शोषण चक्की में पिसता हुआ चरित्र अन्त में किस प्रकार शोषण के विरोध में संगठित विद्रोह का प्रतिनिधि बन जाता है, इसका एक स्पंदित घटनाक्रम प्रस्तुत उपन्यास में व्यक्त हुआ है।

'सहदेवराम का इस्तीफा'— ज़मींदार उन्मूलन के बाद भी ज़मींदारों की मानसिकता में कोई अन्तर नहीं आया। सामन्ती प्रवृत्तियों का नया रूप उभरने लगा था। आज़ादी के बाद गाँव तक पहुँचे सुधार आन्दोलनों को अपने हित में मोड़ने की साज़िशें ज़मींदार करते रहे। राजनीतिक शक्तियों और नौकरशाही के नुमाईन्दों के साथ साझीदारी करके इन ज़मींदारों ने गाँव की समूची संस्कृति को अपने कब्ज़े में कर लिया। लेकिन कहीं कहीं इनकी साज़िशों के विरोध में गाँव की निम्न जाति संगठित होकर संघर्ष करती रही। यह संघर्ष एकदम किसी सफलता को हासिल नहीं कर सकता था, लेकिन प्रतिकार के स्तर पर इन्हें सफलताएँ ज़रूर मिलती रहीं।

मधुकर सिंह का प्रस्तुत उपन्यास इस दिशा में की गई एक कोशिश है। माधो सिंह जैसा धूर्त तथा जातिवादी ज़मींदार ज़मींदारी चले जाने के बावजूद भी अपनी सामन्ती प्रकृति को छोड़ता नहीं हैं वह अपने पास हाथी की बीमारी पर लिखी गई किताब हमेशा रखे रहता है। हाथी की किताब का प्रतीकात्मक सन्दर्भ ज़मींदारों की उस मानसिकता का प्रतीक है जिसमें युग परिवर्तन के बावजूद भी परम्परागत मूल्यों को छोड़ना संभव नहीं होता। हाथी रहे नहीं, लेकिन हाथियों की किताब पास में रखकर जब भी ये ज़मींदार हाथियों के मालिक बने रहने का एक दिवास्वप्न देखते रहते हैं। रस्सी जल गई है तो क्या हुआ, ऐंठन कायम है। अंग्रेज़ों के ज़माने में यही ज़मींदार अपनी ज़मींदारी सुरक्षित रखने के लिए उनके सामने लाचार बने रहते। अंग्रेज़ी अफ़सरों को ऐश के सारे सामान पहुँचाते। अंग्रेज़ों ने कई बार इन्हीं ज़मींदारों की बहू बेटियों को अपनी वासना का शिकार बनाया था। लेकिन इसका भी इन ज़मींदारों पर बहुत असर नहीं हुआ। सिर्फ़ इतना ही होता था कि बातचीत के दौरान

कभी-कभी सुराजियों के पक्ष में बोल दिया करते थे। माधो सिंह ऐसा ही एक ज़मींदार है। उसके बाबा अवतार सिंह ने अंग्रेज़ सरकार के सामने एक सुराजी को पकड़वा कर अपनी वफ़ादारी का परिचय करा दिया था। इसके बदले अंग्रेज़ सरकार ने माधो सिंह के खानदान को आसपास वाली रेल लाईन की सारी ज़मींन सौंप दी थी। कुछ ही दिनों में अवतार सिंह जैसा एक मामूली आदमी जाना माना भू-स्वामी बन गया।

माधो सिंह सप्लाई विभाग का बड़ा बाबू है। ऊपर की आमदनी ख़ूब है। उसी के गाँव का रामपुर का निम्न जाति का सहदेवराम माधो सिंह का अफ़सर बनकर आता है। यह बात माधो सिंह को अच्छी नहीं लगती। उसके सामन्ती व्यक्तित्व को बहुत बड़ा धक्का पहुँचता है। उसके भीतर बैठा हुआ हिंसक व्यक्ति जाग जाता है। वह अपनी नाराज़ी को अलग-अलग तरीक़ों से व्यक्त करने लगता है। वैसे भी बस्ती के लोग और कचहरी के कर्मचारी माधो सिंह से डरते हैं। वह बड़ा खतरनाक आदमी है। उसके हाथ ऊपर तक पहुँचे हुए हैं। इसलिए छोटे लोगों की संगठन शक्ति भी उसके रौब को दबा नहीं सकती।

सहदेवराम का अफ़सर के ओहदे पर आगमन प्रस्तुत उपन्यास की एक प्रेरणाकारी घटना है। सहदेवराम के दफ्तर में गंगाराम हरिजन वार्ड नम्बर उन्नीस की राशन दुकान अपने लिए मंजूर करवाने के लिए अर्ज़ी पेश करता है। सहदेवराम उसे अनुमति दे देता है। माधो सिंह नहीं चाहता कि कोई हरिजन राशन डीलर हो। वह मन ही मन प्रतिज्ञा करता है कि जब तक वह ज़िन्दा है किसी हरिजन को राशन का दाना भी छूने नहीं देगा। वास्तव में माधो सिंह इसीलिए सरकारी नौकरी में दाखिल हुआ कि निम्न जाति का कोई आदमी कचहरी में न आ सके। वह अब तक निम्न जाति के लोगों की दरख्वास्तें फाइलों में दबाकर रख देता था। इनके बजाए बड़ी जाति के उम्मीदवारों से रिश्वत लेकर उन्हें नौकरियाँ दिलवाता है। सहदेवराम के आते ही गंगाराम को राशन की दुकान मिल गयी। वह माधो सिंह की हार थी। परानपुर में एक क्रांति की शुरुआत हो चुकी थी। सहदेवराम और माधो सिंह इन दोनों के बीच विरोध विद्रोह की आग व्यवस्था और सामान्य जन के बीच विरोध का द्योतक है। तीन पुश्तों से माधो सिंह के खानदान में अत्याचारों की चली आई परम्परा और सहदेवराम के परदादा से लेकर शोषण के खिलाफ लड़ते रहने की परम्परा, इन दोनों के बीच फिर संघर्ष शुरू हुआ। माधो सिंह का परदादा औतार सिंह अंग्रेज़ों के हाथों सुरजियों को गिरफ़्तार करवाकर अपनी वफ़ादारी का परिचय देता था तो इसके खिलाफ सहदेवराम के परदादा तेतरराम खुद सुराजी थे, जिन्हें अंग्रेज़ों ने फाँसी लगवायी थी। जिस तालाब को मंगल दुबे ने तेतरराम सुराजी को दान कर दिया था उसी मंगल तालाब को अंग्रेज़ों ने औतार सिंह को सौंप दिया था।

माधो सिंह बड़ा भयंकर आदमी है। वह छोटे लोगों की झोपड़ियों में आग लगवाता है और यज्ञ तथा पूजापाठ करके आम लोगों की नज़रों में पुण्यवान बना रहता है। आज़ादी के आन्दोलन की हवा परानपुर तक पहुँची है। यहाँ के आम लोगों में सुराज के प्रति जागृति

पैदा हो गई है। लोगों ने अपने बच्चों के नामकरण शहीदों के नामों से किया है। हरबन्स जैसे पत्रकार की हत्या उसी आन्दोलन का फल है। लोगों पर इस घटना का काफ़ी प्रभाव हुआ। साधारण जनता हरबन्स की विधवा पत्नी के लिए दस हजार रुपये जमा करती है। लोगों में माधो सिंह को लेकर भयंकर घृणा पैदा हुई है। अन्त में माधो सिंह की हाथियों का रोग वाली किताब जलायी जाती है और सहदेवराम माधो सिंह का मुकाबला करने के लिए अपने पद से इस्तीफा दे देता है।

इस प्रकार सीधी सरल और सपाट चलने वाली यह कहानी एक प्रतीकात्मक मोड़ को प्रस्तुत करके खत्म हो जाती है। माधो सिंह इस द्वेष से पीड़ित है कि हरिजन अपने परम्परागत पेशे को छोड़कर दूसरा उँचा पेशा कभी अख्तियार न करें। पर उसका यह उद्देश्य विरोध विद्रोह के प्रवाह में टिक नहीं सकता। आज़ादी का आन्दोलन सामान्य लोगों तक पहुँच चुका था। परानपुर की निम्न जाति अब संगठित होकर शोषण का मुकाबला करने के लिए डटी हुई है। लोगों द्वारा माधो सिंह की हाथियों का रोग नामक किताब का दहन इसी जागृति का प्रतिफलन है। इन लोगों ने जैसे सार्वजनिक रूप से सामन्ती मूल्यों को दहन कर दिया है। सहदेवराम का इस्तीफा भी इसी तरह की एक प्रतीकात्मक घटना है। व्यवस्था की गुलामी और उससे चिपके तमाम न्यूनगुण्डों से मुक्ति के लिए दिया हुआ यह इस्तीफा है। सहदेवराम का यह पद छोड़कर सामान्य लोगों में शोषण मुक्ति की लड़ाई के लिए आ जाना, एक तरह से स्वजाति के दरबार में आवेदन पत्र है।

इस तरह किसी आदर्शवादी उपन्यास की तरह प्रस्तुत उपन्यास शोषितों की विजय के मोर्चे पर पहुँच जाता है। यहाँ तक पहुँचने की प्रक्रिया यथार्थवादी है। जागृति से विजय तक पहुँचने की यह प्रक्रिया लेखकीय हस्तक्षेप के कारण स्वाभाविक नहीं रह पाती, फिर भी एक अभीष्ट दिशा का संकेत करने वाला यह उपन्यास जनचेतना के एक अहम पड़ाव का परिचायक है।

'पानी के प्राचीर' — रामदरश मिश्र का पहला उपन्यास पानी के प्राचीर है। इसमें स्वाधीनतापूर्व पाण्डेपुर गाँव के सामाजिक, आर्थिक और सांस्कृतिक स्थितियों का चित्रण हुआ है। स्वाधीनता अभी मिलने को ही है। स्वराज्य की कोई निश्चित धारणा गाँव वालों के मस्तिष्क में पैदा नहीं हो सकी। गाँधीजी के स्वाधीनता आन्दोलनों के साथ जो खासकर स्वराज्य के साथ एक कल्पना लोगों तक पहुँची कि आज़ादी के बाद अंग्रेज़ राज चला जाएगा, सुराज आएगा। गाँव में ऊँची और नीची जाति के लोगों में कोई भेद नहीं रहेगा। हरिजनों की उतनी इज्जत होगी जितनी ब्राह्मणों और ठाकुरों की। समता की इस धारणा के साथ स्वराज्य का आगमन जो होने वाला था और इसके साथ जब तक पक्के जमे पानी की प्राचीर टूटने वाले थे। लेकिन परम्परा से चली आई भारतीय समाज की सामन्ती व्यवस्था इस परिवर्तन को कैसे सह सकती थी? परम्परा से वर्ण, जाति, पद इत्यादि पहचानों के आधार पर मानव नियति का फैसला करने वाले दकियानूसी सामाजिक पद्धति इस नितान्त नए परिवर्तन का कैसे स्वागत कर सकती है? संघर्ष अटल था। यही वह स्तर है

जिसको लेकर पानी के प्राचीर के पाण्डेचुर गाँव की कहानी प्रस्तुत है।

इसमें कई चरित्र और घटनाएँ हैं। फिर भी तीन प्रमुख परिवारों को लेकर गाँव के अन्तर्द्वन्द्व को उभारा गया है। सुमेश पाण्डे और उसका शिक्षित लड़का नीरूपाण्डे अपनी छोटी औकात और आर्थिक विपन्नता के कारण छोटी सी खेती पर गुज़ारा नहीं कर सकते। नीरू जो आज़ादी की नयी उमंग से प्रेरित है, पर पारिवारिक विपन्नता के कारण इच्छा के अनुसार अपनी पढ़ाई पूरी नहीं कर सकता नीरू के पिता की आधी ज़मीन, दो बीघे खेल मुखिया के यहाँ रेहन रखी गयी है। नीरू के माता-पिता अपनी हालत के कारण इतने लाचार हैं कि मुखिया के बेटे मेहेश के साथ नीरू के झगड़े को लेकर वे चिन्तित हैं। दूसरा परिवार बैजनाथ का है। यह आदमी गुण्डा क़िस्म का है। अपनी ताक़त और आतंक के कारण गाँव में उसका रौब है। गाँव का हर कोई तबका बैजनाथ को अपने पक्ष में कर लेने के लिए उत्सुक रहता है। बैजनाथ ने बिंन्दिया चमारन को अपनी रखैल के रूप में रख लिया है। बिन्दिया बैजनाथ की बदमाशी और ऊँची जात वालों की पाखण्डी वृत्तियों को अच्छी तरह जानती है। आर्थिक तथा अन्य मजबूरियों के कारण वह उसके घर बैठी हुई है। बिन्दिया के साथ जब बैजनाथ पकड़ा गया तब मुखिया जैसा चतुर आदमी इस बात का फायदा न उठाता तो आश्चर्य ही था। उसने बैजनाथ को पंचायत के सामने खड़ा किया और इस जुर्म के लिए गंगा नहाने तथा गाँव वालों को भोज देने का फैसला सुनाया। बैजनाथ जैसा आदमी अगर चाहता तो अपने गुण्डापन के बल पर जाति के इस बहिष्कार को महत्त्व न देता, लेकिन उसने सोचा है कि अगर इतने प्रायश्चित से पाप धुल जाता है तो बुरा क्या है? बैजनाथ चतुर है, वह जानता है कि मुखिया के हुकम पर अमल करने से उसकी बहन की शादी आसानी से हो जायेगी।

मुखिया पाण्डेपुर की एक ऐसी ताक़त है जिसके सामने दूसरी ताक़तें परास्त हो जाती हैं। वह कपटी है। निम्न जाति तथा दरिद्र लोगों की मानसिकता को वह भलीभाँति समझ सकता है। उसे मालूम है कि बैजनाथ भोज के लिए कर्ज़ लेगा, उसी के पासे से ही। नीरू का पिता सुमेश पाण्डे मुखिया की अनेकविध बदमाशियों को खूब अच्छी तरह से समझता है।

नीरू, उसके पिता सुमेश पाण्डे बैजनाथ ओर उसकी रखैले बिन्दिया, मुखिया और उसका लड़का महेश इन तीन जोड़ियों के परस्पर संबंधों का मार्मिक चित्रण प्रस्तुत उपन्यास में हुआ है। एक तरफ़ उदारता है पर साथ-साथ आर्थिक विफलता। एक तरफ़ पाखण्ड है। तो साथ--साथ गुण्डागर्दी भी। एक तरफ़ परम्परागत सामन्ती ढांचे की सुरक्षित थाती है औरचतुराई के कारण अपने खिलाफ जाने वाले हर नये परिवर्तन को अपने हित में इस्तेमाल करने की ख़ूबी भी है। इस संदर्भ में चरित्रों की चंद उक्तियाँ लक्षणीय हैं।

बिन्दिया -- 'इन छोकरों और बूढ़े बैलों की आसक्ति केवल मेरी देह के लिए है। अंधेरे में उसे चूस कर ये बामन लोग उजाले में पंडित बने घूमेंगे ओर उसकी छाया से भी बचने का ढोंग रचेंगे। इनमें देने की क़सम बिल्कुल नहीं है, बस सब कुछ लेकर

हज़म कर जाने का हौंसला है। कैसे हैं ये बामन कुत्ते — रात में विष्टा तक खा लेंगे और दिन को होठों पर पान की पीक पोत कर महकने की कोशिश करेंगे।'

बैजनाथ — 'जाति बाहर ही सही, कौन किसे जाति में मिलाने को विनती करने जा रहा है? उनका यों कोई बिगाड़ ले रहा है? लेकिन बहन गेंदा के ब्याह का विचार आते ही वह इस ख़र्च के लिए तैयार हो जाता है।'

नीरू के पिता सुमेश पाण्डे — 'नहा धोकर यह बैजू फिर चोरी चमारी नहीं करेगा इसका कोई है ज़िम्मेदार। मुखिया आपके घर के मालिक होंगे मेरे घर के नहीं, जाइये, खाइये आप लोग। आदमी अपने कर्मों से शुद्ध होता है, गंगा नहाने से या भागवत सुनने से नहीं। अगर बैजू भाई आज से ही अगर बुरा कर्म छोड़ दें तो सबसे पहले हम लोग खायेंगे उनके यहाँ। अगर नहीं, वे गंगा नहाकर, भोज देकर फिर वही बुरा करेंगे। हम नहीं खाते उनके यहाँ।'

उपर्युक्त वाक्यांशों से इन चरित्रों की मानसिकता का स्पष्ट संकेत मिल जाता है। आखिर प्रतीक्षित आज़ादी आयी। स्पष्ट है मुखिया के पैरों तले की ज़मीन खिसकने लगी। वह आतंकित है। पाण्डेपुर में कांग्रेसियों का एक झुण्ड था। निम्न वर्ग का एक नेता फेंकू की श्रद्धा थी कि चमार ओर ब्राह्मण सभी आदमी हैं। फेंकू मुखिया का आसामी है। इसलिए वह बैजू और बिन्दिया के मामले में पड़ना नहीं चाहता। मलिंद जैसा एक जागरूक युवक आज़ादी के संदेश को गाँव के लोगों तक़ पहुँचाने की कोशिश करता है। चारों तरफ़ से मुखिया के व्यक्तित्व पर दबाव आने लगता है। इस पर भी मुखिया अपने कारनामों से बाज़ नहीं आता, वह नहीं चाहता, उसकी अंग्रेज़ सरकार जाए और स्वराज आये। फेंकू जैसे एक निम्न जाति के आदमी की नेतागिरी वह कैसे सह सकता था। वह फेंकू से कहता है, 'तो आप नाचिए, गाइए और मेरे खेत सूखें। आपका लड़का चला गया परदेस ओर आप नाचते गाते और सुराज लेते फिरते हैं? इधर हलवाही के बिना मेरे खेत सूख रहे हैं। आज मेरी ज़मीन खाली कर दीजिए। सामने से हट जा, नहीं तो सारी नेतागिरी आज भुलवा दूँगा। साले चमार सियार सभी लोग चले हैं सुराज लेने। नेता बनेंगे सभी लोग। सभी कुत्ते गंगा नहायेंगे तो पता नहीं पत्तल कौन चाटेगा? इनके गाँधीजी कहते हैं कि ये लोग राजा होंगे। आज शाम तक जगह खाली नहीं कर दी झोपड़ी में आग लगवा दूँगा।'

अन्त में मुखिया को इस बात का पता लगता है कि सुराज मिल गया है तो गिरगिट की तरह वह तुरन्त अपना रंग बदल देता है, और जुलूस का अगुआ बनकर वह गाँधीजी की दुहाई ओर अंग्रेज़ सरकार को गालियाँ देता है। नीरू मुखिया के इस ढोंग को जान गया है। वह मुखिया को उसके लड़के महेश की गिरफ़्तारी की ख़बर सुनाता है। इसे सुनकर मुखिया हतप्रभ हो जाता है ओर नीरू उसकी जगह जुलूस का नेतृत्व अपने हाथों में ले लेता है।

इस तरह पानी के प्राचीर का टूटने का हल्का संकेत इस उपन्यास में देखने को मिलता है। लेकिन उपन्यास में उन स्थितियों, प्रवृत्तियों और मानसिकताओं पर ज़्यादा बल दिया गया है जो भारतीय गाँव को एक जड़ ओर स्थिर बनाये रखने में काम आ रही हैं।

भारतीय गाँव का चरित्र वर्ग और वर्ण इन दोनों को इस तरह समेटे हुए है कि इन्हें अलग करके न तो वर्ग विहीन समाज की कल्पना की जा सकती है और न वर्णविहीन। वर्गीय स्वार्थ जब आहत होने लगता है और जब वर्ग की सत्ता सुरक्षा की नींव डगमगाने लगती है तो वर्ण संस्कारों के हथियारों का प्रयोग कर इसे टूटने से बचा लिया जाता है और जब वर्ण विद्रूप के कारण सामाजिक चेतना खतरे में पड़ने लगती है तो वर्गीय परम्परा की दुहाई देकर इसे उचित महत्त्व दिया जाता है। एक अजीब तरह का दोगलापन भारतीय समाज के भीतर संस्कारों के स्तर पर इस तरह रिस गया है कि उससे मुक्ति शीघ्र संभव नहीं है। एक ही जाति के लोग वर्गीय विषमता के कारण शत्रुता की स्थितियों में आमने-सामने खड़े होते हैं तो वर्ण के समानता अंतिमत: उन्हें निचले वर्ग के विरोध में खड़ा कर देती है। इस स्तर पर वर्ग विषमता से उत्पन्न संघर्ष समाप्त हो जाता है। यह स्थिति उल्टे क्रम से भी चलती है। वर्ण विद्रूप के कारण उत्पन्न संघर्ष अन्तत: वर्गीय स्वार्थ के हित में इस्तेमाल किया जाता है। इतना सब होने के बावजूद भारतीय समाज में व्याप्त पाखण्ड इन्सानियत की अन्तर्धारा को कभी निर्बाध बहने ही नहीं देता। कभी-कभी छुटपुट रूप में कुछ प्रसंग या घटनाएँ अपने ढाँचे में प्रगतिशील लगती हैं। लेकिन गहराई से देखने पर पर्दाफ़ाश हो जाता है कि यह प्रगतिशीलता भी अमानवीयता के प्राचीरों को और ज़्यादा मज़बूत करने का एक बहाना मात्र है। स्वाधीनता के पूर्व पद और उपाधियाँ सामन्ती साँचे में ढली थीं, स्वाधीनता के बाद इनकी प्रकृति और प्रवृत्ति में कोई फर्क नहीं पड़ा, फर्क इतना ही पड़ा कि इनके जनतांत्रिक व्याकरण का मात्र नामांतरण हुआ है। 'पानी के प्राचीर' की यह पृष्टभूमि है।

'जल टूटता हुआ' — 'पानी के प्राचीर' के बाद 'जल टूटता हुआ' रामदरश मिश्र का दूसरा उपन्यास है। कथ्य के स्तर पर 'पानी के प्राचीर' के साथ जुड़ी हुई उम्मीदें कैसे टूटने लगी थीं, इसका परिचय प्रस्तुत उपन्यास में मिलता है। गाँव वही है पर समय की चेतना दोनों को अलग करती हैं। स्वाधीनता के बाद की स्थितियों को लेकर जल टूटता हुआ की स्थितियों की कथावस्तु विकसित होती है। परिवर्तन के कई स्तरों में से गुज़रता हुआ गाँव किस तरह समाज जीवन को बहुविध इकाइयों में अन्तर्विरोधों को झेलता हुआ विशिष्ट दिशा में उभरता जाता है। इस संबंध में अपनी भूमिका में लेखक ने कहा है, 'यह गाँव अपने पूरे विशिष्ट चरित्र के साथ उभर कर मात्र एक गाँव नहीं रहता बल्कि वह स्वाधीनता परवर्ती अनेक भारतीय गाँवों के टूटते संबंधों ओर मूल्यों का, बदलती हुई संवेदनाओं और अनुभवों का, छवियों और अछवियों का, यातनाओं और संघर्षो का, सम्पन्नताओं और उनके भीतर से उभरती हुई संवेदनात्मक यांत्रिकता का स्पर्श कर अपने भीतर सामान्य गाँव की कथा भी बन जाता है।'

स्वाधीनता के बाद एक तरफ़ राजनीति और दूसरी तरफ़ शहरीकरण के नवीन दबावों के कारण गाँव में पुरानी समाज व्यवस्था के साथ एक नये धनी वर्ग का उदय हुआ है। जनतंत्र के नाम पर अलग-अलग पदों पर अपना हक़ जताने वाले और सरकारी

अधिकारियों के साथ साझेदारी करने वाले इन लोगों ने गाँव के सामान्य आदमी को पूरी तरह पस्त कर दिया है। स्वार्थी गुण्डे और धनी लोगों की एक गेंग भी उभर आयी है। निम्न वर्ग तथा सामान्य खेतिहर वर्ग अब भी चारों तरफ़ से पीड़ित है। लेकिन कहीं न कहीं इस वर्ग में टूटने के साथ एक नयी संघ शक्ति का उदय हो रहा है। यही वह प्रेरणा है जो जगपतिया के नेतृत्व में महीपसिंह जैसे क्रूर ज़मींदार से लोहा लेने में अग्रसर हुई है।

सतीश पर अपने पिता के संस्कार तो हैं ही, उसने गरीबी के अभिशापों को झेला है। ज़मींदारों के ज़ुल्मों को आँखों से देखा है और गाँधीवादी तथा मानवतावादी धारा को आत्मसात किया है। यही कारण है कि वह पीड़ित मानवता का दर्द ख़ुद झेलता है। लड़ता भी है, पलायन भी करता है। और जब घायल होता है तो शारीरिक दर्द से उतना नहीं जितना गाँव की टूटन से आहत होता है। सतीश के माध्यम से लेखक शायद उस समय की ओर इशारा करना चाहता है जहाँ कोई व्यक्ति यथार्थ और आदर्श के परस्पर विरोधी तनावों में विकसित होता है, और समाज जीवन की तमाम क्रूरताओं के बीच रहकर जिजीविषा को प्राप्त करता है। यह प्रक्रिया इतनी सरल नहीं है। यहाँ किसी मूल्य को पाने के लिए स्वयं को टूटना पड़ता है। सतीश शायद इस सत्य का प्रतीक है।

कई चरित्रों और घटनाओं को इस वृहद उपन्यास में गाँव की मानसिकता की, जटिल इकाइयों के रूप में विश्लेपित किया गया है। इसलिए कथावस्तु सीधी सरल होकर भी हर नए चरित्र के साथ जटिल बनती चली जाती है। महीप सिंह गाँव के ज़मींदार, ब्रिटिशों के हिमायतों, भ्रष्ट और गाँव के मुखिया हैं। मास्टरों की तनख़ाएँ देना या न देना उसके हाथ में है। सग्गुन मास्टर यह जानते हुए भी कि आज़ादी के साथ शिक्षा का प्रचार हुआ है, सबको अन्याय के विरोध में बोलने की आज़ादी है, महीप सिंह के सामने डरता है। इस जवार में रामकुमार जैसा सोशलिस्ट नेता है जो छोटी जातियों को संगठित करके उनमें जागृति पैदा करता है। सतीश तिवारी जैसा युवक जो उन तमाम लोगों को वर्ग के आधार पर, वर्ण के नहीं, संगठित करके अन्याय के विरुद्ध विरोध और विद्रोह के लिए तैयार करता है। वह जानता है कि समाज में दो ही वर्ग हैं एक धनी गुण्डों का और दूसरा पीड़ित गरीबों का। इन दोनों के विरोध में प्रकृति का भीषण रूप नई तरह की समस्याएँ खड़ा करता है।

परिवर्तन की इन स्थितियों के साथ पारिवारिक संबंधों में भी नये मोड़ प्रस्तुत हो रहे हैं। मज़दूरों के सामाजिक संबंधों में बदलाव आया है। छोटी जाति की लवंगी के भाई के साथ एक ब्राह्मण लड़की के संबंधों का जब राज़ ख़ुल जाता है तब समूचे गाँव में तहलता मच जाता है। लेकिन इसके विपरीत तथाकथित बड़े जाति के लोग खुले आम निम्न जाति पर ज़ुल्म करते हैं, उनकी बहू बेटियों की इज्जत लूटते हैं तब इसका कहीं भी विरोध नहीं होता था पर अब छोटी जाति भी अपनी इज्जत और आबरू के प्रति सजग है, इस संबंध में लवंगी के निम्न उद्गार लक्षणीय हैं --

"क्या हुआ, मेरे भाई ने एक ब्राह्मण लड़की से भला बुरा किया? .... क्यों

नेताजी, आप चुप क्यों हो? कल तक झण्डा लिए घूमते रहे और वोट दिलाने के लिए लेक्चर झाड़ते रहे कि अब देश आजाद हो गया है, सभी बराबर हैं, सबको खेत मिलेंगे, सबकी इज़्ज़त बराबर होगी। जब चमरोटी की तमाम लड़कियों पर ये बाबा लोग हाथ साफ़ करते हैं, तो कोई प्रलय नहीं आता, और कोई चमार ब्राह्मण की लड़की को छू दे तो प्रलय आ जाती है। .... हरिजनों के नेता, मैं तुमसे फरियाद करती हूँ कि वोट लेने वाले नेताओं से जाकर कहो कि हमारा खून खून नहीं है, हमारी इज़्ज़त, इज़्ज़त नहीं है तो हमारा वोट ही वोट क्यों है।"?

स्वाधीनता मिलने के बाद भी जाति भेद पहले ही की तरह कायम है। आज़ादी के बाद इन स्थितियों में निम्न वर्ग में अपने अधिकारों के प्रति हल्की सी जागरूकता पैदा ज़रूर कर दी है लेकिन इसे धनी वर्ग अब भी पूरी तरह से स्वीकार नहीं कर सका है। उसकी खीझ और ज़ुल्म कायम है। जगपतिया जैसा निम्न जाति का आदमी बीमारी के कारण काम पर नहीं जा पाता तो महीप सिंह के हाथों बुरी तरह पिटता है। वह असहाय है लेकिन उसकी आँखों में अब शोषण के खिलाफ़ एक नया आक्रोश उभर रहा है। महीप सिंह बदलते हुए ज़माने की इस आवाज़ को अब भी नहीं समझ रहा है। सब कुछ भीतर से टूट रहा है।

पंचायत राज की नींव गाँव के लिए नितान्त नई बात है। चुनाव के माध्यम से नयी पंचायत गाँव की तकदीर का फैसला करने के लिए निर्माण हुई है। एक तरफ़ पंचायत में निम्न जाति के लोग को चुनकर ले आने की ईर्ष्या बढ़ गयी है तो दूसरी तरफ़ धनी लोग इसका कड़ा विरोध करते हैं। दीनदयाल जैसा आदमी जनतंत्र के हथकण्डों को अपनाकर धूर्त राजनीति का प्रयोग करता है। जगपतिया के उकसाने पर गाँव के हलवाहे ऐन मौके पर हड़ताल करते हैं। भयंकर तनाव की स्थिति पैदा हो जाती है। जगपतिया किसानों में जागृति पैदा करने वाली एक चिनगारी है। सैकड़ों मज़दूरों को संघटित करके लाठी गंडासे की फौज के बल पर वह अपने खेतों को महीप सिंह की गिरफ़्त से बचा लेता है। मज़दूरों में अपने अधिकारों का बोध जगाता है, और उन्हें इज़्ज़त और आबरू की ज़िंदगी बिताने की प्रेरणा देता है। शोषितों में जागृति की लहर बढ़ रही है। फिर भी सामान्य वर्ग के लिए कहीं कोई आशा का संकेत नहीं मिल रहा है। गरीबों की स्थिति अब भी उसी प्रकार की है जैसे पहले थी। विभिन्न कानून बने, पर उनसे अमीरों का ही लाभ हुआ ज़मींदारी टूट रही है, ये खेत कहाँ जा रहे हैं? पैसे वालों को खेत मिल रहे हैं, पैसे वालों को व्यापार मिल रहा है, दुकान मिल रही है, चुनाव के लिस टिकिट मिल रहे हैं, शिक्षा मिल रही है, दवा मिल रही है, पर निम्न वर्ग के लिए कोई राहत नहीं है। वह गरीबी में जन्म लेकर गरीबी में ही मर जाता है। ये अधिकार देखकर वे दूर ही से लालायित होते हैं। इन सबके उपभोग की सामर्थ्य उनमें कहाँ?"

स्पष्ट है कि उपन्यास समाज जीवन के बहुस्तरीय तनावों के मध्य विकसित होता है और चरित्रों के माध्यम से द्वन्द्व की स्थितियों को उभारता है। आज़ादी के पहले और

आज़ादी के बाद की स्थितियों को विचार और घटनाओं के मध्य समूचे गाँव की इकाई में तलाशने का यह प्रयास है। यहाँ एक तरफ़ वर्ग संघर्ष की चेतना का संकेत मिलता है तो दूसरी तरफ़ जनतंत्र के ढाँचे को बनाये रखते हुए भी वर्ग हितों के प्रति सजगता के बावजूद शोषित वर्ग परिवर्तन के बिन्दु को प्राप्त नहीं कर सका है। यह सही है कि गाँव अब वह नहीं रहा जब प्रत्येक वर्ग और वर्ण अपनी परम्परागत सीढ़ी पर बड़ी संतुष्टि के साथ जीवन बिताता रहे और अपनी दयनीय स्थिति को पूर्वजन्म का परिणाम मानता रहे। लेकिन इस स्थिति में परिवर्तन आने के बाद भी अंतिमत: बदला हुआ गाँव ऐसा मुकम्मिल बिम्ब नहीं दे रहा है जिसमें सामाजिक जीवन का जल अखण्डता से बहता रहे।

इधर दूसरी तरफ़ निम्न जाति के लोग भी कहीं शिक्षा के कारण अपने अधिकारों और अस्मिताओं को लिये शोषकों के विरोध में खड़े हो रहे हैं। संघर्ष अटल है। दोनों इकाइयाँ एक-दूसरे को अपना शत्रु मानती हैं। दोनों झुकते भी हैं तो स्थितियों के दबाव के कारण। दोनों मरते भी हैं तो अपनी रक्षा के प्रयास के कारण। पर यह लड़ाई गाँव की एक एकात्मक बिन्दु को जगह-जगह से दरारें कर गिरा कर रही हैं। जगह-जगह बाँध-बाँधे जा रहे हैं लेकिन प्रत्येक बाँध दरक रहा है। उनमें से बहने वाले जल प्रवाह कहीं परस्पर विरोधी दिशाओं में तो कहीं समान्तर बहते चले जा रहे हैं। कोई ऐसा सूत्र मिल नहीं रहा है जो इन तमाम अन्तर्विरोधी जल धाराओं को एकात्म जलप्रवाह में रूपान्तरित कर सके। जल टूट रहा है। जागरूकता आने पर भी जल बंध नहीं रहा है। इस पीड़ा को शायद उपन्यासकार चित्रित करना चाहते हैं।

उपन्यासकार पर यह इल्ज़ाम शायद लगाया जा सकता है कि उन्हें इन मानवतावादी मूल्यों के टूटने का दु:ख है जिनकी नींव शोषण की स्थिर ज़मीन पर खड़ी थी, उन्हीं मानव मूल्यों को टूटता हुआ देखकर लेखक दुखी है। क्या तब फिर उसे शोषितों के बीच नयी चेतना का आगमन अच्छा नहीं लगता? उपन्यासकार की भूमिका इस तरह का सवाल पैदा कर सकती है। लेकिन इसका यह मतलब नहीं कि लेखक उस सारी चेतना को शोषित वर्गों में वर्ग संघर्ष के प्रति ऊर्जा निर्माण करता है, पसंद नहीं करता। क्योंकि उपन्यास में जगपतिया, लवंगी और अन्य निम्न जाति के चरित्रों के साहस और स्थितियों के दबाव के बावजूद विरोध की समता का संकेत इस बात का परिचायक है कि लेखक इस धारा को महत्त्व देता है। लेकिन उसी वक्त सुग्गन मास्टर जो एक सुधारवादी व्यक्ति की हैसियत से गाँव में सामाजिक अन्यायों को दूर करने के प्रयासों में लगा हुआ है, खुद उसी हालत में जी रहा है, जो उसे आज़ादी के पहले मिली थी। महीपसिंह जैसा ज़मींदार सामन्ती अस्मिता को टूटता हुआ देख रहा है, और अपने वर्ग हितों की सुरक्षा करने में पहले जितना सफल नहीं हो पा रहा है। उसे अब उस पंचायत के सामने मुजरिम की हैसियत से खड़ा होना पड़ रहा है जिसे वह सह नहीं पाता। क्योंकि उसे लगता है जो लोग उसके यहाँ हल चलाते हैं, गुलामी करते हैं, वे पंच बनकर मालिक लोगों पर फैसला लादेंगे .... यह कैसे संभव है?

कुल मिलाकर गाँव की बहुस्तरीय बदलती मानसिकता को चित्रित करते हुए लेखक निश्चित रूप से उस अराजकता से चिंतित है जिसके रहते वर्ग संघर्ष की चेतना के बावजूद भी मानवता के व्यापक मूल्यों को बचाया नहीं जा सकता। यह खतरनाक है। उपन्यासकार संभवतः उस समन्वय स्रोत की तलाश में है जो मूल्य संघर्ष की स्थितियों से पैदा हुई अराजकता और उसमें से निर्मित ऊर्जा को समन्वित करके एकाग्र प्रवाह के रूप में बहा सके। पर यह अभी संभव नहीं है। 'जल टूट रहा है।' रामदरश मिश्र का यह उपन्यास जनचेतना के हिंसाविहीन परिवर्तन के पक्ष में मानवतावादी जीवनदृष्टि को अभिव्यक्त करता है।

नाच्यौ बहुत गोपाल— 'नाच्यो बहुत गोपाल' अमृतलाल नागर का बहुचर्चित उपन्यास है। इस रचना को लेकर इसलिए ज़्यादा चर्चा हो रही है क्योंकि पहली बार हिन्दी में एक ब्राह्मणी के हरिजन बनने की क्रांतिकारी घटना अब तक किसी रचना में दिखाई नहीं द`ती और फिर मेहतर समाज के रीतिरिवाज़ों, आस्थाओं, आकांक्षाओं, प्रथाओं, अपनी जाति के संबंध में न्यूनगुंडों और ऊँची जाति के बारे में प्रतिक्रियाओं का इतना सजीव और ईमानदार वर्णन शायद पहली बार पढ़ने में आया है। इसके अतिरिक्त उपन्यास का शिल्प जिसमें डायरी, इंटरव्यू, आँखों देखी घटनाएँ वगैरा जिस ढंग से लायी गयी हैं, उनमें एक तरह का ताजापन और विश्वसनीयता है। अन्यथा इस रचना में मेहतर जाति की सांस्कृतिक समस्याएँ कहीं भी कथ्य का केन्द्रीय हिस्सा नहीं बन सकीं। बल्कि मरद के साथ युवा विवाहिता की जाति के बंधनों के कारण शारीरिक भूख की संतुष्टि न हो पाना और मोहना जैसे भंगी के साथ भागने का साहस दिखाना यही उपन्यास के मध्य की प्रेरणा है। इसीलिए सारी कहानी एक ब्राह्मणी के मेहतर बनने के रूपान्तरण की मानसिक और सांस्कृतिक प्रक्रिया को परत दर परत खोदती रहती है। हाँ, उसमें अप्रत्यक्ष रूप से स्त्री मुक्ति की समस्या के साथ साथ तथाकथित ऊँची जाति के पाखण्ड और उसकी सामाजिक असारता को वड़ी ख़ूबी से चित्रित किया गया है। ब्राह्मण कुल की नारी के मुख से अपनी ही जाति के दोगलेपन को दिखाकर नागरजी ने एक तरह से घटनाओं की प्रामाणिक गवाही की है। आखिर में मोहना का डाकू बन जाना और निर्गुनियाँ का आत्महत्या कर लेना आदि घटनाएँ सामाजिक कुरीतियों तथा जाति प्रथा की शोषण प्रवृत्तियों के सामने एक तरह की विफल हार का परिचायक है।

निर्गुन के नाना के यहाँ धार्मिक वातावरण है। खुद निर्गुन की माँ शास्त्री पिता की पुत्री, जो अकेली संतान थी, एक सामान्य व्यक्ति के साथ ब्याही जाती है। यह व्यक्ति जो निर्गुन के पिता हैं किसी धनिक की बहू के रखैल हैं। निर्गुन के बाप ने अपनी पत्नी की मृत्यु के बाद निर्गुन को अपनी मालकिन के पास रखा। इस तरह एक अनैतिक माहौल में जवग्नपालित और पोषित होने के कारण अबोध उम्र में निर्गुन के चरित्र में एक तरह का भयात्रहता आ गयी थी। और फिर एक बूढ़ के साथ विवाह हो जाने के कारण निर्गुन के

व्यक्तित्व में बसी हुई कुण्टाएँ मौका पाकर क्रांति का रास्ता तलाश गयीं। बेमेल और विकृत कामप्रवृत्तियाँ मूलतः सामन्तवादी तथा पूँजीवादी विकृतियों का एक स्वाभाविक फल होती हैं। इसी बेमेल संबंधों के खिलाफ़ विरोध करके निर्गुनियाँ मोहना जैसे जवान मेहतर की ओर आकर्षित होती है और आखिर तक मेहतरानी बनकर उसके साथ पतिव्रता धर्म निभाती है। उपन्यास का बहुत बड़ा हिस्सा मोहना और निर्गुन के प्रेमप्रसंगों और श्रृंगारिक काम संबंधों में ख़र्च हुआ है। फिर भी निर्गुन मोहना के साथ केवल एक जवान दाम्पत्य जीवन का आनन्द नहीं ले रही थी, उसके मन में मोहना के प्रति एक भंगी के लड़के प्रति विशेष आस्था दिखायी देती है। क्योंकि कई जगह भंगी जाति के द्वारा बेहद अपमानित और प्रताड़ित होने के बावजूद भी उसका प्यार मोहना में अविचल रहा है। इस मामले में उसकी नैतिकता लक्षणीय है। वह कहती है, औरत अगर चाहे तो वेशिया की चाल चल के भी अपना सत अडिग, अटूट बनाए रख सकती है। ..... मेरे सामने छप्पन भोग हैं, जो चाहूँ सो चखूँ। मगर एक बात ध्यान में रखियेगा कि जब नीयत टीक होती तो बड़ी से बड़ी लालसा भी इंसान को डिगा नहीं पाती। जब जब कमज़ोरियाँ जगीं तब तब एक सूरत, एक मूरत मेरे मन में बसी, मुझे अपने में रमा लेती थी। फिर दूसरे पर ध्यान नहीं जाता। यही वह स्थिति है जिसके कारण भँगियों के समाज में रहकर तथाकथित प्रतिष्ठित जाति वालों की विकृतियों का निर्गुन भण्डा फोड़ती रही और आजीवन संघर्ष मोल लेकर मेहतर समाज को शिक्षित और स्वावलम्बी बनाने की कोशिश करती रही। भँगियों में शिक्षित और कला की लगन जगाने का संकेत इसी बात का परिचायक है।

मनोवैज्ञानिक स्तर पर निर्गुन को चरित्र की सूक्ष्मताओं को नागर जी ने बड़ी नज़ाकत से चित्रित किया है। जब भी ब्राह्मणी संस्कार और मेहतरी जीवन का संघर्ष चित्रित हुआ है। एक तरफ़ काया की आसक्ति तो दूसरी तरफ़ मेहतर मोहना के प्रति निष्ठा। दोनों के बीच में निर्गुन की वैयक्तिकता और उसका समष्टि रूप चरमराता रहा है। लेकिन कहीं भी वह टूटा नहीं है। नागर जी ने निर्गुन को खड़ा करके मानो संस्कारग्रस्त भारतीय मानस को जगह जगह आघात दिये हैं, उसे चौंकाया है। एक तरह से सामन्ती जीवन मूल्यों को कहीं न कहीं झंझौड़ने का प्रयास इस रचना में हुआ है। मसीता जैसा निम्न जाति का आदमी तमाम साम्प्रदायिक संकीर्णताओं से ऊपर उठा हुआ है। आर्यसमाज के अन्तर्विरोधों, गाँधीवादी मानवतावाद की सफलता विफलता का लेखा जोखा उपन्यास के माध्यम से दिखाकर शायद इस सत्य की ओर इशारा करना चाहते हैं कि मात्र किसी वैचारिक सुधारवाद से जन की समस्या हल नहीं हो सकती। वास्तव में इस देश में जातिप्रथा एक ऐसी स्थिति है, जिसकी संश्लिष्टता और विसंगति को सीधे तरीके से छेद देना संभव नहीं है। हरिजनों के उत्थान के लिए जो आन्दोलन चलाये गए हैं, उसके भीतर भी वर्ग भेद और छुआछूत नया वेष बदलकर विद्यमान है। इन अन्तर्विरोधों का चित्रण करके नागरजी ने उन सुधारवादी लोगों को आगाह किया है कि इस देश में वर्ग के आधार पर एकता की धारणा

इतनी सरल नहीं हैं। यह बात केवल हरिजनों में ही नहीं है, ईसाई बने लोगों में भी है।

वस्तुतः इस उपन्यास की मूल समस्या सांस्कृतिक तथा सामाजिक शोषण से मुक्ति की समस्या है। एक नारी और एक भंगी ये दोनों मुक्त होना चाहते हैं। मैंने तो नसीब की मार से मेहतरानी बनकर ये सीखा बाबूजी, कि दुनिया में दो पुराने से पुराने गुलाम हैं एक भंगी और दूसरी औरत। जब तक ये गुलाम हैं, आपकी आज़ादी रुपये में पूरे सौ के सौ नये पैसे पर झूठा है। वह आत्मविश्वास भरे स्वर में कहती है कि मेहतरों की समस्याएँ हल होंगी और ज़माना बदलकर रहेगा।

प्रस्तुत उपन्यास निर्गुनिया के जीवन के कई संघर्ष स्तरों को उभारता हुआ आगे बढ़ता है। एक स्तर शारीरिक भूख की संतुष्टि का स्वर है, दूसरा स्तर ब्राह्मण से भंगी बनने का है, और तीसरा स्तर मोहना के डाकू बन जाने के बाद निर्गुन का कामलोलुप समाज के बीच अकेलेपन और असहायता को भोगने का है। पहले दो स्तरों का चित्रण काफी स्थूल और शोख हुआ है। तीसरे स्तर में निर्गुनिया की अनुभव यात्रा एक तरह से प्रौढ़ता प्राप्त कर लेती है और जीव की सार्थकता की तलाश में वह अपनी अंतिम उम्र बिताती है।

यह बात सच होते हुए भी कि यह उपन्यास सामाजिक अन्तर्विरोधों और शोषण की आर्थिक समस्याओं की भीतरी पर्तों को खोलने में इतना सफल नहीं हुआ, फिर भी कथावस्तु के पीछे नागरजी का उद्देश्य इन्हीं परतों को अपने पाठकों तक पहुँचाना ज़रूर रहा है। उपन्यास की नायिका निर्गुनिया के माध्यम से आधुनिक पूँजीवादी समाजतन्त्र के आन्तरिक भ्रष्टाचारों, विकृतियों, पाखण्डों और व्यवस्थाकामी शोषण की साजिशों का पर्दाफाश किया गया है। ब्राह्मण जाति के तथाकथित उच्चवर्णीय मूल्य संस्कारों में जन्मी पली निर्गुनिया अपने पिता के महाजन की मालकिन के साथ अनैतिक संबंधों को देखती है। उसके साथ साथ महाजन, मालकिन, और मालकिन की अपूर्ण और विकृत कामलिप्सा को भी देखती है। साथ साथ इस विकृत मनोवैज्ञान के चक्र का हिस्सा बनने के लिए मजबूर भी की जाती है।

साम्राज्यवादी समाज रचना और उसके साथ भारतीय परम्परा से निसृत सामन्तवादी विकृतियों का समन्वय आधुनिक समाज जीवन की वर्गवादी और वर्णवादी प्रकृतियों को और ज़्यादा तेज़ करता जा रहा है। अर्थ और काम इनमें अब किसी प्रकार से विवेकपूर्ण संबंध नहीं रहे हैं। क्योंकि आज की पूँजीवादी विषम भारतीय समाज रचना के साथ वर्णवादी कटमुल्लेपन की युक्ति नारी पुरुष संबंधों में विपरीत, बेमेल और विकृत संबंधों को बढ़ावा देती रही है। परिणामतः एक तरफ़ मानवी जीवन की समताधिष्ठित और प्राकृतिक ऊर्जा तहस नहस होती जा रही है तो दूसरी तरफ़ भीतर ही भीतर इस स्थिति के खिलाफ मानवोचित विद्रोह की हल्की सी गूँज तथा मुक्ति का प्रयास शुरू होता है। यह बात सही है कि भारतीय समाज में दबावों और पाखंडों की सत्ता जितनी शक्तिशाली रही है उस प्रमाण में मुक्ति और विद्रोह का इतिहास बहुत ही नगण्य है। नाच्यौ बहुत गोपाल'

में उपन्यासकार निर्गुनिया में मुक्ति के साहस की उद्भावना करते हैं। केवल बेमेल और घिनौनी कामकुण्ठाओं के पिंजरे से बाहर निकलना ही उनका उद्देश्य नहीं, बल्कि मोहना जैसे भंगी लड़के के साथ विवाह करना इस मुक्ति का महत्त्वपूर्ण आयाम है। यहाँ एक युवती की स्वाभाविक ओर मनोवैज्ञानिक कामेच्छाओं की ही पूर्ति नहीं, बल्कि उच्चवर्गीय समाजों की दोहरी नीतियों और भीतर के सड़े गले मूल्य बोधों के खिलाफ निम्न जाति के अकृत्रिम, स्वाभाविक और वर्जनारहित मूल्य चेतना का संघर्ष है इसीलिए यह कृति मात्र व्यक्ति केन्द्रित नारी पुरुष विकृतियों को प्रस्तुत करने वाली रोमानी रचना नहीं रहती, इसे अपने आप एक बेहतर और व्यापक सामाजिक आशय मिल जाता है।

ब्राह्मणी संस्कारों में पली निर्गुन और भंगी मोहना इनके बीच दो नितांत भिन्न और विरोधी संस्कारों का मेल है। निर्गुन इस दंभ को नहीं मानती कि उसे उच्चता के मंच से निम्नों के सुधार की बातें करनी है। यह वह नहीं करती। उल्टे भंगियों के संग भंगी संस्कारों का भीतर से अनुभव करके उन्हीं में से एक-एक स्तर पर उठकर अपनी सन्तानों, अपनी नयी जाति के उत्थान का ईमानदार प्रयास करती है।

इसलिए प्रस्तुत उपन्यास अपनी चमत्कारपूर्ण शैली के बाव्जूद वर्गवाद के मोटे तौर और स्थूल पाखण्डों का लेखा जोखा प्रस्तुत करके नहीं रूकता। इसमें उन अवरोधों का प्रच्छन्न क्यों न हो, संकेत है जो जनोन्मुखी समाज रचना बनाने नें बार-बार बाधा डालते हैं। इन अवरोधों का निराकरण उतने ही साहस के साथ और जोखिम उठाकर करना पड़ता है। निर्गुनिया ने शायद यह जोखिम उठायी है।

कब तक पुकारूँ :- नट या करनट जैसे उपेक्षित वर्ग पर लिखा गया रांगेय राघव का प्रस्तुत उपन्यास जरायमपेशा जाति की पीड़ाओं पर लिखी गई एक रोचक कृति है। लेखक ने इस संबंध में अपनी ओर से स्पष्टीकरण करते हुए कहा है इस वर्ग की कोई नैतिकता नहीं होती। मर्द अपनी औरतों को वेश्या बनाकर उनके द्वारा धन कमाते हैं। चोरी करना, ढोल मढ़ना, हिरन की खाल बेचना आदि काम ये लोग करते हैं। उपन्यास की कथावस्तु चार पीढ़ियों तक फैली हुई है, जिसमें सामन्ती व्यवस्थ का भूत पुकार रहा है, लहू से इनकी नींव रंगी हुई है। इसमें एक बहुत सुनहरा छलावा है जो आज की विषमताओं का कभी-कभी छल में लगाता है; परन्तु यह स्वर किसी नरेश की भूली हुई सी बात है।

इस वकतव्य से स्पष्ट है कि लेखक निम्न वर्ग के उस भ्रम की ओर संकेत करना चाहता है जिसके रहते शोषित निम्न वर्ग सामंती व्यवस्था के द्वारा शोषित हुए जाने के सत्य पर विश्वास ही नहीं करता। सामन्ती व्यवस्था के दबावों में पली निम्नवर्ग की मानसिकता इस छलावे को संजोये रही है कि जब भी निम्न जातियाँ अपनी पन्म्पराओं को नहीं छोड़ना चाहती। प्रस्तुत उपन्यास में चित्रित नट जाति इस स्थिति का प्रतिनेधिक रूप है। नट इस बात को स्वीकार कर लेते हैं कि नटनी पर कोई भी अधिकार दिखा सकता है इसलिए उनकी संतान उनकी अपनी नहीं होती। पुलिस के अत्याचारों, तथाकथित बड़ी जातियों के

ज़ुल्मों के खिलाफ विद्रोह करने की इन लोगों में न तो हिम्मत होती है न इच्छा।

लेखक ने दिमागी गुलामी की इस जड़ता को तोड़ने की कोशिश की है। इसलिए सोना को यह आशा है कि उसकी बेटी प्यारी आम नटनी की तरह नहीं रहेगी। उसकी आकांक्षा है कि प्यारी बड़ी जाति की औरतों की तरह इज्जत से रहे। उसे विश्वास है कि प्यारी का पति सुखराम प्यारी को दुनिया के ज़ुल्म से बचायेगा। लेखक ने सुखराम के माध्यम से नट जाति की दमित आकांक्षाओं को एक स्वप्न के स्तर पर चित्रित किया है। सुखराम का सपना वास्तव में किसी भी शोषित जाति के अपनी घृणित स्थिति से ऊबकर ऊँची जाति के आदर्शों तक पहुँचने का खयाली प्रयास है। सुखराम सपना देखता है कि जब वह किले का मालिक बन जायेगा तब नटों के लिए महल बसायेगा, नटनियाँ घूँघट करने लगेंगी, लोग नटों से गुहार करेंगे। कभी-कभी नटों की घिनौनी स्थिति को देखकर सुखराम मन ही मन उन लोगों से अलग स्थिति में रहने की कामना करता है। वह खुद एक ओर नटों की स्थिति से मुक्त होना चाहता है, तो दूसरी ओर नट जाति को ठाकुरों का रुतबा देना चाहता है। उसके व्यक्तित्व में एक द्वन्द्व है, लेकिन इस द्वन्द्व को पार करने का तरीका उसे याद नहीं है।

सुखराम को किसी ठाकुर की खोयी हुई संतान दिखाकर लेखक ने सुखराम के व्यक्तित्व में एक अजीब सा दोगलापन दिखाया है। नट जाति की दरिद्रता में ज़िन्दगी गुज़ारते हुए भी अपने मूल कुल का अभिमान उसमें कचोट पैदा करता है। सुखराम की दोनों पत्नियाँ कजरी और प्यारी अपनी पीड़ाओं को सहती हुई भी स्थितियों पर तरस खाती हैं। कहीं न कहीं उनमें स्थितियों के असहायता के बावजूद मुक्ति की कामना भी है। अपनी पीड़ाओं को समूची नारी वर्ग की पीड़ा मानकर प्यारी सोचती है कि नारी कितनी विवश है, आप कसाई के हाथ भी दे दें तब भी वह प्रतिकार नहीं कर सकती। इसके अलावा गाँव के ठाकुरों और पुलिस लोगों के अत्याचार का शिकार बनना पड़ता है सो अलग। लेखक ने कजरी और प्यारी में अत्याचार के खिलाफ विरोध की चेतना जगाई है। धूपो चमारिन पर किये गये अत्याचारों का बदला लेने के बहाने प्यारी और कजरी, बाँके और रुस्तमखाँ का कत्ल कर देती है। सुखराम चमारों को विद्रोह करने के लिए चेतावनी देता है।

ग्रामीण संवेदना को व्यक्त करने वाला प्रस्तुत उपन्यास सामाजिक, आर्थिक और नैतिक परिवेश के भीतर नट जाति की पीड़ाओं, विद्रोह की भावनाओं और संघर्ष की कामनाओं का चित्रण करता है। नारी के प्रति एक क्रांतिकारी दृष्टिकोण को लेकर लिखा गया यह उपन्यास प्यारी के माध्यम से नारी मुक्ति के एक पड़ाव को सूचित करता है। प्यारी के माध्यम से नारी नैतिकता का प्रश्न उठता है। सुखराम को आपदाओं से बचाने के लिए वह रुस्तमखाँ की हत्या कर देती है। .... रांगेय राघव घोषित प्रगतिवादी कथाकार है। अपनी विकास परम्परा में प्रेमचन्द अंतिम तौर से जिस दर्शन पर पहुँचे थे, वह रांगेय राघव का प्रस्थान बिन्दु था। रांगेय राघव के मन में मार्क्सवाद का साफ़ नक्शा था। वर्ग,

वर्ण और शोषणविहीन साम्यपरक समाज के समर्थक वे रहे हैं। प्रेमचन्द और रांगेय राघव जिस बिन्दु पर मिलते हैं वह मानवतावाद है। उनका मानवतावाद सामान्य प्रत्यय न होकर ठोस सच्चाई और आत्यन्तिक लक्ष्य है।

रांगेय राघव के इस उपन्यास में वर्ग संघर्ष के वैचारिक पक्ष की रचनाशीलता का केन्द्र बिन्दु माना है। परन्तु अपनी बात को एक प्रेम कहानी के माध्यम से लेखक व्यक्त करते रहे हैं। रांगेय राघव का यह उपन्यास प्रगतिवादी शैली के रोमानी चौखटे के बाहर पूर्णतया नहीं निकल सका है। क्योंकि यहाँ भी अन्त में निम्न वर्ग की उन आदर्श स्थितियों का स्वप्न देखा गया है, जहाँ पहुँचकर निम्न जाति उच्च वर्ग की सभी सुविधाओं को सांस्कृतिक और सामाजिक-पा लेती है। परिवर्तन को इस स्वप्नवत आशावादिता के दोषों के बावजूद भी प्रस्तुत उपन्यास सुखराम के माध्यम से निम्न जाति के समाज मनोवैज्ञानिक अन्तर्द्वन्द्वों का गहराई से चित्र प्रस्तुत करता है। करनट या नट जैसी जाति जो भारतीय जाति व्यवस्था में निम्न से भी निम्नतर मानी जाती है और जहाँ नटनियों को मात्र मनोरंजन का ही नहीं, रास्ते चलने वाले हर किसी उच्चवर्गीय युवक की कामेच्छा का बलि बनना पड़ता है, इसका विरोध कोई नट भी नहीं कर सकता। मध्यकालीन और सामन्तयुगीन जातिवादी मूल्यों की पकड़ से निम्न समाज का मुक्त होना जादुई परिवर्तन की तरह सरल नहीं है। लेकिन लेखक ने इस स्वप्न का एक मनोवैज्ञान ज़रूर उपस्थित किया हैं सुखराम इस भ्रम को पाले रखे है कि वह ठाकुर की औलाद है और उसका ही किले पर अधिकार है। वह चाहता है कि जिस जाति में वह पला उन नट नटनियों को वह ठाकुर-ठकुराइन की तरह प्रतिष्ठित बनाएगा। एक तरफ़ यह स्वप्न है तो दूसरी तरफ़ अपनी ही जाति और उनके कुकर्म के प्रति घृणा का भाव। खुद में एक तरह का अपराध बोध। इस तरह एक विलक्षण अन्तर्द्वन्द्वों की वैचारिक भावनिक विचारों की मलिका सुखराम के मस्तिष्क में घटित होती है। इसलिए शायद 'कब तक पुकारूँ' में जरायमपेशा, खानाबदोश नारी पुरुषों की आन्तरिक पीड़ा और सामाजिक व्यथा को हूबहू खड़ा करके सामाजिक बदलाव का एक नया कोण प्रस्तुत करता है।

अलग-अलग वैतरणी — शिवप्रसाद सिंह का प्रस्तुत उपन्यास आजादी के बाद की ग्रामीण स्थितियों का लेखा-जोखा पेश करता है। व्यक्तिगत मानवी संबंधों को केन्द्र बनाकर परिवेशगत स्थितियों के साथ उन्हें जोड़कर समूचे गाँव की विविधता को संवेदनात्मक स्तर पर उठाया गया है। एक साथ राजनीतिक, सामाजिक, सांस्कृतिक और वैयक्तिक संदर्भों की आड़ी तिरछी लकीरों में बुना हुआ यह उपन्यास अपनी विराटता का भाव छोड़ता है। व्यक्तियों की कहानियाँ परिवारों की कथाओं में उभरती हैं, तो परिवार की कथाएँ गाँव की गाथा में उभरती हैं। और समूची गाथा अलग-अलग वैतरणियों से बनी एक चौड़ी वैतरणी के बहाव को आगे बढ़ाती है। गाँव की गाथा अर्थात संक्रमण के मोड़ पर गाँव के अन्तर्बाह्य टूटने की गाथा है। उपन्यास के इस मर्म को और अधिक विश्लेषित

करने के लिए इस कृति से निम्न चन्द उद्धरण चुने गये हैं —

अ. "ज़माना तेज़ी से बदल रहा था। ज़मींदारी की पुश्तैनी पुख़्ता दीवारें एक हल्के धक्के से ही ज़मीन पर आ रही थी। देखते ही देखते करैता का पूरा माहौल बदल गया। असामियों ने खानदानी लाज शरम छोड़कर ज़मींदार की छावनी से अपना रिश्ता तोड़ लिया। अब कभी दशहरे के मौके पर असामियों भी जुहार करने नहीं आते। न ही कभी छावनी के मुख्य द्वार पर रखा बड़ा सा परात नज़राने के रूपयों से खनकता है। अहीरों ने दही दूध, कोइरियों ने साग-सब्जी, मल्लाहों ने मछलियाँ, जुलाहों ने मुरगी और गड़ेरियों ने सलामी में खस्सी देना एकदम बंद कर दिया। इसीलिए इन त्यौहारों पर छावनी में कभी कोई ख़ुशी उत्सव मनाने की ज़रूरत भी न रही। सफेदी-रंगाई भुला दी गई। चौड़-औचड़ों में हलवाइयों की तीन तीन दिन की मुफ़्त मेहनत से बनने वाले लड्डूओं का भी कहीं दर्शन न होता था। होली के मौके पर न अब भारी कण्डाल में ठण्डाई घोली जाती थी, न अदरक का चूना मिली अबीर धूल की तरह परजा पर बिखेरी जाती थी। न तो अब छावनी के लड़कों को देखकर कोई सत्तर साल का बूढ़ा झुककर सलाम करता था, और न औरतों तक को देखकर कोई अपने चबूतरे की चारपाई से उठकर खानदानी लिहाज दिखाता था। सब कुछ ताश के पत्ते की तरह हल्के से धक्के से बिखर गया।"

अलग-अलग वैतरणी का प्रस्तुत लेखकीय वक्तव्य ज़मींदारों के पुश्तैनी विरासत के टूटने का संकेत देता है। इसमें परिवर्तन के वो सभी सूत्र हैं जो किसी युग के प्राचीन संस्कारों को तोड़कर नये संस्कारों में ढलने की प्रक्रिया से जाकर जुड़ते हैं। प्रस्तुत वक्तव्य में प्रच्छन्न रूप में लेखक का प्राचीन गौरव के प्रति मोह झलकता है। उस मोह के टूटने की हल्की पीड़ा भी झलकती है। ज़मींदारी का टूटना सिर्फ़ चन्द ज़मींदारों की भूमि की मालकियत का टूटना नहीं था, उस समूची सामाजिक व्यवस्था का बिखरना था जिसमें ज़मींदारों के प्रति सामान्य जनों के जीवन दृष्टिकोण जुड़े हुए थे। ज़मींदार और गाँव में आम लोगों का रिश्ता, राजा और प्रजा का रिश्ता था। राजा को अपनी दीन प्रजा की सहायता करने से एक तरह के गौरव का अनुभव होता था तो प्रजा को अपने राजा की कृपा मिलने से धन्यता का अनुभव होता था। गौरव और धन्यता के बीच आर्थिक, सामाजिक और नैतिक मूल्य इकाइयों का एक संगठन इतना अविचल बन गया था कि जैसे वह एक अपरिवर्तनीय संस्कार हो।

लेकिन अब ज़माने ने करवट ली है। परिवर्तन आ रहा है। सारे मूल्य ढह रहे हैं। मूल्यों की इस गिरावट को वास्तव में एक नये जनतांत्रिक युग की मुनादी करना चाहिए। लेकिन जो इकाइयाँ इस परिवर्तन का हिस्सा होती हैं, उनके लिए यह गिरावट बड़ी निर्मम और कहीं-कहीं अमानवीय भी होती हैं। उपन्यासकार परिवर्तित स्थितियों को गिनाते समय कहीं न कहीं सामन्ती वैभव के टूट जाने की पीड़ा को व्यक्त कर रहा है। लेकिन इससे यह मतलब नहीं निकाला जाना चाहिए कि प्रस्तुत चित्रण अयथार्थ है। यह बहुत स्वाभाविक था कि अब ज़मींदारी की समाप्ति के साथ कोई आसामी ज़मींदारों को क्यों कर जुहार करता? अब जुहार

करने वाले लोग ज़मींदारों के लिए कोई नज़राना पेश करना अपना कर्तव्य नहीं समझते। ज़मींदारों को अब उनका एक ज़माने का श्रमिक प्रजाजन अपनी पसीने की कमाई का कोई हिस्सा सलामी के तौर पर देना पसन्द नहीं करता। नतीजा बहुत साफ़ था। जिन त्यौहारों का जन्म ज़मींदारों की खुशियों के लिये हुआ था उन्हें अब मनाने की क्यों ज़रूरत पड़ती? होली की रंगीली अब वह नहीं रही। और तो और ज़मींदारों के कम उम्र के लड़कों को और ज़मींदारों की औरतों को देखकर कोई बूढ़ा प्रजाजन पहले की तरह उठकर सलाम नहीं बजाता। सामान्य आदमी में भी धीरे-धीरे खुद के प्रति अधिकारजन्य गौरव की भावना जाग रही है।

अलग-अलग वैतरणी की यह पृष्ठभूमि है जिसके गर्भ में एक नई जटिल समाज व्यवस्था पनप रही है। इसकी अपनी विकृतियाँ और स्वीकृतियाँ हैं। उपन्यासकार इस नई व्यवस्था को केन्द्र मानकर समाज जीवन के विभिन्न प्रवाहों को चित्रित करना चाहता है।

आ. "थानेदार के सामने कैफ़ियत देते समय जग्गन मिसर कहते हैं, पहले गाँव में जुल्म ज़मींदार के लोग करते थे। कारिन्दा, सीरवाह, पटवारी, अमीन, कानूनगो सबकी मिली भगत थी। ज़मींदारी टूट गई। उस समय जिन पर ज़ुल्म होता था, वे उससे बरी हो गये। अचम्भा देखकर होता है सुखदेवरामजी, कि जिन पर उस वक्त ज़ुल्म होता था वे ही आज जालिम बन गये हैं। छुटभइये लोग दो पैसे के आदमी हो गये, तो आँख उलट गई। आज ज़ुल्म कौन करता है गाँव में? वही छुटभइये, जो पहले ज़मींदारों के बूटों से रौंदे जा रहे थे। अब छुटभइये गोल बनाकर अपने से कमजोरों, गरीबों को सताते हैं, लूटते हैं। आप ही बताइए, खलील मियाँ की ज़मीन किसने छीनी? ज़मींदार ने? धनेसरी का खस्सी कौन खा गया? ज़मींदार? झनकू चमार को गाँव निकाला किसने दिया? ज़मींदार ने? गाँव की बहू बेटियों को भद्दी-भद्दी बातें ज़मींदार कह रहा है? बेचारे शशिकान्त मास्टर की आँख में बालू डालकर उनका रूपया ज़मींदार ने छीना? लोगों की खड़ी फसलें चोरी से ज़मींदार काटता है? बोलिए, यह सब कौन करता है? वही, छुटभइये; जो कभी गरीब थे, सताये हुए थे। और आज चूँकि उनके ऊपर कोई अंकुश नहीं है, इसलिये वे जो करें, कोई पूछने वाला नहीं है। ज़मींदार था तो एक खोल थी। जो कुछ होता था उसकी खोल के साथ नत्थी कर दिया जाता था। इसलिए उस वक्त में लड़ाई बड़ी साफ़ थी। अब किससे लड़ें? अपने ही भीतर के लोग खोल ओढ़कर डाकू, लुटेरे और ज़ालिम बन बैठे हैं।"

जग्गन मिसर का लम्बा वक्तव्य एक ओर स्वातंत्र्योत्तर आर्थिक और राजनीतिक ग्रामीण परिवर्तन का संकेत करता है तो दूसरी ओर टूटे जा रहे या समाप्त होते जा रहे सामाजिक ढाँचे के प्रति चरित्र के द्वारा लेखकीय पीड़ा का संकेत भी करता है। भारतीय गाँव के चरित्र में आज़ादी के बाद बड़ी गति से परिवर्तन आया। खासकर ज़मींदारी प्रथा टूटे के बाद कुछ नई प्रथाएँ गाँव की आर्थिक स्थितियों को आकार देती रहीं। ज़मींदारी प्रथा के साथ सामन्ती चरित्र समाप्त हो गया लेकिन जनतांत्रिक और राजनीतिक पद्धतियों का लाभ एक ऐसे वर्ग को हुआ जो सामन्ती सेटअप में शोषित था और जो आज के जनतांत्रिक

सेटअप में अपने से निम्न बहुसंख्यक जाति का शोषक बना हुआ है। सामन्ती व्यवस्था अपनी जगह शोषण के सीधे सरल तरीके को अपनाती ज़रूर थी, पर उसका अपना कही न कहीं नैतिक अधिष्ठान था। मानवी स्तर पर नैतिक मूल्यों की कद्र करने वाली सामन्ती व्यवस्था एक साथ शोषक होते हुए भी शोषितों को अपनी प्रजा का गौरव दिया करती थी।

उत्तरप्रदेश के कर्तरा गाँव को माध्यम बनाकर लिखी गयी संक्रमण की कहानी अलग-अलग वैतरणी की कथ्य की आधारभूमि है, ठाकुरों का जमाना लद गया है, चौधरियों का ज़माना आ गया है। ठाकुरों के उस के ज़माने में चौधरियों की हालत बहुत खस्ता थी। ठाकुरों की तुलना में इनकी संख्या बहुत अधिक ज्यादा होकर भी वांशिक अधिकार प्रथा के बल पर ठाकुरों का ही बोलबाला था। चमार तथा अन्य निचली जातियाँ मज़दूरी और सेवा चाकरी करके जैसे-तैसे अपना गुजारा किया करते थे। राजनीतिक आज़ादी के साथ इस देश में वोटों की राजनीति का परिणाम यह हुआ कि सत्ता प्राप्ति के लिए आवश्यक इकट्ठे वोट देने वाली जाति की सत्ता में साझीदारी पैदा हुई। उत्तरप्रदेश में चौधरियों को यह स्थान मिला है। जग्गन मिसर के शब्दों में छुटभइयों को गाँव की व्यवस्था में शीर्षस्थ स्थान है। सही मायनों में बहुजन समाज का पूरा प्रतिनिधित्व न करने वाली छुटभइयों की यह जमात राजनीतिक प्रक्रिया में बहुजनों का प्रतिनिधित्व करने वाली जमात कहलाई। राजनीतिक और आर्थिक प्रवाहों का केन्द्रीकरण इस नव पूँजीवादी वर्ग में हुआ और निम्न जातियों का नये तरीकों से शोषण किया जाने लगा। पुरानी व्यवस्था में बड़े ज़मींदारों के आधीन कारिन्दे, जटवारी, अमीन तथा कानूनगी वर्तमान सेटअप में इस नये पूँजीवादी वर्ग के आधीन नये नामों और पदों के साथ जुड़ गये। निम्न तथा अल्पसंख्यक वर्गों की ज़मीनें हड़पना, उन जातियों की बहू बेटियों की इज़्जत लूटना, छोटे-छोटे सरकारी नौकरों से रिश्वत लेना आदि भ्रष्ट कारनामों के लिए जिम्मेदार यह नया वर्ग राजनीतिक दृष्टि से इज़्जतदार वर्ग माना जा रहा है।

उपन्यासकार ने परिवर्तन प्रक्रिया के साथ परिवर्तित स्थितियों की भयावहता को अभिव्यक्त करने की कोशिश की है। संक्षेप में सामाजिक और राजनीतिक परिवर्तन की यह दिशा शोषण की पुरानी रूढ़ियों से गाँव को मुक्त ज़रूर कराती हो, लेकिन नई पद्धति के शोषण का आगाज करती है।

इ. "जैपाल सिंह ने अपनी रोग शय्या पर पड़े-पड़े कई बार अपने जीवन का लेखा-जोखा किया। लाभ-हानि का हिसाब लगाया। पूरे हिसाब के बाद इनके चेहरे पर संतोष की मुस्कराहट उभर आई। कोई बुरी नहीं रही है उनकी व्यवस्था। यह सही है कि उन्हीं के ज़माने में बाप-दादों की बसाई ज़मींदारी उजड़ गई। पर यह केवल उनका मामला ही नहीं था। यह तो तूफ़ान था। इसमें सभी पेड़ टूटे। ताड़ की तरह सीना ताने जो आसमान से बातें कर रहे थे, वे भी, जो आसपास की ज़मीन को चूस-चूस कर वीरान बनाकर लहलहा रहे थे, वे भी। इसमें सवाल सिर्फ़ यह था कि इस आँधी में पेड़ समूल उखड़ जाता है या नुच-चुथ कर कुछ साबूत भी बचा रहता है। इसमें भी संदेह नहीं कि जैपाल सिंह

के वैभव का वृक्ष ठूंठ हो गया, पर वह जड़ से नहीं उखड़ सका। वह हरियाली न रही, वह शान-शौकत न रही। न वे फल, न वे फूल। पक्षियों का वह कलरव भी न रहा। घोंसलों में परों की वह गरमाहट भी न रही। पर पेड़ खड़ा था।"

जैपाल सिंह का उपर्युक्त विचार रोग शय्या पर पड़े हुए उस भारतीय ज़मींदार की भावना को व्यक्त कर रहे हैं जिसने ज़मींदारी के नष्ट होते वैभव को भोगा है, उसकी पीड़ा का भी अनुभव किया है। पर जो इतनी सारी टूटन के बावजूद भी वह पूरी तरह से ख़त्म नहीं हुआ है।

ठाकुर जैपाल सिंह की पीड़ा इतनी ही है कि सामान्य जनों के शोषण की ठेकेदारी अब उनकी अकेले की नहीं रही उसमें एक हिस्सेदार पैदा हुआ है। निष्प्राण क्यों न हो? ठूँठ अब भी खड़ा है। लाभ हानि के व्यावहारिक हिसाब में भारतीय ज़मींदार का अब भी दिवाला नहीं निकला है। जैपाल सिंह के प्रस्तुत चिंतन के माध्यम से लेखक शोषित बहुजनों की परिवर्तित हालत का संकेत करता है।

ई. "काट के फेंक दो सरकार।" झिनकुआ विफरकर गर्दन हिलाते हुए बोला, मानो वह अपने निश्चय को और भी अधिक दृढ़ करने का प्रयत्न कर रहा था— ज़िंदगीभर मर मरकर ख़ून पसीने बहाकर काम किया। जब सूखा, बाढ़ की विपत्ति आ जाए तो आप लोग गरीब आदमी का पेट काटकर काम करायेंगे। उस पर अपनी अरज-गरज कहें तो मारने-पीटने की बात कहेंगे। तो काटकर फेंक दे बाबू। काट दो, एक बार ही छुट्टी मिल जायेगी। ..... और मारो बाबू। और मारो। मार कर जान ले ली। लेकिन हम एक बार नहीं सौ बार कह रहे हैं। हम बिना रोज़ीना बननी के काम नहीं करेंगे। परती खेत लेकर हमका ओम्मा अपनी कब्बर बनायेंगे? हमारे छोटे-छोटे लड़िका चार दिन से भूखे सोय रहे हैं। हमसे अइसा काम नहीं होगा।"

"अरे जाने दो सरकार!" सरूप भगत धीरे-धीरे कहने लगे।

"नीच जात से नहीं लगा जाता बाबू, ऊ अपने रस्ते, आप अपने रस्ते।"

"ख़ूब समझते हैं हम तुम्हें बुढ्ढे, जे जबा से ख़ूब समझते हैं।"

"तू का समझोगे बाबू हमें। हम जैसे दूसरे के रस्ते में नहीं पड़ते, वैसे ही चाहते हैं कि कोई हमारे रस्ते न पड़े। जैसी आपकी इज़्ज़त वैसी हमारी इज़्ज़त।"

"आये बड़े इज़्ज़त वाले। चमार और ठाकुर की इज़्ज़त एक हो जायेगी? हुँह।"

"इज़्ज़त तो सबकी एक ही है बाबू। चाहे चमार की हो, चाहे ठाकुर की। हम आपका काम करते हैं। मजूरी लेते हैं। हमें गरज है कि करते हैं। आपको गरज है कि कराते हो। इसका मतलब ई थोड़े हो गया कि हम आपके गुलाम हो गये।"

अलग-अलग वैतरणी में ठाकुरों द्वारा चमारों पर किये जा रहे अत्याचारों का चित्रण है। जनतांत्रिक सुधारों के संक्रमणकालीन स्थितियों के माहौल में लिखा गया यह उपन्यास

एक तरफ़ व्यवस्था के शोषण के हथकंडों में नए-नए तरीक़ों का संकेत करता है, तो उसी वक्त निम्न जातियों में अपने अधिकारों के प्रति जागरूकता और शोषकों के प्रति विरोध की भावना का भी संकेत करता है। उपर्युक्त उद्धरण प्रतिनिधिक कहा जा सकता है। झनकुआ जैसा चमार जो ठाकुरों के यहाँ ख़ून-पसीना बहाकर किसानी और मज़दूरी का काम करता आया है और उसके बदले पिटाई के अतिरिक्त और कुछ नहीं पाया। लेकिन अब ठाकुरों की मार सहते उसमें आतंकजन्य विरोध की भावना जाग रही है। वह अब अपने विद्रोही व्यक्तितत्व की भीतरी ध्वनियों को सुनने लगा है। ज़मींदारों को इस बात की कभी चिन्ता ही नहीं रही कि सूखा पड़ा है या बाढ़ आयी है, उन्हें तो इस बात से मतलब कि किसान और मज़दूर उन्हें उनका हिस्सा देते रहें। प्राकृतिक विपदाओं के कारण अगर किसान लगान न दे पाये तो ठाकुरों के मन में इसके प्रति दया माया का कोई भाव जाग्रत नहीं होता। उल्टे वे इन गरीबों को मारने के लिए तैयार हो जाते हैं। ऐसे समय अगर झनकू जैसा कोई सताया मज़दूर अपनी प्रतिक्रिया व्यक्त करे तो कोई अस्वाभाविक बात नहीं होगी। जैसा कि हमने संकेत किया है, झनकू की प्रतिक्रिया उस लम्बी शोषण प्रक्रिया के असहनीय होते बोझ को आतंकित होकर उतार फेंक देने का एक स्वाभाविक नतीजा है। इसलिए वह ठाकुर बाबू के सामने अपनी खुद की जान दे देने के लिए तैयार है। पर इस आतंक और गिड़गिड़ाहट के पीछे उसका दृढ़ निश्चय ही है कि चाहे कुछ भी हो, वह अब बिना रोज़ीना बन्नी के काम नहीं करेगा। परती खेत में काम करके कोई लाभ नहीं, इसका एहसास तो झनकू जैसे मज़दूर में पहले ही से था लेकिन इस सत्य के विरोध में डटकर खड़े रहने की हिम्मत अब पहली बार शायद उसमें पैदा हुई है।

दूसरा परिच्छेद सरूप भगत और ठाकुर के बीच संवदों का है। झनकू की पीढ़ी का अगला क़दम सरूप भगत की पीढ़ी ने उठाया है। भगत की पीढ़ी शिक्षा और संस्कारों के कारण अपने अधिकारों के प्रति जाग चुकी है। और कहींश्कहीं तो राजनीतिक वामपंथी दलों में काम करने का मौका उन्हें मिलता रहा है। परिणामत: ठाकुरों के खिलाफ विरोध व्यक्त करते समय झनकू के जैसा आतंक इनमें नहीं है। एक तरह का आत्मविश्वास और अपने अधिकारों के बारे में पूरी सजगता यहाँ है।

सरूप भगत कम्युनिस्टों के दल से जुड़े हुए हैं। इसलिए अब उन्हें इस बात का पूरा पता है कि ठ़ाकुरों क यहाँ काम मिलना यह कोई भागलिखित देन नहीं है, बल्कि यह एक तरह का आदान प्रदान है। मालिक और नौकर के परम्परागत रिश्तों में अब सरूप भगत का विश्वास नहीं है। मालिक को अपना स्वार्थ पूरा करने के लिए मज़दूरों की ज़रूरत है तो मज़दूरों को भी अपनी रोज़ीश्रोटी के लिए काम की ज़रूरत है। काम और दाम का रिश्ता मात्र आर्थिक है। इस सत्य के नये अहसास ने सरूप भगत के मन में अपनी जाति की इज़्ज़त का अभिमान भी पैदा किया है। वह इसीलिए बिना किसी कारण के ठाकुरों के रास्ते में नहीं पड़ेगा और चाहेगा कि ठाकुर भी उसके रास्ते में न पड़ें। ठाकुर हो या चमार

इज़्ज़त तो सबकी एक ही है। और दोनों को जब एक दूसरे की ज़रूरत है तब फिर एक को दूसरे का गुलाम या मालिक कहलाने का क्या कारण है?

ऊपर के दोनों उद्धरण अलग-अलग वैतरणी के उस प्रवाह का संकेत करते हैं, जहाँ सामाजिक व्यवस्था की पुरानी दीवारें ढह रही हैं और नयी दीवारें बनने को हैं। इस बिगड़ने बनने की अवधि कई नये प्रश्नों को जन्म दे रही है। अंतिमत: मानवी बेहतरी के लिए जाने वाला परिवर्तन अपनी क़ीमत ज़रूर माँगता है। यह क़ीमत दुतरफ़ा होती है। एक ही वक़्त में शोषण की एक कड़ी टूटती जाती है तो दूसरी मज़बूत होती जाती है। पर शोषितों के विद्रोही हथौड़ों की मार भी उतनी ही ज़बरदस्त होती है। झनकू और सरूप इस संघर्ष का गवाह है।

उ. "मारो साले गाँव को गोली । ..... साल भर तक मैंने इस गाँव में रहकर यह जान लिया है कि यहाँ किसी भले आदमी की रहना मुश्किल है। यह एक जीता जागत नरक है जिसमें वही आता है जिसके पुण्य समाप्त हो जाते हैं। चारों ओर कीचड़ बदबूदार नावदान, गू-मूत, बीमारियाँ, बुलबुलाते कीड़े, मच्छर, ज़हरीली मक्खियाँ इसके बीच भुखमरी, डरावनी हड्डियों के ढांचे, कचरीली आँखें और बीमारी से फूले पेट वाले छोकरे, घरों में बंद गंदगी में आपाद मस्तक डूबी औरतें जो एक-दूसरे को खुलेआम चौराहे पर नंगियाने में ही सारा सुख और खुशी पाती है। धुँधवाते मन के अपाहित जैसे नवयुवक जो अंधेरी बंद गलियों में बदफैली करने का मौका ढूँढ़ते फिरते हैं, हारे पके प्रौढ़ जो न गृहस्थी के जुए को उतार पाते हैं न उसे उत्साह से जुटा पाते हैं। मौत का इन्तज़ार करते बूढ़े अपने ही बेटे-बेटियों से उपेक्षित बिलबिलाते रहते हैं— यही है न हमारी जन्मभूमि करैता।"

विपिन के इस वक्तव्य में न केवल करैता गाँव का परिवेश उजागर हुआ है बल्कि परिवेश की भूमि पर घटनाओं और चरित्रों की ह्रासशील स्थितिं का मार्मिक चित्रण हुआ है। अलग-अलग वैतरणी जैसा कि संकेत किया जा चुका है, टूटे गाँव की कहानी है। यहा मानवी रिश्तों में विकृत दरार पड़ गयी है। यहाँ ह्रासोन्मुखी संबंधों के कारण विकृतियों का साम्राज्य फैला हुआ है। व्यक्तिं परिवार के बीच कोई ऐसा पुल नहीं है जहाँ व्यक्ति के समूह को परिवार का नामाभिधान दिया जा सके। परिवार और समाज के बीच ऐसा कोई सेतु नहीं है जहाँ सामाजिक मूल्यों की कोई स्थिति उभर सके। लगता है मानो समूचा गाँव निम्न से निम्नतर होता जा रहा है और उसकी इस गिरावट को रोकने वाला कोई नहीं है।

'अलग-अलग वैतरणी' में शोषण के विभिन्न सामाजिक स्तरों का दस्तावेज़ भी है और स्थितियों के मध्य पलने वाले व्यक्ति संबंधों के मनोवैज्ञानिक धरातलों की उद्घाटित भूमि भी है। इस विराट उपन्यास में बहुसंख्यक चरित्र और उनके आपसी व्यक्तिगत, संस्थागत और सामाजिक रिश्तों का एक विस्तीर्ण फलक उभरता है। एक ओर परिवर्तन का यह चक्र प्राचीन सामाजिक मूल्यों को ढोते जा रहा है। नतीजतन उन लोगों को इस विघटन की वजह से पीड़ा का अनुभव हो रहा है जो अपने ज़माने की समाज व्यवस्था की

विलासिता को भोग चुके हैं। इसके साथ-साथ परिवर्तन के कारण नई समस्याएँ पैदा हो रही हैं। शोषण करने वाला एक नया वर्ग पैदा हो रहा है लेकिन उसके साथ-साथ शोषण के विरोध में निम्न जातियों में संघटन की भावना भी जाग रही है। संक्रमण की ये स्थितियाँ और कई तरह के सामाजिक तथा मनोवैज्ञानिक सवालों को जन्म दे रही है। गाँव का नया चेहरा एक तरफ़ पुराने ढहते नैतिक मानव की विकृतियों को संजो रहा है तो दूसरी तरफ़ नयी पीढ़ी उसे आधुनिक बनाने में सक्रिय है। एक तरफ़ ह्रास है तो दूसरी तरफ़ विकास। लेकिन ह्रासशील शक्तियों का ज़ोर इतना बढ़ा हुआ है कि उनके रहते विकास के प्रयास अपने आप बेअसर साबित होते हैं। शहर में जाकर शिक्षित और संस्कारित बना हुआ ग्रामीण युवक जब अपने गाँव इस आशा से लौटा है कि वह अपनी भूमि को नया आकार देकर उसे नया विचार देगा। लेकिन ह्रास और विकृतियों के ग्रामीण वैतरणियों के प्रवाह में वह नया खून अपने आप प्रवाह प्रतीत होता जा रहा है और असारता का अनुभव लेकर गाँव छोड़कर शहर की तरफ़ चला जा रहा है।

भारतीय सन्दर्भ में यह स्थिति बड़ी भयंकर है। गाँव उजाड़ हो रहे हैं। शहर में भीड़ हो रही है। भूमिपुत्रों की झूठी अस्मिताएँ अपनी भूमि को ऊँचा उठाने में काम नहीं आ रही है। शायद इन युवकों को सही पता है ही नहीं। थोड़े से प्रयासों के बाद मिलने वाली असफलताओं के थपेड़ों को सह न सकने के कारण वह पलायन करता है, गाँव छोड़कर चला जाता है। विपिन ऐसा ही एक युवक है। जग्गन मिसिर जिन्होंने सामन्ती युग की रंगरेलियाँ देखी हैं, ठाकुरों के साथ साझीदारी में निम्न जाति की स्त्रियों को अपनी विलासिता का लक्ष्य बनाया है, अपने ही घर में कई मनोवैज्ञानिक और सामाजिक कुरीतियों से जन्मी कुण्ठाओं का साक्षात्कार किया है और अब बुढ़ापे में निम्न जातियों में बढ़ती परिवर्तन की चाह और उसके लिये प्रयत्नशील नये युवकों की अस्मिताओं को टूटता हुआ देखा है, वही जग्गन मिसर अपनी ग्लानि, पीड़ा, आतंक, लाचारी, असहायता, कमजोरी और मस्ती को व्यक्त कर रहा है। वह अपनी आँखों से देख रहा है कि गाँव से सब कुछ चला जा रहा है। वहाँ सिर्फ़ निर्यात है आयात नहीं होता। मानो जग्गन मिसर अपने मुख से करैता गाँव की पीड़ा को व्यक्त कर रहा है। पूरा गाँव, एक उजड़ा गाँव, एक बांझ गाँव।

जग्गन मिसर और विपिन भारतीय ग्रामीण धरती के दो प्रतीक हैं। एक सामन्ती ह्रासशील संस्कृति का प्रतीक है। तो दूसरा जनतांत्रिक संस्कृति का ह्रासशील प्रतीक। दोनों अपनी जगह असफल है। गाँव इसी प्रतीक्षा में लेटा पड़ा है। मिसर का आख़िरी वक्तव्य एक हल्का सा आशावाद पैदा करता है। कभी इस उजड़ी धरती में उपजाऊ बीज पड़ेंगे। आज यह बंजर ज़रूर है पर आखिर धरती है ना .... आख़िरकार धरती ही सब कुछ देती है।

उपर्युक्त उद्धरणों और उनके विश्लेषण से निष्कर्ष यही निकलता है कि सामन्ती ढांचे की ढह गई दीवार के मलबे पर संक्रमण की स्थितियों से गुज़रने वाला करैता गाँव अपने व्यापक अर्थ में भारतीय ग्रामीण समाज व्यवस्था की त्रासदी का संकेत करता है।

घटनाओं, स्थितियों और चरित्रों की संख्या बहुलता से भरा हुआ प्रस्तुत उपन्यास समाज के विभिन्न स्तरों पर चल रही भौतिक और मनोवैज्ञानिक समस्याओं के अन्तर्द्वन्द्व को खोलता चला जाता है। जैसे-जैसे चरित्रगत संवंधों के भीतरी बुनावट को हम समझना चाहते हैं, वैसे-वैसे संबंधों की जटिलता बढ़ती जाती है।

मोटे तौर पर प्रस्तुत उपन्यास में चार प्रमुख जातियों को लेकर नए उभरते गाँव के ह्रासशील व्यक्तित्व को चित्रित किया गया है। ठाकुरों की जाति जो सामन्ती परम्परा में ज़मीन की मालकियत और उसके साथ जुड़ी विलासिता को लेकर पल रही थी वह ज़मींदारी के ढहने के बाद अन्तर्बाह्य रूप से टूट गयी है लेकिन फिर भी पूरी तरह से नष्ट नहीं हो पायी। ठाकुर जैपाल सिंह इस जाति का प्रतिनिधित्व करते हैं और उन्हीं की संतान जो शहरी संस्कृति की नयी हवा में संस्कारित हो रही है, एक तरफ़ सामन्ती विकृतियों की शिकार है तो दूसरी तरफ़ आधुनिक सभ्यता को समझने की कोशिश में है। जयपाल की बहू कनिया और उसका नपुंसक पति बुझारथ इन दोनों के रिश्तों से जन्मी विकृतियाँ और देवर विपिन के साथ कनिया के संबंध सामन्तों की भीतरी रुग्णता को अभिव्यक्ति देते हैं। पटहनिया भाभी, कल्पू और जग्गन मिसर इनके बीच भी कहीं मनोवैज्ञानिक स्तर पर टकराते संबंधों का चित्रण हुआ है। दूसरी जाति ब्राह्मणों की है जो परम्परा में सामन्तों और ज़मींदारों की मानसिक गुलामी कबूल करते हुए भी अपनी जाति के कारण प्रतिष्ठा प्राप्त कर रहे हैं। इसीलिए ज़मींदारों ने हमेशा इन तथाकथित धर्म के ठेकेदारों को निम्न वर्ग का शोषण करने के लिए ढाल का उपयोग किया है। जग्गन मिसर एक तरफ़ सामन्ती मूल्यों के विघटन से दुखी हैं तो उसी वक्त उस विघटन के कारण जन्मी विकृतियों में रस भी लेते हैं। मिसराईन के साथ उनके संबंध देवर-भाभी की श्रृंगारी परम्परा के परिचायक हैं। छब्बूलाल उपाध्याय और उनके शिक्षित डॉक्टर बेटे के बीच संघर्ष का ज़िक्र दो पीढ़ियों के लिए तनावों को चित्रित करता है।

तीसरी जाति यादववंशीय चौधरियों की है, जो अपनी संख्या के कारण जनतांत्रिक ढाँचे में वोटों की राजनीति का लाभ उठा रही है और इसीलिए एक ज़माने में यह जाति ठाकुरों के द्वारा शोषित थी, अब वह खुद ज़मींदार बन गई है और राजनीतिक शक्ति बलबूते पर दलित चमारों का नए ढंग से शोषण कर रही है।

चौथी जाति चमारों की है। इसमें चमारों की नई पीढ़ी सूरजभान, लच्छीराम, सरूप भगत गिनाए जा सकते हैं। ये लोग धीरे-धीरे अपने अधिकारों के प्रति सजग होते जा रहे हैं, संघटित होने की कोशिश कर रहे हैं। ठाकुरों, चौधरियों और ब्राह्मणों के विरोध में आर्थिक, सामाजिक और सांस्कृतिक दबावों को सहते ऊपर उठने की कोशिशों में हैं। लेकिन अब भी शोषण का चक्र रूका नहीं हैं। सब कुछ समझ में आते हुए भी कोई कुछ कर नहीं पा रहा है। कुछ करने की ललक लेकर टिका हुआ विपिन गाँव छोड़कर चला जाता है। लगता है परिवर्तन के बावजूद भी जब कुछ भी ठोस नहीं निकल रहा है तो

निश्चित रूप से कहीं न कहीं कुछ मिस हो रहा है। और यह बिन्दु किसी की पकड़ में नहीं आ रहा है। नतीजा गाँव के उजाड़ होने में हो रहा है।

इस सबके बावजूद लेखक ने जग्गन मिसर के मुख से ज़माने के गर्भ में छिपी मानवीय गरिमा की और संकेत किया है धरती उजड़ तो रही है, पर आखिर तो धरती है, उसकी कोख से कभी न कभी पौध जन्मेगी।

धरती धन न अपना — उपन्यास की कथावस्तु के महत्त्वपूर्ण मोड़ों का विश्लेषण करने से पहले स्वयं लेखक की अपनी कृति के बारे में संस्मरणात्मक प्रतिक्रिया को समझ लेना ठीक होगा। इस उपन्यास के लेखन की प्रेरणा खुद लेखक की बालपन के अनुभवों से निसृत है। बचपन में अपने हरिजन मित्रों के साथ खेलना, रहना, खाना-पीना और क़रीब से उनके शोषण और यातनाओं का अनुभव करना, लेखक के मस्तिष्क पर गहरा प्रतिबिम्ब हुआ है। धरती धन न अपना पर लिखे संस्मरण में बालपन की कई घटनाओं का स्मरण लेखक ने रेखांकित किये हैं। जिनमें चौधरियों और ज़मींदारों द्वारा चमारों पर किये गये ज़ुल्मों का मर्मान्तक चित्रण है। अधिकारों के प्रति जागरुकता और साहस की कृतियों को देखा है। हरिजन और चौधरियों के संघर्ष में मज़दूरी के सवाल पर हरिजनों ने हड़ताल की थी, चौधरियों ने भी हरिजनों को बायकाट किया। हड़ताल अधिक दिन तक नहीं चल सकी, क्योंकि भूख और बेकारी ने अंततोगत्वा हरिजनों का साहस तोड़ दिया और आखिरकार हरिजन युवकों को ही गाँव छोड़कर भाग जाना पड़ा। इन आँखों देखी घटनाओं का परिणाम लेखक के मन पर रचनात्मक रूप धारण करता है। हरिजनों के अत्याचारों की कहानी काफ़ी लम्बी है। लेकिन हड़ताल का साहस करना और फिर भले ही उसमें कामयाब न होना यह बात, इस देश में अनहोनी थी।

सामन्ती मूल्यों में जकड़े हुए गाँव के लोगों के लिए हरिजन युवकों की हड़ताल एक क्रांतिकारी घटना थी। यही वह पृष्ठभूमि है जिसकी अंतर्ज्ञानात्मक प्रतिक्रिया उपन्यास के लेखन में मूर्त हुई। प्रस्तुत उपन्यास की शुरूआत और समाप्ति में चौदह वर्ष का अन्तर है। लेकिन लेखक को इस बात का अफसोस नहीं है। इस सन्दर्भ में उपन्यास की रचना प्रक्रिया को लेकर लेखक का अपना वक्तव्य काफ़ी महत्त्वपूर्ण है "यदि मैं यह उपन्यास 55-57 में पूरा लिख देता तो शायद इसकी रूपरेखा कुछ और ही होती। क्योंकि उन दिनों जो घटना मुझे बार-बार कचोटती थी वह नाथ की प्रेमिका को ज़हर देकर मारना और नाथ का गाँव से भागना था। अब मेरे लिए वह घटना एक ट्रेजिक प्रेम-प्रसंग न होकर समाज की व्यावहारिक कठोरता, जकड़न और सामन्तवादी सामाजिक मान्यताओं का प्रतीक है।

मुझे यह मानने में रत्तीभर संकोच नहीं कि उपन्यास मुख्य स्टेटिक यथार्थ को पेश करता है। इसके मुख्य पात्र विशेष रूप से काली एक क़दम आगे बढ़कर दो क़दम पीछे हटते रहे। इसीलिए कि उनमें वह चेतना नहीं थी जो डॉयनामिक रिअलिटी में बदल देती है। स्टेटिक यथार्थ को प्रावैगिक यथार्थ में बदलाव की सामाजिक, आर्थिक और राजनैतिक

प्रक्रिया होती है। हमारे समाज के इस कटे हुए अंग को इससे वंचित रखा गया। सुधारवादी शक्तियाँ इस वर्ग को नया नाम देकर संतुष्ट हो गई। उनका एकमात्र उद्देश्य इनके प्रति छुआछूत को सिर्फ़ अंकित करना था, इससे अधिक कुछ नहीं। क्या केवल नाम परिवर्तन से स्टैतिक यथार्थ को प्रावैगिक यथार्थ का रूप दिया जा सकता है। क्रांतिकारी शक्तियों ने तो बहुत अर्से तक इस वर्ग की बिल्कुल उपेक्षा और अवहेलना की। शायद इसीलिए कि उच्चवर्गीय क्रांतिकारी शक्तियों के नज़दीक साधनहीन, शोषित, अपढ़ और भाग्यवादी हरिजन क्रांति के महायज्ञ में अपनी आहुति देने योग्य नहीं थे।

एक लेखक की हैसियत से समानता पर आधारित वर्गहीन समाज के रचना का स्वप्न देखना ठीक है, लेकिन अगर समसामयिक स्थितियाँ उस प्रत्येक चरित्र ओर स्थिति को जो शोषण के विरोध में सक्रिय और संघर्षशील है, लेकिन अंततोगत्वा टूट जाते हैं, तब फिर इस हार, टूटन का चित्रण करना क्या लेखक की बेईमानी समझी जायेगी? सवाल यह है कि काम्य परिवर्तन और प्रत्यक्ष यथार्थ इन दोनों के अर्न्तक्रियात्मक संबंधों को लेखक किस तरह रचना के स्तर पर उठाते हैं, जहाँ रचनात्मक स्वायत्तता और उसकी सामयिकता में अन्तर्विरोध पैदा न हो सके। इसमें से किसी एक पर भी लेखक की कलम अगर हावी हो जाती है तो लेखन का संतुलन निश्चय ही बिगड़ जाता है। इसीलिए जगदीशचन्द्र का यह कहना हमें बहुत कुछ प्रामाणिक लगता है कि मात्र मौखिक या काग़ज़ी परिवर्तन के आधार पर छुआ-छूत जैसी समस्या को सुलझा हुआ पा लेना एक भुलावा होगा। क्योंकि इस स्थिति तक पहुँचने के लिए जिस मानसिकता के विकसित होने की आवश्यकता है वह शायद अब भी हमारे वर्णमूलक भारतीय समाज में विकसित नहीं हुई। इसीलिए 'धरती धन न अपना' भले ही काली के पलायन की कहानी हो, इसमें किसी को शक़ नहीं होना चाहिए कि यह कहानी उस बल का भी संकेत करती है जिसमें शोषकों की सब तरह की ताक़तों के खिलाफ विद्रोह की चेतना पैदा करती है। संभव है यही बल टूटेगा कभी तो उस बिन्दु को छू लेगा जहाँ यथार्थ सही अर्थ में प्रावैगिक हो सकेगा।

इस पार्श्वभूमि पर उपन्यास की कथावस्तु को संक्षिप्त में समझना दिलचस्प होगा। इस उपन्यास का प्रमुख चरित्र है काली, जो अपने गाँव से कई वर्षों तक दूर रहकर फिर अपने गाँव लौट आया है। इसीलिए काली का अपने गाँव लौटना सिर्फ़ भौतिक लौटना नहीं है, बल्कि एक नयी मानसिकता को लेकर लौटना है, जिसमें शहरी मज़दूर संघटनाओं और शोषितों के अधिकार की जागरूकता है। बचपन में काली ने खुद चौधरियों के अत्याचारों को सहा है। अपनी बिरादरी के लोगों को सहते देखा है। अनुभवों और अधिकार की मानसिकता को अपने साथ लिए आया हुआ काली चमादड़ी में पक्का मकान बनाकर एक और चौधरियों के स्तर को चुनौती देना चाहता है तो दूसरी ओर अपनी बिरादरी के लोगों में निरन्तर ज़िन्दगी से ऊपर उठने की लालसा पैदा करना चाहता है। यह बहुत स्वाभाविक था कि काली का यह इरादा ऊँची जाति के लोगों को बिल्कुल पसन्द नहीं आता। चमार

लोग भी अपनी परम्परागत स्थितिशीलता को छोड़ना नहीं चाहते हैं।

चमारों के आपसी झगड़े और चौधरियों के जुल्म, इन दोनों के संबंधों में, पनपी सामाजिक व्यवस्था के बदलाव की कोशिश करने वाला एक प्रतिनिधि चरित्र बन जाता है। चमादड़ी में कुछ मंगू जैसे भी लोग हैं जो चौधरियों की मर्ज़ी और कृपा पाने के लिए अपनी ही बिरादरी के लोगों को पिटवाते हैं। चमारों और चौधरियों की मार खाने और उनके सामने गिड़गिड़ाने की एक आदत सी हो गयी है। हरनाम चौधरी चौपाल में चमारों पर गालियों की बौछार करता या सन्तू चमार को दहाड़ने तक उसकी पिटाई करता है। और फिर ऊपर से माँ बहन की गालियाँ देता है तब भी चमारों पर इन घटनाओं का कोई असर नहीं पड़ता।

काली अपनी बिरादरी के कुछ युवकों को संघटित करके चौधरियों के खिलाफ विद्रोह की आवाज़ उठाने की कोशिश करता है। वह डॉ. विशनदास और कामरेड टहल सिंह के सहयोग से मज़दूर हड़ताल करने की सोचता है लेकिन वर्ग संघर्ष के दर्शन को सिद्धान्त रूप में मानते हुए भी विशनदास और टहल सिंह पीछे हट जाते हैं। फिर भी इस हड़ताल का अन्त चौधरियों के झुकने में होता है और पहली बार चमादड़ों के लोगों में एक तरह का विश्वास पैदा हो जाता है कि उनके पास भी एक शक्ति है। शोषण के विरोध में शोषितों को संघटित करने वाली काली की कहानी अपने समग्र चरित्र में एक प्रेम कहानी भी है। ज्ञानो के साथ काली के संबंध इस उपन्यास का एक ऐसा आयाम है जिसमें काली और ज्ञानो अपनी ही जाति के विरोध के कारण त्रासद अन्त का शिकार हो जाते हैं। काली न तो धर्म परिवर्तन कर सकता है न ज्ञानो के साथ भाग कर शादी कर सकता है। ज्ञानो को जहर पिलाया जाता है और काली कहीं मर जाता है। इस प्रकार व्यक्तिगत प्रेम और सामूहिक पुरुषार्थ के समन्वित रूप में काली का चरित्र अपनी और परायी जाति के शोषक समूह के साथ संघर्ष करता हुआ समाप्त हो जाता है।

कुछ आलोचकों ने काली की इस कहानी को सर्वहारा के संघर्ष की कहानी न मानते हुए एक पैटी-बुर्जुआ की कहानी माना है जो अपने संचित अल्प धन और प्रतिष्ठा के बल पर शोषित भूदासों के बीच रहकर अपनी उचित प्रतिष्ठा कायम करके जीने के सपने देखता है। काली को पैटी बुर्जुआ कहकर उसे पूँजीवादी मानसिकता से जुड़ा हुआ मानना सिद्धान्त रूप में सही होकर भी हमें स्वीकार करना चाहिए कि भारतीय समाज में बदलाव की प्रक्रिया की शुरुआत करने के लिए कई बार इन्हीं बुर्जुआओं की ज़रूरत पड़ती है। काली को पूँजीवादी चेतना से जुड़ा हुआ मानने वाले सुधीश पचौरी अन्ततः इस बात को भी स्वीकृत करते हैं कि इस उपन्यास में चौधरियों की तानाशाही और भूदासों की सामूहिक रूप में परिवर्तन चेतना के साथ पहली खुली टकराहट होती है। पहली बार चमार चौधरियों के खिलाफ अपने अन्तर्विरोधों का मर्म समझते हैं और काली अन्य भूदासों की पाँतों में विश्वासपात्र अगुआ बनता है। काली की विकसित श्रमिक चेतना यहाँ एक महत्त्वपूर्ण भूमिका अदा करती है।

उपर्युक्त चर्चा के आधार पर कहा जा सकता है कि 'धरती धंन न अपना' एक ऐसे भूमिपुत्र की कहानी है जो शहरी माहौल में रहकर समता पर आधारित संबंधों को जीता है। इस पृष्ठभूमि पर कितनी आशा लेकर वह अपने गाँव लौटता है कि वहाँ भी अपनी बिरादरी को कुछ ऊँचा स्तर दिला सके। लेकिन शहर और गाँव और उनके बीच भेद सिर्फ़ स्थान और जनसंख्या का नहीं है, यह भेद कस्बाई और महानगरीय बोध का है। इस देश की कस्बाई चेतना बावजूद इसके कि संसदीय प्रणाली यहाँ तक पहुँच गयी है, अपनी मूल वर्ण सारिणी और उसके साथ जुड़े कर्म संस्कारों से बुरी तरह चिपकी हुई है।

जो व्यवस्था निचली जातियों को अब भी अपने शोषणोन्मुखी साज़िशों में फँसती है, उसके कई कारण हैं — शासन, राजतंत्र और ज़मींदार, इनकी मिली भगत समान सत्ता — आकांक्षाओं के केन्द्र पर अपना कब्ज़ा सुरक्षित रखने के लिए बहुसंख्यक निम्न जातियों को इस बात का अवसर ही नहीं देता कि व्यवस्था के प्रच्छन्न षडयंत्र को समझ सकें। लोकतंत्र मानवी समानता पर आधारित होने के कारण शिक्षा के अवसर, नये समझदारी के अवसर, निम्न वर्गों को मिल तो रहे हैं, लेकिन निम्न वर्ग का एक छोटा सा पढ़ा लिखा हिस्सा अपने बिरादरी अपने इस शिक्षित मुखिया के विरोध में खड़ी हो जाती है। नयी पूँजीवादी व्यवस्था इस स्थिति का पूरा-पूरा इस्तेमाल करती है। उसे इस बात का पता है कि गाँव में रहने वाला निम्न वर्ग, और पूरी चमादड़ी सैकड़ों वर्षों से उच्च वर्णियों की गुलामी मूलक दासता में संस्कारित हो चुकी है। ये वर्ग उच्चवर्णियों के हाथों अपमानित होना, उनके हाथों पीसा जाना और उन्हीं के हाथों भिक्षा ग्रहण करना अपने लिए पुण्य कर्म समझता है। और फिर इसी वर्ग में इस बात की होड़ लगी रहती है कि अपने ज़मींदार चौधरी मालिक का सबसे बड़ा गुलाम और लाचार जो बन सकता है वह महान अभिमान का पात्र है।

सांस्कृतिक गुलामी की यह परम्परा निम्नवर्ग की मानसिकता में इतनी गहरी रिस गयी है कि इसे निकालकर गुलामी की सही शत्रु की पहचान करवाना असंभव तो नहीं कठिन ज़रूर है। इस परिवर्तन के लिए एक लम्बी प्रक्रिया जिसमें संघर्ष सीधे निम्न और ऊँचे वर्ण का नहीं है, संघर्ष की पहली सीढ़ी निचली निसैनी पर है। संघर्ष अपने वालों का अपने वालों के साथ है। एक ही बिरादरी और समान दुःखों, यातनाओं और पीड़ाओं को भोगने वाली जाति जब तक आपसी हीन ग्रंथियों से मुक्त नहीं होगी तब तक ऊपर की निसैनी का झगड़ा निम्नों के पक्ष में कभी सफल नहीं हो सकता।

काली की कहानी निचली सीढ़ी पर अपने ही वालों को ऊपर उठाने का प्रयास की कहानी है। इसमें विफलता अधिक, सफलता के सूत्र बहुत कम हैं। शायद कलकत्ते का सपना अपनी वतनी धरती पर देखने की चाह लेकर गाँव आने वाला काली अपनी ही जाति की ज्ञानो को भी न पा सका तो फिर सम्पूर्ण चमादड़ियों को, सम्पूर्ण चौधरियों के खिलाफ खड़ा करना कैसे संभव था? काली का त्रासद अन्त एक ओर निम्न वर्ग की व्यवस्था के खिलाफ एकता की प्रक्रिया की विफलता का द्योतक है तो दूसरी ओर कहीं न कहीं उस दिशा का संकेत

देता है जहाँ संघर्ष की शुरुआत के बिन्दु निर्माण होते हैं। 'धरती धन न अपना' संघर्ष की शुरुआत के स्थल का निर्देश तो करता है, चाहे फिर मैदान ए जंग बहुत दूर हो।

कभी न छोड़े खेत — 'कभी न छोड़े खेत' जगदीशचन्द्र का यह उपन्यास सामन्ती व्यवस्थाओं में परम्परा से पले हुए शोषित वर्गों की आपसी टकराहट को केन्द्रीय कथ्य के रूप में प्रस्तुत करता है। नम्बरदार ओर नीलोवालियों के बीच झगड़ा फसाद, दो शोषित जातियों और वर्गों की आपसी दुश्मनी का कारण है। लेकिन इस तरह की दुश्मनी को बरकरार रखना चौधरियों और ज़मींदारों के लिए ज़रूरी बात बन जाती है। अब भी इस मुल्क के छोटे-छोटे गाँव में समूची समाज व्यवस्था का ढाँचा सामन्ती है, और इधर उसमें पूँजीवादी अर्थतंत्र के जोड़ ने उसे और भी घिनौना बना दिया है। एक तरफ़ जनतांत्रिक अधिकारों का लाभ निम्न जातियों तक पहुँचने की कोशिश हो रही है, पर उसी वक्त चतुर ज़मींदार वर्ग निचली जातियों के पुश्तैनी बैर को भड़काये रखने की कोशिशों में लगा हुआ रहता है। परिणाम यह होता है कि निम्न जातियों का विरोध और विद्रोह की शक्ति आपसी झगड़ों में समाप्त होकर क्षीण हो जाती हैं। उनके पास संघटित होकर व्यवस्था विरोध की ताक़त लगभग नहीं के बराबर है।

प्रस्तुत उपन्यास में इस स्थिति को कथ्य का मध्य बिन्दु बनाया गया है और उसके आसपास उठने वाले सामाजिक सूत्रों का संकेत किया गया है। वैसे 'धरती धन न अपना' के मुकाबले यह उपन्यास काफ़ी कमज़ोर है। 'धरती धन न अपना' में चमारों के आपसी झगड़ों का चित्रण ज़रूर है, लेकिन उपन्यास उससे आगे निकलकर ज़मींदारों के विरोध में हरिजनों को खड़ा करता है।

कभी न छोड़ें खेत में लेखक ने गाँव के समाज के प्रतिनिधीय स्तरों का चित्रण किया है जो क्रमशः निम्नतर से निम्न और निम्न से ऊँचे माने जाते हैं। एक वर्ग हरिजनों का है जो सभी तरह के अभावों से ग्रस्त है और भौतिक आवश्यकताओं से वंचित है। यह वर्ग अपने से ऊपर वाले वर्ग पर निर्भर है। उत्तरप्रदेश के गाँव में जाटों का एक वर्ग है जो एक तरफ़ चमारों की सेवाएँ लेता है तो दूसरी तरफ़ ठाकुरों और बड़े ज़मींदारों के सामने लाचार बना हुआ है। एक वर्ग वह भी है जो धर्म का ठेकेदार बना तमाम जातियों को धर्म के नाम पर गुलाम बनाता है और अपनी जगह ऐश और विलासिता में पला हुआ रहता है। जगदीशचन्द्र ने जाटों के आपसी झगड़े दिखाकर यह बताने की कोशिश की है कि छोटे-छोटे कारणों से यह लोग एक दूसरों का ख़ून भी कर देते हैं जिसमें इनकी सारी उम्र और पीढ़ियाँ भी कोर्ट कचहरी में खप जाती है। इन लोगों की इन स्थितियों का लाभ ऊँची जाति के लोग अगर न उठाएँ तो कौन उठाएगा?

उपन्यास की शुरुआत जाटों के आपसी मारपीट के दृश्य से होती है। झगड़े का कारण केवल इतना ही है कि नम्बरदारों के करतार की घोड़ी ने नीलोवासियों नत्था सिंह की बहू और ठाकुर की पत्नी शीतल कौर के उपलों को रौंद डाला है। घबराहट में शीतल कौर का पायचा

उसके पाँवों में उलझता है और वह गिर जाती है। वह चीखती है। उसकी चीख सुनकर उसका देवर राजू करतार को ललकारता है। दोनों में गाली गालौच शुरू होती है। नत्था सिंह के बेटे ठाकुर और प्यारू करतार को बुरी तरह घायल करते हैं। करतार के पिता को जब इस घटना का पता चलता है तब और भी मार पीट हो जाती है। दोनों पक्ष के लोग बुरी तरह घायल हो जाते हैं। ऐसी ही घटनाएँ गाँव में छोटे-छोटे अन्तरालों के बाद होती रहती हैं। लेकिन इन घटनाओं के बाद सारे गाँव पर आशंका और भय का माहौल छाया रहता है। गाँव के सभी वर्ग और जातियों के गुटों को किसी न किसी स्तर पर झगड़ालू गुट के किसी एक पक्ष की हिमायत करनी पड़ती है। नतीजा .... सारे गाँव में एक तरह का तनाव पैदा हो जाता है।

प्रस्तुत उपन्यास में लेखक ने गाँव के लोगों का तीन फरीकों में बँटवारा किया है। इनमें एक फरीक ऊँची जाति का है जो इन झगड़ों के कारण खुश है। एक वह है जो असुरक्षा के भय से चिन्तित है। संक्षेप में जाटों के दो दलों में होने वाली भिड़न्त की कहानी अपने सांकेतिक स्तर पर गाँव की आर्थिक और सामाजिक बनावट तथा उसे रूप देने वाली इकाइयों को उद्घाटित करती हैं यह उपन्यास जाति की जातीय चारित्रिक विशेषताओं के उद्घाटन तक ही सीमित नहीं रहता, अपनी परिधि को विस्तार देता हुआ पूरी सामाजिक आर्थिक व्यवस्था की पहचान देने लगता है। इसके बावजूद यदि यह उपन्यास अपनी निहित संभावनाओं को रचनात्मक धरातल पर पूरी तरह पाने में नाकामयाब रहा है तो उसकी सबसे बड़ी वजह यह है कि रचनाकार अनुभव के धरातल पर प्राप्त वास्तविकता की शिनाख्त और बौद्धिक स्तर पर इसके ज़िम्मेदार कारणों की पड़ताल का आभ्यन्तरीकरण करते हुए अपने कथ्य को सही और उपयुक्त सर्जनात्मक मुहावरे में व्यक्त नहीं कर सका।

जैसा कि ऊपर संकेत किया जा चुका है कि प्रस्तुत उपन्यास में मूल कथ्य के आसपास उठाने वाली आर्थिक और सामाजिक सम्बन्धों का संकेत भी हुआ है। पुलिस विभाग की अमानवीयता न्याय व्यवस्था तक पहुँचते-पहुँचते निम्न जाति का शोषण, महाजनों के हथकण्डे ओर किसानों के रूक्के लिखवाकर ज़मीनें हड़पने का षडयंत्र आदि का चित्रण करके उपन्यासकार ने सामन्ती मूल्यों और पूँजीवादी व्यवस्था के भयावह चरित्र को अंकित किया है।

टपरे वाले — कृष्णा अग्निहोत्री का टपरे वाले उपन्यास लोगों की सामाजिक, आर्थिक और मनोवैज्ञानिक स्थितियों का हृदय विदारक चित्र प्रस्तुत करता है। लगभग दो सौ टपरों की यह बस्ती बसोड़ों, माहर, मातंग आदि जातियों के परिवारों से भरी है। कहना नहीं होगा कि टपरों में रहने वालों की यह दुनिया समाज संज्ञा के अभिधान से वंचित है। यहाँ भूख के सभी स्तर असंतुष्ट हैं। यहाँ निवास के नाम पर कारावास में बदतर स्थिति है। ज़िन्दगी की मूलभूत आवश्यकताओं से वंचित यहाँ परिवार न केवल बाहरी गन्दगी से पीड़ित है, बल्कि इसी के परिणाम से आन्तरिक गन्दगी से भरे पड़े हैं। यहाँ पारिवारिक रिश्तों की तमाम इकाइयाँ दरिद्रता से जन्मी विकृतियों में बदल गयी हैं, इसीलिए किसी की

बहू-बेटी पर किसी के द्वारा किए जाने वाले अनाचार मानो इस दुनिया के रिकग्नाईज्ड व्यवहार हैं। इसीलिए झूठ-सच, चोरी-ईमानदारी, पाप-पुण्य, जैसी अवधारणाएँ अवमूल्यन के अंतिम छोर तक पहुँच गई हैं। इसका यह मतलब नहीं कि इस नरक में बसने वाले लोग मात्र व्यभिचारी डाकू, चोर, ख़ूनी, लुटेरे, जेबकतरे, शराबी और निरन्तर रोगी होते हैं। यह सभी लोग ज़रूर ऐसे ही लेकिन उनका इस तरह होना कोई प्राकृतिक घटना नहीं हैं। सभ्य कहलाने वाले समाज के बहुस्तरीय शोषण का यह डरावना और विद्रूप नतीजा है। लेखिका ने इन परिवारों की अंधे सड़ांध को कई घटनाओं के माध्यम से चित्रित किया है पर उसके साथ-साथ उन कारणों का संकेत भी किया है जिनके परिणामस्वरूप टपरे वालों की दुनिया इस तरह की नरक यातना भोग रही है।

टपरे वालों की इस स्थिति के लिए ज़िम्मेदार हमारी सामाजिक व्यवस्था और उसके बदलाव के लिए आवश्यक संघर्ष के संकेत उपन्यास में लगभग नहीं है। लेकिन इसी बस्ती की अंधेरी सड़ांध में रहकर इन्हीं लोगों की विकृतियों को क़रीब से देखकर और साझीदार करके एक युवक अंततः टपने वालों की स्थिति में परिवर्तन लाने में सफल हो जाता है। उपन्यास का यह आदर्शवादी अन्त अस्वाभाविक ज़रूर है लेकिन उस छोर तक पहुँचने के लिए लेखिका ने यथार्थ का पल्ला पकड़ रखा है तथा काफ़ी विवरणात्मक ढंग से इस बस्ती के मानवीय रिश्तों का चित्रण किया है।

इस उपन्यास का केन्द्रीय चरित्र है गोरेलाल। गोरेलाल ने अपना बचपन इस गन्दी बस्ती में बिताया है। बचपन ही से गोरेलाल के मन में अपनी बस्ती की गन्दगी से ऊपर उठने की चाह रही है। सामने रहने वाले व्यापारी शुक्ला जी के इकलौते लड़के हिमांशु को गोरेलाल निरन्तर खुश करके रखता और जैसे-तैसे उनके घर में प्रवेश पा लेता है।

वैसे गोरेलाल अपने पारिवारिक स्तर पर काफ़ी दुःखी है। उसके बाप के मरने के बाद उसकी माँ ने दो शादियाँ कर ली हैं। पारिवारिक उपेक्षा और परिवेश की गन्दगी के दोहरे परिणाम के बीच गोरेलाल का मन ऊब और खीज से भर गया है। इसलिए इस घिनौने माहौल के कुछ क्षण मुक्ति के लिए वह शुक्ला जी के सामने वाले बरामदे में ही पड़ा रहता है।

टपरों में रहने वाले लोगों के आपसी रिश्ते सामान्य सभ्यता के मूल्यों को तोड़कर अजीब ढंग से विकृतियों में फँसे हुए हैं। हल्कू जो गोरेलाल की माँ का तीसरा पति है। गोरेलाल की मुँहबोली बहन सरला को हल्कू ख़राब करना चाहता है। गोरेलाल बाप की चाल को भाँप लेता है और सरला की शादी रतन से कर देता है। गोरेलाल की माँ सरसुती गोरेलाल का विवाह प्यारेलाल की रखैल से जन्मी लड़की गनेशी से कर देती है। गोरेलाल के कई बच्चे हैं। इनमें लीला एक ऐसी लड़की है जो अपने भाई बहनों में व्यक्तित्व के स्तर पर विशिष्ट है। गोरेलाल की पारिवारिक जिम्मेदारियाँ बढ़ती जा रही हैं। इधर बड़े मालिक शुक्ला जी की मृत्यु के बाद छोटे सरकार की डाँट फटकार, मालिकिन बहू की कंजूसी और काम के बोझ से वह निरन्तर दबता जा रहा है।

गोरेलाल परिवेशगत और परिवारगत समस्याओं के बोझ से दबा हुआ होकर भी अपने मालिक हिमांशु के प्रति कभी बेईमान नहीं हुआ। हिमांशु जो म्युनिसिपाल्टी का चुनाव हार जाता है, खीझ और गुस्से के कारण गोरेलाल पर तीन सौ रुपये चुकाने का नोटिस देते हैं। चुनावों के दरम्यान टपरे उखाड़ दिये जाते हैं। लेकिन फिर नये टपरे बन जाते हैं।

गोरेलाल अपने मालिक से एक तरफ़ पिटता रहता है तो इस अपमान के क्रोध के रूप में पत्नी गनेशी को पीटकर उतारता हैं। सब कुछ तितर-बितर हो गया है। टपरों की बेतरतीब संख्या और दरिद्रता तथा विकृतियों के शिकार बसोड़ों की यह जाति साक्षात इन टपरों के नरक में पल रही है। गोरेलाल जैसे कई परिवार यहाँ सड़ रहे हैं पर किसी को भी इस बात का पता नहीं है कि उनकी इस स्थिति के लिए कौन ज़िम्मेदार है? इन लोगों में कही भी अन्याय या उपेक्षा के ख़िलाफ़ विरोध और विद्रोह की भावना क़तई नहीं है। इनमें अंधश्रद्धाएँ, शकुन-अपशकुन की भावनाएँ इतनी ज़्यादा पक्की है कि अपनी दरिद्रता के गड्ढे से ऊपर निकलने की आशा करना फिज़ूल है। भुखमरी से तो लोग मरते ही हैं, अनैतिक संबंधों की बहुलता के कारण भयंकर रोगों के शिकार भी बनते हैं। इसके साथ-साथ माहौल की गन्दगी कई जानलेवा बीमारियों को निमंत्रण देती है। न रोशनी का इन्तज़ाम न शौचालयों की कोई व्यवस्था। इस बस्ती में अगर कोई बीमार पड़ जाता है तो कोई डॉक्टर भी यहाँ नहीं आता। जैसे-तैसे आ भी जाए तो नाक दबाए, इंजेक्शन दिया,पैसे वसूले और लम्बा भाषण झाड़ दिया और चल दिया। जुजु जैसे दयालु स्वभाव के आदमी को अपने परिवार में यह सब सहना पड़ा है। यहाँ की अंधेरी भयंकर गलियों में युवतियों पर बलात्कार की घटनाएँ निरन्तर होती रहती हैं। और फिर अंधेरे में ही कच्चे गर्भ को गिराने की दर्दनाक वारदातें भी हुआ करती हैं। इसी तरह के बलात्कार की शिकार गेंदा जैसी कोई कुंवारी लड़की हो सकती है या अपने जीजा के साथ भाग जाने वाली गोरेलाल की छोटी लड़की की तरह कई और लड़कियाँ हो सकती हैं। अन्धविश्वास से घिरे रत्ना की माँ की तरह कहीं टी.बी. पेशेन्ट है। जनकल्याण की दहाई देने वाले सरकार और उसके नुमाईंदे इस बस्ती के पास से कई बार गुज़रते हैं लेकिन किसी का ध्यान इस सौ दो सौ परिवार वाली बस्ती पर नहीं जाता। इस सारे माहौल का कुल परिणाम शारीरिक, मानसिक और सांस्कृतिक विकृतियों में होता है। पचिया जैसी कोई लड़की अपना कौमार्य बेचकर बीमार माँ और छोटे भाई बहनों का पेट भरने के लिए मजबूर हो जाती है।

इस बस्ती की हर औरत जवान होने से पहले ही बूढ़ी हो जाती है, और हर मर्द मात्र ज़िन्दा रहने के लिए रोज़ तिलतिल मरता रहता है। क्या इस स्थिति का कोई उपाय नहीं? क्या इसके बदलाव के कोई आसार नहीं? घोषणाएँ और योजनाएँ बहुत आती हैं और टपरे वालों के परिवर्तन का वादा करती हैं पर परिणाम कुछ भी नहीं होता। तब फिर बाहरी यंत्रणाओं के ज़रिए क्या इस नरक को बदला जा सकता है? शायद नहीं— क्योंकि बाहर की एजेन्सियाँ इस बस्ती के मात्र किताबी अर्थशास्त्र और समाजशास्त्र को जानती हैं।

इसलिए परिवर्तन की भीतरी माँग को ये नहीं जान सकतीं। कोई ऐसा हो जो इन्हीं का हो, इन्हीं में से पला हो, इनके दुखदर्द को जिसने जाना हो यही शायद इन्हें ऊपर उठाने का उपाय ढूँढ़ सकता है। लेखिका ने इस सूत्र को पहचान लिया और पन्ना जैसे व्यक्ति के चरित्र की कल्पना की है।

वैसे पन्ना निम्न मध्यवर्गीय संस्कारों में पला हुआ लड़का है पढ़ाई के लिए गाँव से शहर आया है। टपरे वालों की बस्ती में किराये पर रहता है। गोरेलाल की लड़की से उसका सम्पर्क बढ़ता है। दोनों एक दूसरे को चाहने लगते हैं। पन्ना किसी न किसी घटना के बहाने यहाँ के लोगों को शिक्षा सफाई आदि के बारे में बताता रहता है और अपनी हद तक इन लोगों में जागृति पैदा करने की कोशिश करता है। लेकिन जिन संस्कारों में बस्ती के लोग पले हैं और जीवन के प्रति उनका जो रवैया बना है उसमें पन्ना के प्रयास कमज़ोर साबित होते हैं। पन्ना टपरे वालों को बार-बार समझाता रहता है कि केवल समाज या व्यवस्था को दोष देने से तुम नहीं सुधर सकते। तुममें खुद सुधरने की इच्छा होना ज़रूरी है। .... बड़े-बड़े लीडर यहाँ आकर भाषणबाज़ी करके चले जाते हैं तुम सब उन्हें सोचने के लिए बाध्य नहीं करते। बस, एक ही भूत तुम सबके दिमाग़ पर औंधा है कि हम सब इतने गरीब हैं कि कुछ नहीं कर सकते। ग़रीब तो कुली भी हैं, ग़रीब तो मज़दूर भी है पर वे भी अपना जीने का हक़ समझते हैं। तुम सब तो सोचते हो कि यदि नाक पर मक्खी भी बैठ जाए तो वह भी गरीबी का लक्षण हैं।

पन्ना के ये विचार जहाँ उन टपरे वालों के प्रति सहानुभूति व्यक्त करते हैं वहीं इन लोगों में रची बसी अंधश्रद्धाओं आलस और भाग्यवादिता पर हमला भी करते हैं। सरकारी यंत्रणा अपना फर्ज़ पूरा करने के लिए मानो एकाध चक्कर इस बस्ती का लगा देती है, कभी-कभी तो इसके विपरीत ये अधिकारी इन गरीब दरिद्री लोगों को और अधिक अज्ञान में पड़े रहने के लिए प्रोत्साहित करते हैं। इसका नतीजा यह होता है कि इन लोगों को सड़ांध में रहने का अभ्यास हो गया है। पन्ना यहाँ की बस्ती वालों को दोहरे मोर्चे पर लड़ने की सलाह देता है। एक तरफ़ अन्धश्रद्धाओं से मुक्ति की सलाह तो दूसरी तरफ़ अपने अधिकारों के प्रति सजगता की सलाह। कुल मिलाकर पन्ना का चरित्र एक ऐसा चरित्र है जो सुधारवाद के सभी खतरे और उसकी तामाझामी कर्मकाण्ड को गहराई से समझ गया है। पन्ना अपने परिश्रम और सूझ के कारण प्रगति की एक-एक सीढ़ी प्राप्त करता हुआ एक दिन मिनिस्टर बन जाता है। इस स्थिति में भी वह लीला को नहीं भूलता। और न उन टपरे वालों को। टपरे वालों के लिए वह शहर से लगी एक चौड़ी समतल ज़मीन चुनता है जहाँ पक्की खोलियाँ बनवायी गयी हैं। टपरे वाले गन्दी बस्ती से साफ़ बस्ती में आ गए हैं। लीला और पन्ना का मिलन एक ऐसा बिन्दु है जहाँ से एक नयी दहलीज़ पार करके किसी और आदर्श मंज़िल तक पहुँचने की चाह शुरू होती है। एक धुंधल का अब टूट रहा है "पिछलन्द में घुटते, सामाजिक विषमताओं में टूटते, निस्तब्ध आकाश के नीचे, गहरी शून्यता

में लिपटे बेसहारा लाशों जैसे ये इन्सान। गन्दे टपरों में भिनभिनाती मक्खियों जैसा उनका जीवन। तब भी आने वाला कल उनकी आवाज़ के दर्द को समझेगा। जाति-पाँति ऊँच-नींच के भेद से परे एक सुखी सम्पन्न समाज के बीच उनका भी स्थान होगा। इन्हीं में से कोई लीला जैसी विवेकी होकर समय की लड़ाई में अपने लिए स्थान बना सकेगी और तब टूट सकेगा वह धुंधलका जो उन्हें ढाँक रहा है।"

उपन्यास का अन्त उपर्युक्त लेखकीय भूमिका का ही रचनात्मक परिणाम है। लीला और पन्ना के चरित्रों को उभारना निम्न जाति में परिवर्तन की एक निशानी है। अगर इन समाजों में लीला और पन्ना जैसे युगल समय की लड़ाई विवेक का शस्त्र लेकर लड़ते रहेंगे तो धुंधलका निश्चित छँट जाएगा।

कगार की आग — 'कगार की आग' हिमांशु जोशी का उपन्यास वैसे शोषण को केन्द्र मानकर लिखे गये उपन्यासों की तरह किसी गाँव की निम्न समाज शोषण की मर्मान्तक कथा कहता है। इस स्तर पर प्रस्तुत उपन्यास इस जाति के अन्य उपन्यासों से विशेष भिन्नता नहीं रखता। भारत के हर किसी गाँव में हमें वही सामन्ती अवशेष दिखाई पड़ेंगे, वही सरकारी योजनाएँ और गाँव की ज़मींदारों की ज़मींदारी की मिलीभगत के कारनामें दिखायी देंगे। पुलिस, पटवारी, ज़मींदार आदि निहित स्वार्थों की शक्तियाँ इन्हीं हथकंडों का इस्तेमाल करती दिखाई देंगी। और फिर यदि लेखक कहीं अपने विचारों में प्रतिबद्ध है और रचनाशीलता के स्तर पर स्थितियों में परिवर्तन की आकांक्षा रखता है तो वह चाहेगा कि शोषित समाज का एक प्रतिनिधि चरित्र व्यवस्था के विरोध में संघर्ष का संकेत दें।

'कगार की आग' में यह सब कुछ है। अल्मोड़ा की पर्वतीय अंचल में लधौना गाँव के लौहारों की पीड़ाओं का इसमें प्रभावपूर्ण चित्रण हुआ है। लेकिन इस उपन्यास की एक विशेषता है जिसके रहते प्रस्तुत कृति अन्य उपन्यासों के, मुकाबले लक्षणीय बन पड़ी है। यह है उपन्यास का मुख्य चरित्र गोमती। गोमती की पीड़ा दोहरी है। एक स्तर पर शोषित समाज का प्रतिनिधि चरित्र के रूप में उसे वह सब कुछ सहना पड़ रहा है जो उस जैसी हर किसी को सहना पड़ता है। उसी वक्त दूसरे स्तर पर वह निम्न समाज की स्त्री है जिसे अपने परिवार के ज़ुल्मों को अलग से सहना पड़ता है। यही वह बिन्दु है जहाँ यह उपन्यास शोषितों की पीड़ा के इकहरेपन से मुक्त हो जाता है। और तनावों के बहुआयामी स्तरों को अनुभव करने लगता है।

गोमती जैसी दलित स्त्री की व्यथा, वह पीड़ित है इसलिए जितनी तीव्र है, कहीं उससे अधिक वह दलित स्त्री है इसलिए और भी तीव्र है। लेखक ने गोमती के चरित्र में उन तमाम संवेदनाओं को बड़े सूक्ष्म ढंग से उभारा है जिसमें गोमती का पत्नी रूप, उसका माता रूप, उसका बहू रूप और फिर उसका दलित स्त्री का समष्ठि रूप प्रकट हुआ है।

सामन्ती ज़ुल्मों की बेहद मार के कारण अपनी संवेदनाओं को पूरी तरह भोथरा कर देने वाला पिरमा जैसा गोमती का पति गाँव के मुखियों के हाथों पिटता तो है ही लेकिन

अपनी पत्नी पर बाहर के और घर के लोगों की पड़ी भूखी नज़रों का प्रतिकार नहीं कर सकता। गोमती ने पिरमा के उपस्थिति में अपने ककिया ससुर की मार खायी है। लेकिन निकम्मा पिरमा उसे छुड़वा नहीं सकता। निष्क्रिय और संवेदनाशूल्य पति की कमज़ोरी का लाभ उठाने वाले कई लोग गोमती को ललचायी निगाहों से घूरते हैं। एक तरफ़ कमज़ोर पति और दूसरी तरफ़ गोमती का अपना रूप इन दोनों के अभिशाष से मारी गोमती विलक्षण अन्तर्द्वन्द्व का अनुभव करती है।

पिरमा की भलमनसाहत जो गोमती के लिए एक अभिशान है, गोमती के भीतर एक नये तरह के अन्तर्द्वन्द्व को जन्म देता है। जो पति खुद अपने लिए दो जून रोटियाँ नहीं जुटा सकता वह अपनी पत्नी की रक्षा क्या करेगा? और फिर कुन्नू जैसा अबोध बच्चा गोमती के लिए एक ज़िम्मेदारी की माँग करता है। उधर मायके में सिर्फ़ बची है निहायत बूढ़ी माँ। परिवार के भीतर और परिवार के बाहर शारीरिक और आर्थिक शोषण के चक्र में पिसी जा रही गोमती, बेहद असहाय है। ऐसी स्थिति में अगर उसके मन में आत्महत्या के विचार न आते हों तो कोई आश्चर्य नहीं। लेकिन अस्तित्व के इस भयावह गिरफ्त में कचोटी जाकर भी गोमती पलायनवादी नहीं बनी। लेखक ने गोमती के चरित्र में इस बिन्दु पर जिजीविषा और उत्तरदायित्व की समन्वित संवेदना को जाग्रत कर चरित्रगत स्वाभाविकता का परिचय दिया है।

निरीह कन्नुआ और लाश की तरह ठंडा पति पिरमा, इन दोनों के खयाल से गोमती अपने भीतर संघर्ष की शक्ति का अनुभव करती है। गाँव के बदमाश लोग तो पिरमा के मौत का जैसे इंतज़ार ही कर रहे हैं। क्योंकि रूपवती गोमती का विधवा होना उनके लिए एक सुनहरा मौका है।

पिरमा का भाई देवराम इस उपन्यास का एक संघर्षशील चरित्र है। वह अपने भाई को हिम्मत देता है और शोषण के विरोध में साहस पैदा करने की स्फूर्ति देता है। वह कहता है — ढुलंदा तुम क्यों हिम्मत हारते हो? ये लोग तुम्हारे ऊपर हाथ उठाते हैं तो तुम भी एक बार कुल्हाड़ी घुमाकर इन्हें छोलिया नाच दिखा दो।

अतः स्पष्ट है कि दलित अस्मिता की दृष्टि से हिन्दी उपन्यासों का सृजन तो हुआ है, किन्तु आलोचकों द्वारा दलित मनुष्य की सामाजिक प्रतिष्ठा एवं अस्मिता की दृष्टि से उनका मूल्यांकन नहीं किया, तथाकथितवादी दृष्टि से उनका विश्लेषण किया है। आज के समय की सच्चाई यह है कि समीक्षकों-आलोचकों को संवैधानिक मानवाधिकारों एवं दलितों की मानवीय अस्मिता को रेखांकित करते हुए हिन्दी के सृजित उपन्यासों का पुनर्मूल्यांकन करना होगा, तभी "आँखन देखी" का सत्य उजागर हो सकेगा।

आश्वस्त, 20, बागपुरा, उज्जैन, 456010

'दलित कहानी' की वास्तविक चिंता अपने समाज को पराधीनता की उन परम्पराओं से मुक्ति दिलाने की है जिसने उन्हें सदियों से भारतीय समाज की मुख्यधारा में अस्पृश्य और कमजोर बनाये रखा है। इसमें संदेह नहीं कि यह मुख्यत: वही वर्णवाद अथवा जातिवाद की परम्परा है जो भारतीय सामाजिक व्यवस्था में इनका निम्नतर स्थान तय कर देती है।

दलित कहानी की ज़मीन

देवेन्द्र चौबे

20 जनवरी, 1994 को "काली सुर्खियाँ"[1] में संकलित कहानियों पर टिप्पणी करते हुए प्रसिद्ध कथाकार और हंस के संपादक राजेन्द्र यादव ने कहा था कि "यह संयोग नहीं है कि तीसरी दुनिया का सारा संघर्षरत लेखन अपने आपको अश्वेत साहित्य से ही जोड़ता रहा है — दलित साहित्य का मॉडल तो लगभग वही है। चाहे वह अमेरिका का नस्लभेद हो, गोरी दुनिया के अल्पसंख्यकों की नियति हो या फ्रेंच अमेरिकन उपनिवेशी चंगुल में छटपटाता अफ्रीका हो। हम कहीं भी अपने को उनसे अलग नहीं पाते। गरीबी, भुखमरी, अकाल, वर्ण और वर्ग संघर्ष या सांप्रदायिकता की अपने समाज के भीतर लड़ी जाने वाली लड़ाइयाँ और फिर उपनिवेशी शोषण-दमन की क्रूर या बारीक मुठभेड़ हमारी स्थितियों का प्रतिरूप ही लगती है।"[2] हिन्दी में अब तक उपलब्ध दलित कहानियों की स्थिति भी लगभग यही है। यह वर्ण, भुखमरी, गरीबी, शोषण और दमन ही है जो दलित समाज को भारतीय सामाजिक व्यवस्था की मुख्यधारा से दूर कर देता है। उस पर दुर्भाग्य यह कि इस समाज को 'प्राय: अपने शोषकों और दुश्मनों की भाषा और एक ही धर्म बिंबों में अपनी बात कहनी पड़ती है।'[3] हिन्दी के दलित लेखकों ने जिस भाषा में कहानियाँ लिखी हैं मुख्यधारा के प्राय: अधिकांश विचारक उस भाषा को साहित्य ही नहीं, बल्कि हिन्दी भी नहीं मानते हैं। दूसरे शब्दों में कहें तो वह उसे हिन्दी जैसी, कुछ टूटी-फूटी बोलियों में रचित कुछ 'कथात्मक बिंबों का संग्रह' मात्र मानते हैं। इतना ही नहीं, यह समाज जिस धर्म और जाति या वर्ग के खिलाफ अपने शोषण और दमन की शिकायत करता है, वह जाति

वर्ग अथवा धर्म ही उनके शोषण और दमन का कारण होता है। यदि हम भारतीय समाज और उसमें दलित समाज को देखें तो यह बात स्पष्ट हो जाती है! हिन्दी में प्रकाशित दलित लेखकों की अधिकांश कहानियाँ इसी सत्य को स्थापित करती हैं कि भारतीय सामाजिक व्यवस्था में दलित होने और एक भिन्न प्रकार के वर्ण में होने के कारण इस समाज को बराबर हाशिये की ज़िंदगी गुजारनी पड़ी है अथवा मुख्यधारा के अंदर रहते हुए भी 'अस्पृश्य' होने की पीड़ा सहनी पड़ी है। यह कितनी बड़ी विडंबना और दलित समाज के साथ पारंपरिक समाज का सामाजिक व्यवहार (दुर्व्यवहार) है कि भारतीय समाज की मुख्यधारा के अंदर हाशिये की ज़िंदगी व्यतीत कर रहे दलितों के पारिवारिक कार्यक्रमों में आये गैर दलितों के साथ भी मुख्यधारा का समाज जाने-अनजाने दलित सा ही व्यवहार करता है और उसके जातीय बोध और उच्च वर्ग की स्वीकारोक्ति को भी असत्य मानकर 'अस्पृश्य' करार देता है। उदाहरण के लिए हम लोग ओमप्रकाश वाल्मीकि की 'सलाम' कहानी को ले सकते हैं जहाँ सामाजिक परम्पराएँ और मान्यताएँ इतनी रूढ़ हो चुकी हैं कि विकास की सारी प्रक्रियाएँ अवरुद्ध लगती हैं।[4] यहाँ तक कि लगता है कि ज़िंदगी वहाँ से आगे जा ही नहीं सकती। यद्यपि भारतीय समाज की नयी पीढ़ी के अन्दर एक वर्ग ऐसा ज़रूर आया है जो गैर दलित समाज के 'दलितवाद' (Palitism) का प्रतिरोध करते हुए उसे ध्वस्त करना चाहता है।

यह अकारण नहीं हुआ है। दलित समाज के अन्दर प्रतिरोध का यह स्वर उस खास सामाजिक विकास की प्रक्रिया का एक हिस्सा बनकर आया है, जहाँ मुद्रण के आविष्कार के बाद ज्ञान की अनेक धाराएँ तेजी से समाज में फैलीं। 19वीं सदी के प्रारंभिक दशकों मे पत्र- पत्रिकाओं के प्रकाशन और ज्योतिबा फुले (ज्योतिराव गोविन्दराव फुले : 1827 - 1890) के प्रयासों से भारत, खासकर महाराष्ट्र में दलितों के बीच ज्ञान-विज्ञान का तेजी से प्रचार-प्रसार हुआ। 1855 में प्रकाशित अपनी पहली कृति 'तृतीय रत्न' (नाटक) में फुले ने कथा के माध्यम से दलित समाज की ज़िन्दगी, उसके अंतर्विरोधों और समस्याओं को समझते हुए अन्य समाज के अन्दर ज्ञान की वह पहली कोशिश थी, जो 'ब्राह्मणवाद (Brabmanism) के खिलाफ अथवा दूसरे शब्दों में कहें तो अदृश्य ताक़त के 'भय' के खिलाफ ज्ञान को सामने रखकर दलित समाज के प्रगतिशील विचारकों ने किया था। कारण, इस नाटक में आये पादरी, मुसलमान, पुरुष ब्राह्मण (संवाद में) विदूषक जैसे पात्र कथा बिंबों और चरित्रों के माध्यम से दलित समाज को जाग्रत करने की एक सार्थक कोशिश करते हैं। यह नाटक यह भी बतलाता है कि किस प्रकार दलित समाज को 'ज्ञान' और उसकी परम्परा से वंचित रखा गया।[5] इतना ही नहीं, यह नाटक तत्कालीन समाज में शिक्षा के क्षेत्र में की जा रही कोशिशों को भी एक सकारात्मक दिशा देने का प्रयास करता है[6] और यह बतलाता है कि रात्रि पाठशाला जैसी व्यवस्था दलितों को ज्ञान की दुनिया से परिचित करायेगी।[7] जाहिर है, ज्योतिबा फुले के प्रसंग की इतनी विस्तार से चर्चा का एक

खास मकसद है। यह वही 'जमीन' है जहाँ से दलित समाज ऊर्जा ग्रहण करते हुए भारतीय सामाजिक व्यवस्था, उस व्यवस्था को मजबूत बनाने वाले सामंतवाद और उनके सबसे बड़े औजार 'ब्राह्मणवाद' के खिलाफ संघर्ष करता है जिसकी सर्वाधिक सार्थक अभिव्यक्ति दलित कहानियों में दिखलाई पड़ती है।

हिन्दी में लिखित अधिकांश दलित कहानियाँ इसी जातिवादी, सामंतवादी और ब्राह्मणवादी व्यवस्था के खिलाफ प्रतिरोध का स्वर मुखरित करती है। 'सलाम' कहानी में ओमप्रकाश वाल्मीकि जिस संस्कृति का विरोध करते हैं, यह वही संस्कृति है जिसे सामंतवाद और ब्राह्मणवाद ने 'दलित समाज' को प्रताड़ित और अपमानित करने के लिए सदियों से बनाये रखी है। उदाहरण के लिए बड़े घर की 'बहू-बेटियों का घर में बैठकर सलाम करवाने के लिए इंतजार करना, दलित समाज के नये जोड़ों को आशीर्वाद देने के लिए नहीं, बल्कि उस 'वर्चस्व' की संस्कृति का अहसास कराने के लिए है जो उन्हें (दलित समाज/नये दलित दंपत्ति) भारतीय सामाजिक व्यवस्था (वर्णवादी) में उनकी वास्तविक स्थिति (दशा और दिशा) खासकर 'दलित होने' का बोध करवाने के लिए किया जाता है।[8] और यह वास्तविक स्थिति क्या है? बल्लू रांघड़ वर्चस्व की जिस भाषा में जुम्मन को भारतीय समाज में उसकी वास्तविक स्थिति का बोध करवाता है, यह वही स्थिति है, जिसके खिलाफ दलित समाज एक नयी ज़मीन पर उन्मुकत ज़िंदगी व्यतीत करने के लिए एक वास्तविक लड़ाई लड़ रहा है। उदाहरण के लिए हम निम्नलिखित पंक्तियाँ देख सकते हैं — "तभी तो कहूँ ----- जातकों (बच्चों) कू स्कूल ना भेजा करो। स्कूल जा के कोण सा इन्हें बालिस्टर बणना है। ऊपर इनके दिमाग चढ़ जागें। यो न घर के रहेंगे न घाट के। गाँव की नाक तो तूने पहले ही कटवा दी जो लौडिया कू दसवीं पास करवा दी। क्या ज़रूरत थी लड़की कू पढ़ाने की, गाँव की हवा बिगाड़ रहा है तू। इब तेरा जँवाई 'सलाम' पे जाणे से मना कर रहा है ... उसे समझा दे ... 'सलाम' के लिए जल्दी आवे।[9]

स्पष्टतः जिस 'सलाम' के लिए आने की बात बल्लू रांघड़ कर रहा है, वह दरअसल सवर्ण समाज के वर्चस्व की मुहिम का एक महत्वपूर्ण हिस्सा है, जिसे परम्परा से जोड़कर मुख्य धारा का समाज 'श्रम' पर अधिकार करना चाहता है। इतिहासकार हरबंश मुखिया ने इरफान हबीब की किताब 'एग्रेरियन सिस्टम' का संदर्भ देते हुए 'क्या भारतीय इतिहास में फयूडलिज्म रहा है?' लेख में लिखा है कि भारत में, 'जाति प्रथा का आविर्भाव सामाजिक, आर्थिक असमानता को बरकरार रखने, खासकर बड़े भू-स्वामियों की खेती के लिए खेतिहर मज़दूर सुलभ कराने के लिए हुआ था।'[10]

स्पष्टतः इतिहासकार हरबंस मुखिया जिस बात की तरफ़ संकेत करना चाहते हैं, उसे ग्रामीण समाज के बरक्स रखकर आसानी से समझा जा सकता है। ग्रामीण जीवन की संरचना में दलित समाज को शिक्षा, ज़मीन और पानी से वंचित रखकर लंबे समय तक हाशिये पर रखा गया। दूसरे शब्दों में, हम कह सकते हैं कि ग्रामीण जीवन की जो संरचना

है उसमें दलित समाज के लिए शिक्षा की व्यवस्था तो नहीं की है, साथ ही साथ रहने के लिए न तो कोई स्थायी 'जमीन' है और न ही 'पानी' लेने के लिए कोई निश्चित स्रोत। जो पानी के स्रोत हैं उन पर सवर्ण समाज का कब्जा है और जो ज़मीन है उसे सामंतों ने दबा रखी है। दलित इन दोनों में से किसी समाज के करीब नहीं है और यदि करीबी रिश्ता बनता है तो उसमें ज़मीन से 'खेतिहर मज़दूर' का पानी से 'अस्पृश्यता' का और 'ज्ञान' से मूर्ख बनाये रखने की साजिश का खेतिहर मज़दूर और हिन्दी कहानी पर हम अलग से बात कर चुके हैं। यहाँ पानी और ज्ञान पर एक छोटा सा विमर्श।

हिन्दी में ओकप्रकाश वाल्मीकि की 'पच्चीस चौका डेढ़ सौ', सूरजपाल चौहान की 'टिल्लू का पोता', श्यौराज सिंह बेचैन की 'शोध प्रबंध', दयानन्द बटोही की 'सुरंग' आदि कहानियाँ दलित समाज का 'ज्ञान' और 'पानी' के साथ के रिश्ते को गहरी मार्मिक संवेदना के साथ उठाती है। ये कहानियाँ बताती हैं कि ज्ञान से दूर रखकर ही दलित समाज को लंबे समय तक सत्ता से बाहर रखा गया और जब कभी भी दलितों ने ज्ञान की परम्परा के साथ जुड़ने की कोशिश की उन्हें या तो रास्ते से हटा दिया गया अथवा इस तरह से अपमानित और उत्पीड़ित किया गया जैसा कि 'एकलव्य' के साथ द्रोणाचार्य जैसे शिक्षकों ने किया। बावजूद इसके, दलित समाज ने ज्ञान की परम्परा के साथ अपने को जोड़ा और सामाजिक व्यवस्था एवं सत्ता की हिस्सेदारी में अपनी स्थिति मजबूत की। ओमप्रकाश वाल्मीकि की 'अम्मा' जैसी कहानियाँ बताती हैं कि यह ज्ञान ही है जिसने उन्हें समाज में एक महत्वपूर्ण स्थान प्रदान किया।

बहरहाल उदाहरण के लिए हम कुछ अन्य कहानियों की निम्नलिखित पंक्तियों को देख सकते हैं जो दलित समाज को ज्ञान से वंचित करने की स्थितियों का यथार्थ चित्र उपस्थित करती हैं :

"तेरी किताब में गलत बी तो हो सके ... नहीं तो क्या चौधरी झूठ बोलेंगे। तेरी किताब से कही ठाड्डे (बड़े) आदमी है चौधरी जी। उनके धोरे (पास) तो ये मोट्टी - मोट्टी किताबें हैं ...... वह जो तेरा हेडमास्टर है वो बी परखें हुए हैं चौधरी जी के। फेर भला वो गलत बतावेंगे .... मास्टर से कहणा सही-सही पढ़ाया करें .... "

पच्चीस चौका डेढ़ सौ : ओमप्रकाश वाल्मीकि

'अरे भंगनिया, नेक पीछे कू हट के पानी पी, यह शहर ना है गाँव है, मारे लठिया के कमर तोड़ दई जाएगी। सारे (साले) भंगिया चमरा के सहर में जा के नये-नये लत्तन (कपड़े) पहर के गाँव में आ जात हैं। कछु (कुछ) पतौ न चालतु कि जे भंगिया चमार के है कि नाय (नहीं)"

टिल्लू का पोता : सूरजपाल चौहान[12]

'सर एक बार आपने कहा था अगर कोई एस.सी. स्टूडेंट रिसर्च के लिए लेना पड़े तो होशियार की अपेक्षा कमजोर को लो। ताकि उसके बहाने हमारी अपनी स्थापनाएँ आगे आएँ

और यदि लड़की हो तो उसको प्राथमिकता दो। फिर ऐसा फुसलाओ कि ससम्मान वापस अपने समाज में न लौट पाए, यदि स्वाभिमानी निकल आए तो उसे स्वजाति के लड़के से शादी करा दो और उसे जाति तोड़ने की दिशा में प्रगतिशील विवाह घोषित कर दो। यदि कोई भूला-भटका प्रतिभाशाली लड़का आ जाए तो अपनी बिरादरी की किसी मंद बुद्धि लड़की का उससे संबंध जुड़वा दो ताकि वह भी हमारा पक्षधर बन जाए। कुल मिलाकर एस.सी., एस.टी. को पंचम दर्जे में बनाकर रखो। हाँ, कथनी में आगे बढ़-चढ़कर उनके हितों की जुबानी वकालत करते रहो क्योंकि वेदों में कहा गया है — 'वचने किं दरिद्रता।'

शोध प्रबन्ध : श्यौराज सिंह बैचेन[13]

'रिसर्च में करा देंगी, लेकिन विष्णु कहते हैं — अधिकार की माँग क्यों करता है? वह तो हरिजन होकर पढ़े-लिखे जैसी बात करता है। भंडाफोड़ कर रहा है आरक्षण नहीं लागू करने का।'

सुरंग : दयानन्द बटोही[14]

वह बकरी वाली कैसी चिल्ला रही थी 'ओरी बाई दौड़ो री जा मोड़ी को समझाओ देखो तो मना करने के बाद भी कुएँ से पानी भर रही है। हमारी बाल्टी खराब कर दई जाने ... ।' और मामी को उसने कितनी बातें सुनाई थीं— 'क्यों बाई, जई सिखाओं को तुम अपने बच्चों को एक दिन हमारे मूड़ पर मूतने की कह देना। तुम्हारे नजदीक रहते हैं तो का हमारा कोइ धरम-करम नहीं है? का मरजी है तुम्हारी साफ़-साफ़ कह दो।' मामी गिड़गिड़ा रही थी 'बाई जी, माफ कर दो। इतनी बड़ी हो गई मगर अकल नहीं आई इसको। कितना तो मारूँ हूँ फिर भी नहीं समझे।'

सिलिया : सुशीला टाकभोरे[15]

उपर्युक्त पाँचों कहानियाँ दलित हिन्दी कहानी के पाँच महत्वपूर्ण रचनाकारों की हैं। इनमें 'ज्ञान' और 'पानी' के साथ दलित समाज के जिन संबंधों को कहानीकारों ने दिखलाया है, उनसे दलित और गैर दलित समाज के आपसी रिश्तों की हकीकत का पता चलता है, इन कहानियों की पंक्तियों में सवर्ण समाज के प्रति दलित समाज की सोच का पता चलता है। उदाहरण के लिए, ओमप्रकाश वाल्मीकि की कहानी की पंक्तियाँ बतलाती हैं कि जिसके पास 'सत्ता' (Power) है, वही ज्ञान का वास्तविक अधिकारी और प्रामाणिक स्रोत है, सूरजपाल चौहान की पंक्तियाँ 'पानी' पर सवर्णों के अधिकार और पारम्परिक वर्चस्व को चुनौती देती है; श्यौराज सिंह बेचैन की पंक्तियाँ शिक्षण संस्थानों में सवर्ण समाज के ज्ञान पर वर्चस्व और सामाजिक सत्ता पर कब्जे करने की साजिश का भण्डाफोड़ करती है; दयानन्द बटोही की पंक्तियों ज्ञान की दुनिया की राजनीति पर गैर दलितों के अधिकार को चुनौती और दलितों द्वारा ज्ञान पर अधिकार पाने से सवर्णों के अन्दर फैल रही बेचैनी का यथार्थ चित्र उपस्थित करती है तथा सुशीला टाकभोरे की कहानी पानी पर सवर्णों के अधिकार और उनकी सामाजिक सत्ता में दखल को मार्मिकता के साथ स्वीकार करती है। ये कहानियाँ बतलाती हैं

कि 'ठाकुर का कुआँ' में प्रेमचन्द ने स्वाधीनता के दौरान दलितों के पानी के हक़ के लिए जिस लड़ाई की शुरुआत की थी वह अब भी दलित रचनाकारों के लिए एक अहम् मुद्दा है। इसी प्रकार ज्ञान पर अधिकार प्राप्त करने की एकलव्य ने जो कोशिश की थी, उस कोशिश की सार्थकता को ये कहानियाँ सकारात्मक तरीके से आज के समाज के सामने रखती हैं तथा दलित समाज के लिए एक बड़ी समस्या मानती है।

दरअसल दलित कहानी की वास्तविक चिंता अपने समाज को पराधीनता की उन परम्पराओं से मुक्ति दिलाने के लिए है जिसने उन्हें सदियों से भारतीय समाज की मुख्यधारा में 'अस्पृश्य' और कमजोर बनाये रखा है। इसमें संदेह नहीं कि यह मुख्यत: वही वर्णवाद अथवा दूसरे शब्दों में कहें तो जातिवाद की परम्परा है जो भारतीय सामाजिक व्यवस्था में इनका निम्नतर स्थान तय कर देती है। इस व्यवस्था में यह समाज अपने को 'ज्ञान' में निकृष्ट समझता है, 'शक्ति' में कमजोर समझता है, सांस्कृतिक दृष्टि से पिछड़ा हुआ समझता है। इतना ही नहीं इसे सवर्ण समाज असुर समझता है, व्यवहार में असभ्य और सबसे अधिक उसकी दलित ज़िन्दगी को पिछले जन्म के निकृष्ट कर्मों (पापों) का प्रतिफलन घोषित करता है। दुर्भाग्य यह कि उनके अन्दर इस समझ को बनाने तथा विकसित करने में उसी सामाजिक व्यवस्था की सर्वाधिक भूमिका रही है, जिसे वे अपना मानते हैं तथा जो इन्हें निम्न और हीन समझते हुए अन्य सामाजिक वर्गों तथा समूहों के लिए 'अस्पृश्य' करार देता है। हिन्दी में लिखित दलित कहानियाँ इसी 'अस्पृश्यता' के खिलाफ संघर्ष की आवाज़ उठाती है तथा भारतीय सामाजिक जीवन की मुख्यधारा में दलित समाज को एक निश्चित अर्थ प्रदान करते हुए उनके द्वारा ज्ञान, पानी और ज़मीन के लिए किये जा रहे संघर्ष को आज के राष्ट्रीय जीवन का एक अहम् सवाल घोषित करती है। जाहिर है, दलित कहानी में अभिव्यक्त यह सवाल और उनसे उपजा संघर्ष उसी बृहतर समाज से जुड़ने की कोशिश का एक हिस्सा है, जिसमें ' एक मनुष्य, दूसरे मनुष्य के साथ अपने संबंध की कहानी कहता है। कहना न होगा कि दलित कहानी में उभरा यह संघर्ष एक समान जीवन मूल्यों पर केंद्रित सामाजिक व्यवस्था की माँग करता है जिसमें ज्ञान, वाणी और ज़मीन पर अधिकार हो, कैसे यह संघर्ष की दिशा और उसका जन केन्द्रित दर्शन तय करेगा।

संदर्भ

1. काली सुर्खियाँ : सं. राजेन्द्र यादव (अश्वेत लेखन से कुछ चुनी हुई कहानियाँ), प्रवीण प्रकाशन, दिल्ली, प्रथम संस्करण, 1994
2. वही पृ. 14
3. वही पृ. 14
4. **उदाहरण — एक**

   'चूहड़ा है। खुद कू बामन बतारा है। जुम्मन चूहड़े का बाराती है। इब तुम लोग ही फैसला करो। जो यो बामन है तो चूहड़ों की बारात में क्या मूत पीये आया

है। जात छिपा के चाय माँग रहा है। मैंने तो साफ़ कह दी। बुद्ध की दुकान पे तो मिलेगी ना चाय चूहड़ों चमारों कू कहीं और ढूँढ़ ले जाके।'
— सलाम : ओमप्रकाश वाल्मीकि, राधाकृष्ण प्रकाशन, दिल्ली, पृ.12

5. 'साहब जी, जब मैं छोटा था, तब मेरा बाप एक गाँव में रहता था। उसने उस समय मुझे स्कूल में पढ़ने के लिए भेजा था, लेकिन स्कूल में ब्राह्मण पंडित मुझे बहुत मारता था, इसलिए मेरी माँ ने मेरा नाम स्कूल से कटवाकर ढोर चराने के लिए भेज दिया।'
— महात्मा ज्योतिबा फुले रचनावली, भाग एक : डॉ. एल.जी. मेश्राम विमल कीर्ति, राधाकृष्ण प्रकाशन, दिल्ली, प्रथम संस्करण 1994, पृ. 39

6. 'मुझे ऐसा लगता है कि सरकारी बोर्ड ऑफ एज्युकेशन के द्वारा एक ऐसा कानून बना लेना चाहिए कि हर देहात के गाँव में माली कुनबियों के मोहल्लों का अंदाज करके निश्चित संख्या में उनके बच्चे स्कूल में आने चाहिए।
वही, संदर्भ 'तृतीय रत्न' (नाटक), पृ. 41

7. 'बहुत ही अच्छी बात बताई है तुमने। चलो हम दोनों आज से ही ज्योतिबा फुले की रात्रि पाठशाला में जाएँगे और पढ़ना-लिखना सीखेंगे। इसी से ही हम लोगों को सारी संसार की बातें समझ में आएँगी।
वही, पृ. 50

8. 'जुम्मन तेरा जँवाई इब तक 'सलाम' पर क्यों नहीं आया। तेरी बेटी का व्याह है तो हमारा बी कुछ हक बनता है। जो नेग-दस्तूर होता है, वो तो निभाना ही पड़ेगा। हमारी बहू-बेटियाँ घर में बैठी इंतजार कर रही हैं। उसे जल्दी ले आ जा ...
— सलाम ओमप्रकाश वाल्मीकि, पृ. 17

9. वही पृ. 18

10. मध्यकालीन भारत : नये आयाम : हरबंसमुखिया, राजकमल प्रकाशन, दिल्ली, प्रथम संस्करण 1998, पृ. 110

11. सलाम : ओमप्रकाश वाल्मीकि, पृ. 80

12. हैरी कब आयेगा : सूरजपाल चौहान, अनुभव प्रकाशन, साहिबाबाद, 201005 प्रथम संस्करण 1999 पृ. 26

13. हाशिए से बाहर : सं. रजत रानी मीनू, श्री साहित्यिक संस्थान, गाजियाबाद, प्रथम संस्करण : 2001 पृ. 86-87

14. सुरंग : डॉ. दयानन्द बटोही, ज्योत्स्ना गहलोत प्रकाशन, चन्द्रपुरा (झारखण्ड) प्रथम संस्करण : 1995, पृ. 12

15. दूसरी दुनिया का यथार्थ : सं. रमणिका गुप्ता, नवलेखन प्रकाशन, हजारीबाग प्रथम संस्करण 1997, पृ. 101

वार्डेन फ्लैट-03 पेरियार हॉस्टल
जे.एन.यू. नई दिल्ली-67

मोहरे

जय प्रकाश कर्दम

छुट्टी की घंटी बजते ही बच्चे अपने-अपने बस्ते उठाकर ऐसे भागे जैसे उनको कैद से मुक्ति मिली हो। कुछ मिनटों के अंतराल में ही सारा स्कूल विद्यार्थियों से खाली हो गया। अध्यापक भी जाते समय की हाजिरी लगाने के लिए प्रधानाचार्य के कमरे में टूट पड़े थे। हर कोई पहले हाजिरी लगाकर जाने की जल्दी में था। पहले हाजिरी लगाने के प्रयास में वे एक दूसरे के साथ हाजिरी रजिस्टर की छीना झपटी सी कर रहे थे। सत्यप्रकाश रोज़ की तरह इस आपाधापी से दूर सबसे पीछे शांत खड़ा अपने साथी अध्यापकों को रजिस्टर की छीना झपटी करते देख रहा था। जब भी वह अध्यापकों को इस तरह एक मिनट की भी तसल्ली नहीं करते देखता, अपने मन में सोचता था क्यों इन लोगों में थोड़ा सा भी धैर्य नहीं है, क्यों ये लोग मिनट भर, बल्कि कुछेक सेकेण्ड की जल्दी के लिए अनुशासन को ताक पर रखकर अनुशासनहीन हो जाते हैं। जब खुद ही अनुशासन में नहीं रहते तो विद्यार्थियों को कैसा अनुशासन सिखाएंगे ये।

जो अध्यापक हाजिरी लगा चुके थे वे बिना अपने किसी साथी की प्रतीक्षा किए अपनी साइकिल या स्कूटर उठाकर या फिर पैदल ही तुरन्त स्कूल से बाहर हो रहे थे। जो लोग बचे थे वे अभी भी हाजिरी रजिस्टर एक दूसरे के हाथ से छीन रहे थे। सत्यप्रकाश ने उनकी ओर देखा और सोचा 'क्या हो जाएगा यदि ये लोग एक मिनट की तसल्ली कर लेंगे। न किसी की रेल छूट रही है और न किसी की बस निकली जा रही है कि फिर नहीं मिलेगी। घर पर भी किसी को ऐसा कोई काम नहीं है कि जो दो मिनट की देरी से बिगड़

जाएगा। ..... हां, गणित, विज्ञान और अंग्रेज़ी पढ़ाने वाले अध्यापक ज़रूर घर जाकर ट्यूशन पढ़ाते है और इसलिए उन्हें स्कूल से बाहर निकलने की जल्दबाजी रहती है ताकि वे जल्दी घर पहुँचकर ट्यूशन शुरू कर सकें। बाकी के अध्यापकों को तो ट्यूशन का काम भी नहीं है फिर उन्हें किस बात की जल्दी है।' हाजिरी लगाकर बाहर निकल रहे अध्यापकों का सीना कुछ ऐसा चौड़ा रहता और वे इस मुद्रा में दूसरों पर नज़रें डालते जैसे कि वे किसी युद्ध के मोर्चे से फतह करके लौटे हों। जाते हुए अध्यापक चुपचाप खड़े सत्यप्रकाश की ओर देखते और कुछ ऐसा प्रदर्शित करके निकलते रहे जैसे सत्यप्रकाश एक कायर व्यक्ति हैं या कि उन्होंने सत्यप्रकाश को ही पराजित किया हो।

सारे अध्यापकों के बाद अंत में सत्यप्रकाश ने अपनी हाजिरी लगायी। कलम रखकर वह बाहर निकलने को ही था कि प्रधानाचार्य ने उसे टोका। 'सत्यप्रकाश'।

'जी सर।' सत्यप्रकाश अपने स्वभाव के अनुसार अत्यंत विनम्रतापूर्वक बोला और प्रधानाचार्य की ओर देखा।

'तुम्हारे खिलाफ एक कम्पलेंट है।' प्रधानाचार्य ने कहा।

'मेरे खिलाफ कम्पलेंट'? सत्यप्रकाश को विस्मय हुआ प्रधानाचार्य के मुँह से यह सुनकर उसने मन ही मन सोचा 'पता नहीं किस बात की कम्पलेंट है। कोई कम्पलेंट होनी तो नहीं चाहिए मेरे खिलाफ।' लेकिन फिर सोचा 'प्रधानाचार्य कह रहे हैं तो ज़रूर कोई कम्पलेंट होगी।' उसने प्रधानाचार्य से अपना विस्मय व्यकत किया, 'किस बात की कम्पलेंट है सर?'

'तुमने एक छात्र को बेरहमी से मारा है, उसकी बांह मरोड़ी है।' प्रधानाचार्य ने उसे बतलाया।

'सर, मैंने किसी छात्र की बेरहमी से पिटाई की है?' उसने आश्चर्यचकित होकर प्रधानाचार्य की ओर देखा और पूछा, 'कम्पलेंट किसने की है सर?'

'कक्षा सात का छात्र है मनोज, उसके पिता ने कम्पलेंट की है।' प्रधानाचार्य ने उसे बताया।

'सर, लगता है कहीं पर कोई गलतफहमी हुई है, मैंने तो कभी ऐसा ... ।' उसने प्रधानाचार्य को स्पष्ट करना चाहा। लेकिन प्रधानाचार्य ने बीच में ही उसकी बात काट दी, 'देखो तुम्हें जो कुछ कहना है वह डिप्टी डायरेक्टर साहब से कहना,' कम्पलेंट उनसे ही की गयी है। अगले सप्ताह वह इन्क्वायरी के लिए आ रहे हैं।'

डिप्टी डायरेक्टर का नाम सुनकर वह और गहरे आश्चर्य में डूब गया। उसे लगा कि प्रधानाचार्य को सूचना शायद ठीक से नहीं मिली है, कोई गलतफहमी हुई है और यदि गलतफहमी नहीं यह सच है तब ज़रूर इसके पीछे कोई षडयंत्र है। उसे प्रधानाचार्य से इस

विषय में और कोई बात करना ज़रूरी नहीं लगा। वैसे भी उनके अंतिम शब्दों के बेरुखेपन को देखते हुए उनसे और कुछ बात करने का कोई अर्थ नहीं रह गया था। उसने प्रधानाचार्य से नमस्ते की और स्कूल से बाहर हो गया।

सत्यप्रकाश का मन आज बहुत अशांत था। निरन्तर वह कम्पलेंट के विषय में सोच रहा था। वह सोच भी नहीं सकता था कि उससे किसी को शिकायत हो सकती है। उसके मस्तिष्क में सदैव यह बात रहती थी कि वह एक शिक्षक और है उसका कर्तव्य छात्रों को ठीक से शिक्षित करना है। बच्चे आने वाला कल हैं, वे राष्ट्र के भावी कर्णधार हैं। आज वे अच्छी शिक्षा प्राप्त करेंगे तो कल को बेहतर ढंग से समाज और देश को संभालेंगे। इसलिए उसने सदैव पूरी मेहनत और ईमानदारी से पढ़ाया।

एक निष्ठावान और समर्पित अध्यापक के रूप में अपने स्कूल में ही नहीं पूरे डिस्ट्रिक्ट में उसकी एक सम्मानजनक इमेज थी। छात्र उसकी बहुत इज़्ज़त करते थे। प्रतिवर्ष जब भी बेस्ट टीचर्स अवार्ड के लिए नाम अनुशासित होकर जाते तो डिस्ट्रिक्ट के सभी स्कूलों में संभावित अध्यापकों में उसका नाम उससे ऊपर होता। वह भी प्रायः यह उम्मीद करता था कि उसे अवार्ड मिलेगा, लेकिन उसकी 'शायद' कभी 'सत्य' में परिवर्तित नहीं हुई। हर बार उसे न मिलकर अवार्ड ऐसे अध्यापकों को मिलता जो छात्रों को पढ़ाने की बजाय प्रिंसिपल और दूसरे अधिकारियों की चापलूसी और सेवा के प्रति ज़्यादा समर्पित रहते थे। हालाँकि प्रतिवर्ष नहीं पढ़ाने वाले चापलूस किस्म के अध्यापकों को पुरस्कृत होते देख वह निराश और दुःखी होता किन्तु जल्दी ही इस निराशा से उबरकर वह फिर से पूर्ववत् पूरी तत्परता से बच्चों को पढ़ाने में जुट जाता।

दूसरे अध्यापक जहाँ कक्षा के होशियार बच्चों को हाथ में किताब पकड़ाकर उनसे पढ़वाते और दूसरे बच्चों को ध्यान से सुनने का आदेश देकर अन्य अध्यापकों के साथ जाकर बातें करते या ही ही हू हू करने में लगे रहते। पढ़ने वाला बच्चा ठीक से पढ़ रहा है या नहीं और बाकी छात्र ठीक से सुन भी रहे हैं या नहीं और सुन रहे हैं तो उनके पल्ले कुछ पड़ भी रहा है या नहीं इस बात की उनको कोई परवाह नहीं रहती थी। लेकिन सत्यप्रकाश ने पढ़ाने को कभी इस तरह हल्के पुल्के ढंग से नहीं लिया। उसका पढ़ाने का अपना तरीका था। एक एक पाठ को पहले वह खुद समझाकर पढ़ाता फिर बारी बारी से बच्चों से पढ़वाता और यह नज़र रखता कि सब छात्र ध्यान से सुन रहे हैं या नहीं। बीच बीच में कठिन शब्द या पदावली का अर्थ स्पष्ट करता जाता। पाठ खत्म होने पर वह पाठ में से बन सकने वाले प्रश्न छात्रों से पूछ-पूछ कर उनके उत्तर कण्ठस्थ करवाता।

अधिकांश अध्यापक जहाँ छात्रों से पढ़ाई से ज़्यादा बाहर की बातें करते थे वहीं सत्यप्रकाश जिस भी कक्षा में जाता वह छात्रों से पढ़ाई के सिवाय कभी और कोई बात नहीं करता था। परीक्षा के लिए इम्पोर्टेन्ट प्रश्न बताने का अध्यापकों में जो चलन था सत्यप्रकाश इस चलन से भी दूर रहा। उसने कभी छात्रों को इम्पोर्टेन्ट प्रश्न नहीं बताये। छात्र उससे

इम्पोर्टेन्ट प्रश्न पूछते तो वह उनसे यही कहता, 'सब पाठ और सारे प्रश्न इम्पोर्टेन्ट हैं। तुमको सब याद करना है।' छात्र आग्रह करते तो वह उनको समझाता, 'इम्पोर्टेन्ट प्रश्न बताने से क्या होगा। तुम केवल उन्हीं प्रश्नों का रट्टा लगाओगे और इम्तिहान में पास हो जाओगे। लेकिन पढ़ाई का उद्देश्ये केवल पास होकर अगली कक्षा में चले जाना ही नहीं है, बल्कि पढ़ाई का उद्देश्य है जीवन की दौड़ में पीछे नहीं रहना, प्रगति के रास्ते पर आगे बढ़ना। पढ़ाई खत्म करके जब तुम लोग नौकरी के लिए हाथ पैर मारोगे, प्रतियोगी परीक्षाएँ दोगे तो उसमें तुम्हें कोई इम्पोर्टेन्ट प्रश्न नहीं बताएगा। वहाँ निर्धारित सिलेबस में से कहीं से भी कुछ भी पूछा जा सकता है। उसमें जो ज्यादा प्रश्नों के सही उत्तर देगा वही पास होगा और नौकरी पाएगा। इसलिए इम्पोर्टेन्ट प्रश्न याद करके परीक्षा पास करना काफी नहीं है। यदि तरक्की करनी है, आगे बढ़ना है तो इम्पोर्टेन्ट प्रश्न नहीं सारा सिलेबस याद करो। तुम्हारा भला इसी में है।'

एक दिन एक छात्र ने शिकायती अंदाज़ में कहा, 'लेकिन सर, दूसरे अध्यापक भी तो इम्पोर्टेन्ट प्रश्न बताते हैं, फिर आपको बताने में क्या एतराज है।'

सत्यप्रकाश ने उसे समझाया, 'ऐतराज मुझे भी कुछ नहीं है लेकिन मैं तुम लोगों के भविष्य के साथ खिलवाड़ करना नहीं चाहता। मैं तुम लोगों को केवल एक कक्षा से दूसरी कक्षा में जाते हुए ही नहीं बल्कि जीवन में आगे बढ़ते हुए, तरक्की करते हुए देखना चाहता हूँ। तुम्हारे माँ-बाप कितनी मेहनत से कमाकर तुम्हें पढ़ाते हैं तुम जानते हो? तुम्हें इस बात का अहसास है? खुद कष्ट और अभावों को सहकर भी वे तुम्हें पढ़ाते हैं, तुम्हारी इच्छाओं की पूर्ति करते हैं। क्योंकि वे चाहते हैं कि तुम उनकी तरह नहीं रहो। पढ़ लिखकर कहीं अच्छा रोज़गार पाओ। मेरे बच्चों, इम्पोर्टेन्ट प्रश्न इसमें तुम्हारी मदद नहीं कर सकते। तुम्हारी मदद करेगी तुम्हारी मेहनत। तुम्हारी आज की मेहनत करके सारा सलेबस पढ़ो। यदि तुम ऐसा करोगे तो देखना एक दिन ज़िन्दगी में सफलता तुम्हारे कदम चूमेगी।'

उसके साथी अध्यापक उसको इतनी मेहनत से पढ़ाता देखते तो प्रायः उसे टोकते, 'कितनी भी मेहनत कर लो, वेतन उतना ही मिलेगा। तुम खुद को झोंक दो, लेकिन सरकार में इस बात की कोई कीमत नहीं है। कोई नहीं देखता कि तुम कितना परिश्रम कर रहे हो, कितना पेन ले रहे हो। इसलिए बेहतर है कि तुम भी सबकी तरह मौज से रहो। जैसे दूसरे विभागों के कर्मचारी हैं, वैसे ही हम भी सरकारी कर्मचारी हैं। स्कूल में आकर छः घंटे पूरे करो और महीने के आखिर में वेतन पा लो। सरकारी नौकरी का यही तरीका है।'

एक अध्यापक ने एक दिन समझाने के ढंग से पूछा, 'अधिक परिश्रम करने से दिमाग और शरीर पर जोर पड़ता है कि नहीं?'

सत्यप्रकाश ने कहा 'जी हां, वह तो पड़ेगा ही।'

'अधिक जोर पड़ने से बीमार पड़ जाओगे। कल को तुम बीमार पड़ गए तो तुम्हारे

अकेले की नहीं तुम्हारे सारे परिवार की लाइफ डिस्टर्ब हो जाएगी। सरकार कुछ नहीं करेगी उसमें। इसलिए ज़रूरी है कि खुद को हल्का फुल्का और तनाव मुक्त रखो। उतनी मेहनत करो जितनी ज़रूरी है। जैसे सब रहते हैं तुम भी वैसे ही रहो। तुम अभी नए नाए नौकरी में आए हो इसलिए इतना उत्साह है। लेकिन इस उत्साह में अपना स्वास्थ्य खराब मत करो। वैसे भी तुम जिनके लिए इतना पेन ले रहे हो इनमें से कोई पढ़ने वाला नहीं है। तुम्हारी सारी मेहनत बेकार चली जानी है। तुम्हें इतनी मेहनत करनी ही है तो किसी अच्छी जगह या एबिलिटी स्कूल में अपना ट्रांसफर करवाओ। वहाँ तुम्हें अच्छे छात्र मिलेंगे, उनको पढ़ाने में भी तुम्हें आनन्द आएगा। यहाँ पर तो तुम्हारी सारी मेहनत इस धूल में उड़कर बेकार हो जाएगी। 'वह अध्यापक उम्र और नौकरी दोनों दृष्टियों से काफी वरिष्ठ और अनुभवी था। जितने इत्मीनान और प्यार से उसने सत्यप्रकाश को समझाया, सत्यप्रकाश पर उसकी बातों का असर हो गया था। धीरे-धीरे वह भी दूसरे अध्यापकों की तरह ढलने लगा था। लेकिन एक दिन एक घटना ने उसकी सोच और व्यवहार को बदल दिया।

वह जवाहर नगर नाम की एक कच्ची कालोनी में रहता था। इस बस्ती में रहने वाले अधिकांश लोग दलित थे। वह जिस मकान में रहता था उसके ठीक सामने ब्रह्मसिंह नामक व्यक्ति का मकान था। ब्रह्मसिंह एक सार्वजनिक संस्थान में नौकरी करता था लेकिन सार्वजनिक कार्यों और आयोजनों में वह खूब शिरकत करता था। बहुत सारी संस्थाओं के साथ वह जुड़ा था। सामाजिक हित के प्रत्येक कार्य में वह सबसे आगे रहता था। मुहल्ले के सब लोग उसे नेताजी कहते थे। वह प्रायः लोगों को समझाया करता कि वे क्यों गरीब और पिछड़े हैं, कौन सी रुकावटें हैं जो उनको प्रगति नहीं करने देती। देश और दुनिया में क्या हो रहा है। सरकारी नीतियाँ दलितों के जीवन को कितना और किस तरह प्रभावित कर रही हैं। सामने मुँह बाए खड़ी चुनौतियों का सामना उनको किस प्रकार करना चाहिए। वह इस बात पर बहुत जोर देता कि दलितों को शिक्षित होना चाहिए। आने वाली पीढ़ी का भविष्य उज्जवल बनाना है तो आज बच्चों को पढ़ाना होगा। साधनहीन समाज अपने बच्चों को कैसी शिक्षा दिला सकता है इस बारे में भी वह सुझाता। बस्ती के लोगों को ही वह नहीं समझाता था बस्ती से बाहर भी वह जा जाकर लोगों को इस प्रकार की बातें समझाया करता।

वह सरकारी कर्मचारियों, वकीलों, अध्यापकों सभी को समझाता कि अपने समाज के विकास में वे किस प्रकार मददगार हो सकते हैं। एक दिन स्कूल अध्यापकों को भी एक सभा कर उसने समझाया, 'सरकारी स्कूलों में पढ़ने वाले अधिकांश बच्चे साधनहीन और निर्धन दलित परिवारों से हैं। जो लोग थोड़ा सा भी ठीक ठाक खाते पीते हैं। वे अपने बच्चों को पब्लिक स्कूलों में पढ़ने भेजते हैं। आप लोग इन बच्चों को पढ़ाकर केवल अपनी नौकरी पूरी नहीं करते बल्कि आप समाज के लिए भी काम करते हैं। इसलिए आप लोगों को चाहिए कि आप लोग पूरी ईमानदारी और मेहनत से पढ़ाएँ ताकि अपने समाज

को शिक्षित करने में अपना योगदान दे सकें। उसने आगे कहा, गैर दलित अध्यापक दलित बच्चों को पढ़ाने के प्रति गंभीर नहीं हैं। वे नहीं चाहते कि दलित बच्चे पढ़-लिखकर कामयाब हों। इसलिए वे हमारे बच्चों को पढ़ाने में तनिक भी रुचि नहीं लेते हैं। हमारा शिक्षित होना उनके लिए चुनौती बन सकता है, वे इस बात को अच्छी तरह समझते हैं। इसलिए पढ़ाने की बजाए वे उल्टे उन्हें हतोत्साहित करते हैं। बाबा साहब आम्बेडकर के लम्बे संघर्ष और त्याग का फल है कि आप लोग पढ़ लिखकर सरकारी नौकरी में हैं। यदि आप लोग चाहते हैं कि हमारा समाज तरक्की करे हमारे समाज के बच्चे पढ़ लिखकर आगे बढ़ें तो आप लोगों को नौकरी की भावना, से ऊपर उठकर इन बच्चों में पढ़ाने के लिए अतिरिक्त दायित्व अपने ऊपर लेना होगा।'

ब्रह्मसिंह के इन शब्दों ने उसके मस्तिष्क पर ऐसा प्रभाव डाला कि उस दिन के बाद से उसने दूसरे अध्यापकों के साथ बैठकर बातें करना बंद कर अपना एक एक मिनट बच्चों को पढ़ाने पर लगाना शुरू कर दिया। उसके अन्दर समाज के प्रति जिम्मेदारी का ऐसा भाव उत्पन्न हुआ कि यदि उसका कोई पीरियड खाली होता और किसी दूसरी कक्षा के बच्चे खाली बैठे घूम रहे होते तो वह स्वयं उस कक्षा में जाकर बच्चों को पढ़ाने लग जाता। यदि पीरियड चलते रहने के दौरान कोई छात्र कक्षा से बाहर इधर उधर घूमता दिखाई दे जाता तो वह उसे पकड़कर कक्षा में भेज देता। वह नहीं चाहता था कि कोई भी छात्र पढ़ाई-लिखाई से बचे या अपना समय बर्बाद करे। यदि कोई छात्र प्यार से कहने या समझने से नहीं मानता तो वह सख्ती से पेश आकर उनको डाँट भी देता था।

मनोज के साथ उसने ऐसा ही किया था। मनोज कक्षा में बैठकर पढ़ने की बजाए स्कूल में इधर-उधर घूम रहा था। उसने मनोज को प्यार से समझाकर उसे कक्षा में जाकर पढ़ने को कहा। लेकिन मनोज के कक्षा में नहीं जाने पर उसने मनोज का हाथ पकड़ा और उसके मुँह पर हलकी सी एक चपत लगा दी थी। यह रोज़ की तरह की सामान्य घटना थी लेकिन यही छोटी सी बात इतना बड़ा रूप ले गयी कि आज यहाँ तक नौबत आ गयी।

सत्यप्रकाश ने मनोज को चांटा बहुत जोर से नहीं मारा था और न ही उसकी बांह को किसी तरह मरोड़ा या ऐंठा था कि उससे मनोज को बहुत तकलीफ हुई हो। लेकिन सत्यप्रकाश की स्कूल में प्रतिष्ठा और छात्रों के बीच इज़्ज़त से चिड़ने वाले एक अध्यापक रामदेव त्रिपाठी ने उस लड़के के घर जाकर उसके पिता को जा भड़काया, 'कहना तो नहीं चाहिए क्योंकि मैं भी एक मास्टर हूँ पर अन्याय नहीं देख सकता इसलिए कहना पड़ रहा है। आज सत्यप्रकाश मास्टर ने आपके बेटे की इतनी बेरहमी से पिटाई की है कि उसकी नाक से ख़ून आ गया और इतनी जोर से बांह ऐंटी कि लड़का बिलख कर रह गया। मुझे तो डर है कि कहीं उसकी हड्डी-वड्डी में फ्रेक्चर न आ गया हो।'

फ्रेक्चर का नाम सुनते ही मनोज का पिता एकदम असहज सा हो गया। उसने तुरन्त मनोज को पास बुलाया और बहुत आहिस्ता से उसकी बांह को टटोला मानो उसमें

सचमुच फ्रेक्चर हो गया हो, और मनोज से पूछा, 'बांह में दर्द हो रहा है?'

मनोज को कोई दर्द महसूस नहीं हो रहा था, उसने कहा, 'नहीं'।

उसने एक बार फिर मनोज की बांह को चारों ओर से उलट-पुलट कर और खूब दबाकर देखा। मनोज को कोई दर्द नहीं हुआ। फ्रेक्चर के डर से उसे राहत मिली। उसने निश्चिंतता की सांस ली और रामदेव त्रिपाठी की ओर देखते हुए बोला, 'चलो, कोई बात नहीं। मास्टर जी ने किसी बात पर कुछ कह दिया होगा। मास्टर और बच्चों में तो यह चलता ही है और फिर सत्यप्रकाश मास्टर तो बच्चों को इतना प्यार करते हैं और इतना अपनेपन से पढ़ाते हैं कि वह जानबूझकर बच्चों के साथ इस तरह का व्यवहार नहीं कर सकते।'

रामदेव त्रिपाठी जानता था कि मनोज न केवल पढ़ने-लिखने में होशियार नहीं था बल्कि वह पढ़ाई-लिखाई से जी चुराने वाला और दूसरे पढ़ने वाले छात्रों के साथ भी छेड़छाड़ और शरारत करने वाला था। दूसरे मास्टरों में से तो कोई उसे कुछ कहता नहीं था। 'पढ़े या ना पढ़ें अपनी बला से, हमें क्या' 'दूसरे अध्यापक यह सोचकर उसे कुछ भी नहीं कहते थे। लेकिन सत्यप्रकाश को किसी भी छात्र का पढ़ने की बजाए शरारत करना अखरता था, इसलिए वह उनको टोकना और पढ़ाई की ओर ध्यान लगाने के लिए कहना अपना कर्तव्य समझता था। छात्रों को डरा धमकाकर कक्षा में पढ़ने के लिए भेजने के प्रयास में कई बार छात्रों के हित में ज़रूरत पड़ने पर वह उनको एकाध चपत भी लगा देता था। लेकिन पढ़ाई के बजाए शरारत या खेलकूद में रुचि रखने वाले बच्चों को सत्यप्रकाश का समझाना, डाँटना और पढ़ने के लिए कहना अच्छा नहीं लगता था। सत्यप्रकाश की टोकाटोकी उनको अपनी खेलकूद और मौज मस्ती में एक बाधा बल्कि उससे भी ज़्यादा एक ज्यादती लगती थी। मनोज भी उसी प्रकार के छात्रों में से एक था जिनको सत्यप्रकाश की टोकाटोकी अच्छी नहीं लगती थी। रामदेव त्रिपाठी यह बात अच्छी तरह समझता था इसलिए मनोज के पिता द्वारा सत्यप्रकाश के खिलाफ कोई प्रतिक्रिया व्यक्त करने की बजाए उसके मुँह से सत्यप्रकाश की तारीफ सुनकर उसने एक बार मनोज की ओर देखा और फिर उसके पिता की ओर देखते हुए बोला 'यह लड़का कुछ नहीं बताएगा। मैं मास्टर हूँ, मैं जानता हूँ कि बच्चा कभी भी मास्टर के खिलाफ मुँह नहीं खोल सकता। वह डरता है कि कहीं मास्टर उसके साथ स्कूल में और ज़्यादा जुल्म न करें। यह भी सत्यप्रकाश के डर से ही कुछ नहीं कह रहा है वरना सत्यप्रकाश ने जितनी जोर से इसकी बांह मरोड़ी थी और उसके दर्द से किस तरह यह बिलबिलाया था, यह सिर्फ़ ये ही जानता है।' और फिर स्वयं ही मनोज की ओर देखकर बोला, 'क्यों बेटा, ये ही बात है न? अपने पिताजी को बता दो।'

सत्यप्रकाश मास्टर ने उसे बेरहमी से नहीं मारा था। उसकी नकसीर ज़रूर उस दिन छूट गयी थी लेकिन उसका कारण पिटाई नहीं था। गर्मी के मौसम में उसकी नकसीर प्रायः

छूट जाती थी। इस घटना के दिन भी उसकी नकार गर्मी के कारण ही छूटी थी। बेशक उसे सत्यप्रकाश को नापसंद नहीं करता था। वह सत्यप्रकाश के खिलाफ झूठ बोलने के लिए तैयार नहीं था। सत्य प्रकाश को पढ़ने-लिखने के लिए टोका-टोकी और नसीहत अच्छी नहीं लगती थी लेकिन वह यह अच्छी तरह समझ रहा था कि रामदेव त्रिपाठी अपनी कोई खुंदक निकालने के लिए सत्यप्रकाश के खिलाफ उसका इस्तेमाल करना चाहता है। मनोज इसके लिए तैयार नहीं था। लेकिन उसका मन इस बात को लेकर आशंकित था कि रामदेव त्रिपाठी बड़ा कांइया है, यदि उसने रामदेव त्रिपाठी की बात नहीं मानी तो वह उसे प्रताड़ित करेगा। वह समझ नहीं पा रहा था कि क्या करे। इसलिए रामदेव त्रिपाठी द्वारा कई बार उकसाये जाने के बावजूद वह खामोश बना रहा।

लेकिन रामदेव त्रिपाठी उसकी खामोशी की अपने ढंग से व्याख्या करके उसके पिता के मन में यह बात बैठाने में कामयाब हो गया कि सत्यप्रकाश मास्टर ने मनोज की बेरहमी से पिटाई की है। मनोज के पिता को भी लगा कि ज़रूर सत्यप्रकाश मास्टर ने लड़के की बांह मरोड़ी है। अपनी बात का असर उसके चेहरे पर देख रामदेव त्रिपाठी का उत्साह बढ़ा और उसने मनोज के पिता को उकसाया, 'देखो, यह व्यवहार बच्चों के साथ ज्यादती है। आपको इस ज्यादती का विरोध करना चाहिए। आखिर माँ बाप बच्चों को स्कूल में पढ़ने के लिए भेजते हैं। मास्टरों का फर्ज होता है कि वे बच्चों को पढ़ाएँ, उन्हें प्यार से समझाएँ, ज़्यादा हो तो ज़रूरत पड़ने पर उनको डाँट दें। लेकिन बच्चों के साथ इस तरह का हिंसक व्यवहार करना बहुत बड़ी ज्यादती है, यह मानव अधिकार का भी उल्लंघन है। इस तरह मार पीट करने से बच्चे के मन में दहशत बैठ जाएगी, वह हमेशा डरा सहमा सा रहेगा। पढ़ाई में उसका मन बिल्कुल नहीं लगेगा। अच्छा बनने की बजाए इससे तो बच्चे का भविष्य उल्टे बिगड़-जाएगा। चाहे मैं ही क्यों न होऊँ बच्चों के अभिभावकों को इन बातों का विरोध ज़रूर करना चाहिये। आज आप चुप लगाकर बैठ जाएंगे तो कल को दूसरे बच्चे के साथ भी ऐसा हो सकता है। इससे सत्यप्रकाश को बढ़ावा मिलेगा। जुल्म का सहना जुल्म को बढ़ावा देना है। मैं यही कहूँगा कि अपने और सभी बच्चों के हित में आपको इसका विरोध करते हुए डिप्टी डायरेक्टर ऑफ एज्युकेशन से इसकी शिकायत करनी चाहिये। ज्यादती की इस खिलाफत में हम लोग आपकी गवाही देंगे।'

रामदेव त्रिपाठी ने जिस तरह से समझाया और जिन शब्दों का इस्तेमाल किया उससे मनोज के पिता को लगा कि 'मास्टर जी सही कह रहे हैं' और वह सत्यप्रकाश की शिकायत करने के लिए तैयार हो गया। शिकायत का पत्र रामदेव त्रिपाठी ने अपने हाथ से लिखा और मनोज के पिता को डिप्टी डायरेक्टर के ऑफिस तक लेकर भी गया।

'सत्यप्रकाश मास्टर ने एक छात्र की पिटाई की है' सारे स्कूल में यह बात फैल गयी थी। जिधर भी देखो सब की जुबान पर इसी बात की चर्चा थी। कुछ के अनुसार सत्यप्रकाश मास्टर ने छात्र को इतनी बेरहमी से मारा था कि उसकी नाक से खून बह

निकला। कुछ के अनुसार सत्यप्रकाश मास्टर ने छात्र का हाथ पकड़कर इतनी जोर से ऐंठा कि उसके हाथ की हड्डी टूट गयी है। पढ़ाई के प्रति लापरवाह होने के कारण मनोज प्राय: कई-कई दिन तक स्कूल नहीं आता था। यह उसकी आदत सी थी। इत्तेफाक से इस घटना के बाद भी वह दो तीन दिन स्कूल नहीं आया तो स्कूल में यह चर्चा फैल गयी कि चोट के कारण उसका सारा शरीर दुख रहा है, उससे उठा नहीं जा रहा है और इसलिए वह स्कूल नहीं आ पा रहा है। तरह-तरह की इन चर्चाओं ने स्कूल के माहौल को ऐसा गर्मा दिया कि चार दिन पहले तक जो सत्यप्रकाश छात्रों का सबसे ज़्यादा सम्मानित और प्रिय अध्यापक होता था आज उसकी पहचान एक हिंसक और क्रूर अध्यापक के रूप में हो गयी थी। पूरे स्कूल का माहौल उसके प्रति संवेदनशील और अप्रतिकर हो गया था।

डिप्टी डायरेक्टर साहब आ रहे हैं यह पता चलते ही अध्यापकों का रंग-ढंग बदल गया। सारे अध्यापक उस दिन सही समय पर स्कूल पहुँचे और हाजिरी लगाकर सीधे अपनी अपनी कक्षाओं में जाकर पढ़ाने लगे थे। बात बे बात छात्रों को डाँटने डपटने की बजाए आज वे उनसे बहुत प्यार और अपनेपन से बातें कर रहे थे। बच्चे अध्यापकों के इस बदले व्यवहार को देखकर अचंभे में थे। कुछ छात्र अध्यापकों के इस व्यवहार को देखकर सहम से गए थे।

डिप्टी डायरेक्टर साहब की गाड़ी के आते ही प्रधानाचार्य ने उनकी अगुवायी की और उनको अपने कमरे में ले गया। आकर बैठने भर की देर हुई कि उनकी खातिरदारी शुरू हो गयी। थोड़ी ही देर में कोल्ड ड्रिंक और उसके साथ मिठाई, काजू, समोसा, वैफर्स व और कई चीज़ें मेज पर सज गयीं। जलपान करते हुए डिप्टी डायरेक्टर साहब ने प्रधानाचार्य से स्कूल के बारे में कुछ जानकारियाँ हासिल कीं। प्रधानाचार्य ने जानकारी देने के साथ-साथ उनके कार्यालय में लम्बित कुछ प्रस्तावों की ओर भी उनका ध्यान आकृष्ट करते हुए कुछ अनुरोध कर डाले। डिप्टी डायरेक्टर साहब ने कुछ बातों को ध्यान से सुना, कुछ पर केवल हूँ– हाँ कर चुप लगा गये।

जलपान के बाद इन्क्वायरी शुरू हुई। सबसे पहले मनोज से पूछताछ की गयी। 'क्या सत्यप्रकाश मास्टर ने तुमको बेरहमी से मारा है? तुम्हारा हाथ ऐंठा है? क्या पिटाई के कारण तुम्हारी नाक से ख़ून निकला था?' डिप्टी डायरेक्टर ने कई बार और कई तरह से ये प्रश्न पूछकर मनोज का बयान दर्ज करना चाहा, लेकिन मनोज कुछ नहीं बोला। वह निरन्तर मौन बना रहा। डिप्टी डायरेक्टर ने मनोज की चुप्पी को उसकी स्वीकृति माना। जबकि रामदेव त्रिपाठी और दूसरे अध्यापकों ने अपने बयानों में स्पष्ट शब्दों में यह कहा कि 'वे घटना के चश्मदीद गवाह हैं, उन्होंने अपनी आँखों से सत्यप्रकाश मास्टर को बेरहमी से मनोज को पीटते हुए देखा था। सत्यप्रकाश का बयान भी दर्ज किया गया। किन्तु गवाहों के झूठे बयानों के समक्ष उसकी सच्चाई दब गयी। अपने निष्कर्ष में डिप्टी डायरेक्टर ने सत्यप्रकाश को मनोज की पिटाई करने का दोषी पाया। उन्होंने सत्यप्रकाश को मौखिक रूप

से यह नसीहत दी कि उसे अध्यापक की गरिमा का ख्याल रखना चाहिए और लिखित रूप में यह वार्निंग दी कि इस तरह की घटना की पुनरावृत्ति नहीं होनी चाहिये। एक सप्ताह के भीतर ही उसका ट्रांसफर भी उस स्कूल से एक ऐसे स्कूल में कर दिया गया जो एक जाट बहुल गाँव में था जहाँ तक आने जाने के कोई खास साधन नहीं थे और जो इस बात के लिए बदनाम था कि वहाँ पर छात्रों से लेकर उनके अभिभावक तक सब अध्यापकों से तू-तड़ाक से बात करते हैं।

ट्रांसफर का आदेश हाथ में लिए सत्यप्रकाश ने स्कूल से बाहर निकलने के लिए कदम बढ़ाए तो उसका मन बहुत भारी था। पैरों में जैसे चलने की शक्ति नहीं रह गयी थी। उसने एक भरपूर नज़र पूरे स्कूल पर डाली और एक गहरी सांस ली। धमाचौकड़ी मचाते स्कूल के बच्चों की ओर देखा जिनका भविष्य बनाने के लिए वह पूरे मनोयोग और निष्ठा से जुटा रहा था और फिर रामदेव त्रिपाठी और दूसरे अध्यापकों की ओर देखा जो अपनी कक्षाओं में जाकर पढ़ाने की बजाए पेड़ों की छाँव में पंचायत लगाए बैठे थे। सारा माहौल उसे अपने ऊपर उपहास करता लगा। थके, बोझिल कदमों से वह स्कूल से बाहर निकला। बहुत सारे विचार उसके मस्तिष्क में आ जा रहे थे। एक विचार रह रहकर उसे परेशान कर रहा था – 'मेरे समाज के लोग दूसरों के हाथों के मोहरे कब तक बनते रहेंगे।'

बी-634, डी डी ए, फ्लैट्स
ईस्ट ऑफ लोनी रोड़,
दिल्ली – 110 093

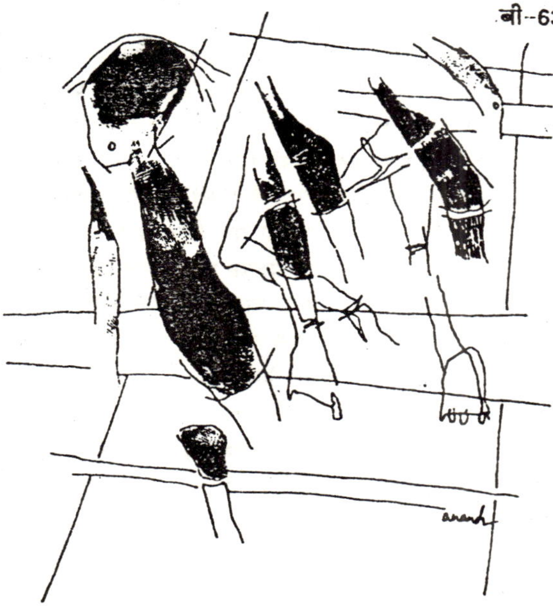

दर्द

मोहन दास नैमिशराय

अंधेरा घिर आया था। हरभजन घर नहीं लौटा था। हरदेइ घर के बाहर दरवाज़े के पास खड़ी थी। उसकी आँखें हर उस आदमी को देखती थीं , जो सड़क से गली में प्रवेश करता था। बार बार यही क्रम दोहराती थी वह। आँखें थक चली थीं उसकी, पर प्रतीक्षा अभी शेष थी। खाली सी हुई आँखों में उदासी भर आई थी। थकान तो पहले से ही थी। आकाश में बादल थे और परिवेश में उमस। एक एक आदमी गली में आता और अपने-अपने घर में चला जाता। घर घर में बच्चों की मिलीजुली आवाज़ें गूंजती, चूड़ियाँ खनकती, बर्तन बजते और शिकायत के साथ सम्मोहन की अजीब सी गंध बैठकखानों, आंगनों, दालानों और छतों के आस पास उभर आती थी। बस्ती के प्रत्येक घर में स्पंदन था और गहमागहमी भी। वह अकेला घर था, जिसमें वैसा कुछ भी न था। बेटा घर के भीतर पड़ी चारपाई पर बैठा हुआ पढ़ाई कर रहा था और सुमन रसोई में दाल बीन रही थी। घर की दीवारें शांत थीं। थोड़ी बहुत आवाज़ थी तो केवल सीलिंग फेन की।

घर में तीन प्राणी थे। वे तीनों ही अजीब सी चुप्पी लिये अपने-अपने कार्य में व्यस्त थे। आकाश का कल पेपर था। वह सामान्य ज्ञान की पुस्तक में खोया था। सुमन को भोजन तैयार करना था इसलिये रसोई में उसने अब दाल पानी में भिगो दी थी। और बाहर हरदेइ मानी हरभजन की माँ अभी भी बेटे के इंतजार में थी। अंधेरे में ज़मीन का कोना कोना घिरने लगा था। बस्ती में प्रकाश व्यवस्था न थी। सिर्फ़ घरों से बाहर आती उजाले की रेखाओं और धुएँ की लकीरों से लगता था कि यह भी कोई बस्ती है। शहर की पश्चिम

दिशा में यह बस्ती ज़मीन के लगभग पाँच एकड़ में विराजमान थी। प्रकाश की अव्यवस्था, गली के खड़ंजे की उबड़ खाबड़ स्थिति और मकानों की पलास्तर उखड़ी दीवारें इस बात का संकेत दे रही थीं कि सरकार द्वारा घोषित गरीबी रेखा से थोड़ा सा ऊपर के लोग इस बस्ती में रहते थे। इनके भी सपने थे। भले ही वे पूरे न हुए हों।

आकाश को पढ़ते हुए थोड़ा थकान-सी महसूस हुई, वह किताब एक तरफ़ रख पानी पीने के लिए रसोई में चला गया। सुमन अब तक अंगीठी पर पतीली रख दाल छोंक चुकी थी। बेटे को सामने देखा तो घड़े को तिरछा उंडेल कर गिलास में पानी डाल उसे दे दिया। पानी पीते हुए पूछ बैठा वह, पिताजी अभी तक नहीं लौटे आफिस से?

उदासी में डूबा स्वर उभरा था माँ के गले से, नहीं।

बेटे ने फिर सवाल किया था, "पर क्यों माँ, अब तक तो उन्हें आ जाना चाहिये।"

सुमन इतना ही कह सकी, "हाँ बेटे।"

आकाश वहाँ से हटकर बाहर गया था। हरदेइ अभी भी दीवार से पीठ लगाए हरभजन की बाट जोह रही थी। आकाश के पैरों की आवाज़ से उसका ध्यान बंटा। तभी वह बोल उठा,

"बड़ी मां, कमरे के भीतर आ जाओ। पिताजी आते ही होंगे बस।"

हरदेइ ने जैसे अपने आपको दिलासा दी थी,

"हाँ बेटे तू ठीक कहवै है। बस्स आत्ते ई होंगे तेरे पिताजी। पर मन नहीं माना था। इसलिए पूछ बैठी, टेम कितना हो गया?"

आकाश ने दीवार पर लगी घड़ी में समय देखा। आठ बजे थे। दोनों हाथ की अंगुलियों से बतला दिया था। समझ कर बोल उठी थी वह, "आठ?"

आकाश के मुँह से हुंकार निकली थी। फिर कहा था उसने, "घना टैम हो गम्रा।"

इस बार आकाश चुप रहा। वह पुनः कमरे में आ गया था। सामान्य ज्ञान की किताब उठाकर वह फिर से पढ़ने लगा था।

सुमन अभी रसोई में ही थी। दाल में जोरों से फड़के पड़ने लगे थे। इस बीच उसने आटा भी गूंद लिया था। हरदेइ कमरे में दरवाज़े के बीचोंबीच बैठ गई थी। टांगें भी उसकी थक चली थी। आँखें उसकी गली के बाहर पसरे अंधेरे में खोई थी। उसके भीतर से बार बार सवाल उपज रहे थे। उन सवालों की भाषा लगभग एक जैसी थी। पर उत्तर नदारद था। सवाल ही सवाल थे। जो उसके मन के साथ बूढ़े हो चले शरीर को भी कचोट रहे थे।

दाल बन गई थी। सुमन ने बटलोई नीचे रख दी थी। वह रोटियाँ बनाना ही चाहती थी कि बीच में रुक गई। पति के इतनी देर गये न लौटने से मन उद्विग्न सा हो उठा। आटा, दाल सभी कुछ छोड़कर बाहर आ गई थी। हरदेई अभी भी वहीं थी। माँ को बेटे की प्रतीक्षा जो थी। वैसा ही इंतजार पत्नी को भी था। आकाश का मन भी पढ़ाई में नहीं लग

रहा था। थोड़ी देर में वह फिर से बाहर आ गया था। तीनों एक दूसरे की तरफ़ देखते भर थे। सवाल भी करें तो क्या, बार बार वही सवाल। जिनके जवाब भी अधूरे मिलते।

बस्ती का परिवेश कोलाहल से भरपूर था, पर वे तीनों ही अजीब सी चुप्पी में डूबे थे। किसी टापू पर जैसे अकेले हों। उनके भीतर से तरह तरह की आशंकाएँ उभर रही थीं, जो उन्हें विचलित करने लगी थीं। आकाश की आँखें बार बार दीवार घड़ी की ओर उठ जाती थीं। अब तक नौ बज चुके थे। उसके मन में वही सवाल उठता था। पिताजी अब तक क्यों नहीं आए, वे तो सात बजे तक आ जाते थे। इस बीच सुमन रसोई में दो बार हो आई थी। बड़ी मुश्किल से दो चार घूंट पानी उंडेल पायी थी गले के नीचे। हरदेई टस से मस नहीं हुई थी। उसकी आँखें अभी भी बाहर से भीतर आने वाले रास्ते पर लगी थीं।

अनायास उसी रास्ते पर एक छाया दिखाई दी। हरदेई की अभ्यस्त आँखें उसी तरफ़ थीं। उसने पहचान लिया। बस्ती में प्रवेश करने वाला और कोई नहीं हरभजन ही था। उसका अपना बेटा। कपड़े भी वही थे और चाल ढाल भी। तब तक सुमन कमरे में आकाश के पास चली गई थी। हरदेई बाहर अकेली थी। हरभजन नजदीक आया तो वह पूछ बैठी,

"क्यूं हरभजन, इतनी देर कां लग्ग गई?"

विना कुछ जवाब दिये हरभजन अब तक अपना शरीर ठेलते हुआ सा कमरे के भीतर आ गया था। पत्नी और बेटे ने देखा तो तसल्ली हुई। कमरे में हरदेई पीछे पीछे आ गई थी। वह पुनः पूछने ही वाली थी कि सुमन का आशंका से भरा स्वर उभरा था,

"क्योंजी, कहीं किसी से झगड़ा तो नहीं हो गया?"

कमीज के टूटे बटन देखकर ही सुमने ने सवाल किया था। इस बीच आकाश रसोई में जाकर घड़े का पानी गिलास में ले आया था। बदहवास जैसी स्थिति में हरभजन ने बेटे के हाथ से पानी का गिलास लेकर सूखे हो चले गले में उसे उंडेला था। पानी पीकर धम्म से कुर्सी पर वैठ गया था वह। बिखरे बाल, अस्त व्यस्त कपड़े और माथे पर उभर आई सलवटों ने माँ, पत्नी और बेटे को परेशान कर दिया था। पूछने तक की हिम्मत न हुई थी उनकी। सुमन का सवाल सुनकर भी हरभजन जैसे जवाब देने की स्थिति में नहीं था। उसकी सांसें तेजी के साथ चलने लगी थीं। चेहरे पर पीड़ा के अनगिनत भाव थे। इसके बाद हरदेई का द्रवित स्वर उभरा था,

"तू बतलाता क्यूं नहीं हरभजन?"

हरभजन ने अपनी छाती पर हाथ रखे हुए देखा भर था माँ की ओर। माँ ने बेटे की आँखों में पीड़ा के बहते दरिया को महसूस किया। माथे पर उभर आईं अनगिनत रेखाओं को पढ़ा और उसकी बेचैनी को करीब से जाना। फिर बोली थी वह,

"तुझे दर्द है।"

हरभजन फिर मौन था।

पुनः हरदेई कां स्वर उभरा था,

"मुझे मालुम है, दरद होने पर भी तू कभी बोलता नहीं, कुछ बतलाता नहीं, बस्स, सैता रैता है ..... ।"

सुनकर हरभजन के मुँह से वेदना से भरा स्वर उभरा था,

"माँ .... ।"

हरदेई को कहीं गहरे पीड़ा का अहसास हुआ था। उसकी आँखों में आँसू झिलमिलाने लगे थे। आँखों में आँसू सुमन के भी थे। वह रसोई में जाकर गीले आटे पर कपड़ा रख आई थी। और आकाश ने सामान्य ज्ञान की किताब के खुले पृष्ठों को बंद कर दिया था। उसके भीतर पीड़ा और छटपटाहट उभर आई थी। पिताजी का दर्द उससे देखा न जा रहा था। पहले भी ऐसा ही दर्द उभरा था। बहुत पूंछने पर हरभजन ने घर में अपनी व्यथा बतलाई थी। आफिस में दस बरस से उनकी पदोन्नति नहीं हो पा रही थी। उनके खिलाफ संयुक्त रूप से यह साजिश थी।

पीड़ा ने अतीत को जैसे कुरेद दिया हो। दादाजी के मृत्यु चित्र आकाश की आँखों के सामने तैर उठे थे। उनकी दुर्घटना में मृत्यु हो गई थी। पिताजी उस समय मैट्रिक थे। मैट्रिक होने के बावजूद उन्हें चपरासी का पद मिला था। दादाजी राज्य सरकार की सेवा में चपरासी थे। चपरासी के बदले चपरासीगिरी उन्हें मिल गई थी। यही सरकारी नियम था। ऐसा उन्हें बताया गया था। साथ में आश्वासन भी मिला था पदोन्नति का। जो समाज में नियम था वही सरकार में भी था। पहले ही दिन बड़े बाबू ने झिड़क दिया था।

"चपरासी के बेटे होकर चपरासी नहीं बनोगे तो क्या लाटसाहब बनोगे।"

तभी हरदेई की आवाज़ से व्यथा से भरे आकाश का ध्यान उचट गया था। दादी का स्वर जैसे कुंए से उभरा हो,

"डागडर को बुला ला बेटे।"

हरभजन मना करना चाहता था, पर उसकी आवाज़ गले से बाहर निकल न पा रही थी। पथराई सी आँखों ने देखा, उसका बेटा डाक्टर को लेने चला गया था। उसे दर्द बढ़ने लगा था। सांसें तेजी से चलने लगी थीं। आँखों के भीतर अंगारें दहकने लगे थे। माँ और पत्नी हरभजन की बदलती हालत को टकटकी लगाए देख भर रही थीं। दर्द उनके भीतर भी था। वे सोच रही थी हरभजन का क्यों उसके आफिस वालों के साथ झगड़ा होता है। जब भी झगड़ा होता है, तब ऐसी बेचैनी लिए वह धर लौटता है।

यही सवाल स्वयं हरभजन को भी परेशान किये था। जितना वह इस बारे में सोचता, उसे लगता वह अपने ज़ख्मों को कुरेद रहा है। ज़ख्म ही तो थे उसके वे। जिन्हें बार बार मौका पा आफिस में छेड़ा जाता था। दस साल में उसकी पदोन्नति तो बहुत पहले ही हो जाना चाहिये थी। वह पिछले सप्ताह मुख्यालय भी हो आया था। जहाँ से उसकी पदोन्नति का पत्र भेज दिया गया था। पर उसके आफिस में पत्र नहीं पहुँचा था। अधिक पूछने पर बड़े बाबू आर.के. शर्मा ने गुस्से में जैसे उसके सारे वजूद को हिलाकर रख दिया

था। उसे पहली बार पता चला था। जात के सवाल कितने निर्मम होते हैं। और उनके जवाब भी। बड़े बाबू का जवाब भी तो निर्मम ही था। उसने घृणा के स्वर में कहा था, हरभजन मेरे जीते जी तू इस आफिस में बाबू नहीं बन सकता। चपरासीगिरी कर और अपने बच्चों को पाल।

उसके पिता चपरासी, वह चपरासी क्या उसका बेटा भी चपरासी ही बनेगा। यही सोचते हुए हरभजन के सीने में तेज दर्द उठा और पलभर में ही उसका शरीर ठंडा हो गया। दोनों महिलाओं की चीख निकली, जो आसपास के वातावरण को उद्वेलित करते हुए दूर तक चली गई थी। सामने दरवाज़े पर डाक्टर था। आकाश अपलक नयनों से अपने पिता को घूरने लगा था। हड़बड़ाहट में डाक्टर ने दम तोड़ चुके हरभजन के शरीर की धड़कनों को सुनने का प्रयास किया। पर वे सांसें कभी की बंद हो चुकी थीं। हृदय गति रुकने से एक अदद चपरासी की मौत हो गई थी।

सुबह तक आसपास के सभी लोगों को हरभजन के अचानक चल बसने की खबर लग गयी थी। बस्ती के हंसते गाते जीवन में खलल पड़ गई थी। बांस की खच्चियाँ अर्थी के लिए बनाई जाने लगीं थीं। तभी बड़े बाबू आ गये थे। उनके हाथ में पदोन्नति पत्र था। आँखों में आँसू। उन्हें क्या मालूम था कि उसके कटु शब्द हरभजन की जान ही ले लेंगे। आकाश ने जलती आँखों से बड़े बाबू की ओर देखा था और पदोन्नति पत्र लेकर उसे कफन के साथ रस्सी से बांध दिया था।

बी.जी.-5ए/30-बी
पश्चिम बिहार, दिल्ली - 63

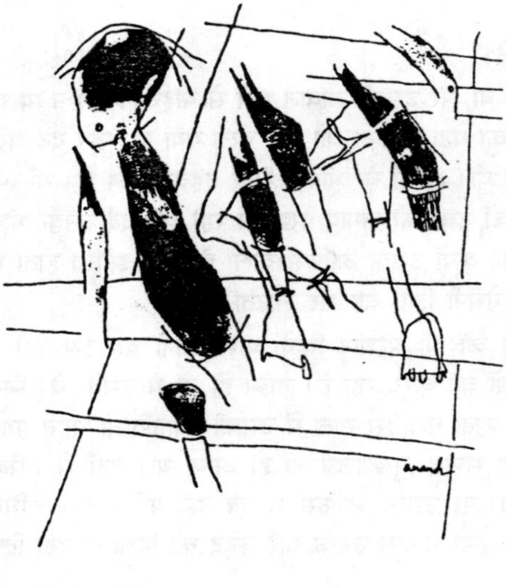

माफी

डॉ. उमेश कुमार सिंह

कप्तान रघुनाथ परवार अपने सरकारी बंगले में मित्रों के साथ चाय की चुस्कियों का आनन्द लेने में मशगूल थे। बीच बीच में हँसी मजाक का दौर भी चल रहा था। इससे कभी-कभी हँसी के फव्वारे भी फूट पड़ते थे। उनके बंगले को देखने से बिल्कुल भी आभास नहीं होता था कि यह किसी महार का घर हो सकता है। घर के मुख्य हाल में छत से लटकते झाड़ फानूस, फर्श पर बिछे ईरानी कालीन, विदेशी नस्ल के चार बड़े बड़े कुत्ते, दो नई कारें, नौकर चाकर सभी कुछ तो था। उच्च वर्ग के लोगों में भी उन्हें पूरा सम्मान मिलता था। उनके साथ जाति को लेकर कभी किसी ने दुर्व्यवहार नहीं किया था। इस कारण वह अपने आपको अपनी बिरादरी से अलग समझने लगे थे। अपनी सम्पन्नता के चलते उनके पास अपने लोगों से मिलने, उनकी समस्याएँ सुनने का समय नहीं था।

कभी उनके गाँव का कोई भूला भटका आदमी लोगों के जुल्मों से तंग आकर उनके पास सिफारिश के लिए आ जाता तो वह उसे अपमानित करने, ताने उलाहने देने के लिए पूरा समय निकाल लेते थे। फिल्म के खलनायक की तरह उन्हें हर डॉयलॉग कब और कैसे बोलना है, बखूबी आता था।

दोपहर ढल चुकी थी। जब सखाराम परवार कप्तान साहब के बंगले पर पहुँचे उन्होंने संतरी से पूछा रघुनाथ साहब घर पर हैं। मुझे उनसे मिलना है मैं उनके गाँव से आया हूँ। संतरी सुनते ही कोठी के अन्दर गया। साहब को जय हिन्द सर करने के बाद कहा — सर आपके गाँव के कोई व्यकित आपसे मिलना चाहते हैं। गाँव का नाम सुनते

ही कप्तान रघुनाथ की आँखें गुस्से से लाल हो गयीं। क्रोध की ज्वाला की उठती लपटें देखकर संतरी पीछे हट गया। उसे लगा कि उसने कोई भारी अपराध कर दिया है। कप्तान काले विषधर की तरह फुंकार भरते हुए बाहर आए। आते ही सखाराम पवार पर बरस पड़े शर्म नहीं आती है तुम्हें। बिना बात शिकायत लेकर चले आते हो। नहा धोकर नहीं आ सकते हैं। कम से कम ये कपड़े तो न पहनकर आते। साले भंगी चमारों की तरह चले आते हैं। अपने बाप का घर समझ रखा है।

सखाराम परवार बूढ़े तो थे परन्तु रघुनाथ कप्तान की तिगुनी उम्र के होकर भी पैरों में गिर पड़े। बोले "साहब मेरे बेटे को बचा लो। मैं उम्र भर आपका एहसान नहीं भूलूँगा। मेरा एक ही बेटा है। उसे बिना वजह ख़ून के जुर्म में पकड़ लिया है। इस झूठे केस में उसकी ज़िन्दगी खराब हो जायेगी। रहम करो। रहम करो साहब, अपने इस बूढ़े चाचा पर।"

कप्तान रघुनाथ उबल पड़े तुम लोग हो ही ऐसे। ज़रूर कुछ न कुछ किया होगा बिना घाव के स्याही कहाँ बैठती है?

"नहीं सरकार। मेरे बेटे छिद्दा को झूठे केस में फँसाया है। आप जानते हैं हम मेहनत मज़दूरी करके पेट भरते हैं। हम लोग किस लिए ख़ून करेंगे सरकार। हमारी ज़मीन जायदाद तो है नहीं। बस फूँस की मढ़ैया और टूटे फूटे सिल्वर के बर्तन है। यही हमारी जायदाद है सरकार।"

रघुनाथ साहब ने ऊँची और कड़कती आवाज़ में संतरी को आदेश दिया। "इस बुड्ढे को उठाकर बाहर फेंक दो। फरियाद लेकर चले आते हैं। समय भी नहीं देखते हैं। बस मुँह उठाए जानवरों की तरह कोठी में चले आते हैं।"

सखाराम परवार अपना सा मुँह लेकर गाँव को उल्टे पाँव लौट पड़े। वह विचारों में खोए हुए रास्ते पर चलते रहे। उन्हें आभास तक न हुआ कि कब गाँव आ गया। बेटे को बचाने की चिंता से छुटकारा पाने गए थे। मगर बेटे को बचाने की चिंता का दर्द और भी बढ़ गया था। उन्हें लगने लगा था कि अब फांसी से छिद्दा को कोई नहीं बचा सकता है। तभी किसी की राम राम से उनकी तंद्रा भंग हुई। राम राम भाई!

गाँव में कप्तान साहब के पिता बुधराम खैर खबर सुनने के इंतज़ार में कब से बाट जोह रहे थे। उत्सुकता वश पूछ ही बैठे "सखाराम भाई! मिल आए रघुनाथ से। क्या कहा ज़रा हम भी तो सुने?" सखाराम बिसूरते हुए बोले-- "भाई बुधराम बड़ी बेइज़्ज़ती की है आपके रघुनाथ ने। पानी तक की भी नहीं पूछी। ऊपर से गाली गलौच भी की है।"

"अरे सखाराम! मैंने तो पहले ही मना की थी कि तुम मत जाओ उस कपूत के पास सिफारिश के लिए। उसने आज तक अपमानित करने के अलावा और किया ही क्या है? भइया, वह हमारे अंश का ही नहीं है। ससुर बड़े लोगों की ही बात मानता है। लगता है अब तो वही उसके सगे संबंधी हैं।" विद्रूपता का भाव मन में लिए हुए बुधराम कहते ही गए। सखाराम तुम तो उनके गाँव के नाते से चाचा ही लगते हो। मैं तो उसका बाप हूँ। इन हाथों से बरसों खिलाया है। मेरे इन हाथों को ध्यान से देखो। काम करते-करते

गांठों से भरे पड़े हैं। मैंने उसे दिन-रात ख़ून पसीना बहाकर पढ़ाया था। उसे पढ़ाने के लिए कर्ज भी लिया था। यही सोचकर कि बेटा, मेरे बुढ़ापे की लाठी बनेगा। मैंने कभी आराम नहीं किया। दूर दूर से बांसों के गट्ठर सिर पर ढोकर लाता था। ...

दिन रात में तीन तो कभी चार टोकरी बनाता था ताकि चार पैसे ज़्यादा मिल जाये तो मेरा रघुनाथ आराम से पलेगा बढ़ेगा उसने बड़े दिवा स्वप्न दिखाये थे कि बापू मेरी नौकरी लग जाएगी तो तुम आराम करना। तुम्हें तो हमेशा अपने साथ रखूँगा। बैठे बैठे नौकरों पर हुक्म चलाना। .... बस, अब तो मर जाने को जी चाहता है। भगवान तुम मुझे उटा लो, अब और अपमान नहीं सहा जाता है। वह गाँव के इन्हीं लोगों के साथ खेला कूदा है। आज उनका ही अपमान करता है। अरे लानत है तुझ जैसे बेटे पर। मेरे जाति भाई की इज़्ज़त और मेरी इज़्ज़त कोई अलग-अलग है? अरे, मैं तो तुझे तब ही समझ गया था जब तूने अपनी जाति की लड़की छोड़कर दूसरी जाति की लड़की से शादी कर ली थी। जब तू मेरा ही न हुआ तब गाँव वालों का क्या होगा? तूने आज तक मुझे अपने पास नहीं रखा। मैं आज भी मेहनत मज़दूरी करके ही अपनी रोटी खाता हूँ। अब तो उसे मुझे देखने गाँव आने में भी शर्म आती है। कहता है कि हम गन्दे रहते हैं। हमें रहने का सलीका नहीं है। अब बड़ा साहब जो बन गया है तो बड़ी बड़ी बातें तो करेगा ही। अरे मूरख, तू भी तो इस गन्दगी में पलकर बड़ा हुआ है। इसी गाँव के बच्चों में खेल कूदकर पढ़ा है पर्वत नदी झरने समुद्र के किनारे, हवायें सब वही तो हैं जिनमें हम सदियों से रहते आए हैं। अगर सभी बूढ़े, बच्चे जवान सभी तुम्हारी तरह अपस्वार्थी बन जायें, बड़े होकर इस समाज और बस्ती के लोगों से दूर चले जायें, श्रीमंत होते ही अलग हो जायें तब इनकी गरीबी दूर करने के बारे में, इनके बच्चों को पढ़ाने के बारे में और इस समाज को सुधारने के बारे में, कौन सोचेगा। कभी यह भी सोचा है। सब कुछ कहना आसान लगता है। करना बहुत मुश्किल है। तुम्हारी तारीफ तो तब थी जब सरकार से अपने समाज के लोगों की सहायता करवाता। इनके बच्चों को पढ़ाने की व्यवस्था अपनी ओर से करवाता। इनके दुख दर्द को महसूस करता। इनके आँसू पोंछता और सहारा देता। काश! इनके कष्टों को दूर करने वाला कृष्ण बनता। बेटा! तूने तो मेरे जीवन की सारी तपस्या व्यर्थ कर दी।

बूढ़ा अपनी धुन में कहे जा रहा था। बड़ बड़ करते हुए उनकी दोनों आँखों से झरते मोतियों की निर्झर नदी में ऐसी बाढ़ आई कि जिसे रोकना चाहकर भी वह रोक नहीं पा रहा था। निरन्तर सिसकियों से गला भर आया था। धीरे-धीरे बोल निकलना भी बंद हो गया और वहीं बेहोश होकर गिर पड़ा।

बुधराम की हालत देखकर सभी सकते में आ गये। किसी तरह उन्हें उठाकर बांस की चटाई पर लिटाया गया। मुँह पर ठण्डे पानी के छींटे लगाकर होश में लाने की लाख कोशिशें की गयीं। परन्तु हालत में कोई सुधार न हुआ। नाड़ी रुक रुक कर चल रही थी। उनकी हालत बिगड़ती देख लोगों के चेहरों पर खौफ छा गया।

चन्दूराम परवार डाक्टर को बुलाने कई बार जा चुके थे परन्तु डाक्टर हर बार उन्हें अलग रंग की गोली हाथ में थमाकर टरका देता। मरीज को देखने के लिए आने में आनाकानी कर रहा था। लाख कहने पर कि वह गोली नहीं खा पा रहे हैं, सरकार। आप चलकर उन्हें बस एक बारगी देख लें। वह तब भी नहीं आया। अंत में भगत को बुलाया गया तो उसने झुंझलाते हुए कहा। तू जा, कुछ नहीं होगा। उसे होश आ जाएगा। मैंने मंत्र पढ़ दिया है। चन्दूराम परवार उसकी बात पर विश्वास करके हरिजन बाड़े में वापस लौट आए। ढलती शाम की अंधेरी चादर पल पल प्रकाश की किरणों को अपने आगोश में समाने को बेताब नज़र आ रही थी। उधर बुधराम की हालत बिगड़ती ही जा रही थी। सभी लोग असहाय भाव से उनकी हालत सांस रोके खड़े देख रहे थे। देखने के अलावा वह कर भी क्या सकते थे? सभी मौन बने मोम के पुतले जान पड़ रहे थे।

बुधराम को अचानक होश आ गया। उन्होंने अपनी टूटती सांसों के बीच हिम्मत बटोरकर बस्ती वालों के हाथ जोड़े। फिर वही आसुओं की झड़ी के बीच रुंधे कंठ से बोले बस्ती वालों, मुझे माफ करना। इतना कहना था कि उनकी सांस जोर जोर से चलने लगी। अपने भाई चन्दू का हाथ अपने हाथ में लेकर कुछ कहना ही चाह रहे थे, मगर कंठ से बोल बाहर न निकल पाए। आसमान की ओर देखते देखते उनका सिर चन्दू की गोद में एक ओर लुढ़क गया। वहाँ उपस्थित जन समुदाय की सिसकियाँ एकसाथ फूट पड़ीं। वातावरण गमगीन हो गया था। रोआराई में कोई किसी की नहीं सुन रहा था।

चन्दू परवार बोले – भाईयों मैं रघुनाथ को सूचना देने जा रहा हूँ। तब तक आप इनका ख्याल रखना। यदि सूचना देने पर भी वह नहीं आयेगा तो हम सब भाई बुधराम का क्रिया कर्म कर देंगे।

चन्दूराम रात में पैदल ही रघुनाथ को सूचना देने के लिए पणजी के लिए चल दिये। कप्तान साहब के बंगले पर पहुँचते पहुँचते लगभग आधी रात हो चुकी थी, जब जाकर कहीं मंजिल हाथ आई। उन्होंने द्वार पर पहरा दे रहे संतरी को कहा आप साहब को जाकर सूचना दे दो कि अब उनके पिता नहीं रहे हैं। दरबान जो कभी सुनता भी न था। आज उसने भी मुस्तैदी दिखाई तुरन्त ही अन्दर जाकर साहब को सूचना दी।

कप्तान रघुनाथ परवार झिलमिल करती गाउन पहने हुए बाहर आए। उन्होंने फिर इशारे से चन्दू चाचा को अपने पास बुलाया। उनके चेहरे पर हवाईयाँ उड़ रहीं थी। चाचा क्या हुआ? साहब आपके पिता नहीं रहे। चन्दू किसी तरह हिम्मत जुटाकर बोला। यह सुनते ही उनकी आँखों में आँसू छलक आए। आँसू छिपाने के लिए वह तुरन्त ही कोठी के अन्दर चले गये। साठ बसंत पार कर चुकी चन्दू की पैनी नज़र से कप्तान अपने आँसू न छिपा सके। खून में उठे भयंकर ज्वार में बाढ़ आ चुकी थी। अब वह कहाँ रुकने वाला था। मुश्किल से पन्द्रह मिनट ही हुए होंगे कि वह फिर से बाहर आए अपनी गाड़ी निकाल कर अपने चाचा को साथ लेकर गाँव के लिए तुरन्त ही चल पड़े।

जिस राह को तय करने में चन्दू को आधी रात लग गई थी। उसे सेन्ट्रो कार से तय करने में मुश्किल से एक ही घंटा लगा होगा कि उसका गाँव आ गया।

रघुनाथ परवार लगभग दो बजे अपने गाँव उस्पा पहुँच गए। गाँव में पूरी बस्ती के लोगों को पिता की लाश के पास बैठा हुआ देखा तो उन्हें अपने आप पर शर्म आने लगी। उन्हें एक एक करके पिछली सभी घटनाएँ याद आने लगीं। कैसे कैसे लोगों को उन्होंने अपमानित किया था। सखाराम की घटना तो कल ही घटी थी। फिर भी उसका पूरा परिवार उनके पिता की लाश के पास बैठा हुआ है। वह कार से उतरते ही सीधे पिता की लाश के पास गए। पिता के चेहरे को देखते ही गम और उदासी के गहरे सागर में खो गए। उन्होंने थोड़ी देर चुप रहने के बाद चुप्पी तोड़ी। वह अपने चाचा चन्दू से बोले दाय की लाश का क्रिया कर्म करवाने का शीघ्र प्रबंध करो। लगता है कि रात किसी के घर चूल्हा नहीं जला है।

आसाराम ने कहा रघुनाथ तुम ठीक कह रहे हो। कल रात पूरी बस्ती के बच्चे बिलख बिलख कर भूखे ही सो गए। किसी के घर चूल्हा नहीं जला। जो कुछ रूखी सूखी सुबह की रोटी बची थी। वही बच्चों में बांट दी थी।

किसी का मन कुछ करने को नहीं कर रहा था। ऐसा लग रहा था कि किसी ने हमारे हाथ पैरों की जान निकाल ली है। आप भी खूब जानते हैं कि बस्ती में लाश पड़ी हो तब किसी के घर चूल्हा कैसे जल सकता है।

चन्दू परवार से भी न रहा गया। वह बोले बेटा तुम तो पढ़े लिखे हो। सरकार के बड़े हाकिम भी हो। अपने दाय की लाश लगाने का खुद प्रबंध कर लो। हम गरीब बस्ती वालों से तुम्हारा क्या लेना देना। हम तो गन्दे लोग हैं। हमें कुछ भी नहीं आता है। जिनके छूने मात्र से तुम अपवित्र हो जाते हो। वह तुम्हारे दाय की लाश को कैसे छू सकते हैं।

रघुनाथ अचकचाते हुए बोले चन्दू चाचा तुम भी मेरे दाय की लाश के सामने ऐसी जली कटी सुना रहे हो। ऐसे समय में पराये भी कुछ नहीं बोलते हैं और आप तो मेरे अपने हैं। सुनकर वे बोले ठीक कह रहे हो, बेटा। जो कुछ मैंने कहा यह भी तो तुम्हारा ही कहा हुआ है। हमारे मुँह से सुनते हुए तुम्हें दर्द हो रहा है क्या? तुम अपनों का मतलब जानते हो। अपनों को दुत्कारा नहीं जाता है। तुमने विदेशी नस्ल के कुत्तों की फौज पाल रखी है। उन्हें खूब दूध बिस्कुट खिलाते हो। हमारी बस्ती के बच्चे दाने दाने को मोहताज रहें। यही अपनों का प्यार है। हमें अपना कहते हुए तुम्हें शर्म नहीं आती। तुमने बस्ती वालों को कम अपमानित किया है। अब क्यों हमारा पल्लू पकड़ रहे हो।

चाचा मैं अपने व्यवहार पर खुद ही शर्मिन्दा हूँ। पद के नशे में अपनों को भूल गया था। लेकिन जब मैं गाँव में आया बस्ती वालों को दाय की लाश के पास देखा तब से लज्जा अनुभव कर रहा हूँ इस मुसीबत की घड़ी में मेरी और परीक्षा मत लो। पैरों में झुककर मैं आपसे माफी माँगता हूँ।

चन्दू परवार यह देखकर पिघल गया। बोले रघुनाथ, नहीं बेटा। मैं तो किसी तरह

मानवता के नाते तुम्हें बुलाने चला गया था। ताकि बाद में कहीं तुम हम सभी बस्ती वालों को जेल की हवा न खिला दो। दाय की हत्या करने का इल्जाम लगाना कौन बड़ी बात है तुम तो बड़े हाकिम हो। कुछ भी कर सकते हो। मैं कौन हूँ तुम्हें माफी देने वाला। पूरी बस्ती सामने बैठी है। माफी माँगनी है तो बस्ती वालों से माँगो। जिन्हें तुमने अपमानित किया है। वैसे तुम क्या जानो? अपनो का प्यार दुलार क्या होता है? अभी तुम आसमान में उड़ रहे हो। जब एक दिन थक जाओगे तब अवश्य दम लेने के लिए ज़मीन पर बैठोगे। तब तुम्हें यही लोग मदद करेंगे। आदमी का पैसा कुछ हद तक उसकी मदद कर सकता है। लेकिन कभी-कभी पैसे की नहीं, बल्कि सहानुभूति भरे मीठे बोल के मलहम की ज़रूरत पड़ती है।

रघुनाथ नीची नज़र किए सब कुछ एकाग्रचित मन से सुन रहे थे। उनका हृदय द्रवित हो चुका था। आँखों से रुक रुक कर आंसुओं की मानसूनी बरसात अंतर्मन को साफ़ कर रही थी। इस बिन मौसम हुई मानसूनी बरसात से मन पर वर्षों से जमीं धूल की परत धुल गई। इससे मन भी कुछ हल्का सा हो गया था। उन्हें लगा कि अपनों पर किए गए गुनाहों को स्वीकार करने का सही समय आ गया है। वह रात में ही पिता का दाह संस्कार कर देना चाहते थे। बस्ती के भूखे लोगों की आत्मा की बद्दुआ से बचना चाहते थे। यह सब सोचकर उन्होंने वहाँ उपस्थित लोगों से घुटने झुकाकर हाथ जोड़कर अपने सभी गुनाहों के लिए माफी माँग ली।

चन्दू परवार बोले बेटा तुम कल भी हमारे थे और आज भी हमारे ही हो। लाख पूत कपूत हो जाय परन्तु बाप के लिए कभी पुत्र पराया नहीं होता है। हम तो तुम्हारी परीक्षा ले रहे थे। ऐसा न होता तो तुम्हारे रूखे व्यवहार के बावजूद भी पूरी बस्ती के नर नारी भूखे पेट तुम्हारे दाय की लाश के पास न बैठे होते। यह सभी प्यार और सहानुभूति के भूखे हैं। यह सभी कमाकर रूखी सूखी खाकर पेट भर ही लेते हैं। हमने तुम्हारे दाय की क्रिया कर्म का सभी प्रबंध पहले ही कर लिया है। वह हमारी बस्ती की एक हस्ती थे। पक्षपात और धोखाधड़ी उनके मन से कोसों दूर थी। उनका मन जंगल के बीच सरोवर में खिले कमल की तरह स्वच्छ था। तुम नहीं जानते हो कि तुम्हारे दाय ने अपने प्राण क्यों त्याग दिए हैं। तुमने कल सखाराम परवार की सहायता करने के बजाय, उनको अपमानित करके भगा दिया था। बस्ती के अपने भाई के अपमान से वह तड़प उठे थे। तुम्हारी कहीं गई एक एक बात को याद करके घंटों रोते रहे। अंत में उन्होंने अपने प्राण त्याग दिए।

सुनते ही कप्तान रघुनाथ परवार डोक फोड़ कर रो पड़े।

एस.ए.एम. - 32
एन.आई.ओ. कालोनी
दोना पावला, गोवा - 403 004

डंक

रत्न कुमार सांभरिया

धुंधलका उतर चुका था।

खेरा सरसों के खेत की मेंड़ पीछे बैठा था। उसे हाजत थी। पीछे से दो तीन लाठियाँ तड़ातड़ तड़ातड़ उसकी कमर पर पड़ीं। तीव्र आर्तवेदना से उसने पीछे मुड़कर देखा। निष्ठुर आततायी अंधेरे की आड़ सरसों के खेतों में कहीं निकल गया था। सरपट चपल साँपिन सा।

खेरा की कराहटें सुनकर कोई राहगीर वहाँ पहुँचा। खेरा को खाट में डालकर घर लाया गया था। उस दिन का दिन। आज का दिन। खेरा खाट से नीचे नहीं उतरा। कमर की चोट से उसके दोनों पांव बिगड़ गये थे। बिगड़े, मौत की तरह लाइलाज। डाकदर, हकीम, वैद, साधु, महंत, पित्तर, देव, दवा दुआ सब निरख परख लिए, खेरा बैठा नहीं हुआ। पैसा उठता रहा। मरज खड़ा रहा। खेरा! लिथड़ लिथड़ जीने की त्रासदी।

बरसात मुँह चिढ़ा दे। गर्मी तेवर बता दे। तालाब जोहड़, नदी नाले बूंद बूंद सूख जाते हैं। आय रही नहीं। जुडी पूँजी बीमारी खा गई थी। उसका धन कुबेर भेड़ बकरियाँ थीं। वे एक एक दो दो कर बिकती गईं, देर सबेर। भेड़, बकरी, जामना बिकते, खेरा नम आँखों टुकुरता रहता।

खेरा ने एक एक बकरी, बकरे, भेड़, मेढ़े, मेमने के नाम रखे हुए थे। जब भी कोई जीव जन्मता, वह उसी वक्त उसका नाम रख देता था। वे नाम अब उसकी स्मृति में खलल डालते। रूहें खड़ी दिखतीं। सूना बाड़ा भांय भांय भापता।

बिन रेवड़ आज खेरा का मोल। पतझड़ के बाद किसी रूख को दीमक लग गई हो। बीहड़ के दिन। उसके देनदारों, चहेतों, मुँहलगों की भीड़, काई की तरह किनारे लगती चली गई थी।

वामन ऋषि ने तीन डग में समूची पिरथी नाप ली थी। खेरा के पग अपने गाँव और खेत क्यार की सीमा से पोर पोर परिचित थे। रोज़ कोसों भेड़ बकरियाँ चरा कर लाने वाला खेरा छोटी सी अपनी खाट में गोल हुआ पड़ा रहता। उसके बेडसोर (कमर के घाव) हो गये थे। हाथी सी उसकी काया बिछौने सी लगती। खाट और देह का साथ। फाके का उत्पात। खेरा की कमर में लगी चोट ने उसकी खुशहाल ज़िंदगी की हत्या कर दी थी।

पत्नी माँगी ने खेरा के सींक जैसे क्षीण शरीर को देखा। सूखी टहनियों से उसके पांवों को निहारा। तसली भरे उसके थूक बलगम पर दृष्टि डाली। कमर के रिसते घावों पर आँखें थिरीं। उसकी सूनी आँखों में आँखें आंजी। अकुलाए स्वर वह बोली — "मौत बुरी नहीं है, दुरगत से।"

तूफान के वेग से सूखे तटबंधों तक समुद्र की लहरें उमड़ने लगती हैं। अतीव मनोव्यथा से खेरा की सूखी आँखें मानों समन्दर बन गई थीं। उसका शरीर बाण बिंधे पंछी सा तड़पने लगा था। .... मन स्थिर हुआ। याचना के भाव से उसने अपनी हथेलियाँ आसमान की ओर फैला दी थीं। मानो वह खुद खुद की मौत माँग कर माँगी की माँग, माँग रहा हो। पिंजरे में बंद परिंदे की तरह गर्दन मार कर लाचार खेरा ने कहा — "सच माँगी, मौत ही मेरे मरज की दवा है।"

उठते बैठते, काम करते, खेरा को इधर उधर करवट दिलाते माँगी आँखों भर भर रोया करती थी, खूब। निगोड़ें आँसू आँखों में फिर जुड़ जाते थे। वे आँखें नहीं पाताल तोड़ कुइयां हो, जैसे।

माँगी का सांवला रंग कृष्ण हो गया था। लंबे कद की भरी पूरी देह झंखड़ हो गई थी। गहनों लदी काया सूखी झड़बेरी सी थी, आज। वह संवेदनशील थी। चोट खेरा की कमर में लगी थी। कष्ट उसे था। चिंता से उसकी पलकों तले काले घेर बने गये थे। वे घेर इतने गहरे हो गये थे कि हरेक की जिज्ञासा के कारक थे। महिलाएँ पूछतीं। माँगी लंबी सांस खींच कर खड़ी हो जाती। चुप्पी तान लेती। दोबारा तिबारा उसे कुरेदा जाता। वह सहज भाव बता देती। — "आंसुओं की काई है।"

खेरा पूछता। वह कह उठती — "तुम ठीक हो जाओ, बस।" और उसके वही काले घेर आंसुओं से फिर घिर जाते।

खेरा की खैरियत। माँगी ने प्रायश्चित से अपना माथा पीट लिया था। धिरतराष्ट्र (धृतराष्ट्र) के साथ सवाखी गांधारी सारी जिंदगानी आँखों पर पट्टी बांध कर जी थी। लुगाइयों में लुगाई थी, सावतरी। उसने अपने मिरत आदमी में जीव डलवा ली थी। मैं हूँ, मिनखखानी माँगी। अपने मरद की मौत नौत दी, मैंने।

माँगी खेरा की खाट के पास ही पीढ़ी डाल कर बैठी हुई थी। धोखा खाई सी वह उठी। उसने अपने कंपकंपाते हाथों, खेरा की अशुभ तरह फैली हथेलियों की मुट्ठियाँ बांध दी थीं। खुली मुट्ठी राख। बंद मुट्ठी आस। उसने खेरा की मुट्ठी चूमकर आँखें पोंछी — "नहीं नहीं मेरे भाग, यह काली जबान गल पड़े मेरी। होंठों तक आ गये अपने आंसुओं को जीभ से समेट कर माँगी कहने लगी — "किसट का यह वकत बीत जाएगा। अपने वे दिन लौट आएंगे।"

खेरा के मन मस्तिष्क में वे दिन घूमने लगे थे।

गाँव में रेवड़ खेरा का ही था। पच्चीस भेड़ें थीं। बीस बकरियाँ थीं। पैंतीस जामने थे। वह गाँव के इस छोर से उस छोर तक ढर्र ढर्र करता अपने रेवड़ को ले कर निकलता। बाभन उसकी पाग से खीजते। बनिया उसकी लाम से कुढ़ते। जात बिरादरी वालों की आँख में उसकी शोहरत रड़कती।

खेरा के पास पैसों की आव थी। बकरियाँ बिकतीं थीं। पैसे आते। बकरे बिकते। पैसे आते। भेड़ें बिकतीं। पैसे आते। ऊन बिकती। पैसे आते। मींगनी बिकतीं। पैसे आते। आव घनी। जाव कम। पैसा पानी के स्रोत सा जुड़ रहा था। हाथ में दाम हो। जात दब जाती है। वह कम पढ़ा लिखा था। अकल उसमें थी। लक्ष्मी बुद्धि की सौदागर होती है। बारह चौदह किताब पढ़े उसके सामने दुम हिलाते। ब्याज पर उधार लेने वाले उसके आगे पीछे घूमते। पैसे को पैसा हलता।

खेरा का शरीर मुदगर सा सुडौल था। बांहों में खम सा दम था। हाकिम सा रौबीला उसका चेहरा था। उसके चेहरे पर चेचक के कण ज़रूर थे, लेकिन वे कण उसकी घनी गहरी दाढ़ी मूछों तले दबे रहते थे। अंगूठे व अंगुली की चिकौटी बनाकर वह मूंछों को तावता रहता। सिर पर छींटदार साफ़ा की गुमटी सी बना लेता। हाथ में तांबा गुंथी सिर ताईं लाठी रखता। ठाली ठोर गाँव से निकलता। तेल पी उसकी चमरौधा जूतियाँ चू चिरड चू चिरड बोलतीं। उसकी उम्र पैंतालीस पार थी। लगता पैंतीस छत्तीस का था। उसके बैरी भी आएं आएं बोल देते। खेरा की शख्सियत सच्चे मरद की सनद है।

खेरा मानो आज भी दुधमुँहा था। वह खेत कयार में रेवड़ चरा रहा होता। उसके पेट में भूख होती। वह दुधारू बकरी की टांग पकड़ लेता। दूध भरा थन मुँह में भर गट्गट् पीता, जैसे वह अधेड़ खेरा नहीं, मेमना हो। जिस बकरी के थन वह लबड़ता, वह खुद को भागोंवाली मानती।

खेत में कोई भारी पत्थर पड़ा मिल जाता। कसरती युवक की तरह खेरा उसे आकाश तक उठाता और धरती पर पटक देता था। जी चाहे व्यायाम करने लग जाता था।

वह बंकी से खेजड़ी या कीकर की लांग छांग कर ज़मीन पर पटकता। खेतों में दूर दूर चर रहीं भेड़ बकरियाँ मुँह उठाकर दौड़ीं दौड़ीं आतीं और घेरा बना कर लोंग चूंटती। वेऔलाद खेरा खुद को खुशनसीब मानता। जग औलाद से ही थोड़े न बड़ा है।

पशुधन भी अपनी संतान ही है। इसी धन की बदौलत वह आज धनवान है।

वे दिन आज चाँद सितारे से दूर हैं।

एक साल बीत गया था। खेरा की टूटी कमर की बरसी थी, कल।

दिन ग्यारह बजे थे। हवा में खुनखुनाहट थी। कुनकुना सूरज नीम से छिटक करखेरा के समूचे शरीर पर बिखरा हआ था। थोड़ी देर पहले ही उसकी पलकें झपीं थीं। धूप चुभी। उसकी अधसोई आँखें उघड़ गई थीं।

इधर खेरा की नींद टूटी। उधर उसे खांसी का दौरा पड़ गया था। वह देर तक खांसता, हांफता, कांपता रहा था। उसके दोनों पांव बेजान थे। टूटी कमर में घाव थे। क्षयरोग की धासें कोढ़ में खाज थीं।

खांसते खंखारते खेरा बेहाल था। सांसों के ये तार टूटे, अब टूटे। घर में कुछ न था। पैसा होता। दवा आती। दवा संजीवनी थी, जिससे खेरा की ज़िंदगी की लौ जल रही थी। गांठ गई। गहने गये। भेड़ बकरियाँ गईं। और तो और दो दिन पहले खेरा का अजीज मुर्गा भी बिक गया था, टूटते दाम।

माँगी खेरा के पास ही बैठी हुई थी। घुट आये बादलों की तरह उसमें चिंता उमड़ने घुमड़ने लगी थी। खेरा ने एक उम्मीद के साथ माँगी की ओर देखा — "माँगी फिकर में बह गई तू। बावली। सतना पुजारी के जा। तीन दिन पहले मेला भरा था, महाराज जी का। इस बार मंदिर में खूब चढ़ावा आया है। अपनी उधारी ले आ।"

माँगी की आँखें छलछला आईं थीं। "हर तीसरे चौथे दिन रो आती हूँ, उन्हें। आँखें बदल कर ना कह देते हैं।" माँगी ने कहते कहते नहीं कहा, आँखों में गंदगी भरी है, उनके।

"आज जा। पैसा है उसके पास। उस दिन सूली चढ़े उतारा था, मैंने उसे।"

वह दिन जैसे कल था।

सतना। गाँव पुजारी। दो दिन बाद उसकी बिटिया की शादी है। आज तक ब्याह का न्यौता नहीं है। पत्थर की लकीर सी जुबान होने के बावजूद भी गाँव के ज़मींदार की ना हो गई थी। वह ना उसके शरीर में सुई सी उतरी हुई थी। शाम तक पूरे गाँव में जूतियां घिसने के बाद भी रुपया उधार नहीं मिला था, उसे। हर कोई उसे मान से बैठाता। आस्था से हाथ बांध लेता। ढोक देता। भाग बांचने की क़हता। ग्रह नक्षत्र की जानकारी लेता। व्रत त्यौहार के बारे में पूछने लगता। लेकिन रुपये उधार देने की बात पर यह सोच कर चुप्पी ले लेता, पुजारी को दी उधार और मंदिर चढ़ी मनौती लौटती नहीं है।

बल्ब जल रहा था। खेरा अपने बाड़े में खाट पर बैठा चिलम पी रहा था। मूढ़े पर उसकी जात का एक जना और बैठा था। पैसा आदमी में सामंती भाव उगा देता है। टोटा निरीह बना देता है। दोनों की जात एक थी। पांत एक थी। गरज दीवार थी। खेरा अपने जाति भाई को हुक्का नहीं दे रहा था। हाकिम और हरकारे सा कुछ उन दोनों के बीच था।

रेवड़ खेरा की खाट के चारों ओर घिरा था। दुधारू बकरियाँ सावन के बादलों सी खड़ी थीं। मेमने भेड़ बकरियों के थन लबड़ रहे थे। थन छूटते। मिमियाँ उठते। दो बकरे पिछले पैरों पर खड़े होकर एक दूसरे को सींग मार मार धूण रहे थे। भेड़ें मातम सा लिएखड़ी थीं। पाट (किशोर बकरियाँ) टांगें हवा में छोड़ती कुदकड़े मार रही थीं। खेरा के पास काले भूरे रंग का पंखों लदा इकलौता मुर्गा था। वह अपनी पंखों में दुबका दीवार के साथ एक कोने में बैठा हुआ था।

सतना आया। बाड़े में कदम रखते ही उसकी नाक में रेवड़ की गंध घुसी। उसकी नाकें चढ़ीं। सांसें खड़ी रह गईं। गरज थी। गंदगी में आता? उसने गले में पड़ी जनेऊ कान पर लपेट ली थी, जैसे लघुशंका या जंगल झाड़ी जाते वक्त लपेट लेता है।

सतना की अवस्था पचपन थी। कद ऊंचा था। भरीपूरी काया थी। जिराफ सी लंबी गर्दन थी। वह दोलांघी धोती पर कमीज पहने था। गले में लंबी जनेऊ थी। घुटी चाँद पर बड़ की लट सी चोटी लटक रही थी। मस्तक की सिंदूर पुती रेखाएँ बिजली के बल्ब में पलकें मार रही थीं। कंधे पर मैलभरा झीना सा सफेद गमछा पड़ा हुआ था।

सतना ने जात्याभिमानी खांस के साथ दस्तक दी। वह गाँव पुजारी है। गाँव का भगवान है। गाँव का आराध्य है। गाँव की आस्था का प्रतीक है। व्रत त्यौहार, कथा कहन, जन्म मरण, धर्म कर्म की डोर उसी के हाथ में है। उसका शास्त्र सम्मत सम्मान है। परंपरागत मान है। जातीय अदब है। उसे देखते ही खेरा को खाट छोड़ देनी चाहिये थी। उस आदमी को बीड़ी फेंक देनी चाहिये थी। दोनों को हाथ बांधकर खड़े हो जाना था।

मनु मर गये। मनु की मार मर गई। मनुस्मृति की कब्र पर संविधान उग गया। परलय के पांव पसर गये। खेरा और उसके जाति भाई ने सतना को देख लिया था। आँखों भर। खूब। दीठ। न बात छोड़ी। न खाट। न मूढ़ा। न हुक्का। न बीड़ी। घर आया पंडित। राम किशना दूर। बैठने की मनुहार तक नहीं की, खब्बी खेरा ने। ज़रूरतमंद सतना यातना शिविर की तरह खड़ा था, खेरा के बाड़े में। गर्दन झुकाए। मुँह लटकाए। चुपचाप।

सतना को आग की लपटें सी लगीं। सारा गाँव सुबह शाम मंदिर आकर उसे ढोक देता है। पंडित पंडित कहते लोगों के कंठ सूखते हैं। बालक दादा दादा कहते आशीर्वाद लेते हैं। गाँव की गर्दन टूट गई है। ढेढ़ की देहरी आया।

खेरा और वहाँ बैठे आदमी की बातें मुक गई थीं। वह आदमी उठकरचला गया था। खेरा ने आँखें ऊँची करके मूढ़े की ओर हाथ बढ़ाया — "सतना आओ।"

न पंडित जी। न पुजारी जी। न दादा जी। सतना आओ। सतना को खेरा का आचरण सांप की फुंकार सा लगा। मार मार मरवण। वह मूढ़े पर बैठ गया था। खेरा के मूढ़े और मंदिर के आसन की तुलना करके सतना के मान अभिमान दोनों मर गये थे।

खेरा के पास पैसे की ठसक थी। सतना के पास जात की मसक थी। दोनों में अपनी अपनी "मैं" थी। पैसा जन्नत। जात जहन्नुम। खेरा बर्तन में रखे पानी की तरह सहज

था। सतना का मन नदी की तरंगों की तरह विचलित था। उसकी आँखों में क्षोभ के कतर हिल रहे थे। बेटी के ब्याह के आसन्न भय से उसके शरीर का पुर्जा पुर्जा जैसे थकान बेचैनी और चिंता से टूटा जा रहा था। सफेद होंठों पर पपड़ी थी। तो भी उस पर जात हावी थी। सतना के भीतर बैठे जात के भूत ने फड़फड़ी मारी। उसके जहन में खेरा की शोहरत और उसके बाप भूल्या की हैसियत का भभूल्या घूमने लगा था।

भूल्या, भूल्या था। वह सौ इंसानों का एक इन्सान था। सच्चा इंसान। वह धर्म की बात मानता था। जात की रीत चलता था। वह गाँव से निकलता। बड़ी जूण उसे दिख जाता। बेचारा हाथ जोड़कर खड़ा हो जाता था। सम्मान में गर्दन झुका लेता था। दुनिया में रहा। न गर्दन ऊँची की। न मुँह से कभी किसी काम को ना की। मेला आता। आस्था से गुंथा घूमता। मंदिर में सारे सारे दिन लकड़ियाँ फाड़ता। मंदिर की गली से निकलता। दस कदम दूर जूतियाँ निकाल देता। हाथ जोड़ कर ढोक देता। पुजारी जी को तो अपना भगवान मानता था, वह।

पूत खेरा। कपूत। बाप भूल गया। जात भूल गया। संस्कार भूल गया। कर्म भूल गया। धर्म भूल गया। मान भूल गया। मर्यादाएँ चींथ दी। न कभी मंदिर में आता है। न पुजारी की इज़्ज़त करता है। बस पैसे की ऐंठ घूमता है।

गरज गुलाम बनाती है। आड़े वक्त गधे को भी बाप बनाना पड़ता है। सतना ने जैसे जूतों पिटी अपनी गर्दन उठाई — "खेरा बेटे, तुम्हारी बहिन जी की शादी है।"

"हाँ परसों की है, न। बात हो रही थी, दो एक दिन पहले।" खेरा ने हुक्के की नुलकी होंठों तले दबाई।

"जानते हो न बेटे। मुर्दा के लिए कफन और ब्याह के लिए धन की गरज एक जैसी होती है। पूरा गाँव बेइया है। किसी ने पैसा उधार नहीं दिया।" सतना ने भेड़ बकरियों की मींगनी से स्याह हो रही ज़मीन से एक तिनका उठाकर उसे अपने शुष्क होंटों तले दबा लिया था, अनायास ही।

खेरा ने हुक्का पीकर सहज भाव से धुआं ऊपर की ओर छोड़ा। जातीय दंभ में पगा सतना फिर झुलसा। उसे लगा, खेरा के हुक्के की धुआं आग की लपटें हैं। फरफराती लपटें। इन लपटों से मानो उसका रोम रोम जल उठा था, सूखी घास की तरह। बाप को कभी बीड़ी पीते नहीं देखा। जाया (पुत्र) हुक्का पीकर आसमान छेदता है। ठिकानेदार सा ठसका। अपने जात भाई की तरह मुझे भी टहलुआ समझ लिया मूर्ख ने। ऊँच नीच की जदें हैं।

मनु की उक्ति है, शूद्र का धन संचय ब्राह्मण को पीड़ा पहुँचाता है। उसने खुद को कोसा. वक्त की डोर खिसक गई, नहीं तो इस कुपात्र का सारा पैसा हड़प, इसके कानों में सीसा भर कर गाँव से खदेड़ देते।

अप्रत्याशित संयोग या दुर्योग का योग। कोने में बैठे मुर्गे के पंख एकाएक फड़फड़ा उठे थे। पंखों की बेतहाशा फड़फड़ाहट। कुकड़ूं कूं कुकड़ूं कूं की कर्कश

आवाज़। मुर्गे ने बाड़े में आतंक मचा दिया था, तैमूर लंग की तरह। वह कभी किसी बकरी के सिर पर जा बैटता। कभी किसी बकरे की पीठ पर बैठ जोर जोर से पंख फड़फड़ाता। हवाई जहाज से उसके पंख ज़मीन छूकर निकल जाते। भेड़ बकरियाँ मिमियाती मिमियाती बाड़े के एक कोने में गोल हो गई थी।

कुकड़ूँ कूं कुकड़ूं कूं की फड़फड़ाहट के साथ वह बार बार सतना के सिर के ऊपर से गुजर जाता था, जैसे भेदी जहाज दुश्मन की सीमा के ऊपर से निकल जाता है। सतना कांप उठा था। अपने दोनों पांव समेट कर वह मूढे पर बैठ गया था, गांठ सा।

मुर्गे की बेहूदगी पर खेरा खार खा उठा था। हुक्का छोड़ कर वह उठा। वह मुर्गे के पीछे पीछे देर तक दौड़ता रहा। मुर्गा हाथ नहीं आ रहा था। कड़ी मशक्कत के बाद उसने मुर्गे को पकड़ा और दड़बे में बंद कर दिया। मुर्गा दड़बे की सलाखें नोंचता रहा। नोंच से उसकी चोंच में लहू चुहचुहाने लगाथा।

खेरा हाथ झड़काता हुआ फिर चारपाई पर आ बैठा था। सतना ने मूढे पर रखे अपने पांव फिर नीचे रख लिए थे।

खेरा में दीन था। दया थी। जमीर था। ज़मीन से जुड़ाव था। सतना की आबरू। गाँव की आबरू। गाँव की आबरू। सब की आबरू। पैसा हाथ का मैल है। आबरू वकत का खेल है। उसे कभी नहीं हारना चाहिए। चारपाई पर उकस कर उसने पूछा — कितने रुपये चाहिये, सतना?

सतना? सतना को फिर डंक सा चुभा। बीस हजार से कम में काम नहीं चलेगा बेटे। सतना ने दांतों के भीतर जीभ घुमाई।

खेरा के पास अभी अभी खंदी (किरत) आई थी। कुछ रुपये उसकी अंटी में बंधे थे। भावुक खेरा ने रुपये गिन कर सतना को पकड़ा दिये थे, बिन ब्याज। छह महीने के करार।

मंदिर कमा रहा कर्मकाण्डी सतना वर्ण व्यवस्था को वर्णमाला की तरह मानता था, अमिट। दूसरे लोगों की सौ जी हुजूरी करके भी वह ना लिए लौटा था। खेरा से बिन ब्याज बीस हजार रुपये लेकर भी उसका मर्म बिंधा हुआ था। उसने खेरा से रुपये उधार नहीं लिए, जूती में खीर ओट ली हो, जैसे।

मंगती की मूर्ति सी माँगी को अपने द्वार पर खड़े देख कर सतना आज ताव में आ गया था। उसने घिन्न और क्रोध से ज़मीन पर थूक फुचका — क्या रोज़ रोज़ आ खड़ी होती है। इज़्जत आबरू नहीं है, हमारे।

माँगी आवेग कोरोकती हुई बोली — "दादा वह तो है। पर मैं तो करी मदद माँगने आई हूँ।"

"कौन सी मदद? किसकी मदद? कब की मदद? सतना तैश में आ गया था।

"वही मदद दादा, जो मुर्दे में पिरान जैसी थी, उस दिन। दी उधारी दे दो, हमारी।"

"राह देख अपनी। पैसे वैसे नहीं हैं।"

माँगी का ध्यान जूती की ओर गया, खानाट को जूती जूती जुतिया दूँ। लेकिन उसने अपना वक्त देखकर कहा– चार दिन पहले मेला भरा था, दादा। खूब चढ़ावा आया है, मँदिर में।"

"तेरे खसम ने चढ़ाया है, चढ़ावा। तुम तो मंदिर की तरफ़ देखते भी नहीं हो कभी।"

"तभी तो हम में दया धर्म है।" माँगी ने घूंघट के भीतर से सतना को दहला मारा।

सतना उबल पड़ा था – "चमारी और मुँह जोरी।"

माँगी क्रोधित हो उठी थी – "पुजारी के जाये हो न। पूरे बीस हजार गिन दो हमारे।"

क्रोध और द्वेष से सतना के माथे की नसें खड़ी हो गई थीं, डोर सी। नथुने फड़फड़ाने लगे थे। आँखें लाल हो गई थीं। दिठाई से कहा – "दो धेले का ढेढ़ हुक्का पी कर आसमान छेदता था। पाताल पादता था। कंधे पर लट्ठ धरे जब तब रास्ता रोक कर खड़ा हो जाता था, मेरा। जा, उसी नीच को भेज देना।"

माँगी ने गुस्से से घूंघट तिरछा किया – "खूब हो तुम भी। उनके पांव हैं, जो चले आएंगे।"

तू तो दौड़ी दौड़ी चली आती है, न। उस दिन खेरा की कमर तोड़ दी थी। एक दिन तेरी भी कमर तोड़ दूँगा।" दांत किटकिटा कर उसने मन मन कहा, किसी दिन खेत में अकेली मिल गई न, ककड़ी की तरह चबा जाऊंगा, ससुरी को।

ओह! माँगी को काटो तो ख़ून नहीं। वह आसमान से सीधी नीचे गिरी। ऐसा सच जिसकी उसने सात जन्म की कल्पना नहीं की थी। पंख कटे पक्षी की तरह उसका तन मन फड़फड़ा उठा था – "नीच तेरे कीड़े पड़ेंगे।"

"जाती है कि लाठी निकालूँ।"

गुस्से से फनफनाती माँगी ने पैर से जूती निकाल ली थी – "जा निकाल कर ला लाठी। मैं देखती हूँ तुझे। मरद हो, सामने से वार करते मेरे आदमी पर।"

सतना गुस्सा भरा भीतर चला गया था।

मौत से बड़ी बात। माँगी का घर लेना दूभर हो गया था। खेरा के पैरों में कमर टूटने से सत नहीं था। माँगी के पैरों का सत, सतना की सच ने निकाल दिया था। न्याय के साथ अन्याय। अनर्थ! धर्म का यह कर्म। उसकी आँखों के आँसू सूख गये थे। चेहरा स्याह हो गया था। खेरा से क्या कहेगी, वह।

माँगी की कही सुनकर खेरा के कान खुल गये थे। माथा भन्ना उठा था। ख़ून खौलने लगा था। घाम उतरे सांड की तरह वह सांस सांस धोंकने लगा था। दुष्ट, मेरी नेकी

का यह सिला।

खेरा। असहाय। निरुपाय। अत्यंत व्याकुल। विचार शून्य। जड़ भाव उसे क्रोध का दौरा पड़ गया था। वह चारपाई पर पड़ा पड़ा कटे धड़ सा अपनी देह धुनने लगा था। उसकी कमर के घाव रिस उठे थे। प्रतिहिंसा के भाव से कोने में रखी तांबे गुंथी लाठी की ओर वह देखता और विवशता से दांत हाथ काट लेता था। घायल सिंह शत्रु को सामने न पाकर खुद को नोंचने लगता है। खेरा ने स्वयं को लहुलुहान कर लिया था। उसे अपनी टूटी कमर का इतना दुख नहीं था, जितना नियाव के कत्ल हो जाने का था।

माँगी उसे शांत करने के लिए जूझती रही। सौ मना करती रही। खेरा का उबाल नहीं थमा। .... उद्वेलित होते होते उसे बेहोशी का दौरा पड़ गया था। उसकी बेहोशी नहीं टूटी। हाँ, रात नौ बजे खेरा नहीं रहा था।

सुबह खेरा की अर्थी उठी। अर्थी सतना के घर के सामने से गुजरी। सतना जानबूझ कर अपने चबूतरे पर खड़ा हुआ था।

खेरा की अर्थी देखकर सतना के चेहरे पर एक मुस्कान रिपस कर कुंडली हो गई, साँपिन सी।

भाड़ावास हाउस,
259, कटेवा नगर, जयपुर — 302 019

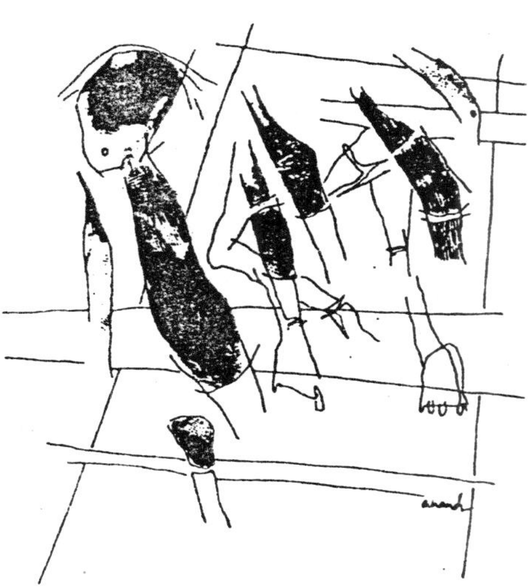

ब्रह्मास्त्र

ओम प्रकाश वाल्मीकि

बहस तीखी हो गयी थी, इर्द गिर्द बैठे लोग रविकुमार और ढौंडियाल की इस बहस में रुचि ले रहे थे। टिपटाप का माहौल ही ऐसा था। कभी-कभी तो बहसें इतनी ऊँची हो जाती थीं कि सड़क से गुजरते लोग भी खड़े होकर सुनने लगते थे।

उस रोज़ भी यही हुआ था। रवि कुमार और ढौंडियाल जोर जोर से एक दूसरे पर चिल्लाने लगे थे। राजेन्द्र गुप्ता, राजेश सकलानी बीच में न पड़ते तो शायद हाथा पाई हो जाती। रेस्टोरेंट के मालिक प्रदीप गुप्ता इत्मीनान से खड़े होकर इसका लुत्फ उठा रहे थे। वे जानते थे अभी कोई न कोई दोनों को अलग करा देगा, और बहस किसी दूसरे मुद्दे पर चली जायेगी। यह हर रोज़ होता था। रविकुमार ने ढौंडियाल को इंगित करते हुए कहा था, "आपको यह सब व्यर्थ लगता है, जाति व्यवस्था को आप लोग नज़र अन्दाज करते हैं। जबकि वह सामाजिक सच्चाई है। मैं एक घटना आप सबको सुनाता हूँ ... घटना की पड़ताल आप लोग खुद कर सकते हैं। ज़्यादा पुरानी बात नहीं है।"

अरविन्द नैथानी ने शादी की तारीख पक्की होते ही सबसे पहले कंवल को खबर दी थी। अपनी चिरपरिचित हंसी का ठहाका लगाते हुए उसने दरवाज़े पर दस्तक देते हुए बाहर से ही कंवल को पुकारा था, "कहाँ दुबक कर बैठा है, बाहर आओ।" आवाज़ सुनकर कंवल ने दरवाजा खोला।

"आओ अरविन्द, बहुत खुश दिख रहे हो ... क्या बात है?" कंवल ने हंसते हुए अरविन्द को अन्दर खींच लिया।

"खुशी की बात है ... शादी की तारीख पक्की हो गयी है ... एक बढ़िया सा सूट सिलवा लो ... बारात में चलना है ... " अरविन्द ने उत्साहित होकर कहा।

"बारात कहाँ जायेगी?" कंवल ने पूछा

"टिहरी जायेगी बारात।" अरविन्द ने उत्तर दिया।

अरविन्द नैथानी और कंवल कुमार दोनों ने डी.ए.वी. कालेज से एक साथ डिग्री ली थी। अरविन्द को सर्वे ऑफ इंडिया में नौकरी मिल गयी थी और कंवल को बैंक में। कंवल की शादी में अभी देर थी। पिताजी गुजर चुके थे। छोटी बहन और माँ की जिम्मेदारी कंवल पर आ गयी थी। कंवल के पिताजी छावनी में सफाई कर्मचारी थे, और गढ़ी डाकरे में रहते थे। अरविन्द के पिताजी भी सर्वे ऑफ इंडिया में थे और हाथी बड़कला सर्वे कालोनी में रहते थे। कंवल के पिताजी ने रिटायरमेंट के बाद करनपुर में एक छोटा सा मकान खरीद लिया था।

माँ चाय ले आयी थी। माँ को देखते ही अरविन्द चहक उठा। "आंटी जी, आप सबको मेरे घर आना है शादी में"

"जरूर आयेंगे बेटा ... हम सबकी तरफ से तुम्हें बधाई।" माँ ने खुश होते हुए कहा।

"बधाई नहीं, आंटी जी, आपका आशीर्वाद चाहिए।" अरविन्द ने अपनापन दिखाया।

"खुश रहो बेटा ... इसी तरह हंसते खेलते रहो।" माँ ने आशीष दिया।

कंवल को चुप देखकर अरविन्द ने फिर से ठहाका लगाया, "तुम इतने खामोश क्यों हो गये।"

"नहीं ... कोई खास बात नहीं है। बैंक .... में कुछ प्राब्लम है .... पता नहीं छुट्टी मिलेगी भी या नहीं। मैनेजर ने कर्फ्यू लगा रखा है।" कंवल ने निराशा से कहा।

"कंवल, चाहे जो भी हो, तुम्हें बारात में चलना है। अरविन्द ने जिद्द की।

"अरविन्द! मैं खुद इस दिन का इंतजार कर रहा था। लेकिन इस मैनेजर का क्या करें?" कंवल ने दु:खी मन से कहा।

"मैं कुछ नहीं जानता .... तुम्हें बारात में चलना है ... तुम साथ नहीं होगे तो .... मेडिकल लीव ले लेना .... अपना डॉ. नेगी कब काम आयेगा।" अरविन्द ने जोर देकर कहा।

अरविन्द का पक्ष लेते हुए माँ ने कहा, "कंवल बारात में जायेगा. परेशान मत हो।" माँ ने अरविन्द को आश्वस्त किया।

कार्ड छपकर आ गये थे। अरविन्द स्वयं आया था, कंवल को कार्ड देने। "बारात सुबह दस बजे रवाना होगी। तुम जल्दी आ जाना।" अरविन्द ने कंवल को कार्ड देते हुए कहा था।

एक साथ कई झूठ बोलने पड़े थे कंवल को, तब कहीं जाकर मैनेजर ने दो दिन की छुट्टी मंजूर की थी।

कंवल नौ बजे से पहले ही अरविन्द नैथानी के घर पहुँच गया था। हाथी बड़कला

र्वे सर्वे कालोनी में काफी चहल पहल थी। अरविन्द के घर के पास बस खड़ी थी। जिसके इर्द गिर्द बच्चे धमा चौकड़ी मचा रहे थे। बस के शीशों पर 'अरविन्द वैड्स मीना' के रंगीन कागज चिपका दिये गये थे। ड्रायवर सामने के शीशे को रगड़ रगड़कर चमका रहा था। बस से थोड़ा फासले पर अरविन्द के पापा मिल गये थे। "आओ कंवल, अरविन्द तुम्हारा इंतजार कर रहा है। जाओ सभी लोग अंदर हैं।"

कंवल को देखते ही अरविन्द उछल पड़ा था।" तुम्हारे उस हिटलर मैनेजर ने छुट्टी दे दी ... यहाँ आओ ... इनसे मिलो .... ये हैं मेरे जीजा जी और ये हैं मेरा भान्जा सुधीर आई.आई.टी. दिल्ली में पढ़ाई कर रहा है ... जीजा जी ये है मेरा खास दोस्त कंवल कुमार बैंक में है .." अरविन्द ने परिचय कराया। उनसे मिलकर कंवल को अच्छा लगा था।

एक एक करके बाराती बस में बैठने लगे थे। कंवल अभी भी अरविन्द के पास ही था। पारिवारिक रस्में चल रही थीं। "कंवल आप भी बस में बैठ जाओ ...." जीजा जी ने कंवल से कहा।

"बैठ जाऊंगा ... बाकी लोगों को बैठने दीजिए ... मेरी फिक्र न करें।" कंवल ने आत्मीय स्वर में कहा।

अरविन्द को लेकर घर की स्त्रियाँ बाहर आ गयी थीं। अरविन्द ने कंवल से कहा, "चलो, तुम भी सीट ले लो बस में ... लंबा सफर है।"

कंवल बस में बैठने के लिए चल दिया था। अरविन्द अभी भी स्त्रियों के समूह से घिरा हुआ था।

बस में चढ़ने के लिए कंवल पायदान पर पैर ठीक से रखा भी नहीं था कि तेजी से आते पंडित माधव प्रसाद भट्ट ने उसे टोका, "तू! कहाँ जा रहा है?" पंडित की आवाज़ काफी तल्ख थी।

"बारात में जा रहा हूँ .... " कंवल ने कड़ुवाहट को अनदेखा करते हुए सहज भाव से कहा।

"बारात में?" पंडित माधव प्रसाद भट्ट ने हैरानी जतायी।

"जी हाँ," कंवल अभी भी सहज था।

"तू कैसे जा सकता है बारात में?" पंडित ने तिक्तता से दोहराया।

"क्यों ... मैं क्यों नहीं जा सकता हूँ?" कंवल ने पायदान से पैर वापिस खींच लिया था और पंडित के ठीक सामने तनकर खड़ा हो गया था।

"तुझे बारात में चलने के लिए किसने बुलाया?" पंडित ने कटुता से कहा।

"अरविन्द ने।" कंवल ने सहजता से कहा।

"तू अपनी औकात में रह ... यह बारात टिहरी जा रही है ... और टिहरी देहरादून नहीं है। यह ध्यान रखना ... जा वापिस अपने घर ... इसी में खैर है।" पंडित का एक

एक शब्द उपेक्षा और घृणा की आग से भरा था। जिसकी तपिश में कंवल एक बारगी झुलस गया था। इस अचानक हमले से वह स्वयं को संभाल नहीं पाया था। लेकिन दूसरे ही पल में उसने अपने आक्रोश पर काबू पा लिया था। विनम्रता से बोला, "पंडित माधव प्रसाद भट्ट जी ... आप ..."

पंडित ने कंवल की बात बीच ही में काट दी थी, "यह किसी डोम चमार की बारात नहीं है। यह नैथानियों की बारात है जो टिहरी के ऊँचे ब्राह्मणों में जा रही है। इसमें एक डोम के लिए कोई जगह नहीं है ... जा ... अपने घर वापिस।" पंडित ने तेज नश्तर से कंवल की शख्सियत को तार तार करके रक्तरंजित करने की कोशिश की।

कंवल को लगा जैसे सामने खड़े माधव प्रसाद भट्ट ने उसे गंदे नाले में धकेल दिया है। नाले की दुर्गन्ध उसके फेफड़ों में भर गयी थी। उसने स्वयं को गन्दगी से बाहर निकालने के लिए हाथ पैर मारे। लेकिन चारों ओर गन्दगी ही गन्दगी भरी हुई थी। उसका दम घुटने लगा था। उसने पूरी ताक़त से चीखकर पंडित पर वार करना चाहा, तब तक पंडित वहाँ से जा चुका था। कंवल ने देखा पंडित अरविन्द के पापा के पास पहुँचकर ऊँची आवाज़ में चिल्ला रहा था, "विष्णुदत्त नैथानी यह क्या कर रहे हैं आप? नैथानियों की बारात में डोम .... यह नहीं हो सकता ... जान बूझकर मक्खी नहीं निगली जाती है।"

विष्णुदत्त नैथानी ने आश्चर्य व्यक्त करते हुए कहा "पंडित जी, यह क्या कह रहे हैं आप?"

"मैं ठीक कह रहा हूँ नैथानी जी ... वो जो बस के पास खड़ा है हरे रंग का एयर बैग कंधे पर लटकाये ... उसे मैं अच्छी तरह जानता हूँ। इसका बाप छावनी में जमादार था। भंगी का काम करता था। आपने भंगियों के साथ कब से रिश्ते बनाने शुरू कर दिये हैं?" पंडित के चेहरे की नसे गुस्से में फड़फड़ा रही थी। लग रहा था भयानक ज्वालामुखी फटने ही वाला है।

विष्णुदत्त नैथानी परेशान हो उठे थे। उन्हें लग रहा था, यह क्या बवेला खड़ा हो गया है। उन्होंने पंडित जी को शांत करने के लिए कहा, "पंडित जी, वह अरविन्द का खास दोस्त है।"

"नैथानी जी आप लोग तो भ्रष्ट हो गये हैं ... पुरखों की रीत को भूलकर इन डोम चमारों से दोस्ती करने लगे हैं ... मैं कहे देता हूँ, वह बारात में नहीं जायेगा। पंडित ने अपने दुर्वासा रूप को प्रकट कर दिया था।

"पंडित जी, वहाँ किसी को कैसे पता चलेगा ... वह पढ़ा लिखा, साफ़ सुथरा लड़का है।" विष्णुदत्त नैथानी ने स्थिति संभालने के प्रयास किये।

"नैथानी जी, ... मैं आपको साफ़ साफ़ कहे देता हूँ वहाँ भले ही कोई न पहचाने, यहाँ तो मैं पहचानता हूँ ... मैं उसे साथ ले जाने के पक्ष में नहीं हूँ ... " पंडित ने दृढ़ता से कहा।

"पंडित जी, आपकी बात सही है ... लेकिन ... " विष्णुदत्त नैथानी ने अपनी बात

कहने का प्रयास किया। लेकिन पंडित ने बात बीच में ही काट दी। "नैथानी जी जब टिहरी के लोगों को पता चलेगा कि उनके दरवाज़े पर एक डोम बाराती बनकर खड़ा है तो उन पर क्या बीतेगी। कभी सोचा है आपने ... कौन देगा उनके सवालों का जवाब।" पंडित ने आखिरी वार किया।

"पंडित जी, वहाँ के लोगों को पता कैसे चलेगा। कंवल पढ़ा लिखा है, बैंक में अच्छी पोस्ट पर है। उसे देखकर कोई कह सकता है वह भंगी है।" नैथानी ने तर्क देने की कोशिश। "आपका तो दिमाग खराब हो गया है ... मैं आपसे ज्यादा बहस नहीं करना चाहता .... आपको लगता है उसे ले जाना उचित और ज़रूरी है ले जाइये। लेकिन इस स्थिति में मैं बारात में नहीं जाऊँगा .... मुझे क्षमा कीजिये ... मैं यहीं से लौट जाता हूँ .... वह डोम पढ़ा लिखा है उसी से शादी के संस्कार भी करा लेना ..." पंडित ने ब्रह्मास्त्र छोड़ दिया था। जो सीधे विष्णुदत्त नैथानी की छाती पर लगा और वे चारों खाने चित्त हो गये। पंडित माधव प्रसाद भट्ट उनके परिवार के पुरोहित थे। सभी पूजा पाठ, संस्कार वे ही करते आ रहे थे। परिवार में उनका मान सम्मान था। नैथानी ने कल्पना भी नहीं की थी, अचानक ऐसा कुछ घटित हो जायेगा। वे गहरे धर्म संकट में फंस गये थे। उन्हें कुछ सूझ नहीं रहा था। कंवल से सीधे बात करने की न उनकी मनस्थिति, न साहस।

विष्णुदत्त नैथानी ने पंडित के सामने समर्पण कर दिया था। पंडित की ऊँची और तीखी आवाज़ सुनकर उनके इर्द गिर्द खड़े रिश्तेदारों में कानाफूसी शुरू हो गयी थी। कंवल दूर खड़ा इस तमाशे को भयभीत नज़रों से देख सुन रहा था।

"पंडित जी, आप बस में बैठिये ... मैं देखता हूँ क्या हो सकता है।" नैथानी ने बुझे बुझे धीमे स्वर में कहा।

कंवल अभी भी बस के पास खड़ा था। उसके मन में उथल पुथल शुरू हो गयी थी। वह पंडित को डाकरे से ही जानता था। एक भयावह स्थिति में स्वयं को फंसा महसूस कर रहा था। एक ऐसी स्थिति जिसके बारे में उसने सोचा भी नहीं था। गढ़ी डाकरे में बिताये दिन उसे याद आने लगे थे। आँखों में पिताजी का चेहरा साकार हो उठा था। उसे आज भी अच्छी तरह याद है जब पिताजी ने पंडित को सरे आम दौड़ाया था। डाकरे में किराना की दुकान से कंवल के पिताजी सामान ले रहे थे। उसी समय वहाँ पंडित माधव प्रसाद भट्ट आ गया था। उसने पिताजी को डोम कहकर एक ओर हट जाने को कहा। पिताजी ने पैर से जूता निकाला और पंडित को तान लिया था। पिताजी के तेवर देखकर पंडित भाग खड़ा हुआ था। पिताजी ने पंडित को काफी दूर तक दौड़ाया था, "टहर जा डिकोत के बच्चे तुझे आज समझाता हूँ डोम किसे कहते हैं।"

यह घटना डाकरे में बहुत दिनों तक चर्चा का विषय रही थी। कंवल के मन में शंका उभर आयी थी कि कहीं पंडित उस घटना का प्रतिशोध तो नहीं ले रहा है। उसने इस विचार को अपने ख्याल से झटक दिया था। पंडित के विषैले शब्द अभी भी उसके

जेहन में गूंज रहे थे। सीने में उठते आवेश को वह दबाये रखने की पूरी कोशिश कर रहा था। उसके मन में एक ही सवाल बार बार उठ रहा था, "क्या अरविन्द भी पंडित के सामने बेबस ही साबित होगा?"

विष्णुदत्त नैथानी ने गहरी पसोपेश के साथ अरविन्द से कहा, "अरविन्द एक बहुत बड़ी गड़बड़ हो गयी है।"

"कैसी गड़बड़ पापा? ..." अरविन्द के मन में कई तरह के विचार कौंध गये थे।

"कंवल को लेकर पंडित जी ने बखेड़ा खड़ा कर दिया है।" पापा ने धीमे स्वर में कहा।

"कैसा बखेड़ा?" अरविन्द चिंतित हो उठा था।

"पंडित जी नहीं चाहते हैं कि हम कंवल को बारात में लेकर जायें .... " पिताजीने चिंता जतायी।

"लेकिन क्यों पापा?... " अरविन्द ने भारी मन से पूछा।

"पंडित का कहना है बारात में कोई डोम चमार नहीं जायेगा।" पिताजी ने दुःखी मन से कहा।

"लेकिन पापा कंवल मेरा सबसे अच्छा दोस्त है ... हमारे बीच जात पांत कभी नहीं आयी ... मैं उसे इस तरह घर बुलाकर बेइज़्जत नहीं कर सकता ..." अरविन्द ने अपने भीतर उठते विश्वास को व्यक्त किया।

"अब तुम ही बताओ, पंडित जी जिद्द पर अड़े हैं ... कह रहे हैं वह जायेगा तो मैं नहीं जाऊँगा ... बेटा अगर हमने पंडित की बात नहीं रखी तो जात बिरादरी हम पर थूकेगी।" पापा ने अरविन्द को समझाने की कोशिश की।

"इसका मतलब है आप भी पंडित जी के नजरिये को सही मान रहे हैं।" अरविन्द ने अवसाद भरे लहजे में कहा।

"नहीं, मैं सही नहीं मान रहा हूँ ... लेकिन यह समय बहस मुबाहसे का नहीं है, हमें यह देखना है कि व्यर्थ के किसी झंझट में हम ना पड़ें।" पिताजी ने दृढ़ता से कहा।

अरविन्द का चेहरा गुस्से में तमतमा उठा था, "ठीक है आप अपनी जात बिरादरी को खुश करने के लिए कंवल को धक्के देकर भगा दीजिये। कहिये कि तुम इसलिए बारात में जाने के सुपात्र नहीं हो क्योंकि तुम भंगी हो ... "

"बेटा यह वक्त गुस्सा दिखाने का नहीं .... मामले को रफा दफा करने का है। दस लोग दरवाज़े पर खड़े हैं .... तमाशा बन जायेगा।" पापा ने अरविन्द के गुस्से को पूरी तरह कुचल दिया था।

"तो बताइये मैं क्या करूँ ... शादी मेरी है ..... पहले मैं अपने दोस्तों को घर बुलाऊँ और फिर समाज के भय से उन्हें अपमानित करके घर से भगा दूं ... यही चाहते

हैं आप" अरविन्द का एक एक शब्द जैसे आग में झुलसकर जिह्वा से बाहर आ रहा था।

कुछ क्षण के लिए सन्नाटा छा गया था। दोनों अपने-अपने भीतर पसरे कोलाहल को भी ठीक से सुन नहीं पा रहे थे। खामोशी तोड़ते हुए पापा ने कहा, "अरविन्द तुम कंवल को समझा बुझाकर वापिस भेज दो ... "

"यह मुझ से नहीं होगा .... मैंने खुद जाकर निमंत्रण दिया था उसे।" अरविन्द ने भर्राये स्वर में कहा।

"नहीं बेटा .... मेरी बात मान लो .... " पापा गिड़गिड़ाये।

"कैसे कह पाऊंगा मैं ... मै। उसकी नज़रों का सामना कैसे कर पाऊंगा .... " अरविन्द जैसे स्वयं से ही लड़ रहा था।

"यह तुम ही कर सकते हो .... और ज़्यादा देर करना ठीक नहीं है .... शुभ कार्य से पहले किसी भी प्रकार का विघ्न नहीं होना चाहिये। तुम एक नयी ज़िन्दगी की शुरुआत करने जा रहे हो ..." पापा ने अरविन्द को उकसाया।

"जो भी करना हो, आप खुद ही कीजिये .... मैं नहीं कर पाऊंगा .... " अरविन्द वहाँ से जाने लगा।

"नहीं, अरविन्द, तुम कंवल को समझा बुझाकर विदा करो ... मैं हाथ जोड़ता हूँ ... पंडित जी को नाराज करना हमारे हित में नहीं हैं .... इस बात को समझो।" पापा ने लगभग रिरियाते हुए कहा।

अरविन्द को लगा जैसे वह एक दम ज़मीन में गड़ने लगा है। उसका कद छोटा हो गया है। उसका उत्साह और उमंग ठंडा पड़ गया था। बात बात में ठहाका लगाने वाला अरविन्द जैसे सन्नाटों में घिर गया था। उसकी आँखों के सामने तारे झिलमिलाने लगे थे। वह अंदर जाकर एक कुर्सी पर धप्प से बैठ गया था। उसे लगा वह कंवल के पास चलकर नहीं जा पायेगा। उसकी हताशा बढ़ गयी थी।

अरविन्द ने अपनी छोटी बहन को आवाज़ दी," रश्मि! बाहर कंवल खड़ा है। उसे बुलाकर लाओ, जल्दी से .... "

रश्मि कंवल को लेकर आ गयी थी। कंवल को कंधे पर लटका बैग भारी लगने लगा था। वह बेमन से अरविन्द के पास चलकर आया था, अज्ञात आशंकायें उसे भयभीत कर रही थीं।

कंवल को देखते ही अरविन्द की आँखे छलछला उठी थीं। आवाज़ भर्रा गयी थी। शब्द गले के भीतर ही अटक गये थे। कंवल ने अरविन्द के चेहरे पर उभरी रेखाओं में अपने लिए संदेश पढ़ लिया था। कुछ कहने की ज़रूरत नहीं रह गयी थी। पल भर के लिए जैसे समय थम गया था।

कंवल ने अरविन्द का कंधा थपथपाया, "दिल छोटा मत कर यार .. अपना क्या

है .... तुम खुशी खुशी बारात लेकर जाओ ... हमारी चिंता मत करो।" कंवल ने अंतस में उठते भावावेग और गुस्से को मुस्कुराहट में बदलने की कोशिश की।

"कंवल! मुझे माफ कर देना .... यहाँ कुछ नहीं हो सकता है .... सड़ चुका है सब कुछ .... " अरविन्द से अपनी बात पूरी नहीं कर पाया था ... फफक पड़ा था।

कंवल ने अरविन्द के कंधे को पूरी आत्मीयता से दबाया। जैसे सांत्वना देने की कोशिश की। अरविन्द ने डबडबायी आँखों से कंवल की ओर देखा। लेकिन कंवल उन आँखों की ओर देखे बगैर तेज कदमों से बाहर जाने के लिए मुड़ा।

बस के पास पंडित खड़ा था। कंवल को आते देखकर उसके चेहरे पर घृणा भाव और ज़्यादा गहरे हो गये थे।क्षण भर को कंवल पंडित के पास रुका। उसने कंधे पर लटके बैग को एक बार फिर कस कर पकड़ लिया था। पंडित को दौड़ाने का विचार उसकी चेतना में उभरा। एयर बैग पंडित की खोपड़ी पर मारने के लिए बैग कंधे से उतारा — अरविन्द की छलछलायी आँख सामने आ गयी। हाथ वहीं रुक गये। कंवल की क्रोधित मुद्रा देखकर पंडित माधव प्रसाद भट्ट दहशत में आ गया था। उसे महसूस हुआ सामने कंवल नहीं उसका बाप खड़ा है। पंडित ने वहाँ से हट जाने में ही अपनी भलाई समझी।

कंवल ने आक्रोश भरी आँखों से पंडित की ओर देखा। पंडित काफी दूर जाकर खड़ा हो गया था। कंवल ने एक लंबी सांस खींची और घर की ओर चल पड़ा। उसके भीतर कांच के टुकड़े टूटकर बिखर गये थे। जिसे फिर से जोड़ पाना संभव नहीं था।

इतना कहकर रविकुमार चुप हो गया था। टिपटाप में खामोशी छा गयी थी। सबके सामने एक ही सवाल था आखिर यह सब कब तक चलता रहेगा .... कब तक ..... ।

सी - 5/2
आर्डनैंस फैक्टरी इस्टेट
देहरादून — 248 008

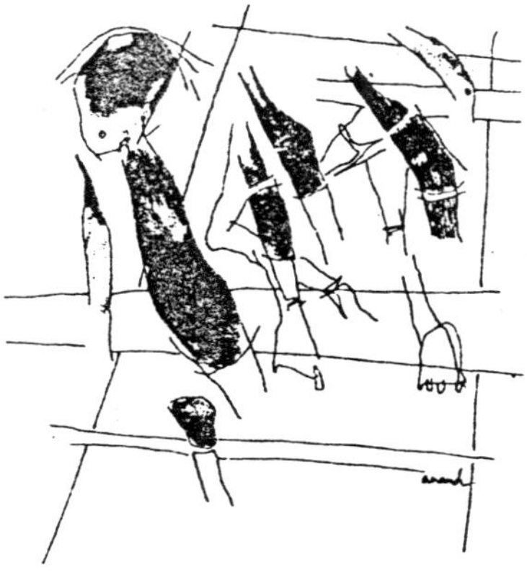

बस्ती के लोग

सूरजपाल चौहान

बस्ती के लोगों द्वारा इंकार करने के बाद नंद किशोर के हाथ पाँव ही फूल गए थे। वह असमंजस की स्थिति में रह-रहकर सोचता कि अब क्या करें? बस्ती वालों की बेहूदी शर्त सुनकर नंद किशोर का माथा फटने को हो गया, एक बार तो ऐसा लगा कि वह चक्कर खाकर गिर जायेगा। अपने आपको संभाले, भारी कदमों से आकर वह घर के आँगन में खड़ा ही हुआ था कि उसे ख्याल आया — 'फोन द्वारा ऑफिस में खबर कर दी जाए।' वह तुरंत ही 'पब्लिक टेलीफोन बूथ' की ओर चल दिया।

दूसरी ओर बसों में धक्कम-धुक्की खाता और शहर के वाहनों की प्रदूषित धूल फाँकता, विनोद आफिस में आकर बैठा ही था कि टेलीफोन की घंटी घनघना उठी। टेलीफोन का चौंगा उठाते विनोद बोला --

"बैंक ऑफ बड़ौदा, विनोद शर्मा स्पीकिंग।"

"हाँ विनोद, यार मैं नन्द किशोर बोल रहा हूँ।"

"बोल क्या बात है, कैसे घबराया सा बोल रहा है?"

विनोद शर्मा ने पूछा।

"मेरे पिताजी का देहांत हो गया है, मैं घर में अकेला हूँ ...., बड़ा भाई आफिस के काम से टूर पर गया है, तू छुट्टी करके जल्दी से आ जा ... , हाँ सुन, मैं नोएडा से नहीं चिराग दिल्ली से बोल रहा हूँ, पिता चिराग दिल्ली में ही ..., हाँ बड़े भाई के पास

ही रहते थे..., तू आ तो जा, हाँ निगम बोध घाटपर ...., और सुन, दूसरे साथियों से भी कह देना।" नंद किशोर टुकड़ों में अपनी बात कह पाया था।

"नन्दू, चिराग दिल्ली के घर का पता तो नोट करवा दे, मैं घन्टे-भर में पहुँच रहा हूँ।" विनोद ने जेब से पेन निकालते हुए उससे कहा।

"नोट करने की ज़रूरत नहीं है, चिराग-दिल्ली के नाले के किनारे पर ही हमारा घर है, वहीं पास में संतोषी माता का मंदिर है ... , मंदिर के पास ही पूरी बस्ती बसी हुई है, किसी से पूछ लेना-सुमरू के घर जाना है।" नंद किशोर ने फोन रखते हुए कहा।

नन्द किशोर के पिता सुमरु, चिराग दिल्ली के प्राथमिक विद्यालय में सफाई कर्मचारी का कार्य करते थे।ऐसा काम करते हुए भी उन्होंने अपने दोनों बेटों को पढ़ा लिखा दिया। बड़ा बिरज किशोर 'इण्डियन एयर लाईन्स' में ओर छोटा नन्द किशोर 'बैंक ऑफ बड़ौदा' में नौकरी कर रहे हैं। नन्द किशोर के मन में जड़ बैठी हुई थी तो एक बात 'कोटे का हूँ ना।' बैंक के सभी साथी उसकी स्थिति अच्छी तरह समझते थे। कभी कोई जानबूझकर भी नन्दू को उसके एस.सी. होने के कारण न चिढ़ाता। ऑफिस के साथियों का साथ पाकर नन्दू धीरे-धीरे भूलता जा रहा था कि वह कोटे का है। विनोद शर्मा और नन्द किशोर पिछले पाँच वर्षों से एक ही अनुभाग में काम कर रहे हैं। दोनों में खूब छनती है। बहुत गहरे मित्र हैं। एक दूसरे के सुख दुःख के साथी। ऑफिस के सभी साथी नन्द किशोर को नन्दू कहकर पुकारते हैं। भोजनावकाश के समय सभी इकट्ठे भोजन करते हैं और एक दूसरे के बर्तन से हाथ बढ़ा बढ़ाकर खाना खाते हैं।

नन्दू ने बैंक की 'हाऊस बिल्डिंग एडवांस' सुविधा का लाभ उठाकर नोएडा के सेक्टर 19 में एम.आई.जी. मकान ले लिया है और वह पिछले चार वर्षों से नोएडा में अपने बच्चों के साथ रह रहा है।

ऑफिस के एक दो ज़रूरी काम निबटा कर विनोद अब एक साथी चमन वर्मा के साथ नन्दू के घर को निकल पड़ा। कनाट प्लेस से चिराग दिल्ली की बस पकड़ कर अब वे दोनों चल पड़े। लगभग घन्टे भर की बस यात्रा के बाद वे चिराग दिल्ली के बस स्टेण्ड पर पहुँच गए और नन्दू के घर का पता पूछते हुए नाले तक आ गए। संतोषी माता का मंदिर भी उन्हें सामने दिखाई दिया। वे दोनों नाले के किनारे पर बसे वाल्मीकि मोहल्ले में से आगे बढ़े जा रहे थे। इधर उधर सूअर ढों ढों की आवाज़ें करते घूम रहे थे। नाले की कीच, सड़ांध भरा पानी और बजबजाती गंदगी बस्ती में पसरी पड़ी थी। सूअर और कुत्ते कीचड़ में लोट मचा रहे थे।

विनोद और चमन नन्दू के घर के समीप पहुँचने वाले ही थे कि इतने में नाले के किनारे से एक सूरी (मादा सूअर) चिचियाती हुई उनकी ओर दौड़ी चली आ रही थी। वह बहुत गुस्से में थी और उसने भयंकर रूप धारण किया हुआ था। उसके सीधे दौड़कर चले आने को देखकर चमन वर्मा वहाँ से भाग छूटा, लेकिन विनोद शर्मा को उस समय कुछ

नहीं सूझा। वह ठिठक कर खड़ा हो गया था। सूरी को देखकर उसके हाथ पैर शिथिल पड़ गए क्योंकि ऐसी स्थिति से कभी उसका सामना नहीं पड़ा था।नन्दू घर के आँगन सेखड़ा खड़ा चिल्लाये जा रहा था –

"विनोद भाग, जल्दी से हट जा इसके सामने से।" लेकिन उसे तो जैसे काठ मार गया हो। वह अपनी जगह से टस से मस नहीं हुआ। नन्दू घर से लाठी लेकर भागा। सूरी विनोद पर हमला बोले, उससे पहले ही उसने लाठी घुमाकर सूरी की थूथनी (मुँह का अग्र भाग) पर दे मारी। एकाएक पड़ी लाठी की मार से सूरी घबरा कर नाले में एक ओर को उतर गई। विनोद खड़ा खड़ा थर थर काँप रहा था। नन्दू ने उसकी ओर देखते हुए कहा–

"पागल है तू, भागा क्यों नहीं इसके आगे से, अभी लहूलुहान कर देती।"

सूरी के वहाँ से भाग जाने पर चमन वर्मा भी उनके समीप आकर खड़ा हो गया। अब विनोद भी सहज हो चुका था। माथे पर आये पसीने को पोंछते हुए उसने नन्दू से प्रश्नवाचक दृष्टि से पूछा –

"यह मेरे ऊपर ही हमला बोलने क्यों आ रही थी ..., मैंने इसका क्या बुरा किया है?

"इसने चार पाँच दिन पहले ही बच्चे दिएहैं, आज इसके मालिक ने इसके दो बच्चों को पकड़कर बेच दिया, बस यही सोचकर कि फिर कोई इसके बच्चों को पकड़ने आ रहा है, दौड़ पड़ी तेरे ऊपर हमला करने।"

नन्दू ने अपनी बात आगे बढ़ाते हुए फिर कहा –

"सूरी का ऐसा करना स्वाभाविक है, किसी माँ की सामान्य प्रतिक्रिया जैसा।" बात करते करते वे तीनों अब घर के आँगन में आ गए। नन्दू के पिता की मृत देह एक सफेद कपड़े में लिपटी वहीं रखी थी। घर की महिलाएँ बैठी विलाप कर रही थीं।

नन्दू ने विनोद के हाथों में रुपये थमाते हुए कहा – "युसफ सराय मार्किट से हवन सामग्री, काठी कफन शीघ्रता से ले आ।" विनोद रुपये जेब में रखकर मार्किट चला गया था।इसी तरह नन्दू ने चमन वर्मा को शव वाहन जुटाने के लिए कहा था।लगभग डेढ़ घण्टे बाद विनोद और चमन अपना अपना काम पूरा करके लौट आये। अब नन्दू, चमन और विनोद तीनों मृत देह को निगम बोध घाट ले जाने की तैयारी में जुटे हुए थे। विनोद और चमन हैरान थे कि नन्दू की बस्ती का कोई भी व्यक्ति इस कार्य में उन्हें सहयोग क्यों नहीं दे रहा? बस्ती के बड़े बूढ़े अपने घरों के आँगन मेंबैठे हुक्का गुड़गुड़ा रहे थे तो कई दूसरे कार्यों में व्यस्त थे। घरों से रेडियो और टेलीविजन के बजने की आवाज़ें जोर जोर से सुनाई पड़ रही थीं।ऐसा लग रहा था जैसे इस बस्ती में कुछ हुआ ही नहीं है। बस्ती के युवा संतोषी माता मंदिर के प्रांगण में पत्ते खेलने में लीन थे तो कुछ चिलम में दम लगाने में मस्त। नन्दू ने विनोद और चमन के साथ मिलकर पिता की मृत देह को अब शव वाहन में रखवाया और उसे लेकर वे निगमबोध घाट की ओर चल पड़े। विनोद और चमन असमंजस में थे। वे रह रहकर सोचते कि बस्ती से नन्द किशोर के साथ कोई क्यों नहीं

आया? ऐसे दु:ख के समय कोई उसके साथ क्यों नहीं है? विनोद से रहा नहीं गया और उसने नन्दू से पूछ ही लिया—

"बस्ती से कोई साथ क्यों नहीं आया?"

विनोद की बात सुनकर नन्दू ने पहले उसकी ओर देखा और फिर होंठों पर व्यंग्य भरी मुस्कान लाकर रह गया। वह कुछ बोल नहीं पाया। शब्द जैसे उसके गले में अटक कर रहे गयें। चमन ने मृत देह पर पड़ी चादर जो एक ओर को सरक गई थी, ठीक करते हुए नन्दू से पूछा — "क्या बस्ती के लोगों से मन मुटाव चल रहा है?"

उन दोनों मित्रों की बातें सुनकर अब नन्दू विचलित हो उठा। उसके चेहरे पर कई तरह के भाव आ जा रहे थे। एक बार उसने सोचा — 'यदि सच्ची बात बता दी जाए तो ये दोनों मेरी बस्ती के लोगों के बारे में क्या सोचेंगे?' उसने अपने पर काबू पाते हुए बस मौन रहना ही उचित समझा। लेकिन उसके मुख पर चिंता की रेखाएँ स्पष्ट नज़र आ रहीं थीं।

विनोद और चमन ने भी स्थिति की नाजुकता को देखते हुए नन्दू से इस विषय पर और चर्चा करना उचित नहीं समझा। वे तीनों अब मृत देह के साथ निगम बोध घाट आ चुके थे। नन्दू के ऑफिस के अन्य साथी वहाँ पहले से ही इंतजार कर रहे थे। उन्होंने आगे बढ़कर मृत देह को शव वाहन से उतरवाया और कंधा देते हुए शमशान घाट के अन्दर तक ले गए। लगभग दो ढाई घण्टे तक शमशान घाट के पंडित ने पूरे विधि विधान के अनुसार क्रियाकर्म कराया। क्रियाकर्म के बाद सभी वहाँ से एक एक करके चले गए। अंत में नन्दू भी अपने घर चला आया।

दूसरे दिन नन्दू का बड़ा भाई बिरज किशोर भी टूर से वापिस आ गया। नन्दू ने भाई को भारी मन से बस्ती के लोगों द्वारा सहयोग न देने की बात कह सुनाई। नन्दू की पूरी बात सुनकर बिरज किशोर अनमने मन से बोला —

"बस्ती में रहकर लोगों की बात माननी ही होगी, तूने इनकी बात न मानकर रार मोल ले ली है..., तू तो नोएडा में रहने लगा है, इनके साथ बस्ती में तो मुझे ही रहना है।

बड़े भाई के मुख से ऐसे शब्द सुनकर नन्दू अवाक् होकर रह गया। उसे विश्वास था कि बड़े भैया सहानुभूति प्रकट करते हुए उसकी पीठ थपथपाते हुए उसी का पक्ष लेंगे। लेकिन बिरज किशोर तो उल्टा उसे ही डाँटने लगा।

बिरज किशोर ने अब बस्ती वालों के घर घर जाकर लोगों से हाथ जोड़कर छोटे भाई द्वारा उनकी बात न मानने के लिए मॉफी माँगी और आगे से ऐसी भूल न दोहराने की बात कही। उस दिन बिरज किशोर बड़ी मुश्किल से बस्ती के लोगों को मना पाया था। तीजे वाले दिन बस्ती के सभी छोटे बड़े उसके साथ थे। बस्ती के चार पाँच युवा और बुजुर्ग निगम बोध घाट भी बिरज किशोर के साथ मृतक की अस्थियाँ चुनने साथ आये। वे सभी नन्दू को देखकर मुँह बिचका रहे थे। अस्थियाँ चुनकर पीछे बहती यमुना नदी में प्रवाहित कर दी।

घर पहुँचकर दोनों भाईयों में लम्बी बहस छिड़ गई। दोनों ही अपनी अपनी जिद पर अड़े हुए थे। लम्बी जद्दोजहद के बाद बड़े भाई ने नन्दू की अनसुनी करते हुए अपनी और बस्ती वालों की ही चलायी। दोपहर को ढाई मन के सूअर की बलि दी गई और बस्ती के सभी लोगों को दावत के लिए बुलाया। वे सभी खुशी खुशी दावत खाने आये थे। सभी ने सूअर का पका गोश्त खाया और खूब दारू पी थी। उसी दिन रात को संतोषी माता मंदिर में जगराते का कार्यक्रम भी हुआ। जागरण करने वाली दिल्ली की ही एक 'वाल्मीकि समुदाय' के लोगों की पार्टी आई थी। उस जगराता करने वाली पार्टी का नाम है – 'श्याम भाई हरी भाई पार्टी।'

जागरण से पहले माता की जोत जगाई गई। इससे पहले जागरण पार्टी के सदस्यों ने बिरज किशोर से बोतल की माँग की। सूअर के पके माँस के साथ बोतल पीकर जागरण करने वाले भी टुल हो गए। नशे से उनकी आँखें लाल हो गईं थीं। वे अब संगीत के साथ झूम झूमकर फिल्मी गीतों की तर्ज पर माता की भेंटें गाने में लगे हुए थे। नन्दू ने जब इस बात पर आपत्ति प्रकट की तो बड़े भाई ने उसे डपट कर चुप कर दिया, जिससे नन्दू की आवाज़ वहीं दब कर रह गई। नन्दू और बिरज किशोर आपस में बहस में उलझे हुए थे। नन्दू को भी अब थोड़ा गुस्सा आ गया, लेकिन उसने अपने को संयत कर लिया। नन्दू की विरोध भरी बातें सुनकर पास ही खड़ा जागरण पार्टी का मुखिया उसे गली के झबरा कुत्ते की तरह घूरे जा रहा था। संगीत के नाम पर विभिन्न वाद्य यंत्रों से निकले उस शोर की आवाज़ पर नन्दू के अधेड़ उम्र के चाचा सिब्बू अपनी गर्दन और हाथ पैर जोर जोर से झटकने लगे। उन्हें ऐसा करते देख पण्डाल में बैठे लोग एक स्वर में चिल्लाए –

"सिब्बू भक्त के सिर देवता आ गया।"

जागरण करने वालों ने भी संगीत बंद कर दिया। पण्डाल में बैठे लोग अब उस भक्त के चारों ओर घेरा बनाकर खड़े हो गए। भक्त अपनी गर्दन को झटका देते हुए और बिरज किशोर को आवाज़ लगाता बोला – "बेटा बिरजू, तूने मेरी आत्मा को शांति प्रदान की है, इस नन्दू ने तो बस्ती के भाईयों की बात न मानकर मुझे नरक में ढकेलने का पूरा प्रबन्ध कर लिया था, बेटा तू जीवन में खूब फलेगा और फूलेगा ..., मैं अब बहुत खुश हूँ।" लोग आपस में बतिया रहे थे।

"भई, सिब्बू के सिर सुमरु आ लियौ।"

पण्डाल में बैठे हरेक व्यक्ति ने बारी बारी से उस भक्त के पैर छुए और अब उनमें उससे आशीर्वाद प्राप्त करने की होड़ लग गई थी। नन्दू पण्डाल के एक कोने में खड़ा चुपचाप सारा खेल देख रहा था। बिरज किशोर ने उससे भी आगे बढ़कर भक्त के पैर छूकर आशीर्वाद प्राप्त करने की बात कही। नन्दू जानता था कि यह सब ढकोसला और पाखण्ड है। उसने यह सब करने के लिए सीधे सीधे मना कर दिया। उसको मना करते देख भक्त तेज आवाज़ में बोला –

"नालायक, मेरे मरने पर तूने बस्ती वालों को दारू नहीं पिलाई, इसलिए बस्ती वालों ने मुझे कंधा नहीं दिया ...., तू मेरा पूत नहीं कपूत है, चल हट मेरी नज़रों के सामने से।"

सिब्बू भक्त ने अपने पूरे शरीर को हिलाते और मुँह से बेसुरी आवाज़ निकालते हुए सिर ज़मीन पर दे पटका और निढ़ाल होकर बेहोशी जैसी हालत में एक ओर को लुढ़क गया। लोगों ने उसके मुँह पर पानी के छींटे मारे। कई लोग उसको पंखा झलने में लगे हुए थे। थोड़ी ही देर में वह सहज होकर पंडाल के एक कोने में बैठा बैठा बीड़ी के कश खींच रहा था।

ऊधर, पूरी बस्ती के लोगों के सामने नन्दू अपने आपको असहाय और अशोभनीय स्थिति में महसूस कर रहा था। वह किसी ने बिना कुछ कहे सुने भोर होते ही पत्नी और बच्चों को लेकर नोएडा की बस पकड़ने बस स्टेण्ड पर आ गया था।

डी- 20, एस.टी.सी. कालोनी
महरौली रोड,
नई दिल्ली — 17

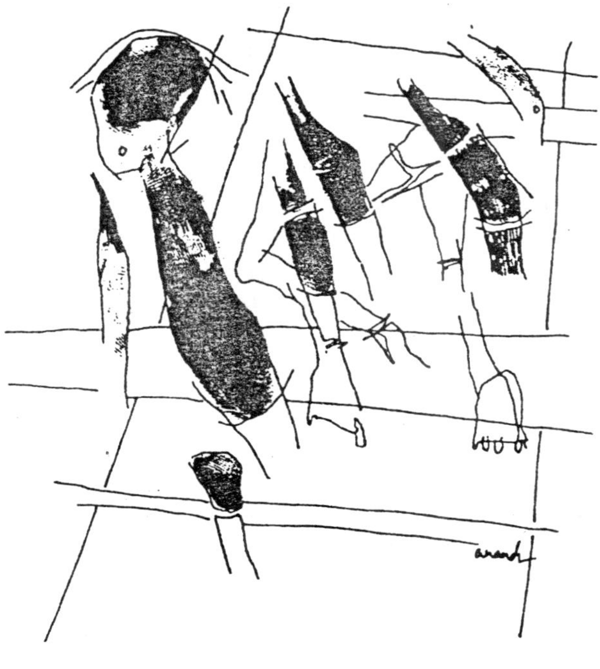

बिवाइयाँ

विपिन बिहारी

चौराहे से दक्खिन की तरफ़ जानेवाली सड़क सीधे मुख्य कस्बा पहुँचा देती है। एक जमाना था कि चौराहे पर कुत्ते रोते थे। छिटपुट चाय चुक्कड़ की टुटपूंजियां दुकानें हुआ करती थीं। लेकिन अब, आबादी के साथ साथ चौराहे की रौनक बढ़ती गई थी। चौराहा कुछ महीनों से टैक्सी स्टैंड के रूप में विकसित हो गया था। दो चार टैक्सियाँ अक्सर लगी रहती थीं। नतीजतन कुछ न कुछ भीड़ जमी ही रहती थी। इधर चौराहे पर भीड़ बढ़ती थी, उधर तेली बनियों की लालची निगाहें टिक गई थीं, कैसे इस चौराहे को व्यापारिक स्थल में विकसित किया जाए और देखते देखते दुकानों की भरमार हो गई थी। चाय चुक्कड़ की कई दुकानें एक पर एक (पंचतारा नहीं) खुल गई थीं। किराना दुकानों में काजू किसमिस भी रखे जाने लगे थे। और तो और एस.टी.डी. बूथ, सैलून दुकान और सीमेंट छड़ और स्टूडियो भी। यही रफ्तार यदि पाँच साल रह गई तो फिर चौराहे की स्थिति मुख्य कस्बे की हो जाएगी और मुख्य कस्बा चौराहे जैसा।

चौराहे से थोड़ा दक्खिन हटकर सड़क के किनारे की ज़मीन पी.डब्ल्यू.डी. में आती है। उसके पीछे एक तालाब है जिसे विष्णु पोखरा कहा जाता है। विष्णु पोखरा से एक पाखण्ड भरी किंवदन्ती जुड़ी हुई है। कभी विष्णु के चरण इस पोखरे के पानी से पखारे गए थे। किस काल में और किस उद्देश्य को लेकर विष्णु आए थे इस पोखरे में चरण पखारने— इसका किसी भी ग्रन्थ में जिक्र नहीं मिलता। सिर्फ़ मुँह जबानी पीढ़ी दर पीढ़ी यह किंवदन्ती मुखांतरित होती गई। खैर ... उसी विष्णु पोखरा के तलहट में

पी.डब्ल्यू.डी. में पड़ने वाली ज़मीन कब्जे में लेकर कई टेम्परारी दुकानें बनाई हुई हैं। पहले परमानेंट दुकानें ही थीं। लेकिन तीन साल पहले हाई कोर्ट का आदेश आया था कि जितने भी अतिक्रमण हैं, उन्हें जल्द से जल्द साफ़ किया जाये। आदेश मिलते ही पुलिस दारोगा कानून बघारते हुए डंडा घुमाने लगे थे और पी.डब्ल्यू.डी. की ज़मीन अतिक्रमण के नाम पर साफ़ कर गए। परमानेंट मानी जाने वाली दुकानें टेम्परारी हो गईं। महीने दो महीने ही नहीं लगाई गई थीं दुकानें पी.डब्ल्यू.डी. की ज़मीन पर। लेकिन पेट की आग ने फिर दुकानें लगवानी शुरू करवा दी थीं। लेकिन इस बार कोई अतिक्रमण नहीं कह सकता था। पुलिस दारोगा आगाह कर गए थे एहसान जतलाने जैसे शब्दों में, "दुकानें लगाकर कमाओ खाओ, लेकिन अपनी बपौती मत बनाओ सरकारी ज़मीन को।"

विष्णु पोखरा के तलहट में ही एक नीम का पेड़ है। पेड़ के ठीक नीचे एक जूता चप्पल मरम्मत की फुटपाथी दुकान लगती है। ठीक उसके उत्तर की तरफ़ बांस के चार फच्चों पर एक छप्पर टंगा हुआ है और चारों तरफ़ से खुला मचान जैसा। यदि सूरज सीधे कपाल पर रहा हो तो उस छप्पर से बचा जा सकता है अन्यथा धूप आनी ही आनी थी। बांस के एक फच्चे में एक बोर्ड लटका हुआ था। लिखाथा 'वन औषधि भंडार' (बड़े अक्षरों में) ठीक उसके नीचेयहाँ भिन्न भिन्न रोगों का उपचार जड़ी बूटियों द्वारा किया जाता है और सबसे नीचे लिखा हुआ था वैद्य प्यारेलाल मोची।

छप्पर के नीचे विष्णु पोखरा से सटे पूरब की दिशा में मुँह किए फाइबर की एक कुर्सी। कुर्सी की ठीक बगल में दाहिनी तरफ़ एक स्टूल पर बड़ा सा बक्सा खुला हुआ और कुर्सी के दाएं बाएं दो दो स्टूलें और एक एक कुर्सी। उन सबों के बीच एक गोल टेबुल खूबसूरत सी। वह भी फाइबर की थी, जिस पर दो खरल दो आकार के रखे हुए थे और पाँच छः मोटी मोटी किताबें जिनमें दो अक्सर खुली हुई रहती थीं।

विष्णु पोखरा की तरफ़ लगी कुर्सी पर एक चालीस पैंतालीस का वैद्य प्यारेलाल मोची .... सांवला रंग सफेद कुरते पाजामें में बैठा हुआ था। उसकी बायीं तरफ़ की स्टूल पर एक वृद्ध होता व्यक्ति चेहरे मोहरे से संभ्रांत घराने का और उच्च वर्ण लग रहा था, बैठा हुआ था। उसका बायां हाथ प्यारेलाल के हाथ में था और वह उसकी नाड़ी की गति की गणना कर रहा था। बीच बीच में वह कुछ पूछ भी लेता वृद्ध से और वृद्ध बोलता जाता। कई मर्ज उसने बताए और उसकी पुष्टि के लिए वृद्ध से पूछा भी। वृद्ध के बोलने पर वह संतुष्ट हुआ लगा।

"मैं नाड़ी द्वारा भी रोग का पता कर लेता हूँ। जो रोगी अपने रोग के बारे में खुलकर नहीं बता पाते, तब मैं नाड़ी का ही सहारा लेकर उनका इलाज करता हूँ।"

"अयं हो प्यारे, नाड़ी से कैसे रोग पहचान लेते हो?" वृद्ध की भंगिमा थोड़ा आश्चर्य में डूबी हुई लगी।

"नाड़ी द्वारा रोग की जड़ तक जाना एक विद्या है। अध्ययन के साथ साथ मनन

की भी आवश्यकता पड़ती है इसमें। सबसे बड़ी बात मानी जाती है निरंतर अभ्यास। एक बात और मान लीजिए रोग के दो कारण होते हैं पहला मन और दूसरा शरीर। शरीर में पेट एक ऐसा अंग है जहाँ रोगों का भंडार होता है। यूं कहा जाए लगभग सारे रोग पेट की गड़बड़ियों के कारण ही उत्पन्न होते हैं। पेट यदि आपका दुरुस्त है तो समझिए बहुत सारी व्याधियों के प्रकोप से बचे हुए हैं आप। और दूसरा मन, मन यदि आपका निर्मल है तो सब कुछ तरोताजा। मन बीमार तो सब बीमार।" प्यारेलाल का ये जुमला काफी घिसा पिटा लगता था पुराने रिकार्ड की तरह। लेकिन वह लगभग हर किसी के सामने अपना जुमला बजा ही डालता था। बात कहने का अंदाज़ कुछ ऐसा कि उसे बिना गौर के सुना नहीं जाता। इसका ये जुमला उसके खुद का गढ़ा हुआ था या किसी आयुर्वेद की पुस्तक से उड़ाया था और उसका इस्तेमाल अपने तरीके से कर रहा था, कुछ कहा नहीं जा सकता।

वृद्ध प्यारेलाल की सुनने के बाद बोला, "नाड़ी की गणना कर ली तुमने, अब बताओ मुझे, मैं कौन कौन से रोगों का रोगी हूँ।"

"आपको कोई रोग नहीं है। आपके शरीर में जो कमियाँ हैं, वे सब उम्र के कारण हैं जैसे आपकी पाचन क्रिया का मंद पड़ जाना, अनिद्रा की शिकायत .... थोड़े में ज़्यादा थक जाना, आँखों की रोशनी धीमी पड़ जाना। इनसे बचने के लिए या कुछ देर टरकाने के लिए कुछ औषधियों का आप नियमित सेवन कर सकते हैं। उम्र के साथ-साथ शरीर में कुछ कमजोरियाँ स्वाभाविक तौर पर आ जाती हैं। दूसरे आज का वातावरण इतना प्रदूषित हो चला है कि उसका प्रभाव इस शरीर पर ही पड़ता है। लाख आप सात्विक जीवन व्यतीत करें या पिंजरे में रहें। फिर है खान-पान, जो हम लोग खा रहे हैं कोई भी चीज़, उसमें कुछ मात्रा जहर की भी मिली होती है। कोई भी फसल बिना खाद पाउडर के नहीं होती। यहाँ तक कि गाय गोरू के चारे में भी जो घास दी जाती है, खाद डाला जा रहा है। तब बताइए गाय भैंस का दूध भी प्रदूषित है कि नहीं, जबकि उसे अमृत तुल्य और पौष्टिकता में सर्वोत्तम माना गया है। किया भी जाए तो क्या? भूमि सीमित है, साधन सीमित है और जनसंख्या एक अरब। जो भी है इसी भूमि से सबके दाने पानी की व्यवस्था करनी है तो खेती में वैज्ञानिकता नहीं लाई जाएगी तो आवश्यकता कभी नहीं पूरी हो पाएगी पारंपरिकता से .... है कि नहीं?" प्यारेलाल ने वृद्ध की तरफ़ देखकर मुस्कुरा दिया था। वृद्ध चुपचाप उसका चेहरा देख रहा था। जब प्यारेलाल की खत्म हुई तो वह बोल पड़ा,

"तुम वैद्य हो कि क्या हो या ठगने की दुकान खोले बैठो हो?"

"आपको क्या लगता हूँ मैं?"

"एक मोची ...।"

"लेकिन मैं आपकी नाड़ी देख रहा हूँ और उसका ब्यौरा भी दे रहा हूँ आपको। मोची की दुकान से या तो आपके जूते चप्पल की मरम्मत की जा सकती है या फिर नए जूते खरीदे जा सकते हैं, नाड़ी नहीं टटोली जा सकती है।" मोची के नाम पर प्यारेलाल

का दिमाग गड़बड़ा गया था। उसके शब्दों में नुकीलापन तो था। लेकिन सामने वाला वृद्ध समझ पा रहा था कुछ या नहीं, कुछ कहा नहीं जा सकता था।

"और एक बात बाबू साहेब, मैं मोची हूँ ये मानता हूँ और आप भी जानते हैं मैं छूने की चीज़ नहीं हूँ। मेरे किसी के छूने से हो सकता है आपको कोई असाध्य रोग लग जाए। लेकिन जब आपने अपना हाथ मुझे छूने के लिए दिया तो इसका अर्थ है कि मुझमें ऐसा कुछ है जिसकी आपको ज़रूरत है और मैं बैठा हुआ हूँ यहाँ पर फुटपाथी ही सही। आप स्वयं आए हैं अपना मर्ज लेकर। आप रास्ते में जा रहे होते तो मुझे क्या पता आप किस रोग से पीड़ित हैं।" ठठाकर हंसा था प्यारेलाल।

वृद्ध मुस्कुराना नहीं चाहता था, फिर भी मुस्कुरा पड़ा, कुछ ऐसा ही लगा था।

"बाबू साहेब, आप कितना भी जात पाँत कर लीजिए, ऊँच नींच का ढिंढोरा पीट लीजिए एक वैद्य के रूप में इस फुटपाथ पर बैठना आपको क्या संदेश दे रहा है। कम से कम इसे तो मानिए। जंड़ी बूटी, घास पात द्वारा किसी रोग का इलाज करना कम से कम मेरे जैसे लोगों द्वारा क्या यह छोटी घटना है? इसी फुटपाथ पर मेरे पिता जूते चप्पल सिया करते थे और आज मैं वैद्यगिरी कर रहा हूँ। फिर भी कुछ नहीं दिखलाई पड़ रहा है आपको? आप लोग बाबू साहेब .... बाबू साहेब में चूर हैं। ऐश मौज से फुर्सत नहीं। आप निरन्तर नीचे की ओर सरकते जा रहे हैं। हमारे पास खाने के लिए नहीं है, समाज से उपेक्षा ही उपेक्षा मिल रही है। तब मैं यह सोच रहा हूँ क्यों न कुछ ऐसा किया जाए जो समाज की ज़रूरत बन जाए। फिलहाल मैं आपकी ज़रूरत बना हुआ हूँ कि नहीं।" खिलखिला कर हँसा था प्यारेलाल बच्चों की तरह।

थोड़ी देर चुप रहने के बाद प्यारेलाल ने एक मोटा सा रजिस्टर निकालकर दिखलाया वृद्ध को, "अब तक मैं जिन जिन रोगियों का इलाज किया है, उनका पूरा ब्यौरा दर्ज है इसमें। यदि आप मेरी परीक्षा ही लेना चाहते हैं तो मैं उनका पता दे देता हूँ। छान बीन कर सकते हैं। इतना मैं कहूँगा कि आयुर्वेद आज के समय में थोड़ा कीमती हो गया है और इसका कारण है बहुत सारी वनस्पतियों का विलुप्त हो जाना। मेरा प्रयास है कि आयुर्वेद मेरी मार्फत जन जन तक पहुँचे और सस्ता हो। लेकिन इसके लिए मुझे कुछ पूँजी की आवश्यकता है, जो नहीं है।"

"मेरे बारे में क्या कहते हो?" वृद्ध ने थोड़ा कुर्सी पर इत्मीनान बैठते हुए पूछा।

"ये आप पर निर्भर है आप दवा लेना चाहेंगे या नहीं। वैसे कोई बीमारी नहीं है आपको। जो भी है उम्र के कारण। यदि आप चाहें तो दवा ले सकते हैं। आयुर्वेद आपको नफा ही कर जाएगा किसी न किसी रूप में, नुकसान नहीं करेगा क्योंकि इसकी दवाईयाँ शरीर पर दुष्प्रभाव नहीं डालतीं। ऐलोपैथी की दवाईयाँ आपके शरीर को सूट नहीं कर रहीं हैं तो रियक्शन कर जाएंगी। ऐसा भी हो सकता है कि उससे मौत भी हो जाए। आयुर्वेद नफा ही पहुँचाता है शरीर को। दवा बनवानी है तो कुछ एडवांस जमा कीजिए और दो दिन

के बाद दवा ले जाइए। मैं जो दवा बनाता हूँ प्रामाणिक होती है। मेरे पास कोई मशीन नहीं है। अपने हाथों से कूटता पीसता हूँ। शीशियों में बंद दवाइयों में यौगिक रूप में क्या क्या मिलाया हुआ है कौन जानता है, आप चाहेंगे देखना तो देख भी सकते हैं। ये त्रिफला है।" एक शीशी उठाकर वृद्ध के हाथ में देते हुए, " यह कफ, पीत, वायु संबंधी रोगों का शमन करता है।"

वृद्ध ने शीशी अपने हाथ में ले ली। प्यारेलाल ने कई शीशियाँ दिखलाईं। जड़ी बूटी का नाम बताया और उससे होने वाले फायदे भी ...

"सोंट सुहागा सेंधा गाँधी, सहजन के रस बरिया बांधी,
अस्सी सूल बहतर वायु कहे धन्वन्तरि जड़ से जाई।"

"तुम जो बता रहे हो वह तो ठीक है। एक बात पूछूं।" वृद्ध थोड़ा सकुचाता हुआ बोला।

"पूछिए, पूछिए, सकुचाइए मत। आप जो पूछना चाह रहे हैं समझ रहा हूँ कुछ कुछ।" प्यारेलाल ने तिरछी नज़र डाली थी वृद्ध पर एक रहस्यमयी मुस्कान के साथ, " जो भी डॉक्टर से सकुचाया कि गया तेलहंडा में।"

"मेरी यौन क्षमता क्षीण पड़ गई है।" वृद्ध की आवाज़ अत्यंत धीमी थी।

"आपको विश्वास भी होता है कि इस उम्र में यौन क्षमता भी रह सकती है। मैं समझता हूँ कि आपकी पत्नी का स्वर्गवास हो गया होगा अब तक।"

"हाँ ...।"

"फिर यौन क्षमता की क्षीणता या सक्रियता की क्या आवश्यकता? आपकी पत्नी का स्वर्गवास हो चुका है। यौन संपर्क आप किसी पराई औरत से ही बना पाएंगे। जहाँ तक मेरा मानना है आपकी उम्र की औरतों का शरीर ऐसा नहीं रहा होगा अब तक जो यौन संपर्क के लिए तैयार हों। आपके बच्चों की औरतों भी असमर्थ हो गई होंगी। तब आप अपनी पोतियों की उम्र की लड़कियों या औरतों से ही यौन संपर्क साधेंगे जो अभी जवानी की दहलीज पर होंगी। वेश्याओं के पास जाएं या फिर टोले मुहल्ले की औरतों से। बाबू साहब, इस उम्र में यौन क्षमता हासिल करना क्या ज़रूरी है। आपकी उम्र चुक गई है तो उसे स्वीकार क्यों नहीं करते? सच में यही सब अय्याशी की निशानी है। हाँ, ऐसा हो क्यों नहीं आखिर आर्थिक संसाधनों पर तो आप सबों का ही कब्जा रहा। जो जितना आर्थिक सम्पन्न रहा, वह उतना ही औरत खोर ... औरत खोरी क्या हम लोग करेंगे? सुबह उठते ही पेट की चिंता और सोते समय भी पेट की चिंता सुबह के लिए जुगाड़ कैसे हो पाएगा। बाबू साहेब मेरी औरत भी ठंडाई रहती है। मेरा हाल भी वही है। कभी-कभी हुरेठता हूँ जान बूझकर कि कहीं बिल्कुल न ठंडा जाए। अभी उम्र ही क्या हुई है। हुरेठने पर टांगे फैलाकर चित लेट जाती है और जब निमग्न होता हूँ तो वह उस अवस्था में भी सोई हुई रहती है। लड़ता हूँ उससे ये मृत्यु के लक्षण हैं तब वह सीधे कहती है इतना थक ही जाती हूँ कि मुझे होश ही नहीं रहता किसी चीज़ पर। कई दवाईयाँ दीं, लेकिन सब बेअसर।"

प्यारेलाल की आवाज़ में एक पीड़ा का आभास हुआ। वह धीमा पड़ गया था। पलभर के लिए वह रुका, फिर टन से बोल पड़ा, "और एक आप हैं कि यौन क्षमता हासिल करना चाहते हैं इस उम्र में भी। यदि आप इसमें सफल हो जाते हैं तो या आप वेश्या के पास जाएंगे, लेकिन इस इलाके में कोई वेश्यालय नहीं है तब अपने आस पड़ोस की औरतों पर आपका ध्यान केन्द्रित होगा। मैं समझता हूँ कि औरतें भी आएंगी आपके पास वे भी होंगी काम लोलुप।" कितना अंतर है आपमें और हममें। शायद बाबू साहेब इसलिए किया गया है भेदभाव समाज में।" ठहाका मारकर हंसा था प्यारेलाल।

"आप जैसे लोगों को अब तक सौ से अधिक को दवा दे चुका हूँ और मेरी दवा ने असर भी दिखलाया है। वे अक्सर ले भी जाते हैं। इसमें दवा बनाने का खर्च एक मुश्त लेता हूँ और एक हफ्ते बाद दवा देता हूँ, दवा गारंटीशुदा।पैसे एडवांस में इसलिए लेता हूँ कि इसमें कई ऐसी चीज़ों का उपयोग किया जाता है जिन्हें बाजार से खरीदना पड़ता है जैसे दरिआई ताल मखाना, अश्वगंधा, बंगभस्म जो महंगे में आते हैं। मैं पहले भी कह चुका हूँ कि मेरे पास पूँजी नहीं है। दवा नियमित खानी पड़ेगी क्योंकि आपका शरीर ऐसा हो गया है कि यौन क्षमता दवा द्वारा फिर से प्राप्त नहीं की जा सकती। जब तक दवा खाते रहोगे आप नवयौवनाओं से चुहल करते रहेंगे।"

"खर्च कितना आएगा?" वृद्ध के चेहरे पर चमक उभरी थी।

"आप कितने दिनों की दवा लेना चाहेंगे खर्च इस पर तय होगा। महीने भर की दवा के लिए सात आठ सौ तक का खर्च पड़ जाएगा।"

वृद्ध ने जेब टटोली थी। चार सौ के खर खर नोट निकाले और प्यारेलाल को थमाते हुए, "ये रख लो, कल या परसों बाकी पैसे दे जाऊँगा, नहीं तो दवा जब ले जाऊँगा।" वृद्ध उठकर जाने लगा तो प्यारे लाल भी उठ खड़ा हुआ। उसकी पीठ पीछे प्यारेलाल के चेहरे पर एक ऐसी लाचार मुस्कुराहट फैल गई थी जैसे सतरूपा सो गई थी बीच में और वह .... और ये बूढ़ा।

वृद्ध के जाने के बाद प्यारेलाल अपनी जगह बैठ गया था और किताबें पलटने लगा था। उसकी नज़रें अन्वेषणी सी लग रही थी ... ध्यान मग्न .... कुछ कर गुजरने की पीड़ा। वह कहता था, "एक दलित को छोटी सी छोटी चीज़ हासिल करने के लिए एड़ी चोटी का हूब लगाना पड़ता है। जो गैर दलित है उनके साथ ऐसा नहीं है वह चाहे पिछड़ा ही क्यों नहीं हो। पिछड़ा दलित से श्रेष्ठ माना जाता है। उसके पास सुविधाएँ हैं, सामाजिकता हासिल है। कुछ हद तक पूछ भी है। लेकिन दलित ... पढ़ने जाओ तो वहाँ भेदभाव ... दुर्व्यवहार। पढ़ने से रोका जाता है उसे। मैं इसका भुक्तभोगी रहा हूँ। आजकल इसमें थोड़ा कमी आई है। सामान्य स्थिति कुछ ही जगहों पर कही जा सकती है। यदि शिक्षक सवर्ण मिल जाए तो फिर।" हीं हीं हँस पड़ता था प्यारेलाल, "लेकिन जीवटता देखो, फिर भी पढ़ जाता है, कुछ कर जाता है। यदि दलितों को सामान्यरूप से कुछ करने दिया जाए तो

....स्कूली शिक्षा के नाम पर मेरे पास कोई सर्टिफिकेट नहीं है, जो भी देख रहे हैं मुझमें, सारे के सारे स्वाध्याय के बल पर हासिल किए हैं। मैंने।"

कभी-कभी प्यारेलाल की शिकायत की जाती थी कि वह बहुत बोलता है, अपनी बड़ाई खुद करता है। ऐसी शिकायतें कभी उसके मुँह पर भी कर दी जाती थीं। वह पीठ पीछे की गई शिकायतों का जवाब नहीं दे पाता था। लेकिन मुँह पर की गई शिकायतों का जवाब तड़ से दे देता था।

"मैं बोलता हूँ, नहीं बोलूंगा तो मेरे पास आएगा कौन? मेरी प्रशंसा कौन करेगा? आप तो नहीं करेंगे कि प्यारेलाल की दवा में संजीवनी का गुण है या प्यारेलाल बहुत कुछ जानता है। हाँ, आपको ज़रूरत पड़ेगी तो मेरी सहायता ले लेंगे, लेकिन मेरी प्रशंसा नहीं करेंगे क्योंकि आपके मन में ये बातें बैठी हुई हैं कि दलित कभी ऐसा कर ही नहीं सकता। जो भी करता है रिजर्वेशन के बल पर करता है। आयुर्वेद मेरी रोज़ी रोटी बनता जा रहा है तो इसका प्रचार प्रसार ज़रूरी है। मेरे पास पूँजी तो है नहीं कि टी.वी., अखबारों में विज्ञापन दे पाऊँगा। पम्फलेट छपवाकर दूर दराज में बंटवाऊँगा। अपना भौंपू मैं खुद हूँ तो इसमें बुरा क्या है?"

समय बदलने के प्रयत्न में लगा हुआ है प्यारेलाल। परिस्थितियाँ अपने पक्ष में करने की जिद उसके भीतर बनी हुई है। वह जानता है कि उसकी जिद कइयों को तकलीफ देकर गुजर जाएगी। लेकिन उसका दम्भ इस रूप में उन तकलीफों को अप्रभावी बना देता है कि किसी नए स्त्रोत के बनाने में तकलीफें होती ही हैं। सतरूपा का फटा ब्लाउज और पेबंद लगी साड़ी देखता था तो कोसता था खुद को वह। सतरूपा फटा ब्लाऊज और पेबंद लगी साड़ी पहनने के बावजूद भी उससे कोई शिकायत नहीं करती थी जैसे फटा ब्लाऊज और पेबंद लगी साड़ी उसकी नियति हो। प्यारेलाल सबसे अधिक तब आहत होता था जब चंदन, गोविन्द और अंजलि को किताबें कॉपियाँ समय पर नहीं खरीद कर दे पाता था और स्कूल से मार खाने पर अगले दिन से स्कूल न जाने की वे जिद करते थे। बहुत समझाने की कोशिश करता था वह ... नहीं बेटा, इतना जल्दी हताश हो जाओगे तो फिर पढ़ नहीं पाओगे। स्कूल में जितने भी जाते हैं क्या सभी के पास किताबें कॉपियाँ पर्याप्त होती हैं?

"तब हम लोगों को ही क्यों पीटते हैं मास्टर साहेब?" चंदन थोड़ा ठहरे और समझ दार हो गया था।

"किताबें न रहने पर भी बदमाशी करते होंगे?"

"हम तीनों को ही पीटते हैं"।

"अब नहीं पीटेंगे समझा दूँगा मास्टर साहेब को।" बच्चों के लिए किताबें कॉपियाँ जुगाड़ने में लग जाता था प्यारेलाल और किसी तरह ही बच्चों की शिकायतें दूर कर पाता था। सोचता है वह सरकारी स्कूलों में ही जातिवाद का बोलबोला क्यों देखने को मिलता है। फलां फलां जात के बच्चे आते हैं। फलां जात अछूत होता है और फिर शिक्षकों द्वारा बच्चों को प्रताड़ित किया जाता है, आखिर क्यों? क्या ये शिक्षक ही सबसे बड़े जातिवाद, छुआछूत

के पोषक होते हैं, क्या हम लोगों के मामले में उनका शिक्षक धर्म जरा भी आड़े नहीं आता है? तब सच ही कटवाया गया होगा एकलव्य का अंगूठा। एक दलित को ये लोग आखिर आगे निकलते हुए देखना क्यों पसंद नहीं करते? उसके समय भी यही हाल था और आज भी वही हाल है। जो घटनाएँ उसके साथ घटीं वही उसके बच्चों के साथ घट रही हैं।

प्यारेलाल आज बहुत कुछ है, बहुत खुश है कि बच्चे उसकी इच्छाओं पर खरे उतरे और आगे निकलते गए। चंदन कॉलेज पढ़ रहा है। अंजलि और गोविन्द हाई स्कूल का इम्तहान देंगे। लेकिन सतरूपा के साड़ी और ब्लाउज! जैसे उसकी इच्छाएँ ही मर गई थीं। जो दे दो, ले लेगी। जो खिला दो खा लेगी। जो पहनने को दो, पहन लेगी। प्यारेलाल खिन्न हो उठता था उसके मृत व्यवहार से।

"तुम कुछ बोलती क्यों नहीं?"

"क्या बोलूँ?"

"अपनी इच्छाएँ"

"खाने पहनने को मिल ही रहा है।"

"तुम्हारा जीवन सिर्फ़ खाने पहनने तक ही सीमित है?"

"और नहीं तो क्या?"

सतरूपा के ठंडे जवाब से प्यारेलाल भी ठंडा जाता था और उसकी गहराई खोदने लगता था। जब उम्र थी तो मिला नहीं उसके मनोकुल। जब चुक गई तो उसकी इच्छाएँ पूछी जा रही हैं। इस हाल में कोई भी सूख टटा जाएगा। यदि सतरूपा अइच्छित हो गई है तो कोई आश्चर्य की बात नहीं। फिर भी वह .. जिस दिन दवा बनाने के नाम पर कुछ अग्रिम मिल जाता था तो बच्चों से चुपके उसके लिए बाजार से खाने के लिए कुछ ले जाता था और उसके हाथ में थमा देता था। सतरूपा थोड़ी देर के लिए हुलसती थी, फिर बच्चों को आवाज़ देने लगती थी। माथा पीट लेता था प्यारेलाल, "बच्चों को क्यों बुलाती है?"

"बच्चों के रहते मेरे कंठ से कुछ नहीं उतरेगा नीचे।"

"बच्चों की तो सारी उम्र धरी है।"

"तो क्या मैं कल ही मरने वाली हूँ।"

कभी-कभी सोचता था प्यारेलाल बहुत बोलने लगी है सतरूपा। लेकिन झूठ भी कहाँ बोलती है? उसके सच पर उसका ढेर सारा प्यार उमड़ने लगता था उस पर। उसे बहकते देख सतरूपा आगाहती थी, "बच्चे बड़े हो गए हैं, वे समझने लगे हैं बहुत कुछ। माय बाप को इस बारे में सोचना चाहिए।"

सतरूपा को मालूम होता है कि प्यारेलाल को दवाईयाँ बनानी है तो दुगुने उत्साह से दवाईयाँ कूटने लगती है। प्यारेलाल सिर्फ़ मात्रा देखता है किस जड़ी बूटी की कितनी मात्रा होनी चाहिए। वह कूटती जाती है। कूटते समय सतरूपा दुर्गा काली के भेष में दिखने

लगती है। पसीने से पसीजता है उसका बदन तो लगता है उसके काले रंग पर पॉलिश चढ़ा दी गई हो .... चमचम बिल्कुल मिट्टी की प्रतिमा की तरह। लगातार कूटते देखप्यारेलाल उसे टोकना चाहता है, "थोड़ा सुस्ता लो।" सतरूपा उसकी तरफ़ एक पीड़ित मुस्कान के साथ देखती है तो प्यारेलाल छेदा जाता है।

"मैं सब समझता हूँ, लेकिन आगे बढ़ने की ललक में अपना सुख चैन भी गंवा दें .. बच्चे ठीक ठाक पढ़ जाएँ तो अपनी ठानेंगे और उम्मीद है कुछ कर ही जाएंगे।" प्यारेलाल कलपता हुआ लगता है और सतरूपा का हाथ पकड़ लेता है। वह जिद करने लगती है। लेकिन उसमें कोई दम नहीं दिखता।

प्यारेलाल सपने देखने लगता है ... कि वह बहुत बड़ा आयुर्वेदाचार्य हो गया है। दवा की उसकी फैक्टरी है। दवाईयाँ कूटने के लिए बड़ी बड़ी मशीनें लगाई गई हैं। सतरूपा मालकिन बनी बैठी है। बीच बीच में वह फैक्टरी का निरीक्षण कर आती है। प्यारेलाल अपने सपने की बाबत बताने लगता है सतरूपा को। सतरूपा कुछ नहीं बोलती।

"सपने ही व्यक्ति को उद्यमी बनाते हैं और मार्ग भी प्रशस्त करते हैं।" प्यारेलाल सतरूपा को एकटक देख रहा है।

सतरूपा गंभीर है।

बहुत कोशिश करता है प्यारेलाल कि खुश तबियत दिखे सतरूपा। लेकिन वह हमेशा गंभीर। लगता है वह ज़िंदगी के बेहद करीब आ गई है। सपने उसे उकसाते नहीं। सपने सिर्फ़ सपने होते हैं। वास्तविकता से परे। यदि सपने को सच बनाना है तो मिहनत करनी ही पड़ेगी। वह मिहनत से कहाँ मुकर रही है।

वैद्यगिरी तक की यात्रा प्यारेलाल के लिए कितना कठिन रही उससे पूछे कोई। पैरों में बिवाई का दर्द सहते हुए भी चलते रहने का जोखिम उठाया है उसने। ऐसा नहीं कि जड़ी बूटी की कुटाई से उसके पैरों की बिवाईयाँ पूरी तरह भर गई हैं। उसे अभी भी ऐसा लगता है कदम टानने में बिवाईयों से कचक होती है। लेकिन दर्द सहते सहते इतना वह निष्ठुर हो गया है कि उनके पूरी तरह भर जाने के बाद शायद उसे एक खालीपन अकसर सताए। वह भी नहीं चाहता कि उसकी बिवाईयाँ भरे। इसमें उसकी ये भावना जुड़ी हुई है कि किसी बीमार की नाड़ी टटोलते समय वह अपनी बिवाईयों का भी जिक्र करे। हालाँकि ऐसा उसने कभी किया नहीं। फिर भी लगता है कि वह कुछ कहता रहा है अपने रोगियों से। दप दप सफेद उसके कुरते पाजामें कई जगहों पर चिसे होते हैं। झांक रही होती है कहीं पीठ, कहीं कोहुनी। फिर भी वह पेबंद नहीं मढवाता। सतरूपा कहती भी है .... कई कई तरह के लोग आते हैं तुम्हारे पास अपना रोग लेकर। कम से कम कुरते पाजामे की हालत तो सुधरवा लो। लेकिन वह हँस देता है,"नहीं, इतना जल्दी नहीं ढाँपूंगा अपने झांकते बदन को, नहीं तो लोग यही कहेंगे कि मैं चल निकला हूँ।"

सतरूपा चुप पड़ जाती है न समझनेवाली प्यारेलाल की बात सुनकर .... "पता नहीं क्या सोचते रहते हो तुम, अब तुम ही जानो।"

दो साल हुए हैं विपत मोची को मरे हुए। अंतिम दिनों में उनका कान जवाब दे गया था। और आँख की रोशनी पहले से ही कमजोर हो गई थी। प्यारेलाल ने किस्म किस्म की दवाईयाँ कूट पीसकर खिलाई थीं उन्हें कि ... उसके पिता के आँख कान अंतिम क्षणों तक कारगर रहे। लेकिन वह सफल नहीं हो पाया था।

विपत हँसते थे, "वैद्यगिरी करने चले हो जब मैं ठीक नहीं हो पाया तो तुम्हारी ठगबनिजी कब तक चल पाएगी और कहीं किसी ने ठोंक बजा दिया तो सारी वैद्यगिरी घुस जाएगी पिछवाड़े।"

"तो मैं भी सारी ज़िंदगी आपकी तरह फटे पुराने जूते चप्पल ही सीता रहूँ और अठन्नी चवन्नी से अपना पेट भरता रहूँ?"

"तब कर ही सकते हो क्या? चमार का बेटा चमार ही हो सकता है पंडित ब्राह्मण नहीं"

"पंडित ब्राह्मण में है क्या? ये सच है कि चमार का बेटा चमार ही हो सकता है, लेकिन चमार ही जूते चप्पल सिए उसे मैं नहीं मानता, मैं आपका काम नहीं करूंगा।"

"भूखे मरोगे क्योंकि ऐसा कौन सा काम करोगे जो तुम्हें स्वीकारेंगे लोग। मेरे कहने या चमारों के कहने से तुम बहुत बड़े से जाओगे, लेकिन पंडित ब्राह्मण तुम्हें मानने लगें तब न। जब तक वे नहीं मानेंगे तुम कुछ नहीं बनोगे क्योंकि वे सत्ताधारी जातियाँ हैं और वे ही किसी के पक्ष विपक्ष में घोषणा करते हैं।"

"नहीं बाबू, तुम अभी मत मरो। कुछ साल मोहलत दे दो मुझे तब देखना।"

अफसोस है प्यारेलाल को कि जब उसने फुटपाथी वन औषधि की दुकान खोली थी और रोगी आने लगे थे तो विपत मोची आँख की रोशनी पूरी तरह गंवा चुके थे। अपनी सफलता के बारे में कहता उनसे, लेकिन उनके कान भी जवाब दे गए थे।

जहाँ पर बैठते थे विपत मोची जूते चप्पल सीने, वहीं पर खोली थी प्यारेलाल ने वन औषधि की दुकान। याद है उसे बाबूजी के पीछे पीछे वह भी आता था। विपत दोपहर में खाना खाने के नाम पर जब घर चले जाते थे तो प्यारेलाल ही बैठता था उनकी जगह। जूते चप्पल में पॉलिश मार लेता था। हल्की फुल्की मरम्मत भी कर देता था। विपत के न होने पर कुछ पैसे भी चुरा लेता था। और उनके कहने पर वह खिसिया भी उठता था। जूते चप्पल की मरम्मत तो कर लेता था प्यारेलाल। लेकिन उन्हें देखकर एक घिन् अक्सर उसकी नाक में टंगी होती थी। ये दीगर था कि चवन्नी अठन्नी के लालच में वह काम कर लेता था। लेकिन जैसे जैसे उम्र सरक कर आगे निकलती गई दुकान के प्रति वह उदासीन होता गया था। विपत भूंकते थे। लेकिन वह साफ़ मुकर जाता था यह कहते हुए कि ये काम उससे नहान्हो पायेगा । विपत आगाहते थे ... "तब मरोगे क्या, भूखे मर जाओगे। जब तक मैं हूँ, मेरे हाथ पांव चल रहे हैं तभी तक न जिद ठाने रहोगे।"

प्यारेलाल से तुरन्त जवाब देते नहीं बनता था। लेकिन ऐसा नहीं कि वह पस्त पड़ गया हो विपत की बातों से ... "मैं दूसरा काम करूंगा।" उसकी आवाज़ धीमी होती थी।

"कौन दूसरा काम?"

"काम की कमी है क्या, हाथ पाँव रहना चाहिये।"

"यही तो रोना है बउआ कि हाथ पाँव रहते हुए भी हम लोग लंगड़े लूले बने हुए हैं। बड़ जतियन दूसरा कुछ करने देगा तब न। फिर जूते कौन सिएगा। उनके शादी ब्याह में ढोल कौन बजाने जाएगा? तुम दूसरा काम कर लो और उससे अपना पेट पोस लो तो जानूँ। मेरा आशीर्वाद तुम्हारे साथ है।" विपत के चेहरे पर नकारात्मक भाव होते थे।

प्यारेलाल ने ठान ही लिया था कि पुश्तैनी काम कभी नहीं करेगा चाहे जो हो जाए।

भादो का महीना था। बरसा नित्य हो रही थी। घर की हालत ठीक नहीं थी। छप्पर टीप टाप चू रहा था। फर्श पसीजा जा रहा या पाँव लप लप धंस जाते थे। फिर भी रात ठीक ठाक कट जा रही थी। न ऊब, न रोष, न शिकायत नियति से। सारा कुछ सामान्य। तकलीफें उनसे होती हैं। जो सुविधाओं में जिया हो। विपत ने कभी नहीं झेला सुख। प्यारेलाल ज़रूर कुछ झेल रहा था क्योंकि वह बचपन के दौर से गुजर रहा था और अपने माँ बाप की इकलौती संतान। इसलिए जब तक अपनी नाक भौंह सिकुड़ा देता था। माँ तितुलिया ये कहकर हंसती, "किचिर किचिर नया थोड़े ही है रे।"

गुस्से से पिनक उठता था प्यारेलाल और भगवान को गरियाने लगता था अत्यधिक बारिश होते देख।

"चुपकर, भगवान को गरियाता है, वह सुन रहा होगा।" तितुलिया डाँटती थी।

"सामने आए तो पटक पटक के मारूँ।"

"भगवान से बरियार है क्या?"

"सामने आए पहले तब न ...।" प्यारेलाल अपनी बाजू सोंटने लगता था जैसे सच में भगवान से भिड़ने जा रहा हो।

अत्यधिक बारिश के चलते घर में बिच्छू और करैत का डर अक्सर बना रहता था। गेहूँअन नज़र नहीं आता था कभी। प्यारेलाल डर जाता सांपों से। लेकिन तितुलिया रपेट कर मारती साँपों को और विपत तो पूंछ पकड़कर रस्सी की तरह चकरघिन्नी कर दूर उछाल देते थे।

"चकरघिन्नी कर देने से साँप नस नस टूट जाता है। मरेगा नहीं, लेकिन किसी को डंसेगा भी नहीं।"

प्योरलाल सोया था कि बिच्छू ने डंस लिया उसे। फिर क्या था हुआ रात में कोहराम। विपत दौड़े झड़वइयों के पास और तितुलिया चुचकारने लगी थी प्यारेलाल को। लेकिन वह चुप होने के बजाय हाय मइया हाय बप्पा चिल्लाए जा रहा था विपत के साथ दौड़ा आया था शिबू भगत। पहले उसने हाथ चलाकर ये पता किया कि प्यारेलाल को आखिर क्या काटा है। बिच्छू ही निकला था। फिर झाड़ फूंक शुरू हो गई थी लेकिन देर तक

प्यारेलाल पर इसका असर नहीं पड़ा तो ... दोख तो नहीं हो गया? रात की बेला में कोहराम सुनकर दो चार और जुड़ गए थे तो सलाह दी, "अरे बिख ऐसे नहीं उतरेगा चिड़चिड़ी का पता चिबाने को दो और काटे पर इमली का बिया रगड़के सटाओ, बिख तुरत टान लेगा।"

एक दौड़कर चिड़चिड़ी की पतियाँ ले आया और एक ने इमली का बीज।

प्यारेलाल को तुरत राहत मिलनी शुरू हो गई थी। विपत और तितुलिया को चैन आने लगा था।

क्यों न जड़ी बूटी को एक व्यवसाय के रूप में अपनाया जाए? और प्यारेलाल अपने उद्देश्य की पूर्ति में लग गया था एक निष्ठ होकर। दिन दिन भर लापता रहता घर से वह। विपत पूछते, "कहाँ डोलते रहते हो दिन दिन भर?"

"अपना भविष्य तलाश रहा हूँ।" प्यारेलाल झट जवाब देता।

"कैसा भविष्य, भविष्य तो सामने है।"

"आपको लगता है, परन्तु मुझे ऐसा नहीं लगता कि भविष्य सामने है। आपकी सोच रूढ़िवाद से प्रभावित है, प्रगतिशील क्यों नहीं बनते? इसमें आपका भी दोष नहीं है। आप जिस स्तर से सोचते हैं या फिर समाज ने सोचने के लिए आपको विवश किया ठीक ही सोचते हैं। लेकिन मैं आपसे भिन्न सोचता हूँ।"

कस्बे से लगभग पाँच किलोमीटर की दूरी पर जंगल पहाड़ पड़ते थे। जिस तरफ़ जाने में पुलिस भी हड़कती थी। लेकिन वह बेखौफ चला जाता था और जंगल पहाड़ की खाक् छानता रहता था। इस दौरान उसका सामना आदिवासी और नक्सलियों से भी हुआ था। पहले तो नक्सलियों ने उसे पुलिस का मुखबिर ही समझ लिया था। लेकिन जब उसने बताया कि वह दलित है और अपने पुश्तैनी काम से मुक्ति चाहता है। इसलिए यह पेड़ों, लताओं, वनस्पतियों कीपहचान करने आया है। उसके इस विचार से नक्सली भी खुश हुए थे। आदिवासियों ने उसे भरपूर सहयोग दिया था। कई महीनों तक वह आदिवासियों के साथ रहा था। एक एक वनस्पति को वह गौर से देखता और आँखों की मार्फत उसकी तस्वीर अपने हृदय में उतारता। वनस्पतियों के औषधीय गुण और किस काल में उनके रस संचित और खंडित होते हैं, किस ऋतु में कौन सी व्याधि हो सकती है इसकी भी जानकारी लेता।

प्यारेलाल तीन सौ वनस्पतियों को उसके औषधीय गुण के साथ पहचानने का दावा करता है। चरक संहिता से लेकर आजकल आयुर्वेद पर प्रकाशित होने वाली पत्रिकाओं पुस्तकों का भंडार है उसके पास। वह मानता है, "डिग्री नौकरी हासिल करने के लिए आवश्यक है, लेकिन स्वाध्याय से क्या नहीं प्राप्त किया जा सकता है? मैंने वनस्पतियों को पुस्तकों से जोड़ा है, न कि पुस्तकों को वनस्पतियों से। मैंने कई ऐसे आयुर्वेदाचार्यों को देखा है, उनसे बातचीत भी की है, कई ऐसी वनस्पतियाँ हैं जिनकी पहचान नहीं है उन्हें, परन्तु फिर भी आयुर्वेदाचार्य। वे किसी यूनिवर्सिटी के प्रोफेसर हैं इसलिए कि उनके पास डिग्री है, जिस पर लगी है सरकारी मुहरें और उनकी खूब चल रही है। मैं इस कस्बे में

हूँ। पहला कारण है मेरी जात, मुझे लोग मेरी जात से पहचानते हैं वैद्य से नहीं। जूते सीने वाला आदमी आज वैद्य हो गया आश्चर्य भी है और अविश्वास भी। लेकिन जब रोग ग्रस्त होते हैं तो किसी न किसी बहाने आते ही हैं मेरे पास। आना ही होगा क्योंकि ऐलोपैथ में बहुत सारे साईड इफेक्ट्स हैं और आयुर्वेद में कोई साइड इफेक्ट्स नहीं हैं। ऐलोपैथ अल्पकालिक राहत देता है, लेकिन आयुर्वेद दीर्घकालिक राहत दिलाता है। मेरी भी इच्छा है कि मैं शहर धरूँ, जहाँ कोई मेरी जात नहीं जानता हो। ये भी नहीं जानता हो कि मैं कभी जूते सीता था। लेकिन सोचता हूँ इस कस्बे इलाके से अपनी धाक जमाकर ही कहीं जाऊँ। लगे उन्हें कि मैं भी कुछ हूँ या था यहाँ पर जो मुझे सिर्फ़ मेरी जात से जानते हैं। इस प्रण में मेरी उम्र भी गुजर सकती है। लेकिन परवाह नहीं। दलितों की उम्र ही संघर्षमय होती है। कई कई मोर्चे पर उसे संघर्षरत रहना पड़ता है ताउम्र। मैं भी कर रहा हूँ।"

प्यारेलाल हँसता था तोउसके गालों पर गड्ढे पड़ जाते थे और दाँत मोतियों से चमकने लगते थे। ऐसा भी लगता था कि अपनी ढेर सारी खुन्नस एक साथ निकालने के लिए हँसी एक आसान रासता हो।

"आयुर्वेद विशुद्ध भारतीय चिकित्सा पद्धति है, परन्तु आज की तारीख में यह कीमती और अप्राप्य पद्धति हो गई है। आयुर्वेदाचार्य गिने चुने ही मिल पाएंगे क्योंकि इस पर एक खास जाति का वर्चस्व रहा। पंडित फलाना आयुर्वेदाचार्य, पंडित ढेकाना आयुर्वेदाचार्य। जिनके घर में यह पद्धति गई, वह बाहर नहीं निकली। वहीं चूल्हा चौका करती रही। इसलिए आयुर्वेद आमजनों तक नहीं पहुँच पाया। आयुर्वेद की तरह ही संगीत विद्या भी कुछ घरानों में सिमटी हुई है ... बनारस घराना, आगरा घराना, ग्वालियर घराना। मेरे विचार से संगीत भी आम विद्या नहीं हो पाई अब तक। इस पर भी किसी खास जाति का ही वर्चस्व रहा। कुछ दूसरी जाति के हुए तो वे सिर्फ़ मिसाल के तौर पर। हम दलित तो ज़िनके कानों में वेद पाठ सुनने भर से ही पिघले हुए सीसे डाल दिए जाते थे, वेद पाठ करने में तो क्या नहीं कर दिया जाता होगा, उसी दंश को आज तक भुगत रहे हैं हमलोग। कोई दलित वेदांती, संगीतज्ञ, आयुर्वेदाचार्य नहीं बन पाया। इस पर भी कोई हमारी अयोग्यता तय कर डाले तो इसे क्या कहा जा सकता है। कोई खाने भी न दे और ये कहे कि हम भुक्खड़ हैं तो ..... ।"

"तुम या तो पागल हो या फिर सनकी।"

"हो सकता है। मेरे जैसे लोग पागल और सनकी ही होसकते हैं क्योंकि ये छोटा मुँह बड़ी बात हो जाती है। हाँ, यही आप कह रहे होते तो आपकी विद्वता के ढोल पीटे जाते, आपकी प्रशंसा में भारी भरकम जुमले लिखे जाते। अखबारों में खबरें छापते। टी.वी. पर आपकी फोटो दिखलाई जाती, इंटरव्यू प्रसारित किया जाता। इतना भी होता आपकेनाम पर धूप अगरबत्ती भी जलाए जाते। यही न अंतर है आप में और मुझ में। अहिंसावादी वही हो सकता है जो हिंसावादी रहा हो, है न यही बात।"

"तुम्हारा उद्देश्य क्या है?"

"दलित भी सम्मानित हो।"

"ये शायद संभव ही नहीं है। किस समाज में भेदभाव नहीं है? यूं समझो सारे अंतर प्रकृति पोषित हैं, मनुष्य साधन निर्मित है।"

"कोई भी समाज प्रकृति पोषित नहीं है और न कभी हो सकता है। हाँ, ब्राह्मण पोषित ज़रूर है। ब्राह्मण ईश्वर से भी ऊँचा जो माने गए हैं .... तप बल विप्र सदा बरिआरा, तिन्ह के कोप न कोउ रखवारा।"

देख रहा है प्यारेलाल, आजकल उसकी फुटपाथी दुकान पर ब्राह्मणों का आवागमन कुछ अधिक ही हो गया है। न कोई नब्ज दिखवाता, न कोई अपना कब्ज बताता। बस, वे बतियाते जाते हैं। तरह तरह के सवाल टोंकते जाते हैं और वह न चाहते हुए भी उसे जवाब देना पड़ता है। रामाधार पांडेय से उसकी खासी पहचान है। उठना बैठना जैसा ही लगता है। लेकिन हैं एक नंबर के काइयाँ। उनकी एक मुस्कुराहट में क्या से क्या न साफ़। लेकिन प्यारेलाल उनके एक एक पैंतरे को जानता समझता है।यही व्यक्ति एक ज़माने में दंगा फैलाने के लिए एक बछड़े की गर्दन रेत कर मंदिर में फेंक आया था। संयोग वश दंगा नहीं फैल पाया था, लेकिन रामाधार पांडेय की निर्दयता .... । अपने ब्राह्मणत्व को बचाने के लिए प्यारेलाल जैसे सौ की हत्या करने से बाज न आएं। आला दरजे के ब्राह्मण व्यवस्था के पोषक हैं, इसमें न उन्हें मानवता नज़र आती है न कोई आदर्श।

"प्यारेलाल, तुम्हें कोई दूसरा काम करना चाहिए था, आयुर्वेद तुम्हारे वश का मर्ज नहीं।"

"यही तो मैं चाहता हूँ बाबा कि जो वश में नहीं है, उसे ही अपनाऊँ। आयुर्वेद में कुछ जमने के बाद सोच रहा हूँ ज्योतिष पर काम करूँ .... आखिर ज्योतिष है क्या, क्या वह मानव के लिए उपयोगी है या आप सबों का ढोंग मात्र।" प्यारेलाल कम महीन नहीं है, धीमे शब्दों में बहुत कुछ कह जाता है रामाधार पांडेय को, "बाबा, जब मैं आयुर्वेद में आया तो सभी ने कुछ न कुछ कहकर सराहा ही। लेकिन ब्राह्मण यूँ कहूँ तो आप सबों ने मेरा विरोध किया। मैं ये भी जानता हूँ कि यदि राजसत्ता होती तो अब तक आप सब मिलकर मेरी हत्या कब की करवा देते। लेकिन जम्हूरियत और आज़ादी में यही तो थोड़ा सहूलियत मिली है। फिर भी बाबा, आप सबों से होशियार रहने की ज़रूरत हमेशा है, कब आप काटकर उलट जाएं कहा नहीं जा सकता।"

"आप सबों ने अपना वर्चस्व बनाए रखने के लिए क्या नहीं किया, दलितों को दबाए रखने के लिए कौन कौन से षड्यंत्र नहीं रचे, अपने पैर पुजवाने के लिए कौन कौन सा डर नहीं फैलाया समाज में और ऐसा डर कि अब तक उससे मुक्त नहीं हो पाया। आप सबों को मानने से मना किया जाता है, लेकिन आपके बताए रास्ते पर ही चलते हैं जबकि आधुनिक होने की डींग भी हाँकते हैं। कम्प्यूटर पर गेम खेलेंगे, ब्लू फिल्म देखेंगे, वेश्याखोरी करेंगे,

रिश्ते तक को भी कलंकित कर डालेंगे, लेकिन आपके बताए मार्ग से जरा भी नहीं डिगेंगे। बाबा, क्या मायाजाल फैलाया हुआ है आप लोगों का।" ठठाकर हँसता है प्यारेलाल तो रामाधार पांडेय देखते हैं क्षणभर उसे, फिर वे भी उसके साथ हो लेते हैं।

"एक खूबी और है बाबा आप सबों की ढलुवा प्रकृति .... जब चाहा, जिस आकार में चाहा ढल गया। ज़रूरत पड़ने पर न कोई दलित है आपके सामने, न कोई दूसरा, सिर्फ़ आपका काम निपटना चाहिए। यदि मैं आज एम.पी. विधायक बन जाऊँ तो कल मेरे सारे छूतछात खत्म आपके लिए। मेरी प्रशंसा में जुमले काढ़ने शुरु। आपके मन में जो रहे, लेकिन व्यवहारिक रूप से आप मेरे हो जाएंगे। इसलिए ब्राह्मण किसी काल खंड में प्रताड़ित नहीं हुआ और वह राजसत्ता का करीबी हमेशा बना रहा। बाबा, क्या मैं झूठ बोल रहा हूँ। इस लोकतंत्र में भी आप सत्ता के करीब हैं, लेकिन वोट के कारण थोड़ी सूक्ष्मता अपनाई जा रही है। बस,यही फर्क है कल और आज में।"

रामाधार पांडेय ऊबते नहीं प्यारेलाल की बातों से। गुस्साते भी नहीं। ऐसा लगता है उन्हें, प्यारेलाल प्रचारक हो जैसे।

प्यारेलाल कभी कभार डर भी जाता है कहीं उसकी चलती देखकर ये पंडित ब्राह्मण उसकी दौरी दुकान बंद न करवा दें उल्टी सीधी चालें चलकर?

प्यारेलाल थकता नहीं, चलता ही रहता है। सोता है कब सिर्फ़ सतरूपा ही बता सकती है। अलरसुबह ही निकल पड़ता है फरागत होने के नाम पर। लौटता है तब जब सूर्य चढ़ चुका होता है छप्पर पर। एक हाथ में लोटा, दूसरे हाथ में कुछ झाड़झंखाड़। कहीं भी होता, उसकी निगाहें कुछ न कुछ टोहती रहती हैं। कहाँ पर क्या मिल जाए उसके उपयोग के लिए।

रोगियों से कहता है प्यारेलाल, "मैं जो दवाईयाँ बनाकर देता हूँ, वह बिल्कुल ताजी होती हैं। बाजार में लेबल चिपके दवाईयों पर उतना भरोसा नहीं। चाहूँ तो उन्हें भी खरीदने की सलाह दे सकता हूँ। लेकिन नहीं देता इसलिए कि कुछ वनस्पतियाँ मौसम विशेष में ही होती हैं। और फैक्टरियों में दवाईयाँ हमेशा बनती हैं। इतना तो तय है कि वनस्पतियों को इकट्ठा किया जाता होगा। समय व्यतीत होने पर उन वनस्पतियों के औषधीय गुण का ह्रास होता होगा। बाजार में आते आते और समय व्यतीत होता होगा। दूसरे एक शीशी औषधि को बाजार में उतारने में कितनों को कमीशन दिया जाता होगा तो बताइए कि उसमें कितनी दवा होती होगी और कितना कमीशन होता होगा। मेरे द्वारा दी गई एक खुराक और बाजार से खरीदी गई दवा की दस खराक बराबर प्रभावी होती है। भरोसा न हो तो आजमा लीजिए कभी।"

61 बी, रेल्वे कॉलोनी
डा. पलामू 822116 (झारखंड)

जब नशा फटता है

संजीव

चंगी ने हाथ हवा में गाड़ते हुए पगहा तुड़ाये बैल की तरह डकारा, 'इस हिन्दू धरम ने हम सब को सैकड़ों-हजारों साल से गुबरैला बना छोड़ा है। उनके यहाँ गोरू का तो इज़्ज़त है, मगर हमरा इज़्ज़त नहीं ..... '

भावावेश में बहुत से विचार उसके गले में फँस गये और आगे एक शब्द भी न फूटा, सिर्फ़ कीचड़ में धँसे आदमी की तरह उसके हाथ हवा में हिलते रहे। चंगी के कं पर छड़ीदार खेदू का बलिष्ठ स्नेहिल हाथ पड़ा और बातचीत की बागडोर को उसने अप हाथ में लिया, 'भाइयो, हम तो मुरुख आदमी ठहरे, लेकिन हमारा राम करन आपको बतलावेगा कि हम लोगों पे कौन-कौन अतियाचार होता आया है।'

राम करन उर्फ रामकरन भारत इस कुनबे का इकलौता 'मेटरी' पास है। साँवला बदन, ठिगनी काठी,नेताकट कुरता पाजामा! राम करन उठकर खड़ा होता है। 'आदरनीय छड़ीदार काका, भाइयो और बहनो .... हम बोलेंगे तो आप झूठ मानेंगे मगर ई-सब बात किताब में लिखा है — पहली बात ई कि जात-पात भगवान की बनाई चीज़ नहीं। जब दो राजाओं और कबीलों में लड़ाई होती थी तो जीतने वाला राजा हारने वाले राजा से गंदा से गंदा काम करवाता। एक तो रोज़ी-रोज़गार और दूसरे यह। इन दो तरीक़ों से धीरे-धीरे जाति बनी और मजबूत हुई। बाद में समाज से बिल्कुल काट के फेंक देने के लिए और अपने स्वार्थ के लिए नियम-कानून बनाये गये। अब देखिये नियम कैसा है कि कोई भी ब्राह्मण, राजपूत किसी भी दूसरी जाति की लड़की को पत्नी बना सकता है मगर यही काम अगर

कोई अछूत करे तो उसे कड़ी से कड़ी सजा है। उनकी मनुस्मृति में शूद्रों को कुत्तों से भी नीच माना गया है। ऊ धरम कैसा, जिसकी गीता में खुद भगवान कहते हैं कि चारों वर्ण मेरे बनाये हुए हैं .... '

'अ दत्त तेरी भगवान की .... ! अइसा धरम औ' अइसा जात पे हम पेशाब करते हैं। रामजस अकबका उठा। छड़ीदार की छड़ी लहराई, 'ऐ रामजसवा, देंगे एक चाँटा कसके ...। थूकना, मूतना, हगना जैसा खराब बात नईं बोलो।'

रामजस वैसे तो टूट पड़ता खेदू पर मगर आज वह जब्त कर गया, देखो बड़का भैया, जिनगी भर थूक गू मूत उठाते रहे बड़े लोगन का तो हमरा अकल कैसा दुरुथ रहेगा?

'अकल दुरुथ करो।'

'हाँ, तो का बोलें?'

'बोलो, बाबा माफ करो।'

कानाफूसियाँ और कचर-पचर बढ़ने लगा। इतनी नम्र बात पची नहीं किसी को। छड़ीदार ने फिर अनुरोध किया, ऐ भय लोग, गोस्सा नय, गोस्सा नय। गोस्सा को अच्छा काम में लगाइये। आवाज़ें फिर भी टब की जीवित मछलियों की तरह बहशियाना होती गयीं। छड़ीदार को लगा कि इस तरह 'मिटिन' आगे नहीं चल पायेगी तो वह खुद गोस्सा गया, ऐ चुप, चुप, चोऽऽप! एही खातिर दुरगति भोग रहा है सब .... । फिर उसने राम करन की ओर इशारा किया, हाँ तो का कह रहे थे तुम ..... ?

रामकरन ने इस सभा में बोलने के लिए जो प्रस्तुति ली थी, वह तो इस बाढ़ से बिला गयी, सपाट ढंग से बोल उठे, हम लोगों ने फैसला किया है कि हम वड़ी जाति वालों के हिन्दू धर्म में अब और नहीं रहेंगे।

बोलिये मंजूर ..... ? छड़ीदार ने राय जाननी चाही।

'मंजूर-मंजूर! सब ने हाथ उठाकर समर्थन किया।'

तब सवाल बचता है, कहाँ जायेंगे? रामकरन ने कहा।

वाजिब सवाल, सुनो भाइयो सुनो, गुनो और बतलाओ। छड़ीदार के यह कहते ही आवाज़ें शान्त हो गईं, मानो सारी किलबिलाती मछलियाँ मर गई हों।

चंगी, जो अब तक प्रकृतिस्थ हो चुका था, यह सुनकर चौकन्ना हो गया, सुनना और गुनना वह कई बार कर चुका था, अब उसे सिर्फ़ बतलाना भर रह गया था, भाइयो, हमारे लिए हर दरवाजा खुला है, सिर्फ़ हिन्नू धरम को छोड़ के? मुल्ला असफाक साहेब बोलवाइन थे और चर्च के पादरी पाल साहेब भी।

दूनो में जायेंगे। एक आवाज़ आयी।

कैसा घोंचू है, जाना है एक में और उसी का फैसला करना है सब भाई बहिनों को। चंगी ने कहा।

तो हमारा बात मानिये, ईसाई बन जायें हम — बड़ा सुभीता है पढ़ने लिखने का। अस्पताल की मेहतरानी चनरी ने कहा।

तब चनरी मेहतरानी से सिस्टर कहावेगी और डेनियलवा से बियाह कर पावेगी — है न? साला सब अपने ही सुआरथ में ....। रामजस ने व्यंग्य किया।

मगर ई सब हो सकेगा? भागू ने शंका प्रकट की, माइकलवा है न, अरे ऊ छ नंबर कुआटर का क्रिस्चनवा, उसका लड़की और जोसेफ के लड़के में परेम हो गया। अब जोसेफवा हमरा ताड़ीखाना का साथी है। दू हफ्ता पहिले एक दिन हमरा से पूछने लगा, ईसाई होने के पहले कौन जात का था माइकेल, जरा पता करो तो .... ।

ई बात ..... ? गोबरन ने पूछा।

तोर किरिया।

ऐ चनरी, ले तनी सुन।

तब का होगा सिस्टड़ चेनड़ी ... ? किसी की आवाज़ डँस गई है।

हँसी का वह रेला आया कि पढ़ाई लिखाई के प्रलोभन बह गये। चंगी के लिए मैदान बिलकुल साफ़। जोश भड़का, हम लोग मुसलमान हो जायें तो कैसा रहे? इस्लाम में सब बराबर हैं।

सोचो .... ? एक शंका।

तो और का ....। देखो जा के मस्जिद में सब साथ-साथ नमाज पढ़ते हैं। इसी खातिर केतना हिन्दू मुसलमान बन गीस। अरे बाबा, हमर-तोर जैसा नहीं, बड़का-बड़का बाभन छत्तरी!

खाली नमाजे पढ़े हैं कि ... 'एक दबी आवाज़ उभरी। चंगी ने चाहा, हुड़ककर इसे दबा दें, मगर यह देखकर वे कुढ़ गये कि यह आवाज़ रामकन्ना की थी, हुंह सार अंबेडकर बनेगा, लो बोलिये तो दिया।

रामकरन भारत की मुद्रा गंभीर हो गई है— ठीक किसी बौद्ध भिक्षु की तरह। बोले, अंबेडकर साहब से ज़्यादा पढ़ा-लिखा और होशियार आदमी नहीं हुआ। उन्होंने इस्लाम नहीं स्वीकारा बौद्ध हो गये। आखिर क्यों?

'क्यों?'

'इसलिये कि हमारे संस्कार से एक ही धर्म मेल खाता है, वह है बौद्ध धर्म। मैं तो यही सोचता हूँ कि हमें भी बौद्ध हो जाना चाहिये।'

'अच्छा, ई अम्बेदकर कौन है? सूकन भगत ने पूछा।'

'है नहीं, थे।' रामकरन उत्साहित हुआ, अपने ही भाई थे। बाभन, बनिया सब बड़ा कष्ट दिये, मगर पढ़-लिख के विद्वान हुए तो सब लोहा मान गये। संविधान उन्होंने ही बनाया, जिसके चलते हरिजनों को छूट मिली।

'ई संविधान का है रे? चनरी की काकी ने पूछा।'

'कानून!'

'का छूट मिला?' चंगी का हस्तक्षेप लाजिमी हो गया था, 'खाली बड़का-बड़का के पढ़ल लिखल के, उहो सार सब अलगे जात बन जाता है। बताओ हमरा लोगन को का फैदा हुआ — मैला बापो-दादा ढोता था, मैला हम भी ढो रहे हैं।

'मगर तुम्हारा हमारा लड़का मैला न ढोवे — इस खातिर कहीं अच्छा जगह जाना चाहिये कि नहीं? रामकरन की बात सवा सोलह आने करार दे दी जाती अगर कलिया कालियादह की तरह बीच ही में न फुफकार उठती, भगवान करम में मैला ढोने को लिखा है तो हम मैला ढोयेगा, हम कहूँ नहीं जाएगा। वह अपने पति शंकर के साथ मैला बहाकर टिन लिये दूर खड़ी हो गयी। इस मीटिंग के प्रति शुरू से उसकी विद्रोह की मुद्रा थी, मगर शंकर ऐसा न था। उसने पचासों बार की तरह एक बार फिर समझाने की कोशिश की।

'पंच का बात भी तो सुनो।'

'हम कह दिया, हम नहीं जायेगा।'

'हुक्म-उदूली और वह भी सबके सामने?' गुस्सा गया शंकर। 'कैसे नहीं जायेगा? जहाँ हम जायेगा, हुआं पे तुमको जाना पड़ेगा।'

नहीं, हम अपना धरम-करम नहीं छोड़ेगा।

नहीं? सरग जायेगा न पेशल सीट रखा है न तेरे लिए! अरे हुवों पे झाड़ू देवायेगा सब।

वह दारू के नशे में सबसे ऊपर जा खड़ी हुई थी, झाड़ू देना हुआं पर पड़े तो भी इसी धरम में रहेगा।

'तो जा ससुरी, ज़िन्दगी भर मैला ढो।' कहते हुए शंकर ने मैले की टिन उसे दे मारी। वह भी दारू के नशे में था। कौन किससे दबता? बदबू का झोंका मिटिन को पाले की तरह मार गया। छड़ीदार खेदू ने आगे बढ़कर छड़ी लपलपायी, दूनों परानी को उलटे लटका देंगे — का समझ रखा है? कान खोलकर सुन लो, जहाँ सब जायेगा, हुंबई पर दूनों जन को जाना पड़ेगा! आखिर चंगी और रामकरन भारत के हाथों पतवार थमाकर सभा विसर्जित हो गई, तुम लोग समझ बूझकर एक राय पर आओ, वही सबको मानना पड़ेगा।

खिचड़ी आखिर पकते-पकते पक गयी। अखबारों में मोटे मोटे हरूफों में छप गया — बैजूपुर के एक सौ तेरह हिन्दुओं ने इस्लाम में धर्मांतरण किया। छोटे-छोटे हरूफों में नीचे यह भी लिखा हुआ था कि बकायदा खतना करवाकर, कलमा पढ़कर अपनी राजी खुशी से उन्होंने इस्लाम कबूल किया है। नीचे प्रत्येक के नये नाम भी छपे थे, मसलन चंगी का नया नाम कलीमुद्दीन, फेंकू शमशुल, खेदू जाबिर, रामकरन भारत भी रहमतुल्ला सितारेहिन्द ..... चनरी हसीना बेगम, सोनरी नाजिमा, कलिया गुलनारा बेगम। एक मेहरबान की ओर से एक एक जोड़ी कपड़े और पचास-पचास रुपये भी नज़र किए जाने की अफवाह है।

पहला अटपटापन नाम याद करने में आया। भूल से कमबख्त पुराने नाम ही जबान पर आ जाते, फिर 'तौबा' करके नये नाम याद किये जाते।

काली उर्फ गुलनारा ने तड़के उठते ही रोज़ की तरह सूरज भगवान को हाथ जोड़कर परनाम किया। हाथ अभी माथे पर लगे ही थे कि करंट सा लगा — हाय राम! फिर गलती! राम राम .... न न, तौबा तौबा, हाय रा.. अल्ला ये का हुआ? उसने इधर-उधर देखा किसी ने देखा तो नहीं! नहीं, कोई नहीं। वह पीछे मुड़ी और उसने ज़मीन पर मक्का मदीना की अनुमानित दिशा में सिजदा करते हुए जाने क्या क्या कहा — कमबख्त ये संसकीरत के सलोक (श्लोक) और अरबी फारसी के नमाज — दोनों एक जैसे अबूझ थे उसके लिए। हर घड़ी साँसत में जान!

'हिन्दू बचाओ समिति' के लोगों को जब इस बात की खबर लगी तो बौखलाकर रह गये। गाड़ी मुहल्ले से कुछ दूर पर ही रोक दी गई — वहाँ से पद यात्रा। आगे आगे गुरुजी, पीछे-पीछे पाँच एक लोग।'

'यहाँ चंगी दास कौन है? पहला सवाल।'

'यहाँ कोई चंगी मंगी नहीं रहता।'

'एं! अच्छा खेदू और रामकरन भारत का घर किधर है?'

'खेदू और रामकरन भी मर गये। चंगी भी अब यहाँ जाबिर, रहमतुल्ला सितारेहिन्द, और का नाम है उसका — हाँ, कलीमुद्दीन रहते हैं।'

'अच्छा उन्हीं को बुलाओ, कुछ बात करनी है।'

खटिया बटिया के प्रस्ताव को खारिज करते हुए छड़ीदार खेदू उर्फ जाबीर के दरवज्जे के सामने के पेड़ के नीचे, जहाँ सूअरों से तात्कालिक खतरा न था, बैठ गये समिति वाले। बच्चे सहमते-सहमते पास तक चले आये, औरतें अपने-अपने घरों में हुलकने लगीं।

गुरुजी ने बात शुरू की, स्वधर्म निधनं श्रेय:, परधर्मं भयावह:! गीता में भगवान ने कहा है कि अपने धर्म में मर जाना भी अच्छा है, दूसरे के धर्म में जाना खतरनाक है।

'ए महराज, कौन भगवान कहिन है - वही न जो कहते हैं कि चारों वरण मेरा बनाया हुआ है।'

'हाँ जी, वही, मगर उसमें गुण-कर्म के अनुसार विभाग भी तो है। तुम लोगों को गलत व्याख्या सिखाकर गुमराह किया जा रहा है।'

त अ एकर मतलब ई हुआ कि हमरा जिनगी में मैला ढोना लिखा है और आप सब का चन्नन टीका ..... । रामजस उर्फ मुस्ताक ने पूछा।

'फिर वही ... । अरे भाई, इसका मतलब है गुण के अनुसार जाति ....।'

तब तो सूदखोर बच्चूसिंह, दलाल सुन्दरलाल और पंडित गोकुल पांडे जो हियां की लड़की से फंसल हैं, को भी चमार, डोम, भंगी होना चाहिए और हमरा सूकनदास भगत को बाभन ..... '

इस ऊँची नीची जाति के चक्कर में काहें पड़ गये और जात पात पूछे नहिं कोई, हरि को भजे सो हरि का होई। समिति के एक सज्जन ने गुरूजी का संकट टालने की गरज से कहा। दूसरे ने उनकी बात आगे बढ़ाई, सुनिये, रावण तो बाभन था मगर कर्म से नीच, सो भगवान ने उसको मारा कि नहीं? और केवट, शबरी, अजामिल, बानर भालू तो नीच थे, उनको तारा कि नहीं? रैदास तो चमार थे, मगर ऐसे भगत कि उनके भजन का कैसेट बना, टेपरिकार्डर में अनूप जलोटा गाया है — ओह प्रभुजी, तुम चन्दन हम पानी — आहाहा?'

'टीक कहते हैं - तुम चन्नन औ हम नाबदान का पानी!' गुलनारा बेगम ने अपने दरवाज़े से व्याख्या की तो गुरुजी समेत सभी सदस्य बौखला उठे। एक तो तैश में भी आ गया, अगर गुरुजी ने उसे घुड़का नहीं होता तो वह जाने क्या अनर्थ कर बैटता। गुरुजी का चेहरा थोड़ी देर तक फक रहा। फिर धीरे-धीरे पसीजा, 'हिन्दू धर्म तो उदार है, भूल करने वालों को भी अपना लेता है।'

'कितना उदार है, वह हम भी जानते हैं। इस्लामपुर के दुबेजी एक डोमिन पर रीझ गये। चोरी-चुप्पे सबे आते-जाते हैं, मगर ऊ बेचारे खुल्लम-खुल्ला पे आ गये। डोमिन बाभन नहीं बन सकी, दुबे को ही डोम बनना पड़ा — इतना उदार तो है धरम आपका!'

गुरुजी पहली बार कुरमुराये, अब तर्क का तो कोई इलाज है नहीं। न इससे विश्वास ही लौटता है। जवाब में मैं भी सैकड़ों ऐसे लोगों का हवाला दे सकता हूँ, जो दूसरे धर्म से हिन्दू धर्म में आये और हमने स्वीकार किया।

सवाल स्वीकार करने का नहीं, सवाल है किस रूप में स्वीकार किया। रहमतुल्ला उर्फ रामकरन के तर्क पर पूरा कुनबा बाग-बाग था।

'मतलब? गुरुजी ने पूछा।'

'मतलब जाति तो आपने दी ही होगी, जाति के बिना तो हिन्दू धर्म बेकार है।'

'हाँ, दी तो।'

'कैसी जाति दी?'

'जिस लायक जो था।'

'अगर हम शुद्धि कर लें तो कौन सी जाति हमें मिलेगी?'

'ओह, उस बात को छोड़ो अभी।' गुरुजी ने हाथ से सवाल को झटकना चाहा, मगर जाबिर छड़ीदार ने झटकने नहीं दिया।

'देखिये महाराज, सौ बात की एक बात, हम आज और अभी सुद्धी करके हिन्दू बनने को तैयार हैं। सिर्फ़ हमें बाभन या छत्तरी का जात दे दें। बोलिए, मंजूर है सौदा?'

बड़ी अजीब चुनौती आ गई थी गुरुजी के सामने। मेहतरों का दल जँघिया पहन-पहनकर इकट्ठे हो रहे थे, जैसे किसी मल्लयुद्ध की तैयारी हो। छड़ीदार के घर से बोतलें निकाल निकालकर रखी जा रही थीं।

गुरुजी ने खंखारा और थूक दिया, आप लोग अभी नशे में हैं दारू के, हम लोग फिर आयेंगे।

ऐ बाबू साहेब! जाबिर ने उठकर बोतलों को ठोकर लगाते हुए दिखाया, ई जो बोतल है न, ईहो एक गो बाबू साहेब का दिया हुआ है। पूछो काहे, तो सुनो, उनके सेफ्टी टैंक का नरक साफ़ करना है। एक बोतल से नशा टूट सकता है, दो बोतल से टूट सकता है, इसी खातिर चार-चार बोतल, जौना से कि नशा आखिर तक बना रहे। नशा फट गया तो हमको ऊ नरक का खेयाल फट दना से चला आयेगा। एक बार पैखाने का टंकी में घुसो तो जानो।

'हिन्दू बचाओ समिति' के सदस्य चलने लगे थे कि अचानक गुरुजी ने पलटकर अपना अमोघ अस्त्र छोड़ा, काहे भाई, पैखाना का टंकी काहे साफ़ करोगे? हम तो समझ रहे थे वहाँ तुम लोग सैयद, शेख या पठान ही बनकर गये हो?

छड़ीदार पर गाज गिरी, अब तक उसके दिमाग में यह मसला आया ही नहीं था। जवाब पाने के लिए उन्होंने कलीमुद्दीन की ओर देखा, क्यों रे चँगिया, तू तो कह रहा था कि इस्लाम में जात-पात नहीं है? कलीमुद्दीन खुद असहाय, जवाब दे तो क्या?

हूँऽऽऽ! बिद्ध सूअर की तरह गुर्रा उठे छड़ीदार खेदू, 'सुनो रहमतवा और कलीम, वो क्या नाम के रमकन्ना और चंगी, तुम लोग दोनों जगह जाओ, अभी इसी दम, मौलवी साहब से पूछो कि हमको सैयद, शेख या पठान — इनमें से कोई जाति देते हैं या नहीं और इनसे पूछो कि बाभन छत्तरी में से कोई जाति देंगे और सुनो रामजस, तुम ई सेफ्टी टैंक के बाबू से पूछो कि टैंक साफ़ करवाने का हजार लगेगा — मंजूर हो तो बोलें — आदमी के जान का सौदा है, मजाक नई — ई पचास रूपल्ली के चलते हम ऊ काम नहीं करने जायेंगे, जिससे सब कोई घिन्नाता है। जाओ, अब्भी जवाब लेकर लौटना।

तीन घंटे में जवाब आ गये।

गुरुजी ने गोल-मटोल उत्तर दिया।

बाबू साहब ने इनकार दिया।

मौलवी साहब कुछ साफ़ नहीं बतलाते।

'तब का रह गया? हमरा खातिर जैसे एक सुअरबाड़ा, वइसे दूसरा। हम न हिन्दू हैं न मुसलमान, हम आदमी की बिरादरी से बाहर हैं। छड़ीदार की ऐसी मुद्रा किसी ने न देखी थी। यूँ भी वह छह फुट का बेहद काला इन्सान था, कानों में छोटी-छोटी सोने की बालियाँ, मुख पर सदा कायम रहने वाला एक सा वितृष्ण उदासी का भाव। रात में जब वह अपने खुले ढक्कन वाली ड्रम की मैला ढोने वाली भैंसा गाड़ी लेकर चलता तो साक्षात यमदूत सा लगता। मगर आज की उसकी मुद्रा ही और थी, कोई उसकी आँखों को देख ले तो कह सकता है कि मौत ऐसी ही होती है, जैसे कोई चिता मुर्दार हो रही हो — चिता उन सपनों, आस्थाओं की जिनके बल पर वह सुअरों से भी गयी-बीती ज़िन्दगी गुजारे जा रहा था। आऊ देश जाति ईश्वर सब मर गये थे उसके लिए। उसे पता नहीं, कहाँ

कहाँ क्या क्या करता रहा था वह रात भर। रात जो तीन विषैले सवालों को गर्भ में लेकर सो गई थी। सूरज के लाल पिंड के साथ उसने जो सुबह उगली कि पूरा कस्बा खौल पड़ा। हर चौराहे, पुल, स्कूल, मस्जिद, मंदिर, न्यायालय के सामने मैले की ढेर।

भीड़ लपकी मेहतर बस्ती की ओर। समझाने बुझाने, हाथ गोड़ जोड़ने का कोई असर नहीं। बदबू दिमाग पर चढ़ी।

'अरे, लात के देवता बात से नहीं मानते, मारो सालों को!'

'ए, ढेला से, ढेला से। छू जायेगा तो नहाना पड़ेगा।'

खड़ खड़, पट पट ढाँय ढाँय! चीख पुकार और भागम भाग में चनरी दौड़ी फादर पाल के पास, चंगी दौड़ा मौलवी साहब के पास, कलिया दौड़ी गुरुजी के पास, मगर सबने डाँटकर भगा दिया। खेदू वहीं डंटा रहा, ललकारता रहा। सबने मैले से सने लत्ते फेंकने शुरू किये, लगा अब मोर्चा संभल गया, मगर कब तक .... ?

खेदू को जब अस्पताल में होश आया तो धब्बे की मानिन्द कुछ चेहरे आँखों के सामने हिलने से लगे।

'कैसा लग रहा है अब काका? रामकरन की आवाज़।'

'कैसा बतायें .... ? अस्फुट गुर्राहट।'

'ई सब क्या हो गया, काका? हम भी तो कोर्ट में रह गये कल। सुना, तुम लोगों ने दारू पीकर मंदिर-मस्जिद, स्कूल, रास्ते .... हर जगह मैला फेंका और पूछने पर मार-पीट की। पुलिस इंस्पेक्टर आये हैं बयान लेने ..... ।

यह सब कैसे हो गया, बाबा ..... ? इंस्पेक्टर का अपरिचित स्वर ... ।

कैसे बतायें, साहेब? ये— ई समझ लो, हम लोग चार-चार बोतल दारू चढ़ा के सेफ्टी टैंक में घूसते न, वेसे ई आपका जात धरम, भगवान भी नशा है — एतना एतना नशा नय पिलाओ तो हम आप लोग का नरक कैसे साफ़ करें? .... कभी-कभी जब बीच में ही नशा फटता है तो मत पूछो कि कैसा लगता है। सब कुछ बदबू देने लगता है — एतना बदबू कि दिमाग का नस तड़क जाय! छड़ीदार ने बहुत कष्ट से रुक रुककर अटकते-भटकते हुए वाक्य किसी तरह पूरे किये और पुनः होश खो बैठा। इंस्पेक्टर ने तनिक रुककर पुकारा, जाबिर चाचा!

कोई जवाब नहीं।

दोबारा पुकारा, खेदू काका!

कोई जवाब नहीं।

अब लाख हिलाओ डुलाओ, छड़ीदार जवाब नहीं देंगे, वे तो खेदू और जाबिर दोनों की हदों से ऊपर गुजर गये हैं। हाँ, जवाब देने की ताक़त होती तो शायद कहते, बाबा, माफ करो।

बी.डी.ओ.पाड़ा, कुलटी-713343

दोहरी लड़ाई

जितेन्द्र कुमार बिसारिया

- ओ गुल्चे चाचा...।

- का–है

- तुम्हें रामसिया चाचा टेर रहे हैं...।

- कोऽओ...?

- वे ही पुरहेत चाचा।

- भोऽसड़ी को! बड़ौ आओ चाचा वालो, उनकेऊ मोड़ी-मोड़ा हमें चाचा कहके टेरत हैं कि तेही...? कहाँ खड़ो हे...।

द्वार पे नीम के नीचे...।

- ठीक है, जाऽ वासे कह दिये कि आइ रहे हैं। और हाँ...? ते दीना के ताल पर जाइके सुअर देखिए काऊ के खेत में न जाइ लगऽ। जाऽऽ...।

- हओ...।

● ● ●

- ऐ मोड़ा, कहाँ चलोऽ...। गुल्चा घर पे नहीं है का...।

- हैं तो...रोटी खाइ रहे हैं, आत हैं...।

- हुँऊँ... रोटी खाय रहो हे... कि लुगाई के संग परो है...?

- हुऊँ...।

- जाऽऽ... वासे ये कह दिये कि - रात गुलाब की बहू मर गई है फाँसी देक।... सो जल्दी पहुँच मरघटा झारिबे को? हम कफ्फन कों भिण्ड जाइ रहे हैं।

- हओ...।

● ● ●

- चाचाऽ...।

- का है... कायको आ जात हैं बार-बार चचिआत भओ...? कही नहीं थी कि आइ रहे हैं, रोटी खाइ के...?

- कही - तो, पर वे हमसे जि कहि गए हैं कि-रात गुलाब की बहू मर गई है फाँसी दे के, सोऽ जल्दी पहुँचो मरघटा झारिबे को।

हओ पहोंच जाइंगेऽ... आइ जात बार-बार संदेसो लेके। आज कोऊ सुअरन को उलहानो ले आओ तो तेरी खाल खेंच लेंगेऽ।

काहेऽ कायको मोड़ा पै दाँत किट किटात हो। चैन से बैठकें रोटी नहीं खाइ सकत.... कौन की बहू मर गई है...-

- काउ की नई, तोय मोड़ा की पीह ज़्यादा लग रही होय तौ डाल दे पलना और ले लठ्ठ चराई लिया। भोसड़ा कीऽऽ

-... ...।

- काये-ऽ का आज खरारी खटिया पै सोये ते? जब देखो तब तुम्हारे नकुआ ही भन्नात रहात हैं। नीकें बात ही नई करत, कौन की बहू मर गई...?

- काऊ की न...।

- तुम्हैं हमाई सौंगध...।

-... विशाल के मोड़ा गुलाब की.... रामसिया के भतीजे कीऽ...।

- हायऽऽ...। जि का कह रहे हो? वो तो बड़ी भली आदमिन थी। मार डारी होइगी ठटरी बाँधिन ने.. हम जब कबहूँ, कछू काम से बाके घरे गए होंइगे तो हमें जिजी कहिके ही टेरे होंगे। हमेशा हँस के ही बोली होइगी, वह और बमनिअन की नाई अरे-अरे बोलबे वाली नई थी...? अरेऽ! हमने तो सुनी है कि ए दाड़ी-जार नई बहुअन को बीमा कराइ लेत है, और काऊ बहाने सो मार डारत हैं। इनके नई होत काँटे कितनीऊ पीर... जि तो अपुन में ही है तो एक ब्याह बड़ी मुश्किल से हो पात है।... उनकी का, फिर धर जाइगो कहूँ से खर्जुरिया नौर...। चले जाओ टेर गये हैं तो...?

- हम कहूँ नहीं जाइ रहे...।

- चले जाओ, उनकी बहू मर गई हैऽ...?

- उनकी बहू मर गईऽऽ... हमारो का चौंपो मरि गओतौ। पार साल जब अम्मा मरी थी तब जा इतने बड़े गाँव में चार कंधा देबे बारे नहीं मिले तो! पूरो गाँव टुकुर-टुकुर देखत रहो, कोऊ ढिंगा नहीं आओ। तब हम दोऊ भाइयन ने ही डुकरिया की लाश घाटे लगाई थी। भूल गई काऽ...?

- सो तो है, हमहूँ तो कंडा ले के गए-ते।

- कोरो टहल-बेगार को ही नातो है अपुन से। ... ऐसे ही लगे रहो इनकी गाँड-गुलाबी में, इनके गू-मूत डारो, द्वार झारो, पातरें उठाओ और मर जाए तो हमारे ही झरे में बरें। और खबाइगेऽ जूठन...! बस्स अब हम नहीं जाएंगे मरघटा झार बे...? और जाए तो उनके,... तोय याद है, तौरस भगवान पुरहेत मर गए, ते जाई रामसिया के चाचा।... मर चौमासे में कैसी पानी की झराई लगी ती, मरघटा पे टीन के तखता लगाइ के बरे ते।

- हाँ बरे तो थे, तब ही बा दिना की पानी की झराई में अपनी सुअरन बारी मड़ैया की भीत गिर गई थी।... और बाके ही नीचे अपनी व कारी सुअरिया को घिटुला दब के मर गओ तो...?

- हाँ, तब ही तो उनसे वे टीन के तख्ता मांगे ते। कि अर्थी के संग आई बाकी की चीज़े मेहतर की होती है। पर जाने ही नई देन दए थे वे टीन के तख्ता। जानती होऽ...?

- हायऽ... तुमहू का हिगनी... मूतनी बाते करत हो। जे बम्हना-कट्टिया का देंगे जो जनम से ले के मरे तक को खात है...?

- वे नहींऽ देंगे तो हमऊ नहीं जाएंगे। अब तो हम कैसे हूँ नहीं जायेंगे?

- तुम नहीं जाओगे तो घर से और कोऊ जाइगो, आखिर जाने तो है ही काऊ ना काऊ को, उनके ठौर में जो बसत हैं। जनग-ज़िंदगी से जो होत आओ है वहे करने है...?

- नहीं करनेऽऽ...। चमारन ने अपनो काम छोड़, धोबी-धानुकन ने छोड़ दओ, फिर हम ही काए को करें...? उनकी जगह में रहत है तो जाको मतलब जि नहीं कि उनकी लात के नीचे दब के रहो। बिनने तो अपनी गरज में बसाई ती अम्मा जा गाँव में, उनकी टहल-बेगार में ज़िंदगी कढ़ि गई। ठोर को कज्ज का बा जनम पटेगो?

- हाँ सो तो है...। ओ, द्वार पे तुम्हे कोई टेर रहो है...?

- टेरन देऽ, हम कहूँ नहीं जात। ते ही चली जा कहि दिये, घर पे नईयाँ।

- काए को हतो द्वारे...?

- हतो नहीं, हैंऽऽ...। गली में नीम तन स्कूटर लए अन्तावसाई के तिवारी जी ठाड़े हैं, तुम्हे ही तलास रहे हैं।

- हम कहूँ नहीं जाए रहे। कोई भोसड़ी को हमें राजा नहीं करत, बड़े-बड़े लोन है वे बड़े पैसा बालिन को ही निकारे जात हैं। हम तुमको तो ज़्यादा से ज़्यादा सुअर मुरगियन को ही निकारेंगे। बामें हैं आधे से ज़्यादा अपुन हड़प कर लेंगे. फिर पीछे से

कहेंगे कि भरो। अरे! जो बड़े-बड़े आदमी जीप-ट्रेक्टर के लोन लए बैठे हैं, उनके द्वार पे हू नहीं जाएंगे। गए तो चाँद पे पनाह नहीं परेगो सो चले आएंगे धूर-सी झरात?

– हओ, राजन के आगे कहूँ नहीं चलत। जब सरकार की दाब परेगी तो घर से खिचे चले आएंगे? चलो, हो गई आल्हा, द्वार पे वे तुम्हारी बाट हेरत होएंगे। हम नीम के नीचे खटिया बिछाए आए हैं पता नहीं बैठेऊ होंएगे कि नहीं।

– बैठें तो बैठे न बैंठै तो आइया चुदाएँ, हमैं का उनसे हींग बदलने?

– हाऽय तुम्हारी गमरई न गई। चलोऽ

– चल।

– राम-राम।

– राम-राम गुल्चे भइया, और क्या हो रहा है...?

– कछू नई साब, गाड़ी ढरक रहीं है। और कहो आज कैसे घूम पड़े इते? ऐऽ

– का है।

– जा भीतर से दरी ले आ, खटिया पे बिछा देऽ।... बैठो साब, ठाड़े काये...?

– ...।

– अरे! न-ना, हम बैठने के लिये थोड़े ही आये हैं। अभी और गाँवों में भी जाना है हमेंऽ?

– तो साब आये ही काहे? पहले और गाँवन में हो आते, तब यहाँ आते।

– अरेऽ तुम तो गुस्सा हो गये। अच्छा-अच्छा हम बैठ जाते हैं, कोई बात नहीं। तुम्हारे पास सुअर कितने हैं...?

– काऽऽ, सुअऽर...। पन्द्रहा...।

– अरेऽ भई-ऽ, सुअरों का नाम सुनते ही तुम तो ऐसे उटक पड़े। हम छुड़ाने थोड़े ही आये हैं...?

– नऽ,नाऽऽ सहाब ऐसी कोऊ बात नई है...।

– अच्छा टीक है... कल तुम अपने सरपंच के साथ अव्यावसायी कार्यालय में चले आना। जानते हो...?

– आँ-हाँ- पर कायको?

– इस साल शासन से तीन कुक्कुट यानी मुर्गी पालन, पाँच डेयरी और एक सुअर पालन की योजना हितग्राहियों के लिये आई है। हमने सोचा इस गाँव में तुम अकेले ही हो और सुअर भी तुम्हारे पास है, इसलिये लोन तुम्हें आसानी से मिल सकता है।

– नहींऽ सहाब, हम लोन-वोन के चक्कर में पड़ेंगे नई। बड़े-बड़े जीप-ट्रेक्टरन

के लोन हैं वे बड़े-बड़े लोगन को ही निकारोगे। हन जैसनि को तो सुअर-मुर्गियन में ही बहलाओगे। और निकारो हूँ जैसे तैसे तो उसमें आधे से ज़्यादा सरपंच और कछू तुम लोग खाय जाओगे। रह जायेंगे हम ठाठ में खुस्से। साल दो साल बाद बैंक वाले आयेंगे तकादों डारिबे कि तुमने लोन से सुअर निकालवाये थे। सौ सहाब हमें अपनी गाँठ के ये सुअर भी बैंच के लोन भरने पड़ेगी। यासो रहन देउऽऽ...।

- अरेऽ यार कैसे बातें करते हो, तुमने यहाँ किसी को लोन भरते देखा है। तुम्हारे गाँव में ही हमने न जाने कितनी सिलाई मशीनें, भैंसे, कपड़े की फैरी आदि के लिये लोन निकलवाये हैं, पर किसी ने भराऽ...?

- नहीं भराऽ... तो अब भरना पड़ेगा। सरकार को पइसा है, खाय के जायेंगे कहाँ...? वैसे वे भरे हूँ तो कहाँ से आधे-पद्दे तुम ही और खाये गये। जोऽ...। सहाब तुम इतनी ही हटकर रहे हो तो काऊ अच्छे धंधे को निकलवाय देउ यासो कहू बजार में ढंग सो करन खान लगें।

- देखो गुल्चे भइया, ठीक से करने-खाने के लिये तुम हमें दुखी दिखाई नहीं देते। एक-एक सुअर तुम्हारे पास दो-दो हजार का है।...। और ये सामने टूटी मड़ैया में भैंस भी बंधी दिखाई दे रही है खर्च भी आसानी से चल रहा होगा। रही बात शहर में अच्छी तरह खानें पीनें की तो वहां बड़े धंधे उन्हीं के चलते हैं, जिनके पास दो नम्बर का पैसा है और पालतू गुण्डे। तुम्हारे जैसों को तो पुलिस ही नहीं घाटे लगने देंगी। रिक्शा-बेलदारी से तो अच्छा है तुम यही रहोऽ...।

- लेउ दरी बिछाय दउ। सहाब ठीक तो कह रहे है? जाने का है गओ है या आदमिये, जब देखो तब सैर-बजार, हमेशा यही रट लगी रहाति है। हम तो कहत हैं, यहाँ छोटे-बड़े सब एक दूसरे की नीकी-भली देखत हैं। वहाँ कोऊ काट के भी धर जाये तोऊ कोऊ देखन नहीं आत, जानत होऽ...?

- कायरीऽऽ ते नही जाएगी यहाँ से...? कौन ने कही थी कि ते यहा बीच में आयके पंचात छाँटिये। तेऽ का जाने, हम पर जो यहाँ बीतत है?

- हओ, तुम जानो भटा को सींग...।

- तेरी-ऽ-दाऽऽ...।

- अरे भाई गम खाओ... हम भी समझ रहे हैं तुम्हारी बात को? हरिजन कल्याण विभाग में पन्द्रह साल हो गये हमें, तुम्हारे सब के बीच में रहते। सदियों से तुम्हारे पैरो में पड़ी रूढ़ि-बेड़ियाँ अब तक स्पात बन चुकी हैं, टूट रही है, पर एक झटके में नहीं टूटेगी। ऐसा करने से तुम्हें भी चोट पहुँच सकती है, बेड़ियाँ काटते कहीं, पैर न कट जाये इसका भी ख्याल रखना है।... तुम्हें, यदि वास्तव में ही अपने इस काम से घृणा है, तो इसे पहले छोटे स्तर से समाप्त करना होगा...?

- वो कैसे सहाब!...?

- ऐसेऽ, पहले तुम्हें अपने आसपास का माहौल साफ़ रखना होगा। ये सुअर मुर्गी बेंच दो, जो तुम्हें सबसे ज़्यादा घृणित बनाने में जिम्मेदार हैं। उनके बदले में गाय-भैंस या बकरियाँ रख सकते हो, जहाँ भी जैसे भी संभव हो अपने बच्चों को पढ़ाओ। और खुद भी वक्त निकाल के, ये हट छोड़ के कि 'हमारी क्या इतनी गुजर गई ये भी गुजर जाएगी, पढ़ सकते हो। अब देखो, फूफ तेरी ही ससुराल है ना?

- हाँ सहाब हमारी ही है।

- वहाँ पर में एक केश के चक्कर में गया था, तब तेरी ये बहू भी शायद वहीं थी...?

- हाँ सहाब थे तो, पार साल की बात है। हमारे चाचा की मौड़ी रमदिविया की सिलाई की मशीन तुमने ही निकलवाई थी न...?

- हाँ-हाँ, तेरा तो एक भाई आर्मी में भी नौकर है न...?

- न-नहींऽ सहाब सी. आर. पी. में है। और एक ट्रक चलात...।

- अच्छा-अच्छा, वो तो अब ऐसे रहते हैं कि बिना जाने कोई भी यह नहीं कह सकता कि ये मेहतर हैं...।

- हाँ सहाब, हमारे कोई नहीं जाते टहल-पहल को। व तो यही गाँव है, ठाकुर-ब्रहाम्मननि को नाई यासो...? वैसे सहाब भी ब्रहमन है, पर उन जैसे नइयाँ...? अब जबरजस्ती कोउ नहीं करत दो-चार...।

- हुँऽ अब जबर्दस्ती कोई करेगा भी तो कैसे, हरिजन एक्ट का भय जो खाने लगे हैऽ...?

-...।

- कहूँऽ नहीं सहाब, दोहरे-दोपहर हाल मारकर फरार हो जात हैं। फिर को सुनत हम गरीबन की...? शासन में नीचे से लेकर ऊपर तक वे-ही-वे तो बैठे हैं?

-... अरेऽऽ! कहाँ तक नहीं सुनेंगे गुल्वे भइयाऽऽ जब तुम उस पर उतर ही आओगे।

- हुँऽ चलोऽ चलते हैं, काम की तो कुछ बात नहीं हुई, कल आना हो तो सरपंच के साथ चले आना...? तुम्हारा जाता ही क्या है सरकार से जितना मिले उतना ही झटको, तुम्हारे पास रखने को जगह न हो तो ऐसा तो हमें दिखाई नहीं देत...?

- अरेऽऽ! ह ह सहाब ऐसी कोऊ बात नहीं। देखो मौका मिला तो कल ज़रूर चले आयेंगे, जैऽराऽ।

- कायरेऽऽ गुल्वाऽ...? हम बसंता के मौड़ा से कह गये थे, कि तेऽ मरघटा पर जल्दी पहुँचिये। और तें अबे तक नहीं गओ...?

- हम कहूँ नहीं जात...।

- तोऽ को जायेगो...? तेरोऽ बाऽ...।

- अरे भईऽ क्या बात हो गई... क्यों आते ही लड़ने लगेऽऽ.

– अरेऽऽ तिवारी जी...। कछू बात नहीं सहाब। रात हमारे भतीजे की बहू खत्म हो गई है सो मरघटा पर याको जाने का नेग-दस्तूर होत है। सो यह चलो-चले, सो यह तो जा ही नहीं रहोऽ है।

–...अरे राम-राम यह तो बड़े दुख की बात है। ऐसे नहीं तो वैसे ही चले जाओ...? गाँव-पड़ौस में रहकर एक-दूसरे के सुख-दुख में तो शामिल होना ही पड़ता है।

– नहीं सहाब, हम कैसे हूँ नहीं जायेंगे...।

– देखोऽ सहाब, कितनो मक्कार आदमी है...? जब कुतियाँ की कुंभ को जायेगी तो हड्डियाँ को चाटेगोऽ...?

– अरेऽ भईऽ तुम्हें भी ऐसे नहीं कहना चाहिए। हर आदमी अपनी मर्जी का मालिक होता है, उसकी अपनी मर्जी नहीं है तो नहीं जाएगा...? वैसे तुम चले जाओ तो कोई हर्ज नहीं है?

– चलो जाने को तो चले जाते का कबहूँ गए नई थेऽ। पर पारसाल हमारी अम्मा मर गई सहाब। तब पूरे गाँव की मौजूदी में एक आदमी नई आओ उनकी माटी के संग। और कहाँ तक कहे साहब, अर्थी के संग अभी मान्सें नहीं जाती। तो हमारी या भुटिया को कन्डा लेके जाने पड़ो थोऽ।

– क्यो भई, बात ऐसे ही है? तब तो इसके साथ बहुत बुरा हुआ है।...।

– और सहाब ये खड़ो-खड़ो हमपे आँखें तन्नाए रहो, चमान्नि के चौतरा पे बैठो-बैठो चिलम पी रहो थोऽऽ। चिलम और जनीमान्स में छोत नहीं होत?

– दारीऽसम्हर के बोल, मुँह टोर देंगेऽऽ। जाऽ। गईऽऽ...?

– ऐरेऽऽ वासे बोलोऽ तो बहुत बुरी बात हो जाएगीऽऽ...?

– तेऽऽ... तेऽ हमारो मुँह टोरेगोऽ...? सारे चप्पल से बात करेंगे, ठठरी बांधे,, दाड़ी जासे। वासे उलझ तेरे ही अकेलो खून नहीं निकलत, हमारो मर गओ तो हम दूसरो कर लेंगे लेकिन तेरी जनम भर को राड़ हो जाएगीऽ। छाती फटेऽ...।

– अरे भई गम खाओ। रुको-रुको...?

– नहीं सहाब, तुम छोड़ो हमेंऽ...? या भंगड़ा-भंगड़ी को देख लेन देउ हमेंऽ...।

– हाँऽ-हाँऽ देख लेन देऽऽ... देखे यह कितनो बड़ो दादा हो गओ है। ऐऽऽ भुतिया, ते बल्लम तो उठा लिया भीतर सेऽ...?

...।

– अरेऽऽ रामसियाऽ, कायको लड़ रहो हैऽ...। रुक जाऽ...। हमने तोको याही को पहुंचाये थेऽ...। चल घरेऽ। का बात हो गई...?

– कऽ... कछू नहींऽ बिहारी दाऽ...। हम छोड़ेंगे नहीं आज, देखने है याको कितनो मन बढ़ गओ है...?

– हओ देख लियेऽ...।

– सारेऽऽ...।

– अरेऽ चलोऽ, का कमीनन के मुँह लगत होऽ...? उनकी का, हाथ कठोती मूड़ तवा, यहाँ पवा तो यहाँ पवा नहीं अंत पवा।... चल वाको जल्दी बार-फूँक दें, कहू पुलिस को खबर लग गई तो सबके सब बँधे-बँधे फिरेंगे...? चल इन्हें तो फिर देख लिये...।

– हाँ-हाँ फिर देख लिवोऽऽ...।

– साऽरेऽऽ...।

– अरेऽ भई, तुम्हें भी गम खाना चाहिए...? तुम तो फिर न किसी की सुनते हो न किसी को देखते। कल आना हो तो चले आना...? (कहा से कहा आज)

– तोऽ सहाब, हम ऐसे ही यहाँ गम खाए तो चार दिना न रह पाये?

– अच्छा-अच्छा ठीक है, तुम्हें जैसा अच्छा लगे वैसा करो। मैं चला...।

– ... जै राम जी की सहाब, हम स्कूटर निकलवाय दे, आगे नाली है...?

– नहीं-नहीं, हम निकाल ले जाऐंगे। भुऊँऽऽ भुऽरऽऽ...।

– ...।

– चले गए, ठठरी बाँधे...?

– हओऽ, इन्हेंहू बुरी लग गई। गम खाओ, कोऊ मूड़ पर मूतत आये तोऊ गम खात रहोऽ...?

– सब एक से ही हैं, नैहनिया जाति को कोऊ भलो नहीं चाहत...।

– हाँऽ,चलो भीतर चलें...?

– चलोऽ...।

– ... एक बात है

– का...।

– यही, कि ये जाति सीरी आग होत है। छिचोक रहियो। जब हम काऊ की टहल बेगार ही नहीं करेंगे, और यह काम भी छोड़ देने है, तो अपनो संग कोऊ नहीं देगो। गुलामगीरी करत रहो तो चाहे कोऊ संग दे देगोऽ। हमें तो अपनिन पे हू विश्वास नाही।...यासे हमें अकेले ही लड़ने पड़ेगो इनसेऽ?

– हाँ...., सांची कहत हो।... पर सकय देखके हूँ तो चलने है। अपने छोटे-छोटे लड़का-बच्चा हैं का धरो हो लड़ाई-भिड़ाई ने...?

– मर्द की लुगाई होके, अब तें गड़ियन कैसी बातें करन लगीऽ। शरम नहीं आत तोहिऽ...। अभी हाल ही तो ते वासें कह रही थी कि हमारो मर गओ तोऽऽ...?

– व तो जाने कैसे मुँह से निकल गई थी, हाय...। ये हम कभऊँ सपने में भी नहीं सोच सकत।... तुम्हें तो याद होयेगी, जब हमारी अम्मा मर गई थीं तब उनकी तेरहवीं में

यहाँ से बसंते जीजा और बड़ी जिजी गई थीं। तब ही हम हूँ, उनके संग यहाँ चले आये थे, चले आये थे कि नई...?

- हाँऽ, पर यामे का नई बात हो गई...?

- फिर हम तुम्हारे संग एक दिना, नदी किनारे बेहड़ में छिरिया-बुकरियां चराने गये थे। गये थे कि नई...?

- हाँ गई तो हथीऽ...।

- तब वहाँ करीला के पेड़ की छांव में करार के नीचे, अकेले में, तुमने-हमसे, हमने-तुमसे का कही थी...?

-...यही, कि सारीऽ जाने कौन के मूढ़े मढ़ी जायेगी...?

- और मढ़ गये, हु..हु...। तब हम तुम्हारी सारी ही लगत थे, और तुम हमारे छोटे जीजा। फिर हमने तुमसे का कही थी...?

- यहीऽ...। कि तेरे ही मूढ़े मढ़े जायेंगेऽ...।

- और मढ़ गये, हुं हुं...। भगवान करे कि हमारी जनम-जनम जौड़ी न बिछुड़े...।

- अरेऽ तेऽ डरपति काये! हम मारेहू गये तो दो-चार को मार के ही मरेंगे।... जाऽऽ घिनौंची से सीरी गगरी को एक लोटा पानी भर लिया, ढंग से तब कुल्ला हू नहीं कर पाओ थो...।

-... हओ लियाए...।

--

- मौसी ओ मौसी...।

- काहेऽ लला अजीता कायको टेर रहो...?

- चाचा कहाँ है...?

- उसारे में, भैंस को खूटा गाड़ रहे हैं। रंडी अभी हाल ही सांकल टोर के चौधरी के खेत में घुस गई थी...?

- अच्छाँऽ! बिने नम्बरदार ने टिराये हैं...?

- कब कितने टेम...?

- अवें ही चले जाएं...।

- ठीक है,...एऽ सुनत होऽ...?

- काऽ कह रही है...?

- इतेऽऽआओ...?

- हम नही आइ रहे, तेंही चली आ...।

- हओ आएऽ...।

- ...का बात है...।

- तुम्हें लम्बरदार ने टिराये हैं।

- यह तो हम जानते थे, कब कितने बखत?

- अबे ही चले जाओ...। ऐ बसंते जीजा 'फूफ' जाएगे तो वही के हो के रह जायेंगे, जल्दी घरे चलें सो नहीं...?

- काये यहाँ का काऊ पे तोप चढ़ रही है?

- ना चढ़त होय तो का, जल्दी घरें नहीं आओ जात...?

- अरेऽऽ! चले ही आएंगे सुसरार हेऽ। जा ते आँगन में से भैंस छोर के ताल में पानी पिवा लिया। और यहाँ छाँव में बाँध दिये। देख तो कितनी घाम पड़ रही है। हम जाय रहे, अभी हाल आये...?

- हओ जाओ।... ऐऽऽ, सुनत होऽ?

- ... कऽ का हेऽऽ...?

- ज़्यादा न कछू कहियोऽऽ वहाँ...?

- हओ सुन लई, तेऽऽ अपनो काम देखऽ...।

-...।

मामा, राम-राम...।

- राम-राम...। ठाड़ो काये बैठ जा। का तेरे लाये आसन डारने पड़ैंगोऽ...?

- न-आँऽ...काम बताओ पहले। काय को टिराए...?

-... जब ते कोऊ काम करे ही नहीं चाहत, फिर का काम बताए। कल मरघटा पे कायको नहीं गओ थोऽ...?

-... अब हम नहीं जाएंगे वहाँ...।

- अच्छाँऽ, तोऽ कोऽ जाएगो...? याको ही हमने तुम्हें बसाये थे, आधा बीघा ठौर में, खाम-खाम में बुकिलयान लगे होऽ...।

- यह तुम चाहे कछू कहो, पर अब हम ये काम करेंगे नहींऽ...।

- नहीं करोगऽ... तो कोऊ बात नहीं, हमारी जगह खाली कर देऊ और चाहे जहाँ जाओऽ...।

- हओ चले जाएंगेऽ...।

- ... सारेऽऽ... तेने जितनो मूढ़ उठाओ है, झुकि तो सब जाइगोऽ...?

- हओऽ तुम पर झुकाओ पड़े, तो झुकाय दियो...?

- हम अभी बताएं तोए... सारेऽऽ, गाँव को भँनिज लगत यासों। नहीं तोऽऽ...।

- नहीं तोऽ जिन्दा ही गढ़ वाय देतेऽऽ...?

- ते नहीं जायगे यहाँ से, कमीनाऽ। हमारे जूठन पे पलवे वालो हमें ही आँखे दिखात! चार दिनों में मढ़ैया खाली नहीं करीऽ तब तोय देखेंगेऽ जाऽ?

- हाँ- हाँ देख लियोऽ बड़े आये जागीर वाऽलेऽऽ।

- सारेऽऽ...?

- जै रघुनाथ जी की दुर्ज्जन लम्बरदार...।

- जै रघुनाथ जी की बृजबहादुर सींग। आओ बैठो, कहो कैसे आएं...?

- आये का ऐसे ही चले आए, कछू काम-धाम है नहीं। पानी बरसो नहीं है, जो कछू खेत में काम करत होते?

- हाँ सो तो है...।

- हाँ... एक बात बताओ...?

- का...।

- ... हमने सुनी है कि तुमने चार दिना में गुल्चा को मढ़ैया खाली करके, गाँव छोड़वे की धौंस दई है...? अरेऽ...। ऐसा न करो, गाँव में यही तो एक मेहतर है। बनो रहेगा का लेत है अपनो...?

- अच्छाँ, तो ये बात है। काए भाई, हमें ये बताओ? ऐसे मेहतर को चाटोंगे या चूमोंगे, जो अपनी टहल-बेगार ही नहीं करेगो। डबुआ-पत्तल ही नहीं उठाएगो, फिर उसके रहे न रहवे से फ़ायदा का है?

- अच्छाँऽ...। तो भोर भगाओ सो अबे ही भगाय देउ, हम नहीं रोकत...? अरे हमसे तो रात मौड़ा की महातारी ने घरे ब्यालू करत कही थी कि, 'लम्बरदार ने गुल्चा से चार दिना में मढ़ैया खाली करके गाँव छोड़वे की कही है।' सो बिचारो कल अपने मौड़ी-मौड़ा और सुअरा-फुअरा लेके ससुरार कर आओ है...।

- हुँ...।

- ... बसंता के तो खूब मन की हो गई। जब से वाकी लुगाई मरी है तब से जब सुनो तब सुसरार में ही। सुनी है, वहाँ के ही अस्पताल में झाडू-पोंछा लगावे वाली एक चटक-मटक भंगिन राखे है। पहले को एक मौड़ा हूँ है, गुल्चा पे यहाँ! लेकिन बाके ढिंगा तो महीना दो-चार महीनो में वो साधुअन जैसी फेरी लगाय गओ और चलो गओ। अब वो हू बंद और गुल्चा हू चलो वहीं, जायऽ उतेऽऽ जब वे अपने कछू काम के ही नहीं हैं फिर उनकी सिफ़ारिश का करो? फालतू में जगह घिराओ और गाँव भर में सुअर-मुरगियन से घिन-गंदगी फैल वाओ?

- बिल्कुल ठीक कहीऽ.... चलो तुमने ये भली बताई कि वह सुअरा-फुअरा लेके

सुसरार कर आओ है। अब जाइ रहो हैऽ...?

- ये हमें पता नहीं है काऽये...?

-काऽये का, ऐसे तो हमारे लात देकें चाहे काऊ गाँव छोड़ें चलो जायेगोऽ? हम ऐसे ही बाको यहाँ से सूखो नहीं निकल जाने देंगे। सब ऐसे ही निकल-निकल जाएंगे, फिर अपनो काम कौन करेंगो यहाँऽ...?

- ये बात तो तुम सांची कह रहे हो। पर का करोगे वाको? जाय उते कहूँ मरेऽ। एक बंदरिया के जाए से कहूं वृंदावन सूने होत?

- होत कैसे नहीऽऽ। हम छोड़ेंगे नहीं, बराबरी चाहत अपुने से...?

- ...ठीक हैऽ..., तुम्हें जैसो दिखाये वैसा करो। अब हम चलत हैं, जै रघुनाथ जी की...।

- जै रघुनाथ जी कीऽ..., एऽऽ...?

- का है...।

- वो मिले तोऽ कछू कहिओ न वासेऽ...?

- हओ नहीं कहेंगे...।

- शिकारी शिकार, शिकार फरार...। अरेऽऽ सोनूऽ जरा इधर आना...?

- आया दादा जीऽऽ,... क्या बात है...?

- जरा इस हेडलाइन के नीचे पढ़ना, हमें तो अब ढंग से दिखाई भी नहीं देता...?

- जी दादा जी,... लेकिन पहले तुम्हें अपनी ये गाँधी वाली टोपी हमें देनी पड़ेगी...?

- तूँ बोलता ज़्यादा है,.. अब तूँऽ इसे न पहन तो ही अच्छा है...?

- जी दादा जी, तो सुनाऊँ...।

- सुना ना...।

- शिकारी शिकार हुए शिकार फरार... कार्यालय संवाददाता भिण्ड 17 मई- जिले के ऊमरी थाना अंतर्गत ग्राम सिकाटा में एक हरिजन-वाल्मीक पर उनके ही घर हुए जानलेवा हमले में उसके चंबल के बीहड़ों में फरार हो जाने तथा दो लोगों के मारे जाने का प्रकरण सामने आया है।

... हमारे विश्वस्त सूत्रों से ज्ञात हुआ है कि गुल्चे बाल्मीक उम्र 29 वर्ष उस गाँव में दो पीढ़ियों से रह रहा था। पिछले दिनों इस क्षेत्र में चल रहे दलितों उद्धार के कार्यक्रम में प्रभावित होकर अथवा अन्य किसी कारणवश, जब उसने अपना घृणित जातीय कर्म छोड़ने का प्रयास करना चाहा, तो उसे वहाँ के लम्बरदार जो कि ज़मींदारों का ही परिवर्तित रूप है, ने उसे चार दिन में गाँव छोड़ने का आदेश दे दिया। जिसके परिणामस्वरूप वह वेवश होकर अपना घर खाली करके, सुसराल जो कि 'फूफ' थाना अंतर्गत किसी गाँव में है, वहाँ पर अपने पत्नी-बच्चे और मवेशी कर आया था। किन्तु परसो जब वह यहाँ अपने घर में बचा कुछ और सामान लेने

आया तो रात में उसी लम्बरदार के इशारे पर दो लठैत हीरा धानुक उम्र 27 वर्ष और बलमना उर्फ बलमान कोरी उम्र 32 ने उस पर जानलेवा हमला कर दिया। वह शायद पहले से सचेत था, कुछ देर की मुठभेड़ के बाद किसी धारदार हथियार से उन दोनों की हत्या कर दी और फरार हो गया। ध्यान देने की बात यह है कि मरने वाले और मारने वाला दोनों ही दलित थे। इस क्षेत्र में आज भी राजा जयसिंह जैसे दलित लठैत मिल जाएंगे, जो अपने तुच्छ स्वार्थ के लिये कमोवेश औरंगजेब जैसे ही मुखिया लम्बरदारों के इशारों पर अपनी ही बिरादरी वालों को सताते हैं, क्योंकि हरिजन एक्ट उन पर तो नहीं लग सकता? फिलहाल थाने में प्रकरण...।

- बस-बस तूँ तो पढ़े ही जा रहा है। ला अब पेपर मुझे दे और अंदर से चाय ले आ?
- जी दादा जीऽ, लाता हूँ...।
- ... इन्हें तो यहाँ दोहरी लड़ाई लड़नी होगी।
- क्याऽऽ द्वारे लड़ाई...?
- अरेऽऽ। कुछ नहीं तूँ जाऽ...?
-... ये दादा जी भी बैठे-बैठे जाने क्या अंट-संट बकैते रहते हैं?

ग्राम पान सिंह का पुरा
पो. नुन्हाटा जिला, भिण्ड

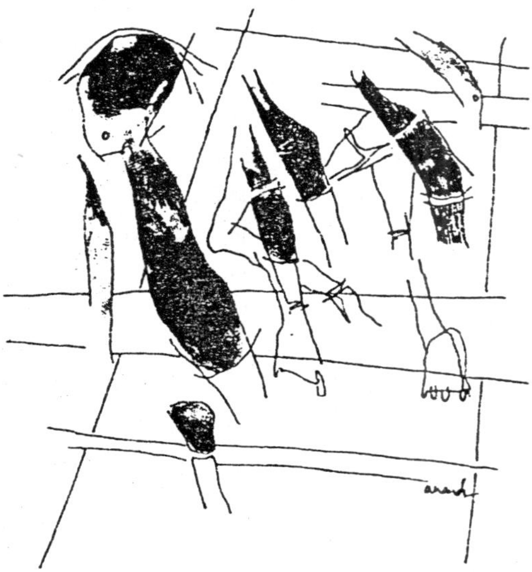

वर्चस्ववादी सवर्ण समाज में उनके लिए न कोई अवसर है न सम्मान। उन्हें चाहे अनचाहे सत्ता में ही अपनी मुक्ति दिखाई देती है। इसलिए उनकी प्राथमिकता विचार, साहित्य या आंदोलन नहीं, सिर्फ सत्ता में हिस्सा मांगना है। उनका सरलीकृत भोला विश्वास यही है कि हाथ में सत्ता रहेगी तो सवर्णों को झख मारकर उन्हें अवसर और सम्मान देना पड़ेगा। यह शुद्ध रूप से सत्ता छीनने का खेल है। राजनीति के इन दांव पेंचों में साहित्य कन्फ्यूज्ड है।

दलित साहित्य बौद्धिक विमर्श के केन्द्र में है

राजेन्द्र यादव

आज जबकि यह स्वीकार कर लिया गया है कि दलित और स्त्री ही साहित्य, समाज और राजनीति में भविष्य की शक्तियां हैं, कुछ लोग फिर भी इन दोनों मुद्दों पर कुतर्क और अभिजात्य बौद्धिक बहसों से मुख्य विषय को डाइल्यूट करने की कोशिश कर रहे हैं। यह सवाल अभी भी पूछा जा रहा है कि दलित विमर्श क्यों? सदियों से हमारे कुलीन समाज ने इनकी न कोई पहचान दी न ही इनकी आवाज़ सुनी गई। उनसे सिर्फ़ कामकाजी और दूर का रिश्ता रखा गया। आज़ादी के 55 साल बाद भारत जैसे लोकतांत्रिक देश में भी यदि यही स्थिति बनी रहती है तो हमारे लिए यह शर्म की बात है। लोकतंत्र हर नागरिक को समान अवसर, न्याय और स्वतंत्रता देने की प्रतिज्ञा करता है। दलित समुदाय को यदि अब भी न्याय, अवसर और स्वतंत्रता से वंचित करेंगे तो एक तो यह संभव नहीं है, दूसरे संविधान इसे बर्दाश्त नहीं करेगा। आज वे राजनीति से समाज तक इतने सशक्त और मुखर हो चुके हैं कि वे निर्णायक स्थिति में हैं। मायावती इस बात का एक प्रमाण हैं। यदि हमारा साहित्य इनके लिए जगह नहीं छोड़ता तो वह शीघ्र ही अप्रासंगिक हो जाएगा। मैं बार-बार लिख चुका हूँ कि हमारा अब तक का साहित्य केवल एक खास वर्ग का लिखा और एक खास वर्ग को संबोधित साहित्य है। साहित्य का मतलब यदि सहित है तो उसको समाहित करना चाहिए। अब समय आ गया है कि अभी तक चले आते इस सवर्ण साहित्य को अपनी कमी और अधूरेपन का प्रायश्चित करना चाहिए। दलित केवल सुविधा वंचित ही नहीं बल्कि सामाजिक रूप से बराबरी के सम्मान से भी

वंचित रहे हैं। वे दलित इसलिए हैं क्योंकि हमने उन्हें न ज्ञान दिया न सम्मान- इससे अधिक अमानवीयता और क्या होगी? हमें खुद को सहनशील बनाते हुए दलित विमर्श की मुख्य धारा में स्थान देना चाहिए। ऐसा करके हम उन पर कृपा नहीं करेंगे। यदि हमें खुद को बचाना है तो उन्हें साथ लेना ही होगा।

आज से करीब 15 साल पहले जब 'हंस' पत्रिका में हमने दलित और स्त्री विमर्श पर ध्यान देना शुरू किया था तो हमें केवल इतना पता था कि स्त्री और दलित ही भविष्य की शक्तियाँ हैं। इन्हीं को भारतीय समाज में सदियों से दमन, शोषण और उपेक्षा का शिकार होना पड़ा है। हमें विश्वास था कि जब ये शक्तियाँ उभरेंगी तो सृजन की एक खास ऊर्जा पैदा होगी। यह अनुमान कुछ-कुछ, स्नोबालिंग जैसा है। बर्फ का एक छोटा टुकड़ा सुकढ़ता है तो धीरे-धीरे वह विशाल गेंद में बदल जाता है। मुझे खुशी है कि हम अपने उद्देश्य में कामयाब रहें। आज हर पत्रिका और संस्था के लिए यह ज़रूरी हो गया है कि अपनी बहसों और विमर्श में स्त्री और दलित की बात करें। मैं यह बिल्कुल नहीं मानता कि आज यदि स्त्री और दलित हमारे साहित्य और विमर्श के केन्द्र में आए हैं तो इसका श्रेय 'हंस' को है। 'हंस' तो केवल एक माध्यम बना। यह हमेशा होता रहा है कि किसी उभरती हुई प्रतिभा या विकार के बारे में पहले चुप्पी फिर उपेक्षा देखने को मिलती है- उसका मजाक उड़ाया जाता है और अंततः मजबूर होकर उसे स्वीकार कर लिया जाता है। हिन्दी में स्त्री और दलित विमर्श भी इन्हीं स्थितियों से गुजरा है। स्नॉब विश्वविद्यालयों और दूसरी जगहों पर स्त्री और दलित विमर्श का मजाक उड़ाया गया। स्त्री और दलित साहित्य की गुणवत्ता पर सवाल खड़े करने वाले विद्वान देशभर में आज भी मिल जाएंगे। पर वे आज यह ज़रूर महसूस कर रहे हैं कि साहित्य के प्रति उन्हें अपने संस्कार, रूचियों और समीक्षा के मानदंडों को आज नहीं तो कल बदलना होगा।

एक ओर तो हमें खुशी है कि जिसे हमने शुरू किया वह हमारे बौद्धिक विमर्श के केन्द्र में है। पर दूसरी ओर यह भी सच है कि स्त्री लेखन के मुकाबले दलित लेखन ने बड़े पैमाने पर निराश किया है। क्योंकि वह वैचारिक बहसों में ज़्यादा उलझ गया और रचनात्मक लेखन उस अनुपात में नहीं हुआ। हिन्दी में अभी भी दलित उपन्यास एवं दलित कहानियों की प्रतीक्षा है। कुछ लेखकों ने आत्मकथाएँ लिखने का प्रयास किया है, पर कुल मिलाकर दो-तीन आत्मकथाएँ ही ठीक-ठाक बन पड़ी हैं। पर दलित विमर्श की बहसें इतनी धुआंधार हैं कि रचनात्मक लेखन धुंधला गया है। रचनात्मक साहित्य के लिए दलित लेखकों को बार-बार मराठी की तरफ़ देखना पड़ता है। हिन्दी में दलित लेखन की तुलना में स्त्री लेखन ज़्यादा सशक्त और ऊर्जावान है। हिन्दी में दलित साहित्य की कमजोरी की एक खास वजह यही है कि उसकी कोई परंपरा यहाँ नहीं है। हिन्दी के दलित लेखकों को परंपरा के लिए बार-बार कबीर, रैदास और भक्ति आंदोलन के कवियों की ओर देखना पड़ता है। भाषा में दलितों पर लिखे गए सवर्ण साहित्य को वे अपनी परंपरा में नहीं मानते।

प्रेमचंद और निराला से लेकर जगदीशचंद्र, मदन दीक्षित और तेजिंदर तक को वे खारिज कर रहे हैं। मुझे लगता है कि उन्हें अपना दृष्टिकोण बदलना होगा।

हिन्दी में दलित साहित्य की सशक्त परंपरा नहीं विकसित होने की मुख्य वजह यह है कि जैसे महाराष्ट्र में दलित साहित्य वहाँ के सामाजिक सुधार आंदोलनों से विकसित हुआ वैसा कोई बड़ा और परिवर्तनकारी सामाजिक आंदोलन हिन्दी में नहीं हुआ। यहाँ कांशीराम-मायावती के नेतृत्व में दलित राजनीति की शुरुआत एक आंदोलन के रूप में ज़रूर हुई है। राजनीति को रचना का रूप लेने के लिए जिस प्रक्रिया से गुजरना होता है वह अवकाश हमारे दलित साहित्य को नहीं मिला। हिन्दी ही नहीं बांग्ला में भी दलित साहित्य जैसी चीज़ नहीं है। इसका कारण यहीं है कि 19वीं सदी का नवजागरण बंगाल और उत्तर भारत में महज़ एकांतिक संवाद बनकर रह गया। उनके एजेंडा में दलित और स्त्री विमर्श, छुआ-छूत और विधवा विवाह के आगे चिंता की चीज़ नहीं बना जबकि महाराष्ट्र में ज्योतिबाफुले ने जो वैचारिक दृष्टि दी और अम्बेडकर ने जो वैज्ञानिक आधार दिया वह हिन्दी क्षेत्रों में सिरे से गायब रहा। इस बात की गहन पड़ताल की जानी चाहिए कि हन्दी क्षेत्रों में यह नवजागरण क्यों ठहर गया। आज चूंकि उत्तर भारत में दलित राजनीति खुद एक भटकाव, विचलन और सत्ता की सौदेबाजी में उलझकर रह गई है। इसलिए हिन्दी में साहित्यकारों के सामने भी दलित चेतना एक सुसंगठित विचारधारा के रूप में उभरकर सामने नहीं आ पाती।

हिन्दी में दलित विमर्श की कमजोरी का एक दूसरा बड़ा कारण है इसके प्रति वामपंथी राजनीति का उदासीन रवैया। मार्क्सवाद भारत में दलित चेतना को एक बड़ा वैचारिक आधार दे सकता था लेकिन वामपंथियों की किताबी समझ 'वर्ग' से बाहर या अलग नहीं देख पाती थी। यहाँ भी वामपंथी वहीं किताबी गलती कर रहे थे-- जैसा उन्होंने यह मानने में किया कि मज़दूर वर्ग ही क्रांतिकारी चेतना का सबसे बड़ा संवाहक होता है। सच्चाई ठीक इसके विपरीत है क्योंकि भारत में औद्योगिक क्रांति हुई ही नहीं कि मज़दूर यूनियन निर्णायक स्थिति में आ सके। भारत में तो चीन की तरह किसान वर्ग निर्णायक स्थिति में हैं। मुझे याद नहीं कि नक्सलवादी आंदोलन के पहले वामपंथियों ने कभी किसानों की समस्या को मुख्य एजेंडा बनाया हो। हिन्दी क्षेत्रों में तो 'वर्ग' से पहले जाति की समस्या हल करनी होगी। यही सब कारण हैं जिनके चलते दलित साहित्य को मार्क्सवाद का वैचारिक और वैज्ञानिक आधार नहीं मिल पाया। हालाँकि भारतीय समाज को लेकर अंबेडकर की तत्ववेधी दृष्टि उनकी मार्क्सवादी समझ का परिणाम है।

उत्तर भारत में दलित राजनीति जितनी प्रभावशाली होकर उभरी उतना साहित्य नहीं उभर सका। इसके विपरीत स्त्री लेखन जितना समर्थ रहा, उतना स्त्री राजनीति नहीं। इसका एक कारण यह है कि स्त्री समाज की बुनावट में नीचे से ऊपर तक गुंथी हुई है। स्त्री होने की यातना और नियति विभिन्न वर्णों और वर्गों में स्त्रियों को एक करती है। दूसरी तरफ़

दलित हिन्दू समाज़ की वर्ण व्यवस्था के बाहर मुसलमान की तरह एक अलग इकाई है। इसलिए जितनी आसानी से दलित सत्ता की राजनीति में अपने दाँव पेंच चला सकते हैं, स्त्रियाँ नहीं। स्त्रियाँ समाज सुधार के आंदोलनों की मांग के आधार पर ही अपना कोई भविष्य देखती हैं। वे मर्दवाद के खिलाफ अपनी स्वतंत्रता की आकांक्षा करती हैं। दलित इस मामले में दोहरे दमन के शिकार हैं। वर्चस्ववादी सवर्ण समाज में उनके लिए न कोई अवसर है न सम्मान। उन्हें चाहे अनचाहे सत्ता में ही अपनी मुक्ति दिखाई देती है। इसलिए उनकी प्राथमिकता विचार, साहित्य या आंदोलन नहीं, सिर्फ़ सत्ता में हिस्सा मांगना है। उनका सरलीकृत भोला विश्वास यही है कि हाथ में सत्ता रहेगी तो सवर्णों को झख मारकर उन्हें अवसर और सम्मान देना पड़ेगा। यह शुद्ध रूप से सत्ता छीनने का खेल है। इसमें न तो कहीं व्यवस्था बदलने की बात आती है न मानसिकता। चूंकि हिन्दी में दलित साहित्य दलित राजनीति के उभार से ही आया है इसलिए राजनीति के इन दांव पेंचों में साहित्य कन्फ्यूज्ड है। दलित साहित्य की सारी लड़ाइयाँ अपने से बाहर और 'सवर्ण' नाम के दुश्मन के खिलाफ है इसलिए यहाँ अपनी यातनाओं की बढ़ाचढ़ाकर कहने की प्रवृत्ति तो है ही, उन्हें आरोप के रूप में पेश करने का आग्रह भी है। यह सही है कि दलितों की दयनीय स्थिति के लिए दमनकारी सवर्ण सत्ता ही जिम्मेदार है पर उस मानसिकता की गहरी पड़ताल भी तो करनी होगी जहाँ दमन की स्वीकृति दलित मानसिकता का हिस्सा बन चुकी है। हर जगह वह उसी कुंठा का शिकार है कि अपनी उपस्थिति या स्पर्श से वह कोई ऐसा पाप या अपराध कर रहा है जिसके लिए उसे नरक में जाना पड़ेगा। दलितों की सबसे बड़ी बीमारी जन्मांतर और वर्ण व्यवस्था से पैदा होने वाली कुंठाएँ हैं। यह लड़ाई उन्हें अपने बाहर से अधिक अपने भीतर लड़नी होगी तभी वे आत्मविश्वास और सम्मान प्राप्त कर सकेंगे। साहित्य वैसे भी सामाजिक परिवेश की व्यक्तिगत अभिव्यक्ति है। इस 'व्यक्ति' को ही आधार बनाकर दलित साहित्यकार सशक्त रचनाएँ दे सकता है। अभी तो वह दलित और सवर्ण मानसिकताओं और जीवन पद्धतियों की प्रवृत्तियों को ही व्यक्ति की जगह रखकर देखता है। दलित लेखकों को ध्यान रखना चाहिए कि 'प्रवृत्ति' व्यक्ति, नहीं होती। व्यक्ति में प्रवृत्ति समाहित ज़रूर हो सकती है।

दलित विमर्श में एक प्रश्न बार-बार पूछा जाता है कि क्या दलित साहित्य केवल दलित ही लिख सकते हैं। मुझे लगता है कि दलित लेखकों को इस विवाद में नहीं पड़ना चाहिए। सवर्ण साहित्यकारों का एक दल आग्रहपूर्वक बताता है कि उनका लेखन भी दलित साहित्य है जबकि दलित लेखकों की बड़ी ऊर्जा इस बात के खंडन में खर्च हो जाती है। मुझे लगता है कि दलित साहित्यकार तर्कों से कभी इस बात को नहीं सिद्ध कर पाएंगे कि किसका लेखन सच्चा दलित साहित्य है। इसका जवाब वे ज़्यादा अच्छी, सशक्त और जिंदा रचनाएँ लिखकर ही दे सकते हैं जैसा कि स्त्री लेखन कर रहा है। वैसे भी साहित्य एक ऐसा लोकतंत्र है जहाँ हर एक को अपनी बात कहने और लिखने की आज़ादी है।

जो गैर दलित लेखक दलित साहित्य लिख रहे हैं उन्हें दलित न तो रोक पाएंगे न ही रोकना चाहिए। उन्हें वर्णवाद के कटघरे में खड़ा करने से कुछ नहीं होगा क्योंकि अंततः बात इस पर आ जाएगी कि आपकी अपनी उपलब्धियाँ क्या हैं। वहाँ न तो मराठी लेखन हिन्दी दलित लेखकों की मदद करेगा न नीग्रो लेखन। हिन्दी में खतरा इस बात का भी पैदा हो गया है कि सशक्त साहित्य देने की हड़बड़ी में हमारे दलित लेखक कहीं मराठी और नीग्रो लेखकों की नकल न करने लगें। स्त्री एवं दलित साहित्य की सबसे बड़ी शक्ति और भविष्य यही है कि वे भाषा एवं प्रांत के पार जाकर सहअनुभूति का दावा कर सकते हैं। ये दोनों आंदोलन इस अर्थ में अखिल भारतीय हैं और इनकी यही विशेषता इन्हें देशव्यापी स्वीकृति देता है। अब समय आ गया है कि दलित और सवर्ण लेखक अपने-अपने पूर्वग्रहों को छोड़कर खुला संवाद करें। किसी भी विमर्श या प्रवृत्ति को पहचान बनाने में थोड़ा वक्त लगता है। अंततः फैसला इसी बात पर होगा कि दलित लेखकों ने रचनात्मक स्तर पर कितना महत्वपूर्ण साहित्य रचा है। फिलहाल तो हमें थोड़ी प्रतीक्षा और करनी होगी।

प्रस्तुति - अजित राय

27/13, सेक्टर-आई पुष्प बिहार नई दिल्ली-110017

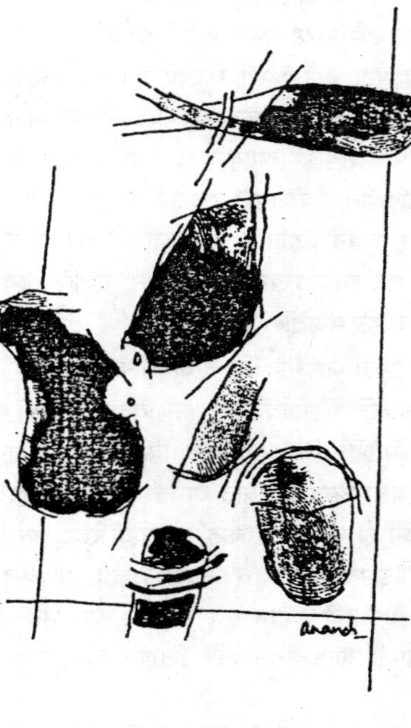

भारत, एक नहीं, बल्कि ढाई समाजों का देश है। वर्णाश्रम समाज, यानि मुख्यधारा का समाज जिसमें आदिवासी एवं अछूत नागरिक नहीं होते। वर्णाश्रम समाज से नत्थी किया गया अछूत समाज, जिसका अपना स्वयं का समाज संसार है तथा आदिवासी उपसमाज जो भौगोलिक दृष्टि से भी अलग-थलग है।

दलित साहित्य क्या है?

चन्द्रभान प्रसाद

प्रख्यात कम्युनिस्ट सिद्धान्तकार एवं नेता का. ई.एम.एस. नम्बूदरीपाद को कई लोग भारत का लेनिन कहते हैं। तुलना त्रुटिविहीन हो सकती है, क्योंकि जब नम्बूदरीपाद के नेतृत्व में केरल में प्रथम वामपन्थी सरकार बनी, तब यह दुनिया के कम्युनिस्ट आंदोलन में पहली घटना थी जब लोकतांत्रिक ढंग से कम्युनिस्ट राज सत्ता में आ गये। नम्बूदरीपाद के विचार या व्यवहार के प्रगतिशील चरित्र पर उंगली उठाना सर्वदा अनुचित होगा। पर वे जन्म से ब्राह्मण थे, अत: अचेतन ही सही, वे ब्राह्मणत्व से विलग नहीं हो सकते थे। विश्व प्रसिद्ध अंग्रेज़ी साप्ताहिक 'इकानामिक एंड पोलिटिकल वीकली' ने फरवरी 1979 में 'कास्ट एंड क्लास' पर अपना एक विशेषांक निकाला। नम्बूदरीपाद को भी लिखने का न्यौता मिला और उन्होंने लिखा। अपने चर्चित लेख 'कास्ट कन्फ्लिक्ट वर्सेस ग्रोविंग यूनिटी ऑफ पापुलर डेमोक्रेटिक फोर्सेस' नामक लेख में वर्ण व्यवस्था के बारे में चर्चा करते हुए उन्होंने निम्न विचार दिये :—

"भारत में भी वर्णाश्रम समाज की स्थापना से सभ्यता एवं संस्कृति में तरक्की हुई। प्राचीन भारत दुनिया की किसी भी सभ्यता से सफलतापूर्वक टक्कर ले सकता था। विज्ञान, दर्शन शास्त्र, कला, साहित्य में अपने भारी योगदान की दृष्टि से तत्कालीन भारत यूनान एवं रोम से भी टक्कर ले सकता था। पर यूनान एवं रोम की तरह भारत में उस तरह का सघन सामाजिक उथल-पुथल नहीं हो पाया जिससे गुजर कर आधुनिक यूरोप का जन्म हुआ।"

भारत के प्रथम प्रधानमंत्री पं. जवाहरलाल नेहरू से कई बातों पर असहमत हुआ जा सकता है, पर उनके लिबरल डेमोक्रेटिक व्यक्तित्व एवं सोच पर उँगली उठाना सर्वथा अनुचित होगा। महात्मा गाँधी ने उन्हें 'भारत का आभूषण' की संज्ञा दी थी। 'डिस्कवरी ऑफ इन्डिया' उनकी एक जानी-मानी पुस्तक है जो पहली बार वर्ष 1946 में छपी थी, तब से बीस संस्करण बाजार में आ चुके हैं। भारत की जाति व्यवस्था पर चर्चा करते हुए वे ब्रिटिश विद्वान सर जार्ज बर्डवुड के उस कथन का समर्थन करते हैं जहाँ उन्होंने तर्क दिया है कि 'जब तक हिन्दू जाति व्यवस्था को अपनाए रखेंगे, इण्डिया एक देश के रूप में बना रहेगा, पर जिस दिन वे जाति व्यवस्था से मुक्त हो जायेंगे, भारत भी विलुप्त हो जाएगा।" अपने स्वयं के तर्क को आगे बढ़ाते हुए पं. नेहरू आगे लिखते हैं :—

"जब तक किसी ऐसे वैकल्पिक सामाजिक संगठन का उदय नहीं हो जाता जो लोगों की बुद्धिमत्ता एवं समय के साथ सटीक बैठता हो, इस प्राचीन एवं व्यापक सामाजिक संगठन के टूट जाने से सामाजिक जीवन में बड़ी मुश्किलें खड़ी हो जायेंगी, लोगों की तकलीफें बड़े पैमाने पर बढ़ जायेंगी तथा व्यक्तिगत व्यवहार में लोगों में पागलपन का दौरा पड़ सकता है।" ('डिस्कवरी ऑफ इन्डिया', पृ. 247)

उपर्युक्त विचार भारत के दो ऐसे महापुरुषों के हैं जिन्होंने देश के बौद्धिक एवं राजनीतिक जीवन पर गहरा प्रभाव छोड़ा है। चूँकि दोनों महापुरुष जन्म से ब्राह्मण थे, अत: वर्ण जाति आधारित सामाजिक संगठन से उत्पन्न सामाजिक विभीषिका का अन्दाज लगाना उनके लिए कदापि संभव नहीं था, जबकि उनके इरादे संदेह से परे हैं। इनके विपरीत, एक दलित जिसका राजनीतिक, बौद्धिक जीवन संघ परिवार में ही आरंभ हुआ हो, वह भी संभवत: वर्ण, जाति, आधारित समाज व्यवस्था का कभी गुणगान नहीं करेगा। ध्यान रहे, संघ परिवार वर्ण जाति आधारित समाज को बनाये रखने का आधिकारिक प्रवक्ता है।

संयुक्त राज्य अमेरिका की मुख्य धारा का चिन्तन एवं साहित्य अन्तत: 'श्वेत साहित्य' ही बना रहा, अश्वेत चिन्तन एवं दु:खों की अभिव्यक्ति मात्र 'ब्लैक लिटरेचर' में हो सकती है, अत: 'ब्लैक लिटरेचर' का जन्म होना ही था। भारत में भी मुख्यधारा का चिन्तन एवं साहित्य महापंडित नम्बूदरीपाद के "वर्णाश्रम समाज" का ही साहित्य बना रहा, अत: 'दलित साहित्य' का जन्म होना ही था।

"साहित्य समाज का दर्पण होता है" यह उक्ति समुचित हो सकती है, पर तब क्या करें जब "दर्पण" के पीछे कोई चित्र छिपा है, उसका (Reflection) रेफ्लेकशन कैसे होगा? सामान्य भाषा में, यदि दर्पण का सृजन ही (Intra-Socieatal) इन्ट्रा सोसाइटल डायनामिक्स (Dyanamics) को रेफ्लेक्ट करने के लिए अभिशप्त हो, उसमें यह तकनीकी प्रावधान ही न हो जिससे दर्पण में 'इन्टर सोसाइटल (Inter-Societal) डायनामिक्स का रेफ्लेकशन हो सके?

भारत एक नहीं, बल्कि ढाई समाजों का देश है – वर्णाश्रम समाज यानि मुख्यधारा

का समाज, जिसमें अछूत एवं आदिवासी नागरिक नहीं होते। वर्णाश्रम समाज से नत्थी किया अछूत समाज, जिनका अपना स्वयं का समाज संसार है तथा आदिवासी उपसमाज जो भौगोलिक दृष्टि से भी अलग-थलग रहे हैं। वर्णाश्रम नागरिक का चिन्तन (Transcen dental) ट्रानसेंडेन्टल नहीं हो पाता, समाज की चोटी से बैठकर वह अछूत आदिवासी समाज की दुर्गति को तो देख सकता है, पर उस दुर्गति को (Feel) फील नहीं कर पाता और यह भी नहीं समझ पाता कि किस तरह वर्णाश्रम समाज आन्तरिक ढाँचा वर्णाश्रम के बाहर के अछूत एवं आदिवासी उपसमाज का भाग्य तय करता है।

दलित साहित्य इतिहास द्वारा (Pre-Destined) प्री-डेस्टिन्ड प्रकृति के चलते, ट्रानसेंडेन्टल हो जाने के लिए बाध्य रहता है, दलित चिन्तन वर्णाश्रम समाज की उस आन्तरिक डायनामिकस को पहचान लेता है जिसके कारण दलित समाज की स्वयं की आंतरिक डायनामिकस निर्धारित हो जाती है। दलित चिन्तन वर्णाश्रम समाज एवं स्वयं के समाज के उन आधारभूत नियमों का सार्वभौमिकरण (Universalization) करता है जो भारत के ढाई समाजों को एक सर्वांगीण समाज बनने से रोकने का कार्य करते हैं, इन्हीं अर्थों में दलित चिन्तन एक ऐसे बहुआयामी दर्पण का निर्माण करता है जिसमें ढाई समाजों की एक पूर्ण तस्वीर देखी जा सकती है। इस दर्पण में भी आदिवासी उप समाज की तस्वीर धुंधली ही बनी रहती है।

दलित चिन्तन का रेफलेकशन दलित मंचों से होता है, जहाँ अतिउत्साह में कई बार यह अपने नैसर्गिक रेशनल (Rational) गुणों से विचलित हो जाता है। दलित चिन्तन मुख्यधारा के मंचों से भी होता है। जहाँ मंच के स्वामियों के वर्चस्व के भार तले यह अपने नैसर्गिक रेशनल गुणों से विचलित हो जाता है। दोनों परिस्थितियों के लिए वर्णाश्रम समाज के वर्चस्व वाली मूल्य पद्धति जिम्मेदार होती है। चूँकि मुख्यधारा के मंचों पर वर्चस्व के भार से दबा दलित चिन्तक, अपना शुद्धतम्, श्रेष्ठतम् आर्टिकुलेशन (Articulation) नहीं कर पाता, अत: जब वह अपने मंच पर होता है, तो मुख्य धारा के मंच पर खाई चोट पर खपा होकर, अपने मंच पर अनियंत्रित हो जाता है।

दलित चिन्तन उपर्युक्त दोनों दुविधाओं का शिकार रहता है, उक्त दोनों दुविधाओं से मुक्त होने के लिए या तो गुरू रविदास बनना होता है या डॉ. आम्बेडकर। पर गुरू रविदास और डॉ. आम्बेडकर रोज़-रोज़ नहीं पैदा होते। इन सीमाओं को दलित बौद्धिक जगत समझता है, पर वर्णाश्रम समाज इन सीमाओं को नहीं समझ पाता है, इसलिये वह बगैर सन्दर्भ रचे ही, या पहले से ही विद्यमान संदर्भ को नज़रअंदाज़ करते हुए, अर्थ एवं व्याख्या की माँग करता है।

मुख्यधारा या वर्णाश्रम समाज के सिद्धान्तकार भी अपनी सीमाओं को नहीं समझते, वे यह भी नहीं समझते कि वर्णाश्रम मूल्य पद्धति की जिस चार दिवारी में वे कैद हैं, उससे मुक्त होना भी ज़रूरी है, वे तो प्राय: यह भी नहीं समझ पाते कि वे कैद भी

हैं। यही वजह है कि वे चिन्तन एवं अभिव्यक्ति के स्तर पर (Transcend) ट्रान्सेन्ड होने की आवश्यकता तक नहीं समझते। इसीलिये वे स्वयं भी अपने सामाजिक सन्दर्भ को नज़रअंदाज़ करते हैं, पर उसी सन्दर्भ से उत्पन्न सिद्धान्तों का परिष्करण करते हैं। थियराइज़ेशन (Theorization) पर थियराइजेशन करते जाते हैं, जो सार्वभौमिकता के आवश्यक गुणों से वंचित रह जाता है, अपूर्ण बने रहने के लिए अभिशप्त बना रहता है।

दलित साहित्य को दोहरी भूमिका निभानी पड़ती है। प्रथम तो यह है कि उसे मुख्यधारा के साहित्य का डी-थियराईजेशन (De-Theorization) करना पड़ता है तथा एक सार्वभौमिक (Universalistic) सिद्धान्त को गढ़ना पड़ता है। अभी तक यह दूसरा कार्य एक स्वतंत्र एजेन्डे के रूप में स्थापित नहीं हो पाता है। फलतः दलित साहित्य द्वारा प्रस्तुत थियराइजेशन (Theorization), थियराइजेशन के किसी सजग प्रयास का नतीजा नहीं होता, बल्कि वर्णाश्रम समाज के द्वारा स्थापित थियराइजेशन के डी-थियराइजेशन की प्रक्रिया से एक (By-Product) बाई प्रोडक्ट के रूप में विकसित होता है। दलित साहित्य की यह एक बड़ी चुनौती है, जिसे स्वीकार करना होगा तथा वर्तमान सोशल डायनामिक्स के थियराइजेशन का सजग प्रयास करना होगा, तभी उभरेगा दलित चिन्तन, दलित साहित्य का शुद्धतम स्वरूप।

सी-4, मित्रद्वीप अपार्टमेंट्स
38 आई.पी.एक्सटेंशन
दिल्ली-92

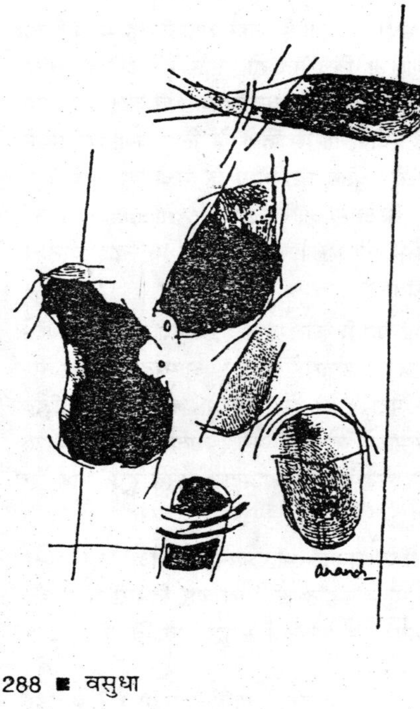

सारा दलित मानव समाज उस हादसे का शिकार है जब वर्चस्वकारी वर्ग ने श्रमसन्नद्ध व्यापक मानवता को दलित-दमित-शोषित बनाया। दलित-एक सामाजिक अवधारणा है। दमित-राजनैतिक और शोषित-एक आर्थिक अवधारणा है। इस दलित-दमित-शोषित के सूत्र को अंततः पकड़ना होगा। बात तो तभी बनेगी जब हम बहुसंख्यक जन की बात करेंगे जो इस व्यवस्था में दुखी हैं और परिवर्तनकामी है।

दलित साहित्य : कितना सार्थक?

हरिराम मीणा

सबसे पहले मैं यह कहना ज़रूरी समझता हूँ कि इस लेख को मैं दलित साहित्य के एक जागरूक पाठक मात्र की हैसियत से लिख रहा हूँ, इसलिए दलित साहित्य की न तो यह मुकम्मिल समीक्षा है और कोई शोधपरक आलेख। यह भी कि मैंने इसे हिन्दी पट्टी के दलित लेखन तक सीमित रखने का प्रयास किया है जो लेखन गत करीब डेढ़ दशक में दमदारी के साथ उभरा और इस अल्पावधि में जिसने अपनी विशिष्ट पहचान बनाई है। इस दलित साहित्य में (सीमित अर्थ में साहित्य) मुख्य रूप से कविताएँ, कहानियाँ, उपन्यास, आत्मकथाएँ व आलेख लिखे गये। साहित्य विमर्श (दलित विमर्श) के नाम पर लम्बी बहस भी चली। जनसत्ता व राष्ट्रीय सहारा जैसे दैनिक पत्रों में इसे जगह मिली। साहित्यिक पत्रिकाओं ने इसे खूब छापा। विशेषकर "हंस" व "वर्तमान साहित्य" जैसी पत्रिकाओं ने इसे अपने एजेंडा में काफी महत्व दिया। विभिन्न कोणों-दृष्टिकोणों से इस साहित्य को देखने का प्रयास भी किया गया। कई पत्रिकाओं के दलित विशेषांक भी निकले। दलित साहित्य को लेकर अनेकानेक सभा, सम्मेलन, गोष्ठियाँ भी जमकर हुईं। विशेषकर इस मुद्दे को लेकर जो जबरदस्त बहस हुई कि 'दलित साहित्य और दलित साहित्यकार' किसे कहा जाये। इस मुद्दे पर स्वानुभूति बनाम सहानुभूति के प्रश्न पर भी अनिर्णीत चर्चा हुई।

यहाँ महाराष्ट्र में रचे दलित साहित्य का जिक्र करना समीचीन समझता हूँ। वह इसलिए कि मराठी दलित साहित्य की एक परंपरागत पृष्ठभूमि रही है जो उसकी सुदृढ़ नींव

कही जा सकती है, एक ठोस वैचारिक आधार रहा है जिसे ज्योतिबा फुले आम्बेडकरवाद कहा जा सकता है, एक मिशन के रूप में वह साहित्य रचा गया जिसे एक आंदोलन कहा जा सकता है। मराठी दलित साहित्य की पृष्ठभूमि में आम्बेडकर की प्रेरणा अत्यन्त महत्वपूर्ण है और आम्बेडकर, लेखक विद्वान विचारक के साथ दलित जन नायक भी थे। उनका एक ज़मीनी मोर्चा था जिस पर अंततः वे विजयी हुए। अब तक तो यह कहा जा सकता है कि अम्बेडकरवाद दलितों के उद्धार का समग्र दर्शन है। ऐसे आम्बेडकर को मराठी दलित साहित्य ने ईमानदारी से प्रेरणा स्रोत माना न कि बतौर फैशन। इसलिए उस क्षेत्र में दलित लेखक और दलित एक्टिविस्ट में अधिक फर्क मुझे नहीं लगता और यही वजह लगती है कि महाराष्ट्र का दलित साहित्य अंतर्विरोधों से कम ग्रस्त रहा। अंततः अधिक प्रखर व प्रभावकारी रहा। इसी क्रम में यह भी कहा जा सकता है कि महत्वाकांक्षी गैर दलित साहित्यकार संपादक मराठी दलित साहित्य के सर्जकों के कंधों पर बंदूक रखकर अपना निशाना नहीं साध पाये, उनके नाम के तवे पर अपनी रोटी नहीं सेक पाये, उनकी बिसात पर अपनी गोटी फिट नहीं कर पाये। ऐसी घुसपैठ रोक सकने में काफी हद तक मराठी दलित साहित्य कामयाब रहा। चूँकि उन साहित्यकारों का वैचारिक आधार रहा, उन्हें स्वयं पर विश्वास रहा, वे एक संकल्प लेकर चले, अपनी जड़ ज़मीन से जुड़े रहते आये और दृष्टि, दिशा, लक्ष्य सुस्पष्ट रहे।

मराठी साहित्य का यह जिक्र इसलिए कि हिन्दी बेल्ट में जो दलित लेखन हुआ है उसकी मूल प्रेरणा निश्चित रूप से महाराष्ट्र में रचा गया दलित साहित्य और प्रमुख स्रोत बाबा साहेब आम्बेडकर हैं। इसलिए यह महत्वपूर्ण प्रश्न उभरते हैं कि —

- क्या हिन्दी पट्टी के दलित साहित्य सृजन की डेढ़ दशकीय प्रक्रिया में वैचारिक स्तर पर वास्तव में आम्बेडकर के सम्पूर्ण मिशन को केन्द्र में रखा गया?
- इस क्षेत्र के दलित रचनाकारों के मन मस्तिष्क में अपने ऊपर दलित साहित्यकार हो सकने की संभावनाओं पर पूरा भरोसा था?
- क्या महाराष्ट्र के दलित साहित्यकारों की तरह ये भी अपना कोई संगठित मोर्चा बना पाये?
- जिस गंभीरता और धीरज के साथ मराठी दलित साहित्यकार आगे बढ़े, क्या उसी कदर उत्तर भारत के दलित साहित्यकार अपनी साहित्यिक भूमिका निभाने में सफल रहे?
- हिन्दी बेल्ट का दलित साहित्य किस हद तक दलित चेतना पैदा करने में एक आंदोलन बना सका। बन भी सका या नहीं?

आज जबकि उत्तर भारत का दलित साहित्य अपनी चरम सीमा पर पहुँचकर कुछ सीमा तक पुनरावृति रोग से ग्रसित लगने लगा है। बहुत कम अर्से में बहुत अधिक लिखा जा चुका है। ऐसे सोपान पर उपरोक्त प्रश्नों से जूझना ज़रूरी हो जाता है। दलित वर्ग के

सदस्य के रूप में मेरे जन्मना अनुभव, दलित चेतना से जुड़े, राजनीतिक, सामाजिक कार्यकर्ता, दलित मुद्दों को केन्द्र में रखकर चलने वाले साहित्य संस्कृतिकर्मी, परिचित मित्रों आदि से सम्पर्क, विभिन्न आयोजनों में जो कुछ कहा गया और चर्चा में आया इस सबके आधार पर मैंने पूर्वोक्त प्रश्नों का उत्तर खोजने का प्रयास किया है। मुझे कुल मिलाकर इन प्रश्नों का उत्तर नकारात्मक ही मिला, बेशक यह एक सरलीकृत निष्कर्ष है। फिर भी ऐसा लगना भर इस बात का पर्याप्त संकेत है कि स्थिति उतनी सुखद और संतोषजनक नहीं है जितनी उसे होनी चाहिए थी।

जहाँ तक आम्बेडकर के मिशन को आगे बढ़ाने की बात है तो जिस रूप में उत्तर भारत में (विशेषकर उत्तरप्रदेश) दलित राजनीति उभरी है, कुछ कुछ उसी तरह दलित साहित्य प्रभावित होकर चला है। बहुत गहराई से इस मुद्दे पर सोचना होगा कि मायावती की बसपाई दलित राजनीति में आम्बेडकर कितने, कहाँ और किस रूप में हैं। दलित राजनीति पर इससे अधिक कहना विषयान्तर होगा। बात दलित साहित्य की हो तो अच्छा है। डॉ. आम्बेडकर ने समझौते नहीं किये थे, चाहे उनके सामने हरिजनोद्धार की बात करने वाले गाँधी हों, आधुनिक भारत का सपना देखने वाले नेहरू हों, राष्ट्रीय एकीकरण के लौहपुरुष सरदार पटेल हों या फिर वर्ग विहीन, शेषण विहिन समाज के लिए कटिबद्ध मार्क्सवादी ई.एम.एस. नम्बूदरीपाद हों। यही अम्बेडकरवादी निष्कर्ष है। जिस पर कसकर देखने से हिन्दी दलित साहित्य की प्रकृति और प्रवृत्ति आसानी से समझ में आ जाती है।

कम समय में चर्चा में आने की महत्वाकांक्षा खतरनाक होती है। व्यक्तिवादी मानसिकता वाला आदमी कई तरह के समझौते कर बैठता है। स्वार्थ केन्द्रित होने के कारण ऐसा आदमी अपने और पराये के भेद को नज़रअन्दाज करने लगता है। हिन्दी के दलित साहित्यकारों में यह जगजाहिर खेमाबंदी क्यों पैदा होती गयी? दलित साहित्यकारों में भी ब्राह्मणवादी मानसिकता का सवाल क्यों खड़ा हुआ या किया गया? ज़ो दलित है वह दलित है फिर दलितों में जातिवाद का जहर कहाँ से आया? वह कौन सा प्रजातांत्रिक दलित विमर्श रहा जिसकी दुहाई देकर 'हंस' व 'वर्तमान साहित्य' जैसी पत्रिकाओं ने एक के बाद एक दलित लेखकों को परस्पर विरोध में खड़ा होने को मजबूर किया। दलित लेखकों को छापकर निस्संदेह ऐसी पत्रिकाओं ने अपनी दलित पक्षधरता सिद्ध की लेकिन क्या वजह रही जो इन्हीं पत्रिकाओं ने दलित लेखकों में फूट पैदा करने का गुनाह भी किया? जब अधिकांश साहित्यकार यह मानते हैं कि "जाके पैर ना फटी बिवाई, सो का जाने पीर परायी" अर्थात् जिसने भुगता है वही आधिकारिक रूप से अपनी और अपने वर्ग की बात कह सकता है फिर ऐसे लोगों (साहित्यकारों) की पंचायत में अन्य सिद्धांतकार पंच कैसे आ बैठे? क्यों कहना पड़ता है डॉ. एन. सिंह को कि सिद्धान्तकारों (निस्संदेह सवर्ण) ने हिन्दी दलित साहित्य के विरोध में अपना तर्कजाल फैला दिया और इस तर्कजाल में दलित साहित्य को फँसाने की जो स्ट्रेटेजी बनी उसमें दलित लेखकों को जातीय आधार

पर बाँटने और आमने सामनें खड़े कर देने को तरजीह दी गई जिससे दलित लेखकों में जातीय युद्ध प्रारंभ हो जाए। इसके शिकार ओम प्रकाश वाल्मीकि तो कुछ ही अंशों तक हुए लेकिन मुख्यत: श्री भगवान दास मोरवाल, सूरजपाल चौहान और रत्नकुमार सांभरिया आदि हुए।

और अब 'जनसत्ता', 'पल प्रतिपल' व 'कथा क्रम' जैसी साहित्यिक पत्रकारिता ने रत्नकुमार सांभरिया को तो उस शिखर पर पहुँचा दिया जहाँ खड़े होकर वे सम्पूर्ण हिन्दी दलित लेखकों को दलित साहित्यकारों के रूप में खारिज करने का ऐलान ही कर चुके हैं।

खेदजनक स्थिति यह बन चुकी है कि हर दलित लेखक स्वयं को और की तुलना में बड़ा साबित करने के लिए प्रयासरत रहा और है। इन हालात में कहाँ एकजुटता, कहाँ साहित्य के माध्यम से दलित चेतना और क्या बात करें दलित साहित्य आंदोलन की। श्रीमती रमणिका गुप्ता ने "युद्धरत आम आदमी" के जुलाई-सितम्बर, 2003 अंक के सम्पादकीय में यह सटीक टिप्पणी की है कि "यह एक तथ्य है कि हिन्दी पट्टी के दलित लेखकों ने कलम की क्रांति की है। महाराष्ट्र, गुजरात तथा आंध्रप्रदेश की तरह यह ज़मीनी आंदोलन से नहीं जुड़े।"

दलित का भी अर्थ केवल उस दलित से लिया जो समाज की मुख्य धारा में अछूत का जीवन जीता आया। इसमें वे आदिवासी नहीं हैं जो समाज से दूर अलग-थलग पड़े दलित ज़िन्दगी गुजार रहे हैं। भारत की आबादी का ये करीब आठ प्रतिशत है और घूमंतू (आदिम) लोग जो करीब दो प्रतिशत हैं। (इनके राष्ट्रीय अध्यक्ष लक्ष्मण गायकवाड़ इनको भी आठ प्रतिशत मानते हैं।) दिक्कत यह है कि घूमंतुओं की कभी जनगणना हुई ही नहीं और भारत के मुसलमानों जिनकी संख्या करीब 19 करोड़ है उनमें से 17 करोड़ (भारत की कुल आबादी का सत्रह प्रतिशत) दलित वर्ग से धर्मान्तरित हैं।

दलित एक सामाजिक अवधारणा है जिसका दलन हुआ वह दलित, जिसे मनुष्य के दर्जे से नीचे धकेला वह दलित। इस परिभाषा में ये उक्त सब जन आते हैं और ये बनते हैं। 17 एस.सी, 8 एस.टी., 2 (लक्ष्मण गायकवाड़ की बात को रिजर्व रखे तो) घूमंतू, 17 धर्मान्तरित मुसलमान और पाँच-सात धर्मान्तरित दलित, ईसाई, सिख वगैरह। कुल मिलाकर भारत की करीब 50 प्रतिशत जनसंख्या जिसके विषय में दलित लेखकों ने कभी नहीं सोचा।

वक्त के साथ हाशिए पर धकेले गये विभिन्न मानव समूह अपनी खोयी हुई अस्मिता की पुनर्प्राप्ति और उत्थान के लिए अपनी लड़ाई उसी तरह लड़ते रहे हैं जिस तरह हर इन्सान अपने जीवन को बेहतर बनाने के लिए रोज़ संघर्ष करता है। यह सब तब तक तो ठीक है जब तक उन मानव समूहों की समस्याएँ अलग-अलग तरह की हों, मगर जब कुल मिलाकर एक जैसे दु:ख-दर्द से पीड़ित समूह हों तो उन्हें सामूहिक रूप से उन

ताक़तों के खिलाफ़ मोर्चाबंद होना होगा, जिन्होंने उन एक जैसे मानव समुदायों को ऐसी हालत में जीवन जीने को मजबूर किया। किसी समुदाय विशेष की कुछ समस्याएँ विशेष प्रकृति की हो सकती हैं मगर बड़ी और सार्थक लड़ाई लड़ने के लिए ऐसे विशेष मुद्दों को संगठित दलित जन अपने एजेंडे में शामिल करके चलें तो चीज़ें आसान हो जाती हैं। रोग का इलाज रोग के कारणों को जाने बिना संभव नहीं। अंदाज़ या अड़सट्टा लगाकर चांस लेना या उम्मीद करना अलग बात है जो दमदार नहीं। अतीत की वे कौन सी परिस्थितियाँ रहीं जिनकी वजह से समाज के बड़े हिस्से को दलित और द्वितीय श्रेणी के इन्सानों का जीवन जीने को मजबूर होना पड़ा? इनका जवाब ढूँढ़ना होगा।

सारा दलित मानव समाज उस हादसे का शिकार है जब वर्चस्वकारी वर्ग (डॉ. राम विलास शर्मा के बाद चाहे आप न माने और हम सब स्वीकार कर लें कि आर्य भारत के बाहर से नहीं आये) ने श्रम सन्नद्ध व्यापक मानवता को दलित दमित शोषित बनाया। यह 50 प्रतिशत केवल दलित आबादी है। चूँकि दलित एक सामाजिक अवधारणा है। दमित राजनीतिक अवधारणा है और शोषित आर्थिक अवधारणा है। शोषित कोई भी हो सकता है। गैर दलित भी शोषित हो सकता है। इस दलित, दमित शोषित के सूत्र को अंततः पकड़ना होगा। बात तो तभी बनेगी जब हम बहुसंख्यक जन की बात करेंगे जो इस व्यवस्था में दुःखी हैं और परिवर्तनकामी है।

दलित साहित्य का मकसद और मिशन है दलित चेतना पैदा करना। राजनैतिक स्तर पर कांशीराम-मायावती बसपा के माध्यम से दलित चेतना पैदा कर रही है। यह मुहिम आंबेड्कर की विचारधारा से कितना पदच्युत है, यह अपनी जगह विचारणीय बिंदु हो सकता है। इसी तरह रामराज (अब उदितराज) अखिल भारतीय एस.सी., एस.टी. परिसंघ के माध्यम से दलितों के अधिकारों के लिए संघर्षरत हैं। इस तरह की मुहिम में हजारों-लाखों लोग उनके साथ हैं। दलित साहित्य के आयोजनों में कितने लोग शामिल होते हैं, दलित साहित्य जिनके लिए लिखा जा रहा है वहाँ तक वह साहित्य कितना पहुँच पा रहा है, यह सर्वविदित है। दलित साहित्य भद्र साहित्य की तरह स्वान्तः सुखाय या फैशनेबल या साहित्य से जुड़े लोगों के बीच ही चर्चा का विषय बनकर रह जाये, तब तो दलित लेखकों को कलम की क्रांति से आगे सड़कों पर उतरना या दलितों को संगठित होकर अपने अधिकारों के लिए लड़ने के लिए प्रेरित करना होगा, तभी इसकी पूरी सार्थकता हो पायेगी। और अब जबकि दलित साहित्य ने एक तरह से अपनी पहचान बना ली है तो इसे अन्य ज्ञानानुशासनों, संस्कृति के उपांगों, व्यापक पत्रकारिता, इलेक्ट्रॉनिक मीडिया तक जाना होगा तभी दलित साहित्यकार की बात आम दलितजन तक पहुँचने में सफल हो सकेगी। इसके लिए प्रमुख रूप से दलित चेतना की लम्बी परम्परा, (विशेषकर आम्बेडकर की विचारधारा) और पूर्वोक्तानुसार व्यापक अर्थ में दलित वर्ग को केन्द्र में रखना अनिवार्य होगा। मेरा स्पष्ट मानना है कि परिवर्तनकारी साहित्य राजनीतिक होता है। जन

चेतना का मकसद व्यवस्था परिवर्तन होता है। वर्चस्वकारी शक्तियों को परास्त करना एक राजनीतिक प्रक्रिया होती है। जितनी भी जनक्रांतियाँ हुई हैं उनकी पृष्ठभूमि और प्रक्रिया में साहित्यकारों-बुद्धिजीवियों का अवदान एक ऐतिहासिक सच्चाई है। सत्ता के हस्तक्षेप से सामाजिक परिवर्तन को अधिक गतिशील बनाया जा सकता है। इसलिए दलित साहित्य के द्वारा दलित राजनीति को भी प्रेरित और प्रभावित करना होगा और प्रदत्त सत्ता व्यवस्था पर भी दबाव की एक पुख्ता ताक़त के रूप में उभरना होगा ताकि हालात बदलें।

ब्राह्मणवाद के विरुद्ध गुस्सा या सीमित दलितवाद पर्याप्त नहीं। तीनों काल खण्डों को पैनी नज़र से देखना होगा। बहुत व्यापक दृष्टिकोण अपनाना ज़रूरी है। इसलिए उक्त सारे मुद्दों पर दलित साहित्यकारों को सोचना चाहिए। परिवर्तनकारी आंदोलन खड़ा करने के लिए समाज के उन वर्गों, तत्वों और ताक़तों को साथ में लेना पड़ेगा जो प्रदत्त व्यवस्था से पीड़ित या उसके विरोध में हैं, तभी बात बन सकेगी। इसके लिए उक्तानुसार सब दलित ही नहीं, प्रत्युत ज़नोन्मुखी, प्रगतिशील, बुद्धिजीवियों, साहित्यकारों, संस्कृतिकर्मियों, सामाजिक कार्यकर्ताओं, जननायकों और अंततः सारे संवेदनशील संघर्षरत क्रांतिचेताओं की संभावना रखने वालों को एकजुट होना पड़ेगा और इस खतरनाक समय में जबकि अमेरिका की अगुवाई में नव साम्राज्यवाद का दैत्य पूरी दुनिया में अपने पंजे फैलाता बढ़ रहा है व दुष्परिणाम भारत जैसे महादेश समाज के बहुलजन की जो दुर्गति होती जा रही है, ऐसे दौर में उक्त मुहिम अत्यन्त महत्वपूर्ण और अनिवार्य बन जाती है। वह इसलिए कि अब घटक स्तरीय चेतना और संघर्ष की बजाय व्यापक वर्ग स्तर पर सोचना होगा ताकि दलित दमित शोषित जन जो बहुसंख्यक हैं, के पक्ष में हालात बन सकें।

अंत में, दलित साहित्य के माध्यम से दलित चेतना पैदा करने के लिए दलित मुद्दों और दलितों के दृष्टिकोण पर विमर्श अत्यन्त अनिवार्य है। इसकी एक शानदार शुरूआत दलित साहित्यकार श्री कंवल भारती की अगुवाई में 2 और 3 नवम्बर 2002 को इलाहाबाद में की गई। इस आयोजन में दलित बुद्धिजीवियों-साहित्यकारों के साथ वामपंथी बुद्धिजीवियों ने बैठकर महत्वपूर्ण विषयों पर गहन चर्चा की। वामपंथियों की ओर से श्री विभूति नारायण राय ने यह जिम्मा संभाला था। इस तरह की चर्चाएँ हर शेड के लेखकों संस्कृति कर्मियों बुद्धिजीवियों के साथ दलित चिंतक साहित्यकारों को करनी चाहिए ताकि अकारण उपजी गलत फ़हमियाँ दूर ही नहीं हो, प्रत्युत दलितोत्थान की लक्ष्यपूर्ति के लिए लोगों की दृष्टि भी साफ़ हो सके और दलितों के पक्ष में अधिकाधिक लोग एकजुट हो सकें। यह सब ज़रूरी है ताकि साहित्य के माध्यम से दलित आंदोलन ठोस व सार्थक बन सके।

31 शिवशक्ति नगर,
किंग्स रोड (अजमेर हाइवे)
जयपुर

यदि एक जन्मना दलित, ब्राह्मणवादी सोच और विचारधारा के अनुरूप लेखन करता है और कोई गैर दलित ब्राह्मणवादी संस्कार और वर्णव्यवस्था के विरुद्ध लिखता है— तो दलित साहित्यकार किसे माना जाना चाहिए? किसके साहित्य को 'दलित साहित्य' की परिधि में शुमार होना चाहिए?

दलित साहित्य की प्रामाणिकता का प्रश्न

अजय नावरिया

इधर के कुछ वर्षों में साहित्यिक हलकों में सर्वाधिक मुखर एवं विवादास्पद विमर्श दलित विमर्श ही है। यह विवाद आरंभ में उसकी ज़रूरत (गैर-ज़रूरत), तत्पश्चात भाषा और शिल्प और अब उसकी प्रामाणिकता के प्रश्न और औचित्य पर स्थिर हो गया है। परम्परावादियों को इसका उद्‌भव शुरू से ही अखरता था, उसके मनोवैज्ञानिक कारण स्पष्ट हैं जिन पर चर्चा विषयांतर होगी। किन्तु इधर कुछ वर्षों से हिन्दी साहित्य के मूर्धन्य मार्क्सवादियों ने भी इसकी मुखालफत शुरू की, खासकर इसकी प्रामाणिकता के आधार को लेकर। दलित साहित्यकार के बरक्स गैर-दलित साहित्यकारों (जिनमें मार्क्सवादी एवं अन्य शामिल हैं) के विचारों का तुलनात्मक अध्ययन इस संदर्भ में नितांत ज़रूरी है। यह कोई ऐसा प्रश्न नहीं है कि दलित तथा गैर-दलित साहित्यकार अपने पक्ष में, अपने एकालाप में व्यस्त रहें और अन्य पक्ष को अनसुना-अनदेखा करते रहें। भारतीय परिवेश में यह वर्तमान युग का सर्वाधिक ज्वलंत प्रश्न है तथा मार्क्सवादियों और दलित साहित्यकारों का मिशन मूलतः एक समान ही है।

दलित साहित्य और प्रामाणिकता

जीवन सतत् परिवर्तनशील है। परिवर्तन शाश्वत नियम है। जो जड़ है या हो चुका है या कर दिया गया है, वह मृत है या मृतप्राय: है। यह स्थिति संपूर्ण जीव जगत पर लागू होती है, तब साहित्य जो प्रत्यक्ष अथवा परोक्ष रूप में इसी का प्रतिबिम्बन प्रतिफलन है वह इससे अछूता कैसे रह सकता है? कुछ विद्वानों का मानना है कि साहित्य कोई भी हो,

दक्षिणपंथी अथवा वामपंथी, नीग्रो अथवा श्वेत, सवर्ण अथवा दलित, उसकी प्रारंभिक शर्त उसके साहित्य होने में है। उन मूलभूत अर्हताओं को पूरा करने के पश्चात ही वह साहित्य की श्रेणी में आता है। संवेदना का सीधा सम्बन्ध विचारधारात्मक प्रस्थान से है। ये मूलभूत अर्हता क्या है? इस पर पर्याप्त मतभेद हैं। ध्वनि, अलंकार, रस, वक्रोक्ति आदि कुछ ऐसे सिद्धांत रहे हैं जिनके माध्यम से साहित्य की आत्मा का खण्डन-मण्डन होता रहा है।

वर्तमान में दलित साहित्यकारों ने इन परम्परावादी प्रतिमानों की चूलें हिला दी हैं। वे इन प्रतिमानों को नकारते हुए नए प्रतिमान स्थापित करना चाहते हैं। भाषा, कथ्य, संवेदना के स्तर पर वे विद्रोह का बिगुल बजाते हैं। इसीलिए उनके साहित्य पर गाली साहित्य का आरोप भी लगा जिसका समुचित उत्तर दलित साहित्यकारों ने दिया। उनकी अभिधात्मक प्रस्तुति को आरोपों-प्रत्यारोपों के कटघरे में खड़ा होना पड़ा। इस संदर्भ में मूर्धन्य साहित्यकार भीष्म साहनी जी के अनुसार, "इसमें संदेह नहीं कि इंसान जहाँ सहता है, वहाँ वह विद्रोह भी करता है, दोनों प्रवृत्तियाँ इंसान के स्वभाव में पाई जाती हैं, पर विद्रोह की आवाज़ रचना में खपकर आए तो वह विश्वसनीय होती हैं, खपकर न आए तो आरोपित होती हैं, बनावटी हो जाती हैं।" वास्तव में यही रचना के रचना होने की भी शर्त है, अन्यथा वह नारेबाजी या प्रचार-साहित्य हो जाता है।

अनुभूति की प्रामाणिकता के संबंध में वे एक अन्य स्थान पर लिखते हैं, "मेरी नज़र में उसी रचना में खरापन होगा, जिसके सृजन में लेखक का समूचा सर्जनात्मक व्यक्तितत्व यानि उसका संवेदन, उसकी कल्पना, उसका चिंतन और उसकी दृष्टि सक्रिय होते हैं। पर जहाँ तक लेखक के सृजन का सवाल है, किसी सीमा तक ही इन अपेक्षाओं की उपयोगिता रहती है। क्योंकि मूलत: लेखक का संवेदन ही उसे रास्ता सुझाता है। लेखक का सर्जनात्मक व्यक्तितत्व इन अपेक्षाओं से नहीं बनता, वह उसके अपने संस्कारों अनुभवों, चिंतन, पठन-पाठन और उसकी सूझ से बनता है। हाँ, जिस माहौल में वह जीता और सांस लेता है, उस माहौल के प्रति वह निश्चय ही उत्तरोत्तर सचेत होता जाता है।[2]

उपर्युक्त कथन में हम पाते हैं कि प्रधान तत्व संवेदना तथा वह माहौल है जिसमें लेखक जीता और सांस लेता है तथा गौण तत्व के रूप में चिंतन, पठन-पाठन और उसकी सूझ है। इस अर्थ में दलित साहित्यकारों का यह दावा कि वे ही आधिकारिक एवं प्रामाणिक अनुभूति की अभिव्यक्ति कर सकते हैं, कुछ सीमा तक औचित्यपूर्ण प्रतीत होता है। इस संबंध मैनेजर पांडे के मतानुसार "भारतीय समाज, संस्कृति और इतिहास जिस रूप में चलता रहा है, उसमें जब दलितों को पढ़ने-लिखने की ही सुविधा नहीं थी, तो वे अपने बारे में साहित्य कहाँ से लिखते? इसलिए दलित साहित्य के रूप में अधिकांशत: वही साहित्य मिलता है, जो दलितों के बारे में गैर-दलितों ने लिखा है। इस साहित्य में बहुत कुछ ऐसा भी है जो काफी हद तक दलित जीवन की वास्तविकताओं और अनुभवों को गहरी सहानुभूति के साथ व्यक्त करता है। उदाहरण के लिए प्रेमचंद और निराला की

दलित जीवन से जुड़ी रचनाओं को देखा जा सकता है। लेकिन सारी सहानुभूति, करुणा, सहृदयता और परकाया प्रवेश की कला के बावजूद गैर दलितों द्वारा दलितों के बारे में लिखे गए साहित्य में कला चाहे जितनी हो, परंतु अनुभव की वह प्रामाणिकता नहीं होती, जो किसी दलित द्वारा अपने समुदाय के बारे में स्वानुभूति की पुनर्रचना से उपजे साहित्य में होती है।"

मुझे लगता है कि जब तक अपने बारे में लिखे हुए दलितों के साहित्य का पर्याप्त विकास नहीं होता तब तक गैर दलितों-द्वारा दलितों के बारे में लिखे गए साहित्य को भी भले ही दलित साहित्य कहा जाये, लेकिन सच्चा दलित साहित्य वही होगा, जो दलितों के बारे में स्वयं दलित लिखेंगे। जब अपने समुदाय के जीवन के यथार्थ और अनुभवों के बारे में कोई दलित लिखता है, तब उसकी दृष्टि में जो आग, चित्रों में जो आभा और भाषा में जो ऊर्जा होती है, वह गैर-दलितों द्वारा दलितों के बारे में लिखे गये साहित्य में नहीं होती। दलित जीवन के अनुभव के कुछ ऐसे पक्ष होते हैं, जो जाति सापेक्ष होते हैं और केवल उन्हीं के द्वारा अनुभूत किए जा सकते हैं। ऐसे अनुभवों का प्रामाणिक चित्रण कोई गैर दलित लेखक वैसे ही नहीं कर सकता, जैसे स्त्री जीवन के अनेक स्त्रियोचित अनुभवों की अभिव्यकित के प्रसंग में। ज्योतिबा फुले का यह कथन अत्यंत महत्वपूर्ण है, कि गुलामी की यातना को जो सहता है, वहीं जानता है और जो जानता है वही पूरा सच कह सकता है। सचमुच राख ही जानती है, जलने का अनुभव, कोई और नहीं।[3]

पांडे जी के मत में एक निर्भीकता, ईमानदारी और वैचारिक स्पष्टता है, वे दलितों द्वारा अपने समुदाय के संबंध में लेखन को अधिक प्रामाणिक तो मानते हैं किंतु गैर-दलित लेखकों की सहृदयता तथा सहानुभूति के औचित्य को भी एक 'सीमा विशेष' तक स्वीकार करते हैं। वे यह भी मानते हैं "कुछ जाति-सापेक्ष सत्यों के अनुभव में गैर-दलित लेखकों का चूक जाना स्वाभाविक है। वह नितांत निजी (पर्सनल) सत्य है।" किन्तु कुछ लेखकों का मत है कि प्रामाणिकता का कोई ठोस आधार नहीं है। कोई भी लेखक जो प्रतिभा सम्पन्न, कला-कुशल, भाव-प्रवण तथा कल्पनाशील है, इस समस्या पर रचनात्मक पहल कर सकता है। फिर भले ही वह जाति से दलित हो या नहीं। वे लेखक इस सत्य से विरोध रखते हैं और उनका मत है कि यह एक तरह का शार्टकट है, साहित्य में यशस्वी होने का।[4]

हंस में छपे लेख में ऐसे ही एक लेखक का मत है, "एक महत्वपूर्ण सवाल यह भी इस चर्चा के क्रम में उठता है कि क्या प्रसाद, पंत, निराला से लेकर नागार्जुन तक की रचना को सवर्ण साहित्य की श्रेणी में रखकर खारिज कर देना चाहिए? मेरा ख्याल है कि ऐसा सोचना दलित दृष्टि का भयंकर भटकाव है। वर्ण का प्रश्न महत्वपूर्ण है, मूलगामी है, पर यह अकेला नहीं है। केवल इस समस्या के खत्म हो जाने से सारी समस्याएँ खत्म नहीं होती हैं। राष्ट्रीय और अंतर्राष्ट्रीय स्तर पर पूँजी का जो नया खेल शुरू हुआ है,

विचारधारा, दर्शन, मानवता को जो नये सिरे से खतरनाक रूप से परिभाषित किया जा रहा है, उन प्रश्नों का हल केवल वर्णव्यवस्था खत्म होने से नहीं होगा। फिर यह कैसे मान लिया जाए कि दलित लेखक सही तरीके से दलित समस्या को उठा रहे हैं? कुछ बातों की चर्चा करने से यह साफ़ होगा कि दलित लेखन स्वयं अपनी दिशा नहीं तय कर पा रहा है। इस पर चर्चा ज़रूरी है।"[5]

यहाँ लेखक की मत-स्थापनाओं में एक विचित्र विरोधाभास दिखाई देता है। एक ओर, वे यह भी मानते हैं कि 'वर्ण' का प्रश्न महत्वपूर्ण है, मूलगामी है, जबकि दूसरी ओर, उसकी मूलगामिता, उसकी महत्ता राष्ट्रीय और अंतर्राष्ट्रीय पूँजी स्तर की पूँजी के आगे बौनी हो जाती है। क्या भारत में आज़ादी के 54 वर्षों बाद भी एक दलित व्यक्ति ग्रामीण तथा शहरी क्षेत्र में सम्मानपूर्वक जी रहा है? क्या अधिकांश सवर्णों की हिकारत प्रत्यक्ष अथवा परोक्ष रूप में विद्यमान नहीं रहती है? किन्तु लेख में फिर भी यह शंका जाहिर की गई है कि क्या दलित लेखक सही तरह से दलित समस्या को उठा रहे हैं? यही प्रश्न दलित साहित्यकार उठा रहे हैं कि क्या सवर्ण साहित्यकारों ने दलित समस्या को सही ढंग से उठाया है। आगे वे लिखते हैं, "कठिनाई तब बढ़ जाती है, जब एक ओर दलित लेखक ब्राह्मणवाद का विरोध करते हैं, पर दूसरी ओर स्वयं अपना स्तर ऊँचा होते ही कवच में बंद हो जाते हैं। चूंकि वर्तमान से उन्हें शिकायत नहीं होती और शेष दलित समाज के भविष्य के लिए उनके पास कारगर दृष्टि नहीं होती, इसलिए वे साहित्यिक 'शगल' में लग जाते हैं। फिर साहित्य उनके लिए 'शगल' मात्र रह जाता है और उनकी एक विशिष्ट पहचान बनी रहे, इसलिए वे दलित लेखन को छोटे से छोटे कवच में बंद कर लेना चाहते हैं क्योंकि कंपीटिशन जितना बढ़ेगा, उनकी जिम्मेदारियां बढ़ेंगी, कई जहमतें उठानी पड़ेंगी। यही कारण है कि अधिकांश दलित लेखक पूर्व के उन्हीं अत्याचारों को बार-बार दुहराते हैं जिन्हें वे आज नहीं भोग रहे हैं। उनकी जमात के दूसरे लोग भोग रहे हैं। मगर चूंकि ऐसा ही करना उनके "कैरियर" के लिए अच्छा है, इसलिए वे इससे ज़्यादा कुछ नहीं करते।"[6]

इन विचारों में लेखक के पूर्वाग्रह दृष्टिगोचर होते हैं। यह ठीक है कि दलित लेखक ब्राह्मणवाद का विरोध करता है क्योंकि दलित साहित्य बंधुता, समता तथा स्वतंत्रता का साहित्य है। किन्तु दलित लेखकों के पास वर्तमान युगबोध का अभाव तथा भविष्य दृष्टि नहीं है, यह आरोप निराधार है। भारतीय समाज की सर्वाधिक भीषण समस्या जाति-समस्या के अलावा और क्या हो सकती है? इस समस्या पर दलित साहित्य केन्द्रित है तथा वह समतामूलक और बंधुत्व-आधारित भविष्य के समाज की संकल्पना करता है। दूसरी ओर दलित लेखक चूंकि अस्पृश्यता तथा उपेक्षा के दंश को झेल चुके हैं क्योंकि वे उन समाजों से आए हैं, जो सदियों तक (वर्तमान समय में भी) बहिष्कृत रहे हैं। अत: साहित्य उनके लिए 'शगल' नहीं बल्कि जीने की मूलभूत शर्त है। दलित साहित्य का आधार-स्तंभ

ही परिवर्तन कामी चेतना है। क्या ब्राह्मणवादी समाज ने पिछले 3000 वर्षों तक इस वर्ग को कंपीटिशन से बाहर नहीं रखा। संभवतः इसी प्रवृत्ति से खिन्न होकर कँवल भारती ने जोर देकर कहा था कि, "गैर दलित दलित साहित्य नहीं लिख सकता।" किन्तु सुश्री निर्मला जैन ने इस पर टिप्पणी की थी, "आक्रोश के पीछे अनिवार्यतः आवेग होता है, जिससे अक्सर विवेक गड़बड़ा जाता है।"[8]

तेज सिंह ने अपने लेख "हिन्दी उपन्यास -दलित-विमर्श का पुराख्यान" में प्रामाणिकता तथा अन्य प्रश्नों पर गंभीर विमर्श किया है। उनके अनुसार "इधर जब से हिन्दी क्षेत्र में दलित साहित्य पर चर्चा शुरू हुई है, तभी से हिन्दी साहित्य में दलित चेतना या दलित विमर्श के नाम पर गैर-दलितों द्वारा शोध-कार्य के साथ-साथ काफी संख्या में आलोचनात्मक लेखन होने लगा है। ज़्यादातर ऐसा शोध-लेखन दलित साहित्य को दिग्भ्रमित करने के लिए किया जा रहा है। गैर दलित इसी इरादे से हिन्दी साहित्य में दलित-चेतना के नाम पर दलित विमर्श कर रहे हैं ताकि दलित साहित्य में उनकी चोर-दरवाज़े से घुसपैठ हो जाए! यह इस हठधर्मिता का ही परिणाम है, कि बलात् हिन्दी साहित्य में दलित चेतना खोजी जाने लगी है। एक समय ऐसा भी आएगा जब उन्हें वेद-उपनिषदों में भी दलित चेतना दिखाई देने लगेगी। दलितों को यह अप्रत्याशित नहीं लगना चाहिए क्योंकि जब-जब ब्राह्मणवाद के खिलाफ दलित पिछड़ी जातियों ने विद्रोह की चेष्टा की है या विद्रोह किया है, तब-तब यह प्रक्रिया देखने में आई है।"[9]

इन विचारों के आलोक में कुछ अतिवादिता दृष्टव्य है क्योंकि जन्मना दलित होने पर भी चेतना का अनिवार्यतः होना संभव नहीं है। संभावना यह भी हो सकती है कि गैर-दलित में यह चेतना विद्यमान हो। किन्तु उनका मूल वक्तव्य दलित चेतना और विमर्श है, आगे वे लिखते हैं, "इस तरह अब हिन्दी-साहित्य में दलित-चेतना या विमर्श के नाम पर गैर-दलित साहित्य को दलित साहित्य में स्थापित करने का प्रयत्न किया जा रहा है ताकि दलित साहित्य के विकास को अवरुद्ध किया जा सके और यह काम दलित-विमर्श को दलित-चेतना बनाबर या बताकर किया जा रहा है, जबकि दलित चेतना और दलित-विमर्श में मूलभूत अंतर है। इसलिए गैर-दलित साहित्यकार-आलोचक जान बूझकर दलित साहित्य की अवधारणा और उसकी चेतना को तोड़-मरोड़कर पेश कर रहे हैं जबकि वास्तविक सच्चाई यह है कि दलित-विमर्श का अर्थ दलित चेतना नहीं है। दलित-विमर्श का वास्तविक अर्थ है- गैर दलित साहित्यकारों द्वारा दलित समाज के लोगों के दुख, दर्द के प्रति सहानुभूति दिखाना या ज़्यादा से ज़्यादा उनके उत्पीड़न-शोषण की स्थितियों की जानकारी देना।[10]

यहाँ उनके विचारों में एक पारदर्शिता दिखाई देती है। निःस्संदेह यह एक ईमानदार वक्तव्य होने के साथ-साथ मूल सत्य भी है। वस्तुतः चेतना और विमर्श दो भिन्न प्रत्यय ही है। यह आवश्यक नहीं है कि विमर्श का प्रतिबिम्ब आचरण में भी दृष्टिगत होता हो।

लोहिया जी का यह कथन, "कि उनके मंतव्य का पता इससे नहीं कि वे क्या बोलते हैं, बल्कि इससे लगता है कि वे शाम के बाद कहाँ और किन लोगों के बीच उठते-बैठते हैं" उचित प्रतीत होता है।

यह अधिकतम एक तरह का मानवतावादी दृष्टिकोण हो सकता है, मूल चेतना नहीं। जिस तरह दलित मानसिकता शोषण को स्वीकारने और नियति मानने में रही है उसी तर्ज पर सवर्ण मानसिकता उनके शोषण की रही है। प्रगतिशील सवर्ण अधिकतम यह दुस्साहस कर सकते हैं या आंशिक रूप से करते हैं कि वे स्वयं ऐसे शोषण में विश्वास नहीं रखते और वह प्रवृत्ति भी सैद्धांतिक अधिक होती है और व्यवहारगत कम। दलित साहित्यकारों की सवर्णों के प्रति यही धारणा है जिसके चलते वे उनकी सहानुभूति को शंका की दृष्टि से देखते हैं। भारतीय इतिहास और वर्तमान में होने वाली दिन-प्रतिदिन की घटनाएं इस शंका के लिए पर्याप्त भी हैं।

दलित साहित्य का वैचारिक प्रस्थान बिन्दु अम्बेडकर-दर्शन है, जिसको दलित साहित्यकार 'मानवता' के प्रति शपथ के रूप में लेता है। जबकि परम्परावादी सवर्णों को यही भय सालता रहता है कि यदि दलितों को भी यथोचित सम्मान दिया जाएगा तो धर्म की व्यवस्था छिन्न-भिन्न हो जाएगी। उन मानव धर्मशास्त्रों के विधानों की क्या गत होगी जो उनके अमानवीय शोषण की पैरवी करते हैं? उस वर्ण व्यवस्था का क्या होगा, जिसके फलस्वरूप हिन्दू धर्म (ब्राह्मण धर्म) का अस्तित्व है? दलित साहित्यकार, इसलिए उन सभी लेखकों को सिरे से खाजिर करता है जो सोच में अम्बेडकरी नहीं हैं। गांधीजी के दर्शन से प्रभावित लेखकों को वह पूरी तरह अस्वीकार नहीं करता है किंतु वह यह मानता है कि यह अनुकम्पावश लिखा साहित्य है। यह अंतर्राष्ट्रीय, राष्ट्रीय तथा सामाजिक और सर्वाधिक "हम भी लिखेंगे" की भावना के दबावों का परिणाम है।

तेज सिंह लिखते हैं, "उन्हीं विचारों का पुरजोर समर्थन हिन्दी के प्रारंभिक उपन्यासकार कर रहे थे। सनातन धर्मे लज्जाराम मेहता, "आदर्श हिन्दू", उपन्यास में जातिगत भेदभाव को कोई सामाजिक समस्या नहीं मानते और न ही उनके दृष्टि में 'छुआछूत' से देश चौपट होने वाला है। उनके कथनानुसार, "यदि आपने उनका पेशा छुड़ाकर उन्हें उच्च वर्गों में संयुक्त कर लिया तो किसी दिन आपको नाई, धोबी, भंगी और चमार नहीं मिलेंगे। उस समय आपको उन लोगों की जगह लेनी पड़ेगी। उनके उच्च वर्ण में शामिल हो जाने में हिन्दू समाज अधर्म की गर्त में डूब जाएगा। इसलिए ब्राह्मण को ब्राह्मण रहने दीजिए। ब्राह्मण से जूता सिलवाने का काम न लीजिए (आदर्श हिन्दू, भाग 2)"[11]

उपर्युक्त विचारों को परंपरागत, रूढ़िवादी विचार कहकर खाजिर किया जा सकता है किन्तु उनकी भावना दूषित एवं प्रगतिविरोधी दिखाई देती है। और यह अपवाद स्वरूप नहीं है। जिसे हम हिन्दी साहित्य कहते हैं, दलित साहित्यकार उसे इसी प्रवृत्ति के कारण

सवर्ण साहित्य कहते हैं। दलित साहित्यकारों का तर्क है कि हिन्दी साहित्य इसी प्रवृत्ति से लबरेज है। दलित साहित्य इसी ब्राह्मणवाद के विरुद्ध आम आदमी की चीख है जो निरंतर अपने परिष्कार से क्रांति का रूप ले रही है।

तेज सिंह आगे इसी दलित चेतना के निष्कर्ष पर गैर दलितों द्वारा लिखे दलित विषयक साहित्य को कसते हैं, "प्रश्न उठता है कि क्या उग्र अपने उपन्यास (मनुष्यानंद) में दलित-विमर्श की प्रक्रिया वर्गीय आधार पर विकसित कर रहे थे या जातिगत आधार पर? मनुष्यानंद के अध्ययन से पता चलता है कि उग्र दलितों में जाति के आधार पर ही ऐसी चेतना विकसित कर रहे थे। सवाल उठता है कि ब्राह्मणों की 'वसुधैव कुटुंबकम्' में क्या दलितों-पिछड़ों और अल्पसंख्यक वर्ग के लिए कोई जगह है? स्पष्ट ही जवाब नकारात्मक होगा। फिर इस अवधारणा का दलित क्या करें जो सिर्फ़ सवर्णों तक ही सीमित है? क्या 'वसुधैव कुटुंबकम्' के आधार पर ही सवर्ण दलितों के विरुद्ध संगठित नहीं होता आया है?"[12]

आगे तेज सिंह दलित साहित्य की मूल भावना से उसकी (मनुष्यानंद) तुलना करते हैं, "उग्र का मंदिर-प्रवेश का उद्देश्य उस समय असफल हो जाता है, जब वे मरते हुए प्राणी को ईश्वर के मंदिर में अपनी मुक्ति के लिए प्रार्थना करने के लिए मंदिर प्रवेश कराते हैं। इस तरह मंदिर प्रवेश से छुआछूत का प्रसंग गौण हो जाता है और ईश्वर से मुक्ति की प्रार्थना महत्वपूर्ण हो जाती है। क्या इसी तरह निराला के 'निरूपमा' उपन्यास को दलित विमर्श का उपन्यास माना जा सकता है? जबकि उसमें दलितों की समस्या पर विचार ही नहीं किया गया है। एक उच्च वर्ण का डॉ. कुमार नाम का व्यक्ति इंग्लैण्ड से पी. एच. डी. की डिग्री लेकर भारत में बेरोज़गारी की हालत में चमार का पेशा अपनाते हुए न देखा गया है और न ही सुना गया है। फिर डॉ. कुमार तो सुविधा सम्पन्न परिवार से संबंध रखता था, जो परिवार अपने बेटे को उच्च शिक्षा के लिए इंग्लैण्ड भेज सकता है, वह उसके लिए रोज़गार भी मुहैया करा सकता है या अन्य छोटा-मोटा काम करने के लिए धन भी मुहैया करा सकता है। दरअसल निराला को दलित समाज के लोगों की चिंता नहीं थी बल्कि वे तो प्रकारांतर से यह प्रेरणा देना चाहते थे कि दलितों को नए पेशों में जाने या अपनाने की बजाए अपने परंपरागत पेशे को अपनाते रहना चाहिए। यह निराला के बौद्धिक चातुर्य के अलावा और कुछ भी नहीं है। इसी तरह रांगेय राघव कृत 'कब तक पुकारूं' में प्यारी भी जातीय दर्प से भरकर सुखराम से कहती है, "देख मैं भंगिन-चमरिन नहीं जो मरद की गुलाम बनकर रहूँ।" यह कौन सी दलित चेतना है जो दलितों में परस्पर राग-द्वेष की भावना उत्पन्न करती है।"[13]

किंतु यहाँ विचारणीय प्रश्न यह है कि जब इन दलित विषयक उपन्यासों की रचना हुई तब उत्तर भारतीय समाजों में दलित समाज की यही बिखरी हुई स्थिति थी। वहाँ प्रत्येक जाति अपने जातीय गौरव के दर्प से चूर थी। क्या वर्तमान समय में दलित साहित्यकार

ओमप्रकाश बाल्मीकि जी कृत 'शवयात्रा' कहानी में चमार जाति द्वारा मेहतर जाति के प्रति उपेक्षा एवं कुछ सीमा तक अस्पृश्य व्यवहार को रेखांकित करना दलित साहित्य की अवधारणा में आता है? तब रांगेय राघव कृत 'कब तक पुकारूं' में प्यारी के कथन को अनुचित कैसे ठहराया जा सकता है? निस्संदेह, यहाँ लेखक की इस मानसिकता को दलित लेखक कठघरे में खड़ा अवश्य कर सकते हैं कि जब भंगिन-चमारिन सदा से समाज में पारिवारिक उत्पादक वर्ग की अभिन्न सदस्या रही हैं, तब उनका 'मरद की गुलामी' करने का कारण समझ से परे हैं। यह तथ्य सर्वविदित है कि दलित जातियों में तथाकथित सवर्ण जातियों की अपेक्षा स्त्रियां अधिक स्वतंत्र रही हैं। बाल विवाह, बाल विधवा, सती प्रथा आदि कुरीतियां समाज के सवर्ण हिन्दुओं में ही व्याप्त रहीं। यह रांगेय जी के ब्राह्मण संस्कार ही माने जा सकते हैं, जो प्यारी के मुँह से वह ऐसे संवाद की रचना करवाते हैं। किन्तु फिर भी गैर-दलित लेखकों में से कुछ लेखकों के लेखन को किसी भी तरह दलित चेतना के प्रतिकूल नहीं देखा जा सकता। गिरिराज किशोर का 'परिशिष्ट' इसी श्रेणी का उपन्यास है।

गैर दलित लेखकों को दलित लेखकों से यह शिकायत है कि वे उनकी ईमानदार नीयत पर संदेह करते हैं। वे (गैर-दलित) सवर्णों के अतीत के व्यवहार के लिए उन्हें दोषी भी मानते हैं और इस अर्थ में वे दलितों के पक्षधर भी हैं। दलितों के लेखन की कलात्मक अकुशलता को भी वे इसी सहानुभूतिपूर्ण दृष्टि से देखते हैं।

राजकिशोर के अनुसार, "यह सच है कि कला और साहित्य की दुनिया में (भारत में) ऊँची जातियों का ही एकाधिकार रहा है। इसलिए अक्षरों की दुनिया में हाल ही में प्रवेश करने वाले सवर्णेत जातियों के लेखकों से हम उस कलात्मक उत्कर्ष की उम्मीद नहीं कर सकते हैं जो एक सवर्ण लेखक को सहज ही उपलब्ध हो जाता है।"[14]

इधर दलित लेखकों का इस बारे में तर्क यह है कि सवर्ण लेखकों का अब तक का इतिहास इन्हें शंकालु होने पर मजबूर करता है। वे सवर्णों के दलित लेखन की ओर एकाएक पहल करने को प्रभुत्ववादी चेतना के रूप में लेते हैं। ध्यातव्य है, जब कथाकार अखिलेश जी से एक भेंटवार्ता में पूछा गया था कि क्या गैर-दलित भी दलित लेखन कर सकते हैं? तब उन्होंने उत्तर में कहा था, "अगर कर सकते थे तो अब तक क्यों नहीं किया? अब चूंकि दलित खुद अपनी बात कहने के लिए आगे आ रहा था, तो उन्हें दिक्कत हो रही है कि वे क्यों नहीं लिख सकते हैं।"[15] वाकई यह एक अन्य तरह का प्रभुत्ववादी मन है जो उन्हें उद्वेलित करता है।

दलित साहित्यकार जयप्रकाश कर्दम जी का मानना है, "दलित विमर्श पर जितनी बातें हो रही हैं, उनमें यह बताने की कोशिश की जा रही है कि दलित खुद को ठीक से अभिव्यक्त नहीं कर सकते और उनके सोचने का स्तर सवर्णों से कम है। दलितों की प्रगति चाहने वाले उनके साथ सही भावनाओं के साथ जुड़े तो कोई आपत्ति नहीं, लेकिन

जब तक उनके गले में जनेऊ है यानी मन में संस्कार बैठे हैं, तब तक मानवीय समता की बात करना बेमानी है।"[16] कर्दम जी अपने तर्क में बिल्कुल सही हैं। जब तक भारतीय हिन्दू वर्ण व्यवस्था के सभी चिन्हों को त्याग नहीं देता, तब तक उससे दलितों के हित चिंतना की उम्मीद नहीं की जा सकती क्योंकि दलित लेखन का तो आधार ही वर्ण-व्यवस्था का ध्वंस तथा मानवता की प्रतिष्ठापना है।

लेकिन क्या कर्दम जी बताएंगे कि जिन दलितों की पैरवी वे कर रहे हैं, उनमें से अधिकांश स्वयं उसी प्रवृत्ति का पोषण क्यों कर रहे हैं? यह बात किन्हीं अशिक्षित दलितों की नहीं है, अपितु शिक्षित एवं प्रगतिशील दलित साहित्यकारों की है। बकौल दलित साहित्यकार सूरजपाल चौहान,"दलितों में भी एक तरह का 'चमारवाद' चल रहा है।"[17] इस संबंध में उनकी क्या राय है? जहाँ तक गैर-दलित लेखकों का यह कहना है कि वे (दलित) स्वयं को ठीक से अभिव्यक्त कर पाने में पूर्ण सक्षम नहीं हैं, तब उनका तात्पर्य संवेदना से नहीं अपितु शिल्प से होता है। दलित लेखकों को यह तो मानना ही चाहिए शिल्प एक कुशलता है जो समय के साथ-साथ अर्जित की जाती है। निस्संदेह सपाटबयानी भी एक ढंग है किंतु उसमें भी संवेदना की अतिसूक्ष्मता की दरकार होती है। यह कुशलता अभी दलित साहित्यकारों को अर्जित करनी है।

जवरीमल्ल पारेख इस संबंध में अपना दृष्टिकोण रखते हुए लिखते हैं, "अब अगर इस तर्क को स्वीकार कर लेते हैं, जिसके अनुसार दलित की उस सत्य को अभिव्यक्त कर सकता है जिसे वह भोगता है तो प्रत्येक रचना रचनाकार के अनुभव के दायरे में कैद होकर रह जाएगी और तब स्वयं दलित लेखन भी उन जीवनानुभवों के चित्रण से वंचित रह जाएगा जिसे उसने भोगा तो नहीं है लेकिन जिसके बिना स्वयं दलित यथार्थ अपनी सामाजिक सार्थकता को स्थापित नहीं कर पाएगा। मसलन क्या दलित जीवन की त्रासदी को सवर्णों के जीवन-यथार्थ के परिप्रेक्ष्य में रखे बिना सही ढंग से समझा जा सकता है? दलित इसलिए दलित है क्योंकि समाज का एक हिस्सा दलित नहीं है और जो हिस्सा दलित नहीं है, वह क्यों दलित नहीं है? यही वह परिप्रेक्ष्य है जिसके द्वारा हम दलितों की व्यथा-कथा को समझ सकते हैं।

समाज के विभिन्न वर्ण और समुदाय अलग-अलग खानों में नहीं बंटे होते, वे सम्पूर्ण सामाजिक संरचना में ही अपने अंतर्विरोधों के साथ सहयोग और संघर्ष की प्रक्रिया से गुजरते हुए जीते और मरते हैं। इसलिए इस बात को ज़्यादा अहमियत देना बेमानी है कि दलित यथार्थ का चित्रण केवल दलित ही कर सकता है, यदि इसका तात्पर्य यह है कि दलित यथार्थ ऐसा यथार्थ है जिसकी पीड़ा को सिर्फ़ दलित ही महसूस कर सकता है तो यह बात नारी यथार्थ पर भी उतनी ही लागू होगी। आखिर स्त्री की पीड़ा को पुरुष कैसे महसूस कर सकता है? लेकिन सदियों से नारी जीवन की पीड़ा को पुरुष चित्रित करते आ रहे हैं और अभी भी विश्व साहित्य में नारी के संबंध में अधिक मानवीय और उदार

दृष्टिकोण अपनाने की प्रेरणा अधिकांशतः पुरुषों द्वारा लिखे गए साहित्य से मिल रही है, न सिर्फ़ पुरुषों को बल्कि स्त्रियों को भी। अतः यह कहना बहुत तर्कसंगत प्रतीत नहीं होता कि सिर्फ़ दलित ही दलित यथार्थ का सत्य चित्रण कर सकता है। जहाँ तक सहानुभूति से पैदा साहित्य का सवाल है तो हर महान साहित्य मानवीय सहानुभूति के बिना नहीं रचा जा सकता। सहानुभूति कोई दोष नहीं है। आमतौर पर लेखक मध्यवर्ग से आते हैं और वे सिर्फ़ मध्यवर्ग के जीवन-यथार्थ को ही अपने साहित्य का विषय नहीं बनाते।"[18]

पारेख जी का यह कथन युक्तिसंगत है कि दलितों के जीवन का पारस्परिक संबंध गैर-दलितों (सवर्णों) के जीवन से है। वह एकदम अछूता और निस्संग नहीं है। शोषित और शोषक का परस्पर आश्रित संबंध होता है। इस अर्थ में दलित साहित्य का भी एक बड़ा हिस्सा स्वानुभूत नहीं बल्कि कल्पना-आश्रित ही ठहराया जा सकता है। किंतु वर्तमान हिन्दी दलित साहित्य यथा आत्मकथा, कहानी, कविता, उपन्यास आदि में सवर्णों के समाज का चित्रण एक शोषक के रूप में ही होता है, जहाँ वह अपने वंशगत, जातिगत, विशेषाधिकारों तथा वर्चस्व को बनाए रखने के लिए शोषण करने को उतावला है। यह इतना प्रगाढ़ सत्य है कि दलित साहित्यकारों को कल्पना में विचरने की भी आवश्यकता महसूस नहीं होती। वे अपने साहित्य में सवर्णों के समाज के चित्रण की अपेक्षा अपनी व्यथा, कल्पित नरक से जीवन की ही हृदय विदारक कथा कहते हैं। जहाँ तक स्त्रियों पर लिखने की बात है, वह अब साफ़ हो चुका है कि स्त्रियों को पुरुष लेखकों ने अधिकांशतः देवी बनाकर या पतिता बनाकर (नारी नरक का द्वार) ही दिखाया है। स्त्रियों ने स्वयं इसे खारिज कर दिया है।

अंत में पारेख जी भी वर्ण और वर्ग को एक-दूसरे में मिलाकर देखने लगते हैं जो उचित नहीं है। कहावत है, जाके पैर न फटी बिवाई वो क्या जाने पीर पराई। भारत में बैठा लेकर लेखक रूस की शहर-गलियों का पढ़-सुन कर चित्रण करने लगे तो क्या वह प्रमाणित होगा? भारत में पला-बढ़ा लेखक किसी अन्य देश की समाज-व्यवस्था में उस देश के लेखकों से अधिक प्रामाणिक ढंग से लिख सकता है? बाबा साहेब अम्बेडकर ने कहा था, "सवर्ण और दलित जब आमने-सामने होते हैं तो वे सिर्फ़ व्यक्ति नहीं बल्कि वे दो देश होते हैं।" किन्तु संभावना फिर भी है और वह पूर्वाग्रह रहित होने से उत्पन्न होती है।

हंस के एक लेख में ओमप्रकाश श्रीवास्तव लिखते हैं, "जब तक अनुसूचित जातियां अपने को शूद्र घोषित करती रहेंगी, तब तक पिछड़ी जातियाँ अपने को शूद्र नहीं कहलवा सकती। यह (अछूत) जगत खाली करें, तब तो पिछड़ी जातियाँ अपनी जगह पर आएंगी।"[19]

समझ में नहीं आता कि स्वयं को प्रबुद्ध कहने वाले लेखक भी इस मानसिकता से ग्रस्त हैं। तब कंवल भारती का यह कहना अनुचित नहीं है कि दलित ही दलित लेखन

कर सकता है। श्रीवास्तव अब भी वर्ण-व्यवस्था का पोषण करने में ही जीवन की सार्थकता समझते हैं। वे स्पष्टतः घोषणा कर रहे हैं कि वे (अछूत) जगह खाली करें अर्थात् जब तक वे हटेंगे नहीं (चूंकि वे उन्हें अपवित्र तथा अवांछनीय मानते हैं) तब तक शूद्र वहाँ कैसे आ सकते हैं? मनु का यह कथन कि कोई पंचम वर्ण नहीं है, सिर्फ़ चार ही वर्ण हैं, श्रीवास्तव जी को स्वीकार्य नहीं है। इस अर्थ में दो संभावनाएँ उपजती हैं या तो अनुसूचित जातियाँ हिन्दू ही नहीं हैं और यदि हैं तो वे शूद्र (अंतिम वर्ण) की परिकल्पना में ही निहित हैं। श्रीवास्तव जी का क्या मानना है? दलित साहित्य हिन्दू वर्ण व्यवस्था को ही अस्वीकार करता है। वह ऐसी किसी मान्यता को नहीं मानता जो मनुष्य में भेद करती है। हिन्दी साहित्य में अधिकांश गैर-दलित लेखकों (चुनिंदा लेखक अपवाद हैं) को दलितों और उनके साहित्य के बारे में या तो जानकारी नहीं है और यदि है तो बहुत कम और भ्रामक।

दलित लेखक सुरेश कुमार थोरात ने इस लेख के प्रत्युत्तर में समुचित जानकारी देते हुए लिखा है, "ओमप्रकाश श्रीवास्तव लिखते हैं कि डॉ. अम्बेडकर ने अपनी पुस्तक (श्रीवास्तव जी उसे लेख कहते हैं) 'शूद्र कौन थे?' मैं शूद्रों की उत्पत्ति क्षत्रियों से बताई है, परिणामस्वरूप पिछड़ी जातियाँ अपने को क्षत्रिय सिद्ध करने के झूठे मोह में पड़कर समय बर्बाद कर रही हैं। मुझे खेद है कि श्रीवास्तव जी ने उक्त पुस्तक को ध्यान से नहीं पढ़ा। डॉ. अम्बेडकर ने यह नहीं कहा कि ब्राह्मणों से पराजित क्षत्रिय ही कालान्तर में शूद्र बना दिए गए। डॉ. अम्बेडकर ने वेद, महाभारत, स्मृतियों व पुराणों के आधार पर यह स्थापना रखी कि प्राचीन काल में शूद्र एक विशिष्ट समाज या समुदाय का विशेष नाम था न कि वर्ण का और वह क्षत्रिय के समकक्ष या उसका घटक वर्ग था। ब्राह्मण-क्षत्रिय व ब्राह्मण-शूद्र संघर्षों में क्षत्रिय व शूद्र पूर्णतः नष्ट हो गए। लेकिन बाद के स्मृतिकारों ने क्षत्रिय वर्ण को बेचना शुरू किया और शूद्र समुदाय को चौथे वर्ण का दर्जा दे डाला और उसके खिलाफ क्रूरतम दण्ड-व्यवस्था की रचना की।"[20]

आगे वे इसी क्रम में लिखते हैं, "जहाँ तक पिछड़ी जातियों के वर्ण का प्रश्न है तो वे भी अछूतों की तरह अवर्ण ही है; क्योंकि सूत्रों व स्मृतियों में इनमें से अधिकांश का वर्ण-निर्धारण नहीं मिलता। राजाओं, कायस्थों, वैश्य या बनियों का अपमान सूत्रों, स्मृतियों व धर्मग्रंथों के काल में हुआ था, वह आज के पिछड़े व दलितों के अपमान से कम न था। मनु के अनुसार ब्राह्मण तीनों वर्णों का स्वामी है (मनु : 1.93)। ब्राह्मण द्वारा क्षत्रिय, वैश्य व शूद्र की हत्या उपपातक या नगण्य अपराध है (मनु 11.66)। ब्राह्मण का सामर्थ्य राजा के सामर्थ्य से अधिक बलशाली है (मनु 11.32)। स्त्री, वैश्य, शूद्र पापयोनि है) गीता 9.32। बनिया, किरात, कायस्थ..... चांडाल, भंगी और कोल ये सब अन्त्यज हैं (व्यास स्मृति 1.11.12)। यदि पिछड़ी जातियों का वर्णोन्नति का मोह प्रतिगामी है तो कायस्थों, बनियों, राजपूतों द्वारा अपने इतिहास सुनियोजित ढंग से भुलाकर ऊँचे बने रहने

का मोह भी कम प्रतिगामी नहीं है।"[21]

यह वास्तव में एक दुखद आश्चर्य की ही भांति है कि जब भी ब्राह्मणवाद के खिलाफ जन-समूह आंदोलित हुआ है, तब ब्राह्मणवादियों ने डिवाइड एण्ड रूल की नीति अपनाते हुए उनके प्रयासों को निष्फल कर दिया। बौद्ध धर्म एक क्रांति था जिसमें छद्म बौद्ध बनकर ब्राह्मणवादी घुसे और शनैः शनैः उसको धूसरित कर दिया। संत कवि कबीरदास को भी वे विधवा ब्राह्मणी से उत्पन्न करने में नहीं हिचकिचाए। संत रविदास को इस प्रवृत्ति का अनुमान था, अतः उन्होंने स्वयं को स्पष्ट शब्दों में 'खलास चमारा' उद्घोषित किया। किंतु फिर भी पुराणपंथी ब्राह्मणों ने उन्हें कथाओं में चमड़े का जनेऊ धारण करवा ही दिया। दलित साहित्य एक ऐसी ही क्रांति का नाम है जो ब्राह्मणवादी साहित्य (वर्चस्व का साहित्य) की जड़ों में मधु-मट्ठा देने को अस्तित्व में आया है। दलित साहित्यकारों का मानना है कि वे दलित साहित्य में किसी परम्परावादी सवर्ण की दखलंदाजी बरदाश्त नहीं करेंगे। जबकि एक पक्ष उन गैर-दलितों के लिए सहर्ष द्वार खोलता है जो नेकनीयती और ईमानदारी से इस क्षेत्र में काम करना चाहते हैं।

सहानुभूति बनाम स्वानुभूति

राजेन्द्र यादव का सहानुभूति और स्वानुभूति के प्रश्न पर स्पष्ट मत है, "दलित चेतना को जगाने में सहानुभूति पहला कदम है। जब हम कहते हैं (या गाँधी जी कहते थे) कि ये भी मनुष्य हैं। इनको दरिद्रावस्था में क्यों रखा जाये। तो ये सहानुभूति है। इससे यह ज़रूर हुआ कि दलितों के भीतर भी यह भावना जगी कि हम भी मनुष्य हैं और हमें भी अधिकार और सुविधाएँ मिलनी चाहिए। ये चेतना पैदा हुई। लेकिन कभी-भी सहानुभूति का साहित्य स्वानुभूति के साहित्य का स्थान नहीं ले सकता। जैसे कि विश्व साहित्य में नारियों के एक से एक रूप का चित्रण हुआ है। अपने यहाँ हिन्दी-बंगला में भी विविध रूपा नायिका वर्णन चित्रण हुआ है। बल्कि एक समय तो ये होड़ थी कि कौन कितनी विचित्र और तेजस्विनी नायिका का चित्रण करता है। जब महिलाएँ खुद आने लगीं तो वे सारी नारियाँ गायब हो गईं। नारी जब अपनी बात खुद कहने लगीं तो वे सारी फीकी पड़ गईं, क्योंकि वह सब सहानुभतियाँ कहना चाहिए-परानुभूति का साहित्य है। जब साहित्य स्वानुभूति से लिखा जाता है तो उसकी 'जेनुइननेस' सहानुभूति के साहित्य से नारी तक प्रामाणिक होती है।"[22]

आलोचक मुरली मनोहर प्रसाद सिंह के अनुसार "यह बात सही है कि अनुभव की आंच में तपे बिना अनुकम्पा या सहानुभूति पर आधारित जो सृजन होता है, उसकी तुलना स्वानुभूति पर आधारित सृजन से नहीं की जा सकती। लेकिन जो रचनाकार स्वयं आंदोलन का हिस्सा बने, उनके साहित्य को आप सहानुभूति पर आधारित नहीं कह सकते। राहुल जी ने जब 1929-30 में आंदोलन की अगुवाई की और सिर पर लाठियाँ खाई, तब उनकी पीड़ा भी वही थी, जो किसी दलित की हो सकती है।"[23]

उपर्युक्त दोनों ही विचारों में हम यह तथ्य समान पाते हैं कि वे स्वानुभूति का पलड़ा सहानुभूति से भारी मानते हैं। किन्तु क्या राहुल जी, राजेन्द्र यादव, अखिलेश, मुद्राराक्षस जैसे गैर दलित चिंतकों के साहित्य को दलित साहित्यकार सहृदय दृष्टि से देखते हैं? दलित साहित्यकार मोहनदास नैमिशराय के मतानुसार, "दलित जीवन के चित्रण में जब-जब साहित्य का सृजन हुआ, तब-तब सहानुभूति का दबाव विशेष तौर पर रहा। इसे हम गैर-दलितों के द्वारा दलित साहित्य सृजन का प्रथम चरण भी मान सकते हैं। वह इसलिए कि कुछ संवेदनशील गैर दलित लेखकों ने इस तरह की रचनाएँ समाज को दीं। इस आशा के साथ कि समाज में कुछ परिवर्तन हों और दलितों की स्थिति में थोड़ा-बहुत सुधार हो। लेकिन अकेले सहानुभूति से काम नहीं चलता क्योंकि सहानुभूति के पात्र विद्रोह नहीं करते। वे लाचारी और मजबूरी में जीते हैं। तब ऐसे साहित्य की आज के संदर्भ में क्या उपयोगिता है?"[24]

कहानीकार काशीनाथ सिंह ने दलित कहानीकार ओमप्रकाश वाल्मीकि जी की कहानियों में मुखरित नए तेवर और नए स्वर की चर्चा करते हुए कहा है, "सहानुभूति भी एक मूल्य है। यह चेतना अंतर्राष्ट्रीय स्तर पर फैल रही है- यह खुशी की बात है। हम तब तक लिख रहे हैं, जब तक आप हमें अप्रासंगिक न सिद्ध कर दें, हाँ यह मेरी हसरत है कि आप मुझे खारिज कर दें।"[25] यह टिप्पणी समस्या के वास्तविक हल को सुझाती है। यह कहाँ तक उचित है कि जो गैर-दलित लेखक एक नैतिक-सामाजिक कर्तव्य अथवा युगबोध की भावना के तहत लिख रहे हैं या लिखना चाहते हैं, उन्हें अस्वीकार किया जाए। क्या समस्या को उठाना भी एक तरह की पक्षधरता नहीं है?

आलोचक विश्वनाथ त्रिपाठी को कफन में निश्चित तौर पर उस आक्रोश-विद्रोह के दर्शन नहीं होते, जो दलित साहित्य की आधारशिला है। प्रेचन्द कृत 'कफन' पिछले वर्षों में इधर दलित चेतना एवं सोच के कारण काफी विवादों में रही। दलित साहित्यकार इ दलित विरोधी कहानी के रूप में प्रचारित कर रहे हैं। इस संदर्भ में प्रो. मैनेजर पाण्डेय का यह कथन अत्यंत सार्थक है, कि दलितों को अपनी बात कहने का अब तक अवसर कहाँ था, अब वह अपनी बात स्वयं कहने की स्थिति में हैं, तब वह अन्य लेखकों के लेखन को अपनाएँ या खारिज करें। किन्तु विश्वनाथ त्रिपाठी का मानना है, "जहाँ तक इस पीड़ा और यातना के चित्र खींचने का सवाल है, गैर-दलित लेखकों की क़ई रचनाएँ मुझे यथेष्ट रूप से प्रभावित करती रही हैं। वे स्वानुभूति से पैदा भले न हुई हों, पर महज़ दया भाव मुझे वहाँ दिखलाई नहीं पड़ता।"[26]

इसी तरह का एकांगी झुकाव उनके निम्नलिखित विचारों में मिलता है, "एक चीज़ तो है जीवनानुभव और दूसरी बोध। जीवनानुभव हो भी, तो बोध का होना आवश्यक नहीं। और बोध हो भी, तो ज़रूरी नहीं कि निजी अनुभव से बना हो। यह बोध या चेतना ज़्यादा ज़रूरी चीज़ है। निराला ने 'विधवा' पर कविता लिखी, खुद तो नहीं थे। प्रेमचन्द ने होरी

जैसा किसान गढ़ा। यह सब बोध से पैदा हुआ है। हाँ, बोध को भाव भी बनाना चाहिए। जब वह भाव बनता है, तब साहित्य की अंतर्वस्तु निर्मित होती है।"[27]

किंतु दलित साहित्यकारों को इसी बात पर आपत्ति है कि इसका प्रमाण क्या है? जब भी गैर-दलित लिखता है, वह पात्रों-परिस्थितियों का सृजन बहुत ही भोथरे और लिजलिजेपन से करता है, क्योंकि गैर-दलित साहित्य में दलित सम्मानीय दृष्टि में गोचर नहीं होता? क्यों वह दीन-हीन आत्म सम्मानविहीन तथा बोदा चित्रित किया जाता है? दलित साहित्य का यही वैचारिक प्रस्थान बिन्दु है जहाँ वे गैर-दलितों से भिन्न हो जाते हैं, किन्तु त्रिपाठी जी का यह कथन औचित्यपूर्ण है कि बोध के अभाव में यातना पीड़ा, अन्याय, अत्याचार की अनुभूति ही कैसे संभव है?

वे लिखते हैं, "दलितों के सवाल को ही लो। हमारी परम्परा ने सवर्णों की ही तरह उनके मन में भी समाज व्यवस्था की 'हाइरारकी' को अच्छी तरह पचा दिया था। जैसे सवर्ण उसे सहज और नैसर्गिक मानते थे, वैसे ही शायद दलित भी। यानी यह भाव कि कहीं कुछ गड़बड़ नहीं है, खुदा सही सलामत है... "एवरीथिंग इज एट रेस्ट", पीछे जो मैंने दलित साहित्य के स्फूर्तिदायक होने की बात कही, वह इसलिए कि इस वर्ण-व्यवस्था की जो दाहकता है, उससे स्वयं दलितों का अबोध रहना प्रबुद्ध व्यक्ति के लिए बड़ा कष्टप्रद था।

अब दलित साहित्य उस बोध का प्रमाण लेकर उपस्थित हुआ है। इसलिए उसमें प्राणवत्ता और ऊर्जा है। तो यह अमानवीयता के बोध के प्रखरतर होने से हुआ है। निरा जीवनानुभव क्या कर सकता है? जहाँ तक विश्वसनीयता की बात है, उसका कोई फार्मूला नहीं है। साहित्य में अनुभव और बोध के अलावा भी कई घटक होते हैं। इन सबका जटिल संश्लेष होता है। उसी से विश्वसनीय और अच्छा साहित्य निकल पाता है। इसलिए जीवनानुभव पर एकांगी बल देना मुझे बहुत सुसंगत नहीं लगता।"[28]

त्रिपाठी जी के उपर्युक्त मत में एक अजीब विरोधाभास सा प्रतीत होता है, जैसा अक्सर अधिकांश गैर-दलितों के दलित साहित्य विषयक वक्तव्यों में दृष्टिगोचर होता है। एक तरह की पारदर्शिता जैसी पाण्डेजी और मुद्राराक्षस जी या राजेन्द्र यादव जी के विचारों में पाई जाती है, वह वहाँ नदारद दिखाई पड़ती है। एक ओर वे लिखते हैं कि बोध होना अनिवार्य है और दूसरी ओर उस बोध के पैदा न होने के कारणोल्लेख की अपेक्षा दलित को ही उसकी दयनीय स्थिति के लिए जिम्मेदार भी ठहराते हैं। निस्संदेह यह प्रबुद्ध वर्ग के लिए बड़ा कष्टप्रद था, परंतु यह प्रबुद्ध वर्ग इतने वर्षों तक क्या करता रहा? इस पर वे प्रकाश नहीं डालते। अव्वल तो प्रबुद्ध वर्ग इस वर्ग के लिए अथवा इस वर्ग पर कुछ लिख नहीं रहा था और यदि किसी प्रबुद्ध जन ने इतनी हिम्मत दिखाई भी तो वह कुल मिलाकर उनके सम्पूर्ण साहित्य का सहस्त्रांश भी नहीं है। ज्योतिबा फुले ने अपने लेख में लिखा था, कि "इस सम्पूर्ण हत गति का कारण अशिक्षा है।"[29]

दलितों को अशिक्षित रखने का षड्यंत्र किस समाज के प्रबुद्ध जनों का पुण्य कार्य रहा है? वे अंत में बोध की भी छुट्टी कर देते हैं और इसकी भी स्पष्ट घोषणा करते हैं कि "निरा-जीवनानुभव क्या कर सकता है? उनके अनुसार जहाँ तक विश्वनीयता की बात है, उसका कोई फार्मूला नहीं है। साहित्य में अनुभव और बोध एकमात्र घटक नहीं है।"

इस संबंध में महिला कथाकार रमणिका गुप्ता जी प्रामाणिकता के लिए जीवनानुभव को आधारशिला मानते हुए लिखती हैं, "दरअसल शिष्ट या अभिजन साहित्य इस योग्य ही नहीं है कि वह दलित, नारी या नीग्रो के मानस में सदियों से पल रहे आक्रोश अथवा पीड़ा को वाणी दे सकें। उसकी बँधी-बँधाई शैली में इतना व्यापक सत्य, इतना बड़ा यथार्थ और समाज को बदलने का इतना तीव्र और दृढ़ संकल्प समा ही नहीं सकता; जहाँ शिष्ट साहित्य के विपरीत दलित साहित्य में वस्तु प्रधान होती है, जो अनुभवजन्य होती है। अनुभव का सबसे प्रामाणिक और विश्वसनीय आधार स्वयं उसका अपना जीवन होता है; इसलिए दलित साहित्य में आत्मकथा की विधा का सबसे बड़ा स्थान है। इन आत्मकथाओं के नायक व नायिकाएँ केवल अपने जीवन की ही नहीं बल्कि अपने पूरे समाज की बात करते हैं, जो समान रूप से मनुसंहिता का शिकार है। इनमें वे परकाय प्रवेश नहीं बल्कि स्वकाय प्रवेश ही करते हैं पर उका स्वकाय पूरे समाज का रूप हो जाता है।"[30]

इस प्रकार हम देखते हैं कि दलितों का स्वानुभूति का दावा अधिक सशक्त, प्रामाणिक और सर्वमाय है।

दलित साहित्य : अधिकार का प्रश्न

क्या यह माना जाए कि यदि एक जन्मना दलित ब्राह्मणवादी सोच और विचारधारा के अनुरूप ही लेखन करता है तो वह भी दलित साहित्य की परिधि में शामिल होगा अथवा नहीं! यदि एक जन्मना दलित अपने दुःखों, त्रास, पीड़ा और सवर्णों के अत्याचार की अपेक्षा प्रेम और प्रकृति आदि विषयों पर साहित्य सृजन करता है, तब दलित साहित्य की श्रेणी में शुमार होगा अथवा नहीं।

प्रकारान्तर से प्रश्न यह भी उठता है कि यदि तब कोई गैर-दलित ब्राह्मणवादी संस्कार और वर्णव्यवस्था के विरुद्ध लिखता है तो उसे दलित साहित्यकार माना जाना चाहिए तथा उसके साहित्य को 'दलित साहित्य' की परिधि में शुमार होना चाहिए? इस प्रश्न पर वाल्मीकि जी का तर्क बहुत धारदार आभासित नहीं होता, वे लिखते हैं, "मेरी जानकारी में ऐसा कोई भी गैर-दलित लेखक नहीं है जिसके लेखन की मुख्यधारा दलित चेतना हो। लेकिन जो लेखक सामाजिक बदलाव के लिए संघर्षरत है, जैसे राहुल सांकृत्यायन उन्हें हम अपना प्रेरणास्रोत मान सकते हैं।"[32]

वाल्मीकि जी द्वारा राहुल सांकृत्यायन जी को प्रेरणास्रोत स्वीकार करना किंतु वर्तमान युग के अनेक प्रगतिशील एवं परंपरा विद्रोही लेखकों को नकारना उसी अतीतजीवी प्रवृत्ति का परिचायक है जिसके त्रिपाठी जी शिकार हैं। "वे भी ज्योतिबा फुले तथा

अम्बेडकर की बहुत ज़रूरत' तो महसूस करते हैं किन्तु 'डॉ. धर्मवीर वगैरह' के बिना उनका भी काम चल सकता है।"[33]

आखिरकार दलित साहित्यकार क्यों और किस आधार पर गैर दलितों के दलित-विषयक लेखन की विश्वसनीयता को खारिज करते हैं? प्रत्येक व्यक्ति का व्यक्तित्व समाजगत परिवेश, संस्कार, सोच, दर्शन, भाषा, पहनावा तथा खान-पान के संश्लिष्ट ताने-बाने से रूप-रंग पाता है। ये जीवनानुभव तथा बोध जो वह परिस्थिति अथवा परिवेश विशेष में संचित करता है। साहित्य के सृजन काल में नए रंगों में तथा कल्पना की तूलिका से नयी आभा में रूपायित होती है। अनुकूल स्थितियाँ पाकर यह सर्जनात्मक अभिव्यक्ति विभिन्न बिम्बों तथा प्रतीकों के माध्यम से जीवंत रचना का रूप पाती है।

इस प्रश्न पर वाल्मीकि जी का स्पष्ट मत है, "गैर-दलित जो भी दलितों के बारे में लिखता है उसकी प्रामाणिकता इसलिए संदिग्ध होती है कि दलितों के जीवन के बारे में गैर-दलित सिर्फ़ उतना ही जानते हैं जितना उनका संपर्क श्रम से संबंधित होता है। उनके अन्तर्भाव उनकी सोच, उनकी मान्यताएँ, जीवन मूल्य या उससे जुड़ी हुई अन्य चीज़ों को गैर-दलितों के पास जानने का कोई साधन नहीं है। यदि कभी उन्होंने कोशिश भी की है इन चीज़ों पर लिखने की; तो वो सब सुनी-सुनाई या मनगढ़ंत हैं, चूँकि दलितों से उनके सामाजिक रिश्ते सिर्फ़ उपयोग तक हैं। इसलिए गैर-दलित दलितों के घरों में होने वाले संघर्षों को तो जानते ही नहीं। यदि ऐसा न होता तो हिन्दी साहित्य में दलितों के चित्रण को लेकर सवाल ही न उठते।"[34]

यह बहुत ही तथ्यात्मक एवं उचित तर्क है कि सवर्ण (गैर-दलित) दलितों के दायरों और उनके जीने-मरने के बारे में बहुत सीमा तक कल्पना से ही काम लेते हैं। उसका वास्तविक अनुभव लगभग नगण्य ही है, किन्तु क्या ग्रामीण अथवा कस्बाई अशिक्षित दलितों के जीवन को छोड़कर शहरी शिक्षित दलितों के प्रति प्रत्यक्ष छुआछूत या शारीरिक शोषण बिल्कुल नगण्य है? निस्संदेह भावनात्मक रूप से अथवा अप्रत्यक्ष रूप से उनका शोषण किया जाता है, परंतु इसके अतिरिक्त शहरी शिक्षित दलित का जीवन क्या सामान्य शहरी नागरिक की ही तरह नहीं है? दलित होने की पीड़ा का दंश वाकई दलितों को आत्मसम्मान से न जीने का हक़ देता है और न मरने का।" शहरों में मकान मिलने में असुविधा इसी क्रम में एक तर्क है।"[35]

पटना जैसे शहरों में भी भूमिहार को भूमिहार के यहाँ और मैथिल ब्राह्मण को मैथिल ब्राह्मण के यहाँ किराये पर घर मिल सकता है। तब दलित भले ही वह शिक्षित और सभ्य हो, दलितों के टोले में रहने को बाध्य होगा ही। यहाँ इस प्रश्न पर भी विचार करना अप्रासंगिक नहीं होगा कि क्या दलित (जिसमें अनेक जातियाँ-उपजातियाँ हैं) भी अपने विभिन्न रूपों से उसी तरह अपरिचित नहीं है जिस तरह सवर्ण।

दलितों में भी जातिगत भेदभाव तथा ऊँच-नीच है। मीणा भील को हेय समझता है, भील कंजरों को हेय दृष्टि से देखता है। चमार भंगियों को नीच मानता है; खटिक चमारों

से परहेज करता है और यहाँ तक कि खटीक अपनी ही उपजाति (सुअर-खटीक) को निम्न बताकर रोटी-बेटी का संबंध अवांछनीय मानते हैं। तब जातिगत दुर्ग तो वहाँ भी है, वहाँ भी प्रेम की सलिला कहाँ बहती है? यह सही है कि गैर दलित दलितों के बारे में श्रम से संबंधित संपर्क के आधार पर ही जानते हैं, पर क्या दलित आपस में भी इसी आधार पर एक-दूसरे को नहीं जानते? क्या उनके रीति-रिवाज, मान्यताएँ, आचार-विचार, जीवन मूल्य एक से हैं?

लखनऊ में कथाक्रम द्वारा आयोजित दलित साहित्य विषयक सम्मेलन में स्वागताध्यक्ष मुद्राराक्षस जी ने दलित साहित्य के पक्ष में बोलते हुए कहा था कि दलितों में एक जाति मुसहर भी है जो चूहे मारकर खाती है। जिसके प्रयुत्तर में दलित चिंतक कँवल भारती जी ने कहा था कि मैं दलित हूँ परंतु मैंने कभी चूहे नहीं खाए। तब भेद तो इस आधार पर दलितों के मध्य भी है। इस प्रश्न पर दलित साहित्यकारों का मानना है कि दलित साहित्य मूलतः वर्णव्यवस्था के आमूल चूल उच्छेद और समतामूलक समाज का साहित्य है। उसका वास्तविक ध्येय दलित उपेक्षित शोषित होने की पीड़ा का चित्रण तथा जातिगत असमानता के विरुद्ध संघर्ष को अभिव्यक्त करना है। दलित साहित्य इन भेदों-उपभेदों को अस्वीकार करता है। जहाँ भी शोषण है, वह उसके विरुद्ध है, किन्तु वे दृढ़ रूप से यह मानते हैं कि सभी दलित (भले ही किसी जाति के हों) समान रूप से सवर्णों के अत्याचारों को झेलते हैं। इन अत्याचारों तथा निम्न समझे जाने में वे सब सवर्ण दृष्टि में 'कॉमन' हैं। दलितों में आपसी मतभेदों पर विमर्श तथा अन्तर्मंथन चल रहा है। संभवतः वे इसे अपने घर का मामला मानते हैं। शहरी दलित भी जातिगत हीनभाव को तो झेलता ही हैं।

कदाचित इसीलिए दलित साहित्यकार दलितों में व्याप्त आपसी मतभेद को गौण मानकर इसके लिए आत्ममंथन की राह सुझाते हैं क्योंकि यह भेदभाव तथा वर्गीकरण ब्राह्मणवादी व्यवस्था का ही प्रतिफलन है। वस्तुतः दलित साहित्य इसी प्रवृत्ति का घोर विरोधी है। कुछ आलोचकों का मानना है कि इस तरह से साहित्य में नीरसता और संकीर्णता उत्पन्न होती है। दलितों को बड़े प्रश्नों के संदर्भ में अपनी स्थिति से अवगत होना चाहिए। वे साहित्य की न्यूनतम शर्तो की अपेक्षा तो दलित साहित्य में करते ही हैं।

अजय तिवारी के अनुसार, "स्वानुभूति पर बल मूलतः अस्तित्ववादी धारणा है और अस्तित्ववाद पूँजीवादी विचारधारा है। स्वानुभूति वाला तर्क नयी कविता का तर्क है- अनुभूति की प्रामाणिकता। यही तर्क दलित लेखकों का है क्योंकि हम दलित हैं। इसलिए उसका प्रामाणिक अनुभव हमें है, उस पर सच्ची प्रतिक्रिया हम ही व्यक्त कर सकते हैं और शायद इसी कारण साहित्य की नहीं, दलित साहित्य की बात की जाती है। उसे आप दलित अभिव्यक्ति कहें; दलित साहि[illegible] कहने पर क्यों जोर है? चूँकि उसमें दलित के साथ साहित्य भी है, इसलिए जिस अंश में वह साहित्य है, उस अंश में उसे साहित्य की सामान्य कसौटी पर ही परखा जाएगा; क्योंकि उसका विषय दलित जीवन से संबंधित है,

इसलिए वह दलित साहित्य है, पर है साहित्य ही।... अच्छा साहित्य केवल अपने अनुभव पर ही नहीं लिखा जा सकता। अपने अनुभव को भी तटस्थ होकर देखना और वस्तुगत रूप में प्रस्तुत करना अपने अनुभव को समाज और इतिहास की प्रक्रिया में रखकर उसे जीवंत बनाना साहित्य के लिए आवश्यक है।"[37]

इस संबंध में जैसा कि पहले ही कहा गया कि दलित साहित्य अपना नया सौन्दर्य शास्त्र गढ़ने की प्रक्रिया में है। इसे पुराने सौन्दर्य प्रतिमानों के निष्कर्ष पर नहीं चढ़ाया जा सकता। लिम्बाले साहित्य को 'आह' के उदात्त रूप में परिभाषित करते हैं। इस उदात्तीकरण से भिन्न दलित साहित्य में कुछ नहीं है; ऐसा नहीं कहा जा सकता, किंतु निश्चिततः यह एक महत्वपूर्ण घटक है। यह सही है कि वैश्वीकरण के बढ़ते कदम और बाजारवाद का घिनौना शिकंजा भी दलित साहित्यकारों की चिंता का विषय है। जब सारी दुनिया आणविक ऊर्जा के प्रयोग कर रही हो, वे ताम्रयुगीन हथियारों की उपलब्धियों गर्व नहीं कर सकते। उदारीकरण तथा बाजारवाद को दलित साहित्यकार कल्याणकारी नहीं मानते और न ही उन्हें मानना चाहिए। बाजार का यह लुभावना रूप शुरू में मोहक और प्रिय लगता है। यही इसकी विशेषता है और सबसे बड़ा अवगुण भी। इसकी मोहकता प्रारंभ में विवेक-विस्मृत कर देने वाली है परंतु इसकी दाहकता असहनीय है। दलित साहित्य को इंटर डिस्पलेनरी हस्तक्षेप और अधिक प्रभावी और प्रासंगिक बना सकता है। जाति की समाप्ति के लक्ष्य के साथ आर्थिक न्याय भी दलित साहित्य का ध्येय है।

उपरोक्त तमाम विमर्श के पश्चात एक तथ्य बहुत ही स्पष्ट होकर उभरता है कि दलित साहित्यकारों को गैर-दलित साहित्यकारों पर पर्याप्त शुबहा है। इसे वे एक षड्यंत्र की ही भाँति देखते हैं। वे अतीत में से इसी परंपरा के हवाले भी देते हैं। मुद्राराक्षस जी इसकी जानकारी देते हुए हिन्दी के दो विद्वानों के दृष्टिकोणों पर प्रकाश डालते हैं, "राम जन्मभूमि नाम के आंदोलन के साथ खड़े विचारों को बल देने के लिए अस्सी के दशक के पूर्वार्द्ध में जहाँ एक ओर बजरंग दल जैसे संगठन रामरथ की तैयारी कर रहे थे, वहीं हिन्दी के वरिष्ठ रचनाकार अज्ञेय ने जय जानकी यात्रा का नेतृत्व किया था।

साम्प्रदायिक संगठनों की विचारधारा का केन्द्र भी रामकथा का महाकाव्य था और अज्ञेय ने भी देश की समस्त सांस्कृतिक चेतना को रामकथा में ही देखा था। विष्णु स्वरूप राम एक प्रभादीप्त तेजोमण्डल में आत्मस्थ हो जाते हैं.... इसी के साक्षी सब देव-देवता, यक्ष, नाग, ऋषि, सिद्ध और मानुष मात्र हैं...।...इसी रामकथा को हिन्दी में मार्क्सवादी लेखक रामविलास शर्मा ने भी लगभग इतना ही भावविभोर होकर गौरवान्वित किया है, "क्या यूरोप, क्या एशिया, किसी महाकाव्य का नायक इतना लोकप्रिय नहीं हुआ जितना रामायण के राम हुए हैं। उनके चरित्र में कुछ ऐसी विशेषता है जो केवल भारतीय जनता की नहीं वरन् मानवमात्र की भावनाएँ व्यक्त करती हैं।" यह मात्र संयोग नहीं है कि रामकथा को पुनरुज्जीवित करने वाले राष्ट्रीय स्वयं सेवक संघ, विश्व हिन्दू परिषद या

भारतीय जनता पार्टी संगठन भी ब्राह्मणवादी संगठन हैं और रामकथा को साहित्य में आरोपित करने वाले अज्ञेय और रामविलास शर्मा भी ब्राह्मण हैं।"[38]

डॉ. शर्मा प्राचीन समय के दस्युओं के प्रति निर्ममता से पेश आते हैं और वर्तमान में दलितों के साहित्य के प्रति असहिष्णु हैं। क्या ऐसे सवर्ण साहित्यकारों-आलोचकों के इस बर्ताव के चलते दलित उनसे कुछ आशा रखें। साहित्य के रूप में डॉ. रामविलास शर्मा दलित लेखन की गुणवत्ता और साहित्यिक विमर्श में उठे मुद्दों के औचित्य पर भी टिप्पणी करते हुए सहानुभूति बनाम स्वानुभूति या प्रामाणिकता की बहस को अप्रांसगिक बताते हैं। उनके अनुसार साहित्यकार साहित्यकार है चाहे वह किसी जाति या धर्म का हो। उनका यह स्पष्ट मत है कि इस बहस के चलते गैर-दलितों ने दलित जीवन पर लिखना ही बंद कर दिया है क्योंकि वे अपने लेखन की प्रामाणिकता-अप्रामाणिकता के अनपेक्षित विवाद में नहीं पड़ना चाहते। डॉ. शर्मा के अनुसार "भाषा एक सामाजिक विरासत है जिसके निर्माण में विभिन्न वर्गों एवं वर्णों की भूमिका होती है। यही नहीं दलित लेखन को साहित्यिक भाषा सीखनी और विकसित करनी होगी, क्योंकि सिर्फ़ गाली और आक्रोश से साहित्य नहीं बना करता।"[39]

डॉ. शर्मा की वेदमुग्धता जग-जाहिर है ही। मुद्राराक्षस जी के अनुसार, "आश्चर्य होता है कि रामविलास शर्मा का यह अंधविश्वास है या इतिहास दृष्टि। वे यह भूल जाते हैं या शायद देखना नहीं चाहते कि यास्काचार्य के पूर्ववर्ती कौत्स जैसे भारतीय विद्वानों ने ही वेदों को दर्शन-विहीन कविताएँ कहा था और वेदों की आध्यात्मिकता का कटु विरोध किया था। लगभग तीन हजार बरस पहले यज्ञों के कटु आलोचक तुरकावपेय जैसे अध्येता भी मौजूद थे।... डॉ. रामविलास शर्मा इस तरह की घटनाओं पर यह कहकर संतुष्ट होते हैं कि वे मायावी राक्षस और पिशाच थे। असुर थे, दस्यु थे। इन्द्र प्रसूति गृह में ही विरोधपक्ष की एक स्त्री की हत्या करता है (मं: प. सूक्त 18, मंत्र 8, भाष्यसायन), पर प्रसूतिगृह में मारी जाने वाली स्त्री से भी रामविलास शर्मा की सहानुभूति नहीं है।... किसी को भी इस बात पर हैरानी हो सकती है कि मार्क्सवादी डॉ. रामविलास शर्मा ने 1857 के विद्रोह को जनक्रांति के रूप में देख लिया था फिर वैदिक सुखासीनों और पुरोहितों का विरोध करने वाले असहमत समाज को वे मायावी राक्षस पिशाच कैसे मानने लग गए। रामविलास शर्मा मार्क्सवादी हैं, वे वर्तमान सामंतों, सुखासीनों, धनपतियों और पुरोहितों के विरुद्ध जनसंगठन की सिफारिश करते हैं, पर भारतीय अतीत के इन्हीं सामन्तों, पुरोहितों, सुखासीनों को देवता और आर्य घोषित करते हैं।"[40]

मुद्राराक्षस जी के उपर्युक्त विवेचन को यदि आधार माना जाए तो दलित साहित्यकारों के आरोप में सत्यता नज़र आती है। ऐसे मूर्धन्य साहित्यकारों की दृष्टि यदि इतनी सँकरी है, तब उनके वर्ग के अन्य लोगों से क्या अपेक्षा की जा सकती है। अंततः वे ब्राह्मणवाद की ही रक्षा करते दिखाई देते हैं क्योंकि इसमें उनके निहित स्वार्थ हैं। दलित

साहित्य और साहित्यकार एकाधिकार और वर्चस्व की इसी भावना के विरोध में खड़ा है। वह उन तमाम व्यवस्थाओं को नकारता है जो मनुष्यता भेदभाव में विश्वास रखती हैं।

इस सम्पूर्ण विवेचना के बावजूद जिसमें साहित्य के विद्वानों की सम्मतियों के साथ-साथ दलित साहित्य के पैरोकारों के विचार भी सम्मिलित हैं, किसी ठोस, खरे निष्कर्ष पर पहुँच पाना मुश्किल प्रतीत होता है। किंतु बकौल पाण्डे जी 'राख ही जानती है जलने के अनुभव को' खारिज कर पाना भी संभव नहीं लगता। दलित साहित्यकारों की प्रतिबद्धता, क्रांतिकारिता इस संदर्भ में अवश्य उल्लेखनीय है कि वे नया पथ बना रहे हैं। गैर दलितों को दलित विषयक साहित्य लिखना चाहिए क्योंकि यह युग की ज़रूरत है, यह आत्ममंथन के लिए भी आवश्यक है। दलित साहित्यकार स्त्री विमर्श की ही तर्ज पर उन्हें 'दलितों के लिए' साहित्य की श्रेणी में रख सकते हैं। यह अधिकार तो दलित समाज को ही दिया जा सकता है कि वे किस रचना को दलित साहित्य की परिभाषा, परिधि में स्वीकार करते हैं। उन्होंने अत्याचार-अन्याय सहे हैं और दृष्टि की ईमानदारी उनसे बेहतर और कौन पहचान सकता है। अंततः प्रत्येक रचना का लक्ष्य पाठक ही होता है। कोई रचना स्वांतः सुखाय नहीं होती। पाठक समाज उस रचना का सबसे बड़ा निर्णायक है। अंतिम निष्कर्ष पर पहुँचने से पूर्व भारतीय समाज की अमानवीयता की बानगी देखिए।

9 मई 1931 के टाइम्स ऑफ इंडिया के अनुसार" बड़ौदा राज्य में एक अंत्यज महिला को सवर्णों ने इसलिए जीवित जला दिया कि उसने अपने छोटे बच्चे को स्थानीय पाठशाला में पढ़ने के लिए भेजने का दुस्साहस किया था।

14 दिसम्बर 1929 के आर्य गजट के अनुसार, "गुरुदासपुर जनपद में कुछ अछूतों (चमार, धोबी, महार) के जनेऊ धारण करने पर राजपूत हिन्दुओं ने उन्हें मार-मार कर अधमरा कर दिया।

21 जनवरी 1928 के आर्य गजट के अनुसार "शिमला में कुछ अछूत कुलियों को इसलिए जेल भेज दिया गया, क्योंकि उनकी महिलाओं ने सोने के कुण्डल पहन रखे थे। कुण्डलों को राज्य अधिकारियों के हवाले करने के बाद ही उन्हें रिहा किया गया।

राजस्थान के भरतपुर जिले में 1992 में हुए कुम्हेर नरसंहार में 17 दलित मारे गए थे। भँवरी देवी नामक दलित स्त्री के मामले में भी न्यायालय ने दोषियों को निरपराधी पाया। 2003 तक यह केस न्यायालय में लंबित है।

ये घटनाएँ किसी व्यक्ति के साथ आपसी रंजिश के तहत नहीं, अपितु एक समाज की दूसरे समाज के प्रति घृणा और असहिष्णुता का परिचायक हैं। संभवतः इसी अर्थ में दलित साहित्यकार इस बात का दावा पेश करते हैं कि दलित ही दलित साहित्य लेखन प्रामाणिक ढंग से कर सकते हैं। इन घटनाओं के भोक्ता यदि अपनी व्यथा-कथा लिखें, तो निस्संदेह भाषा की बनावट बुनावट महीन न हो, पर रंग वास्तविक ही होंगे। अतः वर्तमान में दलित साहित्यकारों का यह दावा उचित ही प्रतीत होता है और भविष्य में अपनी

रूपरेखा और स्पष्ट करके वह उपस्थित होगा। स्वतंत्रता प्राप्ति के पश्चात जन्मी यह दलितों की पहली शिक्षित जमात है। यह दूसरी पीढ़ी के आने से पूर्व की व्यवस्था है। जैसा कि मैंने पहले ही स्पष्ट किया है कि संवेदना के स्तर पर वर्तमान दलित साहित्य का कोई स्वामी अगर है तो वह स्त्री साहित्य है। इसीलिए आज यह दोनों मुख्यधारा के साहित्य हैं। शिल्प एक अर्नित कुशलता है जो सीधे समय और अधिकाधिक 'साहित्य परंपरा के ज्ञान से सापेदा है।

अंत में यह स्पष्ट करने की आवश्यकता इतनी नहीं रह जाती कि दलित और वाम साहित्यकारों का सरोकार एक है परंतु निश्चित रूप से उनके प्रस्थान बिन्दुओं में भिन्नता अवश्य है। यह निर्विवाद सत्य है कि जब जाति समाप्त हो जाएगी, तब भी वर्ग रहेगा। साथ ही भारत का तीन हजार साल का इतिहास इस तथ्य का गवाह भी है कि जाति यहाँ कभी खत्म नहीं हो पाई। दलित साहित्यकार इसी से आशंकित हैं।

संदर्भ ग्रंथ सूची

1. भीष्म साहनी : कसौटी अंक 1 पृ. 13
2. वही
3. प्रो. मैनेजर पाण्डे : दलित चेतना साहित्य, नवलेखन प्रकाशन पृ.4
4. तद्भव : संपादक अखिलेश, अंक 4 अक्टूबर 2000, पृ. 48
5. अजय वर्मा ; दलित लेखन के खतरे, हंस नवम्बर 1998, पृ.81
6. वही
7. हंस जनवरी 2001, पृ. 53
8. वही
9. तेज सिंह : हिन्दी उपन्यास: दलित विमर्श का पुराख्यान, हंस जनवरी 2001, पृ.28
10. वही
11. वही
12. वही
13. वही
14. राजकिशोर : 20 मई 2001, जनसत्ता
15. मुद्राराक्षस : कथाक्रम, नवम्बर 2000, पृ. 3
16. दलित चेतना साहित्य, नवलेखन प्रकाशन, पृ. 100

17. सूरज पाल चौहान, कल के लिए दिसम्बर 1998, पृ. 53
18. झबरी मल्ल पारख, कल के लिए दिसम्बर 1998, पृ. 34-35
19. ओम प्रकाश श्रीवास्तव, हंस अप्रैल 2000, पृ. 60
20. सुरेश कुमार थोरात, हंस जून 2000, पृ. 45
21. वही पृ. 46
22. कल के लिए, दिसम्बर 1998, पृ. 61
23. वही
24. वही
25. हंस, जनवरी 2001, पृ. 54
26. कल के लिए, दिसम्बर 1998, पृ. 15
27. वही, पृ. 16
28. वही, पृ. 15
29 राम सूरत भारद्वाज, दलित चेतना सोच, नवलेखन प्रकाशन, पृ. 99
30. रमणिका गुप्ता, दलित चेतना साहित्य, पृ. 6
31. कल के लिए , दिसम्बर 1998, पृ. 18
32. वही
33. वही, पृ. 16
34. वही
35. शरण कुमार लिंबाले, अक्करमाशी, पृ. 164
36 कल के लिए, दिसम्बर 1998, पृ. 17
37. वही, पृ. 21
38. मुद्राराक्षस, हंस, दिसम्बर 2000, पृ. 45
39. रामविलास शर्मा, तद्भव अंक 4, अक्टूबर 2000, पृ. 48
40. मुद्राराक्षस, हंस, दिसम्बर 2000, पृ. 16

c/o- पदम परिहार, सतलज हॉस्टल
जे.एन. यू. नई दिल्ली-110067

सामाजिक परिवर्तन की प्रक्रिया में केवल 'आलोचना के हथियारों' से ही काम पूरा नहीं होगा, 'हथियारों की आलोचना' की भी जरूरत पड़ती है। मार्क्सवाद सामाजिक परिवर्तन की जिस प्रक्रिया पर जोर देता है उसमें दलितों की चिंता आवश्यक है। भारत के कम्युनिस्ट आंदोलन ने अगर इस चिंता को व्यावहारिक रूप नहीं दिया, तो यह उसकी सीमा है जिससे छुटकारा जरूरी है।

हिन्दी साहित्य में दलित लेखन

मैनेजर पाण्डेय

अध्यक्ष मंडल, संयोजक जी और मित्रो!

हमलोग आज इस सत्र में एक बहुत गंभीर विषय पर विचार कर रहे हैं। आज के विचार का जो विषय है वह भारतीय साहित्य और समाज के बहुत सारे ज़रूरी सवालों से जुड़ा हुआ है। इसलिए इस विषय पर विचार करते समय इसकी गंभीरता को स्वीकार करना बहुत ज़रूरी है। मैं अपनी बात शुरू करने से पहले एक खतरे की ओर आपका ध्यान आकृष्ट करना चाहता हूँ। हमलोग जिस समाज-व्यवस्था, सांस्कृतिक परम्परा और इतिहास-प्रक्रिया में है उसकी कुछ ऐसी प्रवृत्तियाँ हैं जिसका शिकार विरोधी विचारधाराएँ होती रही हैं। मार्क्सवाद उसका शिकार हुआ है। मैं उसी खतरे की ओर आपका ध्यान आकृष्ट करना चाहता हूँ। जिसे गोल-मोल शब्दावली में भारतीय परम्परा कहा जाता है वह केन्द्रीय परम्परा है या शास्त्रीय परम्परा और विचारधारा।

वह समाज की अन्य परम्पराओं और विचारधाराओं पर अपना नियंत्रण बनाए रखना चाहती है। इसके लिए वह विरोधी विचारधाराओं के साथ तीन तरह से व्यवहार करती है।

वह विरोधी विचारधारा के साथ सबसे पहले निर्मम संघर्ष करती है, उसका जी-जान से विरोध करती है। इस उग्र विरोध के शिकार कभी चार्वाक-दर्शन को मानने वाले हुए थे। उस उग्र विरोध का सामना बौद्ध-दर्शन, साहित्य और संस्कृति को करना पड़ा था। बौद्ध परम्परा ने वैदिक और पौराणिक परम्परा की एक मूलगामी समालोचना प्रस्तुत की थी और नई आलोचनात्मक चेतना का विकास भी किया था। आजकल प्राय: वैदिक

पौराणिक परम्परा के विचारक उस आलोचनात्मक चेतना की उपेक्षा करते हैं। चार्वाक और बौद्ध परम्परा का जो उग्र विरोध वैदिक पौराणिक परम्परा द्वारा हुआ, उसका एक परिणाम यह हुआ कि उनकी अधिकांश रचनाएँ भारतीय समाज से गायब हो गईं।

यह प्रक्रिया केवल दर्शन तक सीमित नहीं रही है। साहित्य में भी इसकी सक्रियता दिखाई देती है। कबीरदास का विरोध उनके ज़माने से आज तक होता चला आ रहा है। कबीर के विरोध की एक झलक भक्तिकाल में तुलसीदास की रचनाओं में भी दिखाई देती है।

कई बार केवल उग्र विरोध से काम नहीं चलता। अगर विरोधी विचारधारा बहुत शक्तिशाली हो और विरोध से वह न मरे तो दूसरी प्रक्रिया अपनाई जाती है, उसे विकृत करने की कोशिश की जाती है। वैदिक पौराणिक परम्परा द्वारा विरोधी विचारों को विकृत करने की प्रक्रिया के शिकार कभी चार्वाक और बौद्ध हुए थे। आज मार्क्सवाद और अम्बेडकरवाद हो रहा है। वैदिक पौराणिक परम्परा अपने आस-पास पनपने वाले विरोधी विचारों को भी विकृत करती है। जो लोग शैवों और वैष्णवों के बीच की टकराहटों को जानते हैं वे इसे सहजता से समझ सकते हैं। दर्शन और काव्यशास्त्र के महान आचार्य अभिनवगुप्त शैव थे इसलिए वे स्वयं को अघोरनाथ का पुत्र कहा करते थे। उत्तरप्रदेश और बिहार में दलितों में एक जाति है अघोरी। वह दलितों में भी दलित मानी जाती है। अनेक दलित जातियाँ उनके साथ खान-पान का संबंध नहीं रखतीं। वैष्णव जब अभिनवगुप्त के विचारों का सामना नहीं कर सके तब उन्हें बदनाम करने के लिए अघोरी का पुत्र कहना शुरू कर दिया। कहा जाता है कि इस स्थिति से दुःखी और परेशान होकर अभिनवगुप्त अपने तीन सौ शिष्यों के साथ बर्फ की गुफा में चले गए और फिर कभी बाहर नहीं आए। उन्होंने विकृति की यातना से ऊब कर आत्महत्या कर ली। विकृति का अभियान कितनी दूर तक जा सकता है उसका एक उदाहरण यह है। उसका दूसरा उदाहरण भी आप देख सकते हैं। हमारे यहाँ होली के समय कबीर के नाम पर कुछ गीत गाए जाते हैं जिन्हें कबीरा कहा जाता है। संसार भर में इतने अश्लील गीत शायद ही कहीं गाए जाते हों। कहाँ कबीर की कविता और कहाँ कबीरा जैसा अश्लील गीत। विकृत करने की प्रक्रिया का एक प्रमाण यह भी है।

अगर विरोध और विकृति के बाद भी कोई विरोधी विचारधारा नहीं मरती तो वैदिक पौराणिक परम्परा के समर्थकों द्वारा तीसरी प्रक्रिया अपनाई जाती है। वह जितनी सम्मोहक है उतनी ही खतरनाक भी। तीसरी प्रक्रिया आत्मसात करने की है। उस प्रक्रिया में विरोधी विचारधारा की धार को मिटा कर, उसकी आग को बुझाकर वैदिक पौराणिक विचार परम्परा अपनी लम्बी विशाल धृतराष्ट्र जैसी बाँहें फैलाकर विरोधी विचारधारा को अपने आलिंगन में लेकर आत्मसात करती है। आत्मसात करने का अर्थ है जैसे-तैसे अपना बनाना। विरोध और विकृति की प्रक्रिया से गुजरने के बाद गौतम बुद्ध अवतार बना दिए

गए। पिछले दो-तीन सौ वर्षों से कबीरदास को वैदिक पौराणिक परम्परा में समाहित करने की कोशिश की जा रही है। यह काम कबीर के विचारों के विरोधी ही नहीं कबीरपंथी भी कर रहे हैं। कबीर जीवन-भर जिन बातों का विरोध करते रहे, जिनसे संघर्ष करते रहे वे रूढ़ियाँ कबीरपंथ में कबीर के साथ जोड़ दी गई हैं। कबीर की मूर्ति बना ली गई है। उनकी मूर्तिपूजा शुरू हो गई है। इस तरह कबीर के क्रांतिकारी व्यक्तित्व को रूढ़ियों में बाँधने की प्रक्रिया चल रही है।

कबीर कहते थे कि संस्कृत कुँए का जल है और भाषा नदी के जल की तरह प्रवाहयुक्त। कबीर के लिए भाषा का अर्थ है उनकी अपनी मातृभाषा। इस बात पर बहुत कम ध्यान दिया गया है कि भक्ति-आंदोलन पूरे भारत में मातृभाषाओं में रचनात्मक विस्फोट का आन्दोलन है। तमिल के आल्वार भक्तों से लेकर असमिया के शंकरदेव तक की कविता पर अगल आप विचार करें तो यह बात स्पष्ट हो जाएगी कि प्रत्येक भक्त कवि अपनी मातृभाषा में कविता लिखनेवाला कवि है। देववाणी संस्कृत की संस्कृति के आतंक से स्वतंत्र होकर ही भक्तिकाल के कवियों ने अपनी मातृभाषा में कविता लिखी। तभी दलितों और स्त्रियों को भी कविता में आत्मभिव्यक्ति की स्वतंत्रता प्राप्त हुई, अन्यथा जिस भाषा को सुनने और पढ़ने की स्वतंत्रता दलितों और स्त्रियों को नहीं थी, उसमें आत्माभिव्यक्ति की स्वतंत्रता उन्हें कैसे प्राप्त होती? कबीर ने मातृभाषा में कविता लिखकर जन-जन तक अपनी बात पहुँचाने की कोशिश की, लेकिन पिछले डेढ़-दो सौ वर्षों से कबीर की रचनाओं की संस्कृत में व्याख्या हो रही है और उनका संस्कृत में अनुवाद भी हो रहा है। बीजक के अब तक दो अनुवाद हो चुके हैं। 'ब्रह्मनिरूपण' नाम से कबीर के विचारों की संस्कृत में व्याख्या लिखी गई है। इस तरह बहते नीर को कुँए का जल बनाने का प्रयास चल रहा है। मेरी चिन्ता यह है कि जो प्रक्रियाएँ गौतम बुद्ध और कबीर के साथ अपनाई गईं हैं वही बाबा साहब आम्बेडकर के साथ भी अपनाई जा सकती है। जो लोग आम्बेडकर के विचारों का महत्त्व जानते हैं उन्हें इस बात से सावधान रहना होगा कि आम्बेडकर के विचारों को भी आत्मसातीकरण की प्रक्रिया का शिकार न बनाया जाए।

व्यवहार में सिद्धान्त की दुर्गति के अनेक उदाहरण मिल सकते हैं। मार्क्सवाद को भी व्यवहार में लागू करते समय बहुत सारी गलतियाँ हुई हैं। दूसरे देशों में और भारत में भी। ध्यान देने की बात यह है कि प्राय: जनता सिद्धान्तों और विचारधाराओं को किताबों के सहारे उतना नहीं जानती जितना सिद्धान्तों और विचारधाराओं को माननेवालों के आचरण से। बाबा साहब आम्बेडकर ने क्या लिखा है, केवल यह बता देने से काम नहीं चलेगा। महत्त्वपूर्ण यह है कि साहित्य संस्कृति और समाज के स्तर पर हम आम्बेडकर के विचारों को किस रूप में लागू करते हैं। हमें उनके विचारों को परिवर्तनकारी शक्ति के रूप में विकसित करना होगा न कि कबीरपंथियों की तरह उन्हें रूढ़ियों में बाँधने की कोशिश करनी है।

जो दलित लेखक मार्क्सवाद के साथ संवाद का संबंध बनाना चाहते हैं उनसे भी मैं कुछ निवेदन करना चाहता हूँ। मार्क्सवादी साहित्य चिंतन में, उससे प्रभावित रचना और आलोचना में विविधता और व्यापकता बहुत है। हिन्दी में मार्क्सवाद से प्रभावित कवि हैं— नागार्जुन, मुक्तिबोध, शमशेर बहादुर सिंह, केदारनाथ अग्रवाल और त्रिलोचन। अगर हम मार्क्सवाद से प्रभावित दूसरे कवियों को छोड़कर केवल इन्हीं पाँच कवियों की कविता पर ध्यान दें तो मालूम होगा कि उनकी कविता में वैसी ही विविधता है जैसी कबीर, जायसी, सूर, तुलसी और मीरा की कविता में है। इनमें से किसी एक कवि की कविता की दुनिया से निकलकर अगर आप दूसरे कवि की कविता की दुनिया में प्रवेश करें तो आप एक अलग रूप-रंग की कविता की दुनिया में पहुँच जाएँगे। वहाँ अलग स्वभाव की कविता मिलेगी। इसलिए ऐसा मानना ठीक नहीं है कि मार्क्सवादी दृष्टि को अपना लेने के बाद काव्य-रचना में विविधता नहीं रहती। मार्क्सवाद एक आलोचनात्मक दृष्टि है। उस आलोचनात्मक दृष्टि की सार्थकता तभी होती है जब उसे अपनानेवाला व्यक्ति संपूर्ण जीवन जगत और समाज के साथ-साथ अपनी चेतना और कर्म के बारे में भी आलोचनात्मक हो। इसीलिए मार्क्सवादी आलोचना दृष्टि केवल दूसरों की ही आलोचना नहीं करती वह अपनी और अपनों की भी आलोचना करती है।

यह कहना सही नहीं है कि हिंदी के प्रगतिशील लेखकों ने दलित जीवन की समस्याओं पर ध्यान नहीं दिया है। हिन्दी क्षेत्र में दलितों के साथ अत्याचार की घटनाएँ बहुत होती हैं। हिन्दी क्षेत्र अनेक अर्थों में पिछड़ा हुआ है और प्रतिक्रियावाद का गढ़ बना हुआ है। यही साम्प्रदायिक शक्तियों के उभार का केन्द्र भी है। हिन्दी-क्षेत्र में हरिजनों पर अत्याचार की घटनाएँ बार-बार सामने आती हैं। बहुत पहले बिहार के बेलछी नामक एक गाँव में चौदह हरिजनों को जिंदा जलाए जाने की घटना हुई थी। उस घटना पर हिन्दी में दो महत्त्वपूर्ण रचनाएँ लिखीं गई, एक है नागार्जुन की लम्बी कविता और दूसरी रचना है मन्नू भंडारी का उपन्यास 'महाभोज'। उस समय हिन्दी-क्षेत्र में और विशेष रूप से बिहार में दलित आन्दोलन नहीं था लेकिन नागार्जुन ने मार्क्सवादी दृष्टि से ही प्रेरित होकर 'हरिजन-गाथा' जैसी कविता लिखी है। आप 'हरिजन-गाथा' कविता को पढ़कर कवि की बेचैनी उसके आक्रोश और दूरदर्शी दृष्टि को देख सकते हैं। वह वर्ण-व्यवस्था के विरुद्ध गहरे आक्रोश और उसके अंत की कामना से लिखी गई कविता है। उस कविता के अंत में गरीबदास नाम का एक रैदासी साधु आता है जो उस संकट के बीच पैदा हुए एक बच्चे की हथेलियों को देखता है—

देख रहा था नव जातक के
दायें कर की नरम हथेली
सोच रहा था— इस गरीब ने
सूक्ष्म रूप से विपदा झेली

आड़ी-तिरछी रेखाओं में
हथियारों के ही निशान है
खुखरी है, बम है, असि भी है
गंडासा भाला प्रधान है

इसके बाद नागार्जुन ने यह भी लिखा है कि 'दलित माँओं के सब बच्चे अब बागी होंगे।' नागार्जुन एक प्रकार से सशस्त्र संघर्ष की संभावना व्यक्त कर रहे हैं। वे जानते हैं कि सामाजिक परिवर्तन की प्रक्रिया में केवल 'आलोचना के हथियारों' से ही काम पूरा नहीं होता 'हथियारों की आलोचना' की भी ज़रूरत पड़ती है। इससे यह स्पष्ट है कि मार्क्सवाद सामाजिक परितर्वन की जिस प्रक्रिया पर जोर देता है उसमें दलितों की समस्याओं की भी चिंता आवश्यक है। भारत के कम्यूनिस्ट आन्दोलन ने अगर इस चिंता को व्यवहारिक रूप नहीं दिया तो यह उसकी सीमा है जिससे छुटकारा ज़रूरी है।

कभी-कभी सीमा दूसरी ओर भी दिखाई देती है। मराठी के कवि नामदेव ढसाल की एक कविता है 'अम्बेडकर-78' जिसमें वे कहते हैं कि सबकी आज़ादी या फिर देश की मौत। यह एक चेतावनी है। इसे तथ्य मानकर चलना ठीक नहीं होगा। सामाजिक परिवर्तन केवल विचारधारा और आकांक्षा से नहीं होता। परिवर्तन के लिए संगठन केवल साहित्यिक आन्दोलन होकर सार्थक नहीं बन सकता। उसे सामाजिक और राजनैतिक परिवर्तन का आन्दोलन को सामाजिक और राजनीतिक परिवर्तनों के आन्दोलनों से जोड़ने की दृष्टि देता है। मराठी के दलित आन्दोलन में यह बात है, लेकिन हिन्दी में दलित साहित्य का आन्दोलन अभी उस स्थिति तक नहीं पहुँचा है।

एक रचनाकार के लिए अपने स्वत्त्व का बोध ज़रूरी है, पर उसके साथ ही जो अन्य है, दूसरा है उसका बोध और उससे अंतर का बोध भी ज़रूरी है। भारत में जो प्रभुत्वशाली परम्परा है उसके समर्थक भारतीय समाज के स्वत्व की अपने ढंग से व्याख्या करते हुए उसे अपना स्वत्व बना लेते हैं। वे अपनी आत्मा को ही इस देश की आत्मा मानते हैं। इसलिए अगर उनकी आत्मा पर कोई खरोंच आए तो वे कहते हैं कि देश की आत्मा संकट में है। इस देश में कुछ वर्षों से देश की एकता के नाम पर विभिन्न अस्मिताओं की आकांक्षाओं के दमन का व्यापक अभियान चल रहा है। यहाँ हालत यह है कि अगर कोई समुदाय अपनी समस्याओं और आकांक्षाओं को सामने लाने के लिए आन्दोलन चलाता है तो प्रभुत्वशाली परम्परा के रक्षक कहते हैं कि देश की एकता खतरे में है। दलित लेखकों के लिए यह ज़रूरी है कि वे अपने स्वत्व के बोध के साथ-साथ अन्य का भी बोध विकसित करे और दोनों के बीच संबंधों की जटिलताओं को पहचाने।

मुझे लगता है कि हिन्दी क्षेत्र में दलित साहित्य के आन्दोलन के विकास के लिए हिन्दी क्षेत्र के समाज, संस्कृति और साहित्य के इतिहास का पुनर्लेखन ज़रूरी है। यहाँ हिन्दी क्षेत्र में दलित साहित्य की बात करते समय यह ध्यान में रखना होगा कि देश के अन्य क्षेत्रों

की तुलना में हिन्दी क्षेत्र में अशिक्षा बहुत है और अशिक्षा का सबसे अधिक शिकार दलित जनसमुदाय है। इसलिए यह सोचना ज़रूरी है कि हिन्दी में जो दलित साहित्य लिखा जा रहा है और लिखा जाएगा वह किस तरह और किस सीमा तक दलितों के पास पहुँचेगा। दलितों में अशिक्षा के कारण ही यह दिखाई देता है कि पहले साहित्य में जब भी दलित चेतना की अभिव्यक्ति हुई है तब वह जनपदीय बोलियों या लोक भाषाओं के साहित्य में ही हुई है।

इस तरह की पहली रचना पटना के हीरा डोम की कविता 'अछूत की शिकायत' है जो सितम्बर 1914 की 'सरस्वती' में प्रकाशित हुई थी। यह कविता भोजपुरी में लिखी गई है। इसमें हिंदू समाज की जाति-व्यवस्था के भीतर दलितों की यातना की मर्मस्पर्शी अभिव्यक्ति है। पूरी कविता में जाति-व्यवस्था तथा उसकी परिणतियों के बारे में तरह-तरह के सवाल पूछे गए हैं। हिन्दू समाज की जाति-व्यवस्था का प्रसार संस्कृति और धर्म में भी दिखाई देता है। इसलिए यहाँ ईश्वर भी सवर्ण ही होता है। इसीलिए हीरा कहते हैं कि 'हमनी के दुख भगवनवो ना देखता जे' क्योंकि संभव है कि सवर्ण भगवान 'डोम जानि हमनी के छूए से डेरइले'। हीरा की कविता में प्रश्न पूछने की जो प्रवृत्ति है वह नई चेतना जगाने वाली है। प्रश्न पूछने की यही प्रवृत्ति कबीर की कविता की भी एक मुख्य विशेषता है। कबीरदास जाति-व्यवस्था के बारे में, उसके ईश्वर के बारे में, कर्म-काण्ड के बारे में और वेद तथा पुराणों के बारे में जितने सवाल पूछते हैं उतने सवाल और किसी कवि के यहाँ शायद ही मिले। यह अकारण नहीं है कि आज के दलित रचनाकारों की रचनाओं में भी सवालों की भरमार दिखाई देती है। हीरा डोम की कविता की अंतिम चार पंक्तियाँ जितनी मार्मिक है उतनी ही प्रेरणादायी और अर्थगर्भित भी :—

हमनी के इनरा का निगिचे ना जाइले जां,
पाँके में से भरि-भरि पिअतानी पानी।
पनही से पिटि-पिटि हाथ-गोड तुरि देले,
हमनी के एतनी काहे के हलकानी?

यह संभव है कि प्रेमचंद के इन चार पंक्तियों को पढ़ कर ही 'ठाकुर का कुँआ' कहानी लिखी हो। हीरा की कविता की इन पंक्तियों को पढ़कर बाबा साहब आम्बेडकर के महाद आन्दोलन का महत्त्व समझ में आता है।

दलित साहित्य के प्रसंग में अनुभव और दृष्टि का सवाल अत्यंत महत्त्वपूर्ण है। मैं कबीर और हीरा डोम की कविता के संदर्भ में प्रश्न पूछने की जिस प्रवृत्ति की बात कर रहा था वह आज की दलित कविता की एक मुख्य विशेषता है। हिन्दी के एक दलित कवि हैं ओमप्रकाश वाल्मीकि। उनकी कविता की कुछ पंक्तियाँ देखिए—

तुम्हारे रचे सब तुम्हें भी
डसेंगे साँप बनकर

गंगा किनारे कोई वट वृक्ष
ढूँढ़ लो, कर लो भगवान का पाठ
आत्मशुद्धि के लिए
कहीं मृत्यु के बाद भयभीत आत्मा
भटकते-भटकते
किसी कुत्ते या सुअर की मृत देह में
प्रवेश न कर जाए
या कि
पुनर्जन्म की तलाश में
किसी डोम या चुहड़े के
घर में पैदा न हो जाए
चुहड़े या डोम की आत्मा
ब्रह्म का अंश क्यों नहीं
मैं नहीं जानता
शायद आप जानते हों

इस कविता की आखिरी तीन पंक्तियों में उस दर्शन को ध्वस्त किया गया है जो पिछले कई हजार वर्षों से प्रचारित प्रसारित किया जा रहा है। ऐसा ही सवाल एक बार बनारस में शंकराचार्य से एक स्वीपर ने किया था। शंकराचार्य दिग्विजय करते हुए बनारस पहुँचे। वे गंगा स्नान करके शिव मंदिर में जल चढ़ाने जा रहे थे कि अचानक उनसे एक स्वीपर टकरा गया। शंकराचार्य ने उसे डाँटा और कहा कि तुमने मुझे छूकर अपवित्र कर दिया। उसने शंकराचार्य से पूछा कि भगवन् किसने किसको छू दिया— मेरे शरीर ने आपके शरीर को? वह तो आप ही के अनुसार माया है। क्या मेरी आत्मा ने आपकी आत्मा को? वह आपके अनुसार सच्चिदानंद का अंश है। फिर किससे कौन अपवित्र हुआ? दिग्विजयी शंकराचार्य की सारी तर्कशक्ति जवाब दे गई। वे हार कर दोबारा गंगा स्नान करने चले गए। इसीलिए मैं कह रहा था कि प्रश्न पूछने की प्रवृत्ति का दलित साहित्य के लिए बहुत महत्त्व है।

हिन्दी में दलित साहित्य के प्रसंग में इस प्रश्न पर बहस होती रही है कि दलित जीवन के बारे में केवल दलितों को लिखने का अधिकार है या गैर-दलितों को भी। हिन्दी में गैर-दलितों ने भी दलित जीवन के बारे में साहित्य रचा है, ऐसे लोगों में प्रेमचंद, निराला, नागार्जुन और अमृतलाल नागर विशेष रूप से उल्लेखनीय हैं। दलित जीवन के बारे में गैर दलितों के द्वारा लिखे साहित्य के प्रसंग में एक प्रश्न विचारणीय है। वह प्रश्न है संस्कार एवं अनुभव के द्वन्द्व का। कभी-कभी रचना में रचनाकार के संस्कार रचनात्मक

अनुभव की सीमा लांघ कर प्रकट हो जाते हैं। अमृतलाल नागर का प्रसिद्ध उपन्यास है 'नाच्यौ बहुत गोपाल' उसमें संस्कार एवं अनुभव का द्वन्द्व दिखाई देता है। उपन्यास की नायिका मंदिर में मूर्ति को देखते ही श्लोक का पाठ करने लगती है। यह रचना-दृष्टि पर संस्कार का हावी होना है। लेखक चाहे गैर-दलित हो या दलित उसे संस्कार और अनुभव के द्वन्द्व के बारे में सावधान रहना चाहिए। गोपाल उपाध्याय के उपन्यास 'एक टुकड़ा इतिहास' में भी दलित जीवन की त्रासदी को मार्मिक अभिव्यक्ति के बावजूद वर्ण-व्यवस्था के ढाँचे में ही दलित समस्या का समाधान खोजने की प्रवृत्ति है।

आजकल जो दलित साहित्य विकसित हो रहा है उसमें आक्रोश अधिक है जबकि प्राय: लोगों की आदत साहित्य में करुणा और सहानुभूति खोजने की रही है। आक्रोश में प्राय: आवाज़ कर्कश हो जाती है और स्वर सधा हुआ नहीं रहता। इसलिए जो लोग साहित्य में सधे हुए स्वर और सुरीली आवाज़ की खोज करते हैं वे लोग दलित साहित्य से निराश होते हैं। ऐसे लोगों से ग़ालिब के शब्दों में यही कहा जा सकता है :

फरियाद की कोई लै नहीं है,
नाल: पावंद-ए-नै नहीं है।

तात्पर्य यह है फरियाद किसी लय की मुँहताज नहीं होती और आर्त्तनाद के लिए बाँसुरी की ज़रूरत नहीं होती। जो लोग फरियाद भी विशेष लय में सुनना चाहते हैं और आर्त्तनाद के लिए बाँसुरी ज़रूरी मानते हैं वे कला पारखी तो क्या इंसान भी नहीं हैं। प्राय: आक्रोश से उपजी कविता धूमिल के शब्दों में 'एक इन्कार भरी चीख' की तरह होती है।

आजकल हिन्दी में दलित साहित्य के सौन्दर्य शास्त्र की चर्चा हो रही है। हिन्दी में जो दलित साहित्य लिखा जा रहा है उसकी जाँच परख और व्याख्या के लिए और साथ ही उसके सौंदर्य बोध की पहचान के लिए आलोचना और सौंदर्यशास्त्र का विकास आवश्यक है। जब भी कला और साहित्य में नई रचनाशीलता विकसित होती है तब उसके सौंदर्य के बोध और व्याख्या के लिए नयी सौंदर्यशास्त्रीय दृष्टि और आलोचना दृष्टि के विकास की माँग होती है। आज के दलित साहित्य के प्रसंग में अगर पुराना सौंदर्यशास्त्र और काव्यशास्त्र अपर्याप्त लगे तो कोई आश्चर्य की बात नहीं है। मुझे दलित साहित्य के सौंदर्यशास्त्र के प्रसंग में जर्मनी के लेखक पीटर वाइस की पुस्तक 'एस्थेटिक ऑफ़ रेसिस्टेंस' का नाम याद आ रहा है। मुझे लगता है कि दलित साहित्य को अपने लिए प्रतिरोध का सौंदर्यशास्त्र विकसित करना होगा। धन्यवाद।

म.प्र. प्रगतिशील लेखक संघ की शिवपुरी इकाई के कार्यक्रम 'दलित कलम' के द्वितीय सत्र में 20 जून 1993 को दिया गया वक्तव्य।

121, उत्तराखंड, ज.ने.वि.,
नई दिल्ली-67

एक विवाद यह रहा है कि क्या कुछ अरसे बाद यह साहित्य चुक नहीं जाएगा? मोनोटोनस या एकरस नहीं हो जाएगा? दूसरा विवाद जो सबसे अधिक चर्चित है वह है कि दलित साहित्य का लेखक कौन हो— केवल दलित ही या गैर-दलित भी? तीसरा विवाद उसकी विषय-वस्तु और उसके दायरे को लेकर है। वह केवल दलितों के सामाजिक सम्मान, प्रतिष्ठा और अस्मिता तक ही सीमित रहे अथवा दलितों के विकास के अन्य पहलू भी उसमें शामिल हों

दलित साहित्य की परिभाषा और सीमाएँ

रमणिका गुप्ता

दलित साहित्य डॉ. आम्बेडकर की विचारधारा को अपना मूल स्रोत मानता है, इसलिए उसकी परिभाषा या सीमाओं पर विचार करते समय, उस मूल विचारधारा की विवेचना भी आवश्यक हो जाती है जो इस साहित्य की जनक है। डॉ. आम्बेडकर की विचारधारा का केंद्र मनुष्य था इसलिए उसकी सीमाओं के दायरे में पूरी मानवता समा जाती है। आज दलित साहित्य का दायरा कायम हो रहा है। वह मूल-साहित्य का रूप ले रहा है और संभवत: वह ही इक्कीसवीं सदी का मूलसाहित्य होने वाला है। दार्शनिक एवं चिंतक तुलसीराम के अनुसार— "आज की तारीख में डॉ. आम्बेडकर की व्यापकता ही दलित साहित्य की मुख्यधारा है।" (राष्ट्रीय सहारा में 'दलित साहित्य की अवधारणा')

शरण कुमार लिम्बाले के अनुसार— "दलित साहित्य अपना केंद्र बिन्दु मनुष्य को मानता है। बाबा साहब के विचारों से दलित को अपनी गुलामी का एहसास हुआ उनकी वेदना को वाणी मिली, क्योंकि उस मूल समाज को बाबा साहब के रूप में अपना नायक मिला। दलितों की वह वेदना दलित साहित्य की जन्म-दात्री है। दलित साहित्य की वेदना 'मैं' की वेदना नहीं, वह बहिष्कृत समाज की वेदना है।"

इस बहिष्कृत समाज को बाकी समाज के समकक्ष लाए बिना मनुष्यता का तकाज़ा अधूरा रह जाएगा और मानवता अपूर्ण ही रहेगी। इसलिए दलित साहित्य मानवता के इस तकाज़े के तहत उसे समकक्ष लाने के लिए प्रतिबद्ध है। संक्षेप में यही है दलित साहित्य

की परिभाषा और उसकी सीमाएँ उतनी ही हैं जितनी मनुष्यता की सीमाएँ। इस दृष्टिकोण से दलित साहित्य आज की सोच का प्रतिनिधत्व करता है और इसे मूलधारा का साहित्य कहा जा सकता है। वैसे इसे एकांगी सिद्ध करने के प्रयास भी कम नहीं किए जा रहे हैं। कुछ लोग इसे एकांगी ही रहने देने में अपनी भलाई समझते हैं और कुछ इसे खुद अप्रासंगिक हो जाने के डर मे एकांगी ही सिद्ध करने में व्यस्त हैं।

वैसे तो किसी भी साहित्य की परिभाषा तब तक पूर्ण नहीं मानी जा सकती जब तक उसका विषय, शैली, भाषा, उसका आकार-प्रकार, रूप-रेखा और दायरा परिभाषित न किया जाए। पर दलित-साहित्य के जन्म के साथ ही कुछ विवाद भी पैदा कर दिए गए या हो गए। इसकी परिभाषा को समझने के लिए तथा एक दलित दृष्टि का विकास करने और दलित साहित्य की सीमाओं का दायरा जानने के लिए इन विवादों पर चर्चा ज़रूरी, समीचीन और न्यायोचित होगी क्योंकि यह विवाद दलित साहित्य की सीमाओं को संकीर्ण सिद्ध करने हेतु ही उठाए जाते रहे हैं।

विवाद

एक विवाद यह रहा है कि क्या कुछ अरसे बाद यह साहित्य चुक नहीं जाएगा? मोनोटोनस या एकरस नहीं हो जाएगा? दूसरा विवाद जो सबसे अधिक चर्चित है वह है कि दलित साहित्य का लेखक कौन हो— केवल दलित ही या गैर-दलित भी? तीसरा विवाद उसकी विषय-वस्तु और उसके दायरे को लेकर है। वह केवल दलितों के सामाजिक सम्मान, प्रतिष्ठा और अस्मिता तक ही सीमित रहे अथवा दलितों के विकास के अन्य पहलू भी उसमें शामिल हों?

क्या दलित साहित्य मोनोटोनस हो जाएगा?

प्रारंभ में दलित साहित्य की मुख्य विधा आत्मकथा ही रही जो उनके भोगे हुए अनुभव पर आधारित होती है। विवादियों का तर्क यह है कि चूँकि पूरे दलित समाज के उत्पीड़न और शोषण के अनुभव एक ही जैसे हैं इसलिए एक तो वे दोहराए जाएँगे। दूसरे एक बार अनुभव लिख लेने के बाद लेखक के पास लिखने को बाक़ी कुछ नहीं बचेगा। वह चुक जाएगा। क्या वे पुनरावृत्ति नहीं करेंगे जो उन्हें मोनोटोनस बना देगी? वैसे तो वरिष्ठ दलित आलोचक एवं समीक्षक डॉ. एन.सिंह ने अपनी पुस्तक 'चेतना के स्वर' की भूमिका में दलित साहित्य के मोनोटोनस होने के खतरे की तरफ़ इशारा किया है, पर मेरी समझ में ऐसा कोई खतरा नहीं है। वैसे भी साहित्य की हर प्रवृत्ति एक समय के बाद मोनोटोनस होती रही है और होती रहेगी। दलित साहित्य के संबंध में ही यह ख़ास बात नहीं है। हिन्दी पट्टी में तो अभी इसका शुरुआती दौर ही है, इसलिए इसे लेकर विवाद का प्रश्न ही नहीं उठना चाहिए। ऐसे भी दलित लेखकों ने शुरुआत आत्मकथा से न करके कविता से की है। ये सच है कि दलित आत्मकथा किसी एक व्यक्ति की न होकर, प्राय: पूरे समाज की कथा बन जाती है। लेखक (दलित) का व्यक्ति तो बस अपने संदर्भ में

अपने अंदाज़, अपनी शैली, अपनी भाषा में पूरे समाज को पाठक वर्ग के सामने रू-ब-रू खड़ा कर देता है, जिसमें पूरी व्यवस्था और उसका इतिहास भी झाँकता है और आज के परिवेश में भविष्य की आकांक्षा भी जन्म लेती है। इसलिए जब 'अपने-अपने पिंजरे' में मोहनदास नैमिशराय अपने गिर्द, अपने गाँव-टोले, मोहल्ले में अपना बचपन जीते हैं तो उसमें हिन्दू-मुस्लिम समाज की दृष्टि से जीते हुए, उनके पूरे समाज का बचपन से बुढ़ापा नज़र आता है। वह मोहन का बचपन नहीं, उनके पूरे समाज का बचपन बन जाता है और उनके प्रति मुस्लिम पड़ोसी का रुख, पूरे दलित समाज के प्रति मुस्लिम समाज का रवैया बनकर उकिर आता है। इसी प्रकार जब ओमप्रकाश वाल्मीकि ने 'जूठन' में भारतीय शिक्षकों द्वारा दलित बालक की पीठ पर 'छड़ी से महाकाव्य' लिखने के अनुभव उकेरे तो उन्होंने उच्च-वर्णीय भारतीय शिक्षक की हिन्दू संस्कृति की छड़ी को उकेर दिया है और ओमप्रकाश की पीठ पूरे दलित बालकों की पीठ बन गई है, जिस पर उत्पीड़न और बर्बरता का अभिजात शैली में महाकाव्य लिखा गया। दलित बालक को स्कूल में पढ़ने जाने पर शिक्षक द्वारा झाड़ू सौंपा जाना भारतीय स्कूलों का प्रतीक बन जाता है। श्यौराज सिंह 'बेचैन' की 'चमार का' जो 'युद्धरत आम आदमी' पत्रिका में छपी, में जहाँ दलित स्त्री दूसरे दलित पति-रूपी पुरुष के पुरुष-प्रभुत्व की त्रासदी उकेरती है, तो वह दलित-स्त्री की त्रासदी होती है केवल श्यौराज की 'माँ' की नहीं। उन्हीं त्रासदियों में पलकर विकसित हुए दलित बालक श्यौराज की पढ़ने की भूख, पिता के पैसे चुराने की कथा बन जाती है लेकिन वह कथा लिम्बाले के 'अक्करमाशी' के बाल से भिन्न है, वह 'उठाईगीर' की चोर-संस्कृति में चोरी करने को मजबूर किए जाने वाले बालक का चोरी की जगह कोई दूसरा सभ्य पेशा पकड़ने की जिद से भिन्न है। वह है दलित-समाज के 'श्यौराजों' के पढ़ने की ललक और जिद!

शोषण के अनंत रूप हैं और समाज के कई पहलू और लेखक के अलग-अलग अंदाज़, अलग-अलग शैली, अलग-अलग भाषा। तब कैसे मोनोटोनस हो जाएँगी ये आत्मकथाएँ या उनका साहित्य? हाँ, यदि कोई नकल करे, तो ज़रूर पुनरावृत्ति होगी और वह किसी भी साहित्य में हो सकती है। दरअसल, वस्तु कभी मोनोटोनस नहीं होती। हिन्दू धर्म की रामायण या राम-कथा का ही उदाहरण लें। वही एक राम, वही एक सीता, वही एक हनुमान, वही रावण, वही युद्ध, वाल्मीकि से लेकर तुलसीदास तक और अब तो भगवान सिंह से कोहली। तब कई-कई बार लिखी गई है यह राम-कथा रामायण। कहाँ मोनोटोनस हुई है वह? दलितों की आत्मकथाएँ तो सदियों के शोषण का वर्तमान रूप हैं—पूरे समाज की गाथा हैं, जिनके अनंत पहलू हैं। फिर अभी दलित समाज पर शोषण ख़त्म कहाँ हुआ है कि दलित लेखक का विषय चुक जाएगा? अभी तो संघर्ष शुरू हुआ है! शोषण के समुद्र में ढेले फेंके जा रहे हैं। समुद्र सोखने में जो तरद्दुद होगा, वह भी तो दलितों का ही अनुभव-संसार होगा? यह बहस छेड़कर लोग अपनी संकुचित दृष्टि का ही प्रदर्शन करते हैं। यदि वे लोग जो विरासत में मिले संस्कारों और परिष्कृति संस्कृति के

आदि हैं, दलित-दृष्टि से देखने की आदत डालें तो ही उन्हें सही दिखेगा। अभी तो वे उन्हें अपने ही संस्कारों के चश्मे से देखते हैं जिन्हें उन्होंने संस्कारहीन बनाया! जब वे चश्में से देखेंगे तो ही वे दलितों के संस्कार-निर्माण और अधिकार-प्राप्ति की मुहिम में साथ दे पाएँगे और दलित-साहित्य के दायरे में दलित का नहीं एक जातिविहीन पूरी मानवता का दर्शन करेंगे।

दलित साहित्य का लेखक कौन हो?

जब एक दलित साहित्यकार जाति व्यवस्था की सीढ़ी के सबसे निचले डंडे पर बैठे लोगों को मनुष्यता का अधिकार हासिल कराने के लिए संघर्ष करता है— उसके लिए कलम उठाता है तो वह वास्तव में पूरे समाज के सोपानात्मक विभाजन को मिटाने के एजेंडे को लेकर ही संघर्षरत हुआ होता है और मनुष्य मात्र ही उसका केंद्र बिंदु होता है। तब यह मुहिम अकेले दलित की मुहिम नहीं रह जाती चूँकि एक तो इसमें मनुष्यता की शर्तें हासिल करने की बात होती है जो संपूर्ण मानवता की बात है, दूसरे दलितों को वंचित करने वाला दूसरा सवर्ण-पक्ष भी इसमें वर्तमान रहता है, भले दूसरे पक्ष के रूप में ही क्यों न हो। उसके केंद्र में जो मनुष्य है वह सोपान के सबसे निचले डंडे पर बैठा, सदियों से पशुवत जीवन जी रहा, हर गाँव के दक्षिण में हाशिये पर बसा मनुष्य है जिसकी परछाईं, हवा, गंध बाकी गाँववासियों के लिए सब अछूत है, अशुभ है। यह साहित्य उसे मनुष्यता का, उसकी गुलामी का अहसास करता है और साथ-ही-साथ बाकी तीनों डंडों पर बैठे अपने को श्रेष्ठ, कुलीन, उच्च-वर्णीय समझने वाले समाज की मानसिकता बदलने के लिए सभी रास्ते अपनाता है। उन्हें सावधान करता है वह, चेताता है, प्रेम का रास्ता भी सुझाता है वह और उन्हें अपनी संगठित होती हुई शक्ति का अहसास भी करवाता है। यह मानसिकता बदलने का प्रयास दलित-साहित्य के दायरे को और भी व्यापक बनाता है और यह काम एक दलित लेखक ही बखूबी और प्रमाणिक तौर पर कर सकता है क्योंकि उसने विभेद के सत्य को भोगा है। इस प्रकार यह साहित्य दलितों के लिए दलित द्वारा लिखा होने पर भी पूरी मानवता को संबोधित होता है। दलित लेखक दलित समाज की भागीदारी राजनीतिक, सामाजिक और आर्थिक स्तर पर भी सुनिश्चित करना चाहता है। डॉ. एन. सिंह के शब्दों में—

> दुकान हमारी भी है / और तुम्हारी भी
> ये बात और है कि / हमारी दुकान पर बिकता है जूता
> और तुम्हारी दुकान पर / रामनामी
> हमारे लिए जूते का महत्त्व वही है / जो तुम्हारे लिए रामनामी का
> आओ समानता का तार पकड़ें / एकता का सूत्र गढ़ें
> साथ बढ़ें।
> (दलित-चेतना : कविता)

वैसे भिन्न-भिन्न समय पर सवर्ण और दलित साहित्यकारों ने अपने-अपने ढंग से इसे परिभाषित किया है। दरअसल, यह विवाद 'दलित' शब्द की व्याख्या को लेकर भी बार-बार उठता रहा है। 'दलित' कौन हो— केवल अछूत कि सर्वहारा भी? शरण कुमार लिम्बाले ने इसे यूँ स्पष्ट किया है— "अछूत का अनुभव और जाति व्यवस्था का कलंक अलग कर दिया जाए तो सर्वहारा का जीवन एक जैसा होता है।" उनके अनुसार ऐसा विवाद उठना स्वाभविक ही है। वे कहते हैं— "उस अछूत आदमी को गौरवान्वित कर ज़ोरदार शब्दों में प्रस्थापित करने वाले दलित साहित्य का अंभ्युदय विवाद का विषय न बने तो घोर आश्चर्य है।" दरअसल, इस प्रकार यह विवाद अछूतों के चैतन्य और विकसित होने के कारण सवर्णों में जो भय पैदा हुआ, उसी का द्योतक है। यदि दलित ही ऐसा साहित्य रचते हैं जो उनकी पीड़ा और आक्रोश को व्यकत करने के साथ-साथ पूरे समाज की मानसिकता बदलने के लिए भी प्रतिबद्ध हो तो उसे साहित्य मानने से परहजे क्यों? उसे दलित साहित्य नाम देने पर एतराज़ क्यों? उस पर अपना दावा ठोकने की अकुलाहट क्यों? गैर-दलित भी संवेदना और सहानुभूति से दलितों के लिए साहित्य लिखें तो कौन मना करता है उन्हें? पर यह उनका अनुभव-जन्य, प्रमाणिक साहित्य नहीं माना जा सकता। इसे उनके महसूस करने की उनके अहसासों की अभिव्यक्ति माना जा सकता है— सहानुभूति का साहित्य कहा जा सकता है। अनुभूति, स्वभानुभूति से अधिक कलात्मक या प्रभावकारी हो सकती है। वह कितना प्रभावकारी है, यह अहसास करने वाले की ग्राह्यता पर निर्भर करेगा, लेकिन यह सत्य है कि वह वैसा प्रमाणिक नहीं होगा जैसा दलित द्वारा लिखा साहित्य होगा, भले कलात्मक अधिक हो। गैर-दलितों द्वारा लिखे गए साहित्य का भी बहुत महत्त्व है। वह मनुष्यता की लड़ाई को तेज़ करने और उनका मनोबल बढ़ाने में मददगार होता है। जब मैं लिखती हूँ—

क्या तुम बनोगे स्पार्टकस?

या— "वे पहले जीने के लिए मरते थे। अब मरने के लिए जीते हैं। इसलिए नहीं मरेंगे शब्द!"

तो यह एक गैर-दलित लेखक की मनुष्यता की लड़ाई में साथ देने की चाह है, कंधे-से-कंधा मिलाकर मुहिम को आगे बढ़ाने की। लेकिन गैर-दलितों द्वारा दलित साहित्य पर यह कह कर दावा करना कि "हम तो पहले से ही दलित साहित्य रचते चले आ रहे हैं और निराला, प्रेमचन्द ने भी दलित साहित्य ही लिखा था।" और यह कहकर पाठ्यक्रम में या पुस्तकालयों में अपनी पुस्तकों को दलित-साहित्य के नाम पर लगवाना, उचित नहीं लगा। प्रेमचन्द्र और निराला ने क़तई इसे दलित-दृष्टि से नहीं बल्कि मानवीय-दृष्टि या जनवादी और प्रगतिशील-दृष्टि से अथवा समाज की विकृतियों के विरोध स्वरूप लिखा था, और उनकी उस जनवादी दृष्टि का केंद्र भी मनुष्य था। यह उनकी दलितों के प्रति सहानुभृति थी, दलितों की चेतना की दृष्टि नहीं। उसमें वर्गीय समानता की बात मुखर

थी। सच तो यह है कि दलित साहित्य की जब शुरुआत हुई और दलितों ने लिखना शुरू किया तो लगभग सब खेमे के साहित्यकारों ने इन्हें या तो साहित्यकार ही नहीं माना या जातिवादी अलगाववादी और समाज-तोड़क ठहराया। यह तो बाद में जब दलित-साहित्य चर्चित हो गया और हिन्दी पट्टी की 'हंस' तथा 'युद्धरत आम आदमी' जैसी जनवादी पत्रिकाओं ने इसे शताब्दी की मुख्य-धारा माना और 'युद्धरत आम आदमी' के कई विशेषांक निकले एवं दलित साहित्य को पाठ्यक्रम में शामिल करने की बहस छेड़ी, तो आज सब इसमें पहल करने का दावा ठोकर रहे हैं। वे अकादेमिक क्षेत्र में दलित साहित्यकार के नाते खुद को प्रस्थापित करना चाह रहे हैं ताकि दलित साहित्यकार उसमें भी न टिक पाए। यह मनोवृत्ति भी अभिजात साहित्य के साहित्यकारों की दलित साहित्य के क्षेत्र में नेतृत्व करने की वर्चस्ववादी नीयत की द्योतक है। दलित साहित्य के माध्यम से दलित अपना नेतृत्व भी विकसित करने की मुहिम चला रहे हैं जो इनके लक्ष्यों में से एक है। दलितों की यह पहल उन्हें रास नहीं आ रही।

दलित साहित्य की भाषा

इस साहित्य को दलित लिखता है और वह भुक्तभोगी होता है यानी वह वंचनाओं, निषेधों, प्रतिबंधों और अवरोधों के बीच ज़िंदा रहने का आदि होता है। उसे वह लिखता है जो यथार्थ की ज़मीन पर खड़ा है, कल्पना के आकाश में नहीं, इसलिए उसकी भाषा कुलीन भाषा नहीं है। कुलीन भाषा इस काबिल ही नहीं है कि दलित की ज़िंदगी के खुरदरेपन को समेट सके। वह अपनी खुरदरी, नुकीली, तीखी, तीती और सीधी-सादी भाषा में लिखता है। कुलीन भाषा और उसका साहित्य मनोरंजन और ऐश्वर्य के माध्यम रहे हैं और अधिकतर यह साहित्य या तो स्वांत:सुखाय लिखा जाता रहा है (अपने सुख के लिए) या फिर चाटुकारिता में अपने लाभ्ज्ञ के लिए। जबकि दलित साहित्य एक लक्ष्य रखता है और डॉ. आम्बेडकर की सोच के प्रति प्रतिबद्ध है। यह साहित्य मनोरंजनकारी नहीं है बल्कि वह चोट करता है, कचोटता है या सिर्फ़ शर्मसार करता है उन्हें, जिनके पूर्वजों ने जुल्म किए थे। इस प्रकार वह मन और सोच बदलने का साधन भी बनता है।

दलित साहित्य का सौंदर्यशास्त्र

दलित साहित्य का अपना सौंदर्यशास्त्र निर्मित हो रहा है चूँकि पुराना घिसा-पिटा सौंदर्यशास्त्र अब उसकी कसौटी नहीं बन सकता। सवर्णों का सौंदर्यशास्त्र सत्यम्-शिवम्-सुंदरम् पर आधारित है। उनका सत्यम् दलितों का शोषण रहा है! उनका शिवम् दलितों की अहितकर, गलीज़ अस्वच्छ और दु:खद अपमानित ज़िंदगी और उनका सुंदरम् दलितों की कुरूपता पर निर्मित होता है, इसलिए वह सौंदर्यशास्त्र दलित साहित्य के लक्ष्य के बिल्कुल विपरीत है, बल्कि कहा जाए बाधक है। सी.बी. भारती इसे यूँ कहते हैं—

तुम फैलाते रहे गंदगी / और मैं करता रहा सफाई / चलाता रहा अपनी झाडू तुम फैलाते रहे घृणा / और मैं बाँटता रहा प्यार मैंने उठा ली है अपनी कलम / झाडू के बदले

करेंगे साफ़ तुम्हारी गंदगी / बचायेंग हम टूटी एकता को।

यह एक दलित ही लिख सकता है, जिसने भोगा है या जिसके पूर्वजों ने भोगा है।

दलित साहित्य के प्रतीक भिन्न हैं, जो यथार्थ की कोख से उपजे हैं। इनके दैनिक कार्य से जुड़े हैं। वे नफीस और नाज़ुक नहीं बल्कि खुरदरे हैं। मैले, कुचैले हैं। भोंडे हैं, पर मज़बूत हैं। वे नए नहीं पुराने टूटे-फूटे समान से टेढ़े-मेढ़े, मुड़े-तुड़े होते हैं और जो उनकी अंत्यत दशा और गरीबी के प्रतीक होते हैं। वे कल्पना की रंगीनियाँ लिए हुए नहीं बल्कि तथ्यों, तार्किक निष्कर्षों तथा सत्य से पैदा होते हैं। झाड़ू, टोकरी खपची, चमड़ा, जूता, सिलाई करने वाला सूआ, चमड़ा छीलने वाला छुरा या अन्य औज़ार यंत्र आदि, सब उनके दैनिक कार्यों से जुड़े हैं, उनके अपने पुश्तैनी वाद्ययंत्र भी उनके प्रतीक हैं।

मिथक

दलित साहित्यकार या तो अपने नए मिथक गढ़ रहा है अथवा पुराने मिथकों को नई परिभाषा दे रहा है या उन्हें अप्रासंगिक बना रहा है। पुराने मिथक, जो अभिजात साहित्य में प्रचुर मात्रा में हैं प्राय: झूठी प्रशंसा, अतिश्योक्ति और झूठे गौरव के लिए गढ़े गए थे और राजा और उसके राजतंत्र अथवा ब्राह्मण और उसके ब्राह्मण-तंत्र को संपुष्ट करने के लिए रचे गए थे। वे अपने नायकों (जो राजा या उच्च-कुल के ही हो सकते थे) की कायरता, छल-कपट और धूर्त्तता को वैध (Justify) ठहराने के लिए अधिक थे, साहित्यक ज़रूरत के लिए कम। उदाहरणस्वरूप एकलव्य के अंगूठा कटवा लेने को अभिजात साहित्यकारों द्वारा द्रोणाचार्य का छल न कहकर, उसे एकलव्य की गुरभक्ति बताकर महिमा-मंडित किया जाना अथवा युधिष्ठिर को सत्यवादी और वीर कहकर उसके 'अश्वत्थामा हतौ, नरो व कुंजरो" को असत्य और कायरता को छिपाना। आज का दलित साहित्यकार उस गौरवान्वित झूठ को तोड़ रहा है और मिथकों के प्रभामंडल को ख़त्म कर उनकी सच्चाई को उघाड़ रहा है। उनकी नज़र में युधिष्ठिर जुए में पत्नी हारने वाला जुआरी है— अपने सामने अपनी पत्नी द्रोपदी को नंगा होते देखकर भी चुप रहने वाला पुरुष है। आज फूलन देवी दस्यु नहीं बल्कि बलात्कारियों को खुद दंडित करने वाली वीरांगना है। वह पद्मिनी की तरह बलात्कार के भय से पलायन कर आग में कूदने वाली 'सती' स्त्री नहीं बल्कि बंदूकधारी फूलन है जो बलात्कारियों को दंड देना चाहती है। युधिष्ठिर के पुराने मिथक ने अर्थ बदला है तो 'फूलनदेवी' का नया मिथक सामने आया है- जब लेखक सुमनाक्षर कह उठते हैं—

फूलन दलित, शोषित समाज की प्रतीक है
वह हमारी ही नहीं नारी जाति की शौर्य-गाथा है।

झलकारी बाई झाँसी के मैदान में लड़ती नज़र आती है रानी झाँसी लक्ष्मीबाई नहीं। 'सती' का जौहर शौर्य नहीं पलायन का प्रतीक बन गया है। विधवा माताओं को आत्महत्या से रोक उन्हें पढ़ा-लिखाकर स्वावलंबी बनाने वाली सावित्री बाई फुले एक सार्थक मिथक बन गई हैं।

दलित साहित्यकार का दायरा

ये कहना कि दलित साहित्य केवल दलितों के सम्मान, प्रतिष्ठा और अस्मिता तक ही सीमित है और वह उनके विकास के अन्य पहलुओं को नज़रअंदाज़ करता है, गलत है। वह उसके सर्वांगीण विकास की बात करता है। जब वह बाकी सवर्ण समाज के साथ जो विकसित है, अविकसित दलितों की समानता की बात करता है तो वह सामाजिक के साथ-साथ उसके आर्थिक और राजनीतिक असमानता ही उनकी आर्थिक गरीबी और राजनीतिक उपेक्षा का कारण है। इसीलिए वह समानता का अर्थ सामाजिक समानता को मानता है और उसे आर्थिक और राजनीतिक समानता तक ले जाने की आकांक्षा पालता है। दलित की प्रतिप्ठा, सम्मान और अस्मिता, शिक्षा, संघर्ष और संगठन अत्तः दीपोः भवः, वैज्ञानिक, तार्किक सोच आदि सब मुद्दे मनुष्यता की ज़रूरी शर्तें हैं जिन्हें दलित साहित्य उठाता है। सवर्ण अथवा दलित समाज में व्याप्त सामंती अवशेषों को, दोहरी मानसिकता, श्रेप्ठता का दंभ और कठमुल्लापन या कट्टरता तथा जातीय और धार्मिक विभेदों को ख़त्म करने के लिए वह समाज को डीक्लास करने के साथ-साथ डीकास्ट करना भी ज़रूर समझता है। इसे यूँ कहा जाय तो बेहतर होगा कि वह क्लास के साथ-साथ गिलास की लड़ाई भी लड़ना आवश्यक मानता है। बहुजन समाज के बहुमुखी विकास, बहुजन समाज की समानता, प्रतिष्ठा, स्वाभिमान और अस्मिता का निर्माण कर उसके लिए आर्थिक समानता और राजनीतिक भागीदारी भी सुनिश्चित करने का आग्रह रखता है। वह डॉ. आम्बेडकर के विचारों के अनुरूप सभी के साथ भाई-चारे का रिश्ता विकसित करने का इच्छुक है और इसके लिए उन्हीं की तरह एक स्वतंत्र जनतंत्रीय समाजवादी समाज की रचना कर, राष्ट्रीयता की पारमिताओं को भी बदलने की आकांक्षा रखता है। कंवल भारती के शब्दों में—

"रचो ऐसी पारमिताएँ / कि हम बन सकें एक राष्ट्र!"

क्योंकि वे मानते हैं कि जाति तोड़े बिना राष्ट्रीयता पनप नहीं सकती।

दलित साहित्यकार जहाँ अपनी कृतियों में समानता, भाईचारा और आज़ादी का लक्ष्य हासिल करने हेतु जाति, कबीला, नस्ल या रंग के आधार पर किसी भी विभेद को नकारता है, वहीं वह धर्म, सत्ता, दर्शन अथवा जन्म के आधार पर किसी श्रेप्ठता अथवा निकृप्टता की अवधारणा को भी अस्वीकारता है। इस प्रकार वह केवल दलित के लिए नहीं वरन् पूरे समाज के इन विभेदों को मिटाना चाहता है। यहीं वह गैर-दलितों को भी अपने दायरे में समेटता है। दलितों का बहुमुखी-विकास उसकी सोच का विषय है।

दलित साहित्य दलितों की पीड़ा, उत्पीड़न, शोषण और उसके विरुद्ध उनके आक्रोश (कभी-कभी प्रतिशोध भी) तथा परिवर्तन के संकल्प का साहित्य है जो जातिविहीन समाज का सपना पालता है। ओम प्रकाश वाल्मीकि ने सदियों की वेदना को यों उकेरा है—

कभी नहीं माँगी बालिश्त भर जगह / नहीं माँगा आधा राज भी

माँगा है सिर्फ़ न्याय / जीने का हक़ / थोड़ा सा पीने का पानी

और वे धूप, हवा, रोशनी, सुख, चैन किताबें, बचपन और अपनापन की चाह करते हैं। तो सवर्णों के व्यवहार और अन्याय पर कराह कर कह उठते हैं—

जब-जब भी कुछ माँगा / वे गोलबंद होकर टूट पड़े मैं अवाक! चक्रव्यूह में धँसे / अभिमन्यु की तरह देखता रह गया और तब उन्हें सुनाई देने लगती हैं ख़ामोश आहटें / आने वाले महाभारत की...

डॉ. आम्बेडकर ने अंधविश्वास, विकृत रुढ़ियों, परंपराओं, धर्म, देवी-देवताओं, आडंबरों, भगवान, भाग्य, पूर्वजन्म का फल, इन सबको नकारा और नकारा अवैज्ञानिक सोच और ईश्वर में अंध-आस्था को जो मनुष्य को बर्बरता की हद तक पहुँचा देती रही है। इसका उन्होंने तार्किक एवं वैज्ञानिक ढंग से जोरदार खंडन किया। इसी से दलित समाज एक विचारवान, तर्कशील मनुष्य बन सकता है, बौद्धिक बन सकता है, यह उनकी सोच थी। मोहनदास नैमिशराय के शब्दों में—

ईश्वर की मौत उस पल होती है / जब मेरे भीतर उठता है सवाल

ईश्वर का जन्म / किस माँ की कोख से हुआ / ईश्वर का बाप कौन?

जयप्रकाश अपनी कविता में इस तर्क को यूँ आगे बढ़ाते हैं—

शुक्र है तू नहीं है / केवल धर्म के धंधे का / एक ट्रेड-नेम है

अगर सचमुच तू कहीं होता / तो सदियों की अपनी यातना का हिसाब

मैं तुमसे ज़रूर चुकाता।

कंवल भारती धार्मिक शास्त्रों और वेदनों की अतार्किक उक्तियों को चुनौती देते हुए सवर्ण समाज से पूछते हैं—

यदि वेदों में लिखा होता / ब्राह्मण ब्रह्मा के पैर से हुए पैदा

उन्हें उपनयन का अधिकार नहीं / तब तुम्हारी निष्ठा क्या होती?

इतना तार्किक है यह सवाल कि कोई जवाब नहीं है इस सवाल का! ऐसे सवाल एक दलित ही शिद्दत से पूछ सकता है, चूँकि वह इस आचारसंहिता का शिकार है। यही है दलित-साहित्य!

सोहनपाल सुमनाक्षर 'पूर्वजन्म का ढकोसला' कविता में दलित समाज में व्याप्त अंधविश्वास को यूँ व्यक्त करते हैं—

मेरे परदादा मर गये जूठन खाते / उतरे चिथड़े पहनते

खेत बोते-जोतते

इसे पूर्व-जन्मों का फल मानते-मानते

और ज़मींदार / फूलता गया / फलता गया

जमींदार का वंश / बढ़ता गया / आकाश बेल की तरह
इनका ख़ून चूसते-चूसते / धर्म का भय दिखाकर
नीच कर्मों का फल बताकर...
पर / अब मैं पूर्व जन्म नहीं वर्तमान देखता हूँ।
(अंधा समाज और बहरे लोग, पृ. 17/18)

जब दलित समाज इस समझदारी को हासिल कर लेगा तो वह अपनी लड़ाई खुद जीत लेगा। इसके पीछे यही सोच है यानी 'अत्त: दीपो भव:'।

डॉ. आम्बेडकर के अनुसार समता (समानता), आज़ादी, भाईचार लक्ष्य ही नहीं बल्कि जन्मसिद्ध अधिकार है मनुष्य का। इन्हें हासिल करने के लिए दलित समाज को शिक्षित होना, संघर्षरत रहना और संगठित होना लाज़िमी है। वे 'अत्त: दीपो: भव:' में विश्वास करते थे और मानते थे कि कोई बाहरी व्यक्ति, शक्ति, चमत्कार अथवा अवतार या पैंगबर उनको नहीं उबारेगा। उन्हें अपने भीतर से ही बुद्ध की तरह ज्ञान अर्जित कर, उससे ऊर्जा प्राप्त कर, नायकत्व हासिल करना होगा। उन्हें खुद अपनी, अपने समाज की, पूरी मानवता के विकास की मुहिम चलानी होगी। वे मानते थे "गुलाम को अहसास करवा दो कि वह गुलाम है, वह मुक्त हो जाएगा"। मार्क्स के अनुसार भी यह अहसास होने पर कि "उसके पास गंवाने को कुछ नहीं, सिवाय अपनी बेडियों के," क्रांति होगी। दलित साहित्यकार अपनी कृतियों में इन्हीं विषयों को प्रमुखता देता है और गुलाम समाज को मुक्त कराने, शिक्षित करने, संघर्ष पर उतारने, संगठित करने का सपना पालता है, खुद नायक बनकर अपने को मानवता के समकक्ष खड़ा करने का मंसूबा पालता है। वह सामाजिक बराबरी ही नहीं आर्थिक बराबरी, पेशा चुनने की स्वतंत्रता, सत्ता में भागीदारी, सब चाहता है। डॉ. एन. सिंह ने इसे ऐसे कहा है—

सतह से उठते हुए मैंने जाना कि / इस धरती पर किये जा रहे श्रम में
जितना हिस्सा मेरा है / उतना ही हिस्सा / इस धरती के
हवा पानी और इससे उत्पन्न / होने वाले / अन्न / और धर्म में भी है।
(दलित चेतना-कविता)

ज्यों ही आर्थिक सत्ता का सवाल उठता है त्यों ही उससे जुड़ी सामाजिक, राजनीतिक व्यवस्था को बदलने का मामला इस साहित्य के दायरे में आ जाता है और कंवल भारती कह उठते हैं—

चिड़िया भूखी थी / इसलिए गुनाहगार थी / मारी गई वह चिड़िया / जो भूखी थी
लेकिन गोरख पांडे ने गलत लिखा है / वह चिड़िया भूख से नहीं
चिड़िया होने से पीड़ित थी / चिड़िया जो मारी गई थी।

वे डॉ. आम्बेडकर को आश्वस्त करते हैं—

जो मुक्ति संग्राम लड़ा था तुमने / वह जारी रहेगा उस समय तक
जब तक कि हमारे / मुर्झाए पौधों के हिस्से / का सूरज / उग नहीं जाता।

यह है पूरे दलित समाज का संकल्प जो मनुष्य मात्र को समानता के स्तर पर खड़ा करने का मंसूबा पालता है। जयप्रकाश 'कर्दम' की 'बगिया' के पेड़ भी अब 'दरख्त' हो गए हैं। वे अब 'आंधियों' के 'आतंक' से नहीं डरते।

दलित साहित्य आर्थिक सत्ता के सवाल के साथ यह भी सवाल उठाता है कि वह समानता कैसे आए। आर्थिक बराबरी के लिए कैसी व्यवस्था हो? मनुष्य का विकास, उसकी आर्थिक समृद्धि पूरे समाज के स्तर पर हो या चंद विशिष्ट व्यक्तियों के स्तर पर? पूँजीवादी प्रणाली व्यक्ति विशेष के विकास की हिमायती होती है और समाजवादी प्रणाली पूरे समाज के विकास की। संत रविदास ने तो 15वीं सदी में ही कहा था-

चाहूँ ऐसा राज मैं, जहाँ मिले सबन को अन्न
छोट-बड़ो सब सम बसै, रैदास रहे प्रसन्न।

ऐसी व्यवस्था चाही थी जिसमें सब को अन्न मिल सके और सब समान हों।

डॉ. आम्बेडकर सत्ता को 'चाबियों की चाबी' मानते थे। इसलिए दलित साहित्यकार राजनीति से कोई परहेज नहीं करता बल्कि उसका इस्तेमाल कर वह समाज और अर्थव्यवस्था को बदलने का इरादा रखता है।

इस तथ्य को नकारा नहीं जा सकता कि खेती के बाद रोज़गार ही मनुष्य के जीने का मुख्य साधन है। इसलिए डॉ. आम्बेडकर ने दलित-आदिवासियों के लिए भारतीय संविधान में आरक्षण का प्रावधान कर सामाजिक स्तर पर पिछड़े और उत्पीड़ित समाज को विशेष अवसर देकर समान स्तर पर आने की एक ठोस सकारात्मक पहल की थी। आरक्षण पहले विजेता अपने लिए किया करते थे। यह पहली बार था कि वंचित लोगों के लिए आरक्षण के सिद्धांत को किसी संविधान ने स्वीकृति दी थी और वह संविधान डॉ. आम्बेडकर ने बनाया था। स्वाभाविक था कि इसके लागू करने की इच्छा उनमें नहीं थी जो अपनी सुविधाओं से वंचित होने वाले थे। वे तरह-तरह की अड़चने लगाते ही रहे और इसके औचित्य पर प्रश्न उठाते रहे। दलित साहित्य के दायरे में भी आरक्षण का सवाल आया। जयप्रकाश 'कर्दम' पूछते हैं—

तुम्हारा आरक्षण उचित है / और मेरा आरक्षण अनुचित
अब हर क्षेत्र में होगी समान रूप से हिस्सेदारी
शासन-प्रशासन से लेकर / मैला ढोने, जूता गाँठने
और झाडू लगाने तक के काम में भी / बाँटनी होगी समानता।
(गूँगा नहीं था मैं)

सोहन पाल सुमनाक्षर तो यहाँ तक चुनौती देते हैं—

भले ही तुम हमारी आरक्षण की / बैसाखी तोड़ो

पर / पहले तुम / अपना / आरक्षण / छोड़ो। (सिंधु घाटी बोल उठी– पृष्ठ-69)

इस प्रकार हम देखते हैं कि दलित साहित्य डॉ. आम्बेडकर के एजेंडे को लेकर चला है और उसकी कृतियों में वह है। लेकिन यह भी है कि अभी उनके एजेंडे का एक बहुत बड़ा हिस्सा बाकी है जिसे दलित साहित्य ने नहीं छुआ। पूरा एजेंडा लेकर चलने पर ही मनुष्यता की सम्पूर्ण शर्तें पूरी हो पाएँगी। यह सही है कि डॉ. आम्बेडकर सामाजिक सम्मान और अस्मिता के संघर्ष को मनुष्य के लिए ज़रूरी ही नहीं मानते थे बल्कि वे उसे भारत के संदर्भ में प्राथमिकता देते थे, चूँकि दलितों की गरीबी और उत्पीड़न का कारण उनका दलित और अछूत होना था। उन्हें अंधविश्वासी बनाकर, अपमानित कर उनके आत्मसम्मान की भावना को चूर-चूर कर दिया गया था। जिसके चलते उनमें हीन-भावना की ग्रंथि भी पैदा हुई। इसलिए वे मनुष्य की व्यक्ति स्वतंत्रता को बहुत महत्त्व देते थे जिसे मनु की व्यवस्था वाले हिन्दू समाज ने दलितों से योजनाबद्ध तरीके से छीन लिया था। डॉ. आम्बेडकर ने सामाजिक समानता और सम्मान के साथ-साथ उनके आर्थिक और राजनीतिक विकास के लिए भी एजेंडा दिया था जिसे पूरी तरह से दलित साहित्यकार अभी उकेर नहीं पाया है। जैसे विगत काल में वामपंथी केवल वर्ग-संघर्ष की बात करते रहे थे तो डॉ. आम्बेडकर ने उन्हें चेताया था कि भारत में बिना जातीय समानता लाए वर्गीय समानता अधूरी है। उसी प्रकार यदि दलित साहित्यकार केवल वर्ण की लड़ाई लड़ता रहेगा और दलित जन की रोज़ी-रोटी व रोज़गार की, आर्थिक विकास तथा राजनीति में हिस्सेदारी की बात नहीं करेगा और स्पष्ट रूप से यह तय नहीं करेगा कि सत्ता किसकी हो, कैसी हो, किसके लिए हो (जिस पर डॉ. आम्बेडकर ने अपना स्पष्ट मत रखा है) समानता, स्वतंत्रता, भाईचारे की लड़ाई अधूरी ही रहेगी।

डॉ. आम्बेडकर जनतंत्र के सख़्त हिमायती थे। जनतंत्र को पूर्णतय: सही मायने में लागू करने के लिए और कमज़ोर वर्गों तथा कामगार वर्ग के हितों की समुचित सुरक्षा के लिए समाजवाद का सहारा लेना बिल्कुल ज़रूरी हो जाता है। विशुद्ध पूँजीवादी व्यवस्था और मनु की ब्राह्मणवादी व्यवस्था में बहुत समानता है, बहुत कुछ मिलता-जुलता है। ऐसे कहने को तो पूँजीवाद में समानता को बुनियादी चीज़ माना जाता है पर व्यवहार में वर्ग-वैषम्य ही तीखे रूप में कारगर रहता है। मनुवादी व्यवस्था भी मुट्ठी भर लोगों को ही केवल प्रभावी नहीं बनाती बल्कि बहुजन समाज को पशुवत जीवन जीने के लिए विवश भी करती है और इन्हें आर्थिक स्तर पर भी समृद्ध बनने से बाधित करती है। कोई कुछ अर्जित करने का प्रयास करे तो उसके लिए शास्त्रीय और सामाजिक दोनों तरह के दंडविधान भी उसकी आचारसंहिता में शामिल हैं। लाभ को ही हिन्दू मानस ठीक उसी तरह शुभ मानता है जैसे पूँजीवादी अर्थव्यवस्था या बाजारवादी उपभोक्तवादी व्यवस्था मुनाफ़े को अपना मूल आधार मानती है। 'कल्याण' शब्द पूँजीवादी शव्दकोश में नहीं है। इसी सबसे मनुष्य, विशेष कर

दलित वंचित मानव जमात् का हित सुरक्षित रखने के लिए डॉ. आम्बेडकर ने हमेशा मूल उद्योगों को सार्वजनिक क्षेत्र में रखने, कृषि का राष्ट्रीयकरण करने, जन वितरण-प्रणाली का संचालन तथा देश का आद्योगीकरण करने और निजी पूँजी पर नियंत्रण रखने की हिमायत की। यही सब तो समाजवादी व्यवस्था के स्तंभ सिद्धांत हैं। उन्होंने कहा— "राज्य— समाजवाद भारत का औद्योगीकरण करने के लिए आवश्यक है। व्यक्तिगत अर्थव्यवस्था ऐसा नहीं कर सकती। यदि उसने ऐसा किया तो वैसी ही आर्थिक असमानताएँ उत्पन्न हो जाएँगी जो पूँजीवादियों ने यूरोप के अंदर पैदा की हैं। भारत के लिए यह एक चेतावनी है।" (स्टेट्स एंड माइनोरिटीज़ एजेंडा पृ.31)

वे इस बात को मानते थे कि दलित आदिवासियों का सबसे अधिक शोषण ग्रामीण क्षेत्रों में होता है और दलित अधिकांश भूमिहीन खेतिहर मज़दूर होते हैं, इसलिए उन्होंने कहा था— "खेती के क्षेत्र में सामूहिक पद्धति के साथ-साथ और एक संशोधित रूप में उद्योग क्षेत्र में राज्य समाजवाद का होना आवश्यक है।" (स्टेट्स एंड माइनोरिटीज़ पृ.31) वे चाहते थे न ज़मींदार रहे और न मज़दूर, सब हिस्सेदार रहें और स्वयं कृषि करें यानी वे 'ज़मीन जोतने वाले की' के हिमायती थे।

उन्होंने राज्य समाजवाद के सिद्धांत को व्यक्तिगत स्वतंत्रता से भी जोड़ा और कहा— "व्यक्तिगत स्वतंत्रता और आर्थिक ढाँचे में बहुत गहरा वास्तविक संबंध है।" वे भारत में गुलामी से मुक्ति के लिए व्यक्तिगत स्वतंत्रता पर ज़ोर देते थे ताकि जब ये लोग उद्योगों में काम पर जाएँ तो पूँजीवादी शिकंजा उसे छीन न पाए। उनका स्पष्ट मत था— "निजी पूँजीपति मज़दूरों को स्वतंत्रतापूर्वक रहने की छूट नहीं देते। वे उसकी स्वतंत्रता और समानता पर दबाव डालते रहते हैं और भूखे मरने का भय, मकान चले जाने का भय, बचत न होते का भय, जन-धन से मरने के पश्चात दफनाए जाने का भय आदि ऐसी बातें हैं, जिनकी वजह से बेकार लोग अपने मौलिक अधिकारों को भी त्याग सकते हैं अर्थात् जीविका कमाने के लिए और जीवित रहने के लिए वे अधिकारों को छोडने को भी तैयार हो जाते हैं।" (स्टेट्स एंड माइनोरिटीज़, पृ. 32) वे राज्य हस्तक्षेप से पूँजीपति की तानाशाही रोकने के पक्ष में थे ताकि व्यक्तिगत स्वतंत्रता एवं मौलिक अधिकारों का हनन न हो सके। वे कहते थे "जन साधारण की स्वतंत्रता की सुरक्षा के लिए सरकार की स्वेच्छाचारी नीति को सीमित करना ही पर्याप्त नहीं है, वरन् उन साधन संपन्न या शक्तिशाली वर्गों की स्वेच्छाचारी शक्ति को भी सीमित करना आवश्यक हैं जिनका आर्थिक क्षेत्र पर आधिपत्य है। वह केवल उसी समय संभव होगा जब समाज के आर्थिक क्षेत्र से उनके आधिपत्य का अंत किया जाए। (स्टेट्स एंड माइनारोटीज़, पृ.33)

डॉ. आम्बेडकर ने जन-वितरण प्रणाली को भी सरकारी तंत्र के तहत चालित होने पर बल दिया था ताकि दलित व आदिवासी तथा गरीब जनता महँगाई की मार से बच सके और उन्हें जीने के लिए ज़रूरी सामग्री सस्ते दाम पर मिल सके। उन्होंने बाज़ार को गरीबों के अनुकूल बनने के लिए भी सुझाव दिए।

डॉ. प्रा. जी. नानचरैया ने अपने आलेख 'आर्थिक नीतियों का उदारीकरण और कमज़ोर तबके पर उसका प्रभाव: एक परिप्रेक्ष्य' में डॉ. आम्बेडकर का हवाला देते हुए कहा— "इन सब बाज़ारों में अनुसूचित जातियों को पहुँचने का समान अवसर नहीं मिलता, जिसके चलते उन्हें लाभकारी मूल्य नहीं मिल पाता। इसलिए कि यह बाज़ार गरीबों के अनुकूल हो राज्य को सक्रिय भूमिका निभानी है ताकि उनके रोज़गार की स्थिति में सुधार हो सके और उन्हें आमदनी देने वाले साधन प्राप्त हों।" वे आगे कहते हैं— "निजीकरण को सामाजिक सेवाओं में लागू किया जा रहा है, जिनमें शिक्षा और स्वास्थ्य भी शामिल हैं। शिक्षा और स्वास्थ्य बाज़ारू माल की तरह हो गए हैं और गरीबों के लिए ख़ासतौर से अनुसूचित जनजातियों के लिए ये सेवाएँ पाना बहुत ही मुश्किल हो जाएगा, क्योंकि सामाजिक और आर्थिक दृष्टि से वे कमज़ोर हैं'।"

(दलित-चेतना: सोच पृ.160)

इसी प्रकार शिक्षा में भी वंचित जमातों को आरक्षण का प्रावधान राज्यों द्वारा, ख़ासकर बिहार में 'लालू सरकार' द्वारा दिया गया है। केंद्र में भी यह अधिकार केंद्र संचालित संस्थाओं में दिया गया है। भेदभाव-मूलक छूआ-छूत के खिलाफ़ कानून बनाकर डॉ. आम्बेडकर ने एक विशाल वर्ग को समानता प्राप्त करने का अवसर देने के साथ-साथ विकास के लिए एक विस्तृत फलक भी दिया ताकि जातीय व्यवस्था के सबसे निचले डंडे पर बैठने को मजबूर किया गया वह आदमी, विशेष अवसर का लाभ उठाकर आगे बढ़ने का अवसर पा सके। यह अलग बात है कि संविधान प्रदत्त इस प्रावधान की मूल भावना को ही भारतीय शासकों ने लागू होने से रोका। दलित साहित्य का आज का स्वरूप इसी प्रावधान का प्रतिफल है। उसके रास्ते में खड़े किए गए व्यवधानों से उत्पन्न आंदोलन ने इस साहित्य को लोकसाहित्य के दायरे से निकालकर मूल-धार के साहित्य के समकक्ष खड़ा कर दिया है। इस पर रजत रानी मीनू के अनुसार— "डॉ. आम्बेडकर ने दलितों के बहुमुखी दालित्य को दूर करने के अनेक रास्ते सुझाएँ। अब ये चलने वालों पर है कि वे उन पर कितनी दूर और कैसे चलते हैं।" (दलित-चेतना : सोच, पृ.11) दलित साहित्य की परिभाषा डॉ. आम्बेडकर द्वारा दी गई दलित चेतना और बहुमुखी विकास का एजेंडा है। आज दलित साहित्यकार के सामने ये एक चुनौती है कि वह डॉ. आम्बेडकर के अनुरूप उस पर चले और उस एजेंडे को अपने साहित्य के माध्यम से जन-जन तक ले जाए और परिवर्तन की भाषा को ज़मीन पर उतारे, केवल किसी एक बिंदु के गिर्द ही अटका नहीं रहे।

समता-मूलक समाज के निर्माण में भी दलित-साहित्य योगदान करता है चूँकि वह हर तरह की असमानता का विरोधी है, मुख्य रूप से सामाजिक असमानता का विरोधी है। युग-युग से चली आ रही विषमता का भी विरोधी है वह। वैसे वह आर्थिक दायरे में शोषण के विरुद्ध संघर्ष का भी पक्षधर है। इस तरह दलित साहित्य वस्तुतः उन्हीं शक्तियों के साथ

है जो भारतीय समाज को मानवीय विवेक के आधार पर पुनर्गठित करते हुए एक समता-मूलक समाज के रूप में बदलना चाहती हैं या यों कहें इस तरह दलित साहित्य एक और मोर्चा है, समता के लिए, समानता के लिए और साम्य के लिए।

आज देश के सामने हिन्दुवादी मयान से निकली उदारवादी, उपभोक्तावादी, बाज़ारवादी और निजीकरण की अर्थनीति के रूप में खतरे की तलवार लटक रही है जो देश को धर्म की दुहाई देकर खंड-खंड करने पर तुली है तथा सामाजिक और आर्थिक असमानता को और अधिक बढ़ाने के लिए नरसंहारों को अंजाम दे रही है। उससे मुकाबला करने के लिए दलित साहित्यकार को डॉ. आम्बेडकर की सामाजिक, आर्थिक और राजनीतिक नीतियों को विकल्प के रूप में खड़ा करने का मोर्चा भी संभालना होगा और ऐसा होगा ही। इसके संबंध में जो थोड़ा बहुत धुआं फैलाया जा रहा है, वह कुछ तो समझदारी की कमी से, कुछ पूर्वाग्रहों से और कुछ गिने-चुने लेखकों के अटपटे तेवर से या अतीत के अनुभवों से निर्मित शंकाओं से जुड़ा हुआ है, अन्यथा दलित साहित्य एक ऐसे सूर्योदय के लिए प्रतिबद्ध है जो केवल दलित के लिए ही नहीं होगा या यूँ कहें कि वह दलित के साथ-साथ वह मानव मात्र के लिए होगा।

ए-221, डिफेंस कॉलोनी,
नई दिल्ली-110024

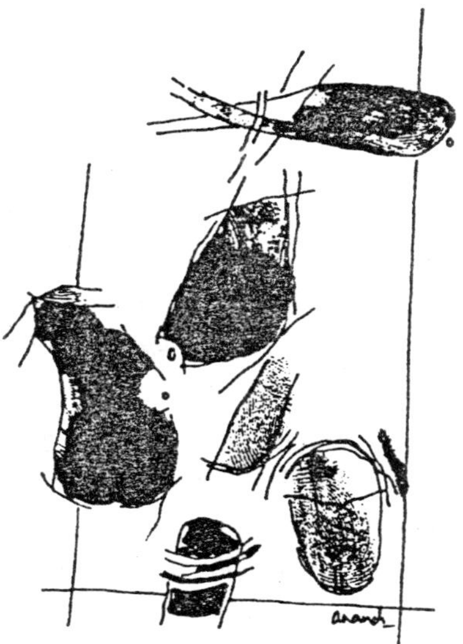

भाषा किसी धर्म की जागीर नहीं होती किंतु जिस धर्म के मानने वालों के बीच उसका उदय होता है उस पर उसे बोलने वालों के धार्मिक विश्वासों की छाप भी होती है। उर्दू, जो मुसलमानों के बीच जन्मी उस पर इस्लाम के मसावात के सिद्धांत का गहरा असर है। इसलिए उर्दू के अदबी चाहे भी तो दलित समस्याओं से मुंह नहीं मोड़ सकते।

उर्दू अदब में दलित चेतना एवं सामाजिक न्याय के लिए संघर्ष

डॉ. अयाज़ एहमद कुरैशी

'अछूत' से 'दलित' होने तक का सफर, अछूतों के लिये लम्बा ज़रूर है, लेकिन धुंधला नहीं। 'अछूत', 'हरिजन' और दलित किसी जाति के नाम नहीं बल्कि एक वर्ग के नाम हैं। जिन्हें नाम कहने के बजाय लेबल कहना अधिक उचित होगा। इसमें से हर एक लेबल के साथ एक निर्देश भी सदा इस वर्ग के साथ चिपका रहा है, जैसे— 'अछूत' के साथ 'जड़ एवं हीन', 'हरिजन' के साथ 'संवेदनशील और नाज़ुक' तथा 'दलित' के साथ 'विस्फोटक व ज्वलनशील'।

'जड़' से 'ज्वलनशील' तक अछूतों ने जो सफर किया है, वह एक उपलब्धि है, क्योंकि 'दलित' शब्द उसे उसके शोषण और दमन की याद दहानी करवाता है, जो उसके चिंतन को आंदोलित करती है और अपने अधिकारों के लिये संघर्ष करने की प्रेरणा देती है, जैसा कि अब्राहम लिंकन ने कहा है कि, "एक दास से कहो कि वह दास है और वह विद्रोह कर देगा।"

निश्चित रूप से इस वर्ग को 'जड़' से 'ज्वलनशील' तक पहुँचाने में इसके तत्कालीन नामकरण करने वालों की भावनाओं का विशेष योगदान रहा है। इस वर्ग को 'अछूत' घोषित करने वाले हिन्दू सवर्णों की भावना इनके प्रति 'नफरत' की थी, जब कि गाँधी जी ने 'सियासत' के तहत इन्हें 'हरिजन' घोषित किया, ताकि वे उनके दुलार में आकर सवर्णों द्वारा अपने ऊपर हज़ारों वर्षों तक किये गये अत्याचारो को भूल जाएं और संघर्ष की बात बिसरा कर हिन्दू धर्म की वर्ण व्यवस्था का अंग बने रहें, जब कि बाबा

साहब डॉ. आंबेडकर ने 'दलित' कह कर उन्हें उनकी शोचनीय स्थिति का बोध करवाया और अपने अधिकारों के लिये 'संघर्ष' करने की प्रेरणा दी।

'दलित' शब्द डॉ. आंबेडकर के 'Depressed' का हिन्दी अनुवाद ही है। वैसे भी दलित या 'डिप्रेस्ड' दोनों ही समानार्थी शब्द हैं, जिनमें— शोषित, उपेक्षित, दबे-कुचले और दमन के शिकार व्यक्ति अथवा वर्ग शामिल हैं। लक्ष्मण शास्त्री के शब्दों में, 'दलित मानवीय प्रगति में सबसे पीछे धकेल दिया गया सामाजिक वर्ग है।' जबकि डॉ. म. ना. वानखेड़े के अनुसार 'जो दबे हुये श्रमजीवी हैं, वे सब दलित की व्याख्या में शामिल होते हैं।' गोविन्द शंकर वाघमारे के अनुसार, 'दलित उसे कहते हैं, जो आर्थिक रूप से अत्यंत दबा हुआ है, इस समाज व्यवस्था में सबसे नीचे रहने वाला कमज़ोर वर्ग दलित समझा जाता है।

उपरोक्त विवेचन से स्पष्ट होता है कि समाज के सर्वाधिक दुर्बल, सर्वहारा, उपेक्षित, तिरस्कृत, शोषित, दमनित, सामाजिक, आर्थिक, राजनैतिक, धार्मिक, सांस्कृतिक और अन्य मानवीय अधिकारों से वंचित वह वर्ग जिसे 'सामाजिक न्याय' नहीं मिल सका, 'दलित' की श्रेणी में आता है।

दलित मूल के संबंध में डॉ. आंबेडकर का मत है कि वे आर्यों द्वारा पराजित भारत के मूलवासी हैं, जिन्हें आर्यों द्वारा दास बनाकर कालांतर में अछूत घोषित कर दिया गया। इस सिलसिले में डॉ. धर्मवीर का कथन भी उल्लेखनीय है, "दलितों का धर्म हिन्दू धर्म नहीं है, दलित हिन्दू धर्म के किसी धर्म ग्रंथ को अपना धर्मग्रंथ नहीं मानते। वेद या गीता को दलितों का धर्म ग्रंथ बताने में दलितों का धार्मिक अपमान होता है। स्मृतियों और पुराणों से उन्हें संतुष्ट करना उनका मज़ाक करने के बराबर है। ऐसे ही उपनिषद उनके हितेषियों की रचनाएं नहीं हैं। सही शब्दों में इनमें से कोई भी ग्रंथ उनका अपना नहीं है। फिर सिख और बौद्ध धर्म में दलित वर्ग का अस्तित्व स्वीकार कर लिया गया है। पिछड़े वर्ग के रूप में दलितों की पहचान मुसलमानों और ईसाइयों तक में कर ली गयी है। ऐसे ही जनजातियों को धर्म के किसी एक बाड़े में नहीं रोका गया है। वास्तव में भारत का दलित वर्ग धर्मों के अजायबघर में खड़ा है, जहाँ उसका अपना कुछ नहीं है। दलित को हिन्दू कहने से काम यों ही नहीं चलता, क्योंकि 'हिन्दू' एक नया शब्द है। यह एक विशेष काल खंड में शब्दकोष में आया हुआ शब्द है। दलितों का धार्मिक इतिहास इससे बहुत पहले का है।"

उपरोक्त विवेचनों से स्पष्ट होता है कि 'दलित' सामाजिक तथा संवैधानिक रूप से किसी जाति विशेष के लिये प्रयुक्त नहीं है, दलित जैसा कि साक्ष्यों और तर्कों से सिद्ध होता है, समाज की दौड़ में सबसे पीछे टूट गया वर्ग है। यदि यह सब पिछड़े हुए लोग दलित हैं तो अनुसूचित जाति, अनुसूचित जनजाति, पिछड़ा वर्ग के रूप में भिन्न-भिन्न धर्मों में उनकी पहचान स्थापित करना, केवल 15% सवर्णों का स्वार्थ मात्र है, अन्यथा उनकी

सामाजिक स्थिति का मूलाधार 'दलित' होना ही है, यदि इस सत्य को स्वीकार कर लिया जाये तो देश की 85% जनता 'दलित' की श्रेणी में आ जाती है, जिससे सवर्णों की सत्ता के लिये खतरा खड़ा हो जाता है, अत: 'फूट डालो और राज करो' की नीति के अनुसार सवर्णों ने दलितों को कभी भी संगठित नहीं होने दिया और यही कारण है कि समाज में दलित की कोई स्पष्ट पहचान दिखाई नहीं पड़ती, जिसका श्रेय गाँधीजी को जाता है जिन्होंने अछूतोद्धार की आड़ में डॉ. आम्बेडकर के दलित आंदोलन को केवल महाराष्ट्र तथा महाराष्ट्र की दलित जातियों तक सीमित कर दिया। महाराष्ट्र में जितनी तेज़ी से दलित चेतना का संचार हुआ, वो देश की अन्य प्राँतों में नहीं हो सका। यद्यपि डॉ. आम्बेडकर ने इसके लोकव्यापीकरण के लिये देश के समस्त दलितों से 'संगठित हो, सुदृढ़ बनो और संघर्ष करो' का आह्वान किया, किन्तु जब उन्होंने गाँधीवादी, सवर्णवाद को अपने इस ध्येय पर हावी होते देखा तो उन्होंने उसे बुद्ध के 'बुद्धम, संघम, धर्मम' के रूप में प्रचारित करने का निर्णय लिया, क्योंकि वो जानते थे कि आज भी भारत में राजनैतिक चेतना के अभाव के कारण 'धर्म' एक प्रमुख शक्ति बना हुआ है और बिना किसी धार्मिक आधार के उनके दलितोत्थान के ध्येय को प्राप्त करना कठिन है। अत: 'बौद्ध धर्म' बाबा साहब डॉ. आम्बेडकर के लिये साध्य नहीं है, वरन् दलित कल्याण का साधन मात्र है।

अम्बेडकरीय नेतृत्व में मराठी में सबसे पहले दलित चेतना का प्रादुर्भाव हुआ। स्वयं डॉ. आम्बेडकर द्वारा लिखित 'मी कसा झालो' (मैं कसे बना) के बाद से मराठी की विभिन्न विधाओं, विशेषत: कविता, कहानी और आत्मकथा में दलित जीवन की असहायता, दरिद्रता और अपमान का खुलकर चित्रण होने लगा। बंधु माधव, बाबुराव बागुल, शंकर राव खरात, अण्णाभाऊ साठे, केशव मेश्राम, योगीराज वाघमारे, योगेन्द्र मेश्राम आदि अनेक कवि एवं कथाकारों ने मराठी में दलित समस्याओं को प्रभावी ढंग से प्रस्तुत किया।

1967 में औरंगाबाद में मिलिंद साहित्यक परिषद की स्थापना हुई, जिसने 'अस्मिता' नामक त्रैमासिक पत्रिका के प्रकाशन के साथ दलित आंदोलन को प्रखरता प्रदान की और दलित साहित्य की प्रतिनिधि पत्रिका बन गई, अब यह पत्रिका 'अस्मितादर्श' के नाम से प्रकाशित होती है। इस साहित्य में महाराष्ट्र की दलित जातियों महार, मातंग, धेड़, चमार, कैकाड़ी, पोतराज आदि जातियों के जीवन का खरा चित्रण किया गया। इस अवधि में अनेक सशक्त दलित रचनाएँ अस्तित्व में आईं, जिनमें कैकाड़ी समाज पर आधारित लक्ष्मण माने की 'उपरा' (पराये) और दया पवांर की महार समाज पर आधारित 'बलुतं' (बेगार में मिलने वाला अनाज) विशेष रूप से उल्लेखनीय है। 'बलुतं' का एक अंश यहाँ प्रस्तुत है, "क्या आपने मुर्दा जानवर का माँस खाया है? उसका स्वाद कैसा होता है?" पिछले दिनों एक साहित्यिक सहवास में एक बुद्धिजीवी ने प्रश्न किया। यह सुनकर मेरा दम घुटने लगा। मैं बौखला कर बोला, "जिन दिनों मैं यह माँस खाता था, मेरी आयु उसका स्वाद परखने की नहीं थी, मैं सिर्फ़ पेट का गढ़ा भरना जानता था।"

विगत तीस-पैंतिस सालों में मराठी भाषा में दलित साहित्य ने अपनी विशिष्ट पहचान बनाई है और उसे अंतर्राष्ट्रीय स्तर पर मानवीय अस्मिता की रक्षा के मुद्दे से जोड़ा हैं, बल्कि इस तथ्य को भी प्रतिपादित किया है कि विश्व के अन्य दलित समुदायों की तुलना में भारत का दलित वर्ग बहुत बड़ा है और उसकी समस्याएँ भी तुलनात्मक रूप से बहुत जटिल हैं, क्योंकि विश्व में दलितों की समस्या बड़े पैमाने पर आर्थिक आधार पर खड़ी है, यदि अफ्रिका में नीग्रोजन के अश्वेत साहित्य को जोड़ कर भी चर्चा की जाए तो यह आर्थिक व सामाजिक समस्या तक सिमट कर रह जाती है, जबकि भारतीय दलितों की समस्या के कई आयाम हैं। इसकी जड़ें बहुत गहरी हैं, यह केवल आर्थिक-सामाजिक समस्या न होकर, सामाजिक, आर्थिक, राजनैतिक, सांस्कृतिक व धार्मिक समस्या है। यहाँ व्यक्ति अपने कर्म या सामाजिक स्थिति से ही दलित नहीं होता है, अपितु उसकी दलितता 'जन्मजात' है, जो सम्पूर्ण मानवता के लिये एक गहन चिन्ता का विषय है।

यदि वास्तव में दलितों की समस्या इतनी गंभीर है, तो देश की अन्य भाषाओं में दलित साहित्य को यथोचित महत्त्व क्यों नहीं दिया गया, यह एक गंभीर प्रश्न है। इस सिलसिले में मराठी के विख्यात साहित्यकार लक्ष्मण माने के अनुसार, "हमारे समाज में एक जाति के दुख का पता, दूसरी जाति को नहीं होता। संवेदना का आदान-प्रदान यहाँ नहीं हुआ है। साढ़े तीन प्रतिशत लोगों द्वारा लिखे गये साहित्य में समाज के दुर्बल वर्ग का चित्रण हुआ ही नहीं है।"

श्री माने द्वारा उल्लेखित उपरोक्त तथ्य दलित समस्याओं को देश की अन्य भाषाओं में पर्याप्त स्थान न मिलने का एक प्रमुख कारण रहा है फिर भी इन भाषाओं में दलित समस्या को यथोचित स्थान न मिलने का यही एक मात्र कारण नहीं है। बीसवीं शताब्दी मानवीय इतिहास में तीव्र परिवर्तनों का काल रहा है। जिसमें जीवन के समस्त क्षेत्रों को बुरी तरह प्रभावित किया है। जहाँ एक ओर वैज्ञानिक अविष्कारों ने अंधविश्वासों और रुढ़ियों पर प्रहार किया, वहीं इन अविष्कारों ने प्रकाशन, जनसंचार व यातायात के साधनों के माध्यम से मानव को मानव के निकट लेने में विशेष योगदान दिया है, जिसका परिणाम यह हुआ कि एक देश का जन आंदोलन दूसरे देश को प्रभावित करने गला। इस सिलसिले में मानव चिन्तन पर सबसे महत्त्वपूर्ण प्रभाव कार्ल मार्क्स (1818-1883) के साम्यवादी दर्शन का पड़ा, कार्ल मार्क्स की 'पूँजी' ने न केवल रूस में क्रांति का सूत्रपात किया, बल्कि सारे विश्व में सामंतवाद और पूँजीवाद के विरुद्ध एक जनमंच खड़ा कर दिया। इसके अलावा फ्रायड का यौन मनोविज्ञान, दोनों महायुद्ध, ब्रिटिश औपनिवेशिकवाद, देश का विभाजन आदि बहुत से महत्त्वपूर्ण कारक थे, जिन्होंने तत्कालीन लेखन को प्रभावित किया। समय समय पर जिस भी कारक का प्रभाव बढ़ा, उस समय के लेखन पर उसकी विशेष छाप दिखाई देती है।

फिर भी देश की दो प्रमुख भाषाओं— हिन्दी और उर्दू के साहित्यकार दलित

समस्या को तत्कालीन समस्याओं की तुलना में छोटा बताकर अपनी दलितों के प्रति जवाबदारी से मुँह नहीं मोड़ सकते। साहित्य को समाज का दर्पण कहने वाले साहित्यकार दलित वर्ग के शोषण और उन पर होने वाले अमानवीय अत्याचारों से अवगत नहीं हों यह असंभव है। प्रेमचन्द के यहाँ दलितों के प्रति होने वाली ज़्यादतीयों का जीवंत चित्रण हुआ है, जिनमें 'ठाकुर का कुँआ', 'पूस की रात', 'कफन' तथा गोदान सहित कई सशक्त दलित रचनाएँ शामिल हैं। प्रेमचन्द वास्तव में सांझे कहानीकार हैं। जिन्होंने हिन्दी और उर्दू दोनों ही भाषाओं के साहित्यकारों के लिये दिशा निर्देश का कार्य किया।

देश सामंतवादी व्यवस्था के पंजों में जकड़ा हुआ था। पूँजीपति और ज़मींदार, मज़दूर और किसानों का खुलकर शोषण कर रहे थे। ग्रामीण अर्थव्यवस्था तहस-नहस हो चुकी थी और नगरीय अर्थव्यवस्था ने अभी ठीक से आकार नहीं लिया था, ग्रामीण अर्थव्यवस्था से नकारे गए लोग, इस नई व्यवस्था में अपने लिये ठिकाना ढूँढ़ रहे थे। प्रेमचन्द ने साम्यवादी प्रभाव को बड़ी तीव्रता से ग्रहण किया और 1919 में मुंशी दयानारायण निगम को लिखे एक पत्र में घोषित किया कि "अब मैं पूरी तरह बाल्शेविक सिद्धांतों का अनुयायी हो गया हूँ।" अपने एक नाटक 'संग्राम' में प्रेमचन्द कहते हैं, "आदर्श व्यवस्था वह होती है, जिसमें सब लोगों को समान अधिकार प्राप्त होते हैं और ज़मींदार या सूदखोर महाजन कोई भी जनता को परेशान नहीं करता और जहाँ ऊँच-नीच के सभी भेद मिट जाते हैं।" इसी संदर्भ में प्रेमचन्द की कहानी "सफेद ख़ून" का एक अंश देखिये—

"बैसाख की वह जलती हुई धूप, आग के झौंके ज़ोर-ज़ोर से हरहराते हुए चलते थे और वहाँ हड्डियों के बेशुमार ढाँचे, जिनके बदन पर नंगेपन के सिवा कोई लिबास न था, मिट्टी खोदने में मसरूफ़ थे। मानो मरघट था, जहाँ मुर्दे अपने हाथों अपनी कब्रें खोद रहे थे।"

प्रेमचन्द के पूरे साहित्य में प्रबल दलित चेतना दिखाई देती है। वह देहाती समाज की बदहाली और दलितों की दुर्दशा का जैसा जीवंत चित्रण करते हैं उनसे पहले के साहित्य में उपलब्ध नहीं होता। किन्तु प्रेमचन्द केवल मूक दर्शक व चित्रकार नहीं, वह समस्या की जड़ बताकर उसके निवारण कर मार्ग भी सुझाते हैं। अमृतराय ने प्रेमचन्द को 'कलम का सिपाही' ठीक ही निरूपित किया है।

प्रेमचन्द के समय में 'दलित साहित्य' की अलग से पहचान नहीं बन पायी थी। लेकिन आम जनता के शोषण और दमन के विरुद्ध उर्दू में एक लेखकीय संगठन 'अंजुमन तरक्कीपसंद मुसन्निफ़ीन' (प्रगतिशील लेखक संघ) की बुनियाद 1935 में लंदन में मुल्कराज आनंद और सज्जाद ज़हीर ने रख दी थी, अप्रैल 1936 में इसकी पहली कॉन्फ्रेंस मुंशी प्रेमचन्द की अध्यक्षता में सम्पन्न हुई। ठीक उसी ज़माने में 'भारतीय साहित्य परिषद' के नागपुर अधिवेश में आचार्य नरेन्द्र देव, मौलवी अब्दुल हक, मुंशी प्रेमचन्द और अख़्तर रायपुरी की मिली जुली कोशिशों से एक घोषणा पत्र जारी किया गया। चूँकि प्रेमचन्द

'अंजुमन तरक्की पसंद मुसन्निफ़ीन' और 'भारतीय साहित्य परिषद' दोनों ही के हरावल दस्ते में शामिल थे, इसलिये यह घोषणा पत्र दोनों ही साहित्यिक संगठनों में एक समान था। साहित्य परिषद के इस घोषणा पत्र का एक अंश यहाँ प्रस्तुत है "हिन्दुस्तानी अदीबों से हमारी यह उम्मीद वाजिब और जाईज़ है कि वह यह साबित कर दिखाएें कि अदब की बुनियादें ज़िंदगी में पेवस्त हैं और ज़िदगी मुसलसल बदलाव (तग़य्युर-ओ-तबद्दुल) की कहानी है, ज़िंदा और सच्चा (सादिक़) अदब वही है, जो समाज को बदलना चाहता है, उसे बुलंदी (उरूज) की राह दिखाता है और तमाम इन्सानियत (जुमला बनी नूअ) की ख़िदमत की आरज़ू रखता है।" 'अंजुमन तरक्की पसंद मुसन्निफ़ीन' जल्दी ही उर्दू के साथ-साथ दूसरी भारतीय भाषाओं में भी फैल गई है। उर्दू में प्रेमचन्द, सआदत हसन मंटो, सज्जाद जहीर, मुल्कराज आनन्द, कृष्णचन्दर, ख़्वाजा एहमद अब्बास, राजेन्द्र सिंह बेदी, अहमद नदी क़ासमी, मजाज़ लखनवी, मखदूम मोहियुद्दीन, फेज़ एहमद फेज़, एहसान दानिश, सरदार जाफ़री, कैफी आज़मी, मजरूह सुल्तानपुरी और साहिर लुधियानवी जैसे बड़े-बड़े साहित्यकार इन संगठन में शामिल हो गये। डॉ. इकबाल और जोश मलीहाबादी जैसे शायरों ने न केवल इस संगठन का समर्थन यिका, बल्कि अपनी शायरी को दलित, शोषित, पीड़ित, सर्वहारा वर्ग के दमन के विरुद्ध एक विद्रोही आंदोलन का स्वरूप भी प्रदान किया।

डॉ. इकबाल ने जिस लोकतंत्र के लिये दलितों को संगठित आंदोलन करने की प्ररणा दा उसका ध्यय केवल राजनैतिक व्यवस्था में परिवर्तन नहीं था, बल्कि दलितों को सामाजिक न्याय प्रदान करने वाला लोकतंत्र स्थापित करना था। वह इस तथ्य को भलीभाँति समझते थे कि दलितों को उनके अधिकार संघर्ष किये बग़ैर नहीं मिल सकते, इसीलिये वह सामाजिक न्याय पर आधारित एक नयी व्यवस्था खड़ी करने हेतु दलितों को संगठित आंदोलन की प्रेरणा देते हुए अपनी नज़्म 'उठ्ठो मेरी दुनिया के गरीबों को जगा दो' मैं दलितों को संबोधित कर कहते हैं--

सुल्तानी-ए-जम्हूर (लोकतंत्र) का आता है ज़माना
जो नक़्शे कोहन (पुरातन चिह्न) तुम को नज़र आये मिटा दो।
जिस खेत से देहकाँ (किसान) को मयस्सर न हो रोटी
उस खेत के हर खोशा-ए गंदुम (गेहूँ की बाली) का जला दो।

जोश मलीहाबादी इकबाल से एक क़दम आगे जाकर कहते हैं कि दलितों ने तो क्रांति का सूत्रपात कर भी दिया है। उनके होटों से चुप्पी के ताले टूट चुके हैं और अब वे नारे लगाने लगे हैं। उनके इस विद्रोह से सवर्णों और सामंतों ने जो कारागार उनके लिये बनाया था, उसकी दिवारें बैठने लगी हैं और हज़ारों-हज़ार सालों तक दास रहने के बाद दलितों ने अपने दासत्व की बेड़ियाँ उतार फैंकी हैं। दलित आंदोलन की प्रचंडता और सवर्णवादी और सामंतवादी व्यवस्था के विरुद्ध अपने आक्रोश को अपनी नज़्म 'शकस्ते

ज़न्दाँ का ख़्वाब' (कारागार टूटने का सपना) में वह कुछ इस प्रकार व्यक्त करते हैं—

क्या उनको ख़बर थी सीनों से जो ख़ून चुराया करते थे
इक रोज़ इसी बेरंगी से झलकेंगी हज़ारों तस्वीरें।
क्या उनको ख़बर थी होठों पर जो कुफ़्ल (ताला) लगाया करते थे
इक रोज़ इसी ख़ामोशी से टपकेंगी हुमकती तक़रीरें।
संभलों कि वो ज़िंदाँ (कारगार) गूँज उठा, झपटो के वो क़ैदी छूट गए
उठ्ठो, कि वो बैठी दीवारें, दौड़ो कि वो टूटी ज़ंजीरें।

'अंजुमन तरक्कीपसंद मुसन्निफ़ीन' से जुड़ने वाले कलमकारों ने प्रेमचन्द की रिवायत को आगे बढ़ाया और दलित मुक्ति से जुड़े भिन्न-भिन्न पहलुओं पर धड़ल्ले से लिखने लगे, लेकिन अब जो साहित्य रचा जा रहा था, उसमें 'दलित' केवल दयनीय नहीं था, उसके मुँह में ज़ुबान थी, मुट्ठियाँ भिचीं हुई थीं और वह अपने निजी दुख के साथ पूरी मानवता के उत्पीड़ित लोगों को लेकर चलने लगा था। इस सिलसिले में सआदत हसन मंटो का अफ़साना 'नया क़ानून' काबिले ज़िक्र है, जिसमें मंगू कोचवान जिसे गोरे 'नीच कुत्ता' समझते हैं, उनके निर्मम और घृणित व्यवहार से त्रस्त प्रतिशोध की ज्वाला में जलता रहता है और जब उसे मालूम होता है कि पहली अप्रैल से एक नया कानून बन रहा है, जिसमें सार हिन्दुस्तानियों को, यहाँ तक कि टांगे वालों को भी सिर उठा कर चलने की आज़ादी होगी तो वह बेसब्री से एक अप्रैल का इंतेज़ार करना शुरू कर देता है और पहली अप्रैल को जब एक गोरा (जिसने पहले भी मंगू कोचवान की काफी पिटाई की थी) उससे हीरा मंडी चलने के लिये कहता है तो पहले से ही चिढ़ा हुआ उस्ताद मूँग उससे पाँच रुपये किराये की माँग करता है। जिस पर गोरा इस अंधेरगर्दी से भड़क उठता है और दोबारा मंगू कोचवान की पिटाई करने के लिये पॉलिश की हुई बेत से मंगू कोचवान को टांगे से उतरने का इशारा करता है। मंगू कोचवान, जो पहले ही से उलझने को तैयार था, टांगे से उतरते ही गोरे को धड़ा-धड़ पीटना शुरू कर देता है और उससे कहता है, 'पहली अप्रैल को भी वही अकड़ फूँ, अब हमारा राज है बच्चा'।"

मंटो ने जो साहित्य लिखा, वह तत्कालीन प्रगतिशील साहित्य की परिभाषा को विस्तार देता है। वह दलित-शोषित मानव जन के अधिकारों की लड़ाई लड़ते समय केवल सामाजिक या आर्थिक आधार पर पिछड़े हुए लोगों को ही 'दलित' नहीं मानता, बल्कि हज़ारों वर्षों से लिंग भेद के कारण पुरुष प्रधान समाज में पुरुषों के भोगविलास की वस्तु समझी जाने वाली नारी को सर्वाधिक दलित समझता है, जिसे सरेआम जानवरों की तरह खरीदा और बेचा जाता रहा है और जंगों और बलवों में जब किसी देश या समाज के पुरुषों को दूसरे देश या समाज के पुरुषों को अपमानित करना होता है तो वो अपने अत्याचार का शिकार शत्रु पक्ष की औरतों को बनाते हैं। सन् सैंतालीस के बटवारे में औरतों की जिस

तरह आबरू लूटी गई, उसकी एक मिसाल मंटों के अफ़साने 'खोल दो' से देखिये, "डॉक्टर ने स्ट्रेचर पर पड़ी हुई लाश की तरफ़ देखा, उसकी नब्ज़ टटोली और सिराजुद्दीन से कहा— 'खिड़की खोल दो।' सकीना के मुर्दा जिस्म में जुंबिश (कम्पन्न) पैदा हुई। बेज़ार हाथों से उसने अपना इज़ारबंद (नाड़ा) खोला और शलवार नीचे सरका दी। बूढ़ा सिराजुद्दीन खुशी से चिल्लाया 'ज़िन्दा है... मेरी बेटी ज़िन्दा है।' डॉक्टर सिर से पैर तक पसीने में ग़र्क (डूब) हो गया।"

कृष्णचन्दर, प्रेमचन्द की अफ़सानवी रिवायत के सच्चे और असली वारिस हैं। दलित साहित्य के परिप्रेक्ष्य में अगर उन्हें प्रेमचन्द के बाद उर्दू का सबसे बड़ा अफ़साना निगार कहा जाए तो ग़लत न होगा, जिनकी कहानियों का दुनिया की ढेर सारी भाषाओं में अनुवाद हुआ है। उनकी इस ख्याति का आधार उनकी वह गहरी मानवीय संवेदना है, जिसमें ग़रीबों, मज़दूरों, दलितों और शोषित वर्गों के लिये पूँजीवादी, सामंतवादी, जातिवादी, सम्प्रदायवादी और मानवता विरोधी सभी शक्तियों से टकरा जाने में भी एक गहरा आत्मविश्वास दिखाई पड़ता है, वे दबे-कुचले ज़रूर हैं, किन्तु दयनीय नहीं। वे लड़कर अपना अधिकार प्राप्त करने में विश्वास रखते हैं, बजाय इसके कि वह कृपापात्र होकर जियें। कृष्णचन्दर की कहानी 'वेक्सीनेटर' का नायक जो कि एक तेली है, अपनी भावनाओं को कुछ इस प्रकार प्रकट करता है, "बहुधा मेरे मन में विचार उठता है कि एक-दो रुपये की बारूद लाकर मैं रात के समय इस पुराने महल के निकट जाऊँ और बारूद लगकार भक से इन बुर्ज़ों को उड़ा दूँ।"

कृष्णचन्दर ने उर्दू अदब में दलित आंदोलन को एक निश्चित दिशा प्रदान की। वह सदैव अपने लेखकीय दायित्वों के प्रति ज़िम्मेदार और ईमानदार रहे। उनकी मान्यता थी कि लेखक जो भी लिखता है, वह उसके अपने लिये नहीं बल्कि समाज के लिये होता है और चूँकि लेखक स्वयं भी इस समाज का एक अंग है, इसलिये इसे खुशगवार और बेहतर बनाना उसका फर्ज़ है, और समाज को बेहतर बनाने के लिये उसे ग़रीबी, भुखमरी, दमन, शोषण अन्याय और अत्याचार जैसे नासूरों से मुक्ति दिलानी होगी और दलितों को इन समस्याओं से मुक्ति तब तक प्राप्त नहीं हो सकती, जब तक कि पूरा समाज इसके लिये संयुक्त प्रयास नहीं करता। इस संदर्भ में उनकी कहानी, 'कालू भंगी' का एक अंश प्रस्तुत है— "दरअसल मैं कालू भंगी के मुताल्लिक लिखने का इरादा एक मुद्दत से कर रहा हूँ, लेकिन कभी लिख नहीं सका। हज़ार कोशिश के बावजूद नहीं लिख सका, इसलिये कालू भंगी अपनी पुरानी झाड़ू लिये अब भी मेरे ज़हन के कोने में खड़ा है... मुझे मालूम है यह नहीं जायेगा, इसी तरह मेरे ज़हन पर सवार रहेगा और मेरे अफ़सानों में अपनी गंदी झाड़ू लिये खड़ा रहेगा... अब मैं समझता हूँ तू क्या चाहता है, तू वो कहानी सुनना चाहता है, जो हुई नहीं लेकिन हो सकती थी। मैं तेरे पाओं से शुरू करता हूँ, तू चाहता है ना कि कोई तेरे गंदे-खुरदुरे पाओं धो डाले। धो-धो कर उन से गंदगी दूर कर डाले! उनकी बिवाईयों पर मरहम लगाए। तू चाहता है तेरे घुटनों की उभरी हुई हड्डियाँ गोश्त में छुप

जायें, तेरी जाँघों में ताक़त और सख़्ती आ जाये, तेरे पेट की मुरझाई हुई सिलवटें गायब हो जायें, तेरे कमज़ोर सीने के गर्द-ओ-गुबार से अटे हुए बाल ग़ायब हो जायें, तू चाहता है कि कोई तेरे होठों में रस डाल दें, उन्हें गोयाई (वाक्‌शक्ति) बख़्श दे, तेरी आँखों में चमक डाल दे, तेरे गालों में लहू भर दे, तेरी चंदया को घने बालों की जुल्फें अता कर दें। तुझे एक साफ़-सुथरा लिबास दे दे, तेरे इर्द-गिर्द एक छोटी सी चार दिवारी खड़ी कर दे, जिसमें तरी बीवी राज करे, तेरे बच्चे कहकहे लगाते फिरें। जो कुछ तू चाहता है, वह मैं नहीं कर सकता... क्योंकि मैं अफ़साना निगार हूँ, मैं एक नई कहानी गढ़ सकता हूँ, इक नया इंसान नहीं गढ़ सकता। इसके लिये मैं अकेला काफ़ी नहीं हूँ। इसके लिये अफ़साना निगार और उसका पढ़ने वाला और डॉक्टर और कंपाउंडर और गाँव के पटवारी और नम्बरदार और दुकानदार और हाकिम और सियासतदाँ और मज़दूर और खेतों में काम करने वाले किसान— हर शख़्स की, लाखों, करोड़ों, अरबों आदमियों की इकट्ठी मदद चाहिये। मैं अकेला मजबूर हूँ, कुछ नहीं कर सकूँगा। जब तक हम सब मिलकर एक दूसरे की मदद न करेंगे, यह काम न होगा और तू इसी तरह अपनी झाड़ू लिये मेरे ज़हन के दरवाज़े पर खड़ा रहेगा... अच्छा खड़ा रह, फिर शायद वह दिन कभी आ जाये कि कोई तुझसे तेरी झाड़ू छुड़वा दे और तेरे हाथों को नरमी से थाम कर इन्द्रधनुष के उस पार ले जाये।"

जिस तरह कृष्णचन्दर, प्रेमचन्द के सच्चे वारिस थे, उसी तरह राजेन्द्र सिंह बेदी भी बड़ी हद तक कृष्णचन्दर के वारिस ठहरते हैं। स्वयं बेदी के शब्दों में, "मैंने कितना चाहा कि कृष्ण की कलम मुझे मिल जाए और मेरी तुतलाहट दूर हो। हम एक दूसरे से प्रभावित होते रहे हैं और यह जानना अब आपका काम है कि मंटो मेरी तहरीर में कहाँ चले आये, कृष्णचन्दर कहाँ और इस्मत कहाँ? और मुझे यक़ीन है मैं भी उनकी तहरीर में कहीं ज़रूर होऊँगा।" हालाँकि राजेन्द्रसिंह बेदी की अफ़सानानिगारी काफ़ी हद तक कृष्णचन्दर से प्रभावित है, किन्तु उनके यहाँ जो दलित चेतना दिखाई देती है वह बौद्धिक और सैद्धांतिक है। वह वर्ग, वर्ण, लिंग या अन्य बटवारों में न पड़कर तमाम दबे-कुचले इंसानों को दलित मानते हैं और उनके प्रति गहन सहानुभूति रखते हैं। उनकी यह गहन मानवीय संवेदना बाहर से साबुत दिखने वाले पात्रों के भीतर घुसकर उनके अंदर की टूटन को उजागर करती है। वह उस सामाजिक ढाँचे में परिवर्तन चाहते हैं, जिसने इंसान को निरीह और विवश बना दिया है। वह दलित-शोषित वर्ग की खुशहाली की कामना करते हैं, किन्तु उनकी दृष्टि में यह सामाजिक परिवर्तन किसी क्रांति से संभव नहीं है। इसके लिये सामाजिक सोच में परिवर्तन आवश्यक है, जो कि एक सतत् चलने वाली दीर्घ कालिक प्रक्रिया है। इसलिये उनके अफ़सानों के दलित पात्र शोषणकारी सामाजिक व्यवस्था के विरुद्ध प्रतिकार अवश्य करते हैं, लेकिन किसी सामाजिक क्रांति का शंखनाद नहीं करते, किसी दलित आंदोलन में हिस्सा नहीं लेते। वे सब अपनी-अपनी सीमाओं के भीतर रहते हुए एक बेहतर समाज

के निर्माण के प्रति कटिबद्ध दिखाई पड़ते हैं। 'एक चादर मैली सी' की रानो का तिलोके से विवाद, 'कल्याणी' की कल्याणी का महीपत से झगड़ा, 'लाजवंती' की लाजो का सुन्दरलाल से टकराव, या फिर 'रहमान के जूते' में रहमान का दरोगा से उलझना, इसी श्रृंखला की कड़ियाँ हैं। इस संदर्भ में बेदी की कहानी, 'एक बाप बिकाऊ है' में बूढ़े गंधर्वदास द्वारा स्वयं को बेचने के लिये दिया गया विज्ञापन दलितजन की दयनीयता को अत्यंत मार्मिकता से प्रस्तुत करता है, यह विज्ञापन कुछ इस प्रकार है, "बिकाऊ है एक बाप— उम्र इकहत्तर साल, बदन इकहरा, रंग गेहुँआ, दमे का रोगी— बाक्स नं. एल-476 द्वारा टाईम्स"

इस दौर की उर्दू शायरी में भी दलित चेतना एक उबाल के साथ उभरती हुई दिखाई देती है और उर्दू का शायर समाज में किसी भी मूल्य पर सामाजिक न्याय स्थापित करने और दलितों को उनका अधिकार दिलाने के लिये कटिबद्ध दिखाई देता है। वह शोषणवादी सामाजिक ढाँचे और उसके कर्णधारों को नेस्त-ओ-नाबूद कर देना चाहता है। इस सिलसिले में एहसान दानिश की नज़्म 'ज़लज़ले के देवता से' के कुछ शेयर यहाँ प्रस्तुत है—

क्या है तेरे सामने सरमायादारी की असास (औकात)
खूने दौलत से बुझा तपते हुए ज़र्रो की प्यार
इन के गर्दू बोस (गगनचुम्बी) महलों को उलट कर डाल दे
कब्र के साचों में इनकी ज़िंदगी को ढाले दे
इनके लाशे लायके गोर-ओ-कफ़न माने न जाँयें
इनके चेहरे इस तरह पिचकें कि पहचाने न जाँऐं
फ़र्शे ख़ाकी से ये नापाकी झटक कर झाड़ दे
इनके ऐवानों (महलों) पे मसमारी (विनाश) के झंडे गाड़ दे।

कैफ़ी आज़मी के यहाँ दलित चेतना एक प्रमुख स्वार बनकर उभरती है और उनकी पूरी शायरी पर छा जाती है। वह 'दलित चिंतन' में इस सीमा तक डूब जाते हैं कि स्वयं को दलित की भूमिका में आत्मसात कर लेते हैं और इस प्रकार उनकी कविताओं में दलितों की पीड़ा शायर की निजी पीड़ा महसूस होती है। यही कारण है कि उनकी कविता की भाषा आम इंसान की बोलचाल की भाषा के करीब है, जिसने आगे चलकर उर्दू कविता की भाषा और स्वरूप निर्धारित करने में निर्णायक भूमिका निभाई। उनकी नज़्म 'इब्ने मरयम' (मरयम का बेटा) का एक अंश देखिए—

"मुझ को देखो कि मैं वही तो हूँ
जिसको कोड़ों की छाँव में दुनिया
बेचती भी, ख़रीदती भी थी

मुझको देखो कि मैं वही तो हूँ
जिसको खेतों से ऐसे बांधा था
जैसे मैं उसका एक हिस्सा हूँ
खेत बिकते तो मैं भी बिकता था
मुझ को देखो कि मैं वहीं तो हूँ
कुछ मशीनें बनाई जब मैंने
उन मशीनों के मालिकों ने मुझे
बेझिझक उनमें ऐसे झोंक दिया
जैसे मैं कुछ नहीं हूँ ईंधन हूँ
मुझको देखो कि मैं थका हारा
फिर रहा हूँ युगों से आवारा।"

ख्वाज़ा एहमद अब्बास, मंटो, कृष्णचन्दर और राजेन्द्रसिंह बेदी के समकालीन अफ़साना निगार हैं। हालाँकि उनके अफ़साने अपने समकालीन कथाकारों जैसी ख्याति तो नहीं प्राप्त कर सके, किन्तु वे दलित कल्याण के प्रति समर्पित हैं। उनके अफ़सानों में दलित चेतना खुलकर दिखाई देती है। अब्बास एक पत्रकार की पैनी दृष्टि से दलित समुदाय को देखते हैं और एक कथाकार के रूप में उसे संजोकर समाज के सामने प्रस्तुत कर देते हैं। दलित समस्याओं के प्रति उनका दृष्टिकोण यथार्थवादी है और वह उनके उज्जवल भविष्य के प्रति आशान्वित हैं। वह कड़ी सच्चाईयों के सामने भी आत्मसमर्पण नहीं करते बल्कि उनका डटकर मुकाबला करते हैं। वह आदर्शों और सपनों के कथाकार हैं और इन्हें संजोते हुए वह इस तथ्य को भी कभी नज़रअंदाज़ नहीं करते कि आदर्श और सपने अकसर टूट जाया करते हैं, किन्तु वह अपने सपनों और आदर्शों के टूटने पर हताश नहीं होते क्योंकि अब्बास में इन्हें फिर से गढ़ने की ताक़त थी। इसीलिये वह सदैव मानवीय शोषण के विरुद्ध लिखते रहे। उनकी कहानियों के दलित पात्र एक ऐसे हिन्दुस्तान का सपना देखते नज़र आते हैं, जिसका नकशा टेगैर की 'गीतांजली' से उभरता है— जहाँ भेदभाव, अत्याचार, दमन, शोषण, अन्याय, अज्ञान, भुखमरी और बेरोज़गारी जैसी समस्याएँ न हों। वह एक प्रगतिशील और स्वस्थ भारत का सपना देखते हैं। उनकी रचनाओं के माध्यम से उनका जो रूप हमारे सामने उभरकर आता है, उसमें हमें दलितों के प्रति एक गहरा लगाव दिखाई पड़ता है। वह मौजूदा साहित्य में आज के दलित-शोषित इंसान को एक विशिष्ठ स्थान देने और उसका पुर्नमूल्यांकन करने के पक्षधर थे। इस संदर्भ में उनका कहानी संग्रह 'नई धरती, नए इंसान' में वह कहते हैं" जैसे जैसे 'दुनिया, समाज और देश की आर्थिक, राजनैतिक और सामाजिक व्यवस्था बदलती जाती है, उसी तरह इंसान भी बदलते रहते हैं। आज के इंसान वे नहीं है, जो आज से चार-पाँच सौ साल पहले थे। पुराने

अदबी साँचों में वे फिट नहीं बैठते। उनको नए ढंग से देखने-दिखाने, जाँचने-परखने की ज़रूरत है.... ये बदलता हुआ हिन्दुस्तान और बदलते हुए हिन्दुस्तानी मेरे अफ़सानों का विषय हैं।" इस संदर्भ में उनके अफ़सानें 'लाल और पीला' से एक अंश देखिये, "पहली बार उसने देखा कि यहाँ के रहने वाले जानबूझ कर गंदे नहीं रहते, गंदे रहने पर मजबूर हैं। उसने देखा कि पनवाड़ी की दुकान के सामने लगा हुआ नल सिर्फ़ दो-तीन घंटे के लिये चलता है, वह भी सुबह-सवेरे। जब आस-पास की सब चालों की औरतें अपनी-अपनी गागरें ले कर पानी भरने आती हैं और पानी की एक-एक क़ीमती बूँद पर कितना लड़ाई-झगड़ा होता है और फिर नल में पानी आना बंद हो जाता है, कितनी ही औरतें खाली गागरें लिये म्युन्सिपिल्टी को गालियाँ देते हुए वापस चली जाती है... अब गोपाल ने देखा कि उसकी गली के रहने वाले गंदे हैं, मगर बुरे नहीं, वे आपस में लड़ते थे, गालम-मलोच करते थे, मगर दिलों में कपट और लालच नहीं था।"

ख्वाजा एहमद अब्बास के बाद के अफ़साना निगारों में राही मासूम रज़ा, ग़यास एहमद गद्दी, एहमद युसुफ, काज़ी अब्दुल सत्तार, सुहेल अज़ीम आबादी, जोगिन्दर पाल, बलराज मेनरा और इकबाल मजीद के नाम उल्लेखनीय हैं। इस दौर के अफ़सानों में दलित मुद्दों को सीधे-सीधे व्यक्त न करते हुए, उनकी अभिव्यकित के लिये शक्तिशाली प्रतीकों और बिम्बों का सहारा लिया जाने लगा। कहानी का कथ्य और शिल्प उलझ गया किन्तु उस के अर्थ गहरे होने लगे, अब कथाकाकार पाठक से प्रतीकों के रूप में सिमटे 'अनकहे सच' को समझने का आग्रह करने लगा, इस दृष्टि से उर्दू कहानी में 'दलितों' को 'सोडियम' और पाठक की भावनाओं को 'पानी' के रूप में प्रयोग किया गया, जिसका उद्देश्य शोषणवादी सामाजिक व्यवस्था में आग लगा देना था। इस सिलसिले में इकबाल मजीद के अफ़साने 'मीरास' (धरोहर) से एक अंश प्रस्तुत है—

'भाई मियाँ ये भवानी क्या चीज़ होती है?'

'भवानी तो हिन्दू होती है', उसके सामने वाले ने जवाब दिया

'ये तो अपन को भी पता है कि ये एक देवी का नाम है।'

'ईद के रोज़ मैं मुरादाबाद में था', उसके सामने वाला बोला— वहाँ मैंने रातों में कई बार यही नाम सुना था, ऐसा लगता था ख़ाँ जैसे कलेजा बाहर आ जायेगा। बड़े-बूढ़े बताते हैं कि सन सैंतालीस में भी ऐसे नारे कभी नहीं लगे।'

'क्या कहते थे वो लोग?' सुल्तान ने धड़कते हुए दिल से पूछा। जवाब मिला— 'वो कहते थे, 'जय भवानी!'

'को खाँ, ऐसा कों कहते थे?'

'इसलिये कि हम डर जायें और हम डरते थे, कसम कुरान की मियाँ हामला (गर्भवती) औरतों के हमल साकित (गर्भपात) हो गए, अल्लाह की पनाह कैसी रातें थी, कैसे दिन थे।'

इसी ज़माने में उर्दू कहानी में एक और महत्त्वपूर्ण घटना घटी, महिला कथाकारों की संख्या में तेज़ी से बढ़ोत्तरी होने लगी, मंटों के शब्दों में "सर्वाधिक दमन का शिकार दलित और शोषित नारी वर्ग ही है।" जब इस वर्ग ने अपने हाथ में कलम थामा, तो उर्दू के दलित साहित्य को नये आयाम मिलने लगे और बहुत से रहस्यों की परतें उघड़ने लगीं अब दलित आन्दोलन किसी जाति, वर्ग, नस्ल या लिंग तक सीमित न रहकर एक व्यापक जनआंदोलन बन गया। महिला कथाकारों की इस फेहरिस्त में जीलानी बानो, सालिहा आबिद हुसैन, आमना अबुल हसन, रफ़िया मंजूरुल अमीन और वाजिदा तबस्सुम वगैरा के नाम शामिल हैं, इन कथाकारों में कुछ पुरानी पीढ़ी की लेखिकाएँ भी शामिल हैं, जिनमें इस्मत चुग़ताई, रज़िया सज्जाद ज़हीर मुमताज़ शीरीं और कुर्रतुल-एन-हैदर के नाम ख़ास तौर पर काबिले ज़िक्र हैं।

उर्दू की महिला कथाकारों के दलित साहित्य में मौजूद तीव्र संवेदनशीलता, जीवंतता और स्पष्टवादिता उनकी रचनाओं को एक विशेष पहचान प्रदान करती है। यहाँ वाजिदा तबस्सुम की कहानी 'उतरन' का एक अंश प्रस्तुत है— "बी पाशा— एक सय्यदज़ादी और कहाँ तक पहुँच सकती है— ये तुम भी देख लेना। तुमें एक से एक पुरानी चीज़ मुझे इस्तेमाल करने को दिये ना? अब तुम देखना... चमकी ने खुद से कहा और मलीदे का थाल उठाए वह दूल्हे वालों की कोठी में दाखिल हो गई... विदा के दूसरे दिन ड्योढी के दस्तूर के मुताबिक़ जब शहज़ादी पाशा अपनी उतरन, अपना सुहाग का जोड़ा अपनी अन्ना की बिटिया को देने गई तो चमकी ने मुस्कुराकर कहा— पाशा मैं ज़िंदगी भर आप की उतरन इस्तेमाल करती आई, मगर अब आप भी... और दीवाने की तरह हँसने लगी, मेरी इस्तेमाल करली होती चीज़ अब ज़िंदगी भर आप भी...' उसकी हँसी थमती ही न थी।"

वाजिदा तबस्सुम के इस अफ़साने में पीड़ित और अपमानित 'चमकी' द्वारा 'बी पाशा' से लिया गया प्रतिशोध दलित आंदोलन को प्रलयंकारी दिशा देता है, जिसमें हज़ारों वर्षों से शोषित दलित नारी का विद्रोह विकराल रूप में उजागर होता है।

वर्तमान में उर्दू में जो कहानी लिखी जा रही है, उसका लबो लेहजा खुरदुरा है, वह कथानक और भाषा के जंजाल में न उलझ कर, पाठक से सीधे संवाद स्थापित करने में विश्वास रखती है। कथाकार दलित जीवन के अनछुए पहलुओं को खोजता और उसकी ज़िंदगी की राख में विद्रोह की चिंगारी तलाश करता दिखाई देता है। उसका उद्देश्य जड़ होती जा रही मानवीय संवेदना को झंझोड़ना और पाठकों को दलित समस्याओं से परिचित कराना है। इस सिलसिले में कय्यूम राही, ताहिर नकवी, सईद अंजुम, मीम, नाग, मजीद अम्जद और डॉ. अयाज़ एहमद कुरैशी के नाम उभर कर सामने आते हैं। डॉ. अयाज़ एहमद कुरैशी की कहानी 'अधबीच' (नियति) का एक अंश यहाँ प्रस्तुत है—

'काफ़ी देर तक परिश्रम करते रहने के बाद जब उसे पहले गोली दिखाई दी तो

वह रोमांचित हो उठा। उसने गोली को हथेली पर उछाल कर उसके भार का अनुमान लगाया 'कम से कम छटांक भर होगी।' उसने सोचा, यदि ऐसी ही बहुत सी गोलियाँ उसे मिल जायें तो आज की राशन की समस्या हल हो ही जायेगी। या फिर कुछ गोले ही मिल जाये तो क्या कहने। वह धरती पर आँखे गढ़ाए आगे बढ़ रहा था कि सहसा उस की नज़र एक फिरोज़ी रंग के बम पर पड़ी, जो आगे से नुकीला था और जिसके पीछे की ओर चार पर निकले हुए थे। उसने तनिक संकोच से झुक कर बम के खुले हुए पंखों को उँगलियों के पौरों में पकड़कर ऊपर उठाया। उसे वह उड़ान भरने को उद्यत किसी पंछी की भाँति जान पड़ा, जिस के फिरोज़ी पंखों पर कीचड़ के मटमैले धब्बे बहुत भद्दे दिखाई दे रहे थे। किन्तु इससे पहिले कि वह उन्हें साफ़ करे, एक सशक्त धमाके के साथ मानवीय चीख वातावरण को चीरती चली गई।"

जिस प्रकार 'नियति' के कथानक में दलित जीवन की विवशता अपनी पराकाष्ठा पर दिखाई देती है, ठीक उसी प्रकार दलित अनुभूति की प्रचंडता और भाषा का खुरदुरापन मीम नाग के अफ़साने 'एक बार फिर' में उजागर होता है—

'मैं एक बार फिर मुरादाबाद में कट गया। कटने और कटते रहने, बटते और बटने रहने के अमल (क्रिया) में अमीबा होकर रह गया कि टुकड़ों का अलग-अलग डेव्हलपमेंट शुरू हो जाता था। मेरा घर कितनी मरतबा जला और टूटा मुझे याद नहीं, मगर मुझे याद है वह उनका मुझे घेर लेना और पेंट उतरवा कर मेरा लिंग देखना। मुझे याद है आबरू लुटाने पर मजबूर बहन की चीखें।"

उर्दू अदब में ख्वाह वह अफ़साना हो या शायरी दलित चेतना सदा एक प्रमुख साहित्यिक धारा के रूप में विद्यमान रही है, जिसमें उसकी तहज़ीबी और मज़हबी रिवायत (सांस्कृतिक व धार्मिक परम्परा) का बड़ा योगदान है। यह उर्दू तहज़ीब ही है, जिसने इंसान और इंसान में फर्क न रखते हुए उसे 'तू' से 'आप' का दर्जा दिया। माना कि भाषा किसी धर्म की जागीर नहीं होती किन्तु जिस धर्म के मानने वालों के बीच से उसका उदय होता है, उस भाषा पर उसके मानने वालों के धार्मिक विश्वासों की छाप भी होती है। उर्दू, जो मुसलमानों के बीच जन्मी, उस पर इस्लाम के मसावात (समानता) के सिद्धांत का गहरा असर है। इसलिये अगर उर्दू के अदबी चाहें भी तो दलित समस्याओं से मुँह नहीं मोड़ सकते, यह बात और है कि अभी तक उर्दू में 'दलित साहित्य' नाम से कोई अलग से साहित्यिक आंदोलन नहीं चलाया गया, किन्तु इसकी आवश्यकता से इंकार नहीं किया जा सकता। मेरे कुछ मित्रों से जब मैंने उर्दू में दलित साहित्य के नामरकण की बात की तो उन्होंने मुझे उर्दू में दलित साहित्य के पर्यायवाची शब्द 'पसमान्दा अदब', 'अदबे पसमान्दगी', 'अकब मान्दा अदब', 'अदब मुस्तहसलीन' जैसे बहुत से नाम सुझाये, लेकिन मुझे इन सब नामों में दलित वर्ग के प्रति तिरस्कार की बू आती रही, आख़िरकार मैंने उर्दू में 'दलित साहित्य' के लिये 'ऐहतजाजी अदब' (प्रतिवादी साहित्य) नाम प्रस्तावित किया,

जो कि दलित साहित्य के अन्याय, अत्याचार, दमन व शोषण के प्रति प्रतिवाद को दर्ज कराता है, मेरा विश्वास है उर्दू के साहित्यिक वर्ग में इस Term को मान्यता मिलेगी। मैं अपना वकतव्य समाप्त करने से पहले देश के सभी कलमकारों और बुद्धिजीवियों से आह्वान करता हूँ कि वह ज्वलंत दलित मुद्दों पर कलम उठायें और देश में सामाजिक न्याय स्थापित करने के लिये एक जन आंदोलन का वातावरण तैयार करें। साथ ही मैं दलित साथियों से भी आग्रह करूँगा कि वे 'संगठन ही शक्ति है' के आदर्श पर चलते हुए देश में सामाजिक न्याय स्थापित करने के लिये अपना संघर्ष अनवरत जारी रखें, क्योंकि 'ताज भोपाली' के शब्दों में—

"मैं चाहता हूँ निज़ामे कोहन (पुरातन व्यवस्था) बदल डालूँ
मगर ये बात फ़कत मेरे बस की बात नहीं
उठो, बढ़ो मेरी दुनिया के आम.इंसानों
ये सब की बात है, दो-चार-दस की बात नहीं।

1248, शोभाराम मार्ग,
महू-453441

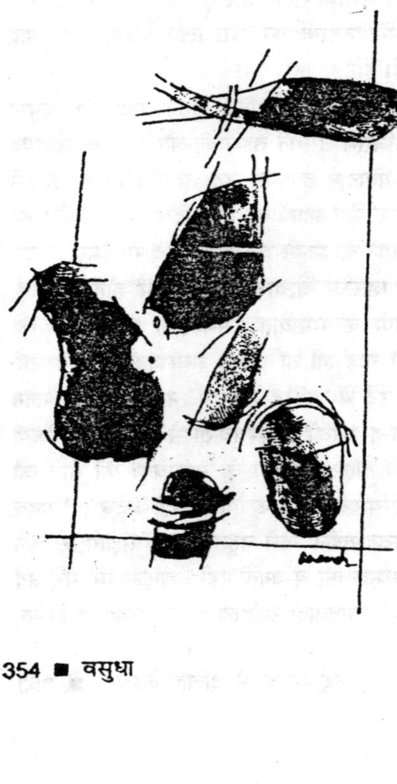

पंजाबी कहानी

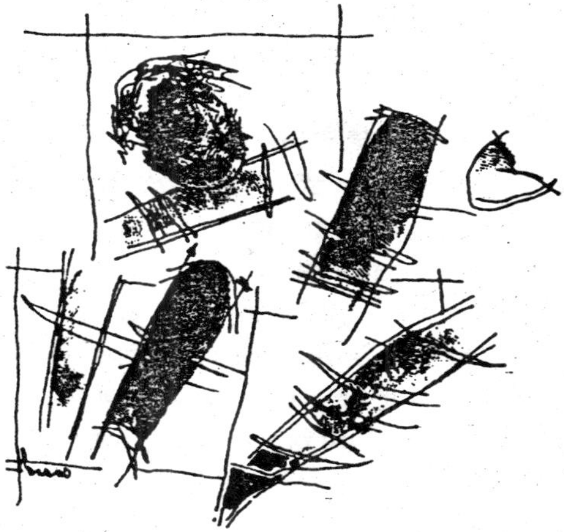

अवदान

केवलसिंह परवाना

बापू आज पूरे रंग में है। वह पेग-पर-पेग हलक़ में उतारे जा रहा है और साथ ही बतियाता भी जा रहा है, बात समाप्त ही नहीं होने दे रहा। लगता है कि जैसे उसने पूरी-की-पूरी महफ़िल लूट लेनी है।

घर में आज एक छोटी-सी पार्टी चल रही है, लगभग सभी सगे-संबंधी इकट्ठे हुए हैं जिनमें एस.डी.एम. गिल साहिब, (पी.सी.एस. सिविल) मट्टू साहिब (पी.सी.एस. जुडिशियल) जो कि आजकल गुरदास पुर में जज हैं, सहीता साहिब एक्सीयन बिजली बोर्ड, हंस साहिब, (सी.डी.पी.ओ.), धीर साहिब जिला भलाई अफ़सर, डी.एस.पी. बाबा गोले वाला एशियन एथलीट, बकशी साहिब पत्रकार, एक्साइज इंसपेक्टर रूबी तथा मेरे दोनों लड़के डॉक्टर व इंजीनियर शामिल हैं। बापू आज पूरे शबाब में प्रतीत हो रहा है, दूध सी सफेद दाढ़ी पर काली जाली कसी हुई है, करीने से बाँधी हुई पगड़ी की शान देखते ही बनती है। ढले हुए माँस वाली उसकी लंबी-चौड़ी काया चुस्त पतलून में कसी हुई प्रतीत हो रही है उम्र 80 वर्ष के लगभग होगी, परन्तु पहली ही दृष्टि में वे 70 के प्रतीत होते हैं। पार्टी में मौजूदा राजनीति के साथ-साथ शेर-ओ-शायरी, गीत तथा लतीफों का दौर चल रहा है।

बापू जी, आज अपने जीवन की कोई पुरानी घटना सुनाओ, कोई आपबीती। यह कहकर जज साहिब ने सारा माहौल जैसे एकदम बदल दिया हो। बापू ने शेष बचता घूंट हलक में उतारा, चम्मच से चिकन सूप लिया, मूछों पर हाथ फेरा फिर हमारी तरफ़ देखते हुए बात शुरू की।

"मैं जब भी उन दिनों की याद करता हूँ तो मेरे शरीर में आज भी सिहरन सी दौड़ जाती है।" मैंने देखा कि बापू बात शुरू करने से पहले सचमुच ही गंभीर मुद्रा में आ गए थे तथा उनका चेहरा रक्तिम हो उठा था।

"पचास सालों में कितना कुछ बदल गया है। हमारे ज़माने कुछ और ही तरह के थे, उन दिनों हमारी बिरादरी में कहाँ कोई अफ़सर होता था, आज मैं देख रहा हूँ कि मेरे ही घर में मेरे कई रिश्तेदार अफ़सर हैं, देखकर कितना सुकून मिलता है। यह सब विद्या से ही हुआ है, हमारी कौन-सी ज़मीन ज़ायदादें हैं। मैंने इन्हें जैसे-तैसे पढ़ा दिया था, यह प्रोफेसर बन गया, आगे चलकर इसके दो लड़के हैं जिनमें एक डॉक्टर तथा दूसरा इंजीनियर बन गया, जिनके कारण यह महफ़िल जुटी हैं। कितनी बड़ी बात है। आज किसी चीज़ की कोई कमी नहीं, कार है, कम्प्यूटर भी ले लिया है। मैं आज बहुत प्रसन्न हूँ। डालो एक पैग और डालो, सब के गिलास खाली दिखाई देते हैं।" एक्साइज इंस्पैक्टर पेग बनाने लगा। अक्सर जब भी कभी हमारे घर इस तरह की महफ़िल जुड़ती तो रूबी ही साक़ी के दायित्व निभाता है तथा दारू का इंतज़ाम भी वही करता है। शहर की सफेद पोश कॉलोनी मॉडल डाऊन में हम तीन-चार परिवार रहते हैं, इसलिए कभी-कभार इकट्ठे हो लेते हैं।

"जब हम चीचावतनी रहा करते थे, वह गाँव अब पाकिस्तान में रह गया है।" बापू ने अपनी कहानी जारी रखते हुए कहा— "यह शायद 1940 के आस-पास की बात है, दूसरी जंग के बादल गहरा रहे थे। एक शाम को गाँव का चौकीदार हमारे घर आया और कहने लगा लाहौर से सरकार आई है, मेरे साथ चल। मैं एकदम घबरा उठा, मेरा बापू भी इसी स्थिति में आ गया।" बापू अपना पेग पीने लगा और बाकी भी चुसकियाँ भरने लगे, परन्तु सभी के कान बापू की कहानी की ओर ही लगे थे। कोई ऊँची साँस भी नहीं ले रहा था। बच्चे शरारतें कर रहे थे, जिसके कारण यह निस्तब्धता भंग हो रही थी। मैंने उठकर ड्राईंगरूम की कुंडी लगा दी ताकि बच्चे इधर न आ पाएं।

"हम चारा कुतर रहे थे, जब चौकीदार आया। मेरा बापू चारे की मूठ मशीन में धकेल रहा था तथा मैं मशीन का पहिया घुमा रहा था। बापू तो इसलिए घबरा रहा था कि लड़के ने कोई कसूर किया होगा तभी तो सरकार ने इसे बुला भेजा है और मैं इसलिए घबरा गया था कि सरकार ने अपने घोड़ों को चारे का इंतज़ाम करने की बेगार के लिए बुलाया होगा।"

"सरकार कौन?" मेरे डॉक्टर बेटे ने जिज्ञासा ज़ाहिर की।

"तब अंग्रेज़ों की पुलिस या आर्मी के सिपाहियों को सरकार ही कहते थे।" बापू ने उसकी जिज्ञासा शांत करते हुए अपना शेष बचता पैग हलक के नीचे उतारा, चिकन सूप को अपने पेट में उतारते हुए मूछों पर हाथ चलाते हुए कहना शुरू किया — "मेरे तगड़े सुडौल तथा काले शरीर से पसीने की धाराएँ किसी काले पर्वत से फूटती धाराओं की तरह

बह रही थीं। सरकार का नाम सुनकर वह और भी तेज़ी से फूटने लगीं। थोड़ा-सा चारा शेष बचा था जो हमने चौकीदार के खड़े-खड़े ही कुतर दिया। चौकीदार था तो हमारे ही बेहड़े (पास पड़ोस वाला) से, परन्तु वह हमारे पास से ज़रा भी हिला नहीं, जैसे हमने कहीं भागना हो। मैंने कपड़े से अपना पसीना पौंछा तथा समीप ही पड़ा मैला सा पायजामा पहना, सिर पर अंगोछा लपेटा तथा चौकीदार के साथ हो लिया। मेरा बापू भी मेरे पीछे-पीछे चल पड़ा। परन्तु मैंने उसे रोक दिया तथा कहा कि वह गाय को चारा डाले और घर पर ही ठहरे। मुझे भय था कि कहीं वे हम दोनों को ही बेगार के लिए न रख लें।"

"बेगारी क्या?" इस बार मेरे छोटे इंजीनियर बेटे ने अपनी जिज्ञासा को ज़ाहिर किया।

"उन दिनों जब गाँव में कोई सरकारी अफ़सर आता था या पुलिस आती थी तो वे घोड़ों पर सवार होकर आते थे उस वक्त मोटर कारें नहीं थीं। उनके घोड़ों की देख-भाल के लिए चूहड़े चमारों को ही लगाया जाता था। घोड़ों को खरखरा (एक प्रकार के औज़ार से घोड़ों के शरीर की धूल झाड़ना) करना, चारा डालना, पानी पिलाना, धूल में लिटाना, फिर नहलाना तथा उनकी लीद वगैरा उठाना। इस काम के बदले कोई मेहनताना नहीं मिलता था, वे मुफ़्त काम करवाते थे। इसको बेगार कहा जाता है। पेग डालो, पीते नहीं, ख़तम करो और डालें।" कहानी के साथ-साथ बापू को पेग का भी पूरा ख़्याल था। सभी का ध्यान अपने-अपने पेगों की ओर चला गया, जितना-जितना शेष रहता था, सभी ने एक ही साँस में पेट के अंदर उड़ेल लिया और खाली गिलास मेज़ पर टिका दिए। रूबी ने नई बोतल खोल कर पेग फिर पूरे कर दिए।

"हमारा बेहड़ा गाँव के उत्तर के बाहरी ओर पोखर के किनारे पर था, पोखर के किनारे-किनारे ही रास्ता गाँव की ओर जाता था तथा गाँव के मध्य से दो भागों में बंटती गली को पार कर ही गाँव के पूर्व की ओर जाया करते थे। गाँव बहुत बड़ा था। किसी किसी ज़मींदार का घर ही पक्का था, बाक़ी सभी जाटों के घर कच्चे ही थे। गाँव का सरपंच सरदार साधा सिंह, लम्बरदार गुरदित्त सिंह, सफेद पोश हरनाम सिंह तथा और एक-दो घरों के पास ज़मीनें अधिक थी तथा पक्की हवेली बनाई हुई थीं। आम सरकारी अफ़सर इनके घरों में ही ठहरा करते थे। अच्छा-खासा लंबा रास्ता तय करके हम गाँव के पूर्व की ओर बड़े मार्ग पर बनी सफेदपोश ऊँची-ऊँची दीवारों वाली पक्की हवेली में दाखिल हुए। लोहे का बड़ा दरवाज़ा अंदर से बंद था। एक दरवाज़े में एक छोटा-सा द्वार रखा हुआ था, यह खोलकर, काफ़ी झुककर हम अंदर दाखिल हुए। पाँच-छह घोड़े सरकार की खुली हवेली में खुरली पर बंधे हुए चारा खा रहे थे। बेगारी पहले ही उनके शरीर पर खरखरा चला रहे थे। चौकीदार मुझे उधर ही ले गया। बड़ा अफ़सर रंगीले तख्तपोश पर बैठा था तथा सिपाही पलंगो पर। मैंने अफ़सर को सत श्री अकाल कहा और सकुचाता हुआ उसके क़रीब जा खड़ा हुआ। अफ़सर के चेहरे पर आश्चर्य के चिन्ह झलक रहे थे।

सफेदपोश मेरी ओर आँखें निकाल कर देख रहा था। उसका गुस्से से हुआ लाल चेहरा अंगारे की तरह दहक रहा था। मेरी टाँगें काँप रही थीं, कोई माजरा ज़रूर था। मैं मुजरिमों की तरह जाकर खड़ा हो गया।

"वट इज़ यूअर नेम वआए?" अफ़सर ने प्यार से पूछा।

"हरनाम सिंह सर" मैं इतनी सी अंग्रेजी तो बोल ही लेता था, क्योंकि उन दिनों अंग्रेज़ी ही ज़्यादा पढ़ाई जाती थी।

"वट ज़ यूअर फादर नेम?"

"सरदार भगत सिंह सर"

"वट ज़ यूअर क्वालिफिकेशन?"

"मैट्रिक सर!"

"ओ.के. मि. हरनाम सिंह, दिस इज़ यूअर एप्याटमेंट लैटर, ज्वायन आर्मी विद इन वीक।" एक बंद लिफ़ाफ़ा उसने मेरे हाथों में थमा दिया। मेरे सिर से मानों भार उतर गया हो। मैंने सुख की साँस ली और थैंक्यू कह कर खुशी-खुशी घर आ गया।

"वैरी गुड!"

"बहुत ख़ूब!"

"बहुत अच्छे!"

"नहीं तारीफ़ अंग्रेज़ों की!"

तरह-तरह के स्वर महफिल में तैर उठे। इस प्रकार सबने सुखी की साँस ली कि शायद अब कहानी समाप्त हो चुकी है, सभी हंसकर बातें करने लगे। बापू ने अपना पैग पिया, सूप का चम्मच मुँह में डाला तो उनको सब्जी ठंडी सी लगी, उन्होंने मेरे बेटे से तरकारी गर्म करवाकर लान क लिए कहा और फिर बोले— "अभी बात समाप्त नहीं हुई, अगर कहो तो बंद कर देता हूँ।" बापू ने शोर सा उठते हुए महसूस करते हुए कहा— "नहीं-नहीं सुनाओ, अगर आगे है तो।" जज साहिब ने कहा। वैसे कई लोग अब अपनी गप्पें लड़ाना चाहते थे, शायद वे ऊब-सी महसूस कर रहे थे, क्योंकि कहानी तो बापू लंबी ही किए जा रहे थे। जज साहिब के कहने पर ही उन्होंने कहानी पुनः आरंभ की— "मेरा बापू जो उदास बैठा था, नौकरी की चिट्ठी सुनकर खिल उठा। जहाँ आज मेरी मेहनत सफल हो उठी थी, वहीं उसकी सख्त मेहनत भी रंग लाई थी। माँ ने मेरा माथा चूमकर भिगो-सा दिया था। चूल्हे के आगे बैठी मेरी दोनों बहनें खुशी से जैसे झूम उठी थीं। उन दिनों हमारे लोगों के लिए पढ़ना बहुत कठिन था। कोई समझदार बाप ही अपने बच्चों को स्कूल भेजता था। आम तौर पर तो हमारे बच्चे बचपन से ही अपने माँ-बाप के साथ मेहनत करने में जुट जाते थे या जाट ज़मींदारों के सीरीं (बेगार करने वाले नौकर) लग जाते थे। छुआछूत का बहुत ज़ोर था। हमारी तो परछाई से भी ऊँची जातियाँ डर जाया करती

थीं। हाथ लग जाने से, कपड़ा छू जाने से भ्रष्ट हो जाया करती थीं। हमारे लोगों को ये लोग अपने चूल्हे चौकों पर चढ़ने नहीं दिया करते थे। तथा कुंओं के नज़दीक फटकने भी नहीं देते थे। अगर कोई भूल से उनके कुएं पर चढ़ जाता तो उसको बहुत बड़ा दण्ड भुगतना पड़ता था। सारे गंदे मलीन काम इन लोगों द्वारा करवाए जाते थे। तब नौकरियों में आरक्षण की सुविधा भी नहीं थी। यह तो आज़ादी के बाद डॉ. आम्बेडकर ने संविधान में डाली है। तब जाकर हमारे लोग नौकरियों में आने लगे हैं तथा समाज में हमारा थोड़ा बहुत स्थान बना है। परन्तु गाँवों में अभी भी वही हालत है, यहाँ शहर में सभी पढ़े लिखे हैं, कोई फर्क नहीं करता। वैसे अब छुआछूत तो कम हो गई है परन्तु जात-पात की बात इनके दिलों से अभी भी नहीं निकलती, घृणा की भावना अभी भी मौजूद है। अब तो स्कूलों में भी उन दिनों जेसी छूआ-छूत नहीं। उन दिनों निम्न जाति के बच्चों को अलग बिठाया जाता था। हम अपने लिए बोरी के टुकड़े घर से लेकर जाते थे। हमारे लिए पानी का बर्तन भी अलग रखा होता था। स्कूल का आँगन हमें साफ़ करना होता था। छूत हो जाने के डर से मास्टर हमें थप्पड़ नहीं मारता था, केवल कान पकड़ाकर मोर बना देता था।"

बेटा सब्ज़ी गर्म करवाकर ले आया था। बापू ने अपना पेग समाप्त किया, गर्म सूप का चम्मच मुँह में डाला। सूप की एक बूंद उनकी कमीज़ पर गिर गई थी, लेकिन उन्होंने इसकी कोई परवाह नहीं की तथा मूंछों का साफ़ करते हुए अपनी बात शुरू की— "जब मैंने दसवीं पास कर ली, तब लगभग दो माह बाद फौज की भर्ती के लिए, फौजी अधिकारियों की एक टीम आई थी। मेरी लंबी कद-काठी तथा गठा शरीर देखकर वह मेरा नाम भी लिखकर ले गए थे। मैं बहुत खुश था, मुझे उन्होंने चुन लिया था, मैं अब सरकारी नौकरी करूंगा तथा जाटों के गंदे-गंदे, काम करने से छुटकारा मिल जाएगा। गाँव में मेरी नौकरी की बात जंगल की आग की तरह फैल गई थी। हमारी बिरादरी के लोग हमारे घर बधाइयाँ देने आ रहे थे, मेरे बाप को शराब पिलाने के लिए आग्रह कर रहे थे। हमारे घर का आँगन लोगों से भरा पड़ा था, सभी खाटों पर बैठे थे। चन्द्रमा की दुधिया रोशनी से सभी के चेहरे चमक रहे थे, कोई कोई तारा ही आकाश में खिला था। मेरे बाप ने देसी शराब की बोतल का ढक्कन अभी खोला ही था कि चौकीदार आ धमका।"

"आ भई चौकीदार, तू भी आ जा, इस खुशी वाले समाचार के लिए तो तू ही बुलाने आया था। यह ले, पहला पैग तू ही ले ..." मेरे बाप ने चौकीदार की ओर गिलास बढ़ाते हुए कहा। चौकीदार ने गिलास पकड़ लिया, अँगुली के अग्रभाग से एक बूंद शराब धरती पर फेंकी तथा बाकी की एक साँस में ही पी गया, कटोरी से नमक की भरी चुटकी खाकर बोला— 'बई, भगतिया, गाँव की चौपाल में पीपल के नीचे गाँव के लोग भारी गिनती में एकत्र हुए हैं। सारी पंचायत भी वहीं पर जुटी है, तुम्हें भी वहीं बुलाया है। सरपंच ने। कहना था, साथ-साथ लेकर ही आना।' मेरा बाप तो गद-गद हो गया, उसे तो बिन पिए ही नशा सा हो गया। बोतल का ढक्कन बंद करके वह बोला। चलो बई, पहले

सरपंच की ही बात सुन आएं, पंचायत में शायद मेरा सम्मान करेंगे। सभी लोग मेरे बाप के साथ हो लिए, मैं भी पीछे-पीछे चल दिया।"

बाप एकाएक रूक गया, कहानी थम गई थी। मैंने देखा बापू की भौंहे गुस्से में तन गई थीं। उसने एक साँस में ही पूरा पैग पिया तथा सूप का घूँट भरे बिना ही कड़वा सा मुँह बनाते हुए अपनी बात शुरू की मैं हैरान था इतने पैग पीने के बाद भी बापू की आवाज़ में कोई लड़खड़ाहट नहीं थी। उसकी यादों की फिल्म उसी प्रकार जारी रही– "जब रात को गाँव की चौपाल में हम पहुँचे तो पीपल के नीचे मंच पर पंचाचत जुटी थी, इर्द-गिर्द लोग घेरा डाले हुए थे, एक मिट्टी के तेल से जलने वाली लैम्प पीपल की टहनी से बँधी हुई थी। शेष लोग चाँदनी में खड़े थे। जब हम पहुँचे तो सभी ओर से 'आभार'-'आभार' की आवाज़ें आने लगीं। मेरे बाप ने सरपंच को सत श्री अकाल बुलाई। उसके पास ही सफेदपोश हरनाम सिंह भी बैठा था। सरपंच सत श्री अकाल का जवाब दिए बिना ही बोला — "बई भगतिया, यह क्या बात हुई?"

"यह जी अपना लड़का फौज में भर्ती .... यह सब अपकी मेहर ..... ।"

बाप से खुशी के मारे पूरी बात नहीं हो रही थी, सरपंच बीच में ही टोककर बोला– "नहीं, यत बात नहीं भगतिया, तूने सफेदपोश साहब की बेइज़्ज़ती की है।"

यह बात सुनकर सारी महफ़िल हैरान हो गई, पैग लगाना भूल गए, बापू की कहानी में एकाएक मोड़ आ गया था। हम भी सोचते थे कि पँचायत में अवश्य बापू के बाप का सम्मान होगा, परन्तु यहाँ तो बात ही और निकली।

"नहीं जी, बिल्कुल झूट जी, मैं तो सरदार साहब के आज सामने भी नहीं आया।" मेरे बाप ने कहा।

'महिन्दरा, तू बता वई सारी बात', सरपंच ने जाटों के महिन्दर से कहा।

"महिन्दर बाहे गुरू जी का फतेह बुलाकर अपना बयान देने लगा– 'गाँव के प्रमुखों, शाम चार बजे का समय होगा, घोड़ों पर पाँच- छह अंग्रेज़ अफ़सर आए तथा सबसे पहले मेरे घर के आगे रुके, मुझे अंदर से बुलाया। उन्होंने सरदार हरनाम सिंह का नाम पूछा तो मैं उन्हें सफेदपोश साहब के घर ले गया। सरदार साहब ने बिस्तर लगाए, पानी पिलाया, दूध पिलाया, खूब ख़ातिरदारी की, मैं ही चौकीदार को बुलाकर लाया। दूध-शूध पीकर अंग्रेज़ अफ़सर ने सरदार हरनाम सिंह से पूछा — 'आपका बेटा हरनाम सिंह किडर है? तब सरदार साहब हैरान होकर कहने लगे जी मैं ही हरनाम सिंह हूँ, मेरे बेटा का नाम तो सुन्दर सिंह है। अंग्रेज़ अफ़सर सख़्ती से बोला-टुम बूढा है, एकदम ओल्ड मैन हम जवान हरनाम सिंह माँगटा है।' सभी सोच में पड़ गए कि गाँव में और हरनाम सिंह कौन हुआ। अफ़सर बोला— 'मिस्टर हरनाम सिंह वल्द भगत सिंह साकन चीचावतनी।' तब सफेदपोश साहब ने कहा — 'लेकिन हमारे गाँव में तो कोई और हरनाम सिंह नहीं है। तब गाँव प्रमुखों, चौकीदार सोच-सोच के बोला हमारी बिरादरी वाले भगतु का लड़का नामा तो

नहीं कहीं? वही बात हुई, यही निकला। सरदार हरनाम सिंह को तो अंग्रेज़ अफ़सरों के आगे ज़मीन जगह न दे, बहुत बेइज़्ज़ती हुई जी।'

सारी महफ़िल की नज़रें बापू के चेहरे पर गड़ी हुई थीं, उनके पैग उसी प्रकार पड़े थे। बापू ने अपनी बात जारी रखते हुए कहा – "सरपंच बोला– 'बता बई भगतिया, तूने अपने लड़के का नाम हरनाम सिंह क्यों लिखाया सरकारे-दरबारे? कल को हमारे नामों पर और कमीन अपने लड़कों के नाम रखेंगे। यह तो बहुत बुरी बात है। मेरे बाप का सिर धरती में गड़ गया। सारे गाँव के सामने मेरे बाप को बिना किसी दोष के दोषी ठहराया गया। मेरा बाप हाथ जोड़कर खड़ा हो गया तथा नम्रता से बोला – 'मालिकों आप सरदार, जोरावर हो, ज़मीन-जायदाद वाले हो, ऊँची जाति वाले हो, आपका झूठ भी सच है। बात यह है जिस दिन शिरोमणि कमेटी वाले प्रचार करने आए थे, उन्होंने कहा था – अमृत छको और गुरु वाले बनो! जात-पात ख़त्म, सारे सिख एक समान हैं। हम दोनों बाप-बेटे ने भी एक ही बाटे (बर्तन) में से अमृत छका था, यह देखो भातरा (छोटा कृपाण)!

"हमारे नाम उसी दिन से ही भगत सिंह और हरनाम सिंह रखे गए थे, जो शिरोमणि कमेटी वाले अपने रजिस्टर में भी लिखकर ले गए थे, हम तभी से ही सिख हैं जी, सिखों में जात-पात नहीं होती जी।"

सफेदपोश हरनाम सिंह, जिसका चेहरा गुस्से से लाल था, बोला– 'बात सुन ओए भगतु, अपना आकात में रह। जातियाँ तो रब ने बनाई हैं, तू या और कोई इन्हें कैसे बदल देगा। तू जिस जात में पैदा हुआ उसी का रहेगा। तेरा लड़का नामा था, नामा है, नामा रहेगा, ख़बरदार यदि इसे हरनाम सिंह कहा तो। सरपंच साहब मेरी बेइज़्ज़ती हुई है इसे सज़ा दो।

"मेरे बाप की एक न सुनी गई। मेरे बाप को सात दिन तक सफेदपोश के खेतों में (बिना पैसे के) काम करने की सज़ा दी गई। उस दिन के बाद मैं फौज में चला गया तथा दोबारा कभी गाँव की तरफ़ मुँह नहीं किया। माँ-बाप को भी अपने पास ही बुला लिया। आज जब मुझे वे दिन याद आते हैं तो मेरा रोम-रोम ....।"

हम शीत हुए टिकटिकी बाँधे बापू की ओर देख रहे थे, बापू की आँखों से टप-टप आँसू बह रहे थे तथा बाक़ी के शब्द उसके गले में ही रूक गए थे।

संपर्क : 95, मॉडल टाऊन,
कपूरथला (पंजाब)
पंजाबी से अनुवाद : द्वारिका भारती

मदन वीरा और द्वारिका भारती पंजाबी दलित कविता के ऐसे कवि है जो दलित समस्या से बहुत आहत हैं। वे गहन वेदना और सचेत संवेदना के कवि हैं। उन की कविता में जिस सीमा तक वेदना गूंजती है उसी सीमा तक उन की कविता हुंकारती भी है। यह कविता पंजाबी दलित साहित्य की अमूल्य निधि है।

मदन वीरा

सुलगती छाती की वेदना

अच्छा हुआ
हम जैसे मिले वैसे ही बिछुड़ गए
कहानी कुछ और ही होती अगर
ऐसा ना होता तो
बहुत अच्छा हुआ
तुमने पहले ही जान लिया कि
स्वप्न सृजनकर्ता
अपने दुधमुँहे सपनों सहित
उन रास्तों में ही पढ़ा होगा
जिन राहों पर शुभ
संस्कृत का दावा करने वाले
तुम्हारे पुरखों ने युगों से आरक्षित अधिकारों की तखती टांगी हुई है
और रक्षा के लिए छोड़े हुए हैं कटखने कुत्ते
जो कभी तो राज सत्ता की छतरी से निकलते हैं
और कभी धर्म स्थान की मांद से

बेनाम

प्रार्थना पत्र मेरे हाथ में जकड़ा हुआ
सूखे पत्ते की तरह कांप रहा है
और मन मेरा
अपने घर के आंगन से
अपनी पृष्ठभूमि टटोल रहा है
अधिकारी ने बार-बार पूंछा है-
किस मिट्टी से जन्मा है?
कौन जात है?
किस रंग का है?
किस धर्म का उपासक है?
.... आगे कॉलम में दर्ज है-
हिन्दू, मुस्लिम, सिख, ईसाई
बौद्ध या जैन
मैं रंगों नस्लों में विभक्त
जातियों और मजहबों में बिखरी
चिकत्तेदार इस दुनिया का
वासी हूँ परन्तु बेवतन हूँ
नाक-नक्श के होते हुए भी
नक्श हीन हूँ
मैले से पत्र पर अंकित
मट मैला अस्पष्ट सा
एक सिरनामा (पता) भर हूँ
नाम होते हुए भी बेनाम हूँ

द्वारिका भारती

इस मौसम की कविता

इस मौमस में कविता लिखना
बहुत मुश्किल नहीं रहा अब
स्याह अक्षर
सफेद कागज पर उतनी ही आसानी से उतरते हैं

जितनी मुलायमी से उतरता है
त्रिशूल
उस बच्चे के ज़िगर में
जो अपनी माता के पेट में
अति सुरक्षित मुद्रा में
ज़िन्दगी की कोमल सी कविता लिखने को तैयार था

सैलाब

आपको शायद बिल्कुल भी अच्छा न लगे
लेकिन मैं यह कहने में नहीं हिचकूंगा कि
मैं कुछ लोगों का पंचम सुर में
मर्सिया पढ़ना चाहता हूँ
उनकी मज़ार पर जा कर मैं
मोटी-मोटी गालियां देना चाहता हूँ
उनकी धधकती चिंता पर
जी भर थूकना चाहता हूँ
उनकी अस्थियों की राख को
हवा में उड़ा देना चाहता हूँ
अपनी सारी घृणा
एक दम इन पर उडेलने की तमन्ना है मेरी
कौन हैं वे लोग
जिनके बखिए उधेड़ने का अहद है मेरा-
यह जानने के लिए
तू सिर्फ़ एक दिन के लिए
इन्सान की जगह
चमार बन के देख
चूहड़ा बन के देख
डोम बन के देख
और इस सभ्यता के जंगल में
अछूत बन के देख।

उदास कविता

चाहता हूँ कि कविता लिखूं
(क्षमा करें, वाजपेयी मार्का नहीं)
एक आग उगलती
अंधों की चिराग कविता
उन लोगों के लिए
जो कविता के अर्थ तो नहीं समझते
लेकिन ज़िंदगी उनकी कविता होती है
एक बहुत लंबी कविता
और बहुत ही उदास कविता
एक बे-आस कविता
बर्फ की सिल्ली कविता
पीले पत्तों-सी झड़ती
पतझड़-सी अहसास कविता
रेत-सी गर्म
पश्चिम की हवाओं-सी सर्द
मरुस्थल में उठती रेत की तरह
मृगतृष्णा-सी दरिया कविता
अंधड़-सी उठती
बिजली-सी कड़कती
पेड़ों की मानिंद अटल
पत्थर-सी स्थिर
शब्दों में पिघलती कविता
आँखों में बहती कविता
किसी नंगे पहाड़ पर खड़ी
कांटों की झाड़-सी कविता
दिल चाहता है कि कविता लिखूं
ऐसी ही उदास कविता।

501, सुभाष नगर, होशियारपुर (पंजाब)

गुजराती में लिखी जा रही दलित कविताओं का यह चयन और अनुवाद 'वसुधा' के लिए कवि जयंत परमार ने किया है। गुजरात में धीरे धीरे सुलग रहे दलित आंदोलन की एक झलक इन कविताओं में है।

बालकृष्ण आनन्द

काले लहू की कविता

शाइर दोस्तो:
अज़लसे
वात्सायनकी गीता ही लिखने में
मशरूफ़ रहे तुम?
मृणाल के मुँह से निकलती भटियार गली की गंध को
मोगरे की ख़ुश्बू कहते
स्तनों को कंपास से नापते
तुम्हारे दिमाग पर सवार भूत को
क़लम से उंडेलकर
ज़िन्दगी के मसलों का हल पाने के लिए
तड़प रहे तुम
लेकिन दोस्तो :
हमारी क़लम से झड़ती हैं चीखें
हमारी हथेली पर खिंची हुई
काले लहू की रेखाएँ
दसी कुचली आहें

मुक्ति के आक्रोश का पैग़ाम लिए
मैदान में उतरी है—
इस नई पीढ़ी के लिए
हमारी कविता
जंग के मैदान में
भाई भाई का ख़ून पीते हथियारों को
भून देने के लिए अज़ीम पैग़ाम बन गई है
हमारी कविता।

दलपत चौहान

मागशर की एक रात

जानां! कुछ भी याद नहीं
गाँव का तालाब सर सर गुनगुनाता है
मागशर ठिठरता है तेरी आगोश में
अधनंगा—
और मैं
हथेली पर मुँह लटकाकर
किस किसको दोष दूँ?
जानां, ठंड लगती है?
क़रीब तो आ?
पर ओढ़ेंगे क्या?
आकाश या धरती
तेरे बदन में तो मागशर
कबसे कांप रहा है
फ़जरके सन्नाटे में
डुगडुगी बजाती तेरी ठोड़ी
और मच्छरों की भिनभिनाहट में
कितने मागशर अभी बाक़ी हैं जानां?
अनगिनत हैं, जानां।
आसमान के सितारे

और...

तेरे मेरे अपमान!

तालाब के पानी में खिला हुआ

अपना चेहरा

तूने देखा है कभी?

आईना कहाँ से लाऊँ?

इसकी तलब में कई बहारों को घोलकर

पी गये हैं हम!

तेरे चेहरे की झुर्रियाँ गिन सकूँ तो कहूँ

जानां!

तेरी पीठ के ज़ख़्म को सहलाता हूँ

जनम जनम के साथी होने की

सिर्फ़ एक निशानी याद है मुझे

मेरी पीठ के ये निशान

क्या तुझे याद हैं?

नीरव पटेल

यह सिलसिला

जब जुनूनी टोले

मज़े से अपनी संहार-लीला खेलकर

बिखर जाते हैं

तब कर्फ़्यू लग जाता है

दंगे फ़साद में सब कुछ जलकर

खाक हो जाता है

उसके बाद अपीलों की साइरनें बज उठती हैं चारों ओर

अख़बारों में, आकाशवाणी पर, टी.वी. के पर्दे पर

एकता समिति भाई चारे का बिगुल बजाती है

गली कूचों में रिलीफ़ कैम्प में स्वयं सेवक

ब्रेड-बटर और मिल्क पावडर की ख़ैरात बाँटते हैं

सर्किट हाऊस के तंबू में
दिल दहलाने वाली ख़बरों के बीच
जाम छलकाये जाते हैं
और सरकार एक के बाद एक
तफ़तीश कमेटियों का एलान करती है
संसद सदस्यों का गिरोह दुःख भरे जुम्ले झाड़कर
एक दूसरे को कुसूरवार ठहराते हैं
कवि विषाद-योग में डूबकर
आँखें मूँद लेते हैं...

ये सिलसिला मेरे दिमाग़ में दबे पड़े बारूद को
आग लगाता है
और ये सब
लॉ एण्ड ऑर्डर के लिए अमन कमेटियों के सामने
अदना इन्सानों की एक आदम सेना बनाने के लिये
मुझे निमंत्रण देते हैं
यह सिलसिला
अमन व एकता की ख़ातिर एक आख़री दंगा
एक आख़री फ़साद के लिये
मुझसे याचना करता यह सिलसिला!

जयन्त परमार

मनु

एक न एक दिन
घर के आगे
नीम की शाख पें
नंगा करके
लटका दूँगा तुझको मनु!

तेरी रगों को चीर फाड़कर देखूँगा
तूने पिया है कितना लहू
मेरे बुजुर्गों का!

एक न एक दिन
तेरी खाल उधेड़ूँगा
हमें तो सिर्फ़
ब्राह्मण क्षत्रिय और वैश्य की
सेवा करने तूने लिखा था
चमार भंगी और चांडाल की तूने लिखी तक़दीर
गाँव के बाहर रहना और
टूटे बरतन में खाना
यहाँ का भैंसा भी पंडित!
गधा भी गंगा जल पीता है!!

लेकिन तुझको है मालूम
अब मैंने चील की मानिन्द उड़ना सीख लिया है
शेर की मानिन्द जस्त लगाना सीख लिया है
लफ़्ज़ों को हथियार बनाना सीख लिया है

एक न एक दिन
तेरी खाल उधेड़ के तेरे हाथ में रख दूँगा!
तूने मेरे बाप को नंगा करके मारा था ऐसे!!

सुबह की हवाओ

सुबह की हवाओ
मेरी रूह के पास रुक जाओ
मुझे दो लहू रंग सूरज
जिसपे बादल का साया न हो
जो न डूबे कभी
उफ़ुक के घने जंगलों में
जिसको ऊंगली पे रखकर

सुदर्शन चक्र की तरह
फेंकूँगा उन पर...
जिन्होंने मेरी जीभ को काटकर
खिलाया था कुत्तों को
मेरी फूल सी
नन्ही बच्ची का सर काटकर
नज़्रे आतिश किया
मेरी बहन की छातियों से
बहाई नदी ख़ून की
मेरे बाप को ज़िन्दा दफ़ना दिया
दिन दहाड़े मेरी माँ को नंगा किया
मेरी आग अब ठंडी होगी नहीं
मुझे दो लहू रंग सूरज
सुबह की हवाओ
मेरी रूह के पास रुक जाओ

सुबह की हवाओ

मैंने माँगा था एक घर
और उन्होंने
ज़मीं में मुझको गाड़ दिया
मैंने माँगा ज़मीं का एक छोटा सा टुकड़ा
और उन्होंने
मेरे सर पर
हिज्रत का पत्थर रखा
मैंने माँगी थी रोटी
और उन्होंने
जीभ पे जलता कोयला रखा
मैंने माँगी सिर्फ़ किताब
और उन्होंने
मेरे कानों में गर्म गर्म सीसा डाला

मैंने उठाया सर अपना
और उन्होंने
गर्दन में ज़ंजीरें डालीं
हाथ में झंडा लेकर निकला
जुलूस में जब
हाथ काटकर फेंक दिये
लेकिन एक दिन
मेरे ख़ून से
बंजर धरती होगी नर्म
और हज़ारों हाथ उठेंगे
मेरे हाथ
हज़ारों हाथ
और जुल्म की आख़री रात

अछूत

तुम मुझे छूती हो जानम!
तन पे गंगाजल छिड़ककर
ख़ुद पवित्र हो गई
लेकिन—
नहीं दुनिया में ऐसी चीज़ कोई
जो पवित्र कर सके मुझको!
मैं तो पैदा ही हुआ हूँ अपवित्र
उम्र भर मैं अपवित्र ही रहूँगा
और मर जाऊँगा आख़िर अपवित्र

इस देश में श्रमजाति की मेधा को सम्मान नहीं मिल पाता। जिसने ताजमहल बनाया है, उस शिल्पी का स्थान उच्च वर्ण में नहीं है। लोहार, कुम्हार, स्वर्णकार, कारीगर-किसान जो भारत के प्रथम वैज्ञानिक, गवेषक आविष्कारक है-- वे इस देश में सम्मान प्राप्त नहीं करते। विद्या और विज्ञान का यह अपमान, यह अस्वीकृति, पृथ्वी को अमानवीय समाज में परिणित कर देता है।

दलित साहित्य पर एक विमर्श

नीतिश विश्वास

कार्ल मार्क्स ने 1853 में 'दि फ्युचर रिजल्ट ऑफ ब्रिटिश रूल इन इंडिया' के सन्दर्भ में लिखा है, " दि इंडियन कास्ट्स, दोस डिसीसिव इमपेडिमेन्टस टू इंडियन प्रोग्रेस एण्ड इंडियन पावर"। (2) प्रसिद्ध विश्व परिव्राजक जि. लोयेस डिकिनसन ने कहा था, " प्राच्य और पाश्चात्य में ऐसा कुछ विशेष अंतर नहीं है, लेकिन यह अंतर है भारतवर्ष और बाकी दुनिया में। वर्णाश्रम-शासित व्यवस्था की तरह श्रेणी स्वार्थ पूरक एवं ऐसी पक्की बनी हुई इमारत कहीं नहीं है।' (1)

धर्म के नाम पर मानव सभ्यता की निष्ठुरतम अमानविकता ही वर्णवाद है। जो प्राय: तीन हजार वर्षों से भारतीय समाज में प्रचलित है। आज भी उसका यह प्रहार कितनी प्रखरता लिए हुए हैं उसे सारे भारत में प्रत्येक दिन होने वाले दलित, हत्या और अत्याचार की घटनाएं प्रमाणित करती हैं। पश्चिम बंगाल के साथ अनेक अंचलों में वर्णवाद नहीं है- इस प्रकार की बात एक श्रेणी के प्रगतिशील लोग कहते रहे हैं। उनको मैं रविवार के 'आनन्द बाजार पत्रिका' में बड़ी संख्या में विवाह के विज्ञापन देखने का अनुरोध करूंगा। अधिक रुपये देकर आनन्द बाजार में इस विज्ञापन को देने वाले जो लोग हैं उनमें प्रगतिशील लोग ही हैं। जन्म-मृत्यु-विवाह- जो जीवन की तीन घटनाएं हैं-- यहाँ धर्मीय वर्णवादी आचार के अतिरिक्त मानवीय आचार का प्रचलन दो-एक लोगों को छोड़कर मनुष्य बहुत दिन पहले भी करते थे, आज भी दो-एक लोग उसका अनुसरण करते हैं, किन्तु 95 प्रतिशत हिन्दू शिक्षित भी भयंकर रूप से वर्णवादी हैं। आज भी कई आगमार्का प्रगतिशील अपने विवाह

एवं संतान के विवाह के संबंध में सवर्ण सगोत्र के पात्र-पात्री ही खोजते हैं और कई क्रांतिकारी (!) विवाह में दहेज भी लेते हैं। यहीं नहीं राजनैतिक दल में भी जो ग्रुप या उपदल है वहाँ भी हिन्दुओं में बौद्ध, ब्राह्मण, कायस्थ विभिन्न अन्त: सलिला स्त्रोत हैं और दो-एक जाति वादी दल के अतिरिक्त भारत में किसी भी दल के नेतृत्व में दलित वर्ग के व्यक्ति नहीं हैं। सब कुछ जोड़कर भी कुछ अपवादों के अलावा भारत और बांग्ला वर्णवाद का विष या अभिशाप रक्त में, चिंतन में हमारी चेतना में रह गये हैं

यह प्रतिदिन होने वाले सूर्योदय की तरह ही सत्य है। नित्य सत्य है।

बहुत दु:ख होता है :

इस बात को सोचकर दु:ख होता हैं कि जो शिक्षक महोदय गणतांत्रिक आदर्शवाद के प्रखर प्रवक्ता है, उनकी चेतना का आधा आकाश भी वर्णवाद से ढंका हुआ है। सामन्त तांत्रिक, अवसरवादी और अंतर की गहराई में गुंथे हुए कुसंस्कार उनको जागने नहीं देते। वे भी मन के किसी अज्ञात स्तर में सांप्रदायिक, अगणतांत्रिक हैं। इसके फलस्वरूप उनकी महत्तम चिंता और प्रतिभा का विकास नहीं हो पाता। शैतानी के जाल में अटके प्राण कभी भी मुक्ति आंदोलन में नेतृत्व नहीं दे सकते। वे चाँद पर हाथ नहीं लगा सकते। इसका कारण है कि उनके चिंतन की संकीर्णता भीतर से तो बौनी है। प्रतिभा की ही इस अपमृत्यु ने भारतीय समाज को विश्व में हीन बना दिया है।

तभी इस देश में श्रमजाति की मेधा को सम्मान नहीं मिल पाता। जिसने ताजमहल बनाया है उस शिल्पी का स्थान उच्चवर्ण में नहीं है। लोहार, कुम्हार, स्वर्णकार, कारीगर, किसान- जो भारत के प्रथम वैज्ञानिक गवेषक, आविष्कारक हैं-वे इस देश में सम्मान प्राप्त नहीं करते-सम्मान प्राप्त करते हैं स्वर्गलोक के परलोक के झूठे प्रचारक प्रताड़क लोग। विद्या और विज्ञान का यह अपमान, यह अस्वीकृति मनु परवर्ती भारतवर्ष के स्वार्थान्ध एक श्रेणी के ब्राह्मणों के नेतृत्व में पृथ्वी को सबसे अधिक घृणा और अमानविक समाज में परिणित कर दिया है। इससे हमारी मुक्ति कब होगी, किस प्रकार मुक्ति होगी- उसे ही मानों हम नहीं समझ पा रहे हैं। उसी अंधकार के विष रूपी वाष्प के कारण साम्यवाद का भी भारत में विकास नहीं हो पा रहा है। कम्युनिस्ट आंदोलन तो यहाँ लगभग शताब्दी को भी स्पर्श कर गया है-किन्तु भारतीयों के जनमत को कितना प्रभावित कर पाया एवं क्यों नहीं कर पाया- ये प्रश्न आलोचना करते समय आज भी सामाजिक प्रसंगों में मान्यता प्राप्त नहीं करते। मानों उसी की अवहेलना कर यह विद्रोही आंदोलन चलाना चाहते हो तभी तो कदम-कदम पर उससे जुड़ जाते हैं। विस्तार नहीं कर पाते- पहाड़, समुद्र, नगर, प्रांत। यह सत्य आज स्वीकृति पा रहा है और प्रगतिशील बुद्धिजीवी वर्ग इस प्राचीन भारतीय समाज का विश्लेषण करते हुए सतत प्रयासरत हैं, एक नये प्रकार से आगे की ओर बढ़ रहे हैं जो जनसाधारण में ग्रहणीय भी हैं। यह एक शुभ दिशा है।

दूसरी ओर अब हिन्दुत्ववादी शक्तियां, शासक शक्ति में रूपान्तरित हो रही हैं।

जो-जो आचार-आचरण , जो-जो तत्व और विद्या प्राचीन पंथियों के अंध कुसंस्कार कहकर गत शताब्दी ने उसकी वर्जना की चेष्टा की थी, नयी शताब्दी में मानों वही दानव फिर भारत के स्वतंत्र चिंतन, युक्तिवादी चेतना विकास के आंदोलन के ऊपर चढ़कर बैठ गया हो। जिसकी घोषणा और सूचना 1992 वर्ष के 6 दिसम्बर (आम्बेडकर का मृत्यु दिवस) बाबरी मस्जिद ध्वंस के माध्यम से मिली।

इस युग के अन्यतम श्रेष्ट विचारक हीरेन्द्रनाथ मुखोपाध्याय इस घटना के पाँच वर्ष बाद लिखने के लिए बाध्य हुए, (इस घटना में), 'देश का संपूर्ण विवेक जो आलोड़ित और क्षत-विक्षत हो उठा था, उसका वास्तविक प्रमाण पिछले पाँच वर्षों में किसी को नहीं मिला।' जिसने उन्हें पीड़ित किया है। उन्होंने लिखा है, 'अमेरिका में रेड इंडियनों के विनाश और दक्षिण अफ्रीका जैसे देश में काले लोगों पर अमानविक अत्याचार जिन्होंने किया है, उन्होंने लेकिन अपक्रर्म की सफाई में धर्मकथा का गान नहीं गाया।' उन्होंने कहा 'दलन जैसी वस्तु हमारे देश में भी बहुत दिनों से ही फाइन आर्ट्स में परिणत हुई है। जिसकी तुलना विश्व में केवल दुर्लभ ही नहीं है बल्कि अप्राप्त है। मुनि-ऋषियों की दुहाई देकर और नित्यकर्म पद्धति को धर्म की सांकल से बांधकर रखना, साथ ही साथ केवल वर्णाश्रम जाति-भेद (अस्पृश्यता जिसके साथ अंग-प्रत्यंग का सम्बन्ध जुड़ा हैं) और जन्मान्तरवाद की धारणा को जोड़कर इतिहास के सभी काल में सभी देशों में सबसे अधिक मजबूत 'श्रेणी-कर्तव्य' की इमारत को इस देश के मनुवादी लोग परम ऐतिहासिक दक्षता में प्रतिष्ठित कर गए हैं कि देश में जातीयतावादी से लेकर साम्यवादी आंदोलन की दीवार क्रमश: इतनी कमजोर हो गई है कि जो कहने योग्य नहीं है।"[1]

करणीय कार्य:

जो 'कहने योग्य नहीं है' उसकी निंदा करने में ही हमारा कार्य समाप्त नहीं होता। इसी कारण जीवन के अंत समय में भी वे प्रत्येक सभा में अपने लेखन में इन व्यक्तियों के अधिकारों और आंदोलनों के विषय की गंभीर आत्मसमालोचना के साथ प्रचार करते रहे हैं।

अब कार्ल मार्क्स के उस प्रसिद्ध मत का उल्लेख करता हूँ जहाँ उन्होंने कहा था, " इतने दिन दार्शनिकों ने विभिन्न प्रकार से केवल व्याख्याएं दी। किन्तु सही कार्य है इसके परिवर्तन को घटित करना।" लगभग सौ वर्ष पहले इस कार्य को आरंभ किया था डॉ आम्बेडकर ने। इसी कारण जब उनकी उम्र केवल पच्चीस वर्ष थी, उन्होंने लिखा कास्ट्स इन इंडिया-मेकनिज्म जेनेसिस एण्ड डेवलपमेंट (1915) इसके अतिरिक्त ऐनिहिलेशन ऑफ कास्ट (1936), हू आर दि शूद्रास (1948), फिलोसफी ऑफ हिन्दूइज्म, रेवुलेशन एण्ड काउन्टर रेवुलेशन इन एनसियेन्ट इंडिया, रिड् लस् इन हिन्दूइज्म, दि अनटचेबल, हू आर दे एण्ड व्हाई दे बिकेम अनटचेबल (अस्पृश्य कौन है, वे क्यों अस्पृश्य बने?) (1947), दे राइज एण्ड फाल ऑफ दि हिन्दू वोमेन- हू इज रेस्पोन्सिबल (1951) गाँधी और अस्पृश्यों की मुक्ति (1943), अस्पृश्यों के लिए गाँधी और कांग्रेस ने क्या किया? (1945)।[3]

केवल ग्रंथ रचना ही नहीं, उसके आधार पर आंदोलन एवं आंदोलन की भित्ति पर रचना, आम्बेडकर ने इसी प्रकार भारतवर्ष के शिलीभूत श्रेणी व्यवस्था के इस भारी पत्थर को हटाने के लिए जीवन भर कोशिश की। मानो किसी शिशु के सामने उसकी माँ की छाती पर पत्थर दबाकर रख दिया गया हो- माँ यन्त्रणा से छटपटा रही है- और असहाय संतान अपनी पूर्ण शक्ति से उस पत्थर को हटाने की कोशिश कर रहा हो' आम्बेडकर के पहले आंदोलन की स्मृति का चित्र मेरी आँखों के सामने उभर उठता है। किन्तु आम्बेडकर सहस्त कंगालियों की तरह ही थे। अभिज्ञताओं में पंडित थे। अब्राहम लिंकन महापुरुष बुद्ध, कबीर, से उन्होंने ज्योति या फूल प्राप्त किया। उनका विश्वास था, "श्रेणी हीन समाज का निर्माण करने के पहले समाज को जाति हीन करना होगा।" इस समाज की प्रगति में प्रमुख बाधा जात-पात के रोग से भारतीय समाज को मुक्त कराने में उन्होंने एक ओर तात्विक विश्लेषण प्रस्तुत किया और दूसरी ओर जन चेतना की वृद्धि के लिए जन समावेश और संगठन का निर्माण किया।

उन्होंने आवाज़ दी थी- शिक्षित हो, संगठित हो और आंदोलन करें। वे कहते थे, "तुम लोग स्वयं ही इस दासत्व को दूर करो। इसके लिए किसी भगवान या अतिमानव पर निर्भर मत रहो। किसी तीर्थयात्रा के पुण्य अथवा धर्मीय उपवास से तुम्हें मुक्ति नहीं मिलेगी। राजनैतिक क्षमता से ही मुक्ति लानी होगी।"

इसी लक्ष्य में दलित समाज को शिक्षित करने में उन्होंने आत्ममर्यादा की लड़ाई के साथ ही आत्म सचेतनता की लड़ाई भी शुरू की। एक ओर स्कूल-कॉलेज छात्रावास का निर्माण दूसरी ओर चेतना के विकास के लिए सामाजिक आंदोलन पत्रिका का प्रकाशन एवं साहित्य सृजन के आंदोलनों को संगठित किया। इसी प्रसंग में सुसाहित्यिक अध्यापक ज्योति प्रकाश चट्टोपाध्याय ने एक स्थल पर लिखा है, "तमिल दलित नेता पेरियार की तरह आम्बेडकर भी जानते थे कि आत्ममर्यादा के बोध के बिना कोई भी व्यक्ति सिर ऊंचा करके खड़ा नहीं हो सकता। वह बोध शिक्षा ही दे सकता है। शिक्षा के अलावा दलितों की मुक्ति के लिए कोई पथ नहीं है। अतएव उन्होंने दलितों के लिए शिक्षा प्रतिष्ठानों के निर्माण का कार्य आरंभ कर दिया। इसी कार्य के लिए वे महाराष्ट्र के गाँव-गाँव में गये। अपने द्वारा उपार्जित धन उन्होंने व्यय किया। भिक्षा का झोला लेकर घूमे। दलितों के लिए एक के बाद एक विद्यालय बने। गरीब दलित छात्रों के लिए हॉस्टल बनवाया। बाद में कॉलेज बना।"

इस निबंध में ज्योति प्रकाश ने आगे कहा है "मनुसंहिता को जला देना सही में ब्राह्मण वादी हिन्दू धर्म और मनुवादी समाज व्यवस्था के विरुद्ध विद्रोह का ही प्रतीक है। यह विद्रोह वैदिक गौरव के प्रति वर्जना की घोषणा है। उसी अर्थ में गाँधी जी का रामराज्य के धारणा की वर्जना एवं गाँधीवाद को हटा दिया महाड़ विद्रोह ने क्योंकि 'रामराज्य' तो संपूर्ण रूप से ही मनुवाद की भीत पर ही खड़ा है। चाभादर के पानी और आग ने घोषणा कर दी कि हिन्दुत्व

विरुद्ध विद्रोह ही मुक्ति है। चाभादर बन गया प्रतिवाद, वर्जन और ध्वंस का प्रतीक। वर्जन विद्रोह, ध्वंस और पुनर्गठन की यह नहीं चेतना का ही विस्फोटक दलित साहित्य में व्यक्त होता है। घृणा और क्रोध से उन्मत होकर कन्नड़ कवि की कलम अनायास ही लिख डाला था, "आओ, एक होएं! उनके छाती और पीठ पर लात मारें! उनकी पीठ की चमड़ी उधेड़ लें!"

दलित साहित्य :

जिस बाजार में जिस वस्तु की माँग है, उस बाजार में वह माल आ जाएगा। जहाँ व्यथा है वहाँ उसकी अभिव्यक्ति रहेगी। जहाँ अत्याचार है- वहाँ किसी न किसी प्रकार से वह प्रकाशित होगा ही और जिस देश में दलित व्यक्ति शोषित होता है वहाँ के साहित्य में भी उसका प्रतिफलन होता है। प्रश्न है- दलित साहित्य के रचयिता कौन है या कौन होंगे?

इस प्रश्न का कोई अंतिम उत्तर देने की मेरी इच्छा नहीं है। मेरा मन कहता है कि दलित जीवन की कहानी जिस किसी भी साहित्य में रसात्मक ढंग से कह सकेंगे- वह साहित्य ही होगा दलित साहित्य। एक लेखक जब यौन साहित्य की रचना करता है, तब वह यौन साहित्यिक (उसे हम अच्छी नज़रों से नहीं देखते) है। फिर यही साहित्यिक जब संग्रामी दरिद्र-दलित मनुष्यों की जीवन वेदना और विकास के उज्ज्वल सुंदर चित्रों की रचना करते हैं, तब वे होंगे दलित साहित्य के स्रष्टा। फिर कोई साहित्यिक कौन से वंश में या जात में जन्में हैं इस बात को यदि हम न जाने एवं वह रचना यदि मुझे दलित मुक्ति संग्राम के पक्ष में उद्‌बुद्ध करती है, आन्तरिक रूप से जोड़ती है, तो उस सृष्टि को निश्चय ही दलित साहित्य कहूँगा ग्रष्टा फिर चाहे जो भी हो?

इस संबंध में अवश्य ही एक और मत है वह है कि दलित जीवन से जो आए हैं वे ही सार्थक दलित शिल्पी होंगे। इस बात का समर्थन हम लोग समाज के वास्तववादी.... शिल्प मतों के आदर्शों से भी प्राप्त कर सकते हैं। जहाँ विश्वविख्यात 'माँ' उपन्यास की बात आती है, जिसके रचयिता मेक्सिम गोर्की हैं। भारत वर्ष के प्रगतिशील साहित्य के जो मतवादी हैं उन्होंने भी सनातन साहित्य से स्वयं को एक दिन अलग कर लिया था एवं आंदोलन से स्पंदित हृदय में उन्होंने महत्तम मनुष्य की मुक्ति का स्वप्न ही साहित्य में देखा। निश्चित ही आज साहित्य में बहुत से क्षेत्र आपस में घुल-मिल गए हैं। प्रतिष्ठान प्रिय साहित्य पत्रिकाओं के विशेषांक के साथ निकलने वाली किसी-किसी पत्रिका की साहित्यिक सामग्री में भिन्नता कर पाना कष्टकारी हो गया है। कुछ भी हो विश्व व्यापी शिल्पी साहित्यकारों में दो मुख्य भाग तो थे ही- जिनमें एक ओर शिल्प के लिए शिल्प दूसरी ओर जीवन के लिए शिल्प हैं। दलित साहित्य इसी 'जीवन के लिए शिल्प' के दल में आता है। यूरोप- अफ्रीका, अमेरिका में जो कृष्ण साहित्य के रूप में विश्व विख्यात हैं, भारत तथा हिन्दू धर्म समाज में वह दलित साहित्य माना जाता है। जो आर्थिक और सामाजिक रूप में सर्वहारा हैं भारत में वे ही दलित है। आधुनिक समय में पूर्ण सामन्त तंत्र न रहने के कारण यह विन्यास और भी जटिल हो गया है। दलितों में सम्पत्ति और धन के अनेक अधिकारी हो

गए हैं। किन्तु सामाजिक उन्नयन उनका भी नहीं हुआ। इसी कारण भारत के राष्ट्रपति को भी दलित राष्ट्रपति के रूप में अपमानित होना पड़ता है। देश में भी और देश के बाहर भी।

फिर कहता हूँ— यह जो गणतंत्र के विकास में बाधा है, व्यक्ति और समस्त मानव की आत्मा का अपमान और क्रन्दन उसकी जलन एवं उससे आग की वर्षा वही दलित साहित्य के उपादान है। तभी अपमानित लांछित आत्मा का क्रन्दन यदि उसी लांछित व्यक्ति के मुख से स्वयं कभी कला की भाषा में व्यक्त कर सके, तो वही श्रेष्ठ साहित्य होगा। वह किसी अन्य की सहानुभूति से प्राप्त नहीं कर सकता। रवीन्द्रनाथ को तरह बहुत प्रतिभाशील व्यक्ति की यथार्थ कह सकता है:

"कृषाणेर जीवनेर शरिक जे जन
कर्मे ओ कथाय सत्य आत्मीयता करेछे अर्जन
जे आछे माटिर काछस काछि
से कबिर वाणी लागि, कान पेते आछि।"

दलित कवि मिट्टी के समीप रहने वाला व्यक्ति है। पंक से निकला हुआ पंकज। वेदना की अभिज्ञता से जन्मा सहस स्वर्ण शतदल। अंग-प्रत्यंग में अंतर में ब्राह्य में उसके लांछित जीवन के रक्त में घुला स्पन्दन ही स्वर्णिल संपदा है।

किन्तु साहित्य-मतवाद कठोर बंधन का अंतिम सिद्धांत नहीं है। वहाँ भी माओ-त्सेतुंग का वहीं ध्रुपदी उच्चारण- " शतफूल विकसित होक"। आने दो यहाँ भी शतनत! किन्तु जीवन सत्य के प्रति अभिज्ञता और कला में सार्थक रूपायन है- इसका साहित्य में कोई विकल्प नहीं था-आज भी नहीं। क्योंकि वह तो केवल वास्तविकता नहीं है, कला साहित्य है।

प्रसंगत : त्रिपुरा

आलोचना के इस प्रसंग में बांग्ला के दलित साहित्य पर चर्चा करने वालों के लिए त्रिपुरा के दलित साहित्य के विषय में कुछ बातें जोड़ना चाहूँगा।

सभी जानते है कि वामपंथी आंदोलन के पीठस्थान त्रिपुरा की जनसंख्या 85 प्रतिशत तफसिली जाति, उपजाति, अल्पसंख्यक अन्य और भी अनुसूचित श्रेणी के व्यक्ति आते हैं। इन्हीं दलित मनुष्यों में देशी-विदेशी शक्तियां वहाँ इस प्रकार विभेद की सृष्टि करती हैं जो भिन्नता के आकाश में आज आत्मध्वंसी युद्ध से आच्छन्न है। इस युद्ध में भी संरक्षण। एक मिलन के सूत्र की तरह आये हैं जो दलित मनुष्यों के स्वार्थ बोध को जागृत रखता है और इन व्यक्तियों में जिस प्रकार रवीन्द्र नजरुल निहित हैं उसी प्रकार आम्बेडकर भी है। दलित मनुष्यों में आम्बेडकर बड़े योगसूत्र है। आम्बेडकर चर्चा सूत्र में ही आया है दलित साहित्य। दलित साहित्य आज इसी कारण त्रिपुरा के बांग्ला और ककबरक साहित्य में मुख्य धारा हो गया है।

के दलित साहित्य को लेकर मैं यहाँ विस्तार में नहीं जा रहा हूँ। लेकिन ककबरक भाषा के एक और श्रेष्ठ सुधन्य कवि त्रिपुरा बांग्ला और ककबरक भाषा में त्रिपुरा के दलित साहित्य के एक उज्ज्वल नक्षत्र हैं चन्द्रकांत मूड़ा सिंह। दोनों ही भाषा में

लिखने वाले। शैलेन्द्र दास, कल्पना शिव, दिलीप दास, कृष्णधन नाथ, आशिष दास, सिराजुद्दीन अहमद, जीवन दास आदि के साथ बहुत से दलित कवियों का नाम आता है। प्रमुख कहानीकार के रूप में नाम आता है- जया गोपाल, मिता दास, निखिल देवनाथ का।

वामपंथी दलित प्रबंधकारों की एक बड़ी धारा त्रिपुरा में है। अध्यापक महादेव चक्रवर्ती, जलधर मल्लिक ,सिराजुद्दीन अहमद, नरेन्द्र भट्टचार्य, अवनी राय, विद्यान राय, नकुल दास, कमल सिंह , नित्यानन्द दास , सुनिर्मल, ऋषिदास, सुकुमार बर्मन झर्णा दास, देवव्रत देवदास, रेवती दास, निखिल देवनाथ इनका विशिष्ट स्थान है।

त्रिपुरा के दलित साहित्य सेवी बांग्ला साहित्य की मूलधारा से ही निकले हैं, जिनमें एक अच्छा उदाहरण है अकाल मृत्यु प्राप्त कथाकार विमल सिंह (मन्त्री)का जो " लौंग तराई " की तरह विख्यात उपन्यास के साथ बहुत सारी अमर कहानियां के लेखक के रूप में प्रसिद्ध हैं। यह दलित अदलित सभी लेखकों की समवेत चेष्टा से पुष्ट हुआ है। अभिनन्दनीय शुरू लक्षण है।

दलित साहित्य के विषय की खोज

पश्चिम बंगाल, त्रिपुरा, असम, बिहार से जुड़े जो बंगाली प्रताड़ित हैं, उनमें से जो आज भी यथावत स्थायी रुप से स्थापित नहीं होने के कारण खुशी नहीं मिली । उनमें मुख्य रूप से दलित मनुष्य ही है। मैं समकालीन भूगोल और फिलहाल बीते हुए अतीत इतिहास पर खड़ा होकर इन दलितों के जीवन के विषय में कुछ उल्लेख करना चाहूँगा जिसे लेकर हमारे दलित साहित्यिक दोस्त यदि अपनी कलम पकड़ लें यही मेरी आशा है, क्योंकि तेजी से परिवर्तनशील समय में जीवन और भी द्रुत हो हमारी स्मृति की सीमाओं को छोड़कर भाग रहा है, खोता जा रहा है।

बांग्लादेश की यादें :-

देश का बंटवारा क्यों हुआ, आपात स्थिति के लिए कौन उत्तरदायी हैं, और यह किस पंडित का षड्यंत्र है, यह दलितों में जो सचेतन और शिक्षित हैं उन्हीं का उत्तरदायित्व है। सभी व्यक्तियों को इस विषय में उन्हें ही बताना है। जिस प्रकार यह कार्य उनका है उसी प्रकार उस विपदा के कष्ट के शिल्प के माध्यम से हमारे समक्ष लाना होगा। ऋत्विक घटक की फिल्मों का मूल विषय ही था। मातृभूमि को खोने का दर्द। आज भी हमारी पीढ़ी के मनुष्य हाहाकार कर उठते हैं, जब वे इस प्रकार की फिल्में देखते हैं।

समाज की जो यह उलट-पलट की स्थिति है या देश का विभाजन उसने देश की समकलीन पीढ़ी को बहुत ही भयंकर आघात दिये हैं। दंगे की आग ने घर-बार को जला डाला, माँओ को, बहनों और स्त्री के शील को नष्ट कर डाला और पिता के सम्मान को नष्ट कर डाला। सब कुछ खोकर दिव्य मनुष्यों के समूह उस दिन 'इंडिया' में चले आये। उस समय के उस भूखे दिन में केन्द्रीय सरकार और उसके मित्र पश्चिम बंगाल की कांग्रेस सरकार ने इन लोगों को कचरे की तरह बांग्लादेश के बाहर और कुछ को बांग्लादेश के भीतर यहाँ-वहाँ छिटका दिये।

जो लोग बाहर चले गए उन्होंने देखा है- पंजाबी प्रताड़ित को जहाँ आठ एकड़ ज़मीन दी गई..... बांग्ला प्रताड़ितों को मिली 3 एकड़। बाद में जो गये, उन्हें कुछ भी नहीं मिला। उनका नाम ही रखा गया है 'विदाउट'।

जो पश्चिम बंगाल, त्रिपुरा, असम में रह गए हैं, उनके लिए कालोनी निर्मित हुई है। उसका बहुत बड़ा अंश दंगे की आग में फूंकने के बाद भी वे लोग यहाँ आकर वामपंथियों के साथ संगठित हुए हैं, जो भारत में दंगा विरोधी शक्तियों के रूप में आज भी शत्रु-मित्र सभी का एक आश्रय स्थल है। इसी के फलस्वरूप विताड़न आंदोलन संगठित हुआ जो एक असांप्रदायिक मानसिक शक्ति के रूप में था। दंगे में जल जाने के (तब भी हिन्दू महासभा के साथ बहुत सांप्रदायिक शक्तियों द्वारा भड़काने पर)। बाद भी उन्होंने उस आग में हाथ नहीं डाला। मुसलमानों के प्रति विद्वेष की भावना नहीं दिखलायी जो इतिहास की महत्तम चरित्र शक्ति जो पृथ्वी की एक विरल ऐतिहासिक मानविक अभिज्ञता है यह आजकल के दलित साहित्य का महाकाव्यिक विषय बन सकता है।

इसके दूसरे भाग में देखता हूँ जो पूर्व पाकिस्तान के निम्नवित्त दलित मनुष्य जो अपनी-मीठी स्मृतियां और बाप-दादा की ज़मीन जायदाद छोड़कर जिनके अत्याचार से पीड़ित हो भाग कर आये थे, कुछ वर्षों बाद ही 1970-72 के स्वतंत्रता युद्ध में वही सगे भाई जब पाक आक्रमण में घर छोड़कर आये और आश्रय लिया भारत में, उनके लिए वहीं प्रताड़ित परिवार ही अपने घर को छोड़कर बारमदा में रहने के लिए आ गये। सबकुछ देकर वे युद्ध के लिए खड़े हो गये। पृथ्वी में कितने ऐसे उदाहरण हैं, मैं नहीं जानता।

हम लोग स्वाधीनता के समय जो समवयस्क थे- वे इस विपर्यस्त इतिहास के प्रत्यक्षदर्शी रहे हमारे रचनाकारों की दृष्टि और लेखनी नहीं लिख पा रही है इन महत्तम संधिक्षणों को। मनुष्यों को....चित्र माला में पिरोकर मानों 'साहब-बीवी-गुलाम' की तरह एक नये विन्यास में कथा- साहित्य की सृष्टि करते?

बांग्लादेश की स्मृति आज भी हमें झकझोर देती है- किन्तु हमारा वह मधुर गांव अभी भी हो सकता है स्थानीय जोतदार का खासमहल। वहाँ छोड़ी हुई सम्पत्ति शत्रुओं की हो गई हैं। आज भी वहाँ के अल्पसंख्यक मनुष्यों का भारत में आना और नागरिकता प्राप्त करने का सहयोग नहीं मिल पाया। बांग्लादेश के स्वतंत्रता संग्राम के पश्चात बांग्लादेश के हिन्द नागरिकों के लिए यह एक और अभिशाप बन गया। पाकिस्तान में उस समय किसी भी हिन्दू को भारत में आते ही नागरिकता मिल जाती थी किन्तु 1972 में इंदिरा-मुजीब संधि के अंतर्गत यह नियम हटा दिया गया। इस अभिशाप के कारण आज भी कुछ लाखों हिन्दू बांग्लादेशियों को भयंकर कष्ट में डाल दिया है। इतिहास के सटीक तथ्यों और जीवन की वेदना को सत्य अनुभवों में मिलाकर दलितों की इस यंत्रणा और अन्तर्जातिक अत्याचार की कहानी लिखनी होगी। संसार के सामने उसे खड़ा करना होगा।

बंगाल के बाहर दलित बंगाली—

भारत के विभिन्न प्रदेशों में अशिक्षित दलित बांग्ला प्रताड़ित जिन्हें उखाड़कर फेंक दिया गया- उनके लिए पश्चिम बंगाल सरकार ने मुड़कर नहीं देखा। जो इस राज्य में आना चाहते थे- उनको जबर्दस्ती वापस भेजा गया किन्तु इस बात का पता नहीं लगाया गया कि वे क्यों वापस लौटना चाहते हैं, क्यों उनका जीवन वहाँ वेदना बहुल है।

कन्या के विवाह होने के बाद उसका फिर अपने पिता के घर आकर रहने की बात नहीं होती-किन्तु यदि पति गृहस्थी नहीं कर पाता तभी वह वापस लौट आती है। माता-पिता का आश्रय होने के कारण उसे वह मिलता है। प्रताड़ितों के विषय के इस तरह का व्यवहार उचित था— किन्तु उन्हें वह नहीं मिला। साधारण कुछ पाठ्य पुस्तकों के अभाव में बहुत से राज्यों ने प्राथमिक स्तर पर मातृभाषा (बांग्ला) पढ़ने का अवसर भी खो दिया। बंगाली दलित अन्य राज्यों में भी संरक्षण नहीं प्राप्त कर सके। संपूर्ण भारत में कौन इन बंगालियों की पीड़ा की कहानी सुनना चाहता है। उनके प्रतिकार के लिए कौन दो बातें कहना चाहेगा? इतना ही नहीं बंगाल के सांसदों के पास भी समय नहीं है कि वे इन हत भाग्यों के लिए दो वाक्य भी लोकसभा में कह सके।

बंगाल के संवेदनशील हृदय वाले दलित साहित्यिक लोग इन मृत स्त्रोतों से बांग्ला के सांस्कृतिक चित्रों को संस्थापित कर उनकी सृष्टि कर रहे हैं। लेखन में अंकन में और सिनेमा के पर्दे पर उसके समाधान के लिए तथ्य और तत्वों की खोज करे जो इन वेदना [illegible] से उन्हें मुक्ति प्रदान करेगा। कलाकार तो सुबह का पक्षी है- मनुष्यों का जगाना ही उसका कार्य है। आइए उस कार्य को आगे बढ़ाएं।

संदर्भ- सूत्र :

1. हीरेन्द्रनाथ मुखोपाध्याय का प्रबंध, 'दुनियार दखल नेवे दलित देर दल' दलित साहित्यों एकटि वितर्क शिरोनामे एकतान गवेषणा पत्रेर दलित साहित्य संख्यार आ-1 पाता। संपादक नीतीश विश्वास। 1998 द्रष्टव्य।
2. ज्योतिप्रकाश चट्टोपाध्याय का प्रबंध अनुष्टुम शारद संख्याय 1407, 31 पाता, दलित साहित्य: स्वाधीनोत्तर भारतीय साहित्ये अभिनव संयोजन' शिरोनामेर प्रबंध द्रष्टव्य।
3. नीतीश विश्वास का ग्रंथ: डॉ. वी.आर. अम्वेडकर, 'जीवनी पंजी और ग्रंथ परिचित'। (1998 संस्करण का 22 पाता) द्रष्टव्य।

बांग्ला से हिन्दी अनुवाद-
डॉ. वसुंधरा मिश्र
110 सी, श्री एपार्टमेंट 138, जी.टी. रोड,
हावड़ा (द.)-711102

बांग्ला के बहुचर्चित कविता संग्रहों- 'स्वजनेर मुख', 'शेष पलटन, 'ब्रात् जनेर कविता', 'प्रिजन वैन', 'बाताशेर पाए शब्द', 'अश्वमेधेर घोड़ा', 'हीरा सिंह हरिजन', 'स्वनिर्वाचित कविता', 'शत पुष्प', और 'कविता समग्र', छंदबद्ध कविताओं की पाँच पुस्तकों- 'आय रंग देखे जा', 'सर्कस', 'टक भीषन टक', 'हावड़ा एक्सप्रेस' और 'कोलकातार काल सांप', अंग्रेज़ी की दो कविता किताबों— 'क्लाउड्स फ्राम द ईस्ट' और 'वी. आर. मर्जिंग' के एकांत सृष्टा अनिल सरकार त्रिपुरा के शिक्षा, सूचना व संस्कृति और पर्यटन मंत्री हैं। कवि व मंत्री अनिल सरकार 'पूर्वोत्तर के मार्क्सवादी अंबेडकर' माने जाते हैं।

पूर्वोत्तर में दलित चेतना का नया रूप

अनिल सरकार

दलित साहित्य आंदोलन महराष्ट्र से शुरू हुआ। परवर्ती काल में यह आंदोलन गुजरात, कर्नाटक, दिल्ली, उत्तरप्रदेश, बिहार आर देश के अन्य हिस्सों में फैला। यानी महाराष्ट्र का आंदोलन की पूरे भारतवर्ष में फैला। पूर्वोत्तर भी अछूता नहीं रहा। पूर्वोत्तर में यह आंदोलन तब शुरू हुआ, जब अंबेडकर की जन्मशतवार्षिकी मनाई जा रही थी। बंगाल और त्रिपुरा के दलित बुद्धिजीवी- लेखक अंबेडकर जन्मशती में इकट्ठे हुए और नए सिरे से दलित आंदोलन के स्वरूप पर उन्होंने मथन किया। बंगाल के लोगों ने प्रेरक शक्ति की भूमिका निभाई। खासकर नीतिश विश्वास, जो कोलकाता विश्वविद्यालय में डिप्टी रजिस्ट्रार हैं और जाने-माने सामाजिक कार्यकर्ता हैं और दूसरे-दलित कवि कपिल कृष्ण ठाकुर ने।

दलित साहित्य अकादमी की भूमिका भी हमारे दिमाग में थी। जगजीवन राम ने दिल्ली में राष्ट्रीय दलित साहित्य अकादमी की स्थापना की थी। अकादमी मूलतः गाँधीवादी बल्कि कांग्रेसी दलित विंग के रूप में काम करती है। कांग्रेस में जो योग्य दलित बुद्धिजीवी रहे हैं वे अक़ादमी के बैनर तले हर साल दिल्ली के तालकटोरा स्टेडियम में देश के कोने-कोने से हजारों दलितों को इकट्ठा करते रहे हैं। राष्ट्रीय-अन्तर्राष्ट्रीय पुरस्कार भी देते रहे हैं और जाहिर है, इन सबका काफी प्रभाव पड़ा है।

दलितों में जागरण लाने के अंबेडकर के सपने को जिस तरह रूपायित किया गया, अंबेडकर और बौद्ध धर्म में जिस तरह तक संबंध कायम हुआ था, कोलकाता- अगरतला में

भी हमने एक संबंध कायम किया। कवि कपिल कृष्ण ठाकुर और बुद्धिजीवी-सामाजिक कार्यकर्ता नीतिश विश्वास के साथ लंबे विमर्श के बाद हमने संकल्प किया कि बंगाल और पूर्वोत्तर के प्रदेशों में दलित साहित्य,कला, संस्कृति को अक्षुण्ण रखने, दलितों के विकास में आड़े आ रही बाधाएँ दूर करने के लिए काम करेंगे और दस साल से हम लगातार काम कर रहे हैं।

दलितों के लिए पूर्वोत्तर ही नहीं, पूरे भारतवर्ष में मेरी राय में दो शब्द हैं-शोषण और अपमान। मार्क्सवाद जिस शोषण की बात करता है, भारत का दलित उसी प्रकृत अर्थ में प्रताड़ित है जिसे अंबेडकर 'डिप्रेज्ड' क्लास कहते हैं। भारत के दलित, पूँजीपतियों द्वारा शोषित हैं और सवर्णों बल्कि ब्राह्मणों द्वारा विभाजित व शासित हैं। यह शोषण व शासन वर्णगत है। वर्ण के भीतर दो भाग होते हैं। एक-जाति और दूसरा-क्लास (श्रेणी)। क्लास और कास्ट मिलकर वर्ण बनाते हैं। ब्राह्मण कास्ट है किन्तु पुरोहित क्लास। कास्ट एक सामाजिक पहलू है जबकि क्लास आर्थिक पहलू है। भारत वर्ष में पहले की तरह आज भी दलितों का शोषण जारी हैं। भारत के दलित आज सामाजिक अन्याय के सबसे बड़े भुक्तभोगी हैं। वे श्रेणी द्वारा अनवरत शोषित हैं। चिरकाल से ही यह शोषण जारी है। जाति के कारण वे अपमानित होते हैं। वे दरिद्रता व गरीबी के शिकार हैं। मार्क्स ने जिन्हें सर्वहारा कहा है, वे ही भारत में दलित हैं। अपमान दंश झेलते दलितों की यंत्रणा भारत के सवर्ण राजनीतिज्ञ, बुद्धिजीवी, तथाकथित हिन्दू समाजविज्ञानी, समाज सुधारक व सामाजिक कार्यकर्ता नहीं समझ सकते, क्योंकि वे हिन्दू हिरारकी के अंग हैं। असल में वे भारत में सही संदर्भ में जाति के मामले की व्याख्या करने में अक्षम हैं। ऐतिहासिक पृष्ठभूमि में इस मामले पर गौर करने की योग्यता उनमें नहीं है। वे बुर्जुआ हैं। वे अपनी जाति और अपने क्लास का हित देखने वाले हैं और इसीलिए मामले से आँख चुराते हैं या सही तथ्यों को दबाते हैं। उनके सांस्कृतिक क्रियाकलाप तक इसीलिए आधे-अधूरे होते हैं।

भारत में दलितों की शिनाख्त कई रूपों में हो सकती है। एक-जिसमें दलित लोग दलन के प्रतिवाद में विद्रोहरत, संग्रामरत हैं-कहीं कहीं विजय भी उन्हें मिल रही है और दूसरे-अनार्य भूमिपुत्र जो दलित के रूप में चिह्नित हैं। इसके अलावा प्राचीन इतिहास में जिन्हें आदिवासी कृष्णांग कहा गया है- आर्य शासकों ने जिन्हें बाहर का यानी बहिष्कृत भारतीय कहा है- वे भी आज के भारत के दलित हैं। प्राचीन भारत में जो श्रम विभाजन किया गया था-उसमें ब्राह्मण, क्षत्रिय और वैश्य मस्तिष्क से श्रम करते थे और जो उत्पादन करते थे, उन्हें अस्पृश्य माना जाता था, वे शूद्र ही खेती करते थे। मछली की खेती, घर की साज-सज्जा करते थे।

दलितों का कानूनगत विभाजन सबसे पहले ब्रिटिश शासनकाल में हुआ-ट्राइबल (आदिवासी), सेडुल्ड कास्ट (अनुसूचित जाति), अदर बैकवर्ड क्लास (अन्य पिछड़ा वर्ग), सेडुल्ड ट्राइब (अनुसूचित जनजाति) और रिलिजियस माइनारिटी (धार्मिक अल्पसंख्यक)

के खानों में। इन्हें विद्यासागर के समय तक अछूत माना जाता था।

भारतीय समाज में मनुवादियों की दृष्टि में स्त्री भी घर की दासी है। मेरी राय में स्त्री भी दलित है। परवर्ती काल में महाराष्ट्र में जब पैंथर आंदोलन शुरू हुआ तो दलित आंदोलन पर मार्क्सवादियों और बौद्ध धर्म के समर्थकों की निगाह गई। उत्तर आधुनिक दलित आंदोलन ने दलितों में जाग्रति लाने और शोषण से उनकी मुक्ति के लिए अनथक प्रयास किए। वह आंदोलन दलितों का, दलितों द्वारा दलितों के लिए चला। जो दलित शोषित-उत्पीड़ित हैं- वे ही बहुसंख्यक हैं। अनुसूचित जाति-जनजाति की आबादी 16 फीसदी है, आदिवासियों की आठ, अन्य पिछड़ा वर्ग की 52 और अल्पसंख्यकों की 10 फीसदी है। यदि दलितों की श्रेणी में स्त्री को भी रखें तो यह प्रतिशत बहुत ज़्यादा बढ़ जाएगा क्योंकि हर घर में उनकी जनसंख्या पचास फीसदी है। इस तरह दलितों की संख्या काफी हो जाती है। इसे ध्यान में रखते हुए ही हम पूर्वोत्तर में दलित आंदोलन चला रहे हैं और हम पाते हैं कि आज भी भारत का दलित शोषित व अपमानित है। पूर्वोत्तर में इस आंदोलन को हमने मार्क्सवाद से जोड़कर नया संदर्भ दिया है। दलितों के पुरोधा अंबेडकर यदि धरती हैं तो मार्क्स आकाश हैं। यदि ज़मीन नहीं हो तो आकाश का क्या होगा? इसीलिए पिछले दस वर्षों में अंबेडकर व मार्क्स के विचारों में समन्वय स्थापित कर हमने दलित आंदोलन को बढ़ाया है— पूर्वोत्तर में। आम्बेडकर व मार्क्स मिलकर दलित आंदोलन को और दलित साहित्य को भी नई ऊर्जा से भर देते हैं, प्रेरणा का स्रोत बनते हैं। ध्यान दें, दलित साहित्य अंबेडकर व मार्क्स से प्रेरणा ग्रहण करता है जबकि तथाकथित सनातन साहित्य कथित भगवान से। इसलिए आज का दलित साहित्य समाज सुधार, समाज परिवर्तन और सामाजिक क्रांति का निमित्त बन रहा है, इसी सामाजिक क्रांति से दलितों का उद्धार संभव होगा।

त्रिपुरा बल्कि पूरे पूर्वोत्तर में दलित आंदोलन को प्राय: दस वर्ष हो रहे हैं। मैं चूँकि त्रिपुरा सरकार में था और संयोग से अनुसूचित जाति कल्याण, अन्य पिछड़ा वर्ग व धार्मिक अल्पसंख्यक विभाग मेरे पास था तो मैंने दलित छात्रों के लिए अंबेडकर अवार्ड और मेरिट अवार्ड शुरू कराया। त्रिपुरा में अनुसूचित जाति, अल्पसंख्यक, पिछड़े वर्ग के प्रथम श्रेणी में उत्तीर्ण मैट्रिक के छात्रों को अंबेडकर अवार्ड और बारहवीं के होनहार छात्रों को अंबेडकर मेरिट अवार्ड दिया जाता है। पुरस्कार स्वरूप पाँच से पंद्रह सौ रुपए, अंबेडकर साहित्य, अंबेडकर की जीवनी, अन्य दलित साहित्य-अद्वैतमल बर्मन से लेकर रवीन्द्र, नजरूल साहित्य भेंट किए जाते हैं। अंबेडकर एक्सेलेंसी अवार्ड भी त्रिपुरा में प्रदान किया जाता है। समाज सेवा के लिए पंद्रह हजार रुपए का अंबेडकर अवार्ड अलग से दिया जाता है। अद्वैतमल बर्मन की स्मृति में दो पुरस्कार देने का भी प्रावधान है। पहला पूर्वोत्तर हेतु तथा दूसरा पूर्वोत्तर के बाहरी व्यक्ति के लिए। त्रिपुरा में हम 14 अप्रैल से अंबेडकर जयंती पखवाड़ा पंद्रह दिन का मनाते हैं। संगोष्ठियाँ की जाती हैं। व्याख्यान दिए जाते हैं।

सांस्कृतिक कार्यक्रम होते हैं। क्विज प्रतियोगिताएँ, अंबेडकर फुटबाल व कबड्डी प्रतियोगिताओं का भी आयोजन होता है। पूरे त्रिपुरा को हम पखवाड़ेभर के लिए अंबेडकरमय बना देते हैं। आज राज्य का बच्चा-बच्चा अंबेडकर को जान गया है। त्रिपुरा सरकार के कार्यों के कारण दलितों में आत्मसम्मान का बोध बढ़ा है। अगरतला की सबसे बड़ी मछली मंडी के निकट रवीन्द्रनाथ के साथ अंबेडकर की तस्वीर भी आप देख सकते हैं। रवीन्द्रनाथ को हमने इसलिए शामिल किया क्योंकि भारत के इस महान कवि के पूर्वज मुस्लिम थे। ननिहाल के लोग अनुसूचित जाति के थे। त्रिपुरा की 32 लाख आबादी है। अनुसूचित जाति की संख्या पाँच लाख और आदिवासी दस लाख हैं। इसलिए त्रिपुरा के लिए दलित बड़े फैक्टर हैं। त्रिपुरा में हमने दलित समिति बनाई है। उसके डेढ़ लाख सदस्य हैं। दलित साहित्य अकादमी भी है जिसके अध्यक्ष गोपाल मणि दास हैं। सांस्कृतिक विंग है जो दलितों के लोक साहित्य से लेकर आधुनिक दलित साहित्य-संस्कृति कला संरक्षण में जुटी है। हम पूर्वोत्तर में वर्गहीन और जातिहीन समाज बनाना चाहते हैं।

अनुवाद : कृपाशंकर चौबे

दलित साहित्यकार यह मानते हैं कि शूद्र अब पैर नहीं, इस राष्ट्र की आधार शिला हैं। अपनी सांस्कृतिक सत्ता को प्रतिष्ठित कर सामाजिक क्रांति के लिए प्रयत्न करना ही दलित साहित्य का लक्ष्य है। कला और साहित्य उनका माध्यम नहीं, जरूरत है। स्वत्व बोध की जरूरत।

मलयालम में दलित साहित्य : नये आयाम

डॉ. ए. अच्युतन

मलयालम भाषा में दलित साहित्य के नये आयाम का मतलब यह भी है कि उसका एक पुराना आयाम है स्वरूप है। किसी भी साहित्य का उदय शून्य से संभव नहीं है अतः दलित साहित्य का भी एक इतिहास है। मलयालम दलित साहित्य का आदिकालीन स्वरूप परम्परागत दलित गीतों में ढूँढ़ा जा सकता है। उल्लेखनीय है कि यह गीत प्रचलित लोकगीतों से भिन्न हैं। परंपरागत दलित गीत, नृत्त, नृत्यों का अपना एक संस्कार है; एक व्याकरण है; अभिव्यक्ति शैली है। इन गीतों के सही विश्लेषण से तत्कालीन सामाजिक व्यवस्था में दलितों की स्थिति, जीवन रीतियाँ, मोह और मोहभंग कल्पना शक्ति, भाषा, साहित्य, कला और संस्कृति संबंधी विवरण प्रमाण के साथ सामने आ जाएगी। अतः ऐतिहासिक और सृजनात्मक दृष्टि से इन दलित गीतों के अध्ययन अनुसंधान की सख्त ज़रूरत है। दलितों के अपने इतिहास-लेखन में परंपरागत दलित गीत ही एकमात्र साधन है, अतः इन गीतों का योगदान महत्वपूर्ण है।

परंपरागत दलित गीत

मलयालम भाषा में गीत के लिए 'पाट्टु' शब्द प्रचलित है। पाणन, परयन, कुरवन, वल्लोन, काडर, वेडर, मन्नान, वेलन, कणक्कन, चेरुमन आदि केरल के दलितों के जाति विशेष का नाम है। अपने गोत्र संस्कृति से जुड़े हुए इन लोगों की कहानी का पूर्व रूप तमिल के संघकालीन कृतियों में (अकनानूरु, पुरनानूरू, तिरुक्कुरल, मणिमेखलै, चिलप्पतिकारम आदि) देखा जा सकता है। इनमें से अधिकांश जाति का अपना राज्य रहा था। उन दिनों

वर्णाश्रम व्यवस्था का प्रचार नहीं हुआ था। अतः जाति प्रथा भी नहीं थी। एक तरह से समानता का संस्कार प्रचलित था। भौगोलिक दृष्टि से देश का विभाजन हुआ करता था और वहाँ रहने वालों के नाम भी उसी प्रकार दिया गया था। जैसे— कुरिंजी-पहाड़ी प्रदेश है; वहाँ रहने वाले कुरवर हैं, मल्लै-वन तथा समीप प्रान्तर हैं; वहाँ रहने वाले इडयर हैं, पालै ऊषर भूमि है; वहाँ रहने वाले मरवर हैं, मरुतम— खेती-बाड़ी की भूमि है जहाँ वेल्लालर रहते हैं, नैतल-प्रदेश सागर तट पर है, वहाँ रहने वालों को परतवर कहते हैं। संघकालीन कृतियाँ गीतों में निबद्ध हैं और इनके रचयिता ज़्यादातर दलित ही थे। चिलप्पतिकारम की रचयिता इलंकोवडिकल ने कल्याणपाट्टु, अम्मानपाट्टु (शादी के गीत), ऊंञाल पाट्टु पन्तडिपाट्टु (खेलते समय गाये जाने वाले गीत), कुरत्ति पाट्टु (कुरवन की स्त्री कुरत्ती),एरमंगलम पाट्टु (खेती बाड़ी के समय गाये जाने वाले गीत) आदि की ओर संकेत किया है। भौगोलिक आधार पर मुल्लैपाट्टु, कुरिंञि पाट्टु, मरवापाट्टु, इडय पाट्टु आदि गीत भी प्रचलित थे। मतलब यह है कि तीसरी-चौथी शताब्दी से लेकर आज के ये दलित लोग यहाँ अपना राज कर रहे थे। इनमें पाणन लोग गायक ही रहे थे। आज भी केरल में पुल्लुवन, पाणन, मन्नान, मलयन आदि जात के लोग प्रमुख रूप से परम्परागत गीत-नृत्य प्रस्तुत करते आ रहे हैं।

ये गीत सारे देशी भाषा में हैं, ताल-लय बद्ध है। इसमें अलंकार है, छन्द है, चित्रात्मक भाषा है। ये गीत नैसर्गिक संकल्पना शक्ति का प्रमाण है। आज केरल में प्रचलित दलित गीतों में उम्मानपाट्टु, गद्धिका पाट्ट, भद्रकालि पाट्टु, तोट्टम पाट्टु, पुल्लुवन पाट्टु, सर्प पाट्टु आदि प्रमुख हैं। विषय के आधार पर इन गीतों को तीन श्रेणियों में बाँटा जा सकता है। भक्ति प्रधान, वीर आराधना प्रधान और दलित-जीवन प्रधान। तोट्टम पाट्टु, भद्रकालि पाट्टु, सर्प पाट्टु आदि भक्ति प्रधान है। चेंगन्नूरादि पाट्टु वीर आराधना प्रधान है। लेकिन अधिकांश गीत सामाजिक व्यवस्था एवं दलित जीवन के आचार-विचार, विश्वास एवं व्यथा से सम्बन्धित हैं। ये गीत दलित गोत्र की संपत्ति है, एक व्यक्ति की नहीं। इन गीतों में वैद्य, मंत्र-तंत्र, उपासना, हस्तरेखा, ज्योतिशास्त्र, शरीर विज्ञान आदि ज्ञान-विज्ञान से सम्बन्धित अनेक विवरण मिलता है, जो आधुनिक वैज्ञानिक युग में भी महत्वपूर्ण है। प्रपंचोत्पत्ति के सम्बन्ध में इन गीतों में बताया गया है— "आदि नहीं, अन्त नहीं, उस पुराने युग का। अंधेरा नहीं, उजियाला नहीं, खाना नहीं, पीना नहीं, सोना नहीं, उस युग में अक्षर नहीं, गिनती नहीं, शब्द नहीं, नाद नहीं, उस पुराने युग में।"

भद्रकालि पाट्टु में उत्पत्ति सम्बन्धी विचार यों स्पष्ट किया है:— सात समुद्रों के बाद एक समुद्र है जिसे लाल कमलों का समुद्र बताया गया है। इसके बीच सबसे पहले एक तट पर तृण का अस्तित्व पाया गया। इसके चार पत्ते हैं। एक ऊपर (आसमान) एक नीचे जड़ के रूप में (भूमि), पूरब की ओर उदय पर्वत, पश्चिम की ओर अस्तमय पर्वत की ओर संकेत हैं। इसके एक हफ्ते बाद उतिमन पिल्लै और अत्तवेतिनल पेण्णु की शृष्टि

की गयी। उत्पत्ति सम्बन्धी अनेक कथाएँ विश्व भर में प्रचलित हैं। कहने का मतलब यह है कि प्रपंचोत्पत्ती के सम्बन्ध में भी दलितों की अपनी एक दृष्टि रही है। इस दृष्टि का मूल आधार पंचभूतात्मक सिद्धान्त ही है, लेकिन उन्होंने इस शब्द का प्रयोग नहीं किया। जो भी हो उनकी समग्र दृष्टि का महत्व इन गीतों में देखा जा सकता है।

जाति एवं अस्पृश्यता के खिलाफ अनेक गीत मलयालम के दलित गीतों की संपदा में मिलते हैं। छुआछूत की प्रथा का व्यंग्यात्मक प्रस्तुतीकरण देखिए :— एक कैसी छुआछूत/अभिजातों की ये छुआछूत/हट रे हट— सामने से हट, हट रे हट तू/ हट रे हट— पाक्कनार सामने से हट जा तू/आसमान पे तीर चलाने से, आसमान क्या बिंधेगा/ फिर यह कैसी छुआछूत..../बोने से नमक क्या उगेगा, बाड़े में फैलेगा/फिर यह कैसी छुआछूत..../ जिस घर में मछी हो वहाँ नहाना क्या ठीक है?/पानी पीना क्या ठीक है?/पीकर निगलाना क्या ठीक है?/फिर कैसी छुआछूत..../छूने से कोई काला हो जाएगा/कोई गोरा हो जाएगा/ कोई लाल हो जाएगा/ फिर कैसी छुआछूत.... अभिजातों की ये छुआछूत।

पोट्टन तैय्यम का न्यायवाद प्रसिद्ध है— ब्राह्मण आकर पुलयन से रास्ते से हटाने को कहता है तो प्रत्युत्तर में पुलयन (तोट्टम) कहता है। कमर में बच्चा है, सिर पे ताड़ी का लोटा है, इधर काँटे हैं उधर जंगल हैं, फिर किस रास्ते से जाऊँ मैं। हाथी के ऊपर तुम बैठते हो, हम बैल के ऊपर बैठे हैं, हमें काटने पर भी ख़ून निकलता है, तुम्हें काटने पर भी ख़ून निकलता है, फिर क्यों कुल को कोसते हो।

उल्लेखनीय है कि इस तरह की घटना शंकराचार्य के मनीषा पंचकम में भी मिलती है। मेहनत का संस्कार दलितों की संस्कृति का मूल आधार है। सुबह से शाम तक, कभी रात तक वह खेत में ही रहता है। "अपने नन्हें बच्चों के साथ औरत भी खेत में हैं / दादी माँ भी खेत में हैं / आदमी औरत सब हैं खेत में।" और वह हवा में पतले नारियल के पेड़ सा झूमता है, धूप में पालक की तरह मुरझाता है।

दलित स्त्रियों के अत्याचार के अनेक चित्र इन गीतों में मिलते हैं। पेड़ काटने के लिए दलित स्त्री की बलि देती है तो कभी जाति-झगड़ा समाप्त करने किसी दलित को नीली को बलि देना पड़ता है। "जाति-झगड़ा खत्म करने / मुझे अपनी नीली को बलि देना है चबूतरे पर / देव बलि के लिए नीली को मारना है मुझे।"

सूरज के साथ दलित लोगों का अटूट संबंध है। इसलिए सूरज अगर निकलने में देर करता है तो उनकी कल्पना शक्ति जाग उठती है। "पूरब में उदित हुआ / आदित्य भगवान जी / आज क्यों भगवान जी / आने में देर करते / मोर जहाँ चढ़ते नहीं वहाँ / मोर-नाच देखकर देर करते / बैल जहाँ चढ़ते नहीं वहाँ / बैल-खेल देखकर देर करते / बगुल जहाँ उड़ते नहीं वहाँ / बगुल-खेल देखकर देर करते / जहाँ कोयल की कूक नहीं वहाँ / कुयिलाट्टम देखकर देर करते / घोड़े जहाँ चढ़ते नहीं वहाँ / घोड़ों का खेल देखते रहे / हाथी जहाँ चढ़ते नहीं वहाँ / हाथी का खेल देखते रहे।"

इस प्रकार के अनेक दलित गीत हैं जिसे हम मलयालम दलित साहित्य की आदिकालीन रचनाएँ मान सकते हैं। कहना चाहिए कि इन गीतों की पृष्ठभूमि ने ही आधुनिक दलित साहित्य रूप को जन्म दिया है। प्रस्तुत गीतों में जो जीवन दृष्टि है वह दलितों के अनुभव जन्य अनुभूतियों का प्रमाण है। यही इन गीतों का प्राण है। आज के दलित मलयालम कवियों ने भी इसी परम्परागत शैली के आधार पर अनेक रचनाएँ की हैं, जो दलितों के शक्ति-दर्शन और अस्मिता के लिए उपयुक्त एवं अनिवार्य सिद्ध हो रहे हैं।

मलयालम में आधुनिक दलित साहित्य

मलयालम के दलित साहित्य में आज कविता, कहानी, उपन्यास, नाटक, आलोचना, जीवनी आदि विभिन्न साहित्यिक विधाओं में रचनाएँ उपलब्ध हैं। यद्यपि 1822 में आक बिशप डीक्कन कोशी के 'पुल्लेरिकुन्चु' नामक गद्य कृति तथा 1892 में पोत्तेरि कुन्चु के 'सरस्वती विजय' नामक उपन्यास का संकेत मिलता है फिर भी पं. के.पी. करुप्पन ही ऐसे साहित्यकार हैं जिन्होंने अपनी रचनाओं के माध्यम से दलित अस्मिता का समर्थन सबसे पहले किया था। वे अच्छे कवि और नाटककार थे।

मलयालम दलित कविता

कवि तिलक पं. के.पी. करुप्पन के काव्य साधना को सही दृष्टि से समझने के लिए उनकी जीवनी तथा कार्यक्षेत्र की ओर संकेत करना आवश्यक है। उनका जन्म 1885 में दक्षिण केरल के चेरानल्लूर गाँव में कण्डत्तिलपरम्पिल नामक घर में हुआ था। मलयालम भाषा में करुप्पन का शाब्दिक अर्थ है— काले रंगवाले। लेकिन करुप्पन जी गोरे रंग के थे। लोग उन्हें प्यार से अनियन (भाई) पुकारते थे। तत्कालीन शिक्षा रीति के अनुकूल सिद्ध रूप, अमरकोश, सिद्धांत कौमुदी, तर्क, अलंकार, शिल्प शास्त्र, अष्टांग हृदय आदि के अध्ययन के साथ-साथ उन्हें अंग्रेज़ी शिक्षा प्राप्त करने का भी सौभाग्य मिला था। पढ़ाई के बाद तीन साल तक वे एरनाकुल्म के सेंट तेरासास हाई स्कूल में संस्कृत के अध्यापक रहे। बाद में कास्ट गेल्स हाई स्कूल में संस्कृत अध्यापक बने। कास्ट स्कूल विशेषकर सवर्णों के लिए था। अध्यापक विद्यार्थी सब अभिजात वर्ग के थे। उसी स्कूल में एक अनुसूचित जाति (वाला जाति) के अध्यापक की नियुक्ति ने हलचल मचा दी। अध्यापक छुट्टी पर गये और लड़कियों को माता-पिताओं ने स्कूल जाने से रोक दिया। समस्या महाराजा तक पहुँच गयी। राजा ने अपना फैसला सुनाया। 'अध्यापक और विद्यार्थी स्कूल छोड़कर जा सकते हैं। लेकिन पं. करुप्पन स्कूल में प्राध्यापक बनकर रहेगा।' यह घटना करुप्पन के मन को झकझोर गयी।

वाला जात के होते हुए भी उन्होंने परयन, पुलयन जैसे दलित समुदाय के सभी के उद्धार के लिए भरसक प्रयत्न किया। उन्हीं के प्रयास के फलस्वरूप श्री चान्चन, श्री के.पी. वल्लोन आदि दलित नेता कोच्चिन विधानसभा के सदस्य बन गये। वे स्वयं तत्कालीन एम.एल.सी. (मेम्बर ऑफ लेजिस्लेटीव कौन्सिल) रह चुके हैं और एरणाकुलम महाराजा

कॉलेज के मलयालम विभाग के अध्यक्ष भी रह चुके हैं। साहित्य निपुण श्री टी.एम. चुम्मार कृत 'कवि तिलक के.पी. करुप्पन' (एन.बी.एस. 1947) आपकी आधिकारिक जीवनी है। तात्कालीन पत्र-पत्रिकाओं में, विशेषकर रसिकरंजिनी में उनकी रचनाएँ छपने लगी। रसिकरंजिनी में अभिजात साहित्यकारों के रचनाएँ ही आती थी। लेकिन करुप्पन के रचनाओं की गुणवत्ता के कारण प्रस्तुत पत्रिका में रचनाएँ छपने लगी थीं। त्रिच्चूर के भारतीय विलासम साहित्य संघ के भी वे प्रमुख सदस्य रह चुके हैं। यद्यपि आपकी 26 किताबें प्रकाशित हो चुकी हैं, लेकिन जातिक्कुम्मि, उद्याम विरुन्न और बालाकलेशम (नाटक) क्रान्तिकारी रचनाएँ हैं।

जातिक्कुम्मि

यह करुप्पनजी की पहली काव्य रचना है। यह कुम्मि नामक द्रविड छंद में रचा गया है। दलितों के अम्मानप्पाट्टु शैली में प्रस्तुत यह काव्य कथ्य, शैली और सरल भाषा के कारण काफी लोकप्रिय दलित काव्य बन गया। कथ्य में मनीषा पंचकम की कहानी है। काशी विश्वनाथ के दर्शन के लिए निकले शंकराचार्य के मार्ग में एक परयन आ जाता है। ब्राह्मण शंकराचार्य ने मार्ग से दूर हट जाने की उसे आज्ञा देते हैं। बदले में परयन प्रश्न पूछने लगता है। यह शरीर पंचभूतात्मक है। सब जीव-जन्तुओं में आत्मा है। ब्राह्मण और दलित में भी आत्मा है। फिर एक से दूर जाने के लिए क्यों कहते हो? शायद शंकराचार्य उस वक्त यह भी सोचा होगा। "न जटाहि न गोत्तेन / न जच्चो होति ब्राह्मणो / यमहि सच्चं च धम्मो च सो/ सुखी सो ब्राह्मण:" (धर्मपद-श्रीबुद्ध-धर्मोपदेश)

मनीषा पंचकम के आधार पर मलयालम में चार कृतियाँ उपलब्ध हैं। कुमारनआशान का भाषा मनीषा पंचकम, उल्लूर परमेश्वर अय्यर का मारू, पोट्टन तैय्य तोट्टम और जातिकुम्मि। इस कहानी के माध्यम से तत्कालीन केरल के सामाजिक व्यवस्था एवं दलितों के जीवन पर प्रकाश डालने का सफल प्रयास उन्होंने किया है। ब्राह्मण और नायर जब पानी में डूब जाता है तो ब्राह्मण नायर से इशारा करता है कि तुम पानी गंदा करके पीओ। मतलब यह है कि मरते वक्त भी जाति भेद को भूलना नहीं चाहते (पहले नायर भी शूद्र समझे जाते थे)। इतनी व्यंग्यात्मक ढंग से काव्य प्रस्तुत किया गया है कि शत्रु भी पढ़कर हँस जाता है। एम.पी. अप्पन ने यह टिप्पणी की कि जातिकुम्मि जाति के विरुद्ध रचि गयी पहला पद्य काव्य है और इस युग के पहला जनवादी काव्य है (जातिकुम्मि भूमिका)।

उद्यान विरुन्नु (टी पार्टी 1926)

25 श्लोक की प्रस्तुत रचना आपकी लोकप्रियता का एक और प्रमाण है। 1926 में रामवर्मा महाराजा के मूर्ति-विमोचन के अवसर पर इस टी पार्टी का आयोजन किया गया था। मद्रास के गवर्नर घोषण प्रभु के करकमलों से मूर्ति का विमोचन हो रहा था। सभी एम.एल.सी. तथा जाने-माने लोगों को पार्टी में आमन्त्रित किया। मगर एम.एल.सी., कॉलेज प्रोफेसर और जाने-माने साहित्यकार होते हुए भी, दलित होने के नाते करुप्पन को इस

पार्टी में आमन्त्रित नहीं किया। इस घटना को लेकर उद्यान विरुन्नु की रचना हुई थी।

पूरे काव्य का ढाँचा महाराज से विनती के रूप में हैं। इसके चार खण्ड हैं। उपक्रम, अरय (दलित) जाति का इतिहास, तत्कालीन समय के अरयों के अधिकार, अंत में राजा से विनती। ब्राह्मण श्रेष्ठ कैसे बन गया? इसकी ओर जिक्र करते हुए कहता है– जैमिनी, वैशम्पायन, पिप्पल्यासन, सुमनतु आदि चार ब्राह्मणों को जब जीना मुश्किल हो गया तो [illegible] ने वेद को चार ब्राह्मणों के बीच बाँट दिया। व्यंग्य यह है कि इसलिए व्यास कुल में जन्म लोगों को आज जीना मुश्किल बन गया। अद्रिका का प्रिय शंतनु के कुलवाले अरय जाति, आर्यों के पहले यहाँ के मूलवासी थे। वे राज करते थे। उन्हें तुरैवन्मार कहते थे। उसी जमाने के तुवैनतुरा ही आज का तिरुवनतपुरम है। स्पष्ट है कि करुप्पन राजकुल के हैं, और उसी करुप्पन को पार्टी में क्यों नहीं बुलाया? यही उनका सवाल था। इसी काव्य को पढ़कर महाराजा ने अपना निर्णय कुरप्पन को लिखकर भेजा गया था कि "आगे किसी भी सरकारी पार्टी में सभी एम.एल.सी. को बुलाना चाहिए, जाति के नाम पर भेदभाव नहीं करना चाहिए।" दलितों के बीच समानता नहीं तो उसके खिलाफ करुप्पन जी यों कहते हैं–

[illegible] भगाते हैं तीय्यन कणक्कन को देखते ही
गाली दे भगाते हैं कणक्कन पुलयन को देखते ही
छुआ-छूत से मरते हैं आपस में
पुलयन परयन और उल्लाडन।

यद्यपि सहोदरन अय्यप्पन, कुमारनआशान, सरस कवि मूलूर आदि साहित्यकारों की रचनाओं में दलित चेतना और जाति विरोध सम्बन्धी अनेक घटनाओं की काव्यात्मक प्रस्तुति हुई है फिर भी ये कवि दलित वर्ग के नहीं हैं।

निरणम एम.पी. केशवन कृत 'पद्मिनी अथवा प्रेम शृंखला' इस क्रम में उल्लेखनीय प्रेम काव्य है। भास्कर नामक पुलय युवा और पद्मिनी नामक नायक युवती के प्रेम ही इस काव्य की वस्तु है। इसके द्वारा जाति भेद के विरोध में कठोर आक्रोश तथा दलितों पर किये गये अत्याचार का चित्र खींचा गया है। कोई शक नहीं कि निरणम की रचनाओं के प्रेरणास्त्रोत तत्कालीन केरलीय सामाजिक स्थितियाँ है। अय्यमकाली की स्कूल शिक्षा का आन्दोलन, दलित कृषक-मज़दूरों की क्रान्ति 1907, साधुजन परिपालनसंघ के नेतृत्व में की गयी क्रान्ति 1915, चण्डालभिक्षुकी का प्रकाशन 1922, उद्यान विरुन्नु की प्रेरणा आदि निरणम केशवन जी के काव्य साधना के प्रेरक तत्व हैं।

मलयालम दलित कविता में नये आयाम की सही पहचान 1970 के बाद की रचनाओं में देख सकते हैं। कविता के कथ्य और शिल्प में दलित सत्व बोध का निर्माण करने का सार्थक प्रयास ही समसामयिक दलित कविताओं का प्रमुख लक्ष्य है। इन कवियों में कल्लड शशी, के.के.एस. दास, के.तन्कप्पन, जी. शशी, राघवन अत्तोली, सण्णी कविक्काड आदि का नाम उल्लेखनीय है।

'भारंत की बेटी' कल्लड शशी की पहली रचना है। उसकी भूमिका में तिरुनल्लूर करुणाकरन ने उसे 'जलते कमलों के, खोये हुए पंख के पंछियों के गायक' की संज्ञा दी है। भारत की बेटी एक दलित लड़की की कहानी है। प्रस्तुत काव्य को शशी के दोस्त प्रसिद्ध कथावाचक सांम्बशिवन ने कथावाचक रूप तैयार कर हज़ारों मंचों पर प्रस्तुत किया है। एक नन्हीं दलित लड़की को, पूरे परिवेश के साथ भारत की बेटी बनकर प्रस्तुत करके, शशी ने भारत के अभिजात एवं सुसंस्कृत वर्ग के सामने प्रश्न चिह्न लगाने का प्रयास किया है। नये- नये बिम्ब-प्रतीकों के सहारे दलित संस्कृति को काव्यात्मक रूप देने का प्रयास सराहनीय है। 'मकड़ी', 'चेण्डा' (केरल का असुरवाद्य), आदिपाप आदि आपकी कविताएँ हैं। ये कविताएँ तत्कालीन प्रगतिवादियों के दलित विरोधी कार्यकलाप के खिलाफत का भी प्रमाण हैं। चेण्डा की विशेषता है कि मार तो वह खाते हैं लेकिन पैसा बजाने वाले के जेब में चले जाते हैं। मकड़ी भी जाल बिछाकर दूसरों को फँसाने की कोशिश करते हैं। कविता के ये शीर्षक ही अपने आप में प्रतीकात्मक है।

अरथी उठाने वाले, चटाई पुराण, बपौती, इतिहास, शक्तिगीत, स्त्रीपर्व, बलि, भूमि आदि कविताएँ तन्कप्पन की प्रौढ़ रचनाएँ हैं। कोरे सिद्धान्त के बदले कठोर जीवनानुभूति ही तन्कप्पन की कविताओं को रूपायित करती है। उनका कहना है कि सिर्फ़ सिद्धांत से मिट्टी और मानव के संबंध को परिभाषित करना मुश्किल है, इसके लिए सत्यबोध की आवश्यकता है। तन्कप्पन के कविताओं के द्वन्द्व भाव माँ और बच्चे के बीच का भाव है। दूर होते हुए भी समीप आ जाते हैं। उनकी माँ अब अपने कटु अनुभवों के कफों को, छाती की खान से खींचकर कामासक्त आक्रमण करने वालों के मुख पर थूकने काबिल है— आँचल पकड़े काले हाथों को / दाँतों से काटकर / लौकिक लज्जा की गंदी खाल उतारकर / मैं जान लेती हूँ / अपनी कमर / तुम्हारे कामासक्त आक्रमण की शय्या नहीं.... तुम्हारे मुँह पर थूकने के लिए / काबिल हूँ मैं / नीच।

अरथी उठाना अब मुश्किल बन गया है। अरथी उठाने वाले नामक कविता में इसकी ओर संकेत है— यह अरथी उतारने दो मुझे / नहीं तो / सड़ जाएँगे मेरे कंधे / निकलेगी बदबू / अब इस राह से अरथी उठाकर चलना मुश्किल है / लड़खड़ाकर गिर जाऊँगा मैं। चटाई पुराण में एक ओर अपने जाति वालों के गोत्र संस्कृति की ओर संकेत है तो दूसरी ओर आधुनिक जीवन की जोकर-स्वभाव भी है— इस चटाई पे लेटके / खुजलते हैं जिस्म / हमारा ये जिस्म / मेरा यह जिस्म / किसी से बिछाई / इस पुरानी चटाई में / मैं अपने बन्धु / गल-सड़ के मरते हैं। इस प्रकार हम कह सकते हैं कि आधुनिक कविता-क्लासिकल कविता-दलित कविता के मूल प्रवृत्तियों का संगम ही उनकी कविताओं की विशेषता है।

गोत्र संस्कृति और उच्च वर्णों के मूल्य बोध का निषेध के.के.एस. दास की कविताओं का मूल स्वर है। भूतल के अक्षरत्तराओं (चबूत्तरा) को अपनाने की उद्घोषणा

करने वाला दास दलितों से बाघ की आँखों की ओर देखने का आह्वान करता है। आर्य राक्षसीयता से संघर्ष करते हुए कवि कहता है— इतिहास के अक्षरत्तराओं में / मैं फिर जन्म लूँगा / प्रभात के कपड़े / और सिंह के दाँतों के साथ इन्तज़ार करना / हमें इस भूमि का वसंत बाँट लेना है। वह बार-बार पितृभूमि के हृदय में जन्म लेना चाहता है— जहन्नूम की छाती फाटकर निकलती है / एक चिनगारी / काँटेदार पौधे के फूल-/बपौती मेरी / फेंक जाता हूँ मैं / धर्म शास्त्रों के सिर पर / पीढ़ियों के सीमा-पत्थर फाटकर / पितृभूमि के हृदय में / जन्म लेता हूँ मैं बार-बार।

मृत्यु के तरफ़ खुलते द्वार को बंकर / नरक में जब हम आ खड़े होते हैं / फेन उगालकर हमसे नारद की बासी वाणी / शरम भूलकर जब भौंकती है / सुखद लेखनी में शारिका हीन / पलक जब काट ली जाती है / तब राघवन अत्तोली का दलित अग्निकाव्य अस्तित्व में आ जाता है। अत्तोली के तीन काव्य संग्रह प्रकाशित है। 'कणडत्ती', 'मोळिमाट्टम और मौन शिलाओं के प्रणय गीत'। कुण्डत्ती के बारे में मलयालम के प्रसिद्ध कवि एवं आलोचक अय्यप्पा पणिक्कर ने यों कहा हैं। "राघवन अत्तोली की छेनी के समान नुकीले शब्दों से खींचे जाने वाले स्मृति चित्र पाठकों के अन्त:करण और विलासी सौन्दर्य बोध को झटका देते हैं। जिस देश में यह माना जाता है कि गोरे रंग से ज़्यादा सौन्दर्य काले रंग में है, करुप्पन नामक ईश्वर के अवतार को जहाँ पूजा जाता है, श्याम वर्ण, श्याम सुन्दर, प्रेम स्वरूप आदि संकल्पनाएँ जिस देश के तरुण कामिनियों के हृदय में रहती है, वहाँ कब से गोरा सौन्दर्य-संकल्प ने अधिकार जमाया? खोये हुए उस कलिमा के सौन्दर्य को पुन:स्थापित करने की कोशिश ही अत्तोली नामक शिल्पी के दृढ़ हाथों से हुई है। इसे खोज निकालने और मंजूर करने का सार्थक प्रयास ही 'कणडत्ती' में हुआ है।"

कणडत्ती आपकी माँ का नाम है, जो पत्थर तोड़ी है, बीज बोती है फिर भी आँसू की बूँदों का सपना देखती है— फसल की कटाई / भरे हुए खेत / भरे खलियान सारे / लेकिन अधभरे पेट.... भीड़ की व्यस्तता में मिले भीख के अन्न सा / क्षत-विक्षत बन खड़ी है वह/ पीने के पानी में भी जो छुआछूत भी राक्षसक्रीड़ा करते हैं / उनके बीच गला सूख कर मरने वाली / यह मेरी माँ है। लेकिन यह माँ कविता में भारत के दलितों की माँ बन जाती है। उनके 'काले लफ्ज़' पूरी कालिमा के साथ हमारे सामने प्रस्तुत है। उसमें— मूल्यहीन मूर्ख-वचन / हाथ अर्गले पर / ड्योढ़ी में दूसरों की पुकार की / प्रतीक्षा में बैठी कन्यायें हैं, भूख से तड़पते बच्चे हैं। तब क्रान्ति के सपनों को खतम करने वाले कविगण विवाह नक्षत्र को विवाद बनाते हैं। कटु अनुभवों पर आधारित आपके कविताओं का मूल स्वर समानता का है। असमानता के प्रति आक्रोश कभी व्यंग्यात्मक, कभी प्रतीकात्मक, कभी दलित बिम्बों के सहारे प्रस्तुत करते हैं। आस्थावादी दृष्टि से कवि कहता है हमारे पूर्वज और उनकी संस्कृति ही हमारी प्रेरणा है। यह कुलत्तरा, यह बलित्तरा / यहाँ तू अकेले बैठे, आज / तब पितामह मैं— साथ हूँ / भविष्य में हमें एक ही परछाई / एक ही धरती

/ एक ही काल।

कवि जी. शशी का कहना है कि जब प्रतिक्षा रोकी जाती है तब वाल्मीकि वही पुराने निषाद बनेंगे। भारत की संस्कृतिक प्रक्रिया निषाद से वाल्मीकि तक की प्रक्रिया है। वह कहता है— 'सौमिनी, काला रंग अच्छा है, तुमने कहा न? गाया है कवि ने भी, फिर काले रंग वाले क्यों दलित, पीड़ित बन गये?' इस प्रश्न के सामने केरल का सौन्दर्य बोध मौन रह जाता है। कवि का कहना है कि काला रंग प्रेम का रंग है।

कवि ए.अय्यप्पन की कविताएँ आधुनिक वैज्ञानिक बिम्ब लेकर दलितों की निस्सहाय अवस्था की ओर संकेत करती हैं— झंझा के झोकों में टूटे टेलिग्राफ में मेरा संदेश था। / धरती पर गिरकर छाती टूटी चिड़िया है मेरा संदेश। 'ओंकार का शंख' नामक कविता में यात्रा को ही वह इतिहास मानता है— मील का पत्थर नहीं / शिलालेख भी नहीं / पोथी भी नहीं / यात्रा ही इतिहास है। 'पागल खाने में बिताये दिन' नामक कविता में वह पूछता है... वह सब किसकी आँखें हैं जो / उर्वर धरती पर बोयी जाती है / बीज के अंकुर के फूटने की मिट्टी/ हल की धार में / आँसू सूख जाते हैं / चातक को एक बूँद पानी भी नहीं मिला / बारिश में भीगती दीवारें ढह जाती हैं। अपने अनूठे शब्द प्रयोग एवं बिम्बात्मक चित्र भाषा के लिए मशहूर श्री ए. अय्यप्पन अपने स्वानुभवों को कल्पनाशकित से काव्य बना देता है।

समसामयिक कवियों का मानना है कि जाति प्रथा एवं अस्पृश्यता आज भी हमारे देश में भयंकर रोग सा फैल रहा है। अगर देश-विदेश में समानता या भाईचारे का वातावरण बनाये रखना है तो जाति प्रथा का विनाश करना है। आज के टेकनोलाजी के युग में भी 'मनुस्मृति' जैसे ग्रन्थों के आधार पर दलितों पर अत्याचार हो रहा है। इसलिए डॉ. आम्बेडकर ने मनुस्मृति को जला डाला। आज हमें 'दलित स्मृति' के शकित-दर्शन को रूपायित करना है। 'अप्प दीपो भव'। दलित अपने दीपक जलाने लगे हैं। सत्व बोध को पहचान लिया है। अत: मलयालम दलित कविता के नये आयाम का स्वरूप यही सत्व बोध का निर्माण ही है।

मलयालम दलित कथा साहित्य

कहानी कहने की मौखिक परम्परा केरल में भी प्रचलित है। यद्यपि 1892 में पोत्तेरी कुञंपू के सरस्वती विजयम नामक कथा देखने को मिलती है, फिर भी मलयालम में दलित कथा साहित्य का विकास उन्नीसवीं शताब्दी के प्रथम चरण में होता है। निरणम ए.पी. केशवन शास्त्री की कहानी में एक कृषक बालक की आत्मकथा (नोवलैट) इस संदर्भ में विशेष रूप से उल्लेखनीय है। प्रस्तुत रचना को केन्द्रीय साहित्य अकादमी पुरस्कार (बाल साहित्य के लिए) मिला था। कुट्टनाडु के पृष्ठभूमि में रचित प्रस्तुत कृति में एक पुलय बालक की हृदय स्पर्शी कहानी है। इस रचना को पाठ्यक्रम में रखने के लिए केशव जी ने विधानसभा के सामने सत्याग्रह किया था। लेकिन तत्कालीन साहित्य के मठाधीशों ने उसको उचित स्थान नहीं दिया।

बहुमुखी प्रतिभा से संपन्न टी.के. चात्तन वडुतला (1921-1988) के आगमन से ही मलयालम दलित कथा साहित्य पूर्ण रूप से अस्तित्व में आया है। एरणाकुलम के पास वडुतला में तैप्पी कण्डन और कुरुम्पा के पुत्र चात्तन का जन्म 1921 में हुआ था। पढ़ाई के बाद भारतीय सेना में भर्ती हुआ, पूरे भारत में यात्राएँ कीं, स्वतंत्रता संग्राम में भाग लिया। अखिल कोच्चिन पॅडितर सभा, हरिजन सर्विस सोसायटी आदि की स्थापना कर दलितों की उन्नति के लिए भरसक प्रयत्न किया। आप केरल साहित्य परिषद के सदस्य, संगीत नाटक अकादमी के सचिव, साहित्य प्रवर्तक, सहकारी संघ के अध्यक्ष भी रह चुके हैं। समाज सुधार और साहित्य ही उनका प्रिय विषय रहा है। उनके पचास कहानियों का संग्रह 'चुनी हुई कहानियाँ' नाम से साहित्य प्रवर्तक सहकारी संघ, कोट्टयम की ओर से प्रकाशित है। उनमें "दो पीढ़ियाँ", "जात क्या है", "संक्रांति के पुए", "गीली मिट्टी", "तू और मैं", "उसका प्रतिशोध", "नई चाल", "हृदय की धड़कन", "हम ऊँच जात का है" आदि कहानियाँ सबसे प्रसिद्ध हैं।

टी.के.सी. की कहानियाँ दलितों के जीवन संघर्ष और उनकी बेचैनी की पुकारों का जीवन्त दस्तावेज़ है। उनकी कहानियों में एक और सोद्देश्यता तथा दलित पीड़ित जन समुदाय के सत्व बोध का उद्‌घाटन है तो दूसरी ओर दलित अस्मिता के पहचान और खिलाफत के शोले भी हैं। जाति को आज एक बाज़ार तन्त्र के रूप में अपनाया जा रहा है। 'क्या है जाति' नामक कहानी तत्कालीन जातिवादी धुरन्धरों को झकझोर दिया। लोहार जाति का कृष्णन और वेलन जाति की कमलाक्षी, दोनों परिचित हैं। लेकिन प्रेमी-प्रेमिका का संबंध नहीं था। लोगों ने अफवाह फैलायी कि दोनों में प्रेम है। कमलाक्षी की इज़्ज़त बचाने के लिए कृष्णन ने उससे शादी की। इलाके के प्रगतिशील लोगों ने उनकी अगवानी में जलसा बिठाया। वहाँ के सारे उन लोगों के दुश्मनों के खिलाफ थे। लेकिन एक वर्ष के बाद कमलाक्षी ने एक बच्चे को जन्म दिया तो बच्चा गाँव वालों के लिए एक अन्तहीन करिश्मा बना। उन्होंने पूछा, जात क्या है बच्चे की? यह सवाल उस ज़माने में ही नहीं आज भी प्रासंगिक है। मलयालम के दलित कहानियों में 'सक्रांति के पुए' (चंकरान्ति अडा) का विशिष्ट स्थान है। दलित लोगों के जीवन का यह प्रामाणिक दस्तावेज है। मेहनती जीवन और प्रणय मानस की पीड़ा से लिपटी प्रस्तुत कहानी का प्रमुख पात्र कोच्चु कुरुम्बी है। उसकी ज़िन्दगी में से अपना प्रिय तेवन अचानक भगवान के प्यारे हो गए। उसके कब्र में रखी पत्थर पर हर रोज़ वह दिया जलाती है, प्रार्थना करती है। वह अकेली अपनी झोपड़ी में रहती थी। तेवन के मृत्यु के बाद वल्लोन उससे प्रणय निवेदन करता है। कुरुम्बी इनकार करती है। आषाढ़ के महीने में पुलयों की पुण्य तिथि आ जाती है। अपने प्रिय के लिए कुरुम्बी पुए बनाकर कब्र के पास रखती है। बाद में देखी तो वहाँ सिर्फ़ पत्तल और लोटा है। उसमें रखी पुए नहीं, तो वह कहती है हे भगवान, यह बहुत भूखा है। तो पीछे से वल्लोन कहता है— संक्रांति के पुए बड़े मीठे थे।

टी.के.सी. की संपूर्ण रचनाओं का अध्ययन करने से पता चलता है कि उन्होंने दलित जीवन को साहित्याकाश में जलते सूरज के समान प्रतिष्ठित करने का सफल प्रयास किया है। उनकी कहानियाँ अपने समय और समाज के इतिहास के पन्ने हैं। दलितों का धर्म परिवर्तन आज के समान तब भी एक ज्वलन्त समस्या थी। प्रसिडन्डिन्टे सन्देशम में इस समस्या की ओर इशारा किया गया है। "जंजीरें जकड़ते हैं" (चंगलकल मुरुकुन्नु) आपका प्रसिद्ध उपन्यास है। ज़मीन्दारों द्वारा किये गये अत्याचार, अस्पृश्यता तथा जाति विरोध इसका विषय हैं। लेखक का मानना है कि हमारी सामाजिक संरचना में बुनियादी परिवर्तन लाये बिना जाति उन्मूलन संभव नहीं है। "चीता" (सीता), "कण्डन कोरन", "तेवन", "चक्की", "वल्लोन", "कोच्चु कुरुम्पी" आदि पात्रों के माध्यम से दलित भाषा, संगीत और संस्कृति की अस्मिता को निजता और असलियत के साथ वडुतला जी ने प्रस्तुत किया है।

अपने 60 साल के उम्र के बीच पॉंल चिरक्काड ने 68 उपन्यास और दो हज़ार से अधिक कहानियाँ लिख डाली हैं। 'अनुराग अनश्वर है, झोपड़ियाँ, एक मैदान और कई राहे, रोशनी, सत्य का चेहरा, दीवार, न्यायासन, मकड़ी का जाल, प्रवास' आदि उपन्यास 'गीली भूमि, बह जाने वाली मिट्टी' आदि कहानियाँ आपकी प्रसिद्ध रचनाएँ हैं। उनका परिवार ईसाई धर्म में, बहुत पहले ही परिवर्तित हो चुका था। अतः धर्म परिवर्तन तथा उसका परिणाम, दलित जीवन की सच्चाइयों का चित्रण आपकी लेखनी की विशेषताएँ बन गयीं। उनके 'पुलयत्तरा' नामक उपन्यास पूर्ण रूप से पुलय जाति पर केन्द्रित है। वे अखिल भारतीय दलित लेखक संघ के सचिव भी रह चुके हैं। इतना सब होते हुए भी खेद के साथ कहना पड़ता है कि मलयालम साहित्य के मठाधीशों ने उनको साहित्य में उचित स्थान नहीं दिया है। शिक्षा प्राप्त दलित युवा पीढ़ी के मोह और भंग उच्च वर्ग के हाथों उत्पीड़न आदि समस्याओं को पूर्ण रूप से दलित सौन्दर्य बोध के साथ उन्होंने प्रस्तुत किया है।

सी. अय्यप्पन का 'दोपहर की नींद' (उच्चयुरक्ककत्तिले स्वप्नंगल) दोनों कथ्य और शैली में दलितवादी दृष्टि से सम्पन्न कहानी संग्रह है। 'प्रेतभाषणम्' नामक कहानी के पुलय स्त्री भगवान से एक प्रश्न पूछती है। 'वह कैसे भोले नाथ, ईसाई पुरुष के लिए पुलय स्त्री बहन कैसे हो सकती है?' यह प्रश्न सुनते वक्त भगवान के मुँह में केला था (मुँह में केला घुसाना-मुँह बंद करना)। भगवान के मुँह में केला घुसाने वाली पुलय स्त्री केरल के प्रगतिवादी साहित्य एवं उच्च वर्ण के मूल्य बोध को हमेशा शिकार करने वाला एक सशक्त विम्ब है। इसी प्रकार 'भूत बली' नामक कहानी की रेवती, देश के प्रथम दलित अध्यापक कण्डन कोरन की लड़की है। रेवती के जीवनानुभवों को चित्रण कर अंत में यक्षि का बिम्ब चित्रण अपने आप दलित कहानियों की शैली को रूपायित करने में सफल सिद्ध हुआ है। लेकिन केरल के तथाकथित साहित्य और सौन्दर्य बोध में उपर्युप्त रचनाओं को स्वीकार करने की मानसिकता नहीं है।

डी.राजन (1932-1990) प्रसिद्ध वाग्मी हैं और कथाकार है। दलितों की अपनी भाषा में रची उनकी रचनाएँ दलित साहित्य में नये आयाम लेकर प्रस्तुत किया गया है। बदलाव (कहानी) में तत्कालीन सामाजिक व्यवस्था को बदलने की घोषणा की गयी है। "मक्कुण्णी" (उपन्यास) में भी दलितों की संस्कृति और जीवनानुभवों का विशद चित्रण हुआ है। उनका कहना है कि हर आदमी के शरीर में श्वेताणु और शोणाणु रहती है, लेकिन दलितों के शरीर में तीन अणु हैं— तीसरा अणु है— 'अंबेडकर कोर्पसिल्स'। अंबेडकर के सिद्धान्तों से परिचित एवं प्रभावित राजन जी अपनी रचनाओं के माध्यम से दलित क्रांति की पृष्ठभूमि तैयार कर रहे थे।

1998 में प्रकाशित नारायन का 'कोच्चरयत्ति' (उपन्यास) केरल के आदिवासी जीवन पर आधारित पहला उपन्यास है। आदिवासी होने के कारण नारायन को आदिवासी जीवन के साथ नाभि-नाल सम्बन्ध है। इटुक्कि जिल्ले के कुडयत्तूर पहाड़ी प्रदेश में रहने वाला नारायन के 'ऊराली कुडि' भी एक प्रसिद्ध उपन्यास है। समसामयिक केरल के सामाजिक एवं राजनीतिक क्षेत्र में आदिवासियों की समस्या सबसे महत्वपूर्ण बन गयी है। आदिवासियों के — जल, जंगल, ज़मीन — नारे के पीछे इस तरह की कृतियों का प्रभाव नकारा नहीं जा सकता। अपनी भाषा में अपना अनुभव पढ़कर आदिवासी भी अपने सत्व बोध के बारे में, मानव अधिकार के बारे में सोचने लगे हैं।

अतः निष्कर्ष रूप में कह सकते हैं कि आज के बदलते परिवेश के अनुसार मलयालम के दलित कथाकार भी भेदभाव के खिलाफ, तथाकथित सामाजिक व्यवस्था और वर्णभेद के खिलाफ लिख रहा है। वे नये सौन्दर्य शास्त्र के साथ नई दलित चेतना का वाहक बनना चाहते हैं। उनका कहना है कि दलित समुदाय भी भारतीय समाज का अंग है। अगर भारतीय समाज दलितों पर किये गये आक्रमण-अत्याचार— चाहे भूमि के नाम पर हो या जाति के नाम पर, चाहे शिक्षा-नौकरी के नाम पर हो या धर्म के, — से अपरिचित है तो हम दलितों का फर्ज बनता है कि हम सब साहित्यकार बने, कलाकार बने और अपने-अपने हथियारों के माध्यम से दलितों की अस्मिता के प्रति समाज की संवेदना को जागृत करने की ऐतिहासिक प्रक्रिया में भागीदार बने। निश्चय है तब कुछ तोड़ना होगा, कुछ जोड़ना होगा।

मलयालम दलित नाटक और रंगमंच

पोतेरी कुन्जू सरस्वती विजयम (1892) पहला दलित नाटक है, लेकिन मलयालम दलित नाटक का शुभारंभ पं. करुप्पन के बालाकलेशम (1913) से जाना जाता है। तत्कालीन मलयालम नाटक और रंगमंच पर जब के.सी. केशव पिल्लै का 'लक्ष्मी कल्याणम' तथा कोडुंगल्लूर कोच्चुण्णित्तन्पुरान का 'कल्याणी नाटकम्' (1893) एक ओर अभिजात हिन्दू समुदाय में परिवर्तन लाना चाहते थे तो दूसरी ओर 'मरियामा नाटकम्' (1893) में पी.के. कोच्चीप्पन तरकन ईसाई समुदाय में परिवर्तन लाना चाहते थे, लेकिन

'भारत का कलंक-जाति' को केन्द्र बिन्दु बनाकर करुप्पन ने बालाकलेशम नाटक की रचना की। संपूर्ण नाटक व्यंग्यात्मक ढंग से प्रस्तुत किया गया है। मलयालम नाटक में पहली बार 'कोच्चाल' नामक पुलयन मंच पर आता है। इस नाटक के पात्रों का नाम सुनने मात्र से लोग हँसने लगते हैं। अनाचार के नेता मुखिया, अज्ञान कालियम्मा, बिना घराने के तुप्पन नम्पूतिरी, मनमानी इत्यादि आदि नाम प्रतीकात्मक है। यहाँ नम्पूतिरी बुद्ध है। एक बार रेल यात्रा करने के लिए स्टेशन में आता है। अपने अनुचर से पहली श्रेणी में टिकट लेने की आज्ञा कर वह कहता है— देखो मैं पहली बार रेल यात्रा कर रहा हूँ। मेरे कमरे में दलित नहीं होना चाहिए। गाड़ी वालों से कह दो कि कमरा साफ़ होना चाहिए। ब्राह्मण टिकट नहीं लिया था। इतने में गाड़ी चली गयी— अरे रुको... रुको, गाड़ी रुकती कहा? अगली गाड़ी के इन्तज़ार में वह वहीं बैठ जाता है। उन दिनों वहाँ एक गाड़ी चलती थी।

नाटक में ब्राह्मण को छूने के अपराध में 'कोचालू' नामक दलित को मारने की आज्ञा देता है, लेकिन महाराजा दोनों को बुलाकर अपने निर्णय सुनाता है। "ब्राह्मण को वन भेजा गया" जिन लोगों ने उसे मारा उन्हीं को फांसी का दण्ड दिया गया। महाराजा की स्तुति के साथ नाटक का पर्दा गिरता है, लेकिन खेद की बात है कि प्रसिद्ध प्रगतिवादी लेखक स्वदेशाभिमानी रामकृष्ण पिल्लै ने इस नाट्य रचना के लिए, करुप्पन को देशद्रोही ठहराया और व्यंग्य में नाटक का नाम 'वाला-कलेशम' कहने लगा। इसी के आधार पर उन्हें दलित विरोधी कहने लगा। मलयालम साहित्य में इसकी चर्चा कई साल तक चली, और आज फिर से चल रही है। मलयालम नाटक और रंगमंच पर अनेक दलित कलाकार काम कर रहे हैं। कुछ कलाकार दलित रंगमंच के अस्मिता को ढूँढ़ने के प्रयास में लगे हुए हैं। डॉ. ए. अच्युतन, श्रीमूलनगरम मोहन, अशोकन पद्मन पंतीरांकाव, विश्वन चात्तमंगलम पुरुषण कडलुण्डी आदि इसमें प्रमुख हैं। डॉ. अच्युतन के 'मावेली', 'सूतपुत्र' आदि नाटक इन संदर्भ में उल्लेखनीय है।

परम्परागत दलित गीतों के महत्त्व को पहचानकर उन्हें इक्कटा करने अध्ययन करने का प्रारंभ वेट्टियार ए. प्रेमनाथ ने सबसे पहले किया। उनके अठारह लेख नौ किताब अब तक प्रकाशित है। मलनाड्डु के मधुर गीत (1955) चेंगन्नूर कुंआदि, हमारे लोकगीत एवं कथाएँ (1959) केरल के गुलाम (1968) पंतडिपाट्टुकल (1963) आदि आपके प्रसिद्ध रचनाएँ हैं। इस क्रम में आर.के. सजिता के एटत्तानाडन पाट्टु उल्लेखनीय है।

टी.एच.पी. चेन्तारश्शेरी के इतिहासपरक लेखन मलयालम दलित साहित्य के प्रमुख अंग हैं— केरल इतिहास धारा, केरल के इतिहास की भूमिका आदि आपके ऐतिहासिक दृष्टि का प्रमाण है। उन्होंने ही सबसे पहले अय्यनकाली की जीवनी लिखी है। इसके अलावा के.के. कोच्चु, सण्णी कविकाड, साँमकुट्टी, सनल मोहन, डॉ. एम. दासन, के.के. बाबूराज़, प्रतीपन पांपरिक्कुन्नु, प्रभाकरन आदि लोग निबन्ध और आलोचना के क्षेत्र में काम कर रहे हैं।

इसलिए इन सब बातों को ध्यान में रखते हुए कहना पड़ता है कि दलित शब्द आज अपने आप एक संस्कृति का परिचायक शब्द बन गया है। यह दलितों का सत्व बोध

का परिचायक शब्द है। मलयालम के दलित साहित्यकार यह मानते हैं कि शूद्र अब पैर नहीं, राष्ट्र की आधारशिला है। अपनी सांस्कृतिक सत्ता को प्रतिष्ठित कर सामाजिक क्रान्ति के लिए प्रयत्न करना ही दलित साहित्य का लक्ष्य है। कला और साहित्य यहाँ माध्यम नहीं एक ज़रूरत है। वर्षों से दलित अपने जीवन क्रम में अपने अस्तित्व का एक शक्तिदर्शन रूपायित करता आया है। आज के संदर्भ में इस शक्ति दर्शन के कई आयाम है। भाषा, साहित्य, कला-संस्कृति, सत्ता, उत्पादन-उपभोग, मानवीय सम्बन्ध, मानव अधिकार, स्त्री-पुरुष सम्बन्ध आदि कई दृष्टियों से इस शक्ति दर्शन का विश्लेषण कर आगे बढ़ना है।

प्रोफेसर
हिन्दी विभाग
कालिकट विश्वविद्यालय
केरल-673635

मलयालम कविता

मलयालम में लिखी जा रही समकालीन दलित कविताओं का यह विशिष्ट चयन 'वसुधा' को डॉ. ए. अच्युतन ने उपलब्ध कराया है। हिन्दी अनुवाद भी उन्हीं का है।

राघवन अत्तोली

काले लफ्ज़ (करुत्त वाक्कुकल)

आज, रात है विषाद की
सोचने का आचरण
मेहमान बन निकलने की।
मुक्ति की ख्वाहिश
आपदा बन जायेगी क्या?
हथेली पर खींची रेखाएँ
नियति की
क्रांति की नन्हीं परियाँ
नींद में आके जगाती हैं।
जंगल कुरेद कुरेदकर
बुरी नज़रवाला
कलह की रफ्तार को
जब तेज़ बनाता है
तब निद्राविहीन काठ के घोड़े
रूखे शब्दों को सेंक कर खाते हैं।
शत्रुगण ने भाव रूप बन
किसानों की झोंपडियों को जला डाला।

मोल लेते हैं उस सिर को
जिसे देव नर्तक काटता है
लगातार मृत-भाषणों में
ज़हर मिलाकर अपने
बच्चों को परोस खाते हैं खूब।
बेचैन रातें
लगातार न्याय का गला घोंटते तराजू के
अंधे नयनों को निकालकर
कहीं किसी उजियाले की गयी
जल जाती है
मृत्युहीन महा इतिहास
मदन काम में
ऊब को धो डालता है।
विनम्र शीलों को तोड़ने
विवेक की कोशिश
त्रासद गीतों को सुनाकर
आँसू में भिगोकर
मिट्टी को मैल कर देती है।
फाँसी के फंदे में गिद्धों के नयन अनेक
कलेजे में चस्पी पदछाप भी अनेक
रक्तरंजित नाखून अनेक
लौह खानों में रक्षित
नासूर भी अनेक हैं
महा नगरीय सभ्यता को
पीने वाले विषाद रोगी भी अनेक
प्रणय की आदतें, प्रतीक-धाराएँ
प्रतिहिंसाएँ, प्रतीक्षा की बरसातें,
सच्चाइयाँ, विजयी हाथ,
मनोरंजन के केन्द्र
मूल्य विहीन मूर्ख-वचन।
हाथ अर्गले पर
ड्योढी में दूसरों की पुकार की
प्रतीक्षा में बैठी कन्याएँ

भूख से तड़पते बच्चे।
क्रान्ति के सपनों को खतम करने वाले
क़ंविगण
विवाह-नक्षत्र को विवाद बनाते हैं।
पहाड़ियों पर भड़कने वाली
सूखी नदियाँ
गति बन्द हवा से मंडित निश्चल भूमि
खून में उगे हुए बीज
जलजाती लड़ाइयाँ।
फ़र्ज दानवी वृत्ति बनते
काले लफ्ज़!
धाराहीन पंक्तियाँ
अनिश्चित राहें
घाट से उतरते सुअर
दिखावे-जीवन से सफेद बने बाल
निषाद के चढ़ते बाणों को
ब्याज़ दुगुने लेने वाले,
जाली विप्लव गीत गाने वाले,
घाट पर अकेले रोने वाले,
छायादार पेड़ सा निश्चल रहने वाले,
आर्द्र वचनों की जड़ ढूँढ़ने वाले,
क्रान्ति के बासी सिद्धान्तों के बल पर
बेवकूफ़ बनने वाले,
कुछ महिमाओं के लिए गड़रिया-राग
आलापने वाले
दो पल्ले के रास्तों में
पाताल की सीढ़ियाँ बनाने वाले काल
जनमघुटी को कसने वाले मेंढ़क
उनके चिकने बनाते लफ्ज़
टूटी तलवार उठाकर
मंदिर के दिया जलाकर नमन करने वाले
माथे पर तिलक लगाकर
दायें-बायें देखकर

भगवान से अर्ज़ किया:
'क्रान्ति करने की मदद करना
गलती की माफ़ी करना'
जब एक द्वार बन्द कर दिया जाता है
तो चारों ओर खुल जाते हैं द्वार चार।

तंकप्पन

अरथी उठाने वाले (शवम् चुमक्कुन्नवर)

एक

यह अरथी उतारने दो मुझे
नहीं तो
सड़ जायेंगे मेरे कंधे
निकलेगी बदबू...!
अब इस राह से अरथी
उठाकर चलना मुश्किल है:
लड़खड़ाकर गिर जाऊँगा मैं...।
राहों में काले सर्प जब सरक जाते हैं
जीभों में विषग्रन्थी जब फूट निकलती है....
मेरी आँखों से जलते लालटेन को
जब एक पागल तीर से मार-गिराता है...
तीर लगाकर... शरणहीन बने पंछी की व्यथा
मंद हो जाती है काल के प्रवाह में...
मृत्यु भय से पीड़ित हृदय में
जब आश्रय-मत्र जम जाता है
गतिहीन बन दिशाएँ धूंधली हो जाती हैं
लकुटिया नहीं है टेकने को
तब मूल ताल ही शेष है।
गली भर दुपाई कुत्ते जब डकारते हैं

तब कोई आसरा नहीं,
शिकार हो जाना ही नियति है...।
यह अरथी ज़रा उतारने दे मुझे
नहीं तो
सड़ जायेंगे मेरे कंधे
निकलेगी बदबू
अब इस राह से अरथी
उठाकर चलना मुश्किल है।

दो

जलता है स्मशान
टूटती है हड्डियों की संधियाँ
बहता है लहू दीवारों पर
'कलि' रोती है निर्मम
कार्कोडकाग्नि में जल जाता है प्रान्तर।
कुल के कमान में तीर चढ़ाते आये
नन्हे बालक की तर्जनी
काट ली जाती है
युद्ध के नेता बन आये
पार्थ के हाथों में
बटुआ लटका रहा है।
मनाहियों को दिखाकर
रो गये न्याय को
शरशय्या दी जाती है।
'पाण्डवपुर बंटते हैं सौ खण्डों में'
यह सोचकर रोती है द्रोपदी।
अब नहीं कर सकता यात्रा
अरथी उठाकर चलना मुश्किल
लड़खड़ाकर गिर जाऊँगा मैं
यह अरथी उतारने दे मुझे
नहीं तो सड़ जायेंगे मेरे कंधे
निकलेगी बदबू...!!

डॉ. ए. अच्युतन

हाथी का मर्म

कल मैंने एक सपना देखा
एक छोटी-सी नन्ही-सी चींटी ने
हाथी को मारा।
अपने से बड़े जीवों के पैरों से
हमेशा कुचल-कुचलकर, हारने वाली
मरने वाली, दलित पीड़ित
छोटी-सी नन्ही-सी चींटी ने
आज पहली बार हाथी को मारा।
    पत्र पत्रिकाओं में, मीडिया में न्यूजआयी
    अपने नेता को श्रद्धांजलि अर्पित करने
    हाथियों की पंक्ति खड़ी रही।
    रीत समर्पण के बाद
    विधिवत् शव संस्कार
    हाथी-गण की शोक सभा बुलाई
    किसी ने कहा- आश्चर्य है!
    किसी ने भयानक।
लेकिन सोच विचार कर
चाणकय हाथी ने कहा—
'यह खतरनाक है।
चींटी ने हाथी का मर्म पहचान लिया है।'
कुछ करना है
फटाफट बोले विदूषक हाथी-
इट ईस वेरी सिंपिल
चींटियों में कुछ काले हैं, कुछ गोरे
कुछ लाल कुछ पीले
अब काले गोरों से लाल पीले से
गोरे काले से करेंगे लड़ाई।

शोकसभा के बाद बात तय हुई।
....कोमेरशियल ब्रेक.... टिम.टी.डीम...
इधर चींटियाँ ने भी सभा बुलाई
मुखिया बोलने लगे–
        शम्बूक, एकलव्य, महाबली...
        हमारे पूर्वजों का स्मरण करना।
        सालों से ये हमें कुचलते रहे
        जात के जहर के घूंट पिलाते रहे
        वर्षों के शोध का यह अंतिम परिणाम है
        'हाथी का मर्म... खिलाफवर्जी का महा काव्य।'
आकार में हम छोटे हैं
मगर तिल के समान तिलस्म हैं।
हमारा भी मान है
यह मान लेना है।
        हम काले, गोरे, पीले, लाले हैं
        मगर चींटी हैं,
        चींटी का संस्कार एक है।
हाथी चुप बैठेंगे नहीं, शायद
देवी-देवताओं के जुलूस निकालेंगे
बलि हमें ख़ुद चढ़ाना होगा
सावधान रहना है।
        हम भूमि पुत्र भूमि के
        ऊपर नहीं तो पाताल में
        महाबली के पास रहेंगे
        शक्ति दर्शन से ऊर्जा ले
        ओणम के दिन
        उगेंगे एक साथ
क्योंकि हम जानते हैं
संघर्ष आज़ादी का संस्कार है

प्रोफेसर हिन्दी विभाग
कालीकट विश्वविद्यालय
कालीकट (केरल)-673635

मैं कौन हूँ? क्या, मैं समाज को स्वीकार हूँ? एक दलित रखैल औरत की नाजायज़ संतान की जवाबदेही की पुरज़ोर माँग करती हुई शरण कुमार लिम्बाले की आत्मकथा 'अक्करमाशी' का यह विस्तृत विवेचन, प्रकारांतर से मराठी में लिखी जा रही ऐसी ही आत्मकथाओं का सारगर्भित आकलन भी करता है।

अक्करमाशी : एक खौलता हुआ लावा

गुलाब हाडे

समकालीन मराठी 'दलित कविता', दलित आत्मकथा या अन्य विधाओं की अपेक्षा काफी समृद्ध हैं और केवल समृद्ध ही नहीं बल्कि दलित साहित्य की अन्य विधाओं के मुकाबले गुणात्मक दृष्टि से विशेष अर्थ भी रखती हैं अपने प्रारंभिक दौर में मुख्यत: 'विद्रोह' और 'नकार' जैसे पारिभाषिक पदों में व्यक्त होने-वाली दलित कविता को दूसरी पीढ़ी के जिन चुनिंदा कवियों ने अपनी वैयक्तिक रचनाधर्मिता से उसे "अन्तर्द्वन्द्व या अन्तर्वेदना" जैसे युग-सापेक्ष्य पदों में व्यक्त कर कविता को वर्हिमुखता की बनिस्बत अंतर्मुखी बनाया, उनमें शरण कुमार लिंबाले का नाम उनके सन् 1982 में प्रकाशित 'उत्पात', के कारण शीर्ष पर रहा हैं अर्थात् ऐतिहासिक विकास क्रम में प्रारंभिक दौर की मराठी दलित कविता में विद्रोह और नकार का जो आतंककारी दबदबा था, वह तो अपनी पूरी शक्ति के साथ 'उत्पात' में भी कायम है तथापि इसमें अपने दौर में व्यक्ति के अन्तर्द्वन्द्व, आन्तरिक नाटक या दलित मानव की समग्र अवस्थिति का दबदबा उससे किसी भी भाषा में कम नहीं है, मगर कुलजमा पूरा संग्रह पाठकों को एक भिन्न किस्म की अन्तर्मुखता का साक्षात्कार करता है क्योंकि एक असहाय अनाम-सी अन्तर्वेदना कविता की थीम हैं जो बेहद विक्षुब्ध-असंतुष्ट करते हुए संघर्ष को एक अनिवार्य सर्जनात्मक क्रिया के रूप में प्रस्तावित करती हैं। और बजाय इसके यह भी उल्लेखनीय है कि शरण कुमार की कविता आत्मपरीक्षण को दर-किनार कर मार्ग-अतिक्रमण नहीं करती। उसे सामाजिक क्रांति की चाहत भी हैं- पर यह आग्रह नहीं कि वह क्रांति 'सम्यक, ही हो,

लेकिन इस स्थिति- विरोध में यह साफ़ तौर पर पहचाना जा सकता है कि लिंबाले की कविता में अन्तर्मुखता, आर्त्तता या अन्तर्वेदना को परिभाषित करने वाली संभावनागर्भ थीम की तलाश नितांत आकस्मिक नहीं कहीं जा सकती और तब स्वाभाविक तौर पर यह प्रश्न उभरता है कि इस थीम की तलाश की आख़िरकार क्या वजह हो सकती है? यो तो 'उत्पात' में संकलित सभी कविताएँ पहले वाचन के उपरांत कई तरह से पाठक की चेतना में संक्रमित होने लगती हैं तथा दृश्य रूप में भयानक उत्पात और संकटपूर्ण दृश्य-प्रसंग पाठकीय संवेदना को क्षुब्ध करते हैं, उसके समस्त अस्तित्व को झकझोरते है पर बहुत मद्धम और ठंडे तरीके से, लेकिन, कहीं न कहीं गहरे में बेचैन बनाए रहते हैं ऐसा लगता है कि तमाम समकालीन दलित कवियों में से अकेले शरणकुमार की कविता की ही ये कुछ नितांत निजी हरकतें हैं जो कवितापाठ के बाद काफी दिनों तक छूती रहती हैं फिर भी, आखिरकार स्थायी तौर पर यह प्रश्न बना ही रहता है कि अन्य दलित कवि-लेखकों की तुलना में शरण की कविता में उक्त मौलिक और एकमेवाद्वितीय थीम की तलाश की वजह क्या हैं? यहाँ हम सिर्फ़ प्रश्न के उत्तर के उस स्वरूप का संकेत कर रहे हैं जो आम तौर पर आलोचकों की तरफ़ से दिये जाते हैं मगर इस प्रश्न के जवाब में ऐसा नहीं है. दरअसल, इस प्रश्न का उत्तर हमें मिलता है दलित कवि शरण कुमार लिंबाले की आत्मकथा "अक्करमाशी" में,

अक्करमाशी वास्तव में लावे-सी खौलती हुई आवहेलना, भर्त्सना और ताड़ना से भरपूर यह शब्द महज़ एक गाली ही नहीं है बल्कि इस एक मात्र शब्द की अवधारणा में सौ बिच्छुओं के डंक-सा बेहद विपाक्त वेदना-प्रभाव भी व्याप्त है अत: स्पष्ट है कि अक्करमाशी, विशेषनाम प्राप्त आत्मकथा लेख को यह शब्द (शाली) सुनाई पड़ते ही उसके अन्त:स में सहस्त्र वेदनाओं की आग का धधक उठना एक सहज संभव बात है लेकिन यहाँ यह संकेत कर देना मुनासिब होगा कि 'अक्करमाशी' शब्द की अवधारणा तथा उसमें व्याप्त जिस वेदना-प्रभाव का विवतरण यहाँ दिया गया है. वह अन्तर्वेदना 'अक्करमाशी' आत्मकथा की समूची बनावट में लेखक द्वारा बखूबी इस्तेमाल की गई है. एक ओर अपनी जगह वह निजी आनुभूतिक प्रासंगिकता रखती हैं, जो दूसरी ओर समूची आत्मकथा के संदर्भ में वह शिल्प के रूप में भी प्रस्तुत की गई है. और यह इस्तेमाल अन्तर्वेदना की जमावट में हैं, जो परत-दर-परत लेखक के भाग्य की नाटकीय विड़म्बना को सघन बनाता चला जाता है इन तहों में अतीत, वर्तमान और भविष्य विष की तरह व्याप्त हैं. जो अक्करमाशी के रचना विन्यास का मुख्य और सशक्त हिस्सा है.

हम अब एक और विशेपता का उल्लेख कर इस प्रसंग को फिलहाल छोड़ देंगे. समूची आत्मकथा की संरचना पर गौर करने से पता लगता है कि इस आत्मकथा से एकसाथ दो प्रमुख स्वर ध्वनियां उभरती हैं. पहली:समकालीन दलित- समाज की व्यथा-वेदना को व्यकत करने वाली 'विद्रोह' और 'नकार' की प्रातिनिधिक स्वर,ध्वनि और

दूसरी: वह जो लेखक के अंतस् में गहरे तक बैठ चुकी अन्तर्वेदना को रचनात्मक अभिप्राय अथवा औजार के रूप में उभरने वाली स्वर, ध्वनि जो लेखक के सफल रचना कौशल का परिणामलगती हैं- कहीं जा सकती हैं.

अक्करमाशी: महाराष्ट्र प्रदेश और खास तौर पर मराठी भाषिक 'मराठा' जाति, समाज में कभी यह चलन आम था कि अभिजन वर्ग वंश, कुल, खानदान या घराने की कुलिनता आंकने के लिए एक विशिष्ठ पैमाने के रूप में "तोला-माशा" जैसे शब्दों का इस्ताल हुआ करता था, और जो व्यक्ति वंश कुलिनता के लिहाज से सौ फीसदी शुद्ध खरा खालिस होता था, जाहिर है कि वह 'बारहमाशी' (बारह ग्राम-एक तोला) समझा और कहा जाता था समाज तथा बिरादरीवालों में उसका अपना एक खास रौब-रूतबा हुआ करता था. मगर यदाकदा कोई बारहमाशी अभिजन या उच्चकुलिन व्यक्ति किसी निम्न या अस्पृश्य जाति-समाज की औरत से बतौर 'रखैल' अपने शारीरिक संबंध रखता और उससे अगर कोई संतानोत्पत्ती होती, तो वह 'नाजायज' समझी जाती वह संतान गर 'लड़का' होता तो वह 'अक्करमाशी' के हिनताबोधक विशेषनाम से पहचाना जाता. यानी उच्चकुलोत्पन्न मर्द और निम्न जाति औरत इन दोनों के संकर से पैदा लड़के को तथाकथित नैतिकतावादी, उच्चकुलिन और अभिजन कहें जाने वाले समाज द्वारा भर्त्सना, अवहेलना और नफरत के साथ थूं कहकर दी जाने वाली महज़ एक गाली है- "अक्करमाशी" शब्द! और यह शब्द जो एक साथ क्रमश: अभिधा, लक्षणा तथा व्यंजना जैसी शब्द शक्तियों की अर्थ-प्रतीति की अपनी-अपनी सीमाएं तोड़-ताड़कर बेहद घृणित रूप में एक जबरदस्त मारक शकित का एहसास-बोध कराता हैं.

अक्करमाशी का लेखक समकालीन वर्णवर्चस्ववादी दौर के अस्पृश्य तथा बहिष्कृत समाज द्वारा ही बहिष्कृत किया गया एक ऐसा युवक है. जो अपने पूरे परिवेश में न सिर्फ़ 'जाति हिन महार' है. बल्कि अक्करमाशी, विरोषनाम से भी, पुकारा जाता है. अत: इस बदनसीब को अपने समूचे समकालीन समाज के खिलाफ ही नहीं बल्कि अपनी खुद ही की नीयती के खिलाफ भी अनवरत रूप से जूझते रहना पड़ता है. जिसमें सामाजिक यथार्थ और ख्वाबों-ख्यालों की टक्कर दुर्भाग्य की मर्मांतक वेदना और विडम्बना को गंभीर बनाती चल जाती हैं. जब कि ठीक इसके समानांतर और दरमियान लेखक के कानों में पर्दे छेद देने वाला या कहना चाहिए भेदी आक्रोश भी बदस्तूर व्यकत किया करता हैं. मगर उसका वह आक्रोश तथाकथित नैतिकता दृश्यी समाज को जरा तक छू नहीं पाता. ऐसे में उल्टे हम समूचे समाज को तकरीबन अवहेलनापूर्ण विकट हास में मश्गूल पाते हैं, और इस तरह की परस्पर विसंगत असम्पृक्तसी स्थिति में जैसे कि अक्सर होता रहा है. 'गगनभेदी आक्रोश' कहीं गुम हो जाता हैं. यानी इस तरह के आक्रोश की किसी को भनक तक नहीं लगती, यहाँ भी वहीं होता हैं. मगर समाज की अवहेलनापूर्ण उपहासगर्भ विकट हास तथा स्वयं लेखक का वैयक्तिक आक्रोश इनपके संयोग से उत्पन्न एक विशिष्ट

व्यामिश्र प्रतिध्वनि के बार-बार उभर आने से प्रवाहित होती हैं-एक चिरंतन, असह्य अन्तर्वेद्ना, जो इस आत्मकथा की थीम है. अर्थात यह अन्तर्वेदना लेखक की जितनी वैयक्तिक हैं. उतनी ही वह इस तरह के दुर्भाग्य का शिकार बने अन्य नाजायज कही जाने वाली औलादों की भी हो सकती हैं. जो एक-दूसरे से शेयर करते हुए सामूहिक स्तर पर एक ताक़त के रूप में संगठित हो सकने की पूरी संभावना थी. लेकिन उससे शेयर करने की किसी की भी कोई अच्छा नहीं हैं. क्योंकि लेखक बहिष्कृत तथा अस्पृश्य समाज द्वारा ही नहीं व्यापक सामाजिक स्तर पर 'नकारा' गया महज़ एक अदना-सा जीव है। आम तौर पर इधर मराठी के लगभग सभी महत्वपूर्ण आलोचकों ने "अक्करमाशी" को अन्य समकालीन दलित आत्मकथाओं के समकक्ष रखकर उस पर "दलित आत्मकथा" का लेबल चस्पा ज़रूर कर दिया हैं. उसकी विषयवस्तु की ताजगी और जीवंतता की खूब सराहना भी की हैं. मगर उसकी ताजगी और जीवंतता सिर्फ़ विषयवस्तु या थीम-विशेष की ही नहीं हैं, बल्कि दृष्टि विरोध की भी हैं. पर उसे आलोचकों ने अपनी फतबेबाजी या जल्दबाजी में सही ढंग से रेखांकित नहीं किया हैं पर यह सच है कि उस दृष्टि-विशेष का आभास पाते ही 'अक्करमाशी' दलित- साहित्य में ही नहीं, वरन् दलितेतर मराठी आत्मकथा साहित्य में लक्ष्मीबाई तिलक की चर्चित तथा आज भी " मील का पत्थर" संबोधन से पहचाने जाने वाली आत्मकथा 'स्मृतिचित्रे' (सन् 1934) के बाद की दूसरी सर्वाधिक प्रगल्भ आत्मकथा भी लगेगी. संभव है-ठीक इसी बिन्दू पर अन्य समकालीन दलित आत्मकथाओं के मुकाबले, शरणकुमार की आत्मकथा 'अक्करमाशी' बेशक अपना खास मुकाम और अस्तित्व जतलाते हुए दिखेगी, हालाँकि लेखक 'विद्रोह' और 'नकार' के प्रचलित गरिमामय लेखन हथकंडों के मुकाबले अपनी अन्तर्वेदना को ही अधिक तरजीह दे बैठा हैं फिर भी कहना ज़रूरी हैं कि एक दलित को 'दलित' के रूप में जो दु:ख उठाना पड़ता हैं. उसे जिन मारक स्थितियों से गुजरना लाजिमी हो जाता है-उन तमाम घटना प्रसंगों की स्पष्टता इस आत्मकथा में मौजूद तो है ही पर इसकी अपेक्षा आत्मकक्षा में वह घटना-प्रसंग बेहद प्राणवान् हैं. जो हर किसी को बेचैन बना देता है- वह हैं आत्मकथा लेख का स्वयं 'अक्करमाशी' होना! यानी 'अक्करमाथी' होने का बौध किसी भी तरह से लिंबाले के यहाँ आत्मकथा-सृजन का बहाना मात्र नहीं हैं. वह उसके जीवन का घोर नग्न यथार्थ है और इसीलिए लेखक बेहद दु:खी हैं. अपनी अन्तर्वेदना से पीड़ित हैं. बेचैन है इसलिए कि वह अपने दौर के समाज और सभ्यता की निगाह में किसी भी नाजायज औलाद हैं. समाज इस तरह की नाजायज औलादों की सरेआम हर संभव तरीके से भर्त्सना, प्रताड़ना और अवहेलना करने से कतई बाज नहीं आया करता हैं. यानी हर कहीं मौका मुनासिब जान उसे जलील करार दिया करता हैं. कितनी अजीत और मारक है यह स्थिति कि एक ही मानव-समुदाय के लोग तथाकथित जाजय-नाजायज जैसी समय और मनुष्य-सापेक्ष्य संकल्पनाओं को जड़ मूल्यगत पोशाकों से सजाकर एक-दूसरे को जब आंकने-

परखने लगते हैं. तब यथास्थितिवादियों की निगाह में एक पुरानी खानदानी या वंश-कुलीनता की परम्परा का गर्व या दर्प होता हैं. और उसके सामने विपक्षी खेमे का हर दूसरा ययार्थवादी अपने समय का सबसे बेबस, लाचार और नीरीह जीव! बस यही पर बात टूटती हैं. और यहाँ आत्मकथा लेखक स्वयं ही विपक्षी खेमे का नुमाइंदा बन उभरता है.

वैसे अब तक उपलब्ध दलित आत्मकथाओं में एक समान-सूत्र यह देखा गया है कि दलित-समाज और आत्मकथा लेखक इन दोनों के पारस्पारिक संबंध अत्यंत सौहार्दपूर्ण तथा बेहद आत्मीय रूप में व्यकत हुए हैं और इसकी अपनी वजह भी हैं. कि लेखक स्वयं दलित-समाज का प्रवकता होता हैं. अत: उसका अपने जाति-समज से रिश्ता न केवल स्नेहपूर्ण होता है. बल्कि वह अपने समाज को नितांत अपनेपन की भावना से भी देखना हैं. यही कारण है कि स्वयं के समाज में उसे "सकारात्मक पहचान" बड़े सहज तथा स्वाभाविक रूप में प्राप्त होती हैं. मगर शरणकुमर के संदर्भ में यह बात आसान नहीं है. क्योंकि लेखंक की आत्मप्रतिमा उसके अपने दलित समाज के संदर्भ में पूर्णत: विर्खंडित हो चुकी हैं. और इसी विर्खंडित प्रतिमा के माध्यम से जब लेखक बाहय समाज और जगत को देखने की कोशिश करता हैं , तो अपने आसपास का संपूर्ण परिवेश उसे घृणित ढंग से 'नकारते" हुए प्रतीत होता है. ऐसे में लेखक का नितांत अकेला व्यक्तित्व अपने पारिवारिक तथा बाह्य सामाजिक संबंधों के लिए निरंतर तनावपूर्ण स्थितियों के बीच पीसता चला जाता हैं. उसकी यातना अपने व्यक्तित्व के साथ पारिवारिक और बाह्‌य सामाजिक संबंधों के तनावपूर्ण और विषय हो उठने की यातना है कहना ज़रूरी है कि यह यातना मात्र लेखकीय-संकल्पना मात्र नहीं हैं. संपूर्ण आत्मकथा में प्रत्यक्ष परिस्थितियों के बीच उभरी है और चरितार्थ हुई है.लेकिन उसकी यातना- समस्या का ऐसा कोई हल नहीं है जो उसके वैयकितक प्रयत्न मात्र से हल हो सके. वह एक उभयतोपाश के बीच हैं, और उभयतोपाश का कोई उत्तर नहीं होता. व्यकित उसे सिर्फ़ भोगता-झेलता है. एक दु:खस्वप्न की तरह! अक्करमाशी, का नायक भी एक ऐसा ही चरित्र है, जो मानवी-काया धारण कर जीवन व्यतीत करने वाले दुखद स्वप्न की कथा प्रस्तुत करता है. इस दृष्टि से शरणकुमार के जीवन-संघर्ष का स्वरूप वास्तव में एक सर्वकष संघर्ष की प्रतीत करता है. और ऐसे में समूचे समाज के प्रति उसके मन में तीव्र से तीव्रतर विद्रोह-भावना पैदा होते जाना भी स्वाभाविक लगता है. किन्तु इस भावना के समानांतर दलित समाज को लेकर द्वन्द्व का बोध भी कायम है. यानी यह द्वन्द्व कथन, आत्म संघर्ष की अभिव्यकित के साथ एक विशिष्ठ आत्मकथन की शकल अख्तियार कर लेता है।

यह बात गौरतलब है कि समकालीन मराठी दलित आत्मकथा के प्रथम उन्नायक दया पवार के 'बलुतं' (हिन्दी अनुवाद "अछूत") आत्मकथन से लेकर आठवें दशक के समापन तक जितने सारे आत्मकथन प्रकाश में आये हैं. उनसे यह तथ्य काफी सुस्पष्ट ढंग से उजागर होता है कि हर दलित आत्मकथन अंतत: एक तरह से दुखद- यात्रा की ही

व्यथा-कथा बयान करने वाली कथात्मक अभिव्यक्ति होती हैं-सिवाय इसके कुछ और नहीं और यह भी कि दलितों और प्रवंचितों के जीवन-पथ का फासला-निर्देशक हरमील स्तंभ मात्र, दु:ख के फासले ही को उभारता हुआ नज़र आता है बाकी कुछ नहीं, लेकिन अगर हम इन तमाम समकालीन मराठी आत्मकथाओं से यह कहकर तौबाकर लें (मराठी ललित साहित्य के अभिजात समीक्षकों ने यह गुस्ताखी की भी हैं) कि ये दलितों वंचितों को उछालने के चंद साहित्यिक हथकंड़े हैं, या फुले आंबेडकर का जयघोष करने वाले तथाकथित पुरोगामी महाराष्ट्रीय राजनीतिज्ञों की सोची-समझी साजिश का हिस्सा हैं. और इनसे स्वातंत्र्योत्तर- शिक्षित नौकरीयाप्ता नवबौद्धों का कोई ताल्लुक नहीं हैं, तो यह एक भारी भूल होगी. असल में सच तो यह है कि औपनिदेशिक राज में हो या स्वातंत्र्योत्तर प्रजातंत्रीय राज-स्वराज में हो, दलितों-प्रवंचितों या अस्पृश्यों के जीवन का हर पथ आखिरकार दु:ख और पीड़ा के संकरे दायरों से ही गुजरा हैं. गुजरता हैं और गुजरता रहेगा भी लेकिन इस दायरे को पार कर आने के बाद जीवन-सफर खुशगवार ज़रूर होगा. बस इसी मुराद ख्वाहिश पर उन्हें चलते-चले रहना पड़त है. पर यह दायरा इस कदर विस्तीर्ण और बेतरह फैला हुआ है कि लाख जीतोड़ कोशिशों के बावजूद उसे पार कर पाना, या मन-माफिक ज़िन्दगी जी पाना उन्हें संभव नहीं हो पाता. जाहिर है कि इसी दलित प्रवंचित समाज से आया हुआ लेखक नामधारी प्राणी इस समूचे परिदृश्य में अलिप्त रह नहीं सकता. सदियों के इस रपटीले-चिर-परिचित पथ से गुजर जाने पर शायद उसे वांछित सफलता मिल भी सकेगी मगर क्या, उसके मन में इसी पथ से दोबारा चल गुजरने की ख्वाहिश पैदा हो सकेगी? दरअसल, जहालत और व्यक्तिगत जीवन स्थितियों से दो-चार होकर, घनघोर संघर्ष के बाद जिस किसी को अपनी व्यक्तिगत ज़िन्दगी में वांदित सफलता हासिल कर पाना मुमकिन हुआ हैं- ऐसे व्यक्ति को अपना गुजरा जमाना,उसकी तमाम चुनौतियों के साथ, एक दफा फिर से जीने की इच्छा यदाकदा ही पैदा हो सकती हैं- अपदादात्मक स्थितियों में मगर सवाल यह है कि जिन्हें मानवीयता के औसत स्तर से भी निहायत ही बदत्तरं ज़िन्दगी जीना पड़ी हैं या जिन्हें बदत्तर ज़िन्दगी का भदेसपन घुट्टी में मिल जाता है जो बाद में बेहयाई की सान पर निरंतर पैना होता जाता है.उन्हें इस तरह का जीवन दुबारा जीने की इच्छा कतई नहीं हो सकती. किन्तु सामाजिक गुलामी और मानवीयता के औसत स्तर से भी निकृष्ठ तथा बेबसी से भरा जीवन यह दो भिन्न जीवन स्तर घोर दरिद्रता और प्रतिकुल परिस्थितियों की तुलना में काफी भिन्न हो सकते है. उनमें महद अंतर सहज संभव है परंतु इनके बीच के अंतर को साफ़ तौर पर समझे-पहचाने बिना हम समकालीन मराठी दलित- आत्मकथाओं का बुनियादी आशय समझ नहीं पायेंगे।

दलित-आत्मकथाओं की बुनियादी आशय-चेतना पर गौर करने से पहले यह जानना लाजिमी है कि उनकी संरचना क्यों संभव हुई? कोई रचनाधर्मी दलित-प्रतिभा अन्य विधाओं की अपेक्षा आत्मकथा लिखना ही क्यों ज़्यादा पसंद करती है? वैसे यह सच है

कि जीवन में तमान प्रतिकूल स्थितियों के चलते हमने जो कामयाबी हासिल की है. औरों के सामने उसका रोचक बयान करने की आंतरिक चाहना की अबुझ लपट हर व्यक्ति के मन में जलती जगमगाती रहती हैं,और इसीलिए ऐसे व्यक्ति की आत्मकथा उसके जाने-अनजाने एक प्रकार की "पुरुषार्थ-कथा" का गौरव प्राप्त करती हुई देखी जा सकती हैं. किन्तु बात केवल यहीं तक सीमित नहीं है. बल्कि जिन प्रतिकूल स्थितियों के खिलाफ आत्मकथा-लेखक को संघर्ष तेज करना पड़ा. कामयाबी हासिल करने दंद-फंदों के जिस कौशल का इस्तेमाल करना पड़ा उसने जो बुद्धि समझ दांव पर लगा दी, जो खतरे उठाये और आखिरकार जो कर्तव्य दर्प सीने में भर लिया, अर्थात् अपनी जय काही इकबाली बयान पेश करने की उत्कंठा का होना एक स्वाभाविक बात हैं, कहना चाहिए कि अपनी समूची ज़िन्दगी को किसी गहरे सागर के बीच खड़े दीपगृह की मानिंद लोगों के सामने साकार पेश करने की तीव्र आंतरिक प्रेरणा के आवेग से व्युत्पन्न तथा व्यक्त शब्द आत्मकथा का स्पष्ट ग्रहण कर लेते हे और इसमें किसी दलित या ललित लेखक का अपवाद नहीं किया जा सकता. मगर किसी भी व्यक्ति विशेष की आत्मकथा उस विशिष्ठ कालखंड का एक सजीव चित्र आलेख हमारे सामने प्रस्तुत करती है, जिसकी सीमा-मर्यादाओं के भीतर वह व्यक्ति जिया था. अर्थात उस चित्र आलेख के पार्ध में अनिवार्यत: मौजूद होती हैं उस व्यक्ति के "मैं" की छाया मात्र किन्तु वास्तव में आत्मकथा लेखक होता है-स्वयं ही उसका घोषित-अघोषित नायक और उसके प्रथम पुरुषी "मैं" में होती हैं-वैयक्ति अस्मिता भावना की प्रखरता, मगर समकालीन मराठी दलित आत्मकथा के संदर्भ में अकसर कहा यह जाता है कि वह मुख्यत: लेखकीय 'महत्कृत्य' 'सिद्धी' या 'कार्य-कर्तत्व की' यानी "अचीव्हमेंट" मात्र का पुरस्कार करती है. अर्थात अलावा इसके, आत्मकथा के प्रचलित तत्व-सिद्धांतों को बेहद विद्रोही लहजे में नकार देती है.अत: इस मुद्दे को लेकर पर्याप्त मतभेदों की गुंजाईश है. किन्तु इस मुद्दे को फिलहाल हम छोड़ देते है।

लेकिन हमें लगता है कि अपनी पड़ताल को इसी बिन्दू से शुरू करना बेहत्तर होगा कि दलित आत्मकथा बुनियादी तौर पर किस लेखकीय 'महत्कृत्य' या ' अचीव्हमेंट' की तरफ़ खास इशारा करती है? इस बात पर गौर फरमाना भी ज़रूरी है कि आत्मकथा के पार्श्व में किस 'मैं' की छाया-अस्मिता मौजूद हैं? और वह ऐसा कौन-सा मानसिक सुप्त अहंम् बोध हैं, जो उसके पृष्ठों पर व्याप्त होता हैं? कहना चाहिए कि सदियों पूर्व से जिन अमानुष सामाजिक तथा सांस्कृतिक परिस्थितियों के बीच दलित पद् दलितों को अवश्यंभावी तौर पर जीना पड़ता हैं, वह परिस्थितियां ही मूलत: उनके मानवी अस्तित्व को "नाकारा" साबित करने का उपक्रम करती हैं और उसके समूचे समाज का अमानुषी जिस क्रूरतम तरीके से किन्तु निहायत ठण्डे ढंग से अपनेअंजाम तक पहुँचा देती हैं. ऐसी तमाम अमानुष और दमनकारी परिस्थितियों के बावजूद 'स्व' के अस्तित्व को सुरक्षित रख उसे मानवी

अर्थवत्ता प्रदान करने की जद्दोजहद में जुट जाना, अपने आप में किसी भी दलित कवि या आत्मकथा-लेखक का महत्कृत्य' 'कर्तृत्य' या 'अचीव्हमेंट' ही है- अन्य कुछ नहीं और ठीक इसके समानांतर रचनाकार का मैं के रूप में उभरा समस्त दलित समाज की अस्मिता का तथा अहंम का बोध उसके 'महत्कृत्य' को परिपूर्ण बनाने वाले या किसी विटामिन का काम देने वाले दलितों के जैविक-तत्व है. कहना चाहिए कि डॉ: आम्बेडकर ने शाताब्दीयों बाद पहली बार इन तत्वों को दलित-जीवन में रेखांकित किया और परिवर्तित दौरने इन्हीं तत्वों को दलित जीवन में प्रभावी तरीके से स्थापित करने का प्रयास किया. इसे दलित-जीवन कदापि अविस्मृत नहीं कर सकता.

हम जानते हैं कि भारतीय मनुवादी-समाज व्यवस्था में 'अस्पृश्यता' और 'बहिष्कृतता' दलित-जीवन का एक भीषण यथार्थ है. परंतु लगता यही है कि स्थापित समाज व्यवस्थान दलित-जीवन पर जबरन थोपी हुई यह भीषणतम स्थिति कुष्ठरोग के घृणित 'दाग' से किसी भी रूप में कम नहीं है. क्योंकि रोग ग्रस्त किसी कुष्ठ पीड़ित से भी कहीं अधिक घृणास्पद समाज या समसामिक स्थितियों से दलितों को अनिवार्यत: दो-चार होना पड़ता हैं, उसे जिस अकल्पनीय ढंग से उत्पीड़ित और लांछित किया जाता है, इसे किसी पैदाईशी दलित आदमी से ज़्यादा और कौन महसूस कर सकता है? इस दृष्टि से दलित-आत्मकथा मुख्यत: मनुवादी अमानुष शोषण तथा दमन की एक बृहत् दुःखद गाथा है. और दलित लेखकों द्वारा तिलमिलाकर या बेतहाशा क्रुद्ध संतप्त होकर उठाया गया यह प्रश्न कि, "मुझपर तथा मेरे-अपने समाज पर यह अमानुषता क्यों थोंपी गई? तकरीबन सभी दलित आत्मकथाओं में अपने बुनियादी रूप में मौजूद है और यह केवल मात्र एक बुनियादी प्रश्न ही नहीं, अपने वास्तविक रूप में एक 'यक्ष' प्रश्न भी है. शायद यही वह महत्वपूर्ण बिन्दु हैं, जो दलित आत्मकथाओं को अपने विशेष तथा व्यापक अर्थ में समूचे दलित समाज-समूह की आत्मकथा और लेखक को उसका प्रतिनायक साबित करती है. कहना चाहिए कि दलित-जीवन और दृष्टि-विशेष को प्रस्तावित करती कुछ चुनिंदा दलित-आत्मकथाएं भारतीय भाषा साहित्य कों किसी 'देन' से कम नहीं.

लेकिन 'अक्करमाशी' इस़ वर्ग की एक सशक्त रचना होने के बावजूद अपने लेखन का एक विशेष समय-संदर्भ भी रखती है. वैसे कुछ आत्मकथाओं में वह कथ्य के भीतर तक़ संक्रमित हो जाता है. और कुछ आत्मकथाओं में वह फकत़ लेखक तक ही सीमित रह जाता हैं पर रचना कभी भी समय-संदर्भ से पूर्णत अलिप्त नहीं रह पाती, मगर यह भी सच है कि 'समय-संदर्भ से उभरने वाली दुनिया हर किसी के लिए परिचित और समयबद्ध होगी या नहीं?•उत्तर "हां" या "ना" में देना मुश्किल है. लेकिन उसका सर्जन किन्हीं विशेष परिस्थितियों के तनाव और द्वन्द्व में ही संभव होता है. और इस तरह की 'अक्करमाशी' जैसी एकाध रचंना'ही अपने समय-संदंर्भ के साथ-साथ उसकी विशिष्ठ मानसिकता का दस्तावेज कहलाने की हकदार बनती है. उसे हम ऐतिहासिक करार तो नहीं

दे सकते पर अपने विशिष्ठ दौर के समय और समाज के बीच घुट-घुटकर जीने को विवश व्यक्ति का सीधा साक्षात्कार करने तथा वर्तमान-भविष्य के संभाव्य सामाजिक तनाव और टकराहटों को झेल जाने की शक्ति-क्षमता प्रदान करने की निर्णायक ऐतिहासिक भूमिका ज़रूर अदा कर सकती हैं.

(3)

अगर इस विचार-श्रृंखला के क्रम में अर्थात् समय, समाज तथा व्यक्ति को परिप्रेक्ष्य में रख 'अक्करमाशी, आत्मकथन को देखें, जाँचने-परखने का उपक्रम करें, तो हमारे सामने अस्पृश्य-बहिष्कृत दलित जीवन और दृष्टि-जगत के कुछ अनजाने तथा अकल्पनीय अर्थआयाम खुलने लगते हैं. यानी कह सकते हैं कि 'अक्करमाशी' 'समय' समाज तथा व्यक्तिके पारस्पारिक अनजाने, अकल्पनीय सम्बन्ध सूत्रों का संघर्ष तथा द्वन्द्व अन्तर्द्वन्द्व को चितारनेवाली और इस बहाने व्यक्ति को मानसिक स्तर पर अस्वस्थ तथा उद्वेलित-उत्तेजित करने वाले अनेकों सवालों की अंदाधुंद गोलाबारी से घायल कर देने वाली अकेली आत्मकथा है, कह दे तो शायद अतिश्योक्ति नहीं होगी.यहाँ हम उन तमाम सवालों पर एक साथ गौर फरमा तो नहीं पायेंगे, जानते है. फिर भी इस आत्मकथाने बुनियादी तौर पर जो सवाल उठाए हैं उन पर गौर करना ज़रूरी है. किन्तु सवालों के क्रम में लेखक ने अपनी तरफ़ से केवल दो अहंम सवाल उठाये है? पहला मैं कौन हूँ? और दूसरा: क्या, मैं समाज को स्वीकार हूँ? असल में यही वह दो बुनियादी और अहंम् सवाल हैं जिनको उठाने से अन्य अनेक सवाल उठ खड़े होते है. यानी कुल जमा सौ-एक पृष्ठों की मूल मराठी आत्मकथा में हम करीब-करीब सवा तीन सौ प्रश्नों को उपस्थित पाते हैं. वास्तव में इन सवा तीन सौ प्रश्नों में से ज़्यादातर काफी सरल तथा सामान्यस्तर के है। कहना होगा कि लेखक की आत्मनिवेदन शैली के एक स्वाभाविक पहलु विशेष के तौर पर ये सारे प्रश्न उभरते चले जाते हैं और उनके उत्तर भी फि भी इनमें से कुछ प्रश्न इतने अहंम और बुनियादी किस्म के है कि वे बेलाग ढंग से सीधे-सीधे स्थापित तथा मौजूदा समाज व्यवस्था को ही ललकार कर ताल ठोंकते हुए चुनौती देते हैं. दुश्मन के छक्के-छुड़ा ने की नियत से "गुरिल्ला युद्ध" में जिस कारगर ढंग से ज़मीन के भीतर बारूदी-सुरंगे बोई बिछाई जाती हैं-ठीक उसी तरह शरणकुमार ने अपनी आत्मकथा में प्रश्नों की सुरंगों को बो दिया हैं। यानी एक के बाद एक उभरने वाले प्रश्नों के परिप्रेक्ष्य ने पूरी आत्मकथा को एक खास प्रवाह दे दिया हैं मगर जिस किसी ने आत्मकथा को 'रणभूमि' का संबोधन बहाल किया है-वह दलित आत्मकथाओं के संदर्भ में पूरी तरह से सही तो उतरता ही है किन्तु शरण कुमार की आत्मकथा पढ़ जाने पर रणभूमि संबोधन प्रतिमान की सार्थकता अधिक तीव्रता से महसूस होने लगती हैं.

आत्मकथा लेखक ने जो दो अहंम प्रश्न उठाये हैं, उनका तो हम उल्लेख कर ही चुके हैं-किन्तु उनमें से "मैं कौन हूँ?" इस पहले प्रश्न का उत्तर अपने-आप ही उजागर

होता हैं अक्करमाशी! असल में लेखन ने स्वयं ही से यह प्रश्न पुष्ठ है और स्वंय ही से पुछे गए प्रश्न के उत्तर का दायित्व स्वयं प्रश्नकर्ता का होता है अत: आत्मकथा लेखक ने अपनी तरफ़ से इस प्रश्न का उत्तर दिया हैं. मगर 'क्या' और समाज को स्वीकार हूँ? यह दूसरा प्रश्न लेखक ने किया है उस समाज व्यवस्था और संस्कृति को जिसमें जीने के लिए वह अभिशपत है, मजबूर है. अत: स्पष्ट है कि लेखक के इस प्रश्न के उत्तर का दायित्व मौजूदा समाज और संस्कृति के अलम्बरदारों का है किन्तु बृहत समाज के पास इस प्रश्न का कोई उत्तर नहीं है,बल्कि कहना चाहिए कि स्थापित समाज व्यवस्था इस प्रश्न का उत्तर तो क्या, उस पर गौर करने तक को राजी नहीं है, बाकी आत्मकथा पढ़नेके दरमियान उक्त प्रश्न दिमाग पर बार-बार हाथौड़े की तरह प्रहार तो किया करता ही है. किन्तु पूरी आत्मकथ पढ़ कर खत्म कर देने के बाद भी लम्बे समय तक दिमामी औरा पर उद्वेलित किए रहता है.

लेकिन 'मैं कौन हूँ? इस पहले अहंम प्रश्न का उत्तर आत्मकथा में अपने आप जिस सहजता से उभरता है या स्वयं लेखक द्वारा जितनी आसानी से दिया जाता है। वह उतना सहज और आसान कतई नहीं है. दरअसल बात यह है कि 'अक्करमाशी, इस एक मात्र शब्द वाले उत्तर के पार्श्व में बदकिस्मती का एक भयानक और कलंकित अध्याय छिपा पड़ा है। अत: कहना होगा कि 'मैं कौन हूँ?' लेखक द्वारा पूछा गया यह प्रश्न एक ऐसे सशक्त बिन्दू पर स्थित हैं, जहाँ से उसे खींच निकाल पाना नामुमकिन है.अत: इसमें कोई शक नहीं है कि वह उसी बिन्दू पर अटल रहेगा-पाठक का मुंह चिढ़ाता हुआ और उसे उद्वेलित करता हुआ, मगर ऊपरी तौर पर 'मैं कौन हूँ? " निहायत ही मासूम से लगने वाले इस प्रश्न की व्यापकता का दायरा काफी विस्तृत है. मां-बाप, भाई-बहन, दूर-पास के रिश्तेदार संगी-साथी और जीवन के अनेकानेक संदर्भों का निर्माण करने वाला समाज इन सबका समावेश लौकिक अर्थ में इस दायरे में होता है यानी आत्मकथा लेखक के साथ-साथ उसके अपने माँ-बाप, सहोदर, रिश्तेदार तथा उनसे जुड़े समस्त दलित समाज की व्यथा बयान करती है। परंतु इस क्रम में इसके बावजूद लेखकीय 'लक्ष्य' पर भी गौर करना ज़रूरी है जो लेखक के "मनोगत" शीर्षक के तहत व्यक्त विचारों से स्पष्ट होता है. लेखक का मनोगत कुछ इस प्रकार है। "कुष्ठ रोग का सफेद दाम कोई रोगी जिस तरह से भरसक कोशिश करके छिपाये रखता है। वैसे ही मुझे हरदम लगता है कि यह ज़िन्दगी भी छिपा कर रख दी जाय" "दरअसल, मुझे केवल मेरे अपने अतीत का मेरी अपनी माँ तक का ही इतिहास याद है ज़्यादा से ज़्यादा मेरी माँ की माँ यानी दादी आम्मा तक का इतिहास याद है. इससे ज़्यादा मेरा अपना कोई खानदानी अतीत या इतिहास नहीं" (पृ. एक) इसका लेखक को सख्त मलाल है इसी से तिल-मिलाकर लेखक आगे कहता है, "मेरी माँ महार तो बाप लिंगायत, माँ झुग्गी-झोपड़े में तो बाप बाड़ी-हवेली में बाप जमीदार तो माँ भूमिहीन और मैं अक्करमाशी! (पृ. एक) लेखक की अकेली यात्रा या

तलाश का आरंभिक बिंदु यही है क्योंकि जब आप अपने माँ-बाप, सहोदर आदि सबके साथ होते है तो अपने साथ नहीं होते और जिस दिन आप अपने साथ हो लेते हैं तो बाकी सबसे कट जाते हैं किन्तु लेखक की यही नियति थी यानी उसके भले चंगे स्वस्थ्य जिस्म पर कुष्ठरोगी-सा सफेद दाग जो साफ़ तौर पर उभरा हैं- इन्हीं विसंगत स्थितियों से वह जानता है कि माँ तथा कथित बाप के अनैतिक संबंधों से यह दाग उभरा है. इसीलिए इस अनैतिकता को लेखक न केवल 'बलात्कार' कहता है, बल्कि उसे अपना समूचा अस्तित्व तथा जीवन, उस बलात्कार का 'कदूफल' लगने लगता है और फिर यही एहसास उसे हरदम बेचैन किए रहता है कि यह "कदू फल" किस नाम से पुकारा जाए? अक्करमाशी?... में कौन हूँ? असल में यही वे प्रश्न है जो उसे अपराधभर, अकेलेपन, अंतर्द्वन्द्व और संदेश के कारण विचलित तथा संतप्त किए रहते है. लेकिन वह तब दूसरी दिशा में सोचने लगता है: "क्या, इस दुनिया में हम जैसे और भी हैं- अभागे?... कुछ भी हो पर हम आखिर हैं कौन? यह निग्रो की तरह 'आयडेंटिटी' का प्रश्न मुझे भी हर वक्त सता ये रहता है मैं सवर्ण हूँ कि अस्पृश्य?... यानी मैं कौन हूँ?" इसी अहंम और बुनायदी सवाल की जवाबदेही की पुरंजोर माँग से शुरू हुई आत्मकथा अपने समापन पर भी पहुँचती है. मगर इससे पूर्व आंतरिक तनावों, दबावों, हीन भावनाओं और उनकी ग्रंथियों का शिकार लेखक किसी एस जारए की तलाश में या जिसमें वह अपने आपको पूरी तरह से अभिव्यक्त कर सकें और शायद 'आत्मकथा' लेखन, लेखक के लिए वैसा ही जरिया था, यानी लिखना उसके लिए नितांत व्यक्तिगत, निजी और गोपन यंत्रणाओं से मुक्ति और कुछ तंग करने वाले सवालों से जूझने का माध्यम बना अतः लेखक स्वीकारता है कि, "मैंने अस्पृश्य के नाते, अक्करमाशी के तौर पर तथा 'दरिद्र' के रूप में जिस किसी तरह का जीवन जिया है- वहीं शब्दों में पेश किया हैं (पृ. 2) अतः स्पष्ट हैं कि आत्मकथा लेखक की अन्तर्वेदना या पीड़ा, अन्य दलित-लेखकों की तरह मात्र 'अस्पृश्यता' और 'बहिष्कृतता' की कोख से जन्मी नहीं है, बल्कि 'अक्करमाशी' होने के अपराध भार तथा हीनता बोध की ज्वलंत वास्तविकता ने उस जान लेवा अन्तर्वेदना पर नमक छिड़कने का काम किया है अर्थात इस मोड़ पर आकर लेखकीय 'लक्ष्य' अधिक स्पष्ट हो जाता है.

इधर अक्सर काफी उबलते हुए शब्दों तथा मुहावरों में मराठी, दलित-साहित्य की तुलना अमरिकन निग्रो साहित्य से की जाती रही है. यह बुनियादी सूत्र एक समान मानकर कि दलित तथा निग्रो साहित्य अपनी-अपनी समाज व्यवस्था के मात्र-शोषितों और प्रवंचितों का साहित्य है अपने आप में यह सूत्र बिलकुल तथा पूरी तरह से दुरूस्त नहीं कहा जा सकता, दरअसल, जब कोई निग्रो जवाबदेही की पुरजोर माँग करता हुआ पुछने लगता है कि, " मैं कौन हूँ? तब यह सच है कि उस सवाली को अपनपे ही जिस्म में उफनाते-खौलते ख़ून की अपवित्रता का एहसास हद से ज़्यादा बेचैन और संतप्त किए रहता हैं.इसलिए कि वह किसी श्वेता मर्द की कामूकता,पशुता और बलात्कार की बली चढ़ी

काली-कलूटी औरत की औलाद होती है, और उसकी ज़िन्दगी पर भी किसी कुष्ठ रोगी का-सा "सफेद दाग'6 अनिवार्य तौर पर उभरा हुआ होता है यानी वह "वेस्टर्ड होता है और 'बेस्टर्ड' होने की अपनी कलंकित नियति को वह छिपाये छिपा नहीं पाता इसलिए भी कि उसकी चमड़ी का रंग और चेहरे की रचना बुनियादी तौर पर काफी हद तक बदली हुई होती है. लेकिन यह अप्रिय घृणास्पद दाग किसी इक्के-दुक्के निग्रो मात्र के जिस्म पर ही नहीं होता, वरन वह समूची निग्रो जाति के जिस्म पर साफ़ तौर पर देखा जा सकता है और यह दागदार भयानक जानलेवा यथार्थ अपने दौर का इतिहास भर नहीं है, बल्कि नियतिने खुद पूरे निग्रो जाति समाज पर जबरन लादा हुआ एक भीषण सच है मगर "मैं कौन हूँ?"यह प्रश्न भारतीय परिवेश में जब कोई दलित संतप्त होकर पूछता है, तब जाहिर है कि उसके प्रश्न को समस्त अमरिकन निग्रो द्वारा उठाये जाने वाले प्रश्न का सा 'सार्वभौमिक'प्रभूत्व प्राप्त हो पाना मुमकिन नहीं है, बहरहाल, आत्मकथा लेखक द्वारा नितांत, वैयक्तिक धरातल पर उठाए हुए प्रश्न को "सार्वभौमिक प्रभूत्व" प्राप्त ज़रूर है किन्तु उसका प्रश्न अपने सीमित दायरे के कारण समूचे भारतीय दलित समाज के व्यापक प्रश्न के रूप में परिवर्तित नहीं हो सकता, यानी जिस खास संदर्भ में निग्राह के प्रश्न के 'सामुहिकता' का जो एक विशिष्ठ पैमान प्राप्त है, वह शरण कुमार के प्रश्न को हासिल नहीं हो पाया है, किन्तु यही वह विशेष- बिन्दू है-जिसकी वजह से लेखक का प्रश्न हर किसी को अपने ढंग से आतंकित तथा बेचैन करा देने की क्षमता भी रखता है " मेरी माँ महार तो बाप लिंगायत, माँ झुग्गी-झोपड़े में तो बाप बाड़ा-हवेली में, बाप ज़मींदार तो माँ भूमिहीन और मैं- अक्करमाशी" अर्थात् इस तरह की प्रतिकूल, परस्पर विसंगत-स्थितियों तथा धर्म, नियम, आचार, नैतिकता इन सबकी कठोरतम वर्जनाओं ने ही उसे नाजायज या अवैध-अक्करमाशी करार दिया है. बल्कि कहना हो होगा उसका समूचा जीवन तथा व्यक्तितत्व ही एक भयावह तथा अभेद्दय चक्रव्यूह में झोंक दिया गया है. कुछ इस यहतियात से कि मरने के बाद भी उसे इस चक्रव्यूह से मुक्ति तो मिल पानी संभव होने न पाए. लिहाजा उसके अपने जीते जी तथा दलितों में अपनी उपस्थित दर्ज करते हुए या उसके साथ यातना संघर्ष के दौरान बराबरी की हिस्सेदारी निभाते चले जाने के बावजूद भी उसके हिस्से मात्र बदकिस्मती और अकेलापन ही वदा है अत: आत्मकथा नायक भारतीय समाजव्यवस्था के चिरपरिचित महाभारत एक अद्वितीय चरित्र कुंती-पुत्र कौतेय की व्यथा-वेदना को, नये संदर्भों में पुनश्च रेखांकित करता हुआ प्रतीत होता हैं.

लेकिन फिर भी स्वमताग्रही लेखक अमरिकन निग्रों की स्थिति तथा अवस्था से स्वयं को किसी भी स्तर पर जुदा नहीं मान पाता, खेत-वर्णीयों की तहजीब और कथित तौर पर ऊंचे दर्जे की सामाजिकता में जाहिर है कि कृष्णा-वर्णीयों को कोई स्थान नहीं हैं अत: ऐसे माहौल में उनके लिए 'ब्लैव' होना एक किस्म का 'कलंक' तो है ही पर निग्रो केवल 'ब्लैक' ही नहीं हैं- वह 'बैस्टर्ड' भी है यानी 'ब्लैक' तथा 'बैस्टर्ड' इस 'दोधारी' तलवार

की दहशत का 'क्रास' उसकी गर्दन पर धरा हुआ हैं. मगर इस पाशविकता के बावजूद श्वेतों के समाज में उसका 'ब्लैक' होना ही बुनियादी तौर पर उनके दु:ख, वेदना, उत्पीड़न और शोषण का एक मात्र सबब है जबकि ठीक इस स्थिति के समानांतर इधर भी 'अस्पृश्य' होना हिन्दू व्यवस्था का माना हुआ 'कलंक' ही है. पर 'अक्करमाशी' का लेखक केवल 'अस्पृश्य' नहीं वह ' अक्करमाशी, यानी नाजायज या अवैध भी है.और इसीलिए संभवत: उसे अमरिकन निग्रो अपना अधिक करीबी या अंतस्थ लगा होगा. अत: वह कहता भी है "मुझे मेरा अपना जीवन ऐसा ही लगा निग्रो मुझे माँ-बाप समान तथा भाई-बहन, जैसा लगा हमें एकत्र बांधने वाला एकमात्र विचार हैं- हम पर जबरन लादी हुई अमानुष गुलानी, इसीलिए जो-जो गुलामी की बेड़ियों में जकंड़े हैं, गुलामी के खिलाफ संघर्षरत हैं वे सभी मुझें 'स्वकीय' लगते हैं" (पृ2) मगर केवल मात्र 'अक्करमाशी' होने के कारण लेखक को जिस विशिष्ठता बोध का एहसास होता हैं. ज़िन्दगी में संवेदनात्मक और व्यावहारिक स्तर पर या लज्जनित स्थितियों के परिणाम स्वरूप जो कुछ भोगना-भुगतना पड़ता है- वह सबसे ज़्यादा तकलीफदेह और असहनीय हैं. इस लिए और इस लिहाज से उसका संघर्ष मुख्यत: 'सामाजिक संस्कृति' और 'नियति' दोनों के खिलाफ है लेकिन आत्मकथा लेखक द्वारा उठाया गया हर प्रश्न अंतत: देश की मौजूदा संस्कृति तथा समाज व्यवस्था पर बीते दौर के समाज सुधारकों द्वारा किए गए प्रहार से कम नहीं लगता, किन्तु आत्मकथा में लेखक द्वारा उठाए जाने वाले प्रश्नों को निरंतरता जिस अभेद्य 'चक्रव्यूह' का निर्माण करती हैं उसे भेद कर बाहर कैसे निकल पड़े? यह प्रश्न लेखक के बजाए एक जबरदस्त चुनौती के रूप में पाठक को काफी बेचैन किए रहता है।

इस उपमहाद्वीप में मनुवादी समाज व्यवस्था और संस्कृति रक्षकों ने 'अस्पृश्य' तथा बहिष्कृत' करार दिए तमाम दलितों, प्रवंचितों को जिस अकल्पनीय अमानुष तथा त्रासद स्थितियों के बीच जीने-मरने के लिए विवश किया; वह सब कुछ निरपवाद रूप से तथा अनिवार्य तौर पर आत्मकथा-लेखक के भी हिस्से में आया है; लेकिन अपने विशिष्ट प्रमेयों तथा नितांत वैयक्तिक मानसिकता के धरातल के बावजूद यह आत्मकथन एक तरह से समूचे दलित-समाज का प्रातिनिधिक व्यथा-लेख बन गया है, जिसमें समाज चेतन लेखक की व्यापक प्रादेशिक सरोकारों से सम्पृविती साफ़ झलकती है, परंतु बावजूद इसके शरण कुमार को इस बात का श्रेय देना ही होगा कि उन्होंने महाभारत वाले कर्ण को अन्तर्वेदना के अनजाने-अनछुए अंशों को अपनी आत्मकथा में जितने साधिकार से प्रस्तुत किया है.... और यह केवल मराठी दलित-साहित्य में ही नहीं, वरन भारतीय भाषा-साहित्य में भी शायद 'पहली बार' किसी दलित-अस्पृश्य लेखक ने जिसे ईमानदारी से अभिव्यक्त किया है, उस पर गौर करते हुए कहना ज़रूरी है कि 'अक्करमाशी' भारतीय-भाषा-साहित्य को एक महत्वपूर्ण देन है। दरअसल, कर्ण के मिथकीय-व्यक्तितत्व के सहारे, मौजूदा दौर में मानव-विराधी-भ्रष्ट व्यवस्थाओं के बीच खंडित होते हुए व्यक्तितत्व को,

उनकी पिसती हुई, क्षय होती हुई मानसिकता को, ऊर्जा को आत्मकथा में व्यक्त किया है जो निःसंदेह गौर करने योग्य है। हम जानते हैं कि इस प्रकार की प्रशस्तियाँ हमेशा साहित्येत्तर मानी जाती रही है। यानी वह सर्जनात्मक प्रयासों की समग्रता को उभारने वाली किसी मूल्य निर्धारक कसौटी के रूप में शुमार नहीं हो सकती है, बल्कि आलोचक की अपनी 'नियत' ही जाहिर किया करती है। मगर इसके बावजूद भी यह सब लिखते हुए हमारे सामने वें सारे 'पहली बार' या "अद्वितीय" जैसे प्रशस्ती-विशेषणों से सहारे गये दलित आत्मकथन मौजूद है जो दलित-साहित्य-आंदोलन के उफनाते दौर में अधिकांश दलित-लेखकों ने लिखे हैं और जिन्होंने प्रादेशिक-पुरस्कारों का दयनीय गौरव भी प्राप्त कर लिया है। मगर अक्करमाशी, को छोड़ इनमें से किसी को भी हिन्दी के अलावा अन्य भारतीय भाषाओं-उड़िया, पंजाबी, गुजराती तथा कोंकणी सरीखी चार-पाँच भाषाओं में अनुदीत होने का फर्ख हासिल नहीं है। अतः अक्करमाशी के संदर्भ में आश्चर्य हुए बिना नहीं रहता, मगर कहना पड़ता है कि उसकी सर्जनात्मकता पर सलीके से बोलने की आवश्यकता अनुभव करते हुए भी, मराठी में आलोचकों ने उसके साथ वहीं व्यवहार किया, जो भीमराव गस्ती के 'बेरड' के साथ एक सोची-समझी सुनियोजित साजिश के तहत हुआ है। लेकिन यह बात निःसंदेह कही जा सकती है कि 'अक्करमाशी' में अपनी एक विशिष्ठ मौलिकता है और यह समकालीन मराठी दलित जात्मकथा-लेखन-परंपरा से इतनी ज़्यादा अलग और विशेषतापूर्ण है कि सहसा ध्यान आकर्षित किए बिना नहीं रहती, खास तौर से जब हम इस मौलिकता का गंभीरतापूर्वक विश्लेषण करते हैं तो स्पष्ट होता है कि 'अक्करमाशी' चाहे समकालीन मराठी दलित-आत्मकथा-परंपरा का निर्दोष और सर्वश्रेष्ठ उदाहरण न भी हो, एक नये मोड़ का प्रतीक ज़रूर है, और यथार्थ का सजीव-ईमानदार चित्रण उसका सबसे बड़ा तत्व है, जो उसे दलित-साहित्य की आत्मकथा-परंपरा में सबसे अलग-थलग ही नहीं, बल्कि 'विवेच्य' बना देता है- यानी आत्मकँथालोचन के क्षेत्र में कई प्रश्नों पर एक नये सिरे से या फिर अपनी-अपनी दृष्टि-घारणा से विचार करने के लिए उकसाता है, अपनी तरफ़ से खुली छूट देता है।

अक्करमाशी की शुरुआत, लेखक जिस प्राथमिक पाठशाला का विद्यार्थी है उस पाठशाला द्वारा "वनभोजन" के लिए आयोजित पिकनीक के वर्णन से होती है। यों तो घोर दरिद्रता और अस्पृश्यता का चोली-दामन का साथ तो लेखक के बचपन के दिनों से था ही और ऐसे में रोज़मर्रा के जीवन में कदम-कदम पर अपमानित होने के प्रसंगों से लेखक का अनिवार्य तौर पर दो-चार होना भी एक आम बात थी। मगर दलितों व अस्पृश्यों के जीवन में अपमान या अवमानना ही सही पहचान और समझ, उस कच्ची उमर में लेखक को करा दी थी, इसी वनभोजन के सामूहिक आयोजन ने पाठशाला द्वारा आयोजित इस वनभोजन में यों तो सवर्ण लड़के-लड़कियों के साथ धेड़-माँगों (अस्पृश्य जातियाँ) के छोकरे भी शामिल थे। पर सवर्ण लड़के-लड़कियाँ भोजन के लिए बैठे थे, एक घने-

छायादार वृक्ष की शीतल छाया में, जबकि धेड़ माँग के छोरों को बैठना पड़ा था-निकट फासले पर स्थित एक निहायत ही फटीचर से पेड़ तले! यही वह घटना -प्रसंग है, जिसके कारण लेखक स्वयं को अन्य सवर्ण विद्यार्थियों के मुकाबले निहायत ही गया-गुजरा तथा दीन-हीन महसूस करता है। अर्थात् यह हीनताबोध उसके मन मस्तिष्क पर हमेशा के लिए अमिट छाप छोड़ जाता है। खासतौर पर इसलिए भी कि उन वनभोजन के वास्ते, उसने अपने साथ लाया हुआ रुखा-सुखा भोजन अपर्याप्त तथा निकृष्ट किस्म का था, और लगभग यही स्थिति अन्य अस्पृश्य छोरों की भी थी। अत: मास्टर जी ने सवर्ण लड़के-लड़कियों का बचा-खुचा झूठन उदारता के साथ अस्पृश्य छोरों के हवाले कर दिया था। और आकखा पठार निंगल जाने की, उदरस्थ करने की क्षमता रखने वाले, भूख से बेहाल अस्पृश्य छोरों के वास्ते यह झूठन तो मानो क्षुधापूर्ति की बेशकीमती सौगातों से भी बढ़कर था। अत: सभी छोरों ने वह झूठन न जाने कैसे-कैसे चटखारे ले लेकर भूक्खड़ों की तरह खा लिया था। और तब कहीं जाकर वे डकार दे पाएं थे।

लेकिन, घर लौट आने पर लेखक ने जब वह "सुखद" अनुभव-प्रसंग अपनी माँ के सामने बयां किया तो वह भी विभोर हो उठी और तत्काल बोल पड़ी, "जरा-सा बचाकर हमें भी चखने ले आता तो?... झूठन तो "आमरत" होता है! (पृ.3) मगर यह अमृत मुद्दत से खास्ताहाल अस्पृश्यों को रोआना कैसे और कहाँ से मिल पाता? फिर भी, भूख से भिड़ते-लड़ते, शरण कुमार पाठशाला में जैसे-जैसे शिक्षा पा तो रहा था, पर घोर दरिद्रता के असहय-सहवास में रहकर आखिर-कब तक और कैसे पढ़-लिख पाता? और कैसे अपनी जीविका चला पाता? अध्यापक की निगाहों में तो उन-दिनों उस जैसों के प्रति तो बस तिरस्कार-ही-तिरस्कार व्याप्त था, सो कहीं कुछ भूल-गलती हो जाती तो वे बरस पड़ते, "भोसड़ी के" ठीक तरह से लिख ले न...! क्यों, बैल खानी तो याद है न! (पृ.3) तमाखू की पीक थूक, अध्यापक ने तिरस्कार से उगले हुए सवाल का जवाब लेखक की तरफ़ से दिया जाना तो उस वक्त कतई संभव नहीं था। पर सच तो यह था कि उनके सवाल का जवाब पाठशाला के हर दलित छोरों की आँखों में या मुरझाये चेहरों को जायजा-मुआईना कर लेने के बाद साफ़-साफ़ पढ़ा जा सकता था। किन्तु संवेदनहीन अध्यापक के लिए यह सब कुछ समझ पाना संभव नहीं था। यानी मृत ढोर-जानवरों का माँस दलित-अस्पृश्यों को किस मजबूरी में खाना लाजिमी होता है, इस बात पर अध्यापकगणों ने कभी गौर करने की ज़रूरत ही नहीं समझी थी। असल में, पाठशाला-जीन का यही एक प्रसंग ही काफी है यह जानने सोचने के लिए कि वह समय अनुभव के लिहाज से आत्मकथा-लेखक के लिए कितना कठिन और यातनादायी रहा होगा।

वैसे, इस तरह के मार्मिक-हृदयस्पर्शी घटना-प्रसंग से हुई आत्मकथा की शुरुआत हमें ज़रूर बांधे रखती है, किन्तु आगे चलकर इस तरह के प्रसंगों की एक प्रदीर्घ-सी चित्र-श्रृंखला ही, हम लेखक की ज़िंदगी से अनिवार्ययत: जुड़ी हुई पाते हैं। कहना ज़रूरी

है कि लेखक ने उस चित्र-श्रृंखला के कुछ एक ही चुनिंदा प्रसंग ही आत्मकथा में प्रस्तुत किए हैं पर इस तरह के तमाम घटना-प्रसंगों के पार्श्व में, हमें साफ़ तौर पर दिखाई देती हैं-अस्पृश्यों तथा दलितों की सार्वभौमिक-बेबसी! और उनका चिरकाल से पीछा करती हुई चिरतंन भूख! अर्थात् यहाँ न सिर्फ़ आत्मकथा-नायक, बल्कि पूरे अस्पृश्य तथा दलित समाज का, विशेषत: कच्ची उमर के बच्चों का 'भूख' हमेशा से ही किसी डायन की तरह पीछा करती रही है, लिहाजा, हंसने-खेलने और मानमाफीक खूब खाने-पीने की आयु में, हर अस्पृश्य बच्चों-बच्चियों को भूख से उत्पन्न अनन्वित दर्द की आग में लम्बे समय तक झुलसाना पड़ा है। लेकिन 'भूख' का चिरंतन तथा तीव्र एहसास ही है, जो इंसान को बेबस, लाचार और बदत्तर बनाकर छोड़ देता है, इस कड़वे सच की तीखी अनुभूति, लेखक को अपनी कच्ची उमर में ही हो गई थी।

लेखक स्वयं भूख से चिंतित-विचलित सो रहा करता था पर उसे स्वयं से अधिक मसामाय तथा संतामाय के पेट की चिंता भी हर वक्त सताया करती थी, सो उनकी खातिर बाहर से उसे कहीं कोई चुगना या टूंक-रोटी जो कुछ भी मिलता, वह तुरंत घर ले जाने की फिराक में रहा करता था। पर इस तरह से आखिरकार वह और कब तक गुजर-बसर चला पाता? वैसे, उसकी दादी-अम्मा, संतामाय अपनी तरफ़ से भूख का सवाल़ हल करने के लिए प्रयत्नशील रहा करती थ। चरागाह या खाली पड़े खेत-खलिहानों से जानवरों का गोबर जमा करते भटकना तो उसके रोज़मर्रा के काम का हिस्सा, ही बन बैठा था। गोबर जमा कर कंडे थापना, सुखाना और बेचना, उसके लिए आय का एकमात्र स्रोत था। लेकिन जमा किये गये गोबर में कभी कभार, गाये-वगाहे पर्याप्त मात्रा में अनाज के दाने भी पाए जाते तो ऐसे गोबर को अलग से छांट-निकाल तथा साफ़ पानी से धो-धो कर वह दाना-दाना बीन लिया करती थी। और तब कहीं जाकर रोटी का जुगाड़ हो पाता था। तात्पर्य यह है कि संतामाय के साथ खाली वक्त में गोबर जमा करने, उसे धो-धाकर अनाज के दाने बीन लेने आदि के काम में लेखक ने अपने बचपन के दिनों में काफी हाथ बटाया है।

बहरहाल, प्रदेश के ग्रामांचलों में अतीत में कभी तकरीबन सभी अस्पृश्य-जातियों को अपने पेट की खातिर, क्षुधा-पूर्ति के लिए कुछ इसी तरह के घृणास्पद तरीक़ों को अपना लेना जाजिमी था। खासतौर से जब गांव-देहात में किसी खाते-पीते घर में अगर किसी सवर्ण का देहांत हो जाता जब अस्पृश्य बच्चों के लिए मानो पर्व का -सा माहौल बन जाता , मृतक की शव-यात्रा के दौरान बीच रास्ते में, किसी विशिष्ट स्थल पर शव को विश्राम देने की प्रथा का निर्वाह करते हुए अर्थी को कंधों से उतार पल-दो-पल ज़मीन पर रख दिया जाता है। उस वक्त मृतक के शव पर किसी खास मकसद से अनाज और धन के रूप में रेजगारी की वर्षा करने का भी चलन आम है। पर इस तरह के गमगीन मौके पर भी अनाज के दाने तथा रेजगारी बटोर लेने के लिए अस्पृश्य-बच्चों में जो होड़-सी लगी रहती है, जो रेल-पेल मचती हैं- वह सब देखते ही बनती हैं। खैर, यह बात अस्पृश्यों

के लिए तो सामान्य है। मगर आत्मकथा-लेखक ने कभी अपने बचपन के दौर में मृत शव की तुतरन समझी जाने वाली जवार की रोटी तक बेझिझक डकार ली थी। क्योंकि किसी सवर्ण की मौत पर मातम या खेद प्रकट करने की अपेक्षा 'भूख' के एहसास की तीव्रता कम करने का इससे बेहतर कोई और आसान तरीका उसके पास नहीं था। यानी 'भूख' से बढ़कर कोई और अहंम् तथा ज्वलंत प्रश्न उसके लिए कतई महत्वपूर्ण नहीं था। इसीलिए उसे कहना पड़ा, 'रोज़ाना ऐसे ही धनिकों की अर्थियाँ उठती रहें, अर्थियों पर रोज़मारी-पैसों की वर्षा होती रहें और मुझे पैसे-रूपिये और अनाज मिलता रहें। (पृ. 30) सच कहें तो 'भूख' कितने क्रूर और निर्मम तरीके से मनुष्य-मात्र की विवेक-बुद्धि को कुण्ठित कर देती है। इसका लेखक स्वयं एक भुक्त-भोगी गवाह है। अतः इस दृष्टि से लेखक को अनुभव-संसार काफी समृद्ध कहा जा सकता है। किन्तु, इंसान, भूख और रोटी इन तीनों के पारस्परिक तथा जटिल संबंध-सूत्रों से जो एक त्रिकोण तैयार हो जाता है, उसके संदर्भ में लेखक की धारणा बहुत कुछ कहती हैं जिसे आज के संदर्भ में समझा जाए तो बहुत से महत्वपूर्ण विचारसूत्र निकल सकते हैं। "रोटी आदमी के कद भर की! रोटी-आसमान की तरह विशाल! रोटी-सूरज की तरह प्रखर! और भूख-आदमी से भी महान! भूख-सप्त-पातालों से भी अदम्य! आदमी-रोटी के बराबर का, भूख के एहसास भर का! मगर-पेट दुनिया निगल कर देता है- डकार-लेकिन अगर नहीं होता तो पेट, तो कैसी छिड़ जाती जंगें? लूट-खसोट, मार-काट? होता न अगर पेट तो फिर कैसे हो पाती पाप और पुण्य की स्वर्ग और नर्क की कल्पना? और ईश्वर की निर्मिती? पेट न होता तो कैसे साकार होता-देश-सीमा, नागरिक और संसद या संविधान आदि पेट के दुआरे ही तो हुआ है-जग जहान का जन्म, जग-जहान और दुनियादारी के तमाम रिश्ते-नाते, माँ-बाप, भाई-बहन वगैराह-वगैराह.... (पृ. 49/42) कह सकते हैं कि विश्व-व्युत्पत्ति का आत्मकथा-लेखक का यह नितांत अपना सिद्धांत है जो बहुत ही साधारण ढंग से पेश किया है। किन्तु यह उबलते हुए और कड़वाहट भरे शब्दों के मूल में छिपे अव्यक्त आशय को तलाशने की जिम्मेदारी पाठकों पर सौंप देता है।

सामान्यतः किसी भी व्यक्ति के जीवनक्रम में बचपन सर्वाधिक संस्कारक्षम, प्रभावग्राही तथा निर्णायक समझा जाता है। किन्तु इसी महत्वपूर्ण दौर में लेखक अपनी रोज़मर्रा की ज़िंदगी में चिरंतन समझे जाने वाले 'भूख' के एहसास से पल-पल क्षय होते जाने की अनिवार्यता झेलते जाने के बावजूद भी 'अस्पृश्य' तथा 'अक्करमाशी' होने के कारण, पेश आने वाले हर कटू तथा अकल्पनीय घटना प्रसंगों से दो-चार होते हुए शिक्षा प्राप्त करने की अपनी जद्दोजहर जारी रखता है। बल्कि कहना यह चाहिए कि अक्षरों की मदद और मध्यस्ता के सहारे ज़िंदगी के बेहद कटु तथा कचोटने वाले तमाम प्रसंगानुभवों के अन्वयर्थ-तलाश भी जारी रखता है। अपनी कच्ची जहनियत और अपरिपक्वता के बावजूद, पर उसके चारों तरफ़ 'नकार' का ऐसा माहौल है कि उसकी सारी जद्दोजहर और उमड-घुमड सहम जाती है।

नकारात्मकता से टकराकर पीछे की तरफ़ मुड़ जाती है, कहीं निकलने का रास्ता नहीं पाती। यानी फिर वह उसकी पाठशाला हो या पाठशाला का अहाता हो। कहीं से भी उसे समानता के बर्ताव की तो खैर थोड़ी-सी सहानुभूति तक की उम्मीद नहीं है। सारा जीवन ही दैन्य, पराजय, कुंठा, विसंगति और निराशा से इस कदर आक्रांत है कि अस्पृश्य-विद्यार्थियों को पेय-जल की तरह शिक्षा भी उन्हें भरसक दूरी बनाए रखते हुए प्रदान की जाती हैं। इस एहतियात से कि कहीं "सरस्वती" अपवित्र या भ्रष्ट होने न पाए। सवर्ण अध्यापकों को हमेशा ही यह डर सताया करता था कि गर सरस्वती ही अपवित्र हो जायेगी, तो संस्कृति की पवित्रता बरकरार कैसे रहेगी? सच तो यह है कि उस दौर के तकरीबन सभी अध्यापकगण थोड़ी बहुत मात्रा में स्थापित व्यवस्था के जरखरीद-गुलाम की भूमिका निभा रहे थे। मगर वक्त ने करवट बदली थी और स्वाधीनता की ताज़ा तथा मुग्ध-बयार-स्वतंत्रता, समता, बंधुता और मूलभूत मानवी अधिकारों की बहाली का युगांतरकारी संदेश लेकर गांवों तथा कस्बों में शताब्दियों से बहिष्कृत पड़े महारवाड़ों और माँगवाड़ों में भीतर तक पहुँच गई, जो वक्त का तकाजा थी, और इसी बयार के संसार्श से प्रेरित हो, शरणकुमार सरीखे सैकड़ों दलित-अस्पृश्य विद्यार्थियों को अपनी हाईस्कूल तक की पढ़ाई पूरी कर, उच्च शिक्षा पाने कॉलेज की दहलीज पर कदम रखना संभव हुआ। अन्यथा, इसके अभाव में आगे चल कर वे शायद "विद्रोह" की क्षमता हासिल ही न कर पाते और न ही अस्पृश्यता और सामाजिक गैर-बराबरी को मिटाने वाले किसी झुजारू आंदोलन की नींव्र रख पाते। कहना होगा कि शिक्षाकी वजह से ही दलितों तथा अस्पृश्यों में यह बुनियादी परिवर्तन संभव हो सका, और युगांतरकारी परिवर्तन के मुख्य जातक थे डॉ. बाबा साहेब आम्बेडकर और उनका करिश्माई एवं मसिहाई व्यक्तित्व, जिन्होंने उन सारी गलित वर्जनाओं, झूठी-रूढ़ियों मान्यताओं, भ्रांत किन्तु हजारों वर्षो से प्रतिष्ठित मानव-विरोधी धारणाओं के नीचे पिसती हुई दलित मानसिकता को एक अमृत वाक्य देने का महत्वपूर्ण कार्य किया, एक मूल-मंत्र दिया "शिक्षित बनो, संगठित हो जाओ और संघर्ष करो।"

यह सच है कि आत्मकथा लेखक के व्यक्तित्व में शुरुआती दौर से एक खास किस्म की संघर्षशीलता अपनी पूरी ऊर्जा-शक्ति के साथ मौजूद हैं। किन्तु उसकी संघर्षशीलता पूर्ववर्ती या परवर्ती दलित लेखकों या कवियों के नक्शें कदम पर चल अपने खास प्रचलित अंदाज़ में ही प्रकट नहीं हुई हैं बल्कि वह अपनी नियति के खिलाफ लड़ने-जूझने यानी 'आत्मसंघर्ष' के दौरान भी काफी स्पष्ट रूप में और अपने अलग अंदाज़ में प्रकट हुई हैं। नियति की कठोरता ने उसके भाल पर 'अक्करमाशी' की जो अमिट मुहर ठोंक दी है! उसकी सारी उमड़-घुमड़ बस केवल इतना भर है कि वह उस मुहर को कैसे मेट दें? एक तरफ़ स्थापित व्यव्स्था के वर्णवादी घेरों ने उसे गाँव के तोरणद्वार के बाहर बहिष्कृतता के बियाबान में भटकने के लिए छोड़ दिया है तो दूसरी तरफ़ 'अक्करमाशी' होने के हमेशा अवमानित करने वाले हीनता-बोध ने उसे बला की हद तक असंतुलित

संताप्त बना दिया है, कुछ इस कदर कि उसकी अपनी ही देह की रग-रग में संचालित ख़ून से भी द्रोह करने का मन होता है, उसका तभी सहसा यह ख्याल जागता है कि "मन में उत्पन्न वैर तथा द्वेष-भाव का समूल नाश कैसे किया जाये? इस मोड़ पर एक दफा फिर से, वह स्वयं को एक अजीब सी ऊहापोह की आत्मसंघर्ष या अन्तर्द्वन्द्व की स्थिति में घिरा पाता हैं। लेकिन इस अन्तर्द्वन्द्व की क्रम-निरंतरता के क्षणों में उसकी मानसिक-स्थिति बिल्कुल विपरीत होती हैं। यानी वह अपने-आपको पुनश्च उसी चिरपरिचित तथा "यक्ष प्रश्व के मुखातिब पाता है कि "मैं कौन हूँ?"

असल में "मैं कौन हूँ?" इस प्रश्न के उत्तर के उत्तर में बताया जा सकता है कि, मसामाय शरणकुमार की जन्मदायिनी माँ हैं और बाप हणमंता लिंबाले! यानी वह मसामाय तथा हणमंता लिंबाले इन दोनों की बकायदा एक सम्मिलित संतानोत्पत्ति हैं, मगर हकीकत यह है कि मसामाय हणमंता लिंबाले की ब्याहता बीवी नहीं है और बावजूद इसके हणमंता लिंबाले नामक शक्स संतानोत्पत्ति में अपनी बराबर की हिस्सेदारी स्वीकारते हुए भी, शरण को अपना बेटा कुबूल करने के लिए रजामंद नहीं हैं, उसमें एक तरफ़ माँ जातीयता के लिहाज से "महार" है तो कथित बाप उच्चवर्णी हिन्दू अर्थात् लिंगायत मतावलंबी है यानी तात्पर्य यह है कि इन परस्पर विसंगत संबंध सूत्रों की बदौलत, लेखक के समूचे व्यक्तितत्व को हर वक्त एक ही सवाल घेर-घारकर ललकारता रहता है कि "मैं कौर हूँ?" महार या लिंगायत? या लिंगायत महान? लेकिन अगर "महार" कहूँ या कहें, तो बाप जातियता के लिहाज से हिन्दू, लिंगायत हैं और फिर यह भी सच है कि महामाय, हणमंता लिंबाले की बकायदा और विधिवत् ब्याही बीवी भी नहीं है। यानी, सीधे और साफ़-साफ़ कहें तो शरण न तो महार है न लिंगायत, अत: सवाल यह पैदा होता है कि उसका "जाति" का उल्लेख किस जाति संबोधन से किया जाना चाहिए? क्या, उसे हम "लिंगायत-महार" कह सकते है? नहीं! हर्गिज नहीं क्योंकि हिन्दू-समाज व्यवस्था में इस प्रकार से योजक चिन्हों द्वारा जोड़ जाड़कर बनाये जाने वाले जातीय संबोधनों का चयन या परंपरा भारत में कतई नहीं हैं। बल्कि डॉ. लोहिया के शब्दों तक कट्टर न्याय की वशिष्ठी परंपरा है। विश्वामित्र से विश्वेश्वरैया तक उदारता की बल्मीकी परंपरा है... परंपरा... निजी स्वार्थ और गिरोह स्वार्थ से लथपथ सना मन वशिष्ठी ब्राम्हण का होता है। वह परंपरा के लिए मरना-मारना जानता है। (डॉ. लोहिया विरासत का सवाल डॉ. सुरेन्द्र प्रताप यादव डॉ. श्याम प्रसाद, पृ. 45 संस्क. 1993) जाहिर है कि ऐसी परंपरावाले देश तथा समाज में योजक चिन्हों द्वारा बने या बनाये जाने वाले जाति निर्देशक नामभिधान कदापि स्वीकार नहीं हो सकते हैं। और यही वजह है कि आत्मकथा नायक को "मैं कौन हूँ?" इस निहायत ही सामान्य प्रश्न का समुचित उत्तर आसानी से मिल पाना संभव नहीं है। अर्थात् इस बुनियादी प्रश्न के अलावा आत्मकथा नायक के अंतर्द्वन्द्व में इजाफा कर उसे अपने चरम पर पहुँचाने वाला एक और करुणा से सिवा तथा दयनियता से सना प्रश्न है। "क्या", मैं समाज को स्वीकार हूँ? या

क्या समाज मुझे स्वीकार करेगा? यों तो इस सवाल का जवाब देना या न देना तो सर्वथा, समाज व्यवस्था की इच्छा-शक्ति पर निर्भर है, किन्तु इस सवाल के संदर्भ में समाजव्यवस्था का उत्तर स्वीकारार्थी कदापि नहीं हो सकता और अगर उत्तर स्वीकारार्थी भी होता तो लेखक को हर वक्त छलमेवाले और ललकारते हुए प्रश्न का उत्तर शायद आसानी से मिल जाता। अर्थात् "मैं कौन हूँ?" यह प्रश्न लेखक के लिए अनुत्तरित रह कर वह "शेष प्रश्न या" यक्ष प्रश्न की श्रेणी में न आ पाता, और न ही इस प्रश्न के समानांतर उभरने वाले अन्य अनुषंगिक प्रश्नों के उत्तरों की अभिव्यक्ति आत्मकथा की बुनियाद में शुमार हो पाती अतः कहना ज़रूरी है कि आत्मकथानायक अपने सामने प्रस्तुत दहकते सच से समझौता नहीं कर पाता, और वांछित (अप्रस्तुत) उसे मिल नहीं पाता, यह उसके समूचे जीवन और जगत की त्रासदी है, और इस त्रासदी की शुरूआत आत्मकथा नायक के जन्म से भी काफी पहले हो चुकी थी।

अतीत में कभी आत्मकथा नायक की जन्मदायिनी माँ मसामाय, विठ्ठल कांबले नामक एक दलित-खेतीहर मज़दूर की ब्याहता पत्नी थी। नोक-पलक और रूपसी, मगर तब किसी को इस बात का गुमान तक नहीं था कि उस ब्याहता की रूपसी काया ही उसकी समूची ज़िंदगी के लिए अभिशाप बन जाएगी, वैसे उसके अपने वैवाहिक जीवन के शुरुआती दौर में विठ्ठल कांबले से उसके भानुदास, चंद्रकांत और लक्ष्मण नामक बाकायदा तीन संतानें भी हुई थी। गरज कि मसामाय और विठ्ठल कांबले की पूतों-फली गृहस्थी अपने ढर्रे पर चलती चली जा रही थी कि अचानक यह दृश्य गायब हो जाता है, और उसके स्थान पर दूसरा एक और दृश्य उभरने लगता है। विठ्ठल कांबले नामधारी एक अदना सा खेतीहार मज़दूर जो हणमंता लिंबाले के यहाँ बेगारी किया करता था; अस्पृश्य तो था ही, दरिद्रिता की मार से महज़ पीड़ित ही नहीं, बल्कि लाचार और बेबस भी था। अतः स्थिति की नजाकत भांप तथा मौके को मुनासिब और माकूल पाकर हणभंता लिंबाने ने बिठ्ठल कांबले की ब्याहता और रूपसी पत्नी मसामाय को अपनी वासना के जाल में उलझाना-फासना शुरू किया.... और मामले की चर्चा चलते-ब-चलते विवाह के स्तर पर जा पहुँचे। यहाँ तक की मामला मराठवाड़ा की जात पंचायत के सामने पेश हुआ, और जैसे कि अक्सर होता रहा हैं विवेक को धता बताकर जात पंचायत ने आनन-फानन में किसी लाचार और बेबस दलित खेतीहार मज़दूर की पत्नी की ज़िंदगी को उजाड़ कर रख दिया यानी उसे एक घरैतीन और पूतों-फली औरत से, हणमंता लिंबाले की रंडी घोषित कर दिया.... इसके बाद विठ्ठल कांबले ने तो अपनी दूसरी शादी भी कर ली, मगर रंडी, का ऐब लगी औरत से कोई दुबारा ब्याह रचाने की जुर्रत करता? अतः मसाई अब खुलेआम, हणमंता लिंबाले "रखैल" बनकर रहने लगी। यानी उसने 'रंडी' से 'रखैल' बने रहना स्वीकार कर लिया। एक तरह से हणमंता ने अपने करतब से मसाई की घर गृहस्थी उजाड़ कर तो रख ही दी थी, पर बाद में उसे इस कदर अपने बस में कर लिया "मानो जैसे कोई

शौक से कबूतर पाल लेता हो। (पृ. 30) कालांतार बाद लिंबाले से मसाई के एक बेटा भी पैदा हुआ, मगर लिंबाले की नज़र में यह पैदाईश भी एक बड़ा भारी अनर्थ था। अत: कहना हो जाता है कि लिंबाले ने किसी बेबस "पत्नी" के सारे जीवन का न सिर्फ़ तोड़ दिया बल्कि उसे रंडी से "रखैल" बनकर रहने और उसके साथ संतानोत्पत्ति में अपनी बराबर की हिस्सेदारी के बावजूद उसे "अनर्थ" बताकर उसके सारे जीवन का ही सत्यानाश कर दिया था। मगर इस "अनर्थकारी" प्रसंग पर आत्मकथा नायक अपनी प्रतिक्रिया देते हुए टिप्पणी करता है।" मेरी पैदाईश पर यहाँ के तमाम पाटिल-ज़मींदारों के कुलीन बाड़े, हवेलिया बेशक बेचैन हो उठी होगी। मेरी पहली ही सांसद उच्छवास के चलते दीनों-दुनिया के नाते-रिश्ते बेतहाश घबरा उठे होंगे और मेरी रुलाई से यहाँ की तमाम कुंतियों के सीने से दूध की धाराएँ बह निकली होगी। मगर.... मेरी माँ आखिर क्यों कर राजी हुई होगी, इस बलात्कार के लिए? क्यों जतन से पाला-पोसा होगा, उस अनैतिक संभोग को उसने अपने भीतर गर्भ में नौ मास और नौ दिन? अपनी कोख में किस की खातिर संभाला होगा, यह कटु भ्रूण? किसने और किसको मीठाई बाटी, मेरी पैदाईश पर? किसने मुझे नाजों-प्यार से देखा होगा, पहली बार? किसने सौगात में दी, चोर-चोली मेरी माँ को? किसन किया हैं- मेरा नामकरण? किस कुल-खानदार का वारिस हूँ मैं? आखिरकार मैं कौन से जायज बाप की औलाद हूँ? (पृ. 30) ये तमाम सवाल लेखक के दिलों-दिमाग में हर वक्त न सिर्फ़ तहलका मचाएं रहते हैं, वरन् जवाबदेही की पुरजोर माँग भी करते हैं। पर ये सभी सवाल अपने-आप में कितने निर्दोष तथा मुकम्मिल है, और विद्रोही तेवर अपनाएँ हुए है, हम केवल अनुमान ही लगा सकते हैं। एक तरफ़ रोज़मर्रा के जीवन की एक-से-एक गंभीर समस्याएँ, भयंकर गरीबी और हमेशा ही अवमानित करने वाले घटना प्रसंगों से जूझते हुए भी, आत्मकथानायक मजबूती से खड़ा है। कोई और कमजोर शख्स तो इतनी बेपनाह मार से शायद विक्षिप्त हो जाता या चरमरा ही जाता, क्या आत्मकथा की इन खूबियों को अनदेखा भी किया जा सकता है?

लेकिन जिस आयु वर्ग में आंकलन शकित पर्याप्त मात्रा में पकी-बढ़ी नहीं हुआ करती, उस कच्ची उमर में, जाहिर है कि यह तमाम प्रश्न लेखक के मन में उभर पाना असंभव सा लगता हैं। किन्तु बढ़ती हुई उमर पक्व होती समझ के समानांतर लेखक को इन प्रश्नों से कतरा जाना कतई संभव नहीं था। अत: अपनी माँ के हाथों इस तरह का धिक्कारणीय तथा गलीज दुष्कृत्य कैसे हुआ? और मैं साधिकार किसे अपना बाप कहूँ? जैसे एक-दो प्रश्न तो उसे हरवक्त बेचैन किए रहते ही है। मगर वहीं दूसरी ओर मसामाय के वास्ते उसका दिल और आँखें भी भर आती हैं। चूंकि उसे लेकर मन में कहीं एक अनजानी हल्की सी घृणा भी पैदा हो चुकी हैं। इसलिए कि उसने अपने खूबसूरत जिस्म को मानो किसी नुमाईशी, बाजारु चीज़ में तब्दील कर लिया है। खुद तो कुलटा या तिरिया चरित्तर कहलाई गई, मगर अपनी ही कोख से जन्मी औलाद के माथे पर 'अक्करमाशी'

का दाग लगा बैठी है, जो किसी भी सूरत में मेट पाना संभव नहीं है। फिर भी लेखक के मनमें मसामाय को लेकर कुछ ममत्व भी हैं और द्वेष भी मगर स्वयं के अक्करमाशी होने का अहसास बोध दिल में जैसे-जैसे गहराता-बढ़ता चला जाता है, उस अनुपात में माँ को लेकर घृणा तथा द्वेषभाव भी प्रगाढ़ होता जाता है, और फिर द्वेष तथा घृणा का भाव प्रगाढ़ भी कैसे न होता? शरणकुमार के जन्म के बाद मसाई ने अपनी निहायत निजी, चिरंतन वासना को मानो बूरी तरह भड़का ही दिया था। यानी, हणमंता लिंबाले से दामन झटक लेने के बाद वह हन्नूर गाँव के यशवंतराव पाटिल की रखैल बनी! और फिर इस लिंगायत मतावलंबी पाटिल से उसने तकरीबन आठ संतानों को जन्म दिया-नागुबाई, निर्मला, वनमाला, सुनंदा, प्रतिमा, इंदिरा, श्रीकांत और सिद्राम। यानी मसाई ने उधर एक और नया तथा रामांतर "महारवाड़ा" ही बसा के रख दिया।... किसी ज़माने के राजा-महाराजा राज-पाट छोड़-छाड़कर उखड़ गये थे और फिर से उसे ज़माने में प्रयत्नशील थे, अपने राज़-पाट और रजवाडों का पुर्नगठन कर रहे थे। ठीक उसी तरह मसाई हन्नूरगाँव में और एक नये "महारवाड़ा" का गठन कर रही थी, और उसके दोवारा किसी की रखैन बन जाने से इधर आत्मकथा-लेखक काफी कच्ची उमर में अकेला पड़ गया था। अपनी दादी अम्मा संतामाय के पास रहने के लिए मजबूर हो बैठा। अपनी माँ से बिछुड़कर उससे दूर इधर यहाँ दादी अम्मा के पास मन मारकर रहने की उस पर बूरी नौबत आ जाए और उधर माँ व्याभिचारी औरत की ज़िंदगी जीये? वह बुरी तरह से संतप्त और बेचैन हो उठता है। यहाँ तक कि उसके मन में माँ के प्रति ममत्व तथा घोर तिरस्कार की भावना के अजीब घालमेल से बवंडर सा कोहराम मच जाता हैं। और तब हमें शेक्सपीयर का हैमलेट बरबस याद आ जाता है, क्योंकि हैमलेट को भी अपनी माँ का व्याभिचार बेहद अखरता है। अतः हैमलेट की तरह आत्मकथा नायमक के मन में भी अब माँ को लेकर नफरत पैदा हो जाती हैं।

मगर यह सच है कि आत्मकथा-लेखक की माँ अपनी ज़िंदगी में शुरू हो चुका व्याभिचार का सिलसिला तोड़ देने में सर्वथा असमर्थ रही है। पर इसके लिए स्वयं वह पूर्णतः जिम्मेदार ठहराई नहीं जा सकती। उसकी अपनी निजी चिरंतन वासना या हवस के अलावा उसका एक बेबस, निःसहाय दलित अबला होना और उस पर भी खुबसूरत होना, उसके व्याभिचार या लैंगिक शोषण के मुख्य कारक बताये जा सकते हैं। आत्मकथा लेखक शायद स्वयं इस बात से सहमत हैं। इसीलिए वह कहता है "जिनके पास धर्म द्वारा प्रदान की गई वर्ण श्रेष्ठता की सत्ता मौजूद हैं और बाप-दादाओं की अकूत कमाई, ज़मीन-जायदाद है, उन सबों ने यहाँ की दलित-जिस्मों-आबरू को भोगा है।" (पृ. 39) सच तो यह है कि इस प्रदेश में गुजरे दौर में कभी यह हकीकत आम रही है गाँव खेड़ों में इज़्ज़तदार, प्रतिष्ठित या खानदानी समझे जाने वाले "पाटिल" लोगों का रोबदाब केवल इस बात पर निर्भर किया करता था कि उसने अपने हारम में कितनी रखैले पाल रखी है? यानी

ऐसे पैशाचिक कामान्धों के हत्थे चढ़ने वालियों में ज़्यादातर दलित तथा बेबस औरतों की ही संख्या अधिक रही है, जो अपने दौर का एक भीषण सच रहा है। मगर इस सच से रुबरू होने के बाद लगता यही है कि वर्णश्रेष्ठता के दर्प और धन के नशे में उन्मत्त,कथित खानदानी पाटिल लोगों की दुनिया में दलित औरतों की ज़िंदगी, अस्मत और आबरु कितनी सस्ती और कांग्रेस-घास जैसी महत्वहीन चीज़ बनकर रह गई थी। दूसरे शब्दों में कहा जा सकेगा कि यह स्थिति अस्पृश्य दलितों के जातिगत हीनताबोध को न केवल रेखांकित करती हुई दिखती है, बल्कि हीनता, अस्मत फरोशी, बेहयाई आदि ऐबों को बुनियादी जातीगत विशेषताओं के तौर पर प्रस्तावित और स्थापित करना चाहती है।

अक्करमाशी के नायक का हीनत्व तो वर्णवादी समाजव्यवस्था और नियती ने काफी पहले से रेखांकित कर दिया था। किन्तु उसकी अपनी नियती ने एक और हीनत्व उस पर जबरन थोप दिया था। अर्थात् दो अलग-अलग किस्म की हीनत्व भावों का घटाटोप उसके भीतर "ऑब्सेशन" बन बैठ जाता है, जो आगे उमर के साथ बढ़ता ही चला जाता है, और आखिरकार उसे पर कटे परिन्दे में तब्दील कर देता हैं.... कि इस बीच जिस कथित बाप पर उसका अपना कोई अख्तियार-अधिकार नहीं था, उस बाप का नाम तथा कुलनाम, पाठशाला में दाखिले के दौरान उसे अपने नाम के साथ दर्ज करवाने का प्रसंग उपस्थित हो जाता है। तो उस वक्त वहं बुरी तरह से बौखला उठता है। संतप्त हो जाता है, वह हर्गिज नहीं चाहता कि उसकी पैदाईश को "अनर्थ" बताने वाले कथित बाप का नाम उसके नाम के साथ जोड़ा जाये। वह भरसक विरोध जताता है, विद्रोही मुद्रा अख्तियार कर लेता है। यहाँ तक के हेडमास्टर से भी जा भिड़ता है। प्रतिवाद करता है। पर तब किसी भोसले नामक अध्यापक को बीच बचाव करते हुए नियम और कायदे के मुताबिक उसे कड़वा सच बताना पड़ा कि "इस लड़के का बाप कौन है?" इसकी माँ बता देगी उसका नाम! और मैं, वही नाम रोज़ाना के हाजिरी पुस्तक में दर्ज करूंगा। (पृ. 37) इस प्रसंग के बाद औपचारिक तौर पर लेखक को बाप का नाम मिला ज़रूर, लेकिन हाड़-माँस का बना सच्चा साकार बाप कभी नहीं मिल सका। बाप की कमी का एहसास उसे तो शायद ताउम्र खलता-सालता रह सकता है। पर वह इस बात के लिए हमेशा आक्रोश करता, तड़पता रह सकता है कि "बाप अपने बाप-दादाओं के पुश्तैनी बाड़े में चैन से रहता हैं।" माँ झुग्गी-झोपड़ी में और मैं रास्ते-चौराहें पर! आखिरकार मेरी मौत कहाँ पर होगी? कहाँ पर मैं इत्मीनान को ज़िंदगी जी सकूँगा? मेरी अपनी जड़े निश्चित रूप से कहाँ पर है? (पृ. 51) जाहिर है कि अनवरत तलाश के बावजूद, शरणकुमार अपनी जड़ों को तलाश नहीं पाता, फिर भी उसकी जड़ों की तलाश जारी हैं। निरंतर जारी भी रह सकती है और तब तक कि जब तक उसे कहीं कोई मौरूसी ज़मीन या फिर कहीं कोई निन्चित ठोर-ठीकाना प्राप्त नहीं हो पाता। क्योंकि कहीं-न-कहीं मौरूसी ज़मीन या स्थाई ठौर उपलब्ध हुए बिना आदमी हो या पेड़ सही मयानों में किसी की भी जड़ों का पोषण तथा ज़मीन के

भीतर गहरे तक की पैठ कतई संभव नहीं हो पाती। अर्थात् जड़े किसी राह-चौराहे पर या अस्थाई ठौर विशेष पर लाख कोशिशों के बावजूद हर्गिज पनपाई नहीं जा सकती। अतः आत्मकथा लेखक के जहन में स्वाभाविक तौर पर यह सवाल पैदा होता है कि उसकी इस बेगरज तथा मौजूदा जलावतनी की अवस्था के लिए मुख्यतः जिम्मेदार कौन है? जवाब उभर आता है। जन्मदायिनी माँ उसकी अपनी जन्मदायिनी माँ? पर सच तो यह था कि उस जन्मदायिनी की मोह-ममता, लाड-दुलार इनमें से कुछ भी तो उसके हिस्से में नहीं आया, सभी लिहाजा वह तिलमिलाकर यह कहने के लिए मजबूर है कि "मुझ अभागे को माँ का प्यार-दुलार कुछ भी नहीं मिल सका। सच कहूँ तो वह मेरी पूरी माँ कतई नहीं है। वह है मेरी आधी माँ आधी पाटिल की हमबिस्तर औरत? मगर उसने क्यों कर किया होगा-व्याभिचार? (पृ.53) लेखक के दिलों-दिमाग में यह प्रश्न हरवक्त कचोटते, हलचल मचाये रहता तो होगा ही-किन्तु अपनी पैदाईश को माँ के व्याभिचार मात्र का फलित समझ माँ के प्रति उसके भीतर जुगुप्सा की भावना, बढ़ती उम्र के साथ गहराती चली जाती है यहाँ तक कि उसके फाहिशापन का इंतकाम लेने का वाहिशाना विचार भी, मन में उबलते जहर की तरह उफनाता रहता है. मगर ऐसी मानसिक स्थिति में किसी औरत का इंतकाम लेने के लिए कोई बेसब्र -बेचैन व्यक्ति सिवा जबरी बालात्कार या फिर कत्ल के दूसरा और कौन-सा वाजिब गैरवाजिब और उसके अशांत-मानस को तसल्ली बक्शनेवाला तरीका अपना सकता है? उसके इंतकाम के और क्या तरीके हो सकते हैं? चूंकि वह सब कुछ केवल जानता -समझता ही नहीं, बल्कि मसाई को यकीनन अपनी जन्मदायिनी माँ की सूरत में स्वीकार भी करता है. लेकिन साथ ही वह एक कुलटा तथा फाहिशा औरत भी हैं इस सच्चाई को कदापि अविस्मृत नहीं कर पाता। तभी तो वह इंसानियत के धरातल से फिसलकर किसी कामांध के स्तर पर उतर कर निर्लज्ज तथा बेगुमान हो पुछता हैं कि, "ऐसी व्याभिचारी औरत का क्यों न मैं हमबिस्तर बनुं? (पृ. 53) असल में इस तरह के विकृत तथा फूहड़ सवाल की जवाबदेही की उसकी आक्रोश से जन्य मांग, उसके मन के भीतर पैदा "इड़ियस कॉम्प्लैक्स "की व्यक्त परिणती कही जा सकती हैं यही नहीं बल्कि उसे होश लेने से लेकर जिस पारिवारिक-परिवेश और जिन स्थिति- परिस्थितियों के बीच पलते-पकते हुए रहना पड़ा, उस प्रतिकूल वातावरण का भी यह परिणाम होना सहज संभव है लेकिन इस विकृत "ईडियस ग्रंथी" की वजह से ही उसके मन में जन्मदायिनी से इंतकाम लेने की आग धधक उठती होगी और उसे अक्सर विवेकहीन बन जाने पर उकसाती रहती होगी. इससे इंनकार नहीं किया जा सकता पर आखिरकार उसकी इस तरह की विवेकहीनता पर विवेक मात रग जाता है, और अंतिम रूप से स्पष्ट हो जाता है कि भाव-भावनाओं के उद्दाम आवेग की अपेक्षा विवेक कहीं ज़्यादा ही संभावनागर्भीत योग्यता है यो, लेकर विवेकहीनता पर विवेक कब तथा किस मानसिक -स्थिति-अवस्था में मात खाता हैं, इसे लेकर तथा इसके औचित्य-अनौचित्य के नीतिशास्त्रीय सिद्धांत पर लंबी बहस

की जा सकती है. पर उसे हम यहाँ गैर ज़रूरी मान खारीज कर देना उचित समझते हैं. मगर लेख अपने भीतर रफ्त-रफ्त विवेक की प्रगाढ़ता के बाद निहायत ठण्डे दिमाग से इन निर्णय की तरफ़ बढ़ने लगता है कि उसकी माँ की तरह ऐसी सैकड़ों बदकिस्मत और बेबस औरतें समाज में मौजूद हैं, जो परिस्थितियों की बली चढ़ जाना यानी अपनी अस्मत-इज़्ज़त, आबरू सब कुछ दांव पर लगाकर "फाहिशा" की ज़िन्दगी गुजारना मंजूर कर लेती हैं. उनकी सोच के सीमित दायरे में केवल यही ख्याल अहंम् होता है कि, "जीना-बिना कुछ नहीं, महज़ पेट की खातिर जीया जाता हैं चाहे फिर अस्मत-इज़्ज़त बेच देनी पड़े या "फाहिशा औरत" की बदनामी झेलनी पड़े!" किसी मुजस्सिम दलित औरत की जीवन विषय धारणाओं, उसके प्रश्नों और चिंताओं की स्वीकारोक्ति ही नहीं, बल्कि विशिष्ठ समय में लिए गए उनके फैसलों की यथार्थ अभिव्यक्ति भी हैं। लेकिन, तभी अनायास लेखक की सोचसमझ में बदलाव आने लगता हैं उसे बेहद अफसोस होने लगता है, " इस पापी पेट से परे एक ज़िन्दगी और भी होती है शायद,.शायद रोटी से परे एक और भी जीवन होता होगा, जो गांव-खेड़ों की सरहदों से हटकर बसने वाले बहिष्कृतों के हिस्से कभी नहीं आ पाया। (पृ.53) लेखक का यह खेद-मलाल हमें अस्वस्थ ज़रूर बना देता है मगर यह खेद मलाल केवल यहीं तक समिति नहीं रहा जाता, वरन् इससे तिलमिला कर वह स्थापित व्यवस्था और उसकी संस्कृति की जर्राही कर देना चाहता है. मौजूदा सड़ी-गली समाज व्यवस्था ने ही उसकी जन्मदायिनी माँ को किसी कामांध की रखैल बनने पर मजबूर किया है उसे पूरा यकीन हो जाता है और तब वह बेचैन और संतप्त हो उठता है, खास तौर पर जब उसे "रखैल" शब्द का सही अर्थबोध हो जाता है, तो वह बिनधास् ढंग से कह देता है 'सच' इस 'रखैल' शब्द के मूल में कितना जहर घोल कर रख दिया है? पर इस अकेले शब्द भर के पीछे एक व्याभिचारी योनी खड़ी हैं मानों हर किसी को इशारा करती हुई सी पर इस योनी के प्रचण्ड महाद्वारे से कौन प्रवेश करना चाहेगा? (पृ 49) उसका यह खेदजन्य दमबलब आक्रोश जब-तब अपनी हदें तोड़ फूट पड़ता है और उसके अंतस में दबी पड़ी इंतकाम की प्रखरतम भावना भी जब-तब उफन आती है पर... उसे लगने लगता है कि काका (हणमंता लिंबाले) कभी-न-कभी ज़रूर मुझे अपनायेगा। हो-न-हो वह मेरा जन्मदाता बाप है उसकी निगाहों में, मैं भले ही कुलदीपक, नूरेचश्म या लख्ते-जिगर नहीं हूँ. पर वह मेरे अपने वजूद को कैसे नकार सकता है? अत: कभी-न-कभी वह ज़रूर मुझे अपनी जन्मदाता बाप वाली निगाहों से देखेंगा ही!... कि तभी अगले ही पल उउसका मन उसे धिक्कार उठता है, वह कैसा मेरा बाप है। वह तो मेरी आम्मा का एक उपभोक्ता, भर है। यानी उसे काका किसी भी सूरत में जन्मदाता-बाप नहीं लगता। अत: वह काका पर खुब ताब खाता, हाथ मलता रह जाता है. मगर आगे चल कर उसकी इस विवशता और बेबसी की परिणती इस घृणित तथा विकृत ख्याल में हो जाती हैं कि वह पैशाचिक कामांध के लहजे में कह देता है "कभीकभार लगता है मैं भी काका की माँ पर बलात्कार करूं।"

तात्पर्य यह है कि इस तरह के विकृत ख्यालों के रूप में उसकी इंतकाम की दमित भावनाएं समय-समय पर प्रकट होती रही हैं.

लेकिन जब कोई व्यक्ति किसी अन्य के प्रति इस तरह से घृणा या इर्षा इंतकाम की संभावित सीमाएं तोड़ने लगता हैं तब जाहिर है कि उसके किसी प्रश्न-विशेष की गंभीरता अपने चरम तक पहुँची हुई नहीं होती पर स्वयं ही वह व्यक्ति अपने स्वयं ही से तिरस्कार ज़रूर करने लग जाता हैं और फिर धीरे-धीरे बेहद गंभीर स्थितियों की गिरफ्त में घिरता चला जाता है. आत्मकथा लेख की पहचान (आयडेंटिटी) के प्रश्नों ने कुछ इसी प्रकार से गंभीर स्वरूप अख्तियार किया हुआ दिखाई देता है, इसीलिए उसे शायद अपने जिस्म में जहर की तहर उफनाता-उबलता हुआ लगता है कि किसी व्याभिचारी औरत और कामांध मर्द के रक्त-संकर से निर्मित, "संकरित" किस्म का रक्त हैं, और वह विशुद्ध तो कतई नहीं है उसकी यह धारणा दृढ़ बन उसके भीतर पैठने लगती हैं यह तो वह इस सोच में पड़ जाता है कि अपने जिस्मों जान से संकरित तथा नापाक ख़ून कैसे निचोड़ लिया जाए? उस समय उसका आक्रोश गगन-भेदी स्वरूप धार लेता है "मेरे जिस्म की रंग-रंग में किसी सवर्ण का नापाक ख़ून तेजी से दोड़ रहा है नीचे से ऊपर तक क्या, मेरे जिस्मों-जान से यह सारा खराब ख़ून निचोड़ा नहीं जा सकेगा? क्योंकि इसी रक्त संकर की बदौलत तमाम बेनसीब बहिष्कृतों की भी है और कमोबेश वही मेरी ज़िन्दगी है। गांव के इन ज़मींदारों के बाड़े-हवेलियों की खरोचों से में लुहूलुहान और घायल हो गया हूँ (पृ 67) यहाँ एक दफा फिर से हमें अमरिकन निग्रों की "पहचान" का प्रश्न बरबस याद आ जाना स्वाभाविक लगता है निग्रों के समाने भी यही अहंम मुद्दा है कि उनके जिस्म में दौड़ नेवाला श्वेत रक्त निचोड़ कर बाहर कैसे निकाल कर फेंद दें? श्वेत बाप तो निकट फटकने तक की इजाजत नहीं देता,उसके घर में कदम रखना तो उसके लिए दूर की बात है लेकिन सच तो यह हैं कि श्वेतों की पश्चिमी तहजीब ने ही उसे नकारा है और इसीलिए उसकी अपनी कोई अस्मिता नहीं है, अत: इस बात का बूरी तरह से खलने वाला एहसास निग्रों का सामूहिक या कहना होगा-सार्वजनीन एहसास है जबकि शरण कुमार के एहसास का स्वरूप नितांत व्यक्तिगत होने के बावजूद-अमूमन एक समान है निग्रों के श्वेत बाप की तरह हणमंता लिंबाले भी सच नकार कर यथार्थ से मुँह फेर कर चलने वालाएक बदर खलाक और घोर अवसर वादी व्यक्ती है गर वह खुलेआम मसाई को स्वीकार कर खुद ही बोयें बीज के फलित को अपने वास्तविक रूप में स्वीकारने से इनकार न कर देता, और अगर वर्ण-श्रेष्टता, वंशकुलिनता तथा प्रचलित मान्यता जैसे अवरोधों को दूर कर केवल जिस्मानी संबंधों को विशुद्ध मानवीयता की दृष्टि से देखने की कोशिश करता, तो शायद समाज परिवर्तन की दिशा में वह एक क्रांतिकारी पहल साबित हो जाती, यही नहीं, बल्कि आत्मकथा नायक की अन्तर्वेदना से सराबोन-निराश, हातोत्साहित तथा बेचैन बेनसीब ज़िन्दगी को एक नया मोड़ मिल जाता और इस स्थिति में समूची सड़ी-गली समाज

व्यवस्थाके खिलाफ संघर्षरत रहने में संभवत: उसे कुछ ज़रूरी ऊर्जा हासिल हो पाती मगर,लेखक इसकदर बदकिस्मती का मारा है कि स्थापित व्यवस्थ और ज़िन्दगी के ठोस यथार्थ से लुहलुहान होने के बावजूद उसके जीवन का मार्गक्रमण जारी है इस मार्ग क्रमण में भाई-बहन, सगोत्र तथा अन्य नाते-रिश्तेदारों से उसकी वाकफीयत ज़रूर है पर इनसे वह पूरी तरह से वैयक्तिक तौर पर वाकिफ नहीं है अत: इस बात का उसे बेहद मलाल है उसके लिए यह स्वीकारना लाजिमा हो जाता है कि, "यह सफर ही कुछ ऐसा है कि हमारी आँखों पर पट्टियाँ बांध दी गई है। सो हम भटक रहे हैं- धृतराष्ट् और गांधारी की तरह, कर्ण और कुंती की तरह, एकलव्य और अश्वत्थामा की तरह...! रणभूमि पर पिता, काका, भाई-बहन और माँ आदि सभी सब कुछ जानते हुए भी हम लड़ रहे है अपने आपसे ही, शत्रु समझकर क्योंकि हम सब की संचालित करने वाली डोरिया नीयति के हाथों में सिपुर्द हैं हालाँकि हम सब पूरी तरह से हार चुके हैं मगर फिर भी लड़ रहे हैं, फिर से एक बार पराभूत होने के लिए केवल, शरण्य स्वीकारने की नौबत आने न पाये इसलिए...! (पृ.75) कहना होगा कि आत्मकथा लेखक की यह स्वीकारोक्ती अपनी व्यक्तिगत हार का इकबाली बयान नहीं है बल्कि वैयक्तिक जीवन में बार-बार की घनघोर नाकामी के बाद अपनी बौद्धिक श्रेष्ठता साबित करने की दिशा में यह एक सशक्त पहल है कि वह किसी भी सूरत में शरण्य स्वीकार करने के पक्ष में नहीं है, अर्थात पारिवारिक तथा सामाजिक जीवन में वैयष्ठि्य पराजय के बाद भीतर कहीं यह बोध और कचोट बने रहना बहुत स्वाभाविक है कि जो बाहरी शक्ति से नहीं हो सकता, उसे बुद्धि और समझ से भी किया जा सकता है, यह सच लेखक की उक्त स्वीकारोक्ती से मुखर हो जाता है वास्तव में लेखक की समझ बुद्धि या वकूफ का ही यह परिणाम या फल कहा जाना चाहिए कि उसने अपनी कुल जमा पच्चीस साल की छोटी-सी ज़िन्दगी में एक संघर्षशील रचनाधर्मी लेखक की हैसियत से अलग-थलग जिस वैशिष्ये पूर्ण " पहचान" या अस्मिता का निर्माण किया, नि-संदेह गौर करने लायक है और संभवत: यहीं पर "अक्करमाशी" पूर्ववर्ती दलित आत्मकथाओं से लक्ष्य से स्तर पर ही एकदम अलग नहीं हो गई है बल्कि नायक के संघर्ष को ' मिथकीय प्रतिमा-परिणाम' प्राप्त हो जाने के फलस्वरूप अपनी बुलंदियों पर जा पहुँची है और इस सच्चाई से कदापि इनकार नहीं किया जा सकता।

मनुवादी समाज व्यवस्था से बहिष्कृत, बेदखल तथा ऊपर से 'अक्करमाशी' के हीनता बोधक संबोधन से वाकिफ आत्मकथानायक, तमाम प्रतिकूल स्थितियों के बावजूद आधिकारिक आत्मविश्वास के साथ शिक्षित होने का उपक्रम जिस जद्दोजहद से जारी रखता है- वह नि-संदेह प्रशंसनीय है आगे शिक्षा ही की बदौलत उसे सतत संघर्षरत रहने की प्रेरणा प्राप्त होनी गई और शिक्षा ही के कारण जगे आत्मविश्वास के कारण वह अपने स्वाभिमान को बरकरार रखने में सफल रहा. अत: लेखक को कुबूलना पड़ता है कि, **"स्वाभिमान ही अलौकिक ताक़त हैं"** अर्थात उसके भीतर के इस मानसिक परिवर्तन का

सारा श्रेय लेखक अत्यंत मनः पूर्वक डॉ: बाबा साहेब आंबेडकर को देता है क्योंकि, आंबेडकर रूपी प्रदीप्त सम सामायिक विचारनीय से ही उस जैसे अनेक दलित तथ अस्पृश्य युवा शिक्षा प्राप्त कर अपनी जीवन-मशाल जला सके. यह अपने दौर की एक महत्वपूर्ण सच्चाई है यही वजह है कि डॉ. आंबेडकर के प्रति कृतज्ञता व्यक्त करने से लेखक स्वयं को रोक नहीं पाना अत: तहेदिल से वह कहना है, " बाबासाहेब का बूत दिखते ही मुझे अकसर सात जन्मों की माँ मिल जाने जैसा एहसास हो जाता हैं (पृ. 79) यहाँ तक ही वह अपने आप में एक अभूतपूर्व परिवर्तन अनुभव करता है और मन तथा विचार विद्रोही मुद्रा धारने लगते है लिहाजा बाद के दौर में स्थापित समाज व्यवस्था के खिलाफं लड़ने-भिड़ने का कारगर विचार उसके दिलों-दिमाग में पनपते-पकते चला जाता है विशेषतः सातवें दशक से शुरू हुए दलित आंदोलन की नयी रणनीतियों तथा "दलित पैंथर" जैसे लड़ाकू संगठन के उभार से ज़िन्दगी की नयी राहों परचल निकलने का अवसर भी मिल सका, "मेरी रंगों में व्याप्त ख़ून से खींच एक और आंदोलन फलफूल रहा था, गर्भस्थ किसी भ्रूण की तरह मेरे ख़ून से सींचे आंदोलन के अंकुर सूरज की भाँति काफी तेजस्वी थे। (पृ. 84) वास्वत में कहना यह होगा कि दलित आंदोल की जबरदस्त शुरूआत ने लेखक का न केवल कायाकल्प कर दिया था वरन् अंतरंग में एक युग का बीजारोपण भी कर दिया था. इसीलिए वह कहता है, "दलित साहित्य की विराट शक्ति मुझे अभिभूत कर गई थी और मैं आंबेडकर के तत्व विचारों से जैसे सुलग उठा था। क्रांति को महानता के सम्मोहक सपने देखने लगा था।" (पृ. 85) मगर जैसी कि हमेशा से होता आया है- यथार्थ में कठोरता की जाँच से सपने मोम की तरह पिघल जाते हैं लेखक ने खुद भी इसे स्वीकारा है 'कठोर वास्तविकता के सामने क्रांतिकारी जुबा भी लड़खड़ा जाती है।" (पृ.85) यही कारण है कि " मराठवाड़ा विद्यापीठ के नामांतर आंदोलन की सरगरमीयों के दौरान, अहमदपुर जैसे एक कस्बाई शहर में उस पर अपनी जाति को छिपाने तक की नौबात आ पहुँची थी. फिर भी इस तरह के कडुवाहट भरे घटना प्रसंगों से अलहदा तथा अप्रभावित आत्मकथा नायक आगे अपने जीवन में समाज की नब्ज पहचानने का और समूची समाज व्यवस्था के बौखला देने वाले, अस्वस्थ करा देने वाले सवाल पूछने का काबिले दाद हौसला भी रखता है और यह बात उसकी ज़िन्दगी की एक महत्वपूर्ण उपलब्धि मानी जा सकती है, असल में समय की ज़रूरत के मुताबिक समाज तथा व्यवस्था विशेष की नब्ज पहचानना या ऐतिहासिक आवश्यकता को अनुभाव करना एक ऐसा लेखकीय दायित्व है जिसे विगत तथा आगत के बहुत कम दलित लेखकों ने समझा पहचाना है इसे समकालीन मराठी दलित कविता में कुछ कवियों ने समझा भी है या इस दिशा में कुछ कोशिश भी की है तो केवल कुछ विशिष्ठ तेवरों या मुद्राओं की हद तक ही है।

लेकिन यह कहना लाजिमी लगता है कि समय और समाज की नब्ज पहचान ने

में समक्ष लेखक का हृदय मानवीय दु:ख दर्दों से सराबोर है, यानी "मानवतावाद ही उसका सच्चा धर्म है अत: भविष्यतकालीन समाज का निर्माण विशुद्ध मनवाता के धरातल पर ही हो, इसके लिए वह अपनी ओर से आग्रहशील है उसकी यह सोच बिल्कुल दुरुस्त है कि प्रतिकूल परिस्थितियों तथा खामी-खूबियों के बावजूद हर इंसान का स्वीकार केवल इंसान के तौर पर ही किया जाना चाहिए यानी वर्ण-धर्म सम्प्रदाय जाति तथा कुल-खानदान आदि गैर ज़रूरी बातों को खारिज कर इंसान का केवल इंसान के रूप में अस्तित्व बरकरार रखना तथा रहना चाहिए। मगर आत्मकथा लेखक को इस बात का अफसोस है कि समाज तथा स्थापित व्यवस्था इंसानी वजूद से वर्ण,धर्म, सम्प्रदाय जैसे मुद्दों को अनावश्यक ज़्यादा अहमितयत देकर इन्हीं के बलबूते इंसान को गुणा और भाग देती है। लेकिन इस गणिती गुणा-भाग की रीति या प्रणाली का अंतिम निर्णायक फलित, समाज को विभाजन-विघटन या अकुंचन के अलावा कुछ और को पाना संभव नहीं है।

दरअसल, अगर हम इस बात को सही मानकर चलें कि मनुष्य जीवन सदियों पूर्व से किसी अनबुझी पहेली की तरह एक बेहद जटिल प्रक्रिया मात्र बना रहा है, और जीवन की जटिलता को अंकगणित की किसी विशिष्ठ प्रणाली या पद्धति से हल किया जाना कतई संभव नहीं हैं, बल्कि उसके संतोषप्रद हल के लिए हमें बीजगणित की रीति का अवलंब करना ज़्यादा सही होगा। अर्थात् बीजगणित के भाषाई लहजे में हमें मनुष्य का मनुष्य मात्र के रूप में मूल्य केवल "क्ष" मानकर चलना अवश्यंभावी होगा। अर्थात् बीजगणित के इस चिर-परिचित समीकरण के मुताबिक मनुष्य की ईकाई में उसका चारित्र्य, सोच-विचार, उसका कार्य-कर्त्तव्य, ज्ञान, बुद्धि, सेवावृत्ति आदि अनेकानेक पहलुओं का समावेश करना होगा। तात्पर्य यह है कि समाज तथा व्यवस्था द्वारा प्रस्तावित वर्ण, धर्म, सम्प्रदाय, जाति आदि जैसे घोर सनातन मुद्दों या पहलूओं में से किसी एक को भी मनुष्य का मूल्यांकन मान लेना या निर्धारित कर देना हमारी भारी भूल होगा, और हम मनुष्य का या मनुष्य मा का सही मूल्य निर्धारण करने से चुक जायेंगे। इस संदर्भ में यह बात भी उतनी ही सच है कि माता-पिता द्वारा की गई बदइखलाकी या पापा को किसी निर्दोष के खाते दर्ज करने की कोशिश अमानवीयता की चरम परिणती कहलाएगी। अत: आत्मकथा लेखक का यह आग्रह अपनी जगह सही और वाजिब हैं कि मनुष्य का मूल्य-निर्धारण, केवल मनुष्य के लिहाज तथा नाते ही तय किया जाना चाहिए, और यह भी कि गणिती गुना-भाग या जोड़-घटाने की रीति इस संदर्भ में पूरी तरह से बेकार हैं। लेकिन इस धारणा को समाज मानस में परिपक्व होने के लिए ज़रूरी है- अमूल चूल मूल्यपरिवर्तन! कहना होगा कि लिंबाले की समूची आत्मकथा इसी मूल्य परिवर्तन की जबर्दस्त तरीके से पैरवी करती हैं पर अहम् मसला यह है कि यह मूल्य परिवर्तन संभव कैसे होगा?

यह सच है कि लेखक जिस वातावरण और परिवेश के बीच रहते हुए पला बढ़ा वह किसी भी सूरत में अनुकूल नहीं कहा जा सकता था। फिर भी बावजूद इसके उसने

व्यक्ति की तरह जीवित रहने का संघर्ष, आम अस्पृश्य दलितों की तरह तो किया है, पर साथ में अपनी संवेदनशीलता को भी यत्नपूर्वक बरकरार रखा है। यही नहीं अमानवीयता के चरम सामाजिक परिवेश में रहकर-मानवीय मूल्य भावों को अपने बूते और अपने ढंग से विकसित करने का उपक्रम किया है। यही वजह है कि लेखक की ज़िंदगी में संवेदना और व्यावहारिकता के स्तर पर जिस किसी ने उसकी मदद की सहारा दिया और सवारा भी ऐसे कई व्यक्तियों के प्रति हमेशा के लिए आदर भाव रखना चाहिए। इस बात पर यह दृढ़ है। इसीलिए उसे संतामाय और दादा से बेपनाह मोहब्बत है। संतामाय तो उसकी दादा अम्मा है। मसाई की यानी उसकी अपनी जन्मदायिनी की माँ उसी ने शरण की परवरिश की। हालाँकि मसाई के जन्म के बाद कुछ ही बरसों में संतामाय का पति जहान छोड़ चल बसा था, और फिर उसकी ज़िंदगी में महामुद दस्तगीर बतौर पति शरीक हुआ उसकी भी बीवी मर चुकी थी। शरणकुमार जिसे 'दादा,पुकारता हैं- वह यही सख्श है।' जाति और मजहबी तौर पर सौ फीसदी मुसलमान! मगर संतामाय और महामद दस्तगीर ज़मींदार दोनों जोर-मरद की तरह चैनों-सुकून से ज़िंदगी बसर करते हैं उनके आपसी रिश्तों में मजहब दीवार बनता है न जाति पर दोनों मिलजुल कर शरणकुमार की परवरिश करते हैं। खास तौर पर दादी अम्मा, संतामाय शरण की खातिर जो अपार कष्ट उठाती हैं- वह अपने आप में बेमिसाल हैं। औरतें अक्सर इस भ्रम में रहती है कि कहीं हवा के हलके से झोंके से चिराग लौ बुझ न जाए, इसलिए जिस एहतियात से चिराग को अपने अंचल की ओट में कर लिया करती हैं। ठीक वैसे ही वह शरण कुमार का पालन-पोषण करती हैं। लेखक इसका कृतज्ञतापूर्वक जिक्र करते हुए कहता हैं "संतामाय की आँखों से बहते आँसू मुझे महाकाव्य सरीखे लगते हैं और उसकी एक-एक व्यथा महायुद्ध की चिंगारी जैसी लगती है (पृ. 94) दादा, महामुद दस्तगीर जमादारने तो शरण को पिता का सा प्यार दिया था। अतः उसके प्रति भी लेखक का कृतज्ञता व्यक्त करना सहज स्वाभाविक है। वह कहता है "मुझे दादा जन्म देने वाले पिता जैसा लगता, उसका जाति-धर्म क्या हैं और मेरी अपनी जाति का क्या?" दादा न तो मेरी माँ की तरफ़ का है न बाप की तरफ़ बाबा! पर लगता यही कि हम एक ही रक्त-माँस से बने है। मेरे दादा की मोहब्वत को किसी भी मजहब की रंगो-बू नहीं थीं, (पृ. 47) सच कहें तो शरणकुमार को इस दादा से ही मानवतावाद की दीक्षा हासिल हुई हैं, मगर यह जानकर हैरानी होती है कि एक ही परिवार में अलग-अलग जाति-सम्प्रदाय के व्यक्ति हो सकते हैं, वे सब मिलजुल कर गुजर-बसर कर सकते है और उनमें भी ख़ून का सा रिश्ता हो सकता है!

बहरहाल इस तरह के रिश्तों की छत्रछाया में रहकर तथा अनेक प्रकार की व्यथायातनाओं के भार से बोझील-बेहाल होते हुए भी यथा समय लेखक के व्यक्तिगत जीवन में यौवन सुलभ भावनाएँ भी अंकुरित हो जाती हैं। शेवंता नामक एक हम उम्र युवती से उसका अपार प्रेम, उसके जीवन क्षीतिज पर उभरे किसी सम्मोहक इंद्रधनुष से कम तो

नहीं था, पर शेवंता की किसी अन्य से शादी हुई और इस इंद्रधनुष के तमाम रंग बिखर गये। हालाँकि दोनों ने कभी एक छोटे से कैनवास पर अपने भावी जीवन की बड़ी ही सुंदर तस्वीर बनाई थी, पर......

नि:संदेह लेखक के यौवन सुलभ दौर की यह प्रेम-भंग की कथा, उसे एक और ज़ख्म दे गई थी। किन्तु, लेखक जिस अस्पृश्य-दलित समाज के बीच पला बढ़ा था, उस समाज के भीतरी अंतर्विरोधों से बचपन ही से वाकिफ था। उसने महसूस किया था कि जाति उपजातियों तथा भेदोंपभदों की न जाने कितनी सारी दीवारों ने गाँव-देहातों में बसे दलित समाज में, बल्कि तोरण द्वार के बाहर भी उठ खड़ी हुई, और यही नहीं, बल्कि ऊँच-नीच की संकलपनाओं से दलित-समाज भी बाधित हैं, और इस समाज में भी ग्यारह अक्करमाशी या बारहमाशी की भाषा बोली जाती है। हद तो यह है कि "महारों का पानी माँग जातिवालों के लिए वर्जित हैं और किसी माँग के घर का पानी पी जाने से महार अपवित्र हो जाता हैं यानी यहाँ पानी ही पानी का दुष्मन था।" (पृ. 26) आंम्बेडकर जयंती समारोह के दौरान भी लेखक का इस तरह के ऊँच-नीच से पाला पड़ जाता है और ऐसे समय उसे बड़ी तीव्रता से इस बात का एहसास कचोटता है कि वह सचमुच हल्की और निम्न जाति का है। असल में उसे इस तरह के कई अपमानित करने वाले दु:खद घटना-प्रसंगों से दो चार होना पड़ा था। लेकिन इन दु:खद तथा कटू प्रसंगों की बनिस्बत ही उसे विराट मानवता के दर्शन भी हुए जन्मदायिनी मसामाया के बिठ्ठल कांबले और यशवंता पाटील से स्थापित संबंधों के फलस्वरूप जन्मी सभी लड़के-लड़कियों को वह न केवल अपने सहोदर मानता है बल्कि अपने ही रक्त-माँस से बने सगे भाई-बहन मानता हैं। यही कारण है कि उन सबके शादी-ब्याह की तथा आबाद घर-गृहस्थी की फिक्र उसे सताती रहा करती हैं, क्योंकि 'अक्करमाशी' होने के कारण उसके लगभग सभी भाईयों को काफी दु:ख तथा अवहेलना झेलनी पड़ी थी। वास्तव में स्वयं उसकी अपनी शादी में भी इस न्यूनता के कारण खलल पड़ी थी, पर अंतत: कुन्तुम के साथ घर-गृहस्थी की दुपहियाँ खींचने-चलाने में वह कामयाब रहा।

वैसे भी लेखक ने 'अक्करमाशी में अपनी ज़िंदगी के केवल कुल जमा पच्चीस साल के तमाम उलट-फेरों का लेखा-जोखा पाठकों के सामने पेश किया है, और इस आत्मकथा में ज़रूरी तौर पर उभरे चरित्र-मसाई, हणमंता लिंबाले, यशवंत पाटील, संतामाय, दादा और सभी सहोदर भाई-बहन इनमें से कितने जीवित और मृत हैं-हमें तो पता नहीं, लेकिन आज भी गाहेबगाहे लेखक के पैरों में पड़ी 'अक्करमाशी' पन की न्यूनता की बेड़ियाँ जकड़न पर ज़रूर उतर आती हैं पर अब वह इस जकड़न की परवाह किये बिना आत्मविश्वास के साथ दुनिया के सामने सीना ताने खड़ा हैं, और जीने के लिए जद्दोजहद जारी रखे हुए हैं, मगर यह सब कुछ कौन नहीं करता? जीतने रहने का दूसरा नाम भी शायद यही है। पर मरने के बाद गर फिर से जाति का सवाल कहीं कोई बाधा

टंटा खड़ा कर दें तो क्या होगा? भीतर से वह काफी डरा हुआ है यही नहीं, बल्कि दादा के मामले में भी उसे यही सवाल भयभीत किए हुए हैं कि मरने के बाद उसका क्या होगा? वैसे "अक्करमाशी" कुछ इसी किस्म के भयभीत करने वाले सवालों से अपने समापन पर पहुँचती हैं। मसलन "दादा के मरने के बाद, कौन उसका जनाजा उठायेगा? जनाजे में शरीक होने मुसलमान कैसे आ पायेंगे? और फिर दादा की मैयत में मुसलमान कैसे हाथ बंटा पायेंगे? कहाँ दफना देंगे, दादा को? क्या होगा, दादा की लाश का? काका की लाश का भी तो सवाल हैं- उसे किस समशान ले जाना होगा? और क्या संतामाय मसामाय की मैयत में शामिल होने लोग बाग आ भी पायेंगे कि नहीं? क्यों रचा है- व्यवस्था का यह चक्रव्यू? यह नीति-अनीति किसने निर्माण की हैं? क्यों की है? और अगर मेरी पैदाईश (जन्म) ही यहाँ अनैतिक करार दी जाती होगी तो मैं कहाँ की नीति का पालन करूँ (पृ. 94) यानी सवाल-दर-सवाल लेखक की जवाबदेही की पुरजोर माँग बाआवाज़ें बुलंद होती चली जाती हैं, पर जवाबदेही का दारोमदार जिस किसी पर हैं वहीं लापता है, और तब हम पाते हैं कि 'अक्करमाशी' आत्मकथा शरणकुमार लिंबाले के शुरू पच्चीस साल के जीवनक्रम में एक बेहद त्रासद तथा दु:खद यात्रा-प्रसंग के तौर पर उभरी, दिलदहला देने वाली एक प्रदीर्घ चीख हैं।

आज से करीब बीस-पच्चीस साल पहले जब शरणकुमार लिंबाले की यह आत्मकथा 'अक्करमाशी' छपकर आई थी,तब उसे मराठी दलित आत्मकथा साहित्य के इतिहास में एक अनूठी तथा महत्वपूर्ण कृति के रूप में ख्याति मिली थी और उसने अपने दौर में खूब तहलका मचाया था क्योंकि शरणकुमार लिंबाले नामक एक दलित-लेखक ने 'स्व' के संदर्भ में "सत्य" जिस आत्मविश्वास और निडरत के साथ कथित किया था, वह नागर तहजीब में पली भद्र औलादों के लिए एकदम अकल्पनीय और बेहद कुरूप था। उसके अच्छे-बूरे संभावित अंजामों की परवाह किए बगैर "स्व" के संदर्भ में सत्यकथन को लेखक ने केवल "आत्मकथा"का लिबास पहना दिया है, बल्कि माँस बेचने के वास्ते हलाल किए बकरे की निर्गमता से खाल उधाड़ने वाले कसाई के कौशल की तरह लेखक ने खुद के अलावा, मां-मसाई, हणमंता लिंबाले दादा, काका, संतामाय आदि सभी चरित्रों की चमड़ी उधाड़ कर-उन सबको पाठकों के सामने रख दिया हैं। और सभी के चर्महीन जिस्म मानो गांव के तोरणद्धार पर लटका दिये है मंशा जाहिर है कि तोरणन्दार के बाहरी तथा भीतरी सभी लोग इन्हें देख सकें .उनकी चमड़ी उधाड़ देने से रिसते हुए खून के कतरों को देख यकें......मगर इस तरह की निड़रता और बेबाल -पन पर लेखक की पत्नी कुसुम का भयाकुल होकर यह शंका जाहिर करना कि "यह सब कुछ लिखा लोगों ने पढ़ लिया, तो फिर अपने बच्चों का क्या होगा? कौन स्वीकार करेगा उनको ?(पृ.3) तो उसकी इस जायज शंका पर लेखक का पुनः निर्मम - नि:संग होकर दृढ़तापूर्वक यह बताना कि "हमें यह सब कुछ निर्भय हो कर कह ही देना होगा। और उसके सभी

संभावित परिणामों को भोगने-भुगतने की तैयारी हमें कर ही लेनी चाहिए...।" इसी अटल-अड़िग आत्मविश्वास और निर्धार से प्रेरित होकर शायद शरण ने अपनी आत्मकथा प्रस्तुत की हैं- और यही वह निर्णायक-बिंदु हैं, जो 'अक्करमाशी' का सबसे ताक़तवर बिन्दू साबित होता है।

बाकी समीक्षा की प्रचलित तथा चौखटाबद्ध कसौटियों-प्रवृत्तियों के लिहाज से 'अक्करमाशी' का हर पक्ष मुक्कमल और पूरी तरह से निर्दोष है या नहीं? इस संदर्भ में कोई-सी टिप्पणी उछालने की जरूतर नहीं है लेकिन, महाभारत के मिथकीय-पात्र कर्ण की व्यथा-वेदना की आधुनिक समय तथा समाज-सापेक्ष्य अभिव्यस्ति अर्थात् जिसका जन्म ही अवैध मान उसे 'अक्करमाशी' का हीनताबोधक विशेषण बहाल किया था,उस व्यक्ति के अनुभव क्षेत्रों की अनुपेक्षणीय नवीनता और ताजगी ऐसी कुछ विशेषताएं हैं-जो 'अक्करमाशी' को जलकथाविधा की सार्थकता रेखांकित करने के लिए पर्याप्त है किन्तु आत्मकथा का कथा प्रवाह-लेखक के अतीत से जब वर्तमान में प्रवेश करता है तब उसकी गति काफी धीमी पड़ जाने का एहसास पाठकों को कचोटता ज़रूर है वैसे देखा जाय तो अधिकांश दलित आत्मकथाओं में कम-अधिक मात्रा में यह खामी पायी जाती है. अत: कहा जा सकेगा कि अधिकांश दलित-लेखकों का प्रारंभिक ज़िन्दगी बहुदा गांव देहातों के लभगग तीन-चार दशकों के विशिष्ठ दकियानूसी माहौल में गुजरी हुई होती है और इसी माहौल में भारी मात्रा में दरिद्रतरा या अस्पृश्यता के काफी अमानुष और दाहक जीवनानुभव ही लेखक के जीवन का हिस्सा बने हुए होते हैं मगर शिक्षाक्रम पूरा हो जाने के बाद रोज़गार, नौकरी या किसी व्यावसाय-उद्योगों के सिलसिल में वह अपने सनातनी महौल से निकल कर नागर-तहजीब के पेश नज़र होता हैं, तब उसके आर्थिक-सामाजिक आदि कई तरह के प्रश्न काफी हद तक हल हो चुके होते है. और उस अनुपात में जातीयता, अस्पृश्यता या अवमानना के सदमें उसें शायद काफी कम ही पहुँचा करते हैं, यह और इस जैसी अन्य और भी कुछ वजहें हो सकती हैं-कथा प्रवाह की गति धीमी पड़ जाने की, पर इस दिशा में नये सिरे से खोज ज़रूर हो सकती हैं.

अक्करमाशी में शुरूआती दौर से कालेज-जीवन तक का एक लगभग ढाई-तीन दशकों का कालखंड बेहद प्रभावी तरीके से पेश किया गया है- खास तौर पर कालेज-जीवन में वैचारिक परिवर्तन संबंधी, दलितों के सांस्कृतिक आंदोलन के संदर्भ में दलित-समाज के भीतरी प्रवाह तथा आलोड़न-विलोड़न जैसे अपेक्षित विषयों पर लिखा ज़रूर हैं पर विस्तार की अपेक्षा संक्षेप से काम लिया है। कथा-प्रवाह में कुछ विधानों तथा मुद्दों की पुनरिक्त भी हुई है.मगर फिर भी आत्मकथा में इति से अंत तक शरण कुमार लिंबाले नाम धारी लेखक के कुछ व्यकितत्व पहलू प्रभावी ढंग से व्यकत हुए है. लेखिक द्वारा प्रयुकत कोई-सी समर्पण उपमा, अशयगर्भ रूपक या फिर एकाध मामूली-सा वाकय कयों न हो, मानवी जीवनानुभव को एक गहरी संप्रेषणीयता दे जाती है यानी इस तरह से यह आत्मकथा

विभिन्न कोणों से दलित समाज की और दलित समाज के माध्यम से हमारे समकालीन युग की कहानी वन जाती है। हम सभी के भीतर घर कर गई 'मुनवाद'की वह भीषण सच्चाई है जिसने हमें आज भी खोखला, निस्सत्व और निराश बना दिया है, और इस प्रकार से आत्मकथा के महज़ सौ- सवा-सौ पृष्ठों में लिंबाले ने सवा- हजार पन्नों की बात कहीं है, यह लेखक के कृतित्व का जिसे साहित्यिक भाषा में हम शैली या प्रयोग कहते हैं, का सबसे बड़ा कमाल है. मगर लेखक यह कमाल अपनी आत्मकथा के दूसरे खण्ड "बारहमाशी" में नहीं दिखा सका. पाठक अनुभव करता है कि "बारहमाशी" इस तुलना में खासी हल्की और अपेक्षाकृत प्रभावहीन कृति है। इसका सीधा अर्थ यह हुआ कि कोई संवेदनशील लेखक अन्तर्वेदना, अवमानना, वर्ण श्रेष्ठता, दलितत्व जैसे जाने-पहचाने हथियारों को भांजता हुआ मंच पर बिलावजह कूद पड़ता है. अपने आपको दुहराता है तो वह स्वयं फार्स बन जाता है उसकी नीयत साफ़ तौर पर यह दर्शाती है कि रचनाधर्मिता के नाम पर उसकी ये सारी भागमभाग महज़ अपनी साहित्यिक प्रतिष्ठा में इजाफा करवाने की यह सरकार तथा प्रतिष्ठानों से सम्मान पुरस्कार झटक लेने की निहायत भौंड़ी पर दयनीय कोशिश मात्र है. यानी अपने युग की प्रासंगिकता से छूटकर सोची-समझी योजना के तहत या मोहवश जब कोई लेखक पुराने की पुर्नस्थापना की हिमाकत करता है तो अक्सर हस्यास्पद हो जाता है और तब व्यंग्य रचना कृतियों का जन्म होता है, बस यही बात है जो 'बारहमाशी' में "अक्करमाशी" का पाठक देख सकता है, फिर भी, " अक्करमाशी" आत्मकथा समकालीन मराठी दलित आत्मकथा के क्षेत्र में शरणकुमार अपनी अलग चमक से एक विशिष्ट आत्मकथाकार के रूप में अत्यंत समादृत है यहा अर्थात 'अक्करमाशी, आत्मकथा की समीक्षा के अंत में हम एक बात जोड़ना चाहते है. यानी आत्मकथा ने त्रिगत ढाई-तीन दशकों से पहले जो मूल्य स्थापित करना चाहा था, आज के वर्तमान तनाव और टकराहटों को मुद्देनज़र रखते हुए उसे मराठी के प्रसिद्ध विचारक श्री य.दी. फडके के इन शब्दों में प्रस्तुत करना मुनासिब समझते है, " मौजूदा दौर में यद्यपि किसी भी व्यक्ति को स्वेच्छा मृत्यु का वरण सहज संभव हुआ हो, तथापि अभी तक किसी भी व्यक्ति को स्वेच्छा किसी विशिष्ठ वंश, विशिष्ठ देश अथवा जन्माधिष्ठित जाति-व्यवस्था के जबरदस्त प्रभाववाले भारत जैसे देश में विशिष्ठ जाति-वंश या कुल में जन्म लेना संभव नहीं है, बल्कि असंभव भी है ऐसी हालत में किसी व्यक्ति का विशिष्ठ वंश या जाति में हुआ जन्म, उस व्यक्ति का जिस तरह पराक्रम नहीं कहा जा सकता उसी तरह वह उस व्यक्ति का "अपराध भी नहीं कहा जा सकता" (मूल वंशवादी विरुद्ध उदारमतवादी-य.दि. फडके लेख म.टा. रवि 9 मई 1999 पृ. 5 मराठी-लेख) ऐसे में हमारे सामने कौन-सा विकल्प है? क्या हम इस प्रकार की तमाम स्थितियों से आँखें चुराकर किसी कल्पित, अमानवीय या फिर पुनश्च मनूवादी चौखटाबद्ध व्यवस्था में बद्ध होकर अपने आपको झुठलाये? या इस मानव-विरोधी भ्रष्ट-व्यवस्थाओं को ही अपने अस्तित्व की एकमात्र आधारभूमि

मानकर मनुष्यता की थाती पर से अपना विश्वास ही खो बैठे? अर्थात आज का सारा जीवन-दैम्य, पराजय, कुंठा, विकृति, पाशविकता और राजनीतिक अराजकता के बीच प्रत्यक्ष-अप्रत्यक्ष उभरते हुए 'हिन्दुत्व' के नारों के बावजूद तमाम प्रश्नों का एकमात्र उत्तर हो सकता है मनुष्यता के तत्व की पुनः स्थापना! मनुष्यत्व की रक्षा और उसकी प्रतिष्ठा करता हुआ मनुष्य! और 'अक्करमाशी' भी साहस के साथ यही उद्घोष करती है " सबार ऊपरे मानुघेर सत्य, तुम्हारे ऊपर नाई!" यानी, गीतांजलि के रचियता, प्रथम भारतीय नोवेल पुरस्कार विजेता रविन्द्रनाथ टैगोर की बीती सदी की दमबलब आवाज़ का नया संस्करण....।

अनुवाद- त्र्यंबक महाजन

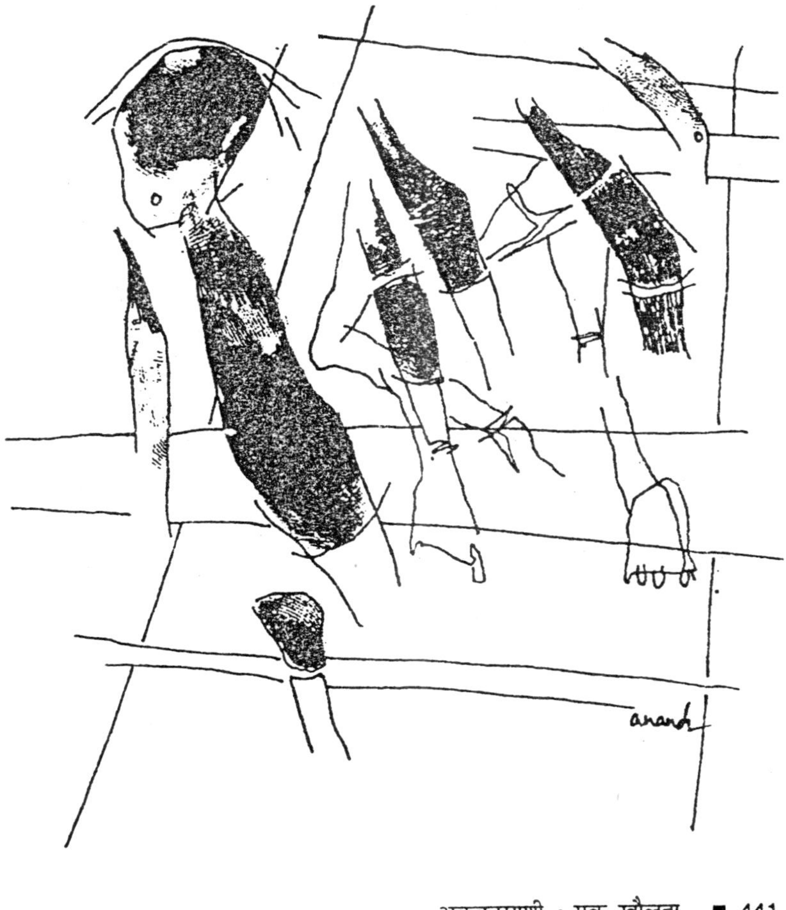

जूताचोर

शरणकुमार लिंबाळे

श्री विट्ठल का वैभव संपन्न मंदिर। पुण्य की माँग करने वालों की भीड़ हररोज़ लगी हुई। फूलमालाएँ, तुलसीपत्र, धूप अगरबत्ती, अबीर-गुलाल आदि चीज़ें बेचकर आजीविका चलानेवाली दूकानें। आस-पास प्रसाद के जुलूस। मनौतियों का जयघोष। दूर-दूर से करतल मृदंग लेकर आने वाले भक्तजन। उनकी पथराई आँखों में भगवान का रूप खिला हुआ। विट्ठल रखुमाई के भक्तिभाव से सम्मोहित सारे भक्तगण। इनकी भक्ति पर विकसित पंडों की पूजा। इस मंदिर का एक अलग ही अर्थशास्त्र, एक अलग ही समाजशास्त्र, एक अलग ही धर्मशास्त्र।

जहाँ की मिट्टी से भी मृदंग की आवाज़ निकलती हो ऐसी यह गूँज उठी नगरी। टाट से सजे हुए लोग। अबीर गुलाल से गदगद माथे। हरिनाम की गर्जना से पुनित कर्णपटल। भाविकों की अपार भीड़ से आँखों को अद्‌भुत तसल्ली। भक्तों की पंक्तियों से आगे बढ़ रही मनौतियाँ। बंदोबस्त करने में परेशान हुए पुलिस की मन में थकाहार विट्ठल। भक्तों को दर्शन करने में जल्दबाज़ी करने वाले पंडों के कलेजे में छिपा हुआ विट्ठल।

फूलमालाओं से भाविकों की निश्चित होने वाली हैसियत। दान की रक़म के अनुसार मिलनेवाला भरपेट आशीर्वाद। इन सब से दूर बह रही चंद्रभागा। तपी हुई रेत के दो किनारों के बीच बह रहे पात्र से कितनी ही पापों की परछाईयाँ बह चुकी है। यह नौका न इस पार है न उस पार। बीच में ही विट्ठल में खो गयी है।

उनके होठों के जयघोषों का दम पानी में घुट रहा है। चंद्रभागा के तल में उन्हें जलसमाधी मिल गयी है। कभी-कभार वे ऊपर तैर आते हैं तुकाराम की गाथा की तरह। लेकिन अब समाचार-पत्रों के समाचार बन गये हैं।

विट्ठल मंदिर के बाहर संत चोखामेला की समाधी। जो बहिष्कृत है उनका यह वारिस। भक्तिमार्ग में सब समान हैं। चोखामेला, सेना नाई, गोरा कुम्हार, सावता माली, जनाबाई, रोहिदास चम्हार आदि के अपूर्व भक्तिभाव के कारण विट्ठल की साँवली सूरत को सामाजिकता का आयाम मिला हुआ है।

विट्ठल किसी के लिए आटा पीसता है, किसी के जानवरों को चराता है, भक्तों के लिए रात दिन मेहनत करने वाला यह भगवान पहाड़ का कलेजा रखता है। मैं चोखामेला की समाधी के पास बैठा हुआ हूँ। चोखा महार विट्ठल का भक्त था। उसकी भक्ती अमर हो गयी। चोखा महार के आदर्श को लेकर गाँव-गाँव में चोखा महार पैदा हो गये। कंधे पर विट्ठल की धुजा लेकर चलने फिरने लगे। अपने-अपने गाँवों से लोग जुलूस बनाकर विठ्ठल नगरी जाने लगे। इस जुलूस को 'वारी' कहा जाता है। विट्ठल की वारी में सभी जातियों के लोग होते हैं। वारी विट्ठल के दरबार में पहुँच जाती है। वारी में शरीक होने वाला 'वारकरी' होता है। अपनी जातपात भूलकर वारकरी विट्ठल को पुकारते हैं। वारी से लौटकर गाँव वापस आते हैं तो फिर अपनी अपनी जाति में कैद हो जाते हैं।

चोखा महार गाँव के बाहर का दलित संत। उसने भी तल्लीनता से विट्ठल की भक्ति की। चोखा महार था फिर भी विट्ठल का लाड़ला भक्त था। चोखा पर विट्ठल का बेहद प्यार था। अपने सभी संतों को बिना किसी भेदभाव के साक्षात्कार करानेवाला विट्ठल अथाह है। "बोलो पुंडलीक वरदा हरि विट्ठल, श्री ज्ञानदेव तुकाराम, पंढरीनाथ महाराज की जय!"

विट्ठल ने मरे हुए मवेशियों को खींचा। मवेशियों को खींचकर ले जाना महारों का काम है। ईमानदारी से यह काम करना चाहिए। कर्त्तव्यनिष्ठा ही भगवान की पूजा है। जानवरों को खींच ले जाना बुरा काम नहीं है। कोई भी काम बुरा नहीं होता। याद आता है, महात्मा गाँधी ने भी पाखाना साफ़ किया था।

हमें अपनी परंपरा से चला आया काम करना चाहिए। इसके साथ भगवान की प्रार्थना भी करना चाहिए। भगवान हमारी सहायता करता है, जानवरों को खींच ले जाता है, कपड़े धो देता है, आटा पीसता है। चोखा महार की भक्ति का आदर्श सामने रखकर मेरे बाप दादाओं ने भी इसी विट्ठल के दरबार में जुहार किया है।

"जोहार मायबाप जोहार
मैं तो संत घर का महार।"

हम विट्ठल के महार थे। संतघर के महार थे। पटेल के महार थे।

जो भी हो यह नगरी पुण्यभूमी है। यहाँ मुक्ति का निवास है। लोगों कैं पाप यहाँ धुल जाते हैं। उनको पुण्य की प्राप्ति हो जाती है। हज़ारों लाखों लोग भगवान की भक्ति में पागल होकर यहाँ आते हैं। मुझे दांडीयात्रा की याद आ जाती है। चुटकी भर नमक के सत्याग्रह ने डेढ सौ वर्षो की थोपी हुई गुलामी के विरोध में स्वाधीनता का आंदोलन छिड़ गया था। मुझे महाड के चवदार तालाब के सत्याग्रह की याद आती है। डॉक्टर बाबासाहब आम्बेंडकर के संकेत पर अंजुलीभर पानी के लिए सत्याग्रह हुआ था, जिसने हज़ारों साल चुपचाप चली आ रही जातिव्यवस्था के विरोध में समता का आंदोलन छेड़ा था। मुझे यह सब जुलूस, वारियाँ, पताकाएँ दिखायी दे रही हैं। अब भी इस राष्ट्र की रात समाप्त नहीं हुई है। फिर भी लाखों लोगों के कष्ट रेत में गले जा रहे हैं।

"अनंत ने रखा है वैसे ही रहना
संतोष को रखना, चित्तमांही।"

विठ्ठल ने मरे हुए मवेशियों को खींचा। डॉ. आम्बेडकर ने कहा, मत खींचों मरे हुए मवेशियों को, और हमारा घर जल गया।

डॉक्टर आम्बेडकर के आंदोलन की प्रेरणा गाँवों बस्तियों तक तूफान की गति से पहुँच चुकी थी। पिछले वर्ष हमारे गाँव में आंबेडकर जयंती मनायी गयी थी। हम सबने हिंदू धर्म का त्याग कर बौद्ध धर्म स्वीकार किया था। महारों की बस्ती का नाम अब 'भीमनगर' बन गया था। सरकारी कामकाजों में अब हमें 'नवबौद्ध' के रूप में पहचाना जाने लगा। अब भी हम गाँव के बाहर ही रहते थे। धर्मान्तर के बावजूद हमारे सिर पर वही छप्पर था। हमारी गरीबी में कुछ भी बदलाव नहीं आया था। लेकिन एक बात सच थी कि हममें पौरुष जाग उठा था।

सुबह का समय था। गाँव में किसी के यहाँ जानवर मर गया था। महारों को उस खींच ले जाने के लिये कहा गया। महारों ने जानवर को खींचने से इन्कार किया और गाँव वालों ने झोपड़ियों को आग लगा दी। इस आग में हमारा भी घर जल गया।

"अब हम बौद्ध हो चुके हैं।"

"तुम्हें बौद्ध बनने के लिये किसने कहा था।"

"हमें गाँव के बाहर रखने के लिए तुम्हें किसने कहा था।"

अब पलटकर सवाल करने की ताक़त हममें आ चुकी थी। चुपचाप थूक झेलने के दिन अब लद चुके थे। हमें आज़ादी मिल गयी थी। अधिकार मिल गये थे। इन्सान की हैसियत मिल गयी थी। लेकिन इस सच्चाई को मानने से इनकार किया जा रहा था इसलिए हमारा घर जल गया। हम ख़ामोश रह गये; क्योंकि रोटी के सवाल का निर्णय होना अभी बाक़ी था।

हमने गाँव छोड़ दिया, घरबार छोड़ दिया। देहातों को छोड़कर हम शहर आ गये।

उम्मीद थी कि यहाँ कानूनी सुरक्षा मिल सकेगी।

सन्त चोखोबा की समाधी जीने का आधार बन गयी। श्रद्धालुजन यहाँ विट्ठलदर्शन के लिए आते हैं। मैं उनके जूते संभालने का काम करता हूँ। फी जोड़ी मुझे पच्चीस पैसे मिल जाते हैं। मैं लोगों को टोकन देता हूँ और उनके जूते संभालता हूँ। भक्तजनों के जूकों की रखवाली करना भी पुण्य का काम है। कुछ भक्तजन मुझसे झगड़ा भी करते हैं। कहीं और अपने जूते छोड़ देते हैं। जब तक उनके जूतों की चोरी नहीं हो जाती तब तक उन्हें मेरी अहमियत का पता नहीं चलेगा।

बचपन में मैं इस मंदिर में आया करता था। किसी अच्छी-सी जूतों की जोड़ी पर घात लगाये बैठता था। मौका मिलते ही उन्हें पहनकर निकल जाया करता था। इस काम में मेरा छोटा भाई मेरी मदद करता था। सूटबूट पहना कोई आदमी आया तो उस पर नज़र रखना। यह देखना कि वह अपने जूते कहाँ उतारता है। उसके मंदिर में जाते ही धीरे से जूतों के पास पहुँच जाना। इधर-उधर देखना और चालाकी से जूते पहनकर ठाट से निकल जाना। बाद में चुराये हुए जूतों को सस्ते दाम पर बेच देना और घर का ख़र्च चलाना। लेकिन अब मैं जूतों की रखवाली का काम कर रहा हूँ।

आषाढ़ की एकादशी पर भक्तों की भीड़ उमड़ती हैं। इन दिनों मेरे कारोबार में बरकत आ गयी है। चार पैसे कमा रहा हूँ। विट्ठल प्रभु की कृपा है। एम.ए., बी.ए. तक पढ़े लोग आज बेरोज़गार हैं। लेकिन मैं कमा रहा हूँ। ईमानदारी से लोगों के जूतों की रखवाली करेंगे और हरि का नाम लेकर ज़िंदगी के दिन गुज़ार देंगे।

कुछ देर बाद पुलिस के सिपाही एक औरत को खींच कर ले आये। वह गर्भवती थी। सिपाही उसे गालियाँ दे रहे थे। वह रो रही थी। उसने किसी का मंगलसूत्र चुराया था। मेले में दो चार चोर भी आते ही हैं। विट्ठल हर एक की फिक्र तो नहीं कर सकता। जेब-क़तरों से सावधान रहना चाहिए। जेबकतरा जेब नहीं काटेगा तो पेट क्या खायेगा। सिपाही मंगलसूत्रों की चोरी करने वाली औरत को मारते-पीटते थाने पर ले गये।

दूसरे दिन लोगों से पता चला कि उसे एक माह की सज़ा हो गयी। वह नौ माह की गर्भवती थी। प्रसूति के लिए कुछ ही दिन बाक़ी थे। उसके न घर था न दर, जचगी होगी तो कहाँ। इसीलिए चोरी के बहाने वह जेल चली गयी। अब उसे ओट मिलेगी, भत्ता मिलेगा, आराम से जचगी होगी।

चींटियों की तरह लोगों की भीड़। शोर गुल से वातावरण अशांत। हवा में अबीर गुलाल की धूल। करतल मृदंग के ताल पर वारकरी नाच रहे हैं। हरिनाम के घोष से मन उल्लसित हो गया था। मानव मन का पशु पलायन कर गया था। मानव परमात्मा स्वरूप बन गया था।

"अजी, माँजी, जूते यहाँ छोड़ जाइए।"

"कितने पैसे लेगा?"

"पच्चीस।"

"नहीं चाहिए। हम कहीं और रख लेंगे।"

कोई इनके जूते चुराये तो अच्छा होगा।

मैं लोगों के जूते ले रहा था। उनको टोकन दे रहा था। टोकन लेकर लोगों को उनके जूते लौटा रहा था। कारोबार अच्छा चल रहा था। अकेले के लिए इतने सारे जूतों की रखवाली करना मुश्किल हो रहा था। सुबह से कुछ खाया नहीं था। दुपहरी बीत रही थी। माँ खाना लेकर अभी तक नहीं आयी थी। थोड़ी-देर के लिए बाप यहाँ बैठ जाता तो मैं खाना खा कर आ जाता। लेकिन मुझे भूखा रखकर बाप इन वारकरियों के बीच भटक रहा है। क़ीर्तन में रम गया है। घर से अधिक उसे मेले की फिक्र है।

कुछ देर बाद सिपाही एक आदमी को पकड़ कर ले आये। वे उसे पीट रहे थे। जूता चोर कह रहे थे। वह आदमी मेरा बाप था। मेरे होश उड़ गये। कुछ भी समझ में नहीं आ रहा था। आवेश में मैं अपने पास के सारे जूते उठाकर मार रहा था। भक्तजनों की भीड़ भौंचक होकर देख रही थी। मैं बेकाबू हो गया था।

सुयोग कुँज, समर्थ नगर
नई सांगवी, पुणे-411027
मराठी से अनुवाद-निशिकांत ठकार

झूम

डॉ. कुमार अनिल

"फोर्टी वन बाय थ्री टेक वन!"

सूर्यास्त का समय। ढलता सूरज भी कुछ थका-थका सा। स्तब्ध शूटिंग के लिए केमेरा क्रेन पर, टॉप अंगल फुलवाईडमें

"एक्शन!"

चिपचिपे, थकान से चूर लोग सूखे पैर खींचते चलते आ रहे थे। सूर्यास्त से लंबी होती हुई उनकी छाया, एक दूसरे में घुलती-मिलती। उनकी दबी सांसे।

धीरे-धीरे केमेरा क्रेन के साथ नीचे आता है। क्रेन दांये तरफ़ घूमती है। फ्रेम में दिखायी देने वाले काले साँवले रंग के लोग सूर्यास्त के पीले रंग में सॅल्यूट में दिख रहे थे।

अस्तित्वहीन चेहरे, अस्पष्ट-सा शरीर का आकार, धीमी गति से आगे-आगे सरकने वाली क्रेन धुंधले साफ़ चेहरों का आकार पकड़ते हुए भीड़ पार कर आगे आती है। भीड़ को अपने में समा लेने वाला केमेरा धीरे-से घुमने वाले झूम के साथ क्लोज में आता है। कॅमेरे में दो धुंधले चेहरे समा जाते हैं। वाईड का झूम हो चुका है। आख़री फ्रेम को कंपोझिट होता है। एक ही क्षण में फिक्स फ्रेम से चेहरे पर चेचक के दाग़वाला चेहरा आऊटब्लॉक होता है। धुंधली सी शाम।

"ओ के फॉर मी!"

"बट सर आय वॉन्ट वन सेफ्टी फॉर क्रेन!"

"अंड केमेरा!"

"अब क्या हुआ?"

"स्लाईट जर्क!"

"ओ शट भाई साब! थोड़ा क्रेन पर ठीक से ध्यान देना!"

"जल्दी करो, सनसेट से पहले शॉट होना मंगता!"

"चलो मॉब!"

सुस्त हालत में कुछ तेज़ी आयी।

"शांताबाई आपका मॉब उधर लो।"

"और देखो, तुम बहुत थके हुए निढांल हो चुके हो ऐसा आने दो। अँज अ रियल लाईफ। बिल्कुल मार खाये हुए दलितों के जैसा। चलो रेडी?"

"यस वी आर रेडी सर विथ क्रेन अंड केमेरा।"

"ये देखों, धीरे-धीरे मॉब पास होने लगा कि टिलडाऊन होने का। क्रेन आगे जायेगी और राईट मूव्ह होगा। इसी बीच मॉब आऊट हो चुका होगा। ओ.के.? और तुम क्लोज पे जाना।"

"एक्शन"

बहुत ही निढालसा मॉब।

सूरज पहाड़ के पीछे झुकासा। सिंदूरी, पीली छटाओं के बीच का जल की घनी लपट छा चुकी थी।

केमेरे एकसपोज़ होती हुई इस्टमनकलर सेव्हन टू फोर एट।

घर घराती आवाज़।

"कट ईट!"

"ओ.के. फॉर मी!"

"बोथ प्रिंट!"

चेचक के दागवाला चेहरा काफ़ी देर तक केमेरे के सामने।

काफ़ी चेहरे एक दुसरे में धुले मिले।

चालीस लोगों का मॉब आ चुका था। अपने वक्त में, बिल्कुल पाँच बजे हाज़िर। इतना बड़ा मॉब प्रोड्यूसर के आँखों में चुभने लगा। प्रोड्यूसर कुछ परेशान सा। ब्रीफकेस से, पाउचपर और पाऊच से हाथ हिलाते आते-जाते वह कुछ सोच अनुभव में।

"इससे सस्ता मॉब नहीं है क्या?" चालीस लोग एक के पच्चीस रुपये हिसाब महँगा पड़ रहा था।

"यही सस्ता है झोपड़पट्टी क्लास का मॉब। इससे अच्छा पचास रुपये का भी है।

वह सूट-बूट में रहते हैं। केवल भीड़ और डायलॉग के लिए फर्क है। डायलॉग के लिए अलग से पैसे और आगे ज्यूनि, आर्टिस्ट के अलग रेट।"

"लेकीन ये भी बहुत है।"

"साब आप सोचो ये शूटींग हम बंबई करते तो? कोल्हापुर में है इसलिये फ़ायदा है। इधर मॉब खुद का खाना भी लाता है।"

प्रोड्यूसर ने पेड़ के नीचे चबुतरे पर बेठे मॉब की तरफ़ देखा। प्रोड्यूसर के आँखों के सामने आज की नाईट थी। शूटिंग दिन में दो बजे से शुरू हो चुकी थी। रात काफ़ी देर तक चलेगी।

"डेढ शिफ्ट तक मॉब को मत बिठाओ, काम होते ही हकेल देना।" फिर प्रोड्यूसर निकल गया।

मेनेजर साऊंड रेकॉर्डीस्ट की भाषा में– "साला इस्टमन कलर मनहूस असिस्टंट मेनेजर इसके बाप ने रखा है क्या सब कुछ फायदे का?"

"और उस कांबले बाई को बोलो, यह प्रोड्यूसर कैसे पीछे हटता है। ऊपर से वह कहती है, दाढ़ा और चार लोग उस लिस्ट में डालो।"

"वह अपने साथ सभी की रोटी सेंकना चाहती है।"

"अरे, लेकिन आगे मॉब का सीन ही काट डाला स्क्रिप्ट से तो क्या पाओगे?"

थकासा मॉब, अंधेरे में चबुतरे पर उंघता हुआ।

शांताबाई कांबले प्रॉडक्शन मेनेजर दादारराव के पास आयी। दादाराव ब्रीफकेस को संभाले हुए।

"दादा लोगों को कब तक बैठाये रखने का?"

"तुमको अभी समय है, एक बजे तक बोलेगा कहते हैं। तब तक सुस्ता लो फिर मैं लड़के को भेजता हूँ।"

शांताबाई चबुतरे के तरफ़ देखती है। अंधेरे पेड़ के झुके हुए पत्तों जैसे लोग। वह चबुतरे के तरफ़ आती है। काफ़ी समय बाद दादाराव घड़ी में देखता है। साड़े बारा बज चुके थे। वह एकदम उठ खड़ा हुआ और असिस्टेंट डायरेक्टर को एक तरफ़ लेकर बोला,

"क्या है दादा?"

"उस मॉब को कितनी देर रोकने का। क्योंकि एक बजे के बाद दुसरी शिफ्ट शुरू होगी।"

"एक मिनट पूछ के बताता हूँ।"

"तुम पूछकर बताओ, लेकिन इधर हमारा क्या? अचानक मॉब पेकअप कहने पर मॉब कैसा छोड़ने का? मेटेडोर की ट्रीप भी हम अॅडजेस्ट नहीं कर पायेंगे।"

दादाराव की बात ख़त्म होने तक असिस्टेंट डायरेक्टर निकल चुका था।

नेवक के दारूवाला और बस स्टॉप के लड़के का सीन शुरू होता है।

"रेडी फार द फायनल रियर्सल और टेक!" डायरेक्टर ने सबको आवाज़ लगायी

बीच में ही असिस्टेंट डायरेक्ट, "मॉब को वापस भेज दूँ?"

"थोड़ा रूको, यह सीन ख़त्म होने तक।"

एक के बाद उनकी सेकण्ड शिफ्ट शुरू होगी।

केमेरामन, "रेडी सर!"

डायरेक्टर, "वापस भेजो!"

"सुबह कह देंगे, मॉब कही भागेगा नहीं, पहले मेन आर्टिस्ट को देखना चाहिये?"

निचोडासा मॉब टेंपो में घुसने लगा। बूढ़े-जवान, स्त्री पुरुष सब जल्दी-जल्दी अपने लिए जगह पकड़ने लगे।

"शांताबाय, तुम्हारे सारे लोग बिटा दो। अब दुसरी ट्रीप नहीं होने वाली।"

"लेकिन दादा अभी यहाँ तो खड़े रहने को भी जगह नहीं है।"

दादाराव के कानों में शांताबाई कुछ कहती हैं। तभी असिस्टेंट डायरेक्टर आकर— "दादा, कलके मॉब का सुबह बोलूँगा। शांताबाई को वैसा बोलो।"

"तुम्हारा क्या चल रहा है? कुछ भी नहीं समझता। ये लोग आपके लिए क्यू घर पर बैठे रहेंगे? आप रातभर सोचते रहेंगे ओर सुबह बनायेंगे और फिर मैं आपके लिए पूरा महारवाड़ा ढूँढ़ता फिरूँगा।"

"दादा कल का जल्दी कहो तब तक मैं अपने लोगों को कहती हूँ। शंकर पहले भीमनगर की तरफ़ चलो।" शांताबाई के आवाज़ के साथ मेटडोर शुरू हो गया। अंदर खड़ी भीड एकदम झटके से लड़खड़ायी फिर संभल गयी।

असिस्टेंट डायरेक्टर अंदर से हिल चुका था। मन ही मन कहने लगा आत्मकथा लिखनी चाहिये। फिर उसे लगा लोग कहेंगे ओर एकने अपनी जाति सिद्ध करने का प्रयास किया।

वह रुका उसने देखा मंदिर के सामने गाड़ी आते ही डायरेक्टर ने सीने से हाथ लगाया। पत्थर की उस दिवार को वह अंधेरे में टटोलकर देखने लगा बिल्कुल अंदर ही अंदर। मंदिर सुन-सुन था।

"कल के लिए मॉब का क्या सोचा है?"

"आज का जो था, वही बुलाएंगे। लेकिन केवल भीड़ नहीं चाहिए।"

गाड़ी मंदिर से मुड़ गयी। असिस्टेंट डायरेक्टर कुछ सोच में काला राम मंदिर सत्याग्रह पर फिल्म बनाना चाहिये। विशाल भीड अपने अस्तित्व के लिए लड़ने वाली।

फिर असिस्टेंट डायरेक्टर ने अपनी डायरी में कविता लिखी:—

भीड़ की कविता
क्षीण आँखों की भीड़ में
खोये हुए चेहरे
14 अक्टूबर 1956 के पहले की बलुते दारी[1]
आज भी जुहार करती है।
भीड करके निस्तेज खड़ी
आधे अधूरे
धुंधले संदर्भ ....
काग़ज़ के फूल का गुरूदत्त
भीड से खोपड़ी फूटने की राह देखने वाला
समस्त आयुष्यमान ....
दो आना, चार आना और एक नौटाक[2]
बाप, दादा अथवा परम्परा झिलकरी[3] थी
कोई तो नाच्या या राजा था।
केमेरे के तरफ़ सरकते हुए टे एन.जी. होता था।
और ऑर्डर
दीमक लगी जैसी
छाया में समा जाना
और एक क्रांति
उखड़ने वाले दरवाज़े, भीड़ को प्राप्त चेहरा।
केमेरा ट्रॉली पर

घनी अंधेरी रात। घड़ी में नौ बज चुके थे। बस स्टॉप पर लाईट अलग-अलग कोने से सोलर प्रकाशमान। ट्रॉली मार्क पर खड़ी।

"सायलेन्स!"

"एकशन!"

बस स्टॉप की दीवारें लक्ष्य कर ट्रॉली केमेरे के साथ आगे-आगे चलती है।

"ए बोलो ना!"

---

1. कालाराम मंदिर सत्याग्रह (नाशिक महाराष्ट्र) सन् 1933 डॉ. बाबा आम्बेडकर और उनके अन्यायीयों ने नाशिक में।
2. देसी शराब की दुकान में मिलने वाला छोटा जाम।
3. तमाशा में गाने के वक्त मुख्य गायक के पीछे साथ देने वाले दुय्यम गायक।

"नहीं?"

"तुम्हें क्या हुआ?"

"मुझे बहुत डर लगता है।"

"लेकिन डर लगने जैसा इतना क्या है?"

ट्रॉली दूसरे मार्क पर आ चुकी है।

बस स्टॉप के अंदर बाँकडे पर दोनों बैठे हुए। वह उसकी बाहों में और यह उसके बालों से खेलता हुआ।

केमरा स्टेडी ट्रॉली के मार्क के साथ।

सबकी आँखें उन पर जमी हुई। सभी ब्लॉक के बाहर। चश्मा पहना असिस्टेंट डायरेक्टर केमेरामन को धीरे से टच करता है। केमेरामन झूम को क्लोज करता है। "हम भाग जायेंगे क्या?" यह वाक्य ख़त्म होता है।

लड़का – "अभी थोड़ा रूकना चाहिये।"

लड़की – "कितना?"

लड़का – "कुछ वक्त और"

लड़की – "तुम्हारा ये वक्त, मुझे एक दिन निकल जायेगा।"

लड़का – "तुम ऐसा क्यों बोलती हो?"

लड़की – "तुम कैसा बोलते हो?"

अपने गाल को खुजलाते हुए इधर नज़र जमाकर डायरेक्टर कुछ सोच में।

लड़का – "तुम ऊब चुकी हो क्या?"

लड़की – "हाँ खुद पर (वह थोड़ी रूकती है, उसके तरफ़ देखती है और उसके शर्ट में अपना हाथ डालती है। उसके छाती पर लड़की के हाथों की हलचल दिखती है।)"

तुम्हें पाना चाहती हूँ। केवल अपना, अपने लिए (फिर झटके से अपना हाथ बाहर निकालकर, उसकी छाती पर हाथ से मुक्का मारती है) तुम समथिंग (थोड़ा रूकती है। वह अपना हाथ उसके बालों में फेरता है। वह उसके पास जाती है।)

"कट इट", डायरेक्टर आवाज़ के साथ रेकार्डिस्ट नागरा .... बंद करता है। और टेक पाँचवा ओ.के. लिखता है। चश्मा पहना असिस्टेंट डायरेक्टर, डायरेक्टर के पास आता है।

"सर पौने दस बज चुके हैं।"

"दादाराव!" डायरेक्टर ने आवाज़ लगायी।"

"ए दादा को बुलाओ", स्पॉट बॉय दूसरे स्पॉट बॉय को कहता है।"

"आज के काम में से बहुत कुछ बचा है।"

"बीच में एक घंटा बेकार गया।"

"कल ही प्रॉडक्शन को लिस्ट दे चुके थे। उनको पैसे नहीं मिले इसलिए लाया नहीं।"

"सब गडबड़ है।"

दादाराव हँसी में झूमते हुए आया।

उनके आने से वह चिढ सा गया।

"कहाँ थे दादाराव डारेक्टर।"

"उस मॉब को खाना खाने बिठाया। उनका वक्त हो गया वह खाने के लिए व्याकुल हो उठे। बोलो, क्या बात है?'

"देखो, अभी पौने दस हो चुके हैं। ब्रेक सबका लेना है या कैसा-कैसा करने का?"

"हम यदि ब्रेक लेते हैं तो एक डेढ घंटा खाना खाने में ही जायेगा और यदि नहीं लिया तो एक बजे तक बिना रूकावट के शूटींग चलती रहेगी।"

सोचने में कुछ वक्त गया।

अब क्या निर्णय होगा सब राह देख रहे थे।

लाईट बॉय ने इलेक्ट्रीक ट्रॉली धकेली और पेड़ के पास चबूतरे पर लाईटिंग शुरू हो गयी।

शॉट कैसा लेना है, इस बात पर थोड़ा सोचविचार। फिर स्पॉट बॉय ने कुर्सियाँ डाली।

पेड़ के पास चबुतरे पर रखी हुई गैसबत्ती, बीच में ही उसका मेंटल भड़क उठता था। स्पॉट बॉय गैसबत्ती को हवा मार बाजू हटा। फेटेवाले के पास पाँच-छह लोग बैठे हुए। चबुतरे के नीचे ज़मीन पर मॉब बैठा हुआ। मॉब के बीच कुछ फैले हुए कलाकार।

"फोरटी सेवन बाय वन टेक, वन।"

क्लॅप की आवाज़।

अंधेरे में फैली हुई शांती

"एक्शन"

चबूतरे पर अंधेरा चीरने वाली गैसबत्ती केमेरा पीछे जाता है।

"झूम बॅक।"

आज बैठक की रचना आबा करेंगे।

फेटेवाला बूढ़ा नज़र घुमाता है।

आबा — "अब तक हम सारे गाँव के महारों को अपने से अलग नहीं समझते थे। लेकिन महार कुछ ज़्यादा अभिमानी बन घूमने लगे हैं।"

"तो यह न्याय कौन करेगा?"

झूम बॅक होने वाले केमेरे में चबूतरे के आस-पास के नीचे बैठे सब लोग दिखायी

देते हैं। चबूतरे पर बैठे हुए लोगों के उजाले में साफ़ दिखायी देने वाले चेहरे, चबूतरे के नीचे बैठे हुए थे। उनकी केवल पीठ दिखायी देती है।

सूर्यास्त के सॅल्यूट में लिया हुआ पहला मॉब का शॉट उसमें जो भी थे वे अब पीठ किये बैठे थे। गाँव के सामने एकदम हताश।

आबा — "आम्बेडकर उनके गुरू। विलायत में जाकर पढ़े लिखे। हमारे गाँव के महारथी वैसे ही पढ़े लिखे देख हमें बहुत खुशी होती है। लेकिन चार किताबें क्या पढ़ी इनको तो जैसे पर निकल आये।

बिना रूकावट के शॉट चल रहा था। अनचाहे केमेरा ट्रॉली मूव्ह होती है। काफ़ी बड़ा विमुख मॉब। आबा के गाव के महार बना था यह मॉब।

"डायरेक्टर कट इट वह मॉब में खड़ा बूढ़ा झपकी ले रहा है क्या? कौन है वह?"

एक आवाज़ ..... "गणपत कांबले।"

डायरेक्टर — "क्यों लाया इनको? एक शॉट बरबाद किया। सुनिये कांबले मामा, वह सामने का फेटेवाला गाँव का पटेल बोल रहा है। यू फील लाइक महार। वह तुम्हारी जाति को कोस रहा है। और तुम इधर ऊँघ रहे हो। दादाराव उस शांताबाई को कहो ऐसे लोग आइन्दा मत भेजना।"

डायरेक्टर के साथ खड़ा असिस्टेंट थोड़ी देर असमंजस में सोचता हुआ। फिर भागकर ऊँघने वाले बूढ़े को ठीक से बिठाता है। लेकिन बूढ़ा हिल गया।

बूढ़ा — "मैं जा रहा हूँ। शांताबाई ही बोली उनको टिपिकल महार बूढ़ा चाहिये। इन पैसों के लिए मेरा कुछ नहीं अड़ता। एक तो दो, दो शूटींग करने का?"

इधर मॉब का कोलाहल बढ़ चुका है।

लाईटबॉय हल्के से बड़बड़ाता है।

इसी बीच केमेरा अपनी जगह पर

केमेरामन — "संप्या तंबाकू मत रगड़, कटर पकड़ सब बर्न हो रहा है।"

फिर संपत कांबले साथ का सोलर लाईट कटर से कम करता है। तब तक असिस्टेंट केमेरे के पीछे आकर रूका।

डायरेक्टर — "सायलेन्स।"

क्लॅपरबॉय गैसबत्ती के पास

केमेरामन (धीमी आवाज़ में) "दगडया, तुम्हें मार्क समझता है क्या?"

दगडया — "दादा, अंधेरे में दिखता नहीं।"

केमेरामन — "अरे फिर कुछ पत्थर वगैरह रखो ना।"

दगडया — "रखा है दादा।"

कॅमेरामन — "रेडी सर।"

डायरेक्टर — "स्टार्ट साऊंड।"

क्लॅपर — "फोरटी सेव्हन बाय वन, टेक टू।"

रेकॉर्डिस्ट — "केमेरा।"

केमेरा अटेंडर — (केमेरा ऑन करता है) "क्लॅप।"

क्लॅपर क्लॅप देता है।

फिर पहले जैसा शॉट की तैयारी। पिछली बार ऊँघनेवाला वृद्धा चबूतरे पर बैठे फेटेवाले के नज़र से नज़र लगा के बैठता है।

आज बैटकी (तैय्यारी) आला करेंगे।

केमेरा झूम बॅक होता है।

केमेरामन - "कट इट।"

डायरेक्टर — "व्हाट हेपन्ड?"

सभी चमक जाते हैं।

केमेरामन — "अरे स्पॉट बॉय कौन है? उस गैसबत्ती को पम्प मारो यह पूरी भड़की हुई दिखायी देती है।"

फिर असिस्टेंट दौड़ा।

तब तक स्पॉट ब्रॉय आया।

मिस्त्री पहुँचा।

चबुतरे पर बैठे और नीचे बैठे इंतज़ार में।

तभी दादाराव पंप मारता हैं

डायरेक्टर — "ये देखो, दादाराव प्रॉडक्शन मेनेजर होंगे तो सब कुछ अपनी सुविधा के अनुसार देखते हैं। बत्ती भी ऐसी लायी है जिसे खुद ही पंप मरेंगे ऐसी।"

दादाराव — "मैं कैसा भी पंप मारूँगा तो हवा बराबर बैठती है। यह हम लोगों को अच्छा समझता है।"

दादाराव गैसबत्ती जगह पर रखते हैं।

केमेरामन — "फुललाईट।"

असिस्टेंट अपने आप से बड़बड़ाया बहुत समय जा रहा है।

14 एप्रिल

बहुत देर तक मन में सोच रहा था।

फिर बिन्दू चौक में गया। दूर से माने की भीड़ को देखता खड़ा रहा।

फिर भीड़ घोषणा देने लगी।

"डॉ. बाबा साहेब आम्बेडकर की जय।"

फिर वापस लॉज पर आया।

दोपहर की शिफ्ट। इसलिए देरी से स्टुडिओ के तरफ़ जाना था। बहुत देर तक लॉज पर बिना कुछ कहे चुपचाप बैठा था।

पुणे में सुबह पुतले के पास गया होता।

वैसे कही भी सत्य नहीं।

सामाजिक संघर्ष के केन्द्र बदल चुके हैं।

सामाजिक संघर्ष के केन्द्र बढ़ चुके हैं।

सब तरफ़ डंडापन मैने सामने का पर्दा खींचा और एक खुली सांस ली। बाहर देखना चाहा फिर एक बार किताबों के पन्ने लपलटने लगा। "प्रतीति समृद्ध कलानिर्मिती होना चाहिए।"

"केवल पेट के लिए जीने वाले जग में कैसा संभव है।"

"कला के माध्यम बदल रहे हैं।"

"गहरी व्यावसायिकता का अहसास।"

सभी माध्यम पैसे से जुड़े। परम्परागत माध्यमों से अविष्कृत होने वाली प्रतीति का प्रश्न और आत्मभान भी व्यक्तिगत सा। सामाजिक साधनों से व्यक्तिगत साध्य। हमेशा की तरह वही प्रश्न।

यहाँ का मॉब ठीक हैं।

इनके जीने का तरीक़ा मस्त है।

परसों डायरेक्टर चिढ़कर सबको गधे कहा। और किसी के दिल में कोई सवाल नहीं उभरा। वैसी कोई संवेदना भी नहीं।

वह सामने क्यों आते हैं इसका जवाब नहीं।

भीड़ करके खड़े रहो।

फ्रेम पूरी भरना चाहिए।

जैसा कहा वैसा करो। जैसा कहेंगे वैसा बोलो बस।

असिस्टेंट का असिस्टेंट बोला– "सारा मॉब ए.पी. ही है।"

असिस्टेंट बोला-- "बहुत लाचार जीते हैं अपने लोग।"

फिर दोनों में संवाद।

"कुत्ते पिल्ले जैसे बच्चे पेड़ के नीचे बैठते या खड़े रहते है।"

"पेट का सवाल है।"

"हितना मिलता होगा।"

"कभी-कभी।"

"नशासी रहती है नहीं?"

"अं?"

"एक्टिंग करने के लिए कोई भी खड़ा रहता है।"

"ज़रूरत।"

"मुझे आगे चलकर एक अच्छी-सी फिल्म बनाना है।"

"कौन-सी?"

"ऑफकोर्स कमर्शियल।"

"क्यों?"

"पागल हो क्या? चलनी चाहिए ना?"

"मतलब देवी की आरती डालोगे?"

"कथानक की ज़रूरत होगी तो"।

"...... तुम कथानक ही ऐसा ढूँढ़ोंगे, जय संतोषी माता। सती सावित्री की कथा। फिर तुम क्या आंबेडकर की जय ऐसा हर फ्रेम में लिखने वाले हो क्या?"

"सोच!"

"साला यहीं पर हम महार पीछे पड़ते हैं।"

"पागल हो क्या?"

"समय को पहचानो, तुम चीफ असिस्टेंट हो कभी अपने समाज में घूमते हो क्या? अपने आपको बहुत बड़ा कार्यकर्ता कहलाने वाले कार्यकर्ता की दुकान में बाबा साहेब आंबेडकर का फोटो नहीं रहता बल्कि दगडूशेठ गणपती या तो सांईबाबा का फोटो दिखायी देता है।"

"थोड़ी बहुत संख्या लेकिन ...."

"उनका एक ही ध्येय हमें सब मॉब जैसा रहना चाहिये।"

"समाज व्यवस्था में कई बार...।"

"अब कार्यकर्ता जैसे मत बोल। तुम्हें उच्च वर्ग के शासन में काम करना है। उनको ही फॉलो करना है। और तुम करोगे। क्योंकि तुम सब इस अपने मॉब की तरह लाचार हो। 'जयभीम' कहते उनकी परवाल के भैंसा बनोगे। यह सरव्हॉयबल ऑफ फिटेस्ट का सिद्धान्त है। हमें उनके जैसा बनना है।"

फिर वह दोनों बोलते रहे। फिर कम बोले।

उनके लॉज में ट्यूब की सफेदी और बाहर कम होती हुयी चहल पहल।

"तुम थोड़ी लोगे क्या? कंपनी दोगे?"

---

4. अपने जाती का ही है।

अखिस्टेंट का असिस्टेंट कहने लगा और उसने एक गिलास भरा।

ओल्ड मंक और थम्स अप — एक उचित शराब।

दलित बस्ती।

स्टुडिओ में लगाया हुआ झुग्गीयों का सेट। ज्वालाओं में भस्म होती हुई झुग्गियाँ एक साथ जल उठती हैं। जलनेवाली झुग्गियों की ज्वाला में डूबता हुआ लोगों का आक्रांत। डरे हुए चेहरे से लोग सामने की झुग्गियों की तरफ़ देखते हैं और शोक में डूबा हुआ वातावरण। लोगों का जत्था बैठा हुआ उनके चेहरे पर दिखाई देने वाला ज्वालाओं का प्रतिबिंब दिल को दहलाने वाला।

दलित बस्ती।

स्टुडियों में लगाया हुआ झुग्गियों का सेट। हवा के साथ उठने वाली राख। युनिट के मेंबर धीरे-धीरे स्टुडियों में आने लगते हैं। असिस्टेंट पेपर पर कुछ नोट्स, लिख रहा है। इधर असिस्टेंट का असिस्टेंट ड्रेसमेन के पास सीन की तैयारी करता हुआ। डायरेक्टर आने में थोड़ा अवकाश हमेशा की तरह । ड्रेसमन को कपड़ों का सेट बताकर असिस्टेंट का असिस्टेंट पास आता है।

"अब सीन ही रात में बदल डाला।"

"मतलब?"

"जातिभेद के कारण गाँव बस्ती को जलाता है इस संदर्भ को ही निकाल दिया।"

"यह सब गांडू के जैसा है।"

"मुझे तो लगता है सब छोड़ के निकल जाना ही अच्छा।"

"कार्यकर्ता जी, यह सिस्टिम है। मगर इनमादरचोदों ने यह कथा क्यों चुनी?"

"इसका भी एक गणित है। जब तुम फिल्म बनाओगे तब तुम्हें समझेगा।"

फिर वह दोनों काफ़ी देर तक संदर्भ के बिना काम करते रहे। स्टुडिओ में काम करने वाले मज़दूर हमेशा की तरह काम में जुड़े हुए। सबका हमेशा का आना-जाना जिसका संदर्भ रोज़ की हाज़िरी से था। डायरेक्टर घड़ी में देखता है। स्टुडिओ का प्यून कांबले चबूतरे की घंटी पर नौ बजने का समाचार देने टोल लागाता है।

मराठी से अनुवाद लता जाधव

प्लॉट नम्बर 3, हरिहर अपार्टमेंट,
रास्ता नम्बर 3, शिवाजी पार्क,
नई सांगवी, पुणे-411 027

बँटवारा

वामन होवाल

बालू और महादू बड़े सोच में पड़े थे। विगत तीस सालों में ऐसी भयानक आफत उनको शायद ही झेलनी नहीं पड़ी होगी। उन्होंने कभी मन में क्या सपने में भी नहीं सोचा होगा कि ऐसी मुसीबत सामने आ खड़ी होगी। दोनों भाईयों का कैसा ठीक चल रहा था। दोनों भी खेती का काम लगन के साथ करते थे और परिश्रमपूर्वक भी। बीस एकड़ ज़मीन में सोने जैसी फसल उगती थी। दोनों भाई मिलजुल कर रहते थे। न किसी के बीच आते और न किसी को अपने बीच आने देते। उनके बारे में उलटा-सीधा बोलने की तो किसी की हिम्मत ही नहीं होती थी। यदि किसी ने ऐसी हिम्मत की भी होती तो उसका समाचार लेने या उसके साथ लड़ने की भी उनकी तैयारी थी।

लेकिन अब ऐसी ही पेचीदा स्थिति पैदा हुई थी। भाई-भाई के बीच में ही अब टन गयी थी। विवाद का ऐसा वक्त आया यही चिंता की बात थी। छोटा भाई हो या अपना ही बेटा, मनुष्य का मन कब कैसा पलट जाएगा, कोई नहीं कह सकता। पाँच-छ दिन संजीदगी से विचार करने के बावजूद भी समस्या का हल नहीं निकला। जी बड़े उलझन में पड़ गया।

"फिर क्या करने का सोचा तूने महादू?" बालू ने पूछा।

"कुछ तो करना ही होगा।" महादू, बोला।

"कुछ तो भी का मतलब?" बालू ने फिर से पूछा।

"तेरी क्या राय है?" महादू ने उलटा पूछा।

"अरे मुझे कुछ सूझता तो मैं पूछता ही क्यों तुझे?" बालू चिढ़कर बोला। महादू से बड़ा होने के नाते वह कभी-कभार उस पर चिढ़ता रहता था। अभी भी इसी ढंग से बोला।

"बड़ा तू या मैं?" महादू ने पूछा।

"मैं ही तो बड़ा हूँ," बालू ने कहा, "और दूसरा कौन?"

"फिर तुझे अक्ल ज्यादा होनी चाहिए या मुझे?" महादू ने सवाल किया।

"बात तुम्हारी सही है," बालू फिर से चिढ़कर बोला, "लेकिन मुझे कुछ हल सूझता ही नहीं, तो क्या करूँ?"

"वह भी तो ठीक है।" महादू लम्बी साँस लेते हुए बोला।

"चाहिए तो गाँव में से चार अक्लमंद और समझदार आदमियों को बुलवा लो।" बालू ने सुझाव दिया।

"हाँ ऐसा करने में कुछ हर्ज नहीं है।" महादू बोला, "लेकिन दादा यंह किस की अक्ल होगी?"

"मतलब क्या तेरा?" बालू ने पूछा।

"मतलब, रामू तात्या की या शामू अन्ना की?" महादू ने स्पष्ट किया।

चार भाईयों में महादू सबसे छोटा था और बालू सबसे बड़ा। इसीलिए सब उसको 'दादा' कहा करते थे। बालू से छोटा रामू जिसे बालू 'रामू तात्या' और तीन नंबर का होने के कारण शामू को 'शामू अन्ना' कहा करता था। चारों भाईयों में एक भी बहन नहीं थी।

बालू ने रामू और शामू की पूरी शिक्षा ज़िम्मेदारी से की। दोनों भाई वैसे तो ठीक ही थे। कभी किसी परीक्षा में नापास नहीं हुए थे। शिक्षा का एक भी साल उन्होंने गंवाया नहीं। और गंवाते भी कैसे? पढ़ना-लिखना ऐसा दिल लगाकर (जोड़े) के साथ करते थे जैसा कि शिकारी कुत्ता खरगोश पर झड़प लेता है। दोनों मैट्रिक की परीक्षा पास हुए थे और पूना-मुंबई जाकर नौकरी करते रहे थे। महादू की पढ़ाई बालू ने नहीं निभायी। खेती का काम करने के लिए किसी की मदद तो चाहिए? नहीं तो चलेगा कैसा? ऐसा सोचकर ही तो बालू ने महादू को अपने साथ रखा था। महादू सबसे छोटा होने के कारण सबका लाड़ला था।

रामू और शामू की नौकरी अच्छी थी। रामू की तरक्की होते होते वह गॅझेटेड अफ़सर बन गया। शामू राजस्व खाते में चढ़ते-वढ़ते मामलेदार वन गया। दोनों ही अपने-अपने परिवार के साथ मुम्बई में थे जिस़ शहर में उनका तदाबला हो जाता वहाँ रहा करते थे। गाँव की ओर उनका आना-जाना कुछ कम ही हो गया था। उनके बाल-बच्चे और बीवियाँ मज़े में रहते थे। दोनों की गुज़र नौकरी पर अच्छी तरह हो रही थी और सुख चैन की छाँव में बैठकर खाने-पीने के आदी हो गये थे उनके बाल बच्चे। वे भी कभी गाँव की ओर नहीं आते थे।

सबका ठीक खुशहाली से चल रहा था। कोई दिक्कत नहीं थी। कभी-कभार बालू दादा की चिट्ठी आती तो पैसे भेज देते।

"तगाई का हफ्ता देना बाक़ी है। पैसे भेजो।" अथवा 'छब्बीस-पंद्रह-पंद्रह की खाद नहीं दी तो फसल अच्छी नहीं होगी।' या 'कुँए पर मोटर लगानी है।" ऐसी चिठियाँ मिलते ही रामभाऊ और शामराव पैसे भेज दिया करते थे। खेत में फसल अच्छी उगती थी। बालू और महादू ने एक भैंस और एक गाय भी रखी थी। जिसके कारण बाल बच्चों को दूध भरपूर मिलता रहा था।

कभी-कभार रामभाऊ और शामराव गाँव की ओर आते तो बालू दादा कहता, "शामराव, बच्चों के लिए मुँगफली ले जाना।" "नहीं... रहने दीजिए यहीं।" शामराव कह देता।

"रामभाऊ, जाते समय धान ले जाना।" महादू कहा करता था।

"नहीं... मुंबई में सब कुछ मिलता है।" रामूतात्या कह देता था।

"अरे यह तो घर की फसल है।" बालू कहा करता था कि "बाल बच्चों को तो खाने दीजिए।"

"नहीं नहीं," रामू तात्या कहा करता तो बालू दादा, तुरंत कर देता," रहने दे। क्या यह सब चीज़ें बाँधकर ले जाने में शरम आती है?" "नहीं, ऐसा कुछ नहीं।" रामू कहा करता। "तो फिर कैसा?" बालू दादा अधिकारवाणी से कहा करता, "आपकी बैगो में सिवा कपड़े होना भी क्या है? बैग सिर्फ़ कपड़े रखने के लिए। ऐसी देहाती चीज़ें...."

"हाँ, यह भी सही है।" मुस्कराते हुए रामूतात्या कह देता, "सुनो दादा, हमको सचमुच कुछ नहीं चाहिए। हम सिर्फ़ आपकी और आपके परिवार की खुशी देखना चाहते हैं। उसी में हमारी भी खुशी है। आपने हमको पढ़ाया इसी के कारण हम अफ़सर बन गये। अब हम अधिकारी की कुर्सी पर बैठे हुए हैं। यहाँ की किसी भी चीज़ में हमारी आशा नहीं है।"

यह बात भी सही थी। तीस साल की अवधि में रामराव और शामराव ने खेती या फसल के बारे में कुछ मंशा ही नहीं रखी थी और कुछ दखल अंदाज़ी भी नहीं की थी। लेकिन अब समय ही पलट गया। तीस बरस की नौकरी पूरी होने के बाद निवृत्त होने के कारण इन दोनों साहबज़ादों ने बालूदादा को चिट्ठी भेजी जिसमें लिखा—

"हम सब लोगों ने एक ही तो घर समझते हुए सब निभाया। बाल-बच्चों की शिक्षा पूरी हो गयी। वे शादीशुदा होकर अपने-अपने काम-धंधों से जुड़ गये और हम भी अभी नौकरी से मुक्त हो चुके हैं। दिन ब दिन कानून बदलता जा रहा है। इसलिए बपौनी की दस एकड़ ज़मीन का समान बँटवारा कर लेंगे। बँटवारा होने के पश्चात भी अपने सभी व्यवहार पहले जैसे ही होते रहेंगे। किसी को कोई कमी नहीं महसूस होगी। इसीलिए हम आ रहे हैं।"

इस चिठी के कारण बालूदादा और महादू इतने चिंतित हुए थे जैसा कि कुछ आपत्ति सामने आ खड़ी हुई थी। इस संकट को निबटने के लिए क्या करना होगा इसका हल निकालने के बारे में वे सोच रहे थे। उन्होंने यह तो सोचा भी नहीं था कि कभी ये

भाई लोग अपने हिस्से का हक़ माँगेंगे। इसी के कारण बालू दादा ने महादू से कहा, "अगर ज़मीन का बँटवारा हुआ तो दो ढ़ाई एकड़ में हम क्या गुज़ारा करेंगे? और परिवार का ख़र्च कैसा निभायेंगे?"

"यह तो सही है।" महादू बोला, "लेकिन मुझे ऐसा लगता है कि रामूतात्या ने ही पहले बँटवारे के बारे में सोचा होगा।"

"वह कैसा?" बालू दादा ने पूछा।

"नहीं... लेकिन क्या शाम अन्ना से रामू तात्या ज़्यादा चापलूस है ऐसा नहीं लगता?" महादू ने पूछा।

"और शाम अन्ना ने क्या गले में तुलसी माला डाली है?" बालू दादा चिढ़कर बोला, "अरे दोनों तो एक ही माला के मोती हैं। तू मुझे कुछ मत कहना।"

"लेकिन पुरखों की ज़मीन-जायदाद का सवाल उठा तो उनकी क्या ग़लती?" महादू ने पूछा, "कभी ना कभी बँटवारा तो कर ही देना पड़ेगा।"

"वह ठीक है रे— " बालू दादा कुछ सोचते हुए बोला, "सिर्फ़ ज़मीन का बँटवारा चाहते हैं, बाकी सब व्यवहार पहले जैसा रहेगा— इसका क्या मतलब?"

"मतलब यही कि अभी तक जैसे मिलजुल कर रहते आये वैसा ही रहने का— " महादू बोला।

"तेरी समझ में नहीं आयेगा।" बालू दादा कुछ उखड़कर बोला, "बहुत क़ीमती हैं दोनों। मेरे बाल क्या धूप में सफेद हुए हैं? मैं भी उड़ते परिंदे के पर गिनने वाला बहादुर हूँ। बोलो, आ जाओ बँटवारा माँगने..."

बालूदादा ऐसा क्या बोल रहा है कि मानो सर फिर गया हो? महादू की समझ में नहीं आ रहा था। उसको शांत करने के लिए वह बोला, "उनको आने दीजिए... समझदारी से हल निकालेंगे।"

"समझदारी से रहने के दिन नहीं रह गये आजकल," बालूदादा ने कहा, "जो समझदारी से रहता है ना अक्सर उसी के साथ हरामीपन किया जाता है।"

"लेकिन दादा हम चाहे बोले ना, बोले वे तो बँटवारे के लिए अड़िग रहेंगे," महादू ने कहा, "कुछ भी हो वें भी तो हकदार हैं। दे देंगे उनका हिस्सा..."

"अपने बाल बच्चों और औरतों को क्या यों ही खुले मैदान में छोड़ देंगे? बालू दादा बोला, "अकाल में जानवरों के पाँवों पर हल्दी कुंकुम लगाते हुए पानी डालकर छोड़ देते हैं वैसा— ?"

"लेकिन उनका हिस्सा तो देना ही होगा।" महादू फिर से बोला, "नहीं देंगे तो दुनिया क्या कहेगी?"

"अरे सबका कर्ता-धर्ता तो मैं हूँ, तू क्यों बेइज्जती की सोचता है?" बालू दादा

ने पूछा, "और उनको ज़मीन किसलिए चाहिए? क्या ज़रूरत है?"

"मतलब?" महादू बोला।

"अरे महादू तुझे अक़्ल आने में और बहत समय बीतेगा।" बालू दादा ने कहा।

"सचमुच मेरी समझ में कुछ नहीं आया।" महादू ने कहा।

"आओ, मैं समझाता हूँ," ऐसा कहते चुटकी भर तम्बाकू हथेली पर लेते हुए खूब मली और दो उंगलियों में पकड़कर मुँह में रख दी और हाथ झटकते हुए पूछा, "शामू के बाल बच्चे कितने?"

"दो— एक लड़का एक लड़की।" महादू ने तुरंत जवाब दिया।

"यह हुई ना बात!" बालू दादा ने मुँह खोलते हुए कहा, "उसकी बेटी की शादी हो चुकी या नहीं?"

"ऐसा क्या पूछता, तू दादा? उसकी बेटी की शादी हुई और उसको बच्चा भी हुआ।" महादू बोला, "पोते का जन्मदिन मनाने के लिए हम गये थे ना?"

"अब बाक़ी रहा उसका बेटा, है ना?"

बालू दादा ने पूछा। महादू ने 'हाँ' कहा।

"वह भी पढ़ाई कर रहा है, वकील बनना चाहता है।" बालू दाद ने कहा, "और दो साल के बाद वकील बन जाऐगा तो अनगिनत पैसा कमायेगा।"

महादू ने फिर 'हाँ' में हाँ मिला दी।

"और रामू के कितने बेटे?" बालू दादा ने पूछा।

"तीनों बेटियाँ हैं।" महादू ने कहा, "अब आगे झंझट टालने के लिए उसने नसबंदी तो करा ही ली।"

"कितनी बेटियों की शादी हो चुकी है?" बालू दादा ने सवाल किया।

"तीनों बेटियाँ शादीशुदा हो चुकी हैं।" महादू ने कहा, "रिटायर होते-होते ही रामू तात्या ने छोटी बेटी की शादी करवा दी!"

"अब उनको ज़िम्मेदारी का कौन-सा ऐसा पहाड़ उठाना है?" बालू ने भौंहें उठाते हुए पूछा "बाल बच्चा होते हुए भी अभी इनके परिवार में रहे कितने लोग?"

"हाँ, यह भी सोचने की बात है।" महादू ने बता दिया।

"अब हम लोगों के कितने बाल बच्चे हैं?" बालू दादा ने सवाल किया।

"हैं ना पाँच-पाँच... छः छः ..." महादू ने कहा, "उनका हिसाब लिमिटेड है अपनी सब जंगल जैसी फैली हुई गृहस्थी है।"

"तो फिर यह सब सम्भालने के लिए तकलीफ़ होगी कि नहीं?" बालू दादा ने पूछा।

"तकलीफ तो ज़रूर होगी।" महादू बोला, "सारी ज़िंदगी यह गृहस्थी सम्भालने में ही बीतेगी।"

"फिर वह ज़मीन उनको बाँट देकर क्या हम आसमान की तरफ़ देखते रहेंगे?" बालू दादा ने सवाल उठाया, "या गाँव में भीख माँगते फिरते रहेंगे?"

"रामू दादा शायद यह बात समझ सकेगा लेकिन शामू अन्ना का भरोसा नहीं।" महादू ने ऐसा कहते हुए सुझाव दिया, "चार आदमी बड़े बूढे बुलवा लेंगे गाँव में से। देखेंगे वे क्या कहते हैं।"

"वैसा ही करेंगे।" बालू दादा बोला।

ऐसा बोल तो दिया लेकिन कैसा पेच डालने का यह सोचता रहा।

× × ×

घर के ओसवारे में बहुत सारे लोग बैठे हुए थे। उनमें बालू, रामराव, शामराव और महादू भी थे। गाँव के चार बुजुर्ग भी थे। धोंडी पाटील बीच में बैठा हुआ था। उसकी दाहिनी-बांयी ओर रामराव और शामराव बैठे थे। रामू तात्या सफारी तो शामू अन्ना पेंट शर्ट पहना हुआ था। दोनों ही सेठ साहुकार जैसे लगते थे। उनके चेहरे पर अमीरी की रौनक थी। आगे खंबे को टिककर बालू और महादू बैठे हुए थे। आजू बाजू में जमदाडे, भिवा माली और यशवंत हरी बैठे हुए थे।

गाँवकरी लोग बिगर कुछ बोले ही पान को चूना लगा रहे थे। कोई बीडी पी रहा था, कोई सुपारी कतर रहा था। बालू और महादू आरोपी का तरह मुँह लटकाये हुए बैठे थे। बादल जमा होने के कारण हवा गरम हो जाती है वैसा ही महसूस हो रहा था। न कुछ गरजता और नहीं कुछ बरसता। यह उलझन सुलझाने के इरादे से भीवा माली बोला, "धोंडी पाटील कुछ तो बोलो?"

"क्या बोलने का?" पाटील ने ही सवाल किया। जमदाडे बोला, "नहीं इतना तो बोलो कि हम यहाँ क्यों इकट्ठा हुए हैं।"

"क्यों इकट्ठा हुए? क्या मतलब?" बालूदादा बीच में ही बोला, "आप सब लोग अनुभवी हैं। आप लोगों से मैं कल मिला था। कहा भी था आपको कि ऐसा-वैसा मामला है। पाटील मैंने आपके साथ चर्चा भी की थी या नहीं?"

"हाँ हाँ..." धोंडी पाटील ने कहा।

"फिर उसी लाइन पर सब निर्णय लेकर बात ख़त्म कर डालो। आपको पूरी जानकारी होते हुए भी आप ख़ामखांह टालमटोल कर रहे हों।"

"तो सुनो भाइयों।" पाटील ने बोलना शुरू किया, "हम लोग बैठे हैं समझौते के साथ बँटवारा करने के लिए... तो शामराव और रामराव तुम दोनों ने अफ़सर बनके घराने का नाम रोशन किया और गाँव का भी।

"हाँ सही है... सही है..." भीमा माली, जमदाडे और यशवन्त एक साथ बोले।

"ठीक है, झंडा तो फहराया, हमें उन पर नाज़ है।" मुद्दे पर आने का इशारा देते

हुए बालू दादा बोला, "लेकिन झण्डे के दण्डे के लिए उन्होंने झगड़ा खड़ा कर दिया उसका क्या?"

"किसकी बात करता है तू बाले?" जमदाडे ने पूछा, "ऐसा गोलमटोल मत बोल। सीधा नाम लेकर बोल..."

"हमारे साहब लोगों की बात कर रहा हूँ— शामराव और रामराव की।" बालू दादा दिल थाम करके बोल ही उठा।

"देखो पाटील, जो करना है वह ठीक कानूनी से करो।" शामू ने कहा।

"हाँ, बेतुकी बहस मत बढ़ाओं।" रामू ने सलाह दे दी।

"तो फिर ये चार अनुभवी आदमी क्यों आ बैठे यहाँ? कहीं जागर करने के लिए तो नहीं?" बालू दादा बोला।

"पाटील, बालू दादा जानबूझ कर टेढ़ी बात कर रहा है।" रामू तात्या बोला तो शामू ने भी कहा, "मुझे ऐसा ही लग रहा है।"

"बात योंही बढ़ाकर बिना मतलब झगड़ा भड़क उठेगा। इस डर के मारे महादू बोला, जरा शांति से समझदारी से बात करो-- "

"अच्छे ढंग से बोलो।" रामू तात्या ने कहा।

"हम अनपढ़ लोग हैं।" बालू दादा ने कहा, "हमारी बात को ठीक कर लेना। किसी पर अन्याय करके किसी का भला नहीं होगा।"

"तुम्हारी मनकी तो कही।" शामू मना कर बीच में बोला।

"तुम्हीं कहो।" धोंडी पाटील बोला।

"बालू दादा से पूछो। वह चाहे वैसा करेंगे।" रामू तात्या ने बोल दिया।

"मेरे चाहने से क्या होगा? मैं कहता वैसा आप करते तो ऐसी नौबत न आती।" बालू दादा चिढ़कर बोला, "यों ही मुझे बड़प्पन क्यों दे रहें हों?"

"तो क्या हम आपस में बँटवारा कर लेंगे? ऐसा कहना कहीं गुनाह तो नहीं है?" शामू अन्ना ने पूछा।

"हाँ— " रामू तात्या ने कहा, "कब से मुझे ऐसा ही महसूस हो रहा है कि दादा को लगता है कि सब ज़मीन हमने हड़प ली।"

"फिर किसने हड़प ली? हमने?" बालू दादा ने पूछा।

"तो क्या हमने?" शामराव भी फटकारते हुए बोला, "ज़िंदगी भर खेती से फायदा उठाते रहें और ऊपर टेढ़ी बात करते हैं?"

"पाटील, क्या रामू और शामू की यह बात कहीं कोई मान भी जाएगा?" बालू दादा ने तो पाटील को ही अपनी तरफ़ खींचना चाहा।

"जरा शांति से काम लो।" ऐसा कहते पाटील ने सुपारी का टुकड़ा मुँह में रखते

हुए कहा, "बालू, यह ज़मीन पुरखों की है?"

"हाँ, यह सही है।" बालू दादा ने कहा, "लेकिन जाते समय बाप ने किसी के कान में ये तो नहीं कहा था कि ज़मीन का बँटवारा करो? उसके मरने के समय ये साहब लोग थे कहाँ? बाप ने तो मेरी ही गोद में आख़िरी दम तोड़ा। क्या जानते हैं आप?"

"ठीक है, लेकिन बँटवारा मत करो ऐसा भी नहीं बोला था बाप ने मरते वक्त?" यशवंत हरी ने टिप्पणी की।

"लेकिन बँटवारा ज़रूर करो ऐसा बुड्ढे ने कब कहा था?" बालू दादा ने मुद्दा उठाया। "पाटील, हम हमेशा बालू दादा और महादू को पैसा देते रहे खेती के काम के लिए। उनके बाल बच्चों के लिए कपड़े भेजते रहे।" शामू अन्ना ने कहा।

"किसने भेजा? क्या हमने कभी लिखकर ऐसी माँग की थी? बालू दादा ने पूछा।"

"लेकिन बच्चों के लिए कपड़े, भाभियों के लिए साड़ियाँ, आपके लिए धोती तो भेजते थे ना?" रामू ने सवाल किया।

"आप यह करते रहे अपना बड़प्पन और आपकी अमीरी दिखाने के लिए। हमने तो इन चीज़ों की माँग कभी नहीं की थी। याद करके ज़रा बता तो दीजिए?"

"बड़प्पन का मतलब?" शामराव ने पूछा।

"आप चाहते थे कि सारे गाँव वाले आपकी तारीफ़ करके पूजा बाँधे, इसलिए कभी-कभार पैसे भेजते रहे और कपड़े भी। और पैसा दिया भी कितना? और हमको इसका उपयोग भी क्या हुआ? बारह घंटे तो हम मिट्टी में काम करने वाले रहे।"

"अरे हम पैसे भेजते थे इसीलए आपकी खेती बाड़ी अच्छी तरह चल रही थी।" रामराव ने कह दिया।

"बालू, अब बहस बंद करो।" पाटील बीच में ही बोले, "क्या तुझे ऐसा लगता नहीं कि बँटवारा हो ही जाय?"

"हाँ लगता तो है।" बालू दादा ने कहा।

"आपकी क्या राय है?" पाटील ने पूछा।

"समान बँटवारा।" शामराव बोला।

"हम भी तो वही कर रहे हैं।" बालू दादा ने कहा।

"पाटील, फिर काम तो आसान हो चुका है।" रामू ज़्यादा ख़ुशी से झूमता हुआ बोला।

"तो फिर ज़मीन के चार हिस्से करेंगे।" ऐसा कहते ही पाटील ने बँटवारा शुरू करने का इशारा किया।

तो बालू ने पूछा, "क्या सिर्फ़ ज़मीन का ही बँटवारा?"

"अरे बाक़ी जो सामान है उसका बाद में हो जाएगा बँटवारा। वह तो मामूली बात

है।" पाटील ने कहा।

"पाटील, मुझे ऐसा लगता है कि घरबार, ज़मीन-जायदाद, बर्तन भांड़े आदि के हिस्से तो हो जाए। लेकिन शामराव और रामराव का प्राव्हिडंड फंड के लाख-लाख रुपेय जो मिले हैं उसके भी बराबर के चार हिस्से करो। तभी यह बँटवारा होगा, नहीं तो नहीं।"

"दादा, ज़मीन अच्छी फसल देती रही क्योंकि हम पैसे दे रहे थे—" शामराव बोलने का प्रयास कर रहा था। बालू दादा फटकारते हुए बोला, "अगर हम यह ज़मीन गिरवी रखतें तो आप किसका बँटवारा माँगते? यह ज़मीन की निगरानी करने में हमने ख़ून का पानी किया है।"

"तो तुझे ज़मीन का बँटवारा नहीं करना है क्या?" राम तात्या ने पूछा।

"नहीं, वैसा भी नहीं। लेकिन तुम भी फंड के समान हिस्से करो, हम ज़मीन के हिस्से करवा देंगे।" बालू दादा ने साफ़ कह दिया।

"ऐसा कैसा हो सकता है?" शामू ने पूछा

"क्यों नहीं?" बालू दादा ने दलील करते हुए कहा, "आपने छाँव में बैठ के सुख और चैन में दिन गुज़ारे। आराम से निर्वाह किया। उसके बदले में आपको फंड मिलता है, पेन्शन मिलती है। हमको क्या मिलने वाला है? ज़िंदगी भर मेहनतकश मजदूरों की तरह मेहनत करते रहे और बुढ़ापे में भी जानवरों के साथ रहे और मिट्टी से जूझते रहे।"

"पाटील आप कहेंगे वैसा ही करेंगे।" रामराव और शामराव ने कह दिया, "आपकी क्या राय है?"

"मुझे भी ऐसा लगता है।" पाटील ने कहा, "जमीन के बँटवारे के साथ रामू और शामू के फंड की रकम भी बराबरी में बाँट देनी चाहिए। क्यों भाइयों?"

"सही बात है।" ऐसा बोलते ही पहले से ही तय हुआ फैसला सुनकर सभी लोगों ने हाँ में हाँ भरी।

कोई दुरूस्त कानून के मुताबिक अपने फंड की सारी रक़म कुर्क की गयी और आपस में बाँटी गयी ऐसा महसूस करते हुए रामू और शामू दोनों भी चुप हो गये। पाटील और बालू दादा एक दूसरे की ओर कनखियों से देखकर मूँछों में अपनी मुस्कराहट छिपाते रहे।

मराठी से अनुवाद : डॉ. सदा कन्हाडे
199/7888, 'अंगुली माला'
कन्नभवार नगर-2
विकोली (पूर्व) मुंबई-400083

विस्फोट

योगिराज बाघमारे

सूरज डूबने का समय।

शेकू अपने माथे पर हाथ रखता हुआ पश्चिमी टीले की ओर से आने वाले रास्ते की तरफ़ बार-बार निहार रहा था। चार पाँच कदम आगे चला जाता और फिर पीछे मुड़कर इमली के पेड़ के नीचे बैठ जाता था। दोपहर से न जाने कितनी बार उसका यही सिलसिला जारी था। इसी रास्ते की ओर वह टकटकी लगातार देखता रहता। वह बेचैन था। रास्ते से जानेवाले लकड़हारे को जाकर रोकते हुए उसने पूछा, "क्या बाबा! आपने आते समय रास्ते में किसी लड़के को देखा?" सिरपे लकड़ी के बोझ के कारण झुका हुआ लकड़हारा बोला, 'हां, रास्ते में चरवाहों के कुछ बच्चे खेल रहे थे। न जाने उनमें से तेरा बेटा कौन होगा?"

"वह चरवाहा नहीं बाबा, अच्छा सफेद कमीज और इजार पहना हुआ..." उसकी बात सुनने के पहले ही लकड़हारा आगे निकल कर चला।

फिर शेकू की घबराहट और बेचैनी बढ़ गयी। मन ही मन गाँव की सीमा तक जाने का इरादा तय करते हुए और जूते में पाँव सरकाते हुए वह चल पड़ा।

"मैंने बेटे को कहा था कि सूरज डूबने के पहले ही आ जाना। अब लो अभी तक उसका पता नहीं। ऐसा तो नहीं कि वह आज भी वहीं रुक गया हो।" शेकू अपने मन ही मन बुदबुदा रहा था। थोड़ा-सा आगे जाने पर उसने देखा कि नामा नांगर अपने डंगर को लेकर आ रहा था। उसने शेकू से पूछा, "शाम के समय कहाँ जा रहा है रे बुड्ढे?"

"मालिक मेरा बेटा अभी तक लौट कर नहीं आया। इसलिए मैं गाँव की सीमा तक जा रहा हूँ उसकी राह देखते-देखते— "

फिर नामा नांगर ने सूखा निकाला। दोनों ने चुटकी में सूखा लेकर मुँह में रख दिया। दो तीन बार मुँह से पिचकारियाँ छोड़कर नामा नांगर वहाँ से निकल गया। उसका डंगर कुछ दूर तक जा चुका था। शेकू ने फिर एक बार पश्चिम दिशा की ओर देखा। उसकी धुंधली नज़र ने बारीकी से देखा कि उस रास्ते से अब कोई नहीं आ रहा है। सूरज तो डूब चुका है। शेकू हताश होकर वापस चला आया अपनी झोपड़ी में। दिया जलाया जा चुका था। आसपास की झोपड़ियों में औरतें रोटियाँ सेंक रही थीं। बाहर धुप अंधेरा था। तब उसने देखा कि शेटीबा आँगन पार करता हुआ आ रहा था।

"अरेऽऽ शेटीबा यह भी क्या तेरा आना हुआ? इतनी देरी?"

"वहाँ से निकलने में ही देरी हुई।" हाथ में पकड़ी हुई थैली दीवार के कीले पर लटकाते हुए शेटीबा ने जवाब दिया।

"कोई था क्या तेरे साथ?"

"हाँ, मेरा एक दोस्त था वडगाँव का आल्माराम शेलके। उसी के घर थोड़ा ठहरने के कारण देरी हुई।"

"अच्छा हुआ। चल, हाथ पाँव धोकर थोड़ा आराम कर ले।"

शेटीबा ने हाथ-पाँव धो लिए तो उसकी माँ ने उसके लिए खाना परोसा। चूल्हे के आसपास उसके भाई-बहन बैठे हुए थे, जिनकी नज़र रोटियों पर टिकी हुई थी।

माँ ने शेटीबा की थाली तैयार की तो छोटे बच्चे भी उसके पास बैठ गये। खाना खाते समय कोई किसी से कुछ बात भी नहीं कर रहा था। चारों ओर सन्नाटा। छोटे बच्चे बीच बीच में गड़बड़ करते थे। सन्नाटे के कारण शेकू और बेचैन हो गया। शेटीबा नौकरी की तलाश में ढोकी गया था कारखाने में, क्या हुआ? नौकरी मिली या नहीं? शेकू के मन में अनेक सवाल पैदा हो रहे थे, जिसके जवाब मात्र शेटीबा ही दे सकता था। फिर वह चुप क्यों? शेकू की समझ में कुछ नहीं आया। वह चाहता था कि शेटीबा कुछ तो बोले जो सुनने के लिए शेकू बेचैन था। शेकू ही नहीं शेटीबा की माँ और अंधेरे एक कोने में बैठी उसकी बीवी पमी भी उतावली हुई थी। उसकी बीवी देख रही थी छोटे भाई बहन के खाते खाते बचा खुचा रोटी का टुकड़ा खाकर शेटीबा बार-बार पानी तो पीता रहा था। कुछ बोल नहीं रहा था।

आखिर ऐसी स्तब्धता सहना मुश्किल होने के कारण शेकूबा पूछ ही बैठा, "क्या, काम हुआ या नहीं?"

"नहीं।" दबी हुई आवाज़ में शेटीबा ने जवाब दिया और चुप्पी तोड़ी। लेकिन उसके 'नहीं' से सबकी बेचैनी बढ़ गयी। माँ ने एक लम्बी आह भरी और पमी ने आँखों को आँचल लगा लिया। शेकू ने खुद को थोड़ा सम्हालते हुए पूछा, "क्या कहा साहब ने?"

शेटीबा ने सर नीचे झुकाते हुए जवाब दिया, "साहब ने कहा कि अभी जगह खाली नहीं है। महीने में शायद एक दो जगह खाली होने की संभावना है।"

जंवाब देते ही शेटीबा की आँखों के सामने ढोकी कारखाने का विशाल परिसर आया। विशाल और प्रचंड राक्षस की तरह मशीनें... इधर उधर गन्ने के ढेर ही ढेर... गन्ने काटने वाले मज़दूर... कटे हुए गन्ने की गड्डियाँ सिर पर लेकर जाने वाले मज़दूर... लारियाँ... बैल गाड़ियाँ... चारों ओर धांधली और भाग दौड़...। वहाँ खड़ा खड़ा शेटीबा यह दृश्य देख रहा था। थोड़ा-सा भौंचक्का और भयभीत भी। मन में सोचता था कि अगर साहब ने नौकरी दी ही होती तो वह भी इसी धांदली में किसी काम से जुड़ जाता और घर की समस्या का कुछ हल तो निकलता।

अब वह कारखाने की दूसरी बाजू में आ खड़ा हुआ जहाँ तक लॉरी खड़ी थी। कुछ मज़दूर मशीनों से बाहर निकलने वाली गाढ़ी चिकट चाशनीनुमा गंदगी और कूड़ा कचरा पीपे में जमा करके लॉरी में डाल रहे थे। गंदगी और कूड़े कचरे से भरा हुआ छोटा पीपा सिर पर उठा लेते समय उनके हाथ पाँव सहित सारा बदन चिकट गंदगी से भर जाता था। धूप में काम करने के कारण उनके बदन पर गिरी हुई चिकनाहट सूख जाती थी जिसके कारण वे मज़दूर भयंकर विद्रूप दिखते थे। शेटीबा के लिए यह सब कुछ देखना मुश्किल हुआ और देखते देखते उसका मन घृणा से भर उठा। वहाँ से वह हट गया और रूमाल से नाक दबाकर कारखाने के बाहर आ गया। उसने गेट के पास एक तख्ती देखी जिस पर लिखा था— "गंदगी ढोने के लिए मज़दूर चाहिए।"

यह पढ़कर शेटीबा चौंक गया। मालूम नहीं क्यों, लेकिन मन ही मन हँसता हुआ वह बिखर गया। उसकी विचारधारा टूट गयी।

शेटीबा के 'नहीं' के जवाब से सभी लोग मायूस हो चुके थे। तीन साल पहले शेटीबा ने मैट्रिक की परीक्षा पास की थी और तबसे वह नौकरी की तलाश में था। दफ्तर बाबू, उस्ताद, ग्राम सेवक जैसी ऊँचे दर्जे की नौकरी मिलना तो दूर की बात रही चपरासी की नौकरी तक करने के लिए तैयार होने पर भी कहीं पर उसको नौकरी नहीं मिली। हर दिन नौकरी की तलाश में चक्कर काँटता रहा और खाली हाथ घर वापस आता रहा। नौकरी न मिलने के कारण वह हताश होता जा रहा था और दुखी भी। आने वाला हर दिन यों ही ठेलता हुआ निकाल लेता। कल वह मुलाकात के लिए ढोकी गया था जहाँ चीनी के कारखाने में वाचमेन की एक जगह खाली थी। लेकिन उसकी नियुक्ति न होने के कारण खाली हाथ वापस आया था। शेकू को बहुत आशा थी। बेटे को यह नौकरी मिल जाती तो अच्छा होता। दो वक़्त पेटभर खाना और बदन पर पूरा कपड़ा तो मिलता। शेकू ऐसे ही सपने देखा करता था। शुरू में दो चार जगह नौकरी मिलने में सफलता नहीं मिली तो शेकू इतना दुखी नहीं हुआ था। लेकिन हर वक़्त हर जगह नकार मिलने से तो उसका विश्वास ढलने लगा था। सपना टूटने लगा था। पाँव तले की ज़मीन भी खिसक रही थी और शेकू मानो हडकंप महसूस करने लगा था।

शेटीबा के मुँह से 'नहीं' सुन कर शेकू हताश हो गया। उसने यकायक शेटीबा से सवाल किया, "अब क्या करने का इरादा है तेरा?"

"और क्या? नौकरी ढूँढ़ना तो जारी रखना ही होगा, यहाँ नहीं तो वहाँ।" शेटीबा ने ठंडे दिमाग से जवाब दिया।

लेकिन उसके जवाब से नाराज़ होते हुए शेकू ने कहा, "कब तक इंतज़ार करेंगे हम? इंतज़ार करने की मजबूरी के कारण तू हमें यों ही भूखा मार डालेगा। अब कुछ नहीं। कल ही मैं तुझे किसी काम पर लगवा देता हूँ। नहीं चाहिए वह नौकरी।"

बुड्ढा निर्धार के साथ बोला क्योंकि हताशा के कारण उसके मन में घुटन हो रही थी। शेटीबा कुछ जवाब देना चाहता था लेकिन मुँह से एक शब्द तक नहीं निकल पाया। उसका बाप वहाँ से उठकर आँगन में गया और बोरिया बिछाकर लेट गया। शेटीबा की बीवी पमी वहीं कोने में घरौटे के पास ज़मीन पर ही लेट गयी। माँ और शेटीबा के भाई बहन गन्दी चादर लपेटते हुए बिस्तर पर सो गये। घर की सारी बदहाली मानो शेटीबा का मज़ाक करते हुए हँस रही थी। वह देर रात तक दीवार से सटकर बैठा रहा। उसके मन में विचारों का तूफान उमड़ने लगा। इस तरह की चुप्प सहना उसके लिए मुश्किल हो रहा था। वहाँ से उठकर वह आँगन में आया और अपने बाप की बगल में लेट गया। अंधेरी रात अजगर की तरह रेंगती जा रही थी।

दूसरे दिन शेकू ने अपनी ही बिरादरी में से कुछ लोगों को इकट्ठा किया। ऊपर की गली का भिवा गायकवाड, गांगुडर्या, सटवा और गणा आ बैठे। कांबले की गली से डिगा, निवृत्ति और सिदा को बुलवाने के लिए पंचफुला को भेजा। आहिस्ता आहिस्ता सभी लोग आ पहुँचे। शेटीबा नीम की टहनी से दाँत माँजता था। इधर-उधर की गपशप होते ही डिगा कांबले ने शेटीबा को सीधा सवाल किया, "बहुत दिन के बाद हम लोगों को बुलाया। क्या कहीं नौकरी मिलने की खुशखबरी तो नहीं?"

नौकरी का सवाल उठते ही शेटीबा मायूस हो गया। लेकिन उसने अपनी मायूसी किसी को महसूस नहीं होने दी और ठंडी आवाज़ में कहा, "नहीं नौकरी की तो कोई बात नहीं। लेकिन आप लोगों को तो बाबा ने बुलाया है। उसी से ही पूछो।"

"अच्छा! तो क्या घर में बाप-बेटे की बात नहीं बनती?" सिदा ने जानबूझकर टेढ़ी बात करते हुए टोका।

"ऐसा कुछ भी नहीं मामा।" मुँह की थूक नीचे डालते हुए शेटीबा ने कह दिया।

"फिर है क्या मामला?" सिदा ने भौंह उठाते हुए पूछा।

"शेटीबा को कुछ मालूम नहीं। मैंने आप लोगों को क्यों बुलाया उसको खबर तक नहीं। बात क्या है कि..." शेकू कहने लगा, "अपनी अछूतों की बस्ती में चालीस घरबार थे जिनमें से बीस इक्कीस तो रोज़ी रोटी के लिए दूसरे गाँवों में चले गये। यहाँ तो खाना पानी मिलना भी मुश्किल हो रहा है। अब दिन भी तो पलट गये हैं। पहले जैसा कुछ भी नहीं रहा है।" शेकू कह रहा था और उसकी हाँ में हाँ भरते भरते हुए लोग सुन रहे थे। क्योंकि असली बात तो शेकू अभी तक कह नहीं पाया था। जिसके कारण बीच में ही गणा ने चिढ़कर पूछा, "तू जो कह रहा है माना कि सही है, लेकिन तेरे मन की

असली बात भी तो मालूम हो।"

"बता देता हूँ, सुनो। अपनी अछूतों की बस्ती में कोई अपने बेटे को पाठशाला में पढ़ने-लिखने के लिए नहीं भेजता था जबकि मैंने शेटीबा को पाठशाला में दाखिल किया—" "यह सुनते ही लोगों में कानाफूसी शुरू हो गई।

"शेटीबा ने मॅट्रिक की परीक्षा पास की तीन साल पहले। लेकिन अब वह बिना काम धंधा का घर में ही बैठा रहता है। कहीं नौकरी मिलती ही नहीं।"

शेकू अपने मन का दुख दर्द ज़ाहिर करते हुए दिल का बोझ हलका कर रहा था। शेटीबा की समझ में नहीं आ रहा था कि ये सारी बातें बिरादरी के सामने रखकर बाबा क्या पाना चाहता है। वह संजीदगी से आगे सुन रहा था। शेकू कह रहा था।

"अब देखो हमारी हालत तो दिन ब दिन बिगड़ती जा रही है। दो दो दिन घर में चूल्हा तक जलाना मुश्किल हो रहा है। अनाज या धान खरीदने के लिए पैसा तो चाहिए? अब शेटीबा की नौकरी की आशा टूट गयी। इसीलिए मैं आपसे हाथ जोड़कर कहता हूँ कि गाँव की वतनदारी में मेरा जो हिस्सा है वो मुझे वापस दे दो। शेटीबा के कहने पर मैंने अपना हिस्सा छोड़ दिया था। वतन के बदले गाँव के हीन और लानत भरे काम करने पड़ते हैं। पढ़े लिखे शेटीबा को यह सब मंजूर नहीं था। इससे तो नौकरी करना अच्छा है ऐसा उसका ख्याल था। लेकिन अब मैं मजबूर हूँ। वतनदारी में हिस्सा पाकर मैं शेटीबा को किसी काम पर लगा देता हूँ।"

शेकू सिसकते हुए रोने लगा। बिरादरनी के सामने उसने अपना दामन फैलाया...। यकायक शेटीबा को ऐसा लगा जैसे किसी पेड़ पर आसमान से कड़कड़ाहट करती हुई बिजली गिर पड़ी हो। उसको ऐसा महसूस हुआ कि जैसा पहाड़ टूट पड़ा जिसके नीचे वह कुचला जा रहा है। बाबा का एकाएक शब्द सुनकर उसको ऐसा लगा कि वह हथौड़े की मार झेल रहा हो।

"मेरी आँखों के सामने बच्चे भूख के मारे लकड़ी जैसे सूखते जा रहे हैं और मछली जैसे तड़प रहे हैं। कुछ भी हो, हमारे अछूतों के लिए जो काम है वही करते हुए निर्वाह चलाना होगा।"

शेकू के निर्धार के परिणामस्वरूप शेटीबा सिहर उठा। वह काँपने लगा। उसकी समझ में कुछ नहीं आ रहा था। उसकी आँखों में विद्रोह, घृणा और द्वेष का अंगार फूलता हुआ बाहर उछलने लगा। काँपते हुए होंठों में से बडी मुश्किल से इतने ही शब्द बाहर निकल पड़े, "तो फिर मैं इस घर में नहीं रहूँगा।"

"अरेऽऽ तेरी माँ की... इन बाल बच्चों को छोड़कर कहाँ जाएगा रेऽ तू?" शेकू फूट फूट कर रोने लगा।

"आपसे कहीं दूर..." जवाब मन में तैयार हो चुका था। होंठों तक आ पहुँचा था। लेकिन शरमिंदगी के मारे वह ठंडा पड़ गया। जैसे बागी हिरन जिद करते हुए उठने की कोशिश तो करता है लेकिन जख़्म के कारण घायल होकर फिर ज़मीन पर गिर पड़ता है।

ठीक इसी तरह बागी शेटीबा की गर्दन ऐसी ही नीचे झुक गयी।

अंगार बरसाने वाली आँखें ठंडी हो चुकी थीं। जबान ढीली पड़ गयी। आँखों के सामने दिखने लगी फटे हुए कपड़ों से तन ढँकने वाली माँ... चूल्हे के पास... आधे अधुरे नंगे भाई बहन... पेड़ की टूटी लकड़ी की तरह सिकुड़ता हुआ बाप... जैसे कि ये सब जिंदा लाशें ही थीं जिन्होंने शेटीबा को घेर लिया था। इसकी नज़र उनपर फिरती रही... छोटी पंचफुला को डॉक्तर बनाना है... अरेऽ इठ्ठल, तू कलेक्तर बनेगा या वकील... सुमा तू टीचर ही बन जा... मेरी बीवी पमी के लिए मुझे नायलान की साड़ियाँ खरीदनी है... सोचते सोचते शेटीबा का सर चकराने लगा...

दिनभर में शेटीबा ने कुछ खाया ही नहीं था और बाप बेटे में कुछ बातचीत भी नहीं हुई। रात में शेटीबा बुखार के मारे तड़पता रहा। पूरा बदन बुखार के कारण तपता रहा। शेकू अभी तक जागता रहा था, उठकर शेटीबा के बिस्तर की ओर खिसक गया... उसकी चादर ठीक ठाक करते हुए उसके बदन पर हाथ फिराया। बुखार की तपन महसूस हुई तो उसका कलेजा फटने लगा। आँखों से आँसू के दो बूँद टपके...

"बेटा... मैं समझता हूँ... तेरी व्यथा वेदना और दुख दर्द... मुझे ऐसा लगा कि शायर तू मुझ पर गुस्सा करेगा..." शेकू का संयम का बांध टूट गया और वो सिसकने लगा। झोपड़ी में बाकी सब शांत ही था... दिये में तेल भी कम होता जा रहा था। इतने में शेटीबा करवट बदलते नींद में ही बड़बड़ता हुआ बाबा को मना रहा था...

"बाबा... ऐसा मत कर... मुझे गाँव के हीन कामों पर मत भेज..."

सुनते ही शेकू ने शेटीबा के मुँह पर अपना हाथ रख दिया। शरणागत की तरह शेटीबा की बातें सुनकर बदहाली से पीड़ित बाप का दिल काँपने लगा। अपना सिसकना दबोचकर वह वैसा ही लेटा रहा। देर रात में न जाने कब उसकी आँख लग गयी।

सुबह हो गयी। शेकू के घर में ऐसा विचित्र माहौल बना रहा मानो किसी की मौत हो गयी हो।

किसी को कुछ भी न बताते हुए शेटीबा घर छोड़कर निकल पड़ा। जाते समय माँ को इतना ही बताया था कि, "कारखाने में जो काम मिलेगा वह मैं करूँगा। कूड़ा कचरा और चिकट गंदगी भी उठा लूँगा— "

शेकू सीना पीटता रहा और बीवी को बार बार पूछता रहा, "उसके साथ कुछ रोटी के टुकड़े तो बांध दिए ना?"

मराठी से अनुवाद : डॉ. सदा कन्हाडे

एस.आर.टी. कॉलोनी
रूम नं. 27
उस्मानाबाद (महाराष्ट्र)

मराठी कविता

केशव मेश्राम

प्रतिष्ठित

बन चुका है अब प्रतिष्ठित हरेक एहसान फ़रामोश
गुमशुदा हुए है शब्दों के सरलार्थ... मूलार्थ
लुब्ध होते है आदमी अभी कपड़ों की सफेदी पर
नाचती नज़र आतीं देवांगना उंगलियों की नोक पर
नोटों की आवाज़ों से खिसकती है सीमा रेखायें
ईमान खरीद रहे हैं शस्त्रों के कारखाने
ईश्वर समेत देवालय और सुकन्याओं के साथ
स्वर्ग भी अभी हुआ है बहुत ही समस्ता

लापता है हरेक आम आदमी
धूलमिट्टी में बिखरे पड़े है ख्वॉब उसके
दिल उन्हीं का ऐसा वैसा लगता है निर्माल्य सा
भीखमंगे बने है : लाचार... कलाकार
बेबस नर्तिकाएं लगती हैं वार्तापत्रिका
आदर्श गुरु अब बने हैं : टूटे फूटे पत्थर
तय करना मुश्किल है : सरकार है या नहीं भी

हिलते नहीं पत्ते अभी किसी के भी श्वासों से
झरने' भूल चुके हैं : गुनगुनाना गीत
लगते हैं पखेरू: विह्वल.... घायल करुणापूर्ण
बेबसी से बह रही है आँखें भी जानवरों की
खेती की ओर आता नहीं अभी नज़र में
किसी के भी ख़ून का अंदरूनी खिंचाव
सिंचते हैं शक्कर... अंगूर... तमाकू... मशीनरी
खिंचते हैं पैसा खाद खिलाकर बारी बारी
दौड़ता समय अश्व अब लंगड़ाता है
दिखती है चेष्टा स्वरूप पुरुषार्थ की बृहन्नला
सब ओर केवल सन्नाटा... सब है एकदम चुप... खामोश
बन चुका है अब प्रतिष्ठित हरेक एहसान फ़रामोश

अभी

सभी रास्ते अभी उदास पराये कठोर बने
वो रखते नहीं मुलाजा नन्हे बच्चों के पैरों का भी
रास्ते निहारते नहीं : सजावट यहाँ वहाँ की, ना आवाज़ें इन्सानों की
रास्तों पर रास्ते ही बेचते बिकते : कोमल भावनाओं के फूल
कूड़ादानों में उगते हैं लदे हुए वासनादर्पोसे
विचित्र से जंगल फूलों के गुच्छे
बढ़ते दिखाई देते हैं बेचने वाले रास्तों पर
जा रहे बढ़ते ही खरीददार भी दिनोंदिन
रास्ते अभी पूरे के पूरे व्यापारी बनिये बन चुके खड़े हैं

बैठा आदमी एक बार भी रास्तों पर होता नहीं फिर अन्य किसी का भी
तकाज़ाही ऐसा रास्तों का नहीं समाते वह अस्थि माँसपेशियों की चौकट में
प्रतीत होता नहीं ध्वनिओं को रेशमी स्पर्श नाजुक भावनाओं का
उनकी हलचल ऐसी मानो तीव्र हिंसापूर्ण भट्टी भिलाई की
रुकते नहीं रास्ते नहीं पलटते भी किसी के लिए
रास्ते जताते भी नहीं... नि:शब्द राजी... नाराजी
स्पर्श जालिम रास्तों का इतना करते सभी जल्दबाजी लेन देन की
दूसरों का छोड़ो कभी देखते नहीं रास्ते ऐनक चेहरा अपना भी।

गुमशुम भटकता हूँ इन्हीं रास्तों पर मेरे आत्मीयों को ढूँढ़ता हुआ
पगडंडियाँ भूल चुका हूँ : है ख़ून की कमी शरीर में भी
धुंधलाई सी थमी है खो चुकी तेजपन नज़र भी
बचपन से सम्हाला था सबकुछ खो चुका है रास्तों पर
हम सफ़र जो जो मिला निकला वह केवल खरीददार ही
बीबी... बच्चे... माता पिता रिश्ता होता इन्हीं से भी दिखावे का
सजाया है उम्र भर परिवार... नौकरी... पगार... श्राद्ध त्यौहार पेन्शनतक
अंदर ही अंदर समेटा चाहतों को : चिह्न था मानो एक विकृति का
सारे शब्द मेरे अभी मस्तिष्क झुकाये जानवर से थमे है
बढ़ती उम्र के रास्ते नये अनुभवों से बहुत ही पराये... उदास... कठोर बने।

अ 2/30, गुरुवर्य अर्जुनराव सह.गृह.नि. संस्था
गीतांजलि नगर, माहिम (पूर्व) मुम्बई

हिरा बनसोड़े

यशोधरा

यशोधरे!
तू एक जनम व्याकुल दुख सपना,
तुम्हारी तरफ़ देखने का,
निर्लज्ज साहस होता नहीं,
बुद्ध के प्रकाश से,
हमें मिला ज्ञान पर... लेकिन... मात्र अंधकार ही मिला तुम्हें
ज़िंदगी काली-नीली होने तक...!
छिन्न जीकर बेचिराग हुई,
यशोधरे...!
तुम्हारा तेजस्वी लेकिन विफल इतिहास देखते हुए,
संवेदित आकाश शरण आता है और,
आँसू बहाती है व्यथित चाँदनी,
तुम्हारा अप्रतिम विरही लावण्य,

देख रहा गोधूलि-सा अदृश्य होते,
कलेजा फटता है,
तुम्हारा मूक निःश्वास सुनते हुए,
दफन होने जैसी लगती है,
सुख की स्वर्गमोहक वल्गनाएँ।
एक बात बता यशोधरे...
छोटी सी मुट्ठी में कैसे पकड़े
वह जलजलाते तूफान...?
सिर्फ़ कल्पना करने से ही धरती फटती है!
और आक्रोश करती लहरें,
जिदंगी बरबाद कर लेती हैं किनारे पर,
जीवन बिखेरते हुए याद करोगी,
सिद्धार्थ का आखरी प्रयाण चुंबन,
कोमल किस लय-से अधर सिहरे होंगे
किंतु उस चुंबन की हृदय बेधक अग्नि,
और उसकी भयसूचक जागृति,
क्या तुम्हें भाई नहीं?
तुझ पर वज्रपात हुआ होगा
वह जा रहा था दिव्यत्व की ओर,
तुम्हारे जीवन से दूर
वह गया, वह जीता, वह प्रकाशमय हुआ,
उसकी यश गाथाएँ सुनते हुए,
तुम्हारा स्त्रीत्व रँभाता होगा,
पति और पुत्र खोकर
जड़ उखड़ीसी-कैसे उदास तू
लेकिन इतिहास ने बताई नहीं,
तुम्हारे त्याग की महान कथाएँ,
सिद्धार्थ ने समाधि का स्वाँग रचाया होता,
तो महाकाव्य लिखा गया होता तुम पर भी,
गूँज उठी होती सीता-सावित्री की तरह,
तू भी पोथी-पुरान से,

यशोधरे...!
धिक्कार है इस अन्याय का,
एक भी बुद्धविहार में तू नहीं है,
क्या तुम इतनी नगण्य थी?
लेकिन ठहर, ऐसे व्यथित मत हो,
तुम्हारा विलोमनीय रूप मैंने देखा है,
सिद्धार्थ की दोनों बंद पलकों में,
तू ही है... यशू... तू ही है!

संस्कृति

इस देश की महान संस्कृति,
तुम्हें दूर से ही प्रणाम...!
स्कूल की पुस्तकों से तुम्हारा गुणगान करना सीखा,
विश्व की अतिप्राचीन और उच्च संस्कृति समझकर
तेरा अभिनंदन करना कभी न भूली,
लेकिन आज, पाठ्य पुस्तक में लिखे,
झूठे वर्णन पर गुस्सा आता है,
और तुम्हें माँ कहते हमें लज्जा आती है।
तू माता होते हुए भी,
हमसे कर गई सौतेलेपन की विषम कूटनीति।
युगयुग की कुंती बनकर,
कर्णस्वरूप में तू हमारा मातृत्त्व इनकारतें ही आई।
हे पाषाण हृदयी संस्कृति,
अनाथपन के आर्त दुःख में,
कभी नहीं तू बनी हमारी ममतादायी माँ,
ग्रीष्म की धूप में जब जलते थे,
कभी नहीं की मुझ पर शीतल छाया
शतकों से दिए अंधकार में छटपटाते, लड़खड़ाते,
तुम्हारे नेत्रों के कमलदीप प्रज्ज्वलित हुए नहीं
सिसकियों के आर्द्र गीत गाते हुए
ममता की मधुर लोरियाँ तू कभी गुनगुनाई ही नहीं,

हे संस्कृति! हमारी मानवता ही तूने धुन डाली
ज्वालामुखी का हल हमारे घर-द्वार पर चलाया
हम उजड़े और क्षार हुए,
किन्तु, आज उसी राख में दबे अंगारों ने ही
हमें जगाया है।
हमारे दुबले दुखों का विसर्जन हो गया है।
बासी टुकड़ों के लिए जीवनदान करने वाला हमारा ईमान,
असहयोग की पताका लेकर निकला है,
विद्रोह का क्रांतिगीत गाते हुए।
हे हृदयशून्य संस्कृति...
पश्चाताप से जलते हुए कभी तो याद करेगी, कि
जन्मते ही जिसकी नाल तोड़ी हुई वह भी मेरी ही संतान थी।
और ममता से उन्हें आँचल में कभी लिया ही नहीं।
शैशव में दूध पिलाया ही नहीं,
कभी दूध पिलाया ही नहीं।
और इसीलिए ही इस देश की महान संस्कृति,
तुम्हें अब दूर से ही प्रणाम...!
तुम्हें अब दूर से ही प्रणाम...!

40/49, इसाक महमद बिल्डिंग, पहिला माला
भवानीशंकर रोड, दादर (पश्चिम) मुम्बई

प्रज्ञा लोखंडे

आमीना

यूँ तो तुम
आज़ाद ही हो आमीना!
तुम्हारे चेहरे पे चढ़ी नक़ाब
जालीदार तो है
तुम देख सकती हो
बेकरां फैला हुआ उजला सफ़ेद खुला आसमान
और रस्मो-रिवाज के फंदे से लटकी हुई सांसें

इस क़िले बंद तारीकी में
क्या तुम्हें दिखाई देती है आमीना
रोशनी की कोई किरन?

यूँ तो आज़ाद ही हो तुम आमीना!
मस्जिद से आने वाली अज़ान की आवाज़
तुम्हारे कानों तक पहुँचती ही है ना
कुर्रान की आयतें पढ़ सकती हो तुम
चार दीवारों के बीच

अलबत्ता बुलंद आवाज़ से मत पढ़ो
अल्ला अकबर, रसूल लिल्लाह,
हाथों में दिलकश मेंहदी रचा चुकी हो ना
हल्के हाथों से आँखों में सुर्मा लगाओ
महीन मलमल का दुपट्टा ओढ़ लो
ख़ानदानी शराफ़त के साथ

चूड़ियों की नाजुक खनखनाहट के दरर्मियान
भूल जाओ कि तुम उसकी पिस्तानदार मादा हो
उसके ख़ानदान के चश्मो चिराग़ को जनम दो तुम
बेटी पैदा हो तो
उसकी आँखों की चमक देखकर
खुशी से फूल न जाओ आमीना!
थरथराते हाथों से
पहना दो उसे तीरगी का बुर्क़ा

यूँ तो
आज़ाद ही हो तुम आमीना
तुम्हारे चेहरे पर चढ़ी नक़ाब
जालीदार तो है!

अनुवाद : जयन्त परमार

15/4 वृन्दावन को-ऑप-सोसाइटी
थाणे (ईस्ट) महाराष्ट्र-400603

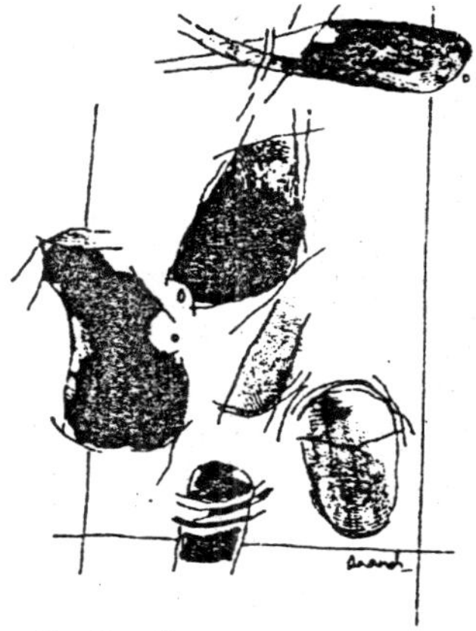

आदिवासी समाज और महाश्वेता देवी के उपन्यास

-कृपाशंकर चौबे

महाश्वेता देवी ने मनुष्य होने के कारण नहीं,लेखक होने के नाते भी सदियों से शोषित-उत्पीड़ित आदिवासियों की व्यथा-कथा को अपने उपन्यासों का कथ्य बनाया है। महाश्वेता की चिंता उनके लिए है जो असहिष्णु समाज के शिकार हैं। इसीलिए वे समाज में व्याप्त मानवीय शोषण और उसके विरुद्ध उबलते विद्रोह को उम्दा तरीके से रेखांकित करती हैं। बतौर बानगी, 'अरण्येर अधिकार' में उस बिरसा मुंडा की कथा है जिसने सदी के मोड़ पर ब्रिटिश साम्राज्यवाद के विरुद्ध जनजातीय विद्रोह का बिगुल बजाया। 'अरण्येर अधिकार' आदिवासियों के सशक्त विद्रोह की महागाथा है जो मानवीय मूल्यों से सराबोर है। महाश्वेता ने असली मुद्दे पर उँगली रखी है। मसलन, बिरसा भगवान का विद्रोह सिर्फ़ अंग्रेज़ी शासन के विरुद्ध नहीं था, अपितु समकालीन सामंती व्यवस्था के विरुद्ध भी था।

'अरण्येर अधिकार'(जंगल के दावेदार) के बाद आदिवासियों के लिए कुछ करते जाने और उनके बारे में और भी जानने की कोशिश महाश्वेता ने जारी रखी। वे आदिवासी इलाकों में जातीं, उनके सुख-दु:ख में शरीक होतीं। उनका लेखन शोषित-शासित आदिवासी समाज और उत्पीड़ित दलितों में केंद्रित हो गया। देश की आबादी के आठ फीसदी आदिवासी हैं और 17 फीसदी हरिजन । ये समाज के सबसे निचले स्तर के मनुष्य हैं। न्यूनतम मज़दूरी, मानवीय गरिमा ,सड़क, पेयजल, अस्पताल, स्कूल की सुविधा से वंचित, भूमिहीन होने को अभिशप्त इन आदिवासियों और दलितों को आज़ादी के छप्पन साल बाद भी न्याय नहीं मिला है। यही महाश्वेता की चिंता का कारण बनता है। महाश्वेता के भीतर

की वेदना को 'टेरोडेक्टिल' उपन्यास की चंद पंक्तियों में देखा जा सकता है, जब एक पात्र कहता है, आदिवासी कल्याण की मद में प्राप्त रुपयों से इन राजपथों, सड़कों का निर्माण हुआ है, ताकि मालिक, महाजन, दलाल और अय्याश लोग आदिवासियों द्वारा बनाई शराब और आदिवासी युवतियों के इच्छुक लफंगे, अहंकारी युवक सीधे आदिवासियों की बस्तियों तक पहुंच सकें।......ये आदिवासी जब इन रास्तों पर चलते हैं तो वे उनकी शिक्षा व्यवस्था, सिंचाई के पानी, पीने के पानी और स्वास्थ्य केंद्रों की समाधि के ऊपर पाँव रखकर चलते हैं, ...उनका प्राप्य क्या है? भारत की कुल आबादी के सात दशमलव सात छह प्रतिशत जो लोग हैं, उन पाँच करोड़, छियानवे लाख, अठाईस हजार छह सौ अड़सठ लोगों का प्राप्य क्या है, यह अब भी उन्हें नहीं बताया गया है...... न दूरदर्शन बताता है, न रेडियो, न अखबार, न एमएलए, एमपी के प्रत्याशी, न पंच न पंचायत, न राज्य सरकारें न आदिवासी सलाहकार......न बताने की इस नीति का अनुसरण करने के लिए कितना विपुल श्रम और अर्थ व्यय होता है। कितने ही दिग्गज बुद्धिजीवी इसमें लगे हैं। कितने ही राजनैतिक दाँव-पेंच इसे लेकर चले जाते हैं। उनका प्राप्य क्या था, इसे जाने बिना ही आदिवासी अपनी प्रेत छाया से ढँकी जिंदगियाँ लेकर इक्कीसवीं सदी में प्रवेश कर जाएँगे।'

ये एक-एक शब्द महाश्वेता के भीतर खौल रहे हैं तो इसलिए कि आदिवासियों के सुख-दु:ख की वे सहयात्री रही हैं। महाश्वेता की चिंता उनकी दूसरी कृतियों में भी देखी जा सकती है।

'शालगिरह की पुकार पर' में महाश्वेता देवी बताती हैं कि किस तरह हिन्दुस्तान में गोराशाही लूट पर टिकी थी। व्यापार करने आई ईस्ट इंडिया कम्पनी ने लूट-व्यापार को स्थायी बनाने के लिए षड्यंत्र और सैनिक हस्तक्षेप के जरिए 1757 में प्लासी-युद्ध में जीत के बाद सत्ता हाथ में ले ली। मगर रियाया पर प्रभुत्व स्थापित करना आसान न था। गोरों के खिलाफ़ असंतोष फैलने लगा था। मुनाफ़े के लिए गोरे अकाल और भूख की तिजारत कर रहे थे। अपने शासन क्षेत्र का विस्तार कर रहे थे। बिहार-बंगाल के जंगल के दावेदार संथालों से अपना लोहा मनवाने और उनकी स्वतंत्र-प्रवृत्ति पर काबू पाने के लिए गोरों ने जंगल-उत्पादों, धान-चावल की खरीद शुरू की। गोरों ने बाजार को हथियार बनाया। संथाल भड़क उठे और विद्रोह की कमान संभाली संथाल परगना के आदि विद्रोही तिलका माँझी ने।

संथाल जीवन और गोरों के विरुद्ध उनके ऐतिहासिक संग्राम की गाथा शाल-गिरह की पुकार में मार्मिक तरीके से व्यक्त हुई है। यह न केवल इतिहास है बल्कि हर भारतीय के लिए गौरव-स्मृति भी है।

'अक्लांत कौरव' में महाश्वेता देवी बताती हैं- जनपक्षीय राजनीति की चुनावों में भी विजय होती है। वे सत्ता में भी आते हैं। ऐसे में वंचितों-शोषितों की आकांक्षा जोर मारती है कि अब दिन फिरेंगे, लेकिन सत्तासीन वामपंथी कार्यकर्ताओं के लिए क्रांति परिवर्तन का

अर्थ बदल जाता है। जनआकांक्षाएँ धूल खाती हैं और जन-जन में असली परिवर्तनकामी कार्यकर्ताओं की पहचान की प्रक्रिया शुरू होती है।

अक्लांत कौरव की कथा छोटी है। लेकिन अपने गर्भ में विस्फोटक तथ्य छिपाए है। वाम राजनीति के दक्षिणी छोर वाले द्वैपायन सरकार, पश्चिम बंगाल सरकर द्वारा बटाईदारों के हित में चलाए गए 'आपरेशन बर्गा' के दरम्यान जागुला गाँव आते हैं। वे सब्जबाग दिखलाकर आदिवासियों की एकता तोड़ना चाहते हैं, वहीं ईमानदार इंद्र प्रामाणिक गाँव में काम करने आता है तो स्थानीय कार्यकर्ता उसे नक्सली सिद्ध करते हैं। फिर भी आदिवासी असली हितैषी को पहचान लेते हैं।

महाश्वेता देवी ने इस समसामयिक विषय पर बेबाकी से लिखा है, इसीलिए अक्लांत कौरव की प्रामाणिकता असंदिग्ध है।

'चोट्टि मुंडा और उसका तीर' में महाश्वेता देवी पूछती हैं- आदिवासियों के हित में कानून बने पर लागू कितने हुए? क्या बंधुआ आदिवासी मुक्त हो गए? बेगी प्रथा समाप्त हुई? हवाई योजनाविदों का विश्वास है कि इन इलाकों में 'कुष्ठ ग्राम' है. जहाँ सबके सब कुष्ठ रोगी हैं। पर ऐसा गाँव नहीं मिलता। कागजी विकास योजनाकारों के लिए आदिवासी मनुष्य नहीं, तमाशे के खिलौने हैं, किन्तु जब आदिवासी समाज में हिंसा का ज्वार उभरता है, तब दिल्ली हतप्रभ रह जाती है। क्योंकि आदिवासियों के बारे में दिल्ली की समझ अंग्रेज़ों जैसी है। मुंडा जनजाति में समानता, न्याय और आज़ादी के आंदोलन का सूत्रपात बिरसा भगवान ने अंग्रेज़ों के खिलाफ किया था। अफसलता हाथ लगी लेकिन आंदोलन के पतन से सपनों का अंत नहीं होता। सपने निरंतर कुलबुलाते हैं। महाश्वेता देवी द्वारा आदिवासी जीवन की तात्कालिक समस्या पर केन्द्रित कृति 'चोट्टि मुंडा और उसका तीर' को पढ़े बगैर आदिवासी समाज की हकीकत को समझना मुश्किल है।

'अग्निगर्भ' में महाश्वेता देवी पूछती हैं- जब बटाईदारी-अधिया जैसी घृणित प्रथा में किसान पिस रहे हों, खेतिहर मज़दूरों को न्यूनतम मज़दूरी न मिले, बीज-खाद्-पानी-बिजली के लाले पड़े तो उनका अस्तित्व दाँव पर होता है, ऐसे में वह सामंती हिंसा के विरुद्ध हिंसा को चुन ले तो क्या आश्चर्य?

अग्निगर्भ का संथाल किसान बसाई टुडू किसान-संघर्ष में मरता है। लाश जलने के बावजूद उसके फिर सक्रिय होने की खबर आती है। बसाई फिर मारा जाता है। वह अग्निबीज है और अग्निगर्भ है सामंती कृषि-व्यवस्था। 'अग्निगर्भ' उपन्यास में महाश्वेता देवी मानती हैं कि इस धधकते वर्ग-संघर्ष को अनदेखा करना और इतिहास के इस संधिकाल में शोषितों का पक्ष न लेने वाले लेखकों को इतिहास माफ नहीं करेगा। असंवेदनशील व्यवस्था के विरुद्ध शुद्ध, सूर्य के समान क्रोध ही उनकी प्रेरणा है। 'अग्निगर्भ' में उन संघर्षशील लोगों की कथा है जिन्होंने सामाजिक न्याय के लिए अपने प्राण उत्सर्ग कर दिए।

'कवि वैद्यघोटी गोइनेर जीवन व मृत्यु' में लेखिका ने एक निचली जाति के युवक के मानवाधिकार हासिल करने के संघर्ष को वाणी दी है। 'आंधारमानिक' में उन्होंने बंगाल के सामाजिक जीवन में आए परिवर्तन का चित्र खींचा है। जनसंघर्ष में ही वे अनुप्राणित होती हैं। संघर्षों ने महाश्वेता के जीवन को भी परिवर्तित किया है और लेखन को भी।

महाश्वेता की रचनाएँ अन्याय के विरुद्ध इंसान के संघर्ष का महत्वपूर्ण दस्तावेज हैं। उनकी कृतियों को गंभीरता से पढ़ना इतिहास के भिन्न-भिन्न कालखंड की समाज व्यवस्था और तब व्यवहार होने वाली जनभाषा और शोषक व शोषितों के बीच संघर्ष के सभी पहलुओं से वाकिफ होना है। उदाहरण के लिए महाश्वेता की शवदाह और मृत्यु पर कई कथाकृतियाँ हैं लेकिन उनमें भिन्न समाज, भिन्न तबकों में भिन्न तरीके के लोकाचार हैं। 'बिरसा ने मृतदेह का पैसा लेकर खाद खरीदा था क्योंकि पैसा तो मृतदेह के काम आएगा नहीं। वह तो जीवन के ही काम आएगा। जीवित व्यक्ति के लिए ही तो अन्न की आवश्यकता है। इसी अपराध में वह अपने समाज से बहिष्कृत होता है और जंगल में चला जाता है। जंगल और ज़मीन की हकीकत को महाश्वेता ने अपनी तई वाणी दी है।

'श्री श्रीगणेश महिमा' में एक ओर गणेश की 'महिमा' है तो वहीं बर्बर और हिंस्त्र व्यवस्था के विरुद्ध तनकर खड़े हैं राका दुसाध, नक्सली जुगलकरन, गाँधीवादी अभय महतो और बस्तियों से जंगलों में भागकर आई भीड़। 'श्री श्रीगणेश महिमा'आज भी बिहार की हकीकत है। यह बिहार के एक गाँव की कहानी है जो अभी भी मध्य युग के बीहड़ अंधेरों में जी रहा है। उस गाँव में इक्कीसवीं सदी की आहट नहीं सुनाई पड़ रही। वहाँ सवर्णों का राज चलता है। राजपूत मालिक ही तय करते हैं कि निचली जाति के लोग कब गुलाम हों, कब बंधुआ मज़दूर और कब सर्वहारा किसान। निचली जाति की औरतों की नियति है सवर्णों की रखैल बनना। ठाकुर मेदिनी सिंह की रखैल लछिमा मेदिनी सिंह के अनाथ बेटे को माँ की तरह पाल-पोसकर बड़ा करती है लेकिन गणेश जब दलितों पर बेतरह अत्याचार करता है तो वही लछिमा गणेश को दलितों की उत्तेजित भीड़ के हवाले कर देती है। सवर्णों के निरंकुश शासन के विरुद्ध महाश्वेता उद्घोष करती हैं।

दरअसल दक्षिण बिहार, बंगाल, उड़ीसा, गुजरात व महाराष्ट्र की जनजातियों के बीच वर्षों काम करने के अनुभव ने महाश्वेता को पैनी दृष्टि और ऐसी शक्ति दी जिससे वे आधुनिक भारतीय जीवन के पीड़ादायक मुद्दों का अनुभव कर सकीं और अपनी कृतियों में अभिव्यक्त कर सकीं। आदिवासियों के जीवन और वृतांत के माध्यम से उन्होंने इतिहास, मिथक और वर्तमान राजनैतिक यथार्थ के ताने-बाने को सँजोते हुए सामाजिक परिवेश की मानवीय पीड़ा को स्वर दिया। भारतीय आदिवासी समाज और दूसरे उपेक्षित-वंचित-शोषित तबकों के बारे में ही उन्होंने ज़्यादा लिखा है। अपनी शताधिक पुस्तकों के जरिए उन्होंने जीवन के विविध रंगों को उकेरा और तीन दशकों से ज़्यादा समय से उन्होंने आदिवासियों

के बीच फील्ड वर्क ही नहीं किया, बल्कि पलामू के बंधुआ मज़दूरों, मेदिनीपुर के लोधा और पुरुलिया के खेड़िया शबर आदिवासियों के जीवन को अपनी लेखनी के जरिए वाणी भी दी। जाहिर है, महाश्वेता के कर्म और कथ्य में रत्ती भर फर्क नहीं है। महाश्वेता की कृतियाँ पढ़कर ही रचना कर्म के महत्व और लेखक के सामाजिक सरोकार को समझा जा सकता है।

(साहित्य अकादमी की जूनियर फैलोशिप के तहत किए गए शोध पर आधारित)

52 धर्मतला लेन, द्वितीय तल, शिवपुर, हावड़ा- 711102

"नावत बानी सबकर माथा/चित देइ सुनहुँ बिदेसिया काथा"

सूत्रधार (उपन्यास), लेखक : संजीव

विनोद तिवारी

"हाँ, हम भिखारी ठाकुर हईं। गीत, कवित्त, साज, गवनई, नाच, नाटक के बिना हम जी ना सकीला। ई हमरी देह से आत्मा तक में, ख़ून, साँस, धड़कन बन के समाइल बा। हमरा बारे में का-का कहल जाला, हमरा ठीक-ठीक ना बुझाला। हमरा त ईहे बुझाला कि हम मूलगैन हईं, मलिक हुई। ई उ चीज़ ह-अ जवन हमरा के ई समसे धरती, जवना में मल-मूत्र, बदबू घिना, हिंसा डाइ, बरियारी भरल बा, से ऊपर उठावेली। हम भगवान जी के नइखीं देखले, न जानीला कि ई चान, सुरूज अन्हार-उजियार के पार ऊ कवन चीज़ ह-अ जेकर जोत जरत रहेला। लेकिन अलाप भरलीं कि ओकर तार से हमार तार जुड़ी जाला। हम सात तल

पाताल और सात तल आकाश के गहिराई, ऊँचाई में एकही साथ पहुँच जाइला और हमरा साथ सभे गावे लागेला, छोट-बड़ जीव भगवान सभे। सब में हम बहत जाईला, सब हमरा में बहत जाला....!"

(सूत्रधार से पृ. 280)

'इतिहास में मात्र संज्ञाएँ होती हैं जबकि साहित्य में संज्ञाएँ काल्पनिक। इतिहास सफलता को गौरव देता है, जबकि साहित्य केवल मानवता को। इसलिए दोनों में आमूल अंतर यह है कि इतिहास सफलता का चारण है जबकि साहित्य मानवता का उद्‌गाता। इतिहास में अमर होने के लिए क्रूर चेष्टाएँ होती हैं, जबकि साहित्य वनश्री है। कब कौन एकांत फूल, लोहित अंकुर फूटकर वासुदेव बन जाएगा कोई नहीं कह सकता।' - (नरेश मेहता, 'यह पथ बंधु' की भूमिका से)

'सूत्रधार' ऐसे ही एक एकांत फूल, (वह भी उपेक्षित बेहया के फूल की तरह) 'भिखरिया' के भोजपुरी नट सम्राट रायबहादुर भिखारी ठाकुर के वासुदेव बन जाने की गाथा है। हमारे अपने लोक-जीवन में कई कथाएँ वाचिक परंपरा का अप्रतिम संसार गढ़ती रही हैं। साधारण से साधारण वाकय-विन्यासों से गूढ़तम विषयों पर आधारित कथाएँ इसी वाचिक परंपरा के माध्यम से लोक में इतनी शीघ्रता से घुल-मिल जाती रही हैं कि लोक का अटूट हिस्सा लगती हैं। वाचिक परंपरा के इसी अप्रतिम संसार में 'लीजेंड' बन चुके भिखारी ठाकुर पर आधारित संजीव का यह जीवनीपरक उपन्यास 'देश, काल, पात्र और किंवदन्तियों, साक्षात्कारों तथा पर्यवेक्षण के अंदर-बाहर यात्रा कर एक ऐसे प्रति संसार की रचना करता है जहाँ दलित-विमर्श भी है और स्त्री-विमर्श भी। संजीव ने इन सामाजिक विद्रूपताओं को अपने रचनात्मक विवेक और निष्ठा से उनके मर्म तक पहुँच कर उनका 'पोस्टमार्टम' किया है और उनका प्रति उत्तर भी ढूँढ़ा है।

'वैशाख की निचाट दुपहरिया के तपते-ध-धधकते आँवें' में सिर्फ़ यह उपन्यास ही नहीं स्वयं संजीव भी प्रवेश करते हुए दिखते हैं। भिखारी का यह स्वगत कथन -"शुरू से ही अवहेलित रहा यह जीवन" दलित और शोपित वर्ग की स्थिति-परिस्थिति की उन सारी वास्तविकताओं और अर्थछवियों को घनीभूत पीड़ा के साथ व्यन्जित करता है जिसमें भिखारी जैसे न जाने कितने लोग अवहेलित, उपेक्षित और शोपित होते रहे हैं और हो रहे हैं -"नाम.......? नाम पड़ा भिखारी यूँ तो कितने अच्छे-अच्छे नाम हैं, लेकिन वे बड़ी जात वालों को शोभते हैं।" यह बड़ी जातियाँ छोटी जातियों को शुरू से ही शोषित करती आयी है और अब भी इसे अपना जन्मना अधिकार मानती हैं -"ई को ह-अ रे?" बड़ जात का कोई बच्चा कनमना कर खड़ा हो गया, जैसे बलिष्ठ पिल्ले किसी मरगिल्ले पिल्ले के आते ही चौकन्ने हो जाते हैं।

"नउवा"

"नउवा.....? ई हो पढ़ेगा? पढ़ लिख के तें का करेगा रे?"

"नौवा कौवा, बार बनौवा!" और तरह-तरह की अश्लील टिप्पणियाँ!

"हजामत के बनाई?"

"नहरनी ले ले बाड़े रे, तनी नह काट दे।"

इस जटिल परिस्थिति में भिखारी जब अपनी पढ़ाई-लिखाई छोड़कर अपने पैतृक व्यवसाय (जजमनिका) में हाथ बँटाने लगता है तो वहाँ भी 'हजाम' होने के नाते उसे अछूत और भ्रष्ट माना जाता है -"नहाकर वे अपनी धोती, लंगोट छोड़े जा रहे थे। दल सिंगार ठाकुर पुण्य का कार्य मानकर उन्हें पछीट-खँगाल रहे थे। भिखारी और बहारे के जिम्मे उन्हें बाहर लाकर सुखाना था। एक बार मन हुआ कि देखें, यज्ञशाला में अभी क्या हो रहा है। गौर वर्ण, सुंदर व्यक्तित्व को देखकर किसी पुरोहित ने उसे ब्राह्मण समझकर यज्ञशाला को रंगीन अक्षत से चौक पूरने का काम सौंप दिया। बस जुट गया कल्पना करने में। थोड़ी ही देर में एक दूसरा व्यक्ति आया-काला भीमकाय बदन पीला-पीला मोटा जनेऊ! आते ही उसने पूछा -"ई के ह-अ" आवाज़ में इतनी घृणा थी कि भिखारी के हाथ पाँव ठंडे हो गए, कलेजा काँपने लगा। 'काहे, का बात है?' पहले पंडी जी ने पूछा 'आपको ब्राह्मण नहीं भेंटाया जो नाई के लड़के से जगगशाला भरस्ट करवा रहे हैं? 'ई नाऊ है?' 'तब का.....' 'जावो बच्चा दूसरा काम देखो। एक बात सुन लो, जात मत छिपाना, पाप लगेगा।' भिखारी के हाथ-पाँव सुन्न। जैसे कोई चूक हो गयी हो। उसके सामने ही गंगाजल का छिड़काव कर मंत्र से शुद्ध करने के बाद काम फिर शुरू किया गया। भिखारी धीरे-धीरे वहाँ से बाहर चला आया। उसकी समझ में नहीं आया कि एकाएक वह खारिज कैसे कर दिया गया। गंगाजल नाई या कहार ढो कर ले आए थे, लकड़ी लोहार फाड़ रहा था। दूध-दही अहीर के घर से आया होगा, कलशा-परई कुम्हार दे गया होगा, दोना-पत्तल नट और डोम दे गए होंगे। आम के पल्लव एक मल्लाह का लड़का तोड़कर गिरा रहा था, यह उसने खुद देखा, अक्षत बनिया की दुकान से आया होगा, कपड़े या दूसरी चीज़ों को भी ब्राह्मणों ने नहीं बनाया होगा। मगर ये सारे लोग अब इन्हें छू भी नहीं सकते।"

इस पर काशी से पधारे रामायणी बाबा का यह प्रवचन, धर्म के नाम पर खंड-खंड पाखंड छूत-अछूत के भेदभाव और शोषण की प्रामाणिकता को और पुष्ट करता है- "ब्रह्म जीव और माया। बाबा बोल रहे थे, 'ईश्वर अंश जीव अविनाशी। सभी प्राणी उसी ईश्वर के अंश हैं, वही तो बड़ा या वृहद करता है- ब्री. हनताद इति ब्रह्मं! तब भी भेद और प्रभेद है। तब भाई लोग बूझिए कि फरक कहाँ पड़ा। ई छोट-बड़ कैसे भईल भाई! तो सुनिए छोट-बड़ हम और आप नहीं बनाए। ऊपर से ही बन के आया है- करई करावाई भंजई सोई-ओही परमात्मा के छोट-बड़ बनावल है, हम आप के हैं? इसमें झूठ तनिकों नाहीं है। बेद ब्रह्मा जी के मुँह से निकला.......!" यज्ञशाला में जिस भिखारी को

एकाएक यह समझ में नहीं आया था कि उसे क्यों अछूत और भ्रष्ट मानकर दूर कर दिया गया, वहीं भिखारी अपना जीवन का एक पड़ाव पार कर लेने के बाद "चौबरन पदवी" लिखकर रामायणी बाबा के उपरोक्त उत्तर पर प्रति उत्तर दागते हुए दुनिया बदलने की उम्मीद कायम करता है-"

प्रथम शूद्र द्वितीय वैश, तृतीय क्षत्री, हाथ।

चौथे ब्राह्मण बकत मुख, सदा रहत एक साथ॥

"चौबरन पदवी" लिखकर संतोष हुआ। 'नाई बहार' की तरह जब यह भी छपकर आएगा तो लोग सोचने को मजबूर होंगे। 'नाई बहार' एक तरफ़ा था, 'चौबरन पदवी' में पूरा समाज है। सोचते-सोचते अपनी ही सूझ-बूझ पर रीझ उठते, लगता कि असली आज़ादी तो यह है कि दुनिया बदल जाए और बदलेगी, ज़रूरी बदलेगी-जाति-जाति की घिना बंद होगी, हिन्दू-मुसलमान की घिना बंद होगी, हर जगह लोग बाबा, बाबू, भईया और बबूआ कहेंगे।"

'नाई बहार' और 'चौबरन पदवी' के इस दमित किन्तु आशान्वित समाज में ही चैती, फगुआ, जैतसार, कहरवा, सोहर, छठ, पचरा, पुरबी, सोरठी, बृजभार आदि के गीत, डोमकच और जलुवा के जीवंत दृश्य, भौजाइयों और मामियों की रसीली ठिठोलियाँ, रामचन्द्र, बाबूलाल, लच्छन, झम्मन, नकछेदी, परमानिक, साधन, दुबरी, बहारे सभी संघातियों (दोस्तों) की बतकही, नाच, तमाशा के जीवंत, सरस 'किस्तेवार व्यौरे' भी है। इन्हीं व्यौरों के बीच 'भिखरिया' के भिखारी ठाकुर बनने की वह संघर्ष गाथा भी है, जिसमें गाँव-जवार की नज़र में वह 'नचनिया' घोषित कर दिया गया है- बेकार और नकारा। परिवार में लड़के-लड़कियों की शादी की चिन्ता उसके माँ-बाप को सताने लगती है-" अभी तो हम बोल रहे हैं कल पूरा समाज बोलेगा; लड़का-लड़की का वियाह शादी रुक जाएगा, तब समझ में आएगा।" लेकिन भिखरिया अंतरादित यादव की तरह कोई ऐसा-वैसा नाच दल थोड़े ही खड़ा करना चाहते हैं, जिसमें -हमरे जोबना पर आइल बहार राजा' या 'गवना कर रतिया, पहिल की रतिया' जैसे छिछोरे गीत गाए जाते हैं। वह तो एक ऐसा 'समाजी-दल' बनाना चाहता है, जो शृंगारिक भी हो, सुंदर भी और मर्यादित भी। इस शृंगारिक, सुंदर और मर्यादित सर्जना का आधार तुलसी बाबा का 'रामायन' है। इसी आधार पर वह अपनी दुनिया रचना चाहता है। यह दुनिया धीरे-धीरे 'प्रवास-संक्रमण' और 'चिरवियोग' को केन्द्र बनाकर रचे नाट्यगीतों में 'बहरा-बहार' के माध्यम से विस्तार पाती है-

परदेश गइलन
गइलन बनिजिया के ओर, परदेश गइलन।
डगरिया जोहत ना, बीतत बाटे आठ पहरिया हो
डगरिया जोहत ना।
धोती पटधरिया धइ के कन्हावा पर चदरिया हो

बबरिया झारि के ना, होइब-अ कवना सहरिया हो
बबरिया झारि के ना।
के ई हमरा जरिया में, भिखले वाटे अरिया हो
चकरिया दरि के ना, दुःख में होत बा जँतसरिया हो,
चकरिया दरि के ना।

संजीव ने इस विस्तार को और बहुत कुछ जोड़कर 'सूत्रधार' के माध्यम से सजा-सँवार कर एक ऐसा रूप दिया है जो अपने गुण-दोषों के साथ अत्यंत ही जीवंत और सार्थक बन पड़ा है। भिखारी ठाकुर 'बहरा-बहार' में पति-पत्नी का मिलन कराकर अपने को कृतकार्य मान लेते हैं। लेकिन यहीं उपन्यासकार अपनी युगीन परिस्थितियों के दबाव के चलते भिखारी ठाकुर से आगे बढ़कर समाज की उस विडंबनापूर्ण स्थिति को प्रश्नांकित करता है जिसमें इन्हीं 'पतियों' के चलते स्त्रियों का एक वर्ग रंडी पेशा अपनाने को विवश हो जाता है-"और सब तो समझा, लेकिन ऊ रंडी क्या करेगी जिसे छोड़ आता है परदेशी कलकत्ते में? का करेगी जइसन करनी, वइसन भरनी। 'और उसका और उसके बाल बच्चों का जीवन'? इस पर भी सोचना पड़ेगा.....। तुम क्या जानो किसी रंडी या खेलिन की ज़िंदगी क्या होती है। मैंने देखी है वो ज़िंदगी। एक दूसरा नरक।"

समाज में स्त्री की दशा और दुर्दशा की नाटकीयता का यह एक रूप है, 'सूत्रधार' में ऐसी नाटकीयता के न जाने कितने सूत्र अपना उत्तर माँग रहे हैं। जिनका उत्तर न समाज के पास है और न ही उपन्यासकार के। भिखारी ठाकुर जैसे बर्गीय समाज में अपना कर्ज उतारने के लिए बेटी को किसी मालदार बूढ़े वर के हाथों बेच दिया जाता है! वह बेटी आजीवन अपने बेटी होने को कोसती रहती है-

रोपेया गिनाइ लिहल-अ, पगहा धराइ दिहल-अ
चेरिया के छेरिया बनवल-अ हो बाबूजी

......

वर खोजे चलि गइल-अ, माल लेके घरे धइल-
अ बाबा लेखा खोजला दुलहवा हो बाबूजी!

भिखारी के 'बेटी-वियोग' की यह 'सामाजिक समस्या' 'कुतुबपुर' या 'रजपुरवा' गाँव की ही समस्या नहीं है-"हकीकत तो यह है कि समसे (सभी) देशवा रजपुरवा हो गया है।...... हर गाँव में कोई न कोई बेटी बेची गई थी, हर गाँव में कोई न कोई झरीखन या बबुनी के बाप का धोख का पुतला खड़ा था- नाम अलग था, रूप अलग, जात अलग, पाँत अलग, मगर वह था कोई न कोई 'चटक' ही।"

"देखते ही देखते 'बेटी-वियोग' को लोग 'बेटी-बेचवा' और 'बहरा-बहार' को 'बिदेसिया' के नाम से जानने लगे। तमाशे से आगे बढ़कर वे लोगों के किस्से बन गए।

फिर किस्से से आगे बढ़कर गाथा।"

नि:संदेह संजीव उपन्यास के क्षेत्र में नई रीतियों और परिपाटियों का विकास और उसके समानांतर आलोचना के क्षेत्र में नई परिभाषा और नए मुहावरों को इस उपन्यास में साध पाने में सफल हुए हैं, किन्तु संजीव की जो सबसे बड़ी समस्या है वह है कथानक के अनुरूप गद्य की लयात्मकता और उसके प्रवाह को साध पाना। 'सूत्रधार' में ही नहीं 'सावधान! नीचे आग है और 'जंगल जहाँ से शुरू होता है' जैसे उपन्यासों में भी उनका लेखन प्रमाण सिद्ध, व्यावहारिक और बोधगम्य होते हुए भी वर्णनात्मक और वस्तुनिष्ठा हो जाता है।

भारतीय समाज में एक अदना सा आदमी भी अनेक वृतांतों में रहता है, उसी में जीता है और अंतत: मर जाता है और मरकर भी उससे मुक्त नहीं होता। एक रचनाकार जब इन वृतांतों को अपनी रचना का विषय बनाता है तो रचनागत वैधता के प्रति उसकी जिम्मेदारी कुछ अत्यधिक की माँग करने लगती है। यह माँग समाकालीन बोध और परिवेश की माँग तो होती है इसके साथ ही साथ भाषा की उस सचाई की भी अपेक्षा करती है जिसमें इन वृतांतों ने विस्तार पाया है। संप्रेष्य या कलात्मक यथार्थ के स्वभाव और उसकी संरचना की पड़ताल करते समय जिस भाषा के स्वभाव और संरचना की ज़रूरत होती है उसे गढ़ने का प्रयास करते हुए भी संजीव इस उपन्यास में उसकी पूरी गढ़न को आकार नहीं दे पाए हैं। भोजपुरी भाषा के स्वभाव और संरचना की जैसी लयात्मकता और रस प्रवाह रेणु के 'मैला-आँचल' में मिलता है वह 'सूत्रधार' में नहीं है। यह संजीव की विवशता भी है और सीमा भी जो उनके अपने अवधी संस्कार के चलते हैं।

बावजूद इसके 'सूत्रधार' यथार्थवादी कथा-परंपरा में महत्वपूर्ण और सफल प्रयोग है। इस उपन्यास की महत्ता अपने आप में इसलिए और बढ़ जाती है कि संजीव ने कुलीनता और अभिजात्यत की बनी बनायी दुनिया को छोड़कर, बहुत कुछ तोड़कर लोक-परंपरा में 'बिसरा' दिए जाने वाले लोक-कलाकार की पीड़ा और और दर्द को महसूस कर उसे स्वर देते हुए उसकी अस्मिता को स्थापित करने का प्रयास किया है। भिखारी ठाकुर जैसे न जाने लोक परंपरा के कितने 'सूत्रधार' समय की अनकही-अनसुनी आवाज़ बनकर किसी शून्य में विलीन हो गए। आज न वे 'सूत्रधार' हैं न वे परंपराएँ। 'सूत्रधार' में इस तरह का प्रयोग कर निश्चित ही संजीव इस परंपरा की थाती को सहेजने-सँवारने वाले सूत्रधार हो सकते हैं।

महात्मा गाँधी अंतरराष्ट्रीय हिन्दी विश्वविद्यालय वर्धा

महाराष्ट्र-422001

भील जनजाति के विकास एवं अंतर्द्वन्द्व की अंतर्कथा उपन्यास 'कुर्राटी'

कुर्राटी (उपन्यास), लेखक : डॉ. सतीश दुबे

डॉ. शोभना जोशी

साहित्यिक विधाओं में उपन्यास वह विधा है जिसका फलक अत्यंत विस्तृत होता है, इसलिए जहाँ इस विधा में अनुभवों, अनुभूतियों, घटनाओं को पूरे विस्तार से बुनने का अवसर होता है वहीं इस विस्तार का निर्वाह उतना ही कठिन भी होता है। निर्वाह की यही क्षमता उपन्यास को सफल या असफल बनाती है। इस दृष्टि से समसामयिक विषयों पर उपन्यास की रचना अत्यन्त जटिल है। हिन्दी में समसामयिक विषयों पर लिखे गए कुछ उपन्यास ऐसे हैं जिन्हें पढ़ते हुए लगता है मानों जीवन्त प्रसारण हो रहा है, यथा मैला आँचल, परती परिकथा, सारा आकाश, आपका बण्टी, सूखा बरगद आदि। कुछ ऐसी रचनाएँ हैं जो किसी दर्शन, विचारधारा, सिद्धान्त को दृष्टिगत रखकर लिखी जाती हैं एवं उन्हें पोषित करती हैं। पाठक उनमें निहित विचारों में उलझता है और उनके समर्थन या विरोध में समानान्तर विचार बनाता जाता है। जैसे परख। पर कुछ रचनाएँ ऐसी हैं जिनमें जीवन्त प्रसारण भी है, किसी सोच का पोषण भी और कुछ स्थिर छायाचित्र भी, जैसे गोदान। डॉ. सतीश दुबे का उपन्यास 'कुर्राटी' इसी तरह का है। डॉ. सतीश दुबे शासकीय सेवा में रहकर दीर्घकाल तक इन्दौर संभाग के आदिवासी क्षेत्र में रहे. इस दौरान वे हरिजन, आदिवासी, पिछड़ा वर्ग बालक छात्रावास के अधीक्षक रहे, इस तरह उन्होंने शासन की सहायता के साथ, आधुनिकता के नाम पर शहरीकरण से अछूते न रह पाने वाले भीलों को, सामाजिक, सांस्कृतिक, शैक्षणिक विकास की समस्याओं एवं जीवन-यापन की समस्याओं को अत्यन्त निकट से पहचाना है। यही कारण है कि यह उपन्यास एक डाक्यूमेंट्री फिल्म की तरह है, जिसमें लेखक, सामाजिक कोर्ट में, घटनाओं के यथार्थ के साथ, पीड़ितों की गवाही को, जीवन्त रूप में रख रहा है। स्वयं सूत्रधार की तरह है। जो अपनी सोच को भी प्रेषित कर रहा है।

उपन्यास में सूत्रधार, केन्द्रीय पात्र नागराज शर्मा हैं जो गैर आदिवासी है। नागराज शर्मा उपन्यास में प्रवेश करता है। आदिवासी इलाके में नौकरी का आदेश पाकर, पदभार ग्रहण करते हुए। शर्मा संवेदनशील, स्वाभिमानी है एवं मानवशास्त्र का अध्येता। पदभार ग्रहण करते हुए जब कार्यालय में अधिकारी एन्थ्रोपोलॉजी में स्कोप की बात करते हैं तो नागराज शर्मा पहली गवाही देते हुए रोटी के सच की बात कर उन्हें चुप करता है।

'.............. सभी लॉजी का एक ही लॉजिक रह गया है रोटी...... पेट। (पृ. 14)

इसके पश्चात नागराज कार्यालय में पदस्थ होकर फिर छात्रावास अधीक्षक हो जाता

है। कार्यालय एवं छात्रावास से जुड़कर सूत्रधार की तरह वहाँ घटित प्रसंगों की सच्चाइयों का खुलासा करता चलता है इनसे सम्बद्ध कर्मचारियों छात्रों की गवाहियों के साथ। ये गवाहियाँ छात्रावास एवं कार्यालय में हो रहे तमाम भ्रष्टाचार को उजागर करती हैं और नागराज सोचता है यह कल्याणकारी योजनाओं को क्रियान्वित करने का दफ्तर है या अण्डरवर्ल्ड के सरगनाओं की खेमाबंदी। (पृ. 59)। यह दफ्तर है या रहस्य रोमांच की नित नई कथाएँ कहने वाला तिलस्मी अजायबघर। (पृ. 60)।

आचरण जब भ्रष्ट होता है तो वह रुपये-पैसे तक ही सीमित नहीं होता। फिर सुदूरवर्ती आदिवासी इलाकों में तो वह कई कई रूप में फूलने-फैलने का अवसर पाता है। इसे भी लेखक ने घटना प्रसंगों में बुनकर उजागर किया है। बालिका छात्रावास की ईमानदार साहसी अधीक्षक मैडम हिरवे द्वारा कुछ लोगों की माँग पर लड़कियाँ सप्लाई न किए जाने पर उसे निलंबित करवाया जाता है। कुचक्र रचकर। उधर कार्यालय में यह घटना रस भरे मनोरंजन का साधन बना ली जाती है। तो दूसरी ओर ड्रिंक्स के जरिए होने वाली मित्रता से नौकरियाँ लग जाती हैं। हरिजन-आदिवासी जनजाति कल्याण विभाग में टाईपिस्ट उषा तोमर कुछ इसी तरह नौकरी पाती है।

शासन पिछड़ों-दलितों के लिए तमाम कल्याणकारी योजनाएँ आरंभ करता है पर उनके अमलीकरण पर कोई ध्यान नहीं दिया जाता। हश्र यह होता है कि आदिवासी इलाकों के स्कूली छात्रों के पेरेण्ट्स की निगाह तो केवल छात्रवृत्ति पर रहती है और इसी के लिए वे बच्चों को स्कूल भेजते हैं। जिस दिन छात्रवृत्ति मिलती है, पिताजी छककर पीते हैं, घर में दिवाली-होली का जश्न मनता है। (पृ. 57)

शहरी लोगों एवं शासन के विभिन्न विभागों में कार्यरत अमले ने आज तक भी आदिवासियों को अपने समकक्ष नहीं माना है। सभी वर्ग के लोग अपने-अपने हिसाब से उनका शोषण ही करना चाहते हैं और यह मानकर कि यह उनका अधिकार है। शोषण के इस अधिकार के तहत आदिवासी स्त्री को निरी उपभोग की वस्तु माना जाता है।

भ्रष्टाचारियों की सूची में मंत्री, विधायक, पत्रकार, संपादक भी हैं जो जनजाति कल्याण विभाग के कर्मचारियों, अधिकारियों से अपना कल्याण करवाना जानते हैं। कर्मचारी अधिकारी भी सवा सेर हैं इनके चरित्र के लिए एक कर्मचारी रैनवाल की गवाही है ऐसे कामों के लिए इन्होंने वी.आई.पी. फण्ड बना रखा है, वो जो सिंह के पास बैठा है ना मिश्रा, वह इनका चमचा है और वो जैन दलाल। हर जायज-नाजायज पेमेण्ट से कमीशन लेकर, बड़े छोटों सबको कैसे समझाना है ये इनको आता है। चारों की चाण्डाल चौकड़ी है। (पृ. 32)

नागराज एक ओर जनजाति कल्याण विभाग के कार्यालय एवं उससे सम्बद्ध शासन तंत्र के अनुभवों से गुजर रहा था तो वहीं समानान्तर रूप से वह आदिवासी, हरिजन, दलित, पिछड़े छात्रों के जीवन की अन्य सचाइयों को भी करीब से जान रहा था।

कल्याणकारी योजनाओं से जुड़ा अमला वनवासियों के जीवन में 'बाहरी हस्तक्षेप' होता है जो कल्याण कितना करता है? हिसाब है कागज पर, पर दीखता नहीं ज़मीन पर। यह शोषण ज़रूर करता है। वनजीवी आदिवासी इन मानवीय क्रूरताओं से ही नहीं जूझते उन्हें अपनी गोद में पालने वाली प्रकृति माँ का क्रोध भी झेलना पड़ता है।

इन सबसे जूझते हुए इन्हें उस घृणा से भी जूझना होता है जो तथाकथित सभ्यों के दिल-दिमाग में पैठी है। हरिजन आदिवासी छात्रावास में कुछ साइन बोर्ड्स लगे थे, दूसरे छात्रावास के सभ्य छात्र उन्हें तोड़कर उन पर लंगोटधारी, भीख का कटोरा लिए आदिवासी का, झाडू लगाते हरिजन का, कार्टून बनाते हैं, उनकी साइकिलें टैंक में फेंकते हैं।

यह हरकत तो युवा दिग्भ्रमित छात्रों की थी पर एक जिम्मेदार अधिकारी के बयान भी कमाल हैं नागराज एक बात बताऊँ, सच तो यही है कि कोई भी इन हरिजन आदिवासियों से अपने को जोड़ने में हिकारत महसूस करता है। क्या करें अपनी तो रोज़ी रोटी है .... एक बात बताऊँ मैं तो किसी आउटसाइडर को हवा ही नहीं लगने देता कि मैं इस डिपार्टमेण्ट में हूँ .... अरे भैया लोगों की निगाह में एकदम नीचे आ जाते हैं, भील भंगियों के नाम की खाने वाले। (पृ. 50) घृणा, वर्गभेद अहंकार की कोई सीमा नहीं होती। इसका प्रमाण यह प्रकरण है। नागराज छात्रावास के भृत्य शिवलाल के नाम को लेकर भ्रमित है क्योंकि भीलों में 'लाल' नहीं होते 'सिंह' होते हैं। पूछने पर शिवलाल बताता है 'साब बात ये है कि नाम तो मेरा 'शिवसिंह' है पर जिन कर्नल साब के यां पेले काम करता था उनका नाम शिवपरतापसिंह था, इसलिए उनने मेरा नाम शिवलाल कर दिया। (पृ . 165)

उपरोक्त उदाहरण तो अन्यों की घृणा के हैं पर इससे भी बड़ी त्रासदी तो यह है कि पढ़ने वाले हरिजन, आदिवासी छात्र, नौकरीशुदा हरिजन आदिवासी अपने ही परिवार से शर्म महसूस करने लगते हैं। एक छात्र के पिता छात्रावास में मिलने आते हैं तो वह उन्हें अपने कक्ष में ताले में बंद रखता है। यह बात नागराज जब छात्रावास में राउण्ड लेता है तो पता चलती है।

कार्यालय एवं छात्रावास के बीच घूमता, गवाही लेता, बयान देता नागराज मानवशास्त्र का विद्यार्थी रहा है। इस परिवेश में आकर अपने महाविद्यालयीन जीवन की स्मृति उसे हो आती है, जब वे अपने प्रोफेसर से हटकर भगोरिया मेले में शामिल हुए थे। इस तरह रचनाकार ने नागराज की स्मृतियों के बहाने भीली भगोरिया की अनुभूतिपरक जीवन्त, रोचक चित्र रचना की है।

नागराज के चरित्र की संकल्पना आज के विकृत उत्तराधुनिक, दिग्भ्रमित चरित्रों के बीच सांत्वना देती है। लेखक चाहता तो नागराज और किसी आदिवासी बाला का खासा प्रेम-प्रसंग रच सकता था। पर इसके विपरीत नागराज पूरा समय अधिकारियों से जूझता रहता है।

उपन्यास का सर्वाधिक महत्वपूर्ण अहम् हिस्सा है — हरिजन-आदिवासी छात्रावास के छात्रों की सभा में अध्यक्ष नागराज के समक्ष दिए गए भाषण या कहें बयान, जो यह

बताते हैं कि ये वनवासी जड़ मूर्ख नहीं हैं। प्राप्त अवसरों का लाभ लेकर वे यथार्थ को समझने लगे हैं। उनमें सिर ऊँचा कर जीने की लालसा है। वे तंत्र के कुचक्रों को पहचानते हैं। उन्हें तमाम सुविधाएँ देने के लिए जो बड़ा भारी सरकारी लश्कर खड़ा है, उसके भीतर उन्हें जिन प्रताड़नाओं से गुजरना पड़ता है उसका कारण है नौकरशाही, लालफीताशाही। यह उनके अनुभवों के इतिहास में दर्ज हो गया है। वे चोर नहीं हैं पर भूख उनसे चोरी करवाती है और मात्र आधा एक किलो आटे के लिए की गई चोरी की उन्हें लम्बी सजाएँ दी जाती हैं। जबकि उनके भूखे होने का कारण उनकी अकर्मण्यता नहीं है। इसकी पीड़ा उन्हें है। उनके प्रति रखा जाने वाला अस्पृश्यता का भाव अब उनके मन को बींध रहा है। पर अपने लोगों द्वारा उन्नति करने पर इसी भाव को ग्रहण करने की पीड़ा और भी गहरी है। प्राकृतिक आपदाओं से जूझते हुए वे जान गए हैं कि वे अभिजात्य नागर तो हैं नहीं कि उन्हें इन आपदाओं में सही समय पर सहायता मिले।

उपरोक्त सच्चाइयाँ उनके निजी संसार की हैं पर इससे जुड़े विशाल बाहरी संसार को भी वे चिह्न रहे हैं वे गाँधी को पहचानते हैं। गाँधी उनके प्राणवंत लोकगीत में जीवित हैं। गणतंत्र दिवस पर उनके आदिवासी लोकनृत्य को आइटम रूप में पेश करने की मनोवृत्ति को वे जानते हैं और वहाँ उन्हें राष्ट्रपति देखने को मिलते हैं जिनका राजसी ठाटबाट वही है जो अंग्रेज़ों के वाइसराय का था, राष्ट्रपति भवन देखने को मिलता है जो उनके यथार्थ से कहीं मेल ही नहीं खाता है। उनसे तो फूस का छप्पर भी छीन लिया गया है, उन्हें इस सबसे पीड़ा है। उनकी जानकारी में यह भी है कि राष्ट्रपति भवन के छोटे कर्मचारियों की पगड़ी टीपू सुल्तान की पगड़ी की तरह है। आज भी उसे बदला नहीं गया है। जबकि ऐसी पगड़ी अंग्रेज़ों ने टीपू सुल्तान को अपमानित करने के लिए गणवेष में रखी थी।

उपन्यास की भाषिक संरचना बिलकुल वैसी है जैसी यथार्थतः हिन्दी भाषा भाषी लोगों की वर्तमान में है। न तो वह संस्कृतनिष्ठ होकर गरिष्ठ है, न आंग्ल भाषा से प्रदूषित, न ही इतनी परिष्कृत हिन्दी कि जिसमें कृत्रिमता आ गई हो, न उर्दू से परहेज है। कार्यालयों एवं दैनंदिनी जीवन में पैठी हिन्दी एवं आंग्ल मिश्रित वाक्य संरचनाएँ हैं। कुर्राटी मैला आँचल की तरह आंचलिक स्वभाव की कृति नहीं है पर एक विशेष अंचल की कथा उसमें है इसलिए उस अंचल के निवासी भीलों की भीली मिश्रित हिन्दी है। कुल मिलाकर उपन्यास की भाषा वह हिन्दी है जो वर्तमान में व्यवहार में जीवित है। अतः कृत्रिमता नहीं है। वहीं भीली भाषा के प्रसंगानुकूल प्रयोग ने आस्वाद में बाधक न होकर उसे सुरुचिपूर्ण बनाया है।

और अंत में यह कि यह उपन्यास "स्वप्न में चाँदी के किवाड़ और सोने के अण्डे वाले शहर" (माओ ते सेर सपने आये रे, रूपांनां कमाड़ नज़रे आवे रे, हूनांनु इंडु नज़रे भावे रे .... ।) को देखने वाले भीलों की संस्कृति (रीति-रिवाज, रहन सहन, वेशभूषा, लोकगीत, व्रत त्यौहार) भाषा, जातीय अभिमान की रोचक गाथा एवं विकास के यथार्थ तथ समस्याओं की व्यथा कथा के साथ उनका इतिहास है। पाठक अखबारों के जरिए जिन

सच्चाइयों से परिचित हैं उन सचाईयों का एक स्थायी ऐतिहासिक दस्तावेज है, क्योंकि अपने समय का सच कहने वाली कृति कालजयी हो जाती है।

अभिजात्य नागर स्वातंत्र्य चेला होकर संवैधानिक, धार्मिक, सामाजिक आदि नियमों के हवाले से अपने अस्तित्व के लिए पहचान के लिए लड़ता है। पर विधानों एवं नियमों के इस सभ्य जंगल में स्वाभिमानी आदिवासी भील अपनी उपस्थिति को अपने संघर्ष को आवाज़ दे रहा है, कुर्राटी सी एक किलकारी जो उनके लिए उतनी ही पवित्र और शक्ति संपन्न है जितनी ऊँ ध्वनि, नागरी पंडितों के लिए।

और उपन्यास कुर्राटी एक गैर भील की कुर्राटी है अपने भील भाईयों के लिए।

43 रूपरामनगर
इन्दौर– 452 004

स्त्री की जिजिविषा

मोरी की ईंट (उपन्यास), लेखक : मदन दीक्षित

रेखा कस्तवार

अलेकसान्द्र कुप्रिन द्वारा लिखित उपन्यास 'यामा' (हिन्दी अनुवाद — 'गाड़ी वालों का कटरा') 1909 में प्रकाशित हुआ। कुप्रिन के व्यक्तिगत अनुभवों में अनाथालय में बीता बचपन, युवावस्था का सैनिक जीवन और लम्बी अवधि तक वेश्यालयों को पास से देखने का अनुभव उनकी रचनाओं में दर्ज है। स्वयं वेश्या न होते हुए भी 'यामा' में उनकी अनुभूति की तीव्रता वैसी ही है जैसी अनाथालय, सैनिक जीवन से जुड़ी रचनाओं में। मदन दीक्षित के जीवन के स्वतंत्रता आन्दोलन से जुड़े वर्ष दलित बस्तियों से जुड़े वर्ष भी हैं। गैर दलित पुरुष द्वारा दलित स्त्री के बारे में विचार करना स्वानुभूति और सहानुभूति के विवाद पर चर्चा का महत्वपूर्ण माध्यम होगा। राजेन्द्र यादव गैर दलित लेखक के दलित लेखन को दलित स्थिति और दलित मानसिकता के बीच गहरे संवाद और संबंध से जोड़ते हैं। स्त्री के साथ जुड़ना भी वे अपनी निरीहता, निर्दोषिता और सामाजिक अन्याय को अपने आप से बाहर देखने और पहचानने का माध्यम मानते हैं 'अन्याय की यातना लेखकों को स्त्री के साथ जोड़ती है। यह दो अन्यायों के बीच साधारणीकरण है।' अमृतलाल नागर ने नाच्यो बहुत गुपाल में निर्गुनियाँ के बहाने अपने अन्दर की स्त्री और उसके दलित की कहानी ही कही है, जिस तरह परिशिष्ट

में सवर्ण नीलम्मा दलित रामौतार के साथ जुड़ती है .... बाणभट्ट की आत्मकथा में (हजारी प्रसाद द्विवेदी) 'निउनिया' बण्ड और आवारा बाण को प्यार करती है, पीली छतरी वाली लड़की (उदय प्रकाश) में अंजलि दलित राहुल के प्यार में पागल है। 'मोरी की ईंट' इस परिप्रेक्ष्य में देखे जाने की भी उपेक्षा रखता है।

दलित स्त्री के सामाजिक सन्दर्भों पर विचार करते हुए कहा जा सकता है कि भारतीय समाज में सामाजिक, आर्थिक, नैतिक मानदण्डों के मध्य स्त्री की स्थिति निचले पायदान पर रही है एवं लगभग अपरिवर्तनीय। 'हिन्दू समाज उस बहुमंजिला इमारत की तरह है जिसमें प्रवेश के दरवाज़े बंद हैं तथा जो व्यक्ति जिस मंजिल पर जन्म लेता है' उसे उसी में मरना होता है। डॉ. भीमराव आम्बेडकर के इस कथन को दलित स्त्री के सन्दर्भ में विशेष तौर पर देखा जा सकता है। स्त्री की स्थिति हिन्दू वर्ण व्यवस्था में दलितों की स्थिति के समकक्ष है। यद्यपि यह विषय लम्बी बहस की अपेक्षा रखता है कि उच्च वर्गीय सवर्ण स्त्री भी क्या दलित की भाँति शोषित है और इसी श्रेणी में आती है वर्तमान सामाजिक व्यवस्था में जहाँ अधिकांशत: दलित और स्त्री दोनों ही प्रताड़ित हैं, दलित स्त्री का संघर्ष दोहरा तिहरा हो जाता है। उसका संघर्ष एक ओर मनुवादी व्यवस्था से है तो दूसरी ओर पितृ सत्तात्मक व्यवस्था से भी। जैसा कि प्रज्ञा लोखण्डे का विचार है 'हिन्दू वर्ण व्यवस्था ...... के कारण दलित स्त्री एक ओर पुरुष सत्ता की तो दूसरी ओर जाति व्यवस्था की शिकार बनी। उस पर लिंग भेद और जाति भेद दोनों की वजह से अत्याचार हुए। इनके कारण दलित स्त्री ने जो कुछ सहा, उसकी सृजनात्मक अभिव्यक्ति अभी आना बाकी है। दलित पुरुषों की स्थिति एवं मानसिकता एक ओर दलित होने के नाते शोषित प्रताड़ित की है तो पुरुष होने के नाते स्त्री से उसकी अपेक्षा पारम्परिक आदर्श भारतीय स्त्री की रही है। दलित लेखन में भी पुरुष रचनाकारों द्वारा दलित स्त्री के वर्णन में स्त्री की छवि बहुत साफ़ नहीं है और उन पर आरोप लगे हैं कि वे स्त्री को एक स्वतंत्र व्यक्ति की हैसियत बहाल नहीं करते। सन्दर्भ वलतुं, अक्कर माशी, उपरा, उचल्या कौशल्या बैसंत्री के दोहरा अभिशाप में देखे जा सकते हैं। इस दृष्टि से मोरी की ईंट की दलित स्त्री संघर्ष गाथा लेखक की स्त्री दृष्टि की गहन पड़ताल की माँग करती है। हिन्दी उपन्यासों के अंतिम दशक के लेखन में दलित पुरुष अथवा दलित स्त्री द्वारा इस विषय पर उपन्यास उपलब्ध नहीं है, आत्मकथाएँ अवश्य हैं।

'मोरी की ईंट' का स्त्री संघर्ष 'मंगिया' के माध्यम से जगह तलाशती और अपने लिये जगह बनाती दलित स्त्री के भविष्य को रेखांकित करता है। उपेक्षित और नाकारा ज़िन्दगी जीती दलित बस्ती की स्त्रियाँ, जिनके पास न शिक्षा होती है न सम्पत्ति, हर दिन की रोटी के लिये जिन्हें निरन्तर श्रम करना होता है, शोपण और उत्पीड़न के मध्य अपने लिये कोई मुकाम पा सकी है अथवा नहीं, देखा जा सकता है। इन्सान के रूप में जीने की कामना यदि उनमें जागती है तो उसके हश्र और संभावनाएँ उपन्यास विश्लेपित करता है। गैर दलित लेखकों पर यह आरोप लगे हैं कि दलित दमन और शोपण की जंजीरों से मुक्त होने के लिए आतुर हैं तथा अन्याय के प्रतिकार में खड़ा हो रहा है, किन्तु सवर्ण साहित्य में उसको अभी भी दीन-हीन

दिखाया जा रहा है। दलितों के साथ यह साहित्यिक अन्याय क्यों? राजेन्द्र यादव भी अपने सम्पादकीय में ऐसे आरोप लगाते रहे हैं। दलित लेखन में अधिकांशत: सवर्णों द्वारा शोषण, दयनीय स्थिति, मनोबल टूटने के प्रसंग हैं, अधिकांशत: आत्मकथ्य हैं और विपदाओं से सीधे साक्षात कराते हैं, गई बार उनसे बाहर निकलने की छटपटाहट भी वहाँ गहरे देखी जा सकती है। दया पवार के बलुंत शरण कुमार लिंबाले के अक्करमाशी, ओमप्रकाश वाल्मीकि के जूठन, कौशल्या बैसंत्री के दोहरा अभिशाप इस दृष्टि से अत्यन्त महत्त्वपूर्ण रचनाएँ हैं, किन्तु ये सभी आत्मकथ्य हैं, उपन्यासों की श्रेणी या आत्मकथात्मक उपन्यासों की दृष्टि से इन पर विचार नहीं किया जा सकता। 'मोरी की ईंट' दलित जीवन की भीषणता को रेखांकित करने के साथ-साथ उससे बाहर निकलने के रास्तों पर अपना ध्यान अधिक केन्द्रित करता है। 'अक्करमाशी' जहाँ संकर सन्तान के सवर्णों और दलितों के मध्य की जहालत पर अपने आप को केन्द्रित करता है, मोरी की ईंट का अक्करमाशी सोहन उर्फ जॉन अपनी माँ की सूझबूझ के कारण अपने लिये बेहतर परिवेश जुगाड़ पाता है, दलितों के लिये गर्व का विषय बनता है तो मिशनरी के सहारे अपने बेहतर भविष्य की जमानत भी पाता है। मोरी की ईंट की मंगिया अपने लिये एक सुविधाजनक वर्तमान सुरक्षित करती है तो दलित बस्ती के संघर्ष को निरन्तरता भी देती है और अपने बेटे के लिये सुरक्षित भविष्य चुनती है। दलित जीवन के गहरे शोषण के बावजूद उपन्यास इस संदर्भ को भी दृष्टि में लाता है कि दलित स्त्रियों की स्थिति कई मायने में गैर दलित स्त्री से बेहतर है। स्त्री की स्थिति दोयम दर्जे की बनाने में नैतिक मानदण्ड महत्वपूर्ण भूमिका अदा करते हैं। यौन शुचिता का मानदण्ड जहाँ गैर दलित स्त्री से उसके जीने का अधिकार छीन लेता है। मंगिया हेल्थ ऑफिसर डॉक्टर सुरेन्द्र नारायण पाण्डे से अपने संबंधों की मजबूरी को ताक़त में बदल देती है। मंगिया का पति झगदरिया तो शराब की बोतलों और मुफ्त की रोटी के बदले, हेड जमादार हीरालाल को अपनी पत्नी को हेल्थ ऑफीसर की सेवा के लिये सौंपने को तैयार हो जाता है। मंगिया डॉक्टर पाण्डे से रिश्ते बनाने में स्वेच्छा से माँ बनना स्वीकारती है वहीं अपने पति की मृत्यु पर चूड़ियाँ तोड़ विधवा का वेश नहीं रखती, नयी चूड़ियाँ भी पहनती है। वही संता अपनी पत्नी की खूबसूरती दिखाकर और उसे कन्हैयालाल की खाँची में पहुँचाकर मट्टी पलीत करता रहता है, परन्तु इससे बाहर निकलने के रास्ते रम्पिया के पास पंचायत में शिकायत के हैं और वह उसका लाभ भी उठा पाती है। सवर्ण स्त्री से भिन्न पुन: विवाह की संभावना भी उसके पास है। नैतिकता का प्रश्न और गैर दलित स्त्री की भाँति दलित स्त्री के वैवाहिक जीवन में जीवन मरण का प्रश्न नहीं बनता। गैर दलित स्त्री के जीवन में यही नैतिकता का प्रश्न उसके घर से बाहर निकलने के अवसर क्षीण करता है। मंगिया अपने लिये जगह नहीं तलाश पाती यदि काम पर बाहर जाने के रास्ते उसके पास नहीं होते। डॉ. पाण्डे की ब्याहता जहाँ अपने पति को मंगिया के साथ शेयर करने पर विवश है, मंगिया परिवार में डॉक्टर पाण्डे और उनकी पत्नी का स्नेह पाती ही है काम के स्थान पर डॉक्टर पाण्डे से अपने संबंधों के बल पर अपनी पकड़ मजबूत भी करती है साथ ही उच्च पदस्थों के कच्चे चिट्ठे भी हथियाती है ताकि भविष्य में अपने साथ

होने वाली जबरदस्ती से बचा जा सके। रोज़गार, बाहर निकलने के अवसर, यौन नैतिकता की शिथिलता मंगिया अपने पक्ष में उपयोग करने में सक्षम होती है। अपना पैसा, अपना व्यवसाय, अपना घर बनाकर वह अपने लिये ताक़त बटोरती है। उसके इस अभियान में वे सारी यंत्रणाएँ शोषण पृष्ठभूमि में हैं जो स्वयं दलितों और सवर्णों द्वारा दलित स्त्री को मिलती हैं। मंगिया यह ध्वनि भी जीवित रखती है कि पाया उसी ने है जिसने स्वयं संघर्ष किया है, कोई और आपके लिये रास्ता नहीं निकाल सकता।

दलित पुरुष चाहे वह झगदरिया हो या फिर सन्ता, सवर्ण समाज से सुविधा झटकने का कोई अवसर चूकना नहीं चाहते, दाँव पर अपनी स्त्री को लगाना एक बोतल शराब के एवज में संभव हो जाता है। मोरी की ईंट में दलित पुरुषों द्वारा अपनी पत्नियों के इस शोषण के खिलाफ आवाज़ नहीं है। यहाँ तक कि मेहतरों के बीच से आने वाला हेड जमादार भी जरा सी सत्ता पाते ही अपने वर्ण की स्त्रियों को रिश्वत की तरह इस्तेमाल करने से नहीं चूकता। मदन दीक्षित इसके पीछे की दलित पुरुषों की किसी पीड़ा को रेखांकित नहीं करते, इस कण्डीशनिंग के बीच, नैतिक वर्जनाओं का अभाव स्त्री के पक्ष में नहीं जाता। सुन्दर दलित स्त्रियों को बहुमूल्य, सुन्दर वस्तु की भाँति दलित पति, हेड जमादार, स्वास्थ्य विभाग के सवर्ण अधिकारियों को मौज, मस्ती के लिये सौंप देता है। स्त्री का इनकार 'सवर्ण स्त्री के पतिव्रता का ड्रामा' करार दिया जाता है। स्त्री की देह को वस्तु और सम्पत्ति की तरह उपभोग करने की मानसिकता यहाँ साफ़ देखी जा सकती है।

दलित स्त्री के शोषण में दलित पुरुष की अपेक्षा सवर्ण पुरुषों के हाथ होने को मोरी की ईंट में भी स्वीकारा गया है। ओमप्रकाश वाल्मीकि की कहानी सलाम और रमणिका गुप्ता की बहु जुठाई में यह तीव्रता से देखा जा सकता है। सवर्ण अपने जातीय पौरुष की अभिव्यक्ति दलित स्त्रियों पर सामूहिक बलात्कार, निर्वस्त्र घुमाने में करते रहे हैं। दलित लेखकों की आत्मकथाएँ, प्रतिदिन के अखबार और अन्य मीडिया माध्यम इसे अपने ढंग से रेखांकित करते रहे हैं। छुआछूत मानने वाला सवर्ण पुरुष जो दिन के उजाले में दलितों का छुआ पानी भी नहीं पीता, दलित स्त्री के शरीर को हथियाने में कोई गुरेज नहीं करता। 'मोरी की ईंट' का साहू कन्हैयालाल हेल्थ कमेटी का अध्यक्ष होने के नाते दलित स्त्रियों पर अपने अधिकार को मुफ्त की रोटी, की कीमत पर पतियों को बरगला कर प्राप्त कर लेता है। रम्पिया बार-बार साहू की खांदी में भेजी जाती है। परन्तु मुफ्त की रोटी स्त्री के हिस्से की नहीं होती, पति सत्ता की होती है। मोरी की ईंट में इस शोषण का रेखांकन आत्म पीड़ा के असहनीय अनुभव के रूप में व्यक्त नहीं होता। दलित स्त्रियों के प्रति सवर्ण व दलित पुरुषों की असंवेदनशीलता, क्रूरता और अमानवीयता के स्थान पर लेखक का उद्देश्य इन स्थितियों में उबरने के प्रयत्नों की ओर अधिक है। इसलिये रम्पिया जब अपने अनुभव मंगिया से बाँटती है तब मंगिया जो साहू के दरबार में हाजरी लगाने से इनकार कर चुकी है रम्पिया के पक्ष में उठ खड़ी होती है, पत्नी के शरीर के माध्यम से ऐश करने वाले पति के खिलाफ पंचायत बिठाती है। रधिया, किशन, हरीलाल के माध्यम

से मंगिया अपने लिये ताक़त इकट्ठा करती है, क्योंकि वह जानती है कि लोग तो ताक लगाये बैठे ही हैं कि कब मंगिया अकेली पड़े और कब वे लोग उसे फिर से ठेठ भंगिन की औकात में पहुँचाकर तमाशा देखें। शोषण की जंजीरों से मुक्त होने के ईमानदार प्रयत्न अपने लिये व अपने से जुड़े लोगों के लिये, मंगिया में देखे जा सकते हैं। अपने लिये रास्ते बनाने के लिये वह सवर्ण पुरुषों के साथ विद्रोह की मुद्रा के स्थान पर उनका उपयोग करती है। सवर्ण पुरुष के बच्चे की माँ बनकर वह जहाँ अपनी नौकरी में मनचाही जगह सुरक्षित रखती है, वहीं डॉ. पाण्डे का सिफारशी पत्र अपने बेटे की शिक्षा के लिये भी प्रयोग में लाती है। बेटे को पढ़ाने में आने वाली कठिनाइयां, जैसे माता-पिता का निरक्षर होना, वक्त न दे पाना, निर्धनता यहाँ आड़े नहीं आ पाती क्योंकि बच्चे के भविष्य की सुरक्षा के लिये मंगिया अपने बेटे को ईसाई मिशनरी के निस्सन्तान पादरी को सौंप देती है। ऐसी किस्मत हर दलित बच्चे के हिस्से में यथार्थत: संभव नहीं है। जहाँ संघर्ष, यहाँ सपाट है वहीं रास्ते भी सरलीकृत हो गये हैं। दलित बच्चों के बेहतर परीक्षा परिणामों के प्रति सवर्णों की हिकारत के कुछ संकेत अवश्य देखे जा सकते हैं।

मंगिया एक ओर जहाँ जैसे की ताक़त पहचानते हुए पैसा बचाती है वहीं परम्परागत व्यवसाय में दो रोटी के लिये संघर्ष और अस्पृश्यता के अभिशाप को भी पहचानती है। सिर्फ़ एक बार भर पेट खाने के लिये नहीं हर रोज़ भर पेट खाने के लिये, बचाये हुए पैसों से रिक्शा खरीदती है और अपने वर्ग के युवा लड़कों के लिये रोज़गार जुटाती है। वह अपनी पहचान, आत्म सम्मान से जीने के लिये पुश्तैनी पेशे के परित्याग की चेतना का संचार दलितों में करती है। मदन दीक्षित दलित के लिये गैर परम्परागत पेशों के हिमायती हैं इसीलिये सेना, बिजली मैकेनिक जैसे विकल्पों को भी रखते हैं। यद्यपि डॉक्टर तेज सिंह आक्रामक स्वर में सवर्ण लेखन पर यह आरोप लगाते हैं कि सवर्ण लेखक दलितों को परम्परागत पेशों म बनाए रखकर उन्हें दया का पात्र बनाए रखना चाहते हैं। मोरी की ईंट दलित स्त्री के स्वनिर्माण के संघर्ष को सवर्ण पुरुषों से देह संबंधों को हथियार की तरह उपयोग करने से शुरू अवश्य होता है किन्तु इसका विस्तार दलित वर्ग में शिक्षा द्वारा चेतना का प्रसार, ईसाई मिशनरी का उपयोग, परम्परागत रोज़गारों से मुकित से खोजता है। यह संघर्ष सवर्ण बनने का नहीं है न ही स्त्री का पुरुष बनने का, क्योंकि लेखक इस सत्य से परिचित प्रतीत होता है कि सवर्णों की तरह सत्तावान बनने से नये दलितों की शृंखला जन्मा लेगी। उपन्यास हैवान बनाने वाली इस व्यवस्था के बीच इंसान की तरह उठ खड़े होने और सपनों से आँख लड़ाने की जिजीविषा पैदा करता है। यह उपन्यास दलित स्त्री की चेतना की विकास यात्रा है जो अपने पैरों पर खड़े होने और अपने लिये जगह बनाने की सतत यात्रा में परिवर्तित हो जाती है। मोरी की ईंट घसीटे के पर-पोतों के मन में सम्मान के साथ जीने की ललक' पैदा करता है। स्त्री के लिये संभावना का द्वार खोलता है। स्त्री को उम्मीद सौंपता है।

एच-008, 'क्वालिटी होम्स, कोलार रोड, भोपाल

एक दूसरे सौन्दर्यशास्त्र का प्रारूप

दलित साहित्य का सौन्दर्य शास्त्र (वैचारिकी), लेखक : ओमप्रकाश वाल्मीकि

पुन्नीसिंह

गत कुछ समय से इस बात की माँग निरंतर बढ़ती जा रही है कि दलित साहित्य की विवेचना करने के लिए मात्र सौन्दर्यशास्त्र के नियम लागू नहीं किए जा सकते हैं, बल्कि उसके लिए समाजशास्त्र के नियमों को भी लागू किया जाना चाहिए। अर्थात एक नये तरह का सौन्दर्यशास्त्र हमें विकसित करना चाहिए। इस विषय पर मराठी में डॉ. शरण कुमार लिम्बाले की पुस्तक 'दलित साहित्य का सौन्दर्यशास्त्र' है। हिन्दी में भी इसी नाम से एक पुस्तक प्रकाशित हुई है। ओम प्रकाश वाल्मीकि, की पुस्तक 'दलित साहित्य का सौन्दर्य शास्त्र' इस पुस्तक में हिन्दी में दलित साहित्य की 'अवधारणा' एवं 'प्रासंगिकता' से बात शुरू की गयी है। और यह स्पष्ट करने की कोशिश की गयी है कि दलित साहित्य का अर्थ क्या है और वह आज के सन्दर्भ में कितना ज़रूरी है। साथ ही साथ हिन्दी में उसका प्रवेश और विकास कैसे हुआ है और हिन्दी जगत ने उसका स्वागत किस सीमा तक किया है। इस पर बेबाक तरीके से बात की गयी है।

अगले दो अध्याय 'दलित चेतना' और 'दलित पीड़ा' को विस्तृत रूप से समझाने और स्पष्ट करने में सफल हुए हैं। सच में हिन्दी जगत में 'दलित चेतना' को समझे बिना दलित साहित्य पर चर्चा करना एक तरह से अधूरा ही रहेगा। इसी तरह से दलित पीड़ा वाले अध्याय में यह स्पष्ट किया गया है कि हिन्दी के पूर्व लेखन में चाहे कितनी ही दुहाई दी जाए कि उसमें दलितों के दुख-दर्द को सही तरह से स्पष्ट किया गया, लेकिन वहाँ एक उथली संवेदना से ज़्यादा कुछ भी नहीं था। और यही बात है कि दलित लेखक बार-बार पूर्व साहित्य के पुनर्मूल्यांकन की बात उठाते हैं।'

पुस्तक में एक अध्याय 'दलित साहित्य का सौन्दर्य साहित्य' है। उसमें स्पष्ट किया गया है कि हिन्दी साहित्य की पूर्व परम्परा के बारे यह माना जाता है कि उस पर पश्चिमी साहित्य का पर्याप्त मात्रा में प्रभाव है, लेकिन फिर भी वह अपनी आधारभूत कुंठा और परम्परावादी दृष्टिकोण से मुक्त नहीं हो सकी है। इसका कारण यह रहा है कि वर्ण व्यवस्था पर आधारित समाज की कुंठा से मुक्त साहित्य कभी नहीं हो पाया। और न समालोचना उस विडम्बना से अपना पीछा छुड़ा सकी। इस तरह से समालोचना के वही पुराने औजार इस्तेमाल करके दलित साहित्य का मूल्यांकन किया जाना किसी दलित लेखक को मंजूर नहीं होगा। उसके लिए नया समीक्ष्य शास्त्र रचना ही पड़ेगा। वह तब तक सम्भव नहीं है जब तक हम नये सौन्दर्यबोध से दो-चार न हों!

पुस्तक में दलित साहित्य की 'वैचारिकता', 'दार्शनिकता', 'सामाजिक प्रतिबद्धता', 'राजनीति', धार्मिक; सांस्कृतिक मान्यताएँ 'आर्थिक मान्यताएँ इत्यादि पर अलग-अलग अध्यायों में विचार किया गया है। इन महत्वपूर्ण मुद्दों को दलित साहित्य से जोड़ कर देखा गया

है। यह स्पष्ट किया गया है कि इनके बारे में एक दलित लेखक का दृष्टिकोण अधिक व्यावहारिक होता है, क्योंकि वह दृष्टिकोण आम्बेडकरवादी विचार चिन्तन के आधार पर विकसित हुआ है। वर्ण व्यवस्था की पक्षपातपूर्ण व्यवस्था के चलते इन आधारभूत सिद्धान्तों के जनहितकारी गुण समाप्त हो गये है। अगर उन गुणों की पुनर्स्थापना करनी है तो दलित साहित्य को वर्ण-व्यवस्था के दंश को सबसे पहले कीलना पड़ेगा। वही दलित साहित्य करता भी है।

'दलित साहित्य के सौन्दर्य शास्त्र' नामक पुस्तक में ओम प्रकाश वा़ल्मीकि ने एक अलग अध्याय में दलित साहित्य के शिल्प पर भी विस्तृत रूप से प्रकाश डाला है। इस अध्याय में भाषा, बिम्ब और प्रतीक इत्यादि पर सन्दर्भ सहित विचार किया गया है। समझाने की कोशिश की है कि पूर्व साहित्य से दलित साहित्य की भाषा अलग क्यों है और उसके बिम्ब एवं प्रतीक उस साहित्य से अलग क्यों हैं। उनका कहना है कि क्योंकि परम्परागत मान्यताओं और आदर्शों से भिन्न दलित साहित्य ने अपना रास्ता चुना है।' इसलिए प्रतीक और बिम्बों में भिन्नता अनिवार्य है। कोई दलित लेखक पौराणिक आदर्शवाद को स्वीकार नहीं कर सकता। उसे पौराणिक चरित्रों की हैसियत बदलनी ही पड़ेगी। कम से कम जो हैं सो दिखाना होगा।

एक अध्याय मार्क्सवाद पर पुस्तक में है। वास्तव में वह अध्याय मार्क्सवाद पर कम डॉ. नामवर सिंह पर ज़्यादा है। इसलिए मात्र व्यक्तिगत शिकवा-शिकायत जैसा प्रतीत होता है। मार्क्सवाद और दलित साहित्य को लेकर कोई तथ्यात्मक बात नहीं है, इस अध्याय के भीतर। मार्क्सवाद को पढ़े और जाने बिना ऐसी बात हो सकना सम्भव भी नहीं है।

यह प्रक्रिया लम्बी है, लेकिन अब यह आशा तो बलवती हुई है कि दलित साहित्य से जुड़े हुए लोग केवल साहित्य रचने में ही लीन नहीं है बल्कि अपनी आवश्यकता के अनुरूप सौन्दर्य शास्त्र भी गढ़ने में अग्रसर हैं।

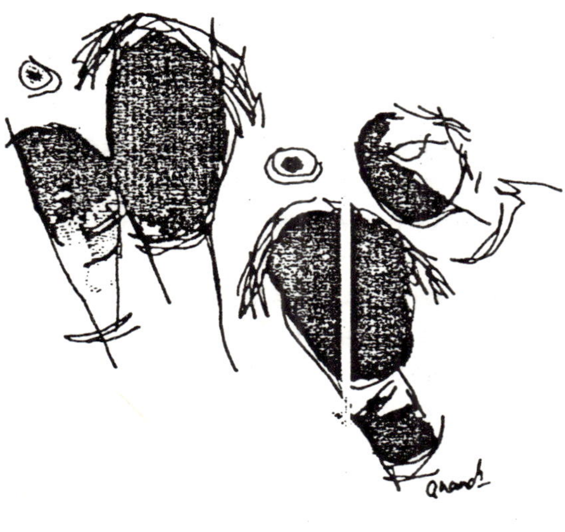

महाराष्ट्र में हर साल अखिल भारतीय मराठी साहित्य सम्मेलन और अखिल भारतीय मराठी नाट्य सम्मेलन का आयोजन किया जाता है। लेकिन दलित रंगकर्मियों द्वारा आयोजित अ.भा. दलित नाट्य सम्मेलन भाषिक भूगोल से सीमित नहीं होता, वह बहुभाषिक होता है और सच्चे अर्थों में अखिल भारतीय।

दलित चेतना और मराठी का दलित रंगमंच

प्रो. दत्ता भगत

प्रथम और द्वितीय पंचवार्षिक योजनाओं का अपने देश के शिक्षा क्षेत्र पर गहरा असर हुआ। शिक्षा क्षेत्र जनसामान्य की पहुँच में आ गया। अपने पहले दो राजनैतिक चुनावों का भारत के सभी राज्यों पर महत्वपूर्ण परिणाम हुआ। जाति से हटकर अपना भी कुछ स्थान है, यह एक नयी चेतना व्यक्ति के मन में जाग उठी, नये सामाजिक और राजकीय संदर्भ में व्यक्ति अपनी पहचान ढूँढ़ने लगा। सारांश-शिक्षा की सहज उपलब्धि और अपनी पहचान खोजने की व्यक्ति की तीव्र इच्छाशकित, इन दोनों बातों का भारतीय साहित्य की सृजनशीलता पर गहरा असर हुआ। यह होना, एक कालसंगत और स्वाभाविक प्रतिक्रिया थी, मराठी भाषा में इसी को लेकर इस सदी के सातवें दशक में काफी कुछ उथल-पुथल हो गयी। जहाँ तक मेरा तर्क है, बीते तीनों दशकों में मराठी साहित्य में जो बदलाव आया, शायद अन्य भाषा-दलित की तुलना में कुछ अधिक ही प्रभावी और समूचे मराठी साहित्य को नया मोड़ देने वाला बदलाव था।

महाराष्ट्र में पिछड़ा हुआ समाज और पूर्वास्पृश्य व्यक्ति मध्यवर्ती साहित्यधारा में अपनी पहचान खोजने लगा। लेकिन वहाँ पर उसकी पहचान का अभाव था। इस मध्यवर्ती साहित्य को भला मध्यवर्ती साहित्य क्यों कहा जाए? ऐसा विद्रोही सवाल उभरने लगा। दूसरी ओर यह जन्मना दलित व्यक्ति अपनी कुण्ठा, बिना हिचकिचाहट के और साहित्य संकेतों की परवाह न करते हुए उत्कटतापूर्ण शब्दों में व्यक्त करने लगा। मराठी भाषा में उभर आए इस नये प्रवाह को 'दलित साहित्य', नाम से पहचाना जाता है, कुछ गिनी-चुनी कथाएँ,

कविताएँ और आत्मकथन हिन्दी भाषा में अनूदित हो चुके हैं। हिन्दी साहित्य का पाठक दलित साहित्य की कुछ रचनाओं से परिचित है लेकिन दलित नाटक से बहुत कम परिचित है, क्योंकि दलित नाटक का हिन्दी भाषा में अनुवाद नहीं के बराबर है। मेरे जेष्ठ डॉ. कमलाकर गंगावणेजी ने जो दलित एकांकी हिन्दी जगत तक पहुँचायी, शायद वही एक अपवाद हो सकता है। दलित नाटक का हिन्दी भाषा में मंचन होना दूर की बात है। इस स्थिति में मैं दलित नाटक और दलित रंगभूमि के संदर्भ में अपनी बात स्पष्ट करने जा रहा हूँ, आशा है आप मेरी कठिनाई समझ सकेंगे। 'दलित चेतना' अवगत कराने के लिए मैं कुछ जगह दलित नाटक के साथ-साथ अन्य विधाओं की मदद लेना चाहता हूँ। आशा है पाठक इस बात के लिए मुझे क्षमा करेंगे।

'दलित साहित्य' मराठी साहित्य में एक सैलाब की तरह आया। सैलाब हमें सोचने पर मजबूर करता है। सैलाब कुछ पुनर्रचना की भी माँग करता है। मराठी भाषा और साहित्य पर दलित साहित्य का ठीक इसी तरह असर हुआ, दलित साहित्य की सृजनात्मक रचनाओं का पाठकों ने स्वागत किया। मराठी भाषा में साहित्य समीक्षा का पुनर्विचार शुरू हुआ। सृजनात्मक साहित्य में जीवन सन्मुखता को महत्व मिला। आज, भारतीय सृजन परम्परा को भी दलित साहित्य के वजूद को स्वीकार करना पड़ रहा है। इस सदी के अंतिम वर्ष में हमें और भी कुछ सुखद संकेत मिल रहे हैं। अन्य भारतीय भाषाओं में दलित साहित्य आंदोलन के आसार नज़र आ रहे हैं। एक दलित रंगकर्मी होने के नाते हमें इस बात का तो (समाधान) आनन्द है, लेकिन और एक बात का भी आनन्द है— मराठी भाषा का दलित साहित्य, भारतीय साहित्य के लिए बीसवीं सदी की एक महत्वपूर्ण देन है, यह बात भी हमारे आलोचक शायद आज या कल स्वीकार करेंगे, यह मेरी आशा है।

एक नगण्य बात याद आयी, हमारे महाराष्ट्र में हर साल अखिल भारतीय मराठी साहित्य सम्मेलन और अखिल भारतीय मराठी नाट्य सम्मेलन का आयोजन किया जाता है, लेकिन दलित रंगकर्मियों द्वारा जब कभी दलित नाट्य सम्मेलन का आयोजन किया जाता है तो वह भाषिक भूगोल से सीमित नहीं होता। अखिल भारतीय दलित नाट्य सम्मेलन इस नाम से आयोजन किया जाता है। स्वाभाविक परिणाम यह होता है कि यह बहुभाषिक नाट्य सम्मेलन होता है। 1990 में नांदेड़ में दलित नाट्य सम्मेलन हुआ था। रायपुर (मध्यप्रदेश) की भारतीय जननाट्य इप्टा संस्था ने 'जहाज फूटा है' यह उर्दू नुक्कड़ मंचित किया। मेरे मित्र विष्णु खरे उपस्थित थे आन्ध्रप्रदेश, निजामाबाद की सुश्री जया लक्ष्मीजी ने 'सिद्धार्थ' नाम का बैले मंचित किया। इस बैले की गीत रचना तेलुगू में है। दलित नाट्य सम्मेलन में हिन्दी भाषा के नुक्कड़ का मंचित होना एक आम बात है हमारे जेष्ठ मित्र भी त्र्यंबक महाजन जी ने 1984 में लंग्स्टन ह्यूज का 'म्युलैटो' हिन्दी में अनूदित किया था और औरंगाबाद के दलित थियेटर ने प्रथम दलित नाट्य सम्मेलन में इस नाटक का मंचन किया था। महाराष्ट्र के अ.भा. मराठी नाट्य सम्मेलन में अन्य भाषा को यह स्थान दिया नहीं

जाता। यह बात वैसे बहुत नगण्य है लेकिन दलित चेतना स्पष्ट करने के लिए इस बात को आधार तल माना जा सकता है। दलित चेतना से इस बात का सैद्धान्तिक संबंध है दलित चेतना भाषिक भूगोल से नहीं बल्कि वेदना और विद्रोह के भूगोल से जुड़े रहना पसंद करती है।

दलित साहित्य के सृजन से जुड़े हुए सभी लेखक जन्म से दलित हैं शायद इसीलिए दलित साहित्य याने जन्मना दलितों का साहित्य यह समीकरण धीरे-धीरे प्रचलित हो गया। लेखक कवि का जन्मना दलित होना उस धारा के साहित्य के लिए है लेकिन यह मानना ज़रूरी नहीं कि सिर्फ़ जन्मना दलित लेखक ही दलित चेतना अभिव्यक्त कर सकता है। फिर यह समीकरण क्यों प्रचलित हुआ? इस प्रश्न का सीधा उत्तर हमें साहित्य रचनाओं में नहीं मिलता। साहित्य रचनाएँ कुछ रास्ते बना देती हैं। हम लेखकों की निर्मिती प्रक्रिया तक पहुँच सकते हैं। लेखकों का भाव विश्व हमारे सामाजिक संदर्भ में ढूँढ़ सकते हैं। लेखक की मानसिकता तक पहुँच सकते हैं और यह समीकरण आखिर क्यों दृढ़ हुआ इस सवाल का जवाब पा सकते हैं।

हमारा समाज विविध जाति के स्वायत्त और सांस्कृतिक प्रणालियों के विद्वीपों का एक समूह है। एक भूप्रदेश में रहते हुए भी हम अपनी अपनी विशेषताओं से पूरी तरह एक दूसरे से अलग हैं। स्व. डॉ. राधाकृष्णन और नेहरू जी ने यह बात बार-बार कही लेकिन इस विविधता की बुनियाद विषमता है और हजारों सालों से इस विषमता का समर्थन धर्म, धर्मग्रन्थ और हमारी जीवन प्रणाली करती हुई आयी है, यह बात उन्होंने कभी स्पष्ट नहीं की। यह विषमता ही हमें अलगाव की ओर ले चलती है। जिसे हम मोहक रूप से विविधता कहते हैं। यह अलगाव ही हर व्यक्ति और जाति के निरीक्षण में बाधा डालता है परिणामत: जो जन्म से दलित नहीं वह लेखक दलितों के प्रश्न, उनकी आकांक्षाएँ और उनकी सोच ठीक तरह से समझ नहीं पाता। हमारे समाज की यह रचना जिस दिन पूरी तरह से डगमगा जाएगी उसके गंभीर परिणाम हर जाति के व्यक्ति पर होते रहेंगे और यह परिणाम व्यक्ति की सोच में बदलाव लायेंगे। उस समय के बाद हर जाति का व्यक्ति भी दलित साहित्य लिख सकेगा जैसा मैं मानता हूँ लेकिन आज की वास्तविकता यह है कि सिर्फ़ जन्मना दलित ही दलित चेतना की अभिव्यक्ति कर रहा है।

मैंने जो तार्किक हायपोथिसिस आपके सामने रखा वह एक उदाहरण के साथ स्पष्ट करना चाहता हूँ। एक और द्रोणाचार्य, यह शंकर शेष का नाटक मेरे सामने है, शंकर शेष न केवल हिन्दी भाषा के बल्कि भारतीय स्तर के प्रतिभाशाली नाटककार हैं ऐसा मैं मानता हूँ।

हर कोई सत्ताधीश अपनी सत्ता बनाए रखने के लिए प्रतिभावान व्यक्ति की सहायता लेता है। धीरे-धीरे वह अपनी व्यवस्था को संरक्षित करने के हेतु उस विचारक से धरातल की माँग करता है। पद और सम्मान के लालच में प्रतिभाशाली व्यक्ति भी

सत्ताधीशों की गिरफ्त में आ जाता है। इस विचारक की मानसिक विवशता यथावत बनी रहे यह कोशिश सत्ताधीश करने लगता है। इस बात का अहसास जब इस प्रतिभाशाली विचारक को होता है तो शुरू होता है एक सशक्त टकराव। एक और द्रोणाचार्य का सूत्र मेरे तर्क से यही है। द्रोणाचार्य की मानसिक विवशता इस नाटक में महसूस करता है अर्जुन। इस नाटक में द्रोणाचार्य गुरूदक्षिणा के तौर पर एकलव्य से अँगूठा माँगते हैं। इतना ही नहीं इस माँग का वे समर्थन भी करते हैं।

अर्जुन : पर यह अन्याय है गुरूदेव! देखा नहीं उसकी आँखों में क्षत्रियों के लिए कितनी घृणा थी। आपने एक महान प्रतिभा को उभरने से पहले कुचल दिया।

द्रोणा : हाँ कुचल दिया। उसने मेरे अहंकार को चुनौती दी।

अर्जुन : कैसी चुनौती?

द्रोणा : वह सिद्ध करना चाहता था कि वह मेरी सहायता के बिना भी महान धनुर्धर बन सकता है। कल इतिहास मेरी अपूर्णता पर हँसता।

द्रोणाचार्य के इस समर्थन का खंडन अर्जुन जिन शब्दों में करता है वे शब्द दलित चेतना को स्पर्श करने वाले हैं अर्जुन कहता है।

'इतिहास तो फिर भी हँसेगा आप पर! जब भी प्रतिभा को जाति और व्यवस्था के नाम पर कुचला जायेगा तो लोग आप को याद करेंगे। इतिहास आप को कभी क्षमा नहीं करेगा।

अर्जुन द्वारा किया गया द्रोणाचार्य का यह खंडन और दलित साहित्य में एकलव्य के मिथक का दलित लेखकों द्वारा किया हुआ विश्लेषण बहुत ही साम्य रखता है। आज का दलित साहित्यिक द्रोणाचार्य को क्षमा करना नहीं चाहता और उसका कारण वही है जो शंकर शेष ने अर्जुन के मुख से सुनाया। शंकर शेष के नाटक का केन्द्र द्रोणाचार्य है। यदि वे 'एक और एकलव्य' इस विषय पर नाटक लिखते तो उनके इस नाटक में दलित चेतना का स्पष्ट होना बहुत ही सहज था क्योंकि यह समाज रचना ध्वस्त हो रही थी और इस बात को देखने वाला अर्जुन उनके मन में छिपा हुआ था। वह संवेदन शील अर्जुन जो द्रोणाचार्य और एकलव्य के संघर्ष को निहार रहा था और आज की व्यवस्था का बदलाव उसके सोच पर असर कर रहा था इसलिए अर्जुन कहता है –

'संसार के सबसे बड़े धनुर्धर को अपनी आँखों से देख चुका हूँ। (विराम) भविष्य में जब कभी मुझे कोई संसार का सबसे बड़ा धनुर्धर कहेगा तो उस समय एकलव्य का गरम खून से सना हुआ पंजा मेरा मजाक उड़ाएगा। गुरूदेव, मैं अपने अपराधबोध को कभी नहीं जीत सकूँगा।

तात्पर्य जो लेखक जन्मना दलित नहीं वह भी दलित चेतना की अभिव्यक्ति कर सकता है। लेकिन आज के वास्तव में यह एक तार्किक अनुमान है और दलित चेतना

व्यक्त करने वाला हर लेखक जन्म से दलित है यह वास्तव है।

दलित साहित्य में दलितों की वेदना और विद्रोह का चित्रण है। यह वास्तविकता सामने रखते हुए यह अनुमान किया जाता है कि दलित साहित्य जन्मना दलितों की जीवनी चित्रित करता है। मैं इस अनुमान से भी पूरी तरह से सहमत नहीं हूँ। दलित साहित्य में दलितों की जीवनी का चित्रण आता है। जन्मदलितों की पीड़ा, आशा और सपनों का भी चित्रण आता है। लेकिन मैं मानता हूँ कि यह सब दलित साहित्य की लेखन सामग्री है, न कि दलित चेतना।

दलित साहित्य की इस सामग्री को अलग-अलग कोणों से देखा जा सकता है, अलग- अलग सतह से लिखा जा सकता है जैसे कि दलितों की कुछ समस्याएँ आर्थिक हैं जो सवर्ण गरीबों से मेल-जोल खाती है। प्रेमचन्द की 'कफन' कहानी को इस कोण से देखा गया। यह बात स्पष्ट करने वाला अच्छा उदाहरण है। दलितों के कुछ प्रश्न पारिवारिक हो सकते हैं। भारतीय परिवार व्यवस्था से वे प्रश्न बहुत कुछ साम्य रखते हैं। अलग-अलग कोणों से देखा गया सब साहित्य दलित साहित्य है यह समझना ज़रूरी नहीं। मेरी बात अधिक स्पष्ट करने के लिए मैं मराठी के राघववेद उपन्यास का उदाहरण देता हूँ यह उपन्यास साहित्य अकादमी पुरस्कार से सम्मानित है।

श्री नामदेव काँबले जी ने राघववेद, अनसावली और सांजरंग यह एक त्रिखंडात्मक उपन्यास लिखा है। यह कहानी है वालेपी और उसके नन्हे परिवार की। वालेपी एक जन्म दलित स्त्री है पति की मृत्यु के बाद वह अपने बेटों को बड़े मुश्किल के साथ पढ़ाती है। बेटी का ब्याह रचाती है। अपने तीन नन्हें मुन्ने बच्चों को मध्यमवर्गीय सुखी जीवन प्रदान करना यही उसकी जीवन की सार्थकता है। जन्म दलित होने की वजह से कुछ ऐसी कठिनाइयों का उसे सामना करना पड़ता है जो सिर्फ़ जन्मदलितों को ही सहना पड़ता है। यहाँ उसकी भूमिका परिस्थिति को कुशलतापूर्वक शरण जाते हुए संघर्ष से छुटकारा पा लेना यह उसकी विशेषता है। वालेपी का बेटा रघु है वह अपने मां के प्रति कृतज्ञ है। माँ का मन संभालने के लिए जगह जगह वह समझौता करता है वह त्याग और समर्पित भाव से अपने माँ के परिश्रमों को बाँट लेता है। नामदेव काँबले जन्म दलित हैं शायद इसलिए वे सुख को दलित साहित्यिक मानते हैं। उपन्यास में दलितों का चित्रण है। शायद इसलिए आलोचक प्रकाशक और पाठक भी इस उपन्यास को दलित उपन्यास मानते हैं। मैं यह मानता हूँ कि दलित समस्याओं का पारिवारिक स्वरूप इस उपन्यास में बहुत अच्छे ढंग से चित्रित हुआ है। यह एक पारिवारिक उपन्यास है, जो मराठी के हरिनारायण आपटे की उपन्यासों से नाता रखता है।

सारांश लेखक का जन्मना दलित होना और सृजनात्मक सत्ता में दलितों का चित्रण होना यह दलित साहित्य की महत्वपूर्ण विशेषताएँ हैं लेकिन व्यवच्छेदक विशेषताएँ नहीं। फिर दलित साहित्य अथवा दलित नाटक की व्यवच्छेदक विशेषता क्या हो सकती है।

इसके पहले कि मैं 'दलित चेतना', इस संज्ञा को स्पष्ट कर दूँ मैं लेखक का जन्मना दलित होना दलित साहित्य में क्या महत्व रखता है यह बात स्पष्ट करना चाहूँगा।

लेखक का जन्मना दलित होना दलितों के जीवन चित्रण में सच्चाई ला सकता है। उसके निरीक्षण में सूक्ष्मता आ जाती है और इन दोनों विशेषताओं से 'दलित चेतना' में असलियत आ सकती है। लक्ष्मण माने की 'उपरा' नामक आत्मकथा में चित्रित एक प्रसंग में उदाहरणरूप देता हूँ।

हमें पानी मुफ्त मिलता है, आसानी से और भरपूर मिलता है। फिर भी अस्पृश्य तथा खानाबदोश लोग गंदे क्यूँ रहते हैं? पहला तर्क यह होता है कि उनको समय नहीं मिलता। दूसरा यह कि वे सफाई का महत्व जानते नहीं, तीसरा यह कि इन लोगों को कभी किसी ने सफाई का महत्व समझाया ही नहीं, वगैरा, वगैरा। 'उपरा' आत्मकथा में माने की एक रिश्तेदार मौसी है। वह जवान है और सुन्दर भी। वह रोज़ तेल-साबुन लगाती है। रोज़ाना नहाती है। बाल सँवारती है। अपने गोरे मुखड़े को बार-बार आइने में देखती है। उसका यह बर्ताव देखकर माने जी की माँ उसको एक दिन समझाती है। कहती है तुम जवान हो, सुन्दर हो, लेकिन हम तम्बू में रहने वाले लोग हैं। किसी की नज़र भली होती है, किसी की बुरी। कोई आफत आन पड़ी तो हमें मदद करने वाला यहाँ कौन है? प्रकृति में कुछ कीड़े-मकोड़े होते हैं जो अपनी रक्षा के लिए बड़ी गंदगी छोड़ देते हैं। माने जी की माँ का उपदेश सुनकर क्या हमें उन कीड़ों-मकोड़ों की याद नहीं आती? गन्दे रहने का यह रहस्य तम्बू के बाहर, चार दीवारी में रहने वाले मध्यमवर्गीय कैसे जान सकते हैं? इसीलिए लेखक यदि जन्मनादलित हो तो उसके निरीक्षण में एक सच्चाई और सूक्ष्मता आ सकती है जैसा मैं मानता हूँ।

आत्मकथा लिखने वाला हर दलित लेखक अपनी पीड़ा तो लिखता ही है साथ में वह अपनी जाति की सदियों से चलती आयी व्यथा को भी उजागर करता है। मेरे सामने भगवानदासजी की 'मैं भंगी हूँ' आत्मकथा है और अमृतलाल नागर की 'नाच्यो बहुत गोपाल' उपन्यास भी मेरे सामने है। लेखक का जन्मनादलित होना दलित साहित्य के लिए क्या महत्व रखता है इस प्रश्न का उत्तर इन दोनों रचनाओं की तुलना से हमें मिल सकता है। श्री विजय तेंदुलकर लिखना चाह रहे थे 'कमला' पर, भरे बाजार में जो बेची गयी, लेकिन इस नाटक का केन्द्र ठहरा जयसिंहराव जो कमला का खरीददार और पत्रकार है।

'दलित चेतना' का परिपोष करने वाला दलित साहित्य का दूसरा विशेष गुण दलितों के जीवन का चित्रण है। लेकिन मैं पहले ही कह चुका हूँ दलित साहित्य और नाटक में हमें ऐसी भी रचनाएँ प्राप्त हैं जिनमें जन्म दलितों का चित्रण नहीं। बाबूराव बागूल की ऐसी अनगिनत कंहानियाँ हैं। बागूलजी के कथा का नायक कभी भंगी होता है, कभी क्रिश्चयन तो कभी ताश खेलने वाला मवाली। कुडकुडया जोशी यह अछूत नहीं लेकिन उसकी मानसिकता वर्ण व्यवस्था की शिकार कैसे हो चुकी है, यह बाबूराव अच्छे ढंग से

बता देते हैं। इस संदर्भ में मैं एक ठोस उदाहरण देना चाहता हूँ 'किरवंत' इस नाटक का यह प्रेमानन्द गज्वी का नाटक है और प्रेमानन्द गज्वी मराठी नाटक इस विधा के महत्वपूर्ण नाटककार माने जाते हैं।

किरवंत यह एक ब्राह्मण जाति है। इस जाति के ब्राह्मण उत्तर क्रिया की विधि करते हैं। यही उनका परम्परागत व्यवसाय है।

हिन्दी भाषा में किरवंत ब्राह्मण किस नाम से जाना जाता है मुझे ठीक से मालूम नहीं। लेकिन बिहार में उसे महापात्र ब्राह्मण कहते हैं। मृतात्मा की शांति क्रिया कराने के लिए इन दस दिनों में उसके प्रति यजमान का बर्ताव बड़ा सम्मानपूर्वक होता है, लेकिन जैसे ही दस दिन पूरे हो जाते हैं यजमान का बर्ताव द्वेष से भरा हुआ और घृणापूर्ण होता है। माया के एक अंक में कोई मोहन झा नाम के महापात्र ब्राह्मण की दर्द भरी कहानी मुझे अच्छी तरह से याद है। भारत वर्ष में जहाँ ब्राह्मण है वहाँ किरवंत ब्राह्मण का होना भी अनिवार्य है।

किरवंत नाटक के नायक हैं सिद्धेश्वर शास्त्री। सारी ज़िन्दगी वे यही व्यवसाय करते हैं। अपने बेटे मथू को भी इसी व्यवसाय की दीक्षा देना चाहते हैं। वासुदेव उनका भाई है। वह विद्रोही युवक है। जो ब्राह्मण क्रिया कर्म करता है उसे शादी ब्याह में मंगलाष्टक कहने के लिए नहीं बुलाया जाता। न ही किरवंत इस जन्म में दूसरा व्यवसाय कर सकता, क्योंकि वही उसकी पवित्र विरासत है, लेकिन वासुदेव इस परम्परा के विरुद्ध खड़ा होता है। जन्म के आधार पर किसी व्यक्ति के प्रतिभा को कुचल देना, जन्मगत व्यवसाय करने के लिए उसे मजबूर करना, यह बात वासुदेव को मंजूर नहीं। वासुदेव जन्मना दलित नहीं, लेकिन उसकी वेदना और विद्रोह का स्वरूप ठीक उसी तरह है जैसा भारत में बाबासाहब के अनुयायी का है। इस नाटक के अंत में सिद्धेश्वर शास्त्री का टूटना ठीक दलित संवेदना और दलित चेतना का प्रत्यय देता है।

मैं कोव्वा हूँ। कूड़ा-करकट खानेवाला कौव्वा लोग मुझसे निरन्तर घृणा करते हैं। लेकिन पिंड को छूने के लिए मुझे ही बुलाते हैं। मुझे देखकर नाक और भौएँ सिकुड़ लेते हैं लेकिन घर में कोई मर गया तो मेरा ही सम्मान करते हैं। मैं कौव्वा हूँ प्रभू रामचन्द्र जी का शापित सुदर्शन गंधर्व। (रो पड़ता है) ए सुदर्शन गंधर्व, अरे कौव्वे अरे ओ प्रेतकर्मा रोता है क्यों? मथू बेटा ऐसे रोते नहीं। मैं तुम्हें पढ़ाऊँगा खूब पढ़ाऊँगा। तुम्हें ज्ञानी बनना है। सम्मान के साथ ज़िन्दगी बिताना है।

सिद्धेश्वर शास्त्री यहाँ अपने बेटे से किस ज्ञान की बात कर रहा है? वह तो शास्त्री है। वह ब्राह्मण है फिर भी अपने बेटे से कौन से सम्मान की ज़िन्दगी की बात कह रहा है? इन सवालों को उठाकर सिद्धेश्वर शास्त्री को समझने की कोशिश करने पर हमें जो उत्तर मिलता है वह हमें दलित चेतना तक पहुँचाता है।

लेखक का जन्मना दलित होना, यह बात दलित साहित्य में कितना महत्व रखती

है यह बात मैंने स्पष्ट कर दी। दलित साहित्य में जन्मदलितों का चित्रण कितनी अहमियत रखता है यह बात भी मैंने स्पष्ट की और साथ ही में जन्मदलितों का चित्रण न होते हुए भी दलित सृजनात्मक रचना किस तरह दलित चेतना का प्रत्यय दे सकती है यह बात भी मैंने किरवंत नाटक का उदाहरण देते हुए आपके सामने रख दी। स्वाभाविक तौर से अब मेरी जिम्मेदारी यह है कि जिसे मैं 'दलित साहित्य' का व्यवच्छेदक लक्षण मानता हूँ— वह दलित चेतना आखिर है क्या? इसे भी स्पष्ट कर दूँ और इस विशेषता को ही ठीक ढंग से स्पष्ट करना मेरे निबंध का प्रमुख हेतु है।

दलित चेतना यह कोई तार्किक अभ्यास की देन नहीं है। डॉ. बाबा साहब आम्बेडकर के नेतृत्व में चले स्वतंत्रता आंदोलन की यह एक उपज है। इसलिए मैं दलित साहित्य को आंदोलन का साहित्य मानता हूँ।

मेरे ख्याल से इस सदी के पहले पाँच दशकों में चला भारतीय स्वतंत्रता का आंदोलन यदि ठीक ढंग से समझा जाए तो दलित चेतना समझना बहुत मुश्किल नहीं है।

हमारे स्वतंत्रता आंदोलन के दो रूप हैं। अंग्रेज़ों को यह देश छोड़कर चले जाने पर मजबूर करना यह स्वतंत्रता आंदोलन का एक रूप है। आंदोलन का यह रूप हमें समांतर की दिशा में ले चलता है। हमें स्वतंत्रता क्यों चाहिए? यह सवाल भी हमारे स्वतंत्रता आंदोलन में बार-बार उठता रहा। इस सवाल को लेकर कुछ कृति कार्यक्रम भी अपनाये गये। इन्हीं कार्यक्रमों ने हमारे भारतीय स्वतंत्रता आंदोलन को एक वैचारिक धरातल दिया। स्वतंत्रता आंदोलन का यह रूप हमें अपनी संसद की ओर ले जाता है, भारतीय संविधान पारित करता है और राजनैतिक चुनावों के आधार पर व्यक्ति को सम्मान बहाल करता है। तात्पर्य भारतीय स्वतंत्रता आंदोलन का एक रूप हमें एक ओर समांतर की दिशा में ले जाता है और दूसरा रूप लोकतंत्र की आधार पर समाज के पुनर्रचना की अपेक्षा रखता है।

बाबा साहेब और महात्मा गाँधी इन दोनों नेताओं में संघर्ष था, यह आधा सच है। स्वतंत्र भारत का चेहरा भविष्य में कैसा हो इस बात पर इन दो नेताओं की अनकही सहमति थी यह पूरा सच है। इसीलिए बाबा साहब स्वतंत्र भारत के पहले मंत्रिमण्डल के सदस्य बन सके और वह भी कांग्रेस पक्ष का स्वीकार किये बगैर। वे कांग्रेस के कट्टर विरोधी थे। इतना होते हुए भी भारतीय संविधान सभा के वे अध्यक्ष बन सके। अपने स्वतंत्रता आंदोलन में सत्ता परिवर्तन के साथ साथ समाज पुनर्रचना का भी एक स्वप्न था।

समाज पुनर्रचना का कैसा स्वरूप हमें अपेक्षित था? हमारा समाज स्वायत्त और स्वयंपूर्ण जाति समूहों के द्वीपों का है यह बात मैं पहले भी बता चुका हूँ जाति के यह द्वीप श्रेणीबद्ध (Vertical) रचना है। बाबासाहब विवरण देते हैं— हमारा समाज सीढ़ी विरहित चार मंजिला इमारत जैसा है। इस इमारत में रहने वाली हर जाति का व्यक्ति समाधान से जकड़ा हुआ है और डर से निष्क्रिय हो चुका है।

मेरे भी पैरों तले मुझसे कनिष्ठ जैसा कोई है यह अहसास यहाँ के हर व्यक्ति को जकड़े रहने का समाधान देता है। पिछले जन्म में मैंने पाप किये थे इसलिए इस जन्म में किसी के पैरों तले कुचला जा रहा हूँ। यह भय हर व्यक्ति को भाग्य और भगवान के हवाले करते हुए निष्क्रिय बना देता है इसलिए इस समाज में समता और न्याय के बीज बोना बहुत ही मुश्किल है। व्यक्ति का आर्थिक स्तर बढ़ाकर या व्यक्ति को शिक्षित बनाकर यहाँ के समाज का पुनर्निर्माण असंभव है क्योंकि वर्णव्यवस्था और लोकतंत्रीय सोच परस्पर विरूद्ध शत्रु समान है। व्यकित के मुक्ति के लिए वर्ण व्यवस्था का ध्वस्त होना ज़रूरी है। यह जाति अंत की लड़ाई है जाति और वर्णव्यवस्था का समर्थन देने वाले धर्म और धर्मग्रन्थ का ध्वस्त होना ज़रूरी है।

बाबासाहब धर्मनाश नहीं चाहते थे। वे व्यक्ति को धर्म का स्वातंत्र्य देने के पक्ष में थे। लेकिन धर्म को हमारे जीवन के नियंत्रण का स्वातंत्र्य कतई देना नहीं चाहते थे। बाबा साहब के विचारों से प्रेरित इस देश में स्वतंत्रता का जो आंदोलन शुरू हुआ वह अब भी जारी है। यह आंदोलन हमारा मानसिक सोच बदलना चाहता है। यह नयी सोच हमें समाज के निरीक्षण की गहरी सच्चाई तक ले जा सकती है और इस सोच से बनती है 'दलित चेतना'? इस दलित चेतना को लेकर मैं दलित साहित्य की एक तर्कसंगत परिभाषा देना चाहता हूँ।

डॉ. बाबा साहब आम्बेडकर के विचार आत्मसात करने के पश्चात लेखक का कवि को जो दृष्टिकोण प्राप्त होता है इस दृष्टिकोण के सहायता से स्वयं को और अपने अतराफ बिखरे हुए वास्तव को ठीक से समझने की उत्कट इच्छाशकित का शब्दरूप आविष्कार याने दलित साहित्य।

कोई भी परिभाषा परिपूर्ण नहीं होती यह मैं मानता हूँ, लेकिन कुछ हद तक मैं तर्क संगत और कम से कम दोष विरहित परिभाषा आप के चर्चा के लिए दे रहा हूँ।

दलित साहित्य के प्रेरणा स्रोत का काव्यमय आविष्कार जेष्ठ साहित्यिक बाबूराव बागूल की पंक्तियों में मैं देना चाहूँगा वे कहते हैं –

महात्मा फुले और आंबेडकर ने
आपके अकांउट्स ऑडिट किये हैं
ग्रन्थों के हर पन्नों पर छिपे फ्रॉड्स
अब डिटेक्ट हो चुका है।

इस दलित चेतना को लेकर इस सदी के सातवें दशक में मराठी भाषा में दलित नाटक लिखा जाता है यह नाटक मंचित किया जाता है। इस मंचन की पहचान दलित रंगभूमि है।

1950 में बाबासाहब मिलिन्द कॉलेज की औरंगाबाद में स्थापना करते हैं। महाराष्ट्र

के कोने-कोने से यहाँ विद्यार्थी पढ़ने आते हैं। स्नेह सम्मेलन के लिए नाटक मंचित करना यह उस समय की आम बात थी। मिलिंद कॉलेज में भी हर साल नाटक मंचित होते हैं। लेकिन यह नाटक पारम्परिक थे। इन नाटक में दलित चेतना नहीं थी। बाबा साहब अपने कॉलेज के अध्यापकों के सामने अपनी नाराजगी रखते हैं और उनकी प्रेरणा से नाटक की विधा में एक सर्जना जन्म लेती है। प्राचार्य एक.बी. चिटणीस लिखते हैं— समझ बूझकर लिखते हैं। दलित चेतना का नया नाटक 'युगयात्रा'।

वर्ण व्यवस्था की पकड़ के कारण विशिष्ट स्थान पर हम जकड़े हुए हैं यह पारम्परिक समाधान अब वेदना में बदल जाता है। व्यक्ति का यह स्थान मानवनिर्मित है, इसका पूर्वजन्म से कोई संबंध नहीं यह ज्ञान हमारा भय दूर कर देता है। हमारी निष्क्रियता खत्म होती है और इस व्यवस्था को खत्म करने की इच्छाशक्ति हमें सक्रिय कर देती है। युगों से चली आयी वेदना की यात्रा खत्म करने का संदेश बाबा साहब देते हैं। वेदना की यात्रा अब भरेपूरे विद्रोह की यात्रा में बदल जाती है और जुट जाती है समाज के नवनिर्माण में। युगयात्रा इस नाटक का यह मध्यवर्ती सूत्र है। इस 1955 में इस नाटक का मिलिंद कॉलेज में प्रथम मंचन हुआ। 1956 में नागपुर में जहाँ बाबा साहब ने धर्म परिवर्तन कर दीक्षा ली लाखों जनसमुदाय के सामने इस नाटक का मंचन हुआ कहा जाता है कि इतने जनसमुदाय के सामने मंचित होने वाला यह पहिला भारतीय नाटक है। इस नाटक की अलग-अलग भूमिका निभाने वाले कलाकार भी माने जाने हस्ती थे। डॉ. एम.एन. वानखेड़े आगे चलकर पब्लिक सर्विस कमीशन के चेयरमैन यह निदेशक थे। डॉ. भालचंद्र फड़के प्रसिद्ध आलोचक और न्यायमूर्ति भालचन्द्र वराडे इस नाटक के कलाकार थे। दलित रंगमंच का आरंभ कितना प्रभावशाली था, यह तर्क आप कर सकते हैं।

औरंगाबाद शहर में 'युगयात्रा' से लेकर दलित रंगमंच का आंदोलन शुरू होता है। मिलिंद कॉलेज का बोधि थिएटर अब व्यापक दलित थिएटर में बदल जाता है आयु. अविनाश डोकस प्रो. रुस्तुम अचलखोब प्रकाश त्रिभुवन, खुशाल कांबले, गंगाधर पान्तावणे जैसे लेखक एक से बढ़कर एक दलित चेतना के नाटक लिखते हैं। डॉ. चन्द्रकांत शिरोले, प्रो. प्रभाकर शिरोले, प्रो. विजय गवई, आयु. मधुसूदन गायकवाड, आयु. साहेबराव गायकवाड़, विजया शिरोले, कालवश धनधाय, पद्मबहादुर जैसे अनगिनत कलकार उभर कर आते हैं।

'थांबा रामराज्य येतय' इस नाटक के लेखक हैं प्रकाश त्रिभुवन और निदेशक थे प्रो. त्र्यंबक महाजन। महाराष्ट्र की हर कोने मे इस नाटक का मंचन हुआ श्रीराम सेंटर दिल्ली में भी इस नाटक का मंचन हुआ और वह मंचन बहुत ही चर्चा का विषय रहा। प्राचार्य गजभारती की दीर्घ कविता का मंचीय रूप था 'स्मारक'। कुमार देशमुख और डॉ. शिरोले की अदाकारी अब भी हमें याद है।

धीरे-धीरे औरंगाबाद की रंगकर्मियों ने अब संघटन की ओर ध्यान देना शुरू

किया। प्रो. अविनाश डोकस एक अच्छे लेखक और रंगकर्मी के नाते उभर आये। औरंगाबाद के मराठवाड़ा विश्वविद्यालय का नामांतर होना चाहिये इस मुद्दे को लेकर पूरे महाराष्ट्र में काफी बड़ा आंदोलन हुआ। औरंगाबाद के दलित थिएटर इस संस्था ने इस आंदोलन को मंचीय रूप दिया। 1983 में दलित थिएटर ने दलित रंग कर्मियों का एक दिन का सम्मेलन आयोजित किया। प्रसिद्ध अभिनेता श्री निलू फुले प्रमुख अतिथि के नाते उपस्थित थे। इस सम्मेलन में 'आव नसरील गाव' आवर्त इत्यादि एकांकियों का मंचन हुआ। आगे चलकर पं. सत्यदेव दुबेजी के जूनियर ग्रुप ने 'आवर्त' का बम्बई में मंचन किया। इस मंचन की निदेशिका थी सुश्री नंदिता अर्स। आवर्त को नाटर दर्पण अवार्ड से सम्मानित किया गया। यह अवार्ड महाराष्ट्र की नाट्यक्षेत्र में महत्वपूर्ण अवार्ड माना जाता है। साहित्य अकादमी यह हमारी शिखर संस्था स्वातंत्र्योत्तर भारतीय साहित्य दो खंडों में प्रकाशित करने जा रही है 'आवर्त' इस दीर्घांक का समावेश अब इस ग्रन्थ में भी हो चुका है।

औरंगाबाद में हुआ यह छोटा सा सम्मेलन महाराष्ट्र के दलित रंगमंच आंदोलन की शुरुआत है। मुम्बई, पुना, अकोला, वर्धा, नागपुर, नासिक, नांदेड़ और सभी बड़ी शहरों में दलित चेतना के नाटक मंचित हो ही रहे थे। लेकिन औरंगाबाद के सम्मेलन ने इस मंचन को संघटित रूप देने की ज़रूरत को तीव्र किया। पुणे की 'दलित रंगभूमि' इस संस्था ने इस 1984 में टिलक स्मारक मंदिर में पहला अखिल भारतीय दलित नाट्य सम्मेलन आयोजित किया। इस सम्मेलन में महाराष्ट्र के कोनो-कोनो से नाटक खेलने वाले संघ उपस्थित थे। पुणे के दलित रंगभूमि ने भि. शि. शिंदे लिखित आलोचना गर्भात इस नाटक का मंचन किया। निदेशक थे आयु. टैक्सास गायकवाड़। अविनाश आंबेडकर इस कलाकार की काफी सराहना हो चुकी। अमेरिका की फोर्ड फाउंडेशन द्वारा इस नाटक को पूरे महाराष्ट्र में मचंन करने के लिए एक बस भेंट दी गयी। प्रकाश खुडे मुरलीधर जाधव, अविचल थिवार शिस्या मुंहसिदर इत्यादि कलाकारों ने अपनी अपनी नाट्य संस्था को लेकर इस सम्मेलन में सहभाग लिया था।

पूना के रंगकर्मी रामनाथ चव्हाण यह जाने माने पत्रकार हैं और लेखक भी, साक्षीपुरम यह उनका नाटक दक्षिण भारत के मीनाक्षीपुरम इस गाँव दलितों ने जो धर्मान्तर किया था उस घटना पर आधारित था। इस नाटक पर काफी चर्चा हुई। दलित ब्राह्मण होना एक आधुनिक सुशिक्षित दलितों की प्रवृत्ति है। इस प्रवृत्ति को लेकर उन्होंने 'बामनवाडा' इस नाटक को लिखा बामनवाडा नाटक के मंचन का एक लंबा सिलसिला रहा।

मुंबई के प्रेमानन्द गज्वी इन दिनों महाराष्ट्र के महत्वपूर्ण नाटककार माने जाते हैं। धोरभर पाणी इस एकांकी का महाराष्ट्र में अनगिनत मंचन हो चुका है। मुंबई की सिर्फ़ एक संस्था ने इस एकांकी के एक हजार प्रयोग किये हैं। शायद यह मराठी भाषा का एक रिकार्ड हो सकता है। दलितों की समस्याओं को बड़ी सूक्ष्मता के साथ वे लिखते हैं। डॉ.

श्रीराम लागू के जो अविस्मरणीय रोल हैं उसमें एक रोल है सिद्धेश्वर शास्त्री का जो किरवंत नाटक का नायक पात्र है। प्रेमानन्द गज्वी के 'तनभाजोरी' इस नाटक में नाना पाटेकर ने अराधारो की थी और आज उनके पास वक्त न होने की वजह से 'ननभाजोरी' का मंचन अच्छा हुआ है। प्रो. रतनलाल सोनाग्रा का नाट्य लेखन महाराष्ट्र में चलती आयी लोकदल की परम्परा को बहुत अच्छे ढंग से आत्मसात करता है और दलित पीडन को अभिव्यक्त करता है। मुंबई के आयु जगदीश मोरे इनकी 'संबोधी' इस नाट्य संस्था की एक अलग पहचान है।

दलित आंदोलन में नागपुर शहर का महत्वपूर्ण योगदान है। वहाँ की दलित चेतना अक्सर नुक्कड़ के रूप में व्यक्त होती है। अमर रामटेके, प्रभाकर दुलारे, इ. मो. नारनवरे, संजय जीवने, डॉ. सुरेश मेश्राम यह अच्छे नुक्कड़ लिखने वाले लेखक हैं। कमलाकर डहाट और दादाकांत धनविजय नुक्कड़ के साथ-साथ कहानी थिएटर का नाटक भी लिखते हैं।

मराठी नुक्कड़ के संदर्भ में मैं एक बात स्पष्ट करना चाहता हूँ। महाराष्ट्र में नुक्कड़ कभी पनप नहीं सका, क्योंकि नुक्कड़ नाटक का जन्म किसी न किसी आंदोलन की उपज है और महाराष्ट्र की रंगभूमि का जितना ज़्यादा नाता मनोरंजन से है उतना वह कभी भी आंदोलन से नहीं था। इसलिए महाराष्ट्र में जो भी नुक्कड़ नाटक हैं वे या तो दलित लेखकों ने लिखे हैं या जो रंगकर्मी प्रत्यक्षत: राजकीय आंदोलन के कार्यकर्ता हैं उन्होंने लिखे हैं। प्राय: यह रंगकर्मी लेफ्टिस्ट धारा के लेखक हैं।

नासिक शहर की हिन्दुस्तान एरोनॉटिक रिक्रियेशन क्लब के रंगकर्मी आयु. भगवान हिरे, चन्द्रकांत देवकर और एम.जी.वाघ, इनकी उन्मेष यह नाट्यसंस्था सिर्फ़ दलित चेतना के नाटकों का मंचन करती है 'सोन्याचा दात नसटोल कर्प' यह भगवान हिरे की एकांकी काफी चर्चित एकांकी है। नासिक शहर के अंन्ता डोकस अब दलित नाटक के मंचन के लिए खास दलित नाट्यगृह और दलित रंगभूमि के लिए एक संकुल की योजना लिए कार्यरत है। शायद यह संकुल दलित रंगमंच आंदोलन का एक ऐतिहासिक कार्य सिद्ध हो सकता है।

सोलापुर का 'विप्लवी नाट्य मंच' और दलित कला मंदिर इन दो नाट्यसंस्थाओं का दलित रंगभूमि के आंदोलन में महत्वपूर्ण स्थान है। अनुपमा नगरकर, देवज उपारे, किसन वाटोरे, अरुण कुमार, रंग के. काटे, इत्यादि यहाँ के जाने माने दलित रंगकर्मी हैं। डॉ. जब्बार पटेल को कौन नहीं जानता। डॉ. जब्बार पटेल की किरदार ललित कला मंदिर से हुई। इस संस्था का पचास साल का इतिहास है। आज भी जब्बार पटेल इस संस्था के विश्वस्त हैं।

नांदेड़ के डॉ. विजयकुमार माहुरे लगातार दस साल से दलित चेतना का मंचीय आयोजन कर रहे हैं। आयु. श्रावण कुमार शिंदे, जनार्दन ढवले, धर्मदास देठे और गणेशराज सोनाने यह उनके सहयोगी रंगकर्मी हैं। नांदेड़ कल्चरल एसोसिएशन इस नाम की उनकी

संस्था है। इस संस्था ने नांदेड़ में प्रो. अविनाश डोकस की अध्यक्षता में पाँचवाँ दलित नाट्यसम्मेलन आयोजित किया था। मेरे मित्र और हिन्दी के जाने-माने कवि श्री विष्णु खरे (मध्यप्रदेश) इस सम्मेलन में उपस्थित थे। इस सम्मेलन के आयोजन की यह विशेषता थी कि आयोजन का दो तिहाई आर्थिक भार दलितों ने उठाया था और किसी भी राजनैतिक व्यक्ति की सहायता ली गयी नहीं थी। फँटसी एका सुडाची सं. प्रेम प्रताप उर्फ महाराची सून, धारा पलवादा इत्यादि नाटकों का मंचन काफी प्रभावी रहा।

बीड जिले का अंबाजोगाई यह एक छोटासा कस्बा है। लेकिन इस गाँव की सांस्कृतिक परम्परा बहुत ही समृद्ध है। इस गाँव की दलित युवक आघाडी एक ओर राजकीय आंदोलन और दूसरी ओर दलित नाटक का मंचन करती हुई आयी। प्रो. जोगदंड, प्रो. कारावद्य माधव मोरे, आयु. गरुड, भीमराव तपकरे, वाहु चौरे इन रंगकर्मियों ने दलित रंगमंच के आंदोलन को छोटे-छोटे देहातों तक पहुँचाया। 1986 में द.यु.आ. ने अ.भा. दलित नाट्य सम्मेलन का आयोजन किया था। उस समय महाराष्ट्र के आलोचक और पत्रकार एक सवाल हमेशा उठाया करते थे और वह सवाल था दलित रंगभूमि अथवा दलित रंगमंच आंदोलन की चर्चा बहुत होती है लेकिन दलित नाटक है कहाँ? यह सवाल उठाया जाना स्वाभाविक भी था, क्योंकि मराठी रंगभूमि के केन्द्र सिर्फ दो ही शहर थे पूणे और मुंबई। आज भी मराठी नाटक के यही केन्द्र माने जाते हैं। महाराष्ट्र के कोने-कोने में क्या चल रहा है। इसका ठीक से पता महाराष्ट्र की अ.भा. नाट्य परिषद को ही ठीक से नहीं है। ऐसी हालत में दलित रंगमच आंदोलन की मालुमात मुंबई-पूना के आलोचक और पत्रकार इनको न होना स्वाभाविक था। अबेनो गाई के सम्मेलन का मैं अध्यक्ष था। इस अध्यक्षीय भाषण में मैंने करीब करीब 60-70 नाट्यसंस्था और तीन-चार सौ कलाकारों की मालुमात विस्तार से दी थी। महाराष्ट्र की कुछ साहित्य पत्रिकाओं ने मेरे भाषण का यह हिस्सा पुनर्केन्द्रित किया और दलित रंगभूमि का परिचय महाराष्ट्र के सामने रखा था।

अमरावती के प्रो. बी. रंगराव, वर्धा के अशोक बुरबुरे, कोराडी (नागपुर) के कमल वाघधरे, चन्द्रपुर के हेमंत खोब्रागडे, बीड़ के भगवान रूवई बेंडवा की मंचन से लेकप्रिय हुए जॉनी मेश्राम, दलित एकांकी स्पर्धा का आयोजन करने वाले चंद्रपुर के लोकनाथ यशवंत और किरण मेश्राम जैसे अनगिनत नाम मुझे याद हैं।

'महाभारत' के निदेशक और रंगमंच के एक विचारक श्री पीटर ब्रुक दिल्ली में हुए थांबा रामराज्य के मंचन में उपस्थित थे। उन्होंने भाषण में कहा था I was very much excited by the skill and vitality of the performance. I belive conviction that comes from reality that reached me even though I could not understand the words. पीटर ब्रुक की प्रतिक्रिया उदाहरण के तौर पर इसलिए दी थी कि उनके आलोचना में कोई पूर्वग्रह नहीं। मैं स्वयं एक दलित रंगकर्मी होने के नाते मराठी भाषा के आलोचकों की मानसिकता से अच्छा परिचित हूँ। मराठी रंगभूमि जितना मनोरंजन पर ध्यान देती है उतनी जीवनदर्शन पर नहीं। परिणामतः कुछ अपवाद यदि छोड़ दिये जाएँ तो मराठी रंगभूमि

जीवन दर्शन की सच्चाई तक पहुँचने का साहस नहीं करती। इसका परिणाम आलोचकों पर भी हुआ है। श्री गो.पु. देशपांडे शायद महाराष्ट्र से बहुत दूर दिल्ली में रहते हैं। इसलिये उनकी आलोचना पर मराठी रंगमंच की व्यावसायिक खूबियों का कुछ असर नहीं होता। बहुत ही गंभीरता के साथ उन्होंने दलित रंगभूमि की आलोचना की है। श्रीमती पुष्पा भावे, विजय तेंदुलकर और सतीश आलेकर दलित रंगमंच के आंदोलन का आस्थापूर्वक स्वागत करते हैं। इन गिने-चुने आलोचकों को छोड़ दिया जाए तो दलित रंगभूमि के आलोचक नहीं हैं। इसलिए यह आंदोलन अपने आलोचकों के खोज में हैं डॉ. जनार्दन वाघमारे (लातूर), डॉ. रा.ग. जाधव और डॉ. भालचंन्द्र फड़के (पुणे), डॉ. कमलाकर गंगावले (औरंगाबाद), प्रो. महेंद्र भवरे (मुंबई), प्रो. नरेंद्र मून (सिरडोह), डॉ. रमेश जनबंधु (नागपुर), डॉ. ईश्वर नन्दापुरे (भंडारा), डॉ. मोकाशी (दौंड, मनमाड़) डॉ. अनिल गजभिये (इन्दौर) यह समीक्षक-आलोचक दलित रंगमंच के आंदोलन से जुड़े हुए हैं।

आज का दलित रंगकर्मी आत्मशोध में मग्न है। वह ढूँढ़ रहा है इतिहास में अपना कौन? किस कलाकार से अपना रिश्ता है? बीते हुए कुछ दशकों के अपने सहयोगी कौन? आने वाले सदी के अपने मित्र कौन और भविष्य में अपनी शत्रुता आखिर किस के साथ रहेगी? इस खोज ने दलित रंगमंच के आंदोलन को अब अंतर्मुख किया है। इस आंदोलन को लेकर दलित रंगमंच के आंदोलन को नया व्यक्तित्व मिल चुका है। महात्मा ज्योतिबा फुले का 'तृतीय रत्न' यह नाटक अपना आरंभबिंदु है जैसा वह मानता है। यह नाटक 1853 में लिखा गया। म. फुले से प्रेरित सत्यशोधक जलसा और आंबेडकरी जलसा यह अपनी विरासत है ऐसा वह मानता है। वर्तमान में जीवनवादी परम्परा का गंभीर नाटक अपना सहयोगी हो सकता है। यह उसकी आशा है। केवल मनोरंजन करने वाली रंगभूमि अपनी शत्रु है ऐसा वह मानता है। इतना ही नहीं दलितों के प्रश्नों को लेकर दलित जीवन दर्शन का आभास करने वाले जो नाटक हैं उनके विरुद्ध दलित रंगमंच के आंदोलन ने विद्रोह भी किया है। सूर्यास्त, पुरुष इत्यादि नाटकों के विरुद्ध यहाँ आंदोलन भी किया गया।

दलितों के प्रश्नों को लेकर लिखे गये वे नाटक जो सवर्ण लेखकों ने लिखे थे मराठी प्रेक्षकों ने उनका स्वागत किया। आलोचकों ने भी स्वागत किया। लेकिन वे नाटक दलित नाटक हैं इस बात किसी ने भी स्वीकार नहीं किया। ऐसा क्यूँ हुआ? मधुकर तोडरमल लिखित झुंज, रत्नाकर मतकरी लिखित 'लोककथा 78' विजय तेंदूलकर लिखित 'कन्यादान' और 'कमला' जयवंत दलवी लिखित सूर्यास्त और पुरुष जैसे कुछ उदाहरण मेरे सामने हैं मैं जब यह मानता हूँ कि जो लेखक जन्म से दलित नहीं वह भी दलित चेतना का नाटक लिख सकता है तो भी इन नाटकों में से कोई भी नाटक को दलित नाटक इस नाते मैं स्वीकार नहीं करता ऐसा क्यों? इस प्रश्न का विस्तार से उत्तर देना पड़ेगा, लेकिन मैंने इस आलेख में एक बात बार-बार स्पष्ट की है वह दलित चेतना की। दलित चेतना का संबंध जीवनानुभव लिखने वाले लेखक की मानसिकता से होता है। हिन्दी पाठकों के

लिए मैं हिन्दी नाटक का उदाहरण देकर मेरी बात स्पष्ट करना चाहूँगा।

'कोर्टमार्शल' यह स्वदेश दीपकजी का बहुत ही प्रभावी नाटक है। हिन्दी भाषा के बहुत सारे लेखक समकालीन पीड़ा का चित्रण मिथक कथा के आधार पर करते हैं। ज़बकि 'कोर्टमार्शल' नाटक वर्तमान जीवन की कहानी लेकर सामने आता है। एक और द्रोणाचार्य 'यमगाथा', 'पहला राजा' यह बहुत सशक्त नाटक है। लेकिन यह नाटक वर्तमान पीड़ा को पौराणिक परिवेश में व्यक्त करते हैं। हिन्दी के दुर्भाग्य के अलावा क्या कहा जाए कि सबसे लंबी लिस्ट बिन माँगे नाटकों की है। यह उद्‌गार स्वदेश दीपकजी के हैं। आगे वे कहते हैं महाभारत से मिथ उठाकर लिखने की 'लेखन इंडस्ट्री' खुल चुकी है। इसके विरुद्ध स्वदेश दीपकजी दलित पीड़ा को थोड़ा अपने बाहों में जकड़ लेते हैं यह बात काफी कुछ माने रखती हैं। एक दलित रंगकर्मी होने के नाते हिन्दी के सशक्त नाटककार पौराणिक परिवेश में क्यों लिखना पसंद करते हैं। उनकी मानसिकता क्या है? और उनकी एक सृजनशील लेखक के नाते विवशता क्या है? इन सब सवालों का कुछ हद तक मैं वर्णव्यवस्था के संदर्भ में जवाब दे सकता हूँ। लेकिन यहाँ पर सिर्फ़ 'कोर्टमार्शल' इस नाटक् के संदर्भ में ही दलित चेतना स्पष्ट करना चाहता हूँ।

'कोर्टमार्शल' इस नाटक का मंचन प्रेक्षकों को दलित चेतना का अनुभव दे सकता है। लेकिन इस नाटक के अंत को लेकर मेरे कुछ सवाल हैं। वे सवाल शायद लेखक यदि जन्मना दलित न हो तो उसके मानसिकता का स्वरूप क्या हो सकता है यह बात स्पष्ट कर सकेंगे।

सिपाही रामचंदर ने कैप्टन कपूर पर कातिलाना हमला किया उसमें कैप्टन कपूर बच निकले लेकिन कैप्टन वर्मा मारे गये। सिपाही रामचंदर बख्तरबंद रेजिमेंट के जवान हैं। उन पर 'कोर्टमार्शल' शुरू होता है। रामचंदर के वकील है कैप्टन विकास राय बहस शुरू होती है और सामने जो बातें उभर आती हैं उसमें हमारे सैनिकों को भी वर्णव्यवस्था की गन्दी मानसिकता से कैसा न्यस्त किया है यह बात स्पष्ट होती है। रामचंदर नीच जाती का है उसको गन्दगी साफ़ करने को कहा जाता है। उसने इन्कार करने पर हर पल उसको अपमानित किया जाता है। यहाँ तक कि उसकी जाति पर उसको गाली दी जाती है और उसके माँ के प्रति भी भयंकर शब्द इस्तेमाल किए जाते हैं। रामचन्दर का ख़ून खौल उठता है। वह वर्मा की हत्या करने की कोशिश करता है।

इस घटना को लेखक ने कैप्टन विकास राय की मानसिकता से देखा है। कैप्टन विकास राय सिर्फ़ कैप्टन नहीं बल्कि नक्सलाइट मुव्हमेंट से आस्था रखने वालों में से एक हैं। उनके भाई नक्सलाइट हैं। वे रामचन्दर के वकील हैं। इसलिये जब वे यह सफाई देते हैं।

'कानून और संविधान ने सबको बराबर का दर्जा' बराबर का अधिकार दे दिया लेकिन बड़े आदमी ने छोटे आदमी को ऊँचे आदमी ने नीचे आदमी को यह अधिकार नहीं दिया बिलकुल नहीं दिया। जो व्यवस्था जो, समाज जातिभेद के आधार पर चलेगा ऊंच-नीच के तराजू में आदमी को तौलेगा उसकी आयु कभी भी लंबी नहीं होती। बिलकुल.नहीं होती।

कैप्टन राय की यह सफाई 'दलित चेतना' ही उजागर करने वाली है। रामचन्दर को फाँसी होती है लेकिन वह हमारी वर्ण व्यवस्था या फयूडल व्यवस्था ने की हुई हत्या है, यह अहसास यह नाटक हमें देता है।

इतना होते हुए भी इस नाटक के अंत को लेकर मेरे कुछ सवाल हैं इस नाटक के अंत में कैप्टन कपूर आत्महत्या करते हैं। न्यायाधीश बने हुए कर्नल सूरज सिंह ही खुद कैप्टन कपूर की आत्महत्या में मदद करते हैं। कैप्टन कपूर की आत्महत्या यह कैप्टन कपूर का उदात्तीकरण है। अलग रास्ते से कैप्टन कपूर का किया हुआ यह सम्मान है रामचन्दर की फाँसी, व्यक्ति से बढ़कर व्यवस्था श्रेष्ठ होती है, यह संदेश देती है। नक्सलइट वातावरण में पनपा हुआ कैप्टन राय सिर्फ़ तीखा बोल सकता है लेकिन वह भी परिस्थिति की शरण है। एक ख़ून की सजा मौत और दो ख़ून की भी सजा मौत। रामचन्दर दूसरा ख़ून कर देता, कैप्टन विकास राय कर्नल सूरज सिंह की तरह रामचन्दर को ख़ून करने में मदद कर देते तो शायद नाटक का अंत बदल जाता लेकिन ऐसा होता नहीं। क्यों नहीं होता? इस प्रश्न का उत्तर स्वयं लेखक की मानसिकता में छिपा हुआ है। डॉ. बाबा साहब ने मजाक में एक बार कहा था ब्राह्मण और मार्क्सवादी? यह कैसे संभव है? इस प्रश्न में छिपा हुआ छद्म हमें समझना चाहिये। बाबासाहब की यह टिप्पणी मार्क्सवाद पर नहीं है, मार्क्सवाद की किताबी चर्चा करने वाले पंडितों पर है जिनमें अधिकतर ब्राह्मण हैं। हिन्दी जगत के लेखकों पर मार्क्सवाद का काफी कुछ प्रभाव है। मुन्शी प्रेमचन्द दलित पीड़ा से सीधे भिड़ते हैं। किसी पुराण का या मिथक का आधार लेते नहीं, मैं एक दलित रंगकर्मी होने के नाते इस लेफ्टिस्ट धारा को सहयोगी धारा मानता हूँ।

महाराष्ट्र में लेफ्टिस्ट धारा के लेखक दलित साहित्य आंदोलन से काफी जुड़े हुए हैं। अब तो स्थिति ऐसी है कि महाराष्ट्र का ओबीसी, आदिवासी भी दलित आंदोलनों को बड़े भाई के समान माना है। जहाँ राजनैतिक दाँवपेंच आते हैं तो इन में अंतर भी पड़ता है। लेकिन डॉ. बाबा साहब आंबेडकर और म. फुले यह अपने आंदोलन के असली नायक हैं, उनका तत्वज्ञान ही हमारे लिए अगली सदी का मार्गदर्शक तत्वज्ञान है। इस बात पर किसी में कोई मतभेद नहीं। इसलिये मुझे भी यह आशा है कि अगले सदी में दलित रंगमंच का आंदोलन और प्रभावी और समग्र हो सकता है।

विभागाध्यक्ष
मराठी विभाग
डॉ. बाबा साहेब आम्बेडकर मराठवाड़ा विश्वविद्यालय
औरंगाबाद : 431001

रास्ते, चोर रास्ते

दत्ता भगत

'रास्ते चोर रास्ते' नाटक मराठी के ख्याति प्राप्त लेखक डॉ. दत्ता भगत के नाटक 'वारा पठवारा' का हिन्दी अनुवाद है। 1986 में थिएटर अकादमी पुणे द्वारा आयोजित लेखकों की कार्यशाला में इस नाटकका लेखन, वाचन तथा मंचन हुआ। बाद में संगीत नाटक अकादमी द्वारा औरंगाबाद में आयोजित नाट्य महोत्सव में इसका पुनः मंचन हुआ। उस अवसर पर इस को काफी सराहा गया। न्यूयार्क की जॉन हापकिन्स प्रकाशन संस्था ने अभी हाल ही में 'ड्रामा कंटेम्परेरी' नाटकों का संग्रह प्रकाशित किया है। यह भारतीय भाषाओं के छः नाटकों का संग्रह है जिन में से एक यही दत्ता भगत का 'रास्ते चोर रास्ते' नाटक है। यह उस पुस्तक में 'रूट्स एन्ड एस्केप रूट्स' नाम से अंग्रेजी में छपा है। भारतीय दूरदर्शन के लगभग सभी चैनलों पर मराठी भाषा में इसका प्रसारण हो चुका है। इस नाटक में मौजूदा दलित समस्या और संघर्ष का यथार्थ चित्रण प्रस्तुत किया गया है।

-संपादक

अंक एक

दृश्य एक

प्राध्यापक सतीश गोडघाटे का छोटा सा निवास। सामने की दीवार पर बाबा साहेब आम्बेडकर का फोटो और कलेंडर टंके हैं। शाम के पाँच या छः बजे है। काका आराम कुर्सी पर बैठे कुछ पढ़ रहे है।

काका : (पेपर पढ़ते हुए अचानक जैसे याद आया) सूनबाई ऽऽ!

हेमा : (अंदर से आते हुए) आयी-(आकर) क्या है?

काका : (गुस्से से) ऊधों की पगड़ी माधो के सिर है।

हेमा : छी::

काका : छी. क्या? किती बार बोला के जब मैं या और कोई बुलाए तो 'जी' कहना- 'क्या है?' नहीं कहना। क्या?

हेमा : जी।

काका : हां। ये हुई ना बात--मेरी माँ इत्ता सा था तब बुलाती तो मैं भी 'क्या है? करके जवाब देता था- मैंने क्या बोला के माँ उसी आवाज में चिल्लाती 'मुवें, ऊधो की पगड़ी माधो के सिर। पहनेगा फिर तो खायगा तीर-' तब से आदत पड़ गयी। कोई भी बुलाए तो मैं 'जी' कहकर जवाब देता हूँ, फिर वह इतासा बच्चा ही क्यों न हो? (कठोरता से) तू भी 'जी' कहने की आदत डाल ले। समझ में आया?

हेमा : जी-

काका : हां ये हुई ना बात।

हेमा : काका, अकेले में कहा सो तो ठीक है लेकिन चार लोगों के सामने तो भी इस तरह तौहीन करने जैसी बात मत किया कीजिए।

काका : इस के लिए कैसा बोलना चाहिए, कैसा बर्ताव करना चाहिए यह सीख लेना चाहिए आदमी ने..... अब हम तुम जैसों को क्या सिखाएंगे? हम तो ठहरें बौद्ध! तुम तो बामन घर की बेटी हो और उस पर भी पढ़ी लिखी।

हेमा : ये हमेशा मेरी जाति का नाम लेना बंद कीजिए काका।

काका : (झिझकता है फिर भी अपनी ही बाजू संवारने) ऐसा कहती हो? ठीक, बंद किया-(ठहरकर) अब जाति का नाम नहीं लिया तो भी भला कहीं जात टूटने वाली है? बाबा साहब कह गए हैं- 'जो जाती ही नहीं वह है जात'।

हेमा : लेकिन मुझे नहीं अच्छी लगती।

काका : पर क्या? जात या मेरी बात?

हेमा : दोनों भी ! जातपात तोड़कर हमने शादी की किस-किस का विरोध नहीं सहा? माँ बाप का, रिश्तेदारों का सब सब का- आपका भी।

काका : कबूल, कबूल।

हेमा : नौकरी नहीं थी तब भूखे रहकर दिन गुजारे- कौन आया मदद के लिए? ना सगे ना संबंधी-कोई नहीं- आप तक-डेढ़ साल तक सूरत नहीं देखी हमारी- हमारी शादी पसंद नहीं थी न आपको?

काका : जो हुआ सो हो गया- भूल जाना आदमी ने....

हेमा : वही तो कहती हूँ मैं- लेकिन आप कहाँ भूलने के लिए तैयार हैं? छः महिने से घर रहने आए हैं- एक दिन भी मेरी जाति का उद्धार किए बिना सूरज नहीं डूबा... ।

काका : अब जो सच है वह निकल ही जाता है मुंह से (छः माह की बात से कुछ अनमने हो) जात किसे अच्छी लगती है? आं-किसे लगती है अच्छी? बाबासाहब के साथ काम किया-यही काम किया-तीस चालीस साल जी जान से कोशिश की पर गई-गई के जात? कितने साल हुए तुम्हारी शादी को? पाँच! इस गाँव में नौकरी करने आए उसे भी हो चुके तीन साढ़े तीन साल-पर लोग क्या कहते हैं अब तक ? क्या कहते हैं? सतीश गोडघाट-परफेसर बौद्ध का- और उसकी घरवाली बम्मन! आते जाते लड़कियाँ झाँक-झाँक कर देखती हैं- क्या देखती हैं?

हेमा : पराया जो कहता है वह कहने दीजिए-लेकिन आप तो पराये नहीं हैं? चाचा हैं ना इनके।

काका : मिट्टी का चिपकाया नहीं बल्कि सगा-सगा चाचा हूँ मैं उसका....।

हेमा : हो ना? फिर कम से कम आप तो बंद कीजिए इस तरह से बोलना।

काका : (फंस गए इस भाव से) करता हूँ कोशिश-(थोडी देर स्तब्ध) सतीश ने किया क्या काम?

हेमा : कौन सा?

काका : मैंने जो कहा था- तुम भी भूल गई शायद...।

हेमा : शेवंता के लिए सर्टिफिकेट लाने का...?

काका : है- याद है।

हेमा : कहा, नहीं लाऊँगा।

काका : क्यों?

हेमा : काका, शेवंता किसी भी स्कूल में नौकरी नहीं करती थी- फिर अनुभव का झूठा प्रमाण पत्र कौन कैसे देगा?

काका : इसने किसी को पूछा भी?

हेमा : मैं नहीं जानती।

काका : पूछा ही नहीं होगा।

हेमा : हां-- पूछा ही नहीं।

काका : क्यों नहीं पूछा? उसका वह हेडसर है ना, पहचान का-दासराव जोशी- नहीं देता, ऐसा बोला क्या?

हेमा : उन्हें इस तरह झूठा प्रमाण-पत्र लाना मंजूर नहीं हैं काका...।

काका : क्यों? उसमें हम क्या किसी की जेब काट रहे? पढ़ना चाहती है बेचारी-रंडी गुंडी है? मदद नहीं करना उसकी हमने? उसका नंबर लगा है कुछ डीएड-फियेड के लिए।

हेमा : तुम्हारी बात सच है। लेकिन उन्होंने साफ ना कह दिया।

काका : बड़ा सतेवान है ना। किस लिए पढ़ाया इसे-? अपने समाज का भला करेगा इसीलिए ना? हट! गांव में होता न मैं तो ऐसे दस सर्टिफिकेट लाकर देता।

हेमा : मैंने कहने की कोशिश की तो मुझपर ही गुस्सा करने लगे-आप ही एक बार बोलकर देखिए।

काका : बोलूंगा-बोलूंगा डर है क्या उसका? तू जरा समझा-बुझाकर ठीक ढंग से बोलेगी इस वास्ते तुझे कहा- और उसको काहे को बोलू मैं? मैं खुद जाता हूँ इस दासराव जोशी के तरफ- मैं क्या पहचानता नहीं? उस को ही माँगता हूँ। कैसा नहीं देता देखता हूँ। (लाठी उठाकर जाने लगते हैं)

हेमा : कहाँ चले?

काका : हटक दिया ना? (बैठते है) कितनी बार कहूँ- बाहर काम को आदमी निकले तो इस तरह से हटकना नहीं- मैं निकला था वो जोशी मास्टर के स्कूल में-

हेमा : इस वक़्त?

काका : हां इस वकत स्कूल नहीं छुटा होगा अब तक। सर्टिफिकेट लेकर उधर के

उधर शेवंता को देकर आऊंगा।

हेमा : कब आएंगे?

काका : अच्छा पूछ लिया? मेरे घरवाली को नहीं थी ऐसा कुछ पूछने की आदत। पर बाहर निकला कि तूने पूछ ही लिया- 'कब आएंगे?' हटक से पूछ ही लोगी।

हेमा : आप जानते हैं काका, वो खाने पर आपका इंतजार करते हैं। खाने के समय पर बाहर क्यों जाने दिया। इसलिए मुझ पर ही गुस्सा करते है।

काका : सूनबाई, बाबा साहब के नामपर एक बार हम घर से बाहर निकले तो फिर वापिस आने का न टेम है ना वक्त है। अब खानेका नाम लिया है, इसलिए याद आया, आज मैं भीमनगर में ही खाना खाऊंगा।

हेमा : भीमनगर में,- कहाँ?

काका : बौद्ध गया गए थे कुछ उपासक कल लौटे, चंदा जमा करके खाना दे रहे सबको (हेमा प्रश्नार्थक) मावंद समझ लो।

हेमा : मावंद?

काका : मावंद ही कहना होगा और क्या? देर होगी आने को।

हेमा : क्यों?

काका : मीटिंग है आज भारतीय बौद्ध महासंघ की। बौद्ध बिहार की स्थापना करने वाले हैं- तुमको तो देव धरम कुछ है कि नहीं।

हेमा : कहाँ बांध रहे यह बुद्ध विहार?

काका : मुझे तो लगेगा, शिवाजीनगर में बांधना, लेकिन बांधने कौन देगा?

हेमा : लेकिन, विहार बांधने के लिए ही है न मिटिंग?

काका : (चौकन्ने) तो और काहे के लिए?

हेमा : हमारे कानों तक कुछ अलग ही बात आयी है।

काका : कौन सी?

हेमा : यह मिलिंदनगर का क्या झमेला है काका?

काका : मुझे क्या मालूम?

हेमा : इन दिनों अर्जुन भी दिखाई नहीं पड़ा इधर-आपसे मिलता है वह?

काका : मिलता है न भीमनगर में मुलाकात होती ही हैं

हेमा : सुना है वह चंदा जमा कर रहा है?

काका : कर रहा है न?

हेमा : कर रहा है? किस लिए? (काका परेशान)

काका : (बात को सवारते) विहार बांधने के लिए-

हेमा : विहार के लिए या बाढ़ पीड़ितों के लिए बनायें मकान कब्जे में लेने के लिए?

काका : दोनों के लिए भी- तहसीलदार को अर्जी दी है उसने सबके हस्ताक्षर और अंगूठे लेकर

हेमा : सरकार ने अगर मकान नहीं दिये तो, सभी झोपड़ पट्टी वालों को सुना है ताले तोड़कर वह कब्जा देने वाला है-सच है यह?

काका : तो क्या बिगड़ा इसमें?

हेमा : काका, मतलब यह कि नये बनने वाले मिलिंदनगर की बात आपको मालूम है। लेकिन ऐसा कुछ करना कानून के खिलाफ होगा काका। इनसे भी वह छिपाता है- ऐसा कुछ करने से पहले उससे कहना, कम से कम एक बार इनसे बात करले।

काका : काहे को बात करले? सतीश कहेगा हां? शेवंता के लिए एक मामूली सर्टिफिकेट लाने को कहा तो किसी से बात करने को तैयार नहीं वो- उसे क्या बात करने की?

हेमा : आप अर्जुन को मदद कर रहे हैं काका?

काका : मैं-मैं? काहे को मदद करूं? और मुझे अब किस लिए घर चाहिए?

हेमा : आपको नहीं लेकिन भीमनगर के दलितों को-।

काका : उनको होना,-होना उनको। सतीश तो भी क्या कर रहा है?

हेमा : हाउसिंग सोसायटी के लिए कोशिश चल रही है उनकी।

काका : होउसिंग सोसायटी। कितने दिन हो गए ये कोशिश चल रही है? महिने हो गए तब से यही एक सुन रहा हूँ। पाल डालकर रहने वाले लोगों की तरह झोपड़ियाँ नहीं है? बंगलों पर बंगले उठ रहे है। लेकिन किसके? कहती है सोसायटी और कानून का डर किसको? हम को? किसने बनाया कानून? बाबासाहब ने किसके लिए? हमारे लिए और हमें ही डर? सुना है तेरा बाप जज है- उसको ही पूछ ले। (ठहर कर) इस की हाउसिंग सोसायटी होने तक मर जाएंगे सब लोग।

हेमा : (काका को शांत करते हुए) काका आपके मन की पीड़ा मैं नहीं समझ सकती, ऐसा लगता है आपको? सूनबाई हूँ मैं आपकी।

काका : अ? हाँ! ऐसी मीठी-मीठी बातें करती हैं और मेरा गुस्सा बस हवा में उड़ा देती है।

हेमा : देखिए काका, आज आप अर्जुन को यहाँ ले आईए। ये दलितों का कभी बुरा करेंगे, ऐसा लगता है क्या आपको? अर्जुन से ज्यादा पढ़े लिखे है- अर्जुन के सर है। तब वह ले रहा निर्णय ही लेना हो तो सभी तरफ से सोच समझकर लिया जाना अच्छा रहेगा।

काका : तो ऐसा समझाकर बोलना- हमारा रजिस्टर कहाँ है?

हेमा : कौन सा?

काका : भारतीय बौद्ध महासभा का।

हेमा : इनके अलमारी में है, देती हूँ।

काका : हां देना। (हेमा कपाट से रजिस्टर देती है) मिटिंग हुई कि अर्जुन को आगे डालकर लाया ही समझो।

हेमा : और यह क्या? दवा नहीं ली ना?

काका : हाँ ऽऽ भूल ही गया देख! ला, झट से ले लेता हूँ।

हेमा : (स्टूल पर रखी गोली ओर पानी देती है) डॉक्टर की तरफ जाना है आज याद है न?

काका : उतना बराबर ध्यान में रहता है तेरा अं। मुझे हुआ ही क्या है। डागदर को कोई काम नहीं है। फुजूल में बुलाकर गिनते बैठता है छाती की धड़कनें।

हेमा : काका-।

काका : अच्छा जाता हूँ-मुझे छूट नहीं है। जानता हूँ छाती की धड़कन जब बंद हो जायगी तभी छोड़ेगा वह मुझको-।

हेमा : ऐसा क्या करते हो? यूं ही तुम्हारे पीछे क्यों पड़ेंगे डॉक्टर। पहले उनसे मिलिए और बाद में भीमनगर-। (भीतर जाती है। काका रजिस्टर लेकर पन्ने उलट-पुलट कर देख रहे हैं। दासराव का प्रवेश)

दास : है क्या गोड़घाटे सर?

काका : अरे, दासराव गुरुजी आप?

दास : नमस्कार काका -

काका : (दासराव की आंखों में क्षणभर देखते हैं) जयभीम! हमारा अपना जयभीम!

दास : अं? हाँ, जयभीम - आप अपनी बात नहीं छोड़ने वाले!

काका : तुम भी कहाँ छोड़ते हो? मुझे भी मिले कि 'नमस्कार'!

ऐसा ही कहते हो न? (दोनों हँसते है) लेकिन भगवान की तरह जैसा क्या वक्त पर पहुँचे गुरुजी-मैं तुमको ही मिलने निकला था।

दास : मुझे मिलने के लिए?

काका : क्यों, नहीं मिलना?

दास : कुछ काम था?

काका : बताता हूँ- तफसील से बताता हूँ। थोड़ा आराम से बैठो।

(खुद भी आराम से बैठते है) सूनब्बाई -

हेमा : जी।

काका : जरा चाय बनाना फसलकास- इव्याही आए हैं। चलेगी न गुरुजी?

दास : क्यों नहीं चलेगी।

काका : हमारे साथ, हाँ अब हमारा सतीशा है ही आधा बम्मन।

दास : (बात को समझकर) काकाजी, अब चाय किसी के भी साथ पीली तो क्या फर्क पड़ता है? और चाय भी तो हेमाजी ही बना रही हैं-

काका : यह हुई न बात! अब कैसे पते की बात की गुरुजी।

मैं सूनबाई को यही कह रहा था कि कुछ भी हो लोग अपनी जात भूलते नहीं हैं। आपको बुरा तो नहीं लगा गुरुजी?

दास : क्यों भला?

काका : मैंने तुम्हें 'संबंधी' कहा इसलिए।

दास : इसमें बुरा मानने की क्या बात है? काकाजी हम हेमाजी को अपनी लड़की ही मानते हैं। हमारी सोनल से बड़ी।

काका : ये हुई न बात! मान गए अपन।

दास : मान गए न? तो बताईए-यहाँ जात का सवाल ही कहाँ आता है?

काका : हाँ-गड़बड़ मत करना गुरुजी-गड़बड़ मत करना। बताता हूँ तफसील से बताता हूँ। अब देखो, तुम जोशी हम गोड़घाटे (अर्थपूर्ण विराम) कैसा? फर्क समझ में आया ना? आं-आया ना?

दास : (उसी अर्थपूर्णता से) हाँ समझ में आया। बिल्कुल समझ में आया। ना समझमें आने जैसी क्या बात है? सगे संबंधी बनने से क्या होता है?

काका : ये हुई न बात।

दास : सगे संबंधी बनने से क्या होता है? आप थोड़े ही आपके तैंतीस टक्के में हमें जगह देने वाले है? क्या है या नहीं काकाजी?

काका : (बात की नोक समझकर) ऐसा ऐसा ऐसा- क्या बारीक नज़र हैं जी तुम्हारी हमारे आरक्षण पर -वाह जी वाह।

दास : नहीं देंगे ना? नहीं-खैर छोड़िए।

काका: गुरुजी, स्वतंत्रता सैनिक हैं न तुम। तुमको भी दिया न इंदिरा मैया ने कुरन, कितना रुपया साल-हजार-बारासों तो होंगा ही। नहीं? रेल में आरक्षण-बस में आरक्षण, कॉलेज में आरक्षण और-और भी आरक्षण हैच, फिर बापू, इधर काहे को नजर? अभी अभी तो पढ़ रहे हैं हमारे बच्चे, जरा पढ़ने दो, बड़े होने दो। डेस्पी-कलेक्टर होने दो, फिर ले लेना तुम तुम्हारा आरक्षण वापस।

दास : मैं कब ना कहता हूँ काका।

काका : कैसा ?

काका : अब यही देखो, ये अपनी बच्ची हेमा, अब है हमारी सुनबाई। हमारा सत्तवान ले आया घर में। सत्तवान बोले वो हमारा सतीश जी। बहुत सत्य करता है इसलिए सतेवान कहता हूँ मैं उसको -

दास : अच्छा! तो?

काका : बहुत गुनवाली है। बामन है तो क्या हुआ? अगर इसको नहीं लाया होता तो हमारे में से एकाद गरीब घर की लड़की को सुख-चैन की ज़िंदगी नहीं मिलती? इस कोच में दोनों हाथों से खाना कहता हूँ। अब हमारा ही दाम खोटा, उसको कौन क्या करें। (दासराव की ओर देखकर) हम भले कहेंगे की भूल जाते है हम हमारी जात पर लोग भूलते है क्या गुरुजी? तुमने हेमा को अपनी बच्ची माना-मंजूर, पर शेवंता? शेवंता को मानते क्या अपनी बच्ची?

दास : कौन शेवंता?

काका : गोप्या की घरवाली। गोप्या अपना रिकशेवाला?

दास : हाँ, हाँ उसका क्या?

काका : गोप्या मरा पिछले साल। टरक के नीचे आया। अब रंडकी है। अपना बोलने को नहीं कोई। मैट्रिक पास है।

दास : हाँ, पिछले वर्ष ही पास हुई। मेरे ही स्कूल में उसका नंबर था।

काका : अब कहती है डी एड करना है।

दास : अच्छा है न। दाल रोटी की फिक्र नहीं रहेगी।

काका : गुरूजी ये डीएड क्या होता है जी?

दास : डीएड न? ट्रेनिंग है ये। टिचर बनने की पढ़ाई। मैट्रिक के बाद, ग्यारवीं समझीए अपनी।

काका : सुना है उसका नंबर लगा है!

दास : अच्छा हुआ।

काका : हो जी-हुआ अच्छा। पर सुना है उसके हेड सर ने उसको रोका।

दास : क्यों?

काका : उसके पास सर्फिटिकीट नहीं था। स्कूल में काम करने का।

दास : हो-वह भी जरूरी होता है भला काकाजी। कम से कम तीन महीने का तो चाहिए।

काका : (बात बनते देखकर खुशी से) दीजिए ना फिर।

दास : मैं दूं?

काका : तो क्या हुआ? चलता है, बोले, तुम्हारा स्कूल।

दास : काकाजी मेरे स्कूल में वह कभी थी ही नहीं।

काका : अगर वो तुम्हारे स्कूल में होती मैं काहे को तुमसे कहता?

दास : लेकिन काकाजी ऐसा झूठ -?

काका : तुम्हारा सर्फिटिकट लेकर वह डाका डालेगी या लूटमार करेगी? पेट पानी को ही लगेगी न?

दास : हाँ, लेकिन गाँव के गाँव में इतना झूठ!--

(हेमा चाय लेकर आती है। काका आराम से बैठते है। हेमा चाय देकर भीतर चली जाती है।)

काका : लो -चाय लो (ठहरकर) मैंने कहा था, हेमा जैसा तुमको अपनी बच्ची लगती है वैसी शेवंती नई। जाने दो-लो चाय लो।

दास : काकाजी उसके लिए झूठा रेकार्ड तैयार करना पड़ेगा और गाँव के गाँव में।

काका : (अपनी बात बढ़ाने के लिए) होता ही क्या है उसमें? किसी के भी छुट्टी के दिनों में बता दो काम किया है बोलके, और दे दो सर्फिटिकीट। मैंने हमारे सतीशा को ही कहा था। पर वह तो है बड़ा सत्तेवान। वो आया ही नहीं होगा तुम्हारे तरफ।

दास : काकाजी, ऐसा करेंगे हम-शेवंता यही डीएड करेगी इसलिए यहाँ के यहाँ झूठा सर्टिफिकेट देना ठीक नहीं रहेगा- तो मैं ऐसे करता हूँ, कासारखेड़ा के स्कूल से लाकर देता हूँ।

काका : (खुश होकर) कल चलेंगे।

दास : अंह-आप मत आईए। मैं ही परसों लाकर देता हूँ।

काका : ठीक है वैसा करो।

दास : कासार खेड़ा का हेडमास्टर मेरा अच्छा दोस्त है।

काका : बस बस बस! इसे कहते हैं बामनी दिमाग। गुरुजी तुम्हारे हाथ में कलम है वो यूँ ही नहीं। कुछ न कुछ रास्ता निकाल ही लेते हो तुम- मुझे मालूम है।

दास : हुआ समाधान?

काका : रॅट काम हुआ- मैं चलता हूँ अब। सुनबाई, मेरे सत्तेवान से कहना, काम हो गया। दासराव गुरुजी ने कर दिया।

दास : इसमें उनसे कहने की क्या बात है? (हेमा आती है)

काका : अजी काम कैसे किया जाता है इसका पता होना चाहिए। अब चलूं गुरुजी?

दास : घूमने निकले हैं?

काका : हयाँ! ऐसे मुफ्त में घूमने का बामनी शौक अपने को नहीं है।

हेमा : (डांटती हुई) काका -

काका : हो गई गलती-आज मीटिंग है भारतीय बौद्ध महासभा की भीमनगर में। गुरुजी अब तुम ही कहो, अपने गाँव में बौद्धों का मोहल्ला कितना है? ये बड़ा! पर एक तो भी बौद्ध बिहार है गाँव में। हमारे सत्तेवान को पटती नहीं ऐसी कोई बात। मालूम है?

दास : बुद्ध बिहार बांधने का विचार है?

काका : जमा हुआ है चंदा हजार बारासौ (ठहर कर) बामन किते भी पढ़े तो भी अपनी बस्ती में गणेश का मंदिर बांधते है के नहीं? फिर हम बांधते है कहा तो क्या गलत बात हुई?

हेमा : काका -

काका : आ गई फिर जात। छोड़ दो। अब चलता हूँ (उठने लगते है) धरम क्या किसी को छूटा है गुरुजी-दुनिया में एक तो भी आदमी बिना धरम का बता सकेंगे क्या? तुम ही कहो, इसे और हमारे सत्तेवान को कहो। मत मानो

भगवान, इस्टेज पर बोलना कुछ भी। पर विहार बांधने का बोले तो कैसे दौड़कर आना चाहिए। जाने दो, मैं कुछ चुप बैठने वाला नहीं गुरुजी-जहाँ जाऊँगा कुछ न कुछ करते ही रहूँगा। बाबा साहब के कंधों से कंधा मिलाकर लड़े है हम गुरुजी-इनके जैसी किताबें पढ़कर बाबा साहब नहीं समझे हमकू-चलता हूँ। (जाता है।)

हेमा : गुरुजी, काकाजी की बात पर ज्यादा ध्यान ना दिजिएगा। बोलने में बहुत ही मुँहफट हैं- लेकिन मन बड़ा साफ है उनका।

दास : क्या आपसे भी ऐसा ही बात करते है?

हेमा : आदत पड़ गई है अब-!

दास : और चारा भी तो क्या है दूसरा।

हेमा : गुरूजी मैं दुखी हूँ इसी से ऐसी बात कर रही हूँ, ऐसा लगता है आपको?

दास : नहीं वैसी बात नहीं है। पर हमेशा ही इस तरह से चुभने वाली बात करना याने-बस आप हैं इसी से सह लेती हैं।

हेमा : ऐसी बात बिल्कुल नहीं है गुरुजी। बात जरूर चुभने जैसी करते है, चुभने जैसा बर्ताव नहीं है उनका, आपकी तरह।

दास : मेरी तरह? क्या कह रही है आप हेमाजी?

हेमा : आप ही ने बात उठायी है। इसलिए कहना पड़ रहा है, इस गाँव में नौकरी मिली उस वक्त आप ही के मकान में, किराए से मकान लेना चाहता था सतीश, याद है? किराए के नाम पर एडवांस भी लिया था आपने उससे- लेकिन सतीश की जाति का पता लगते ही क्या किया था? कहा था- मकान पहले से ही किराए पर जा चुका है। आपकी घरवाली ने पहले ही किसी से एडवांस ले रखा है और आपको इस बात का पता नहीं था- बहाना बनाया यह और एडवांस की रकम सतीश को लौटा दी।

दास : आखिर आप तक बात पहुँच ही गई। औरतों के पेट में कोई बात रही है कभी!

हेमा : लगाईए-अब लगाईए इल्जाम घरवाली पर। सच तो यह है कि दो साल पहले ही यह बात मैं जान गई थी और गुस्से के मारे आपे से बाहर हो गई थी, पर सतीश ने ही समझाया मुझे। आप मुझे काकाजी की चुभने वाली बात पर तरस खाकर सहानुभूति जताने जा रहे हैं।

दास : हेमाजी, आप जो कुछ कहती है वह सच है। लेकिन मेरी मजबूरी भी तो समझ लीजिए। एक के बाद एक तीन जवान लड़कियों की शादी का

सवाल। पैरालिसीस से पिताजी घरमें पड़े हुए। खेती बाड़ी नहीं। एक नौकरी छोड़कर आमदनी का दूसरा कोई जरिया नहीं। सर को किराएदार रखने में मुझे कोई आपत्ति नहीं थी, लेकिन नहीं तो मैंने एडवांस ही नहीं लिया होता। लेकिन -

हेमा : लेकिन क्या?

दास : सर को किरायेदार रखता तो बाकी दूसरे किरायेदार मकान खाली कर देते-उन्होंने साफ बता दिया था मुझे।

हेमा : दूसरे किरायेदार मिलते।

दास : मिलते? गलतफहमी है आपको हेमाजी, दुनियादारी की कल्पना नहीं है आपको।

हेमा : यह जवाब आपको शोभा नहीं देता गुरुजी, आप स्वतंत्रता सेनानी है।

दास : स्वतंत्रता सेनानी को भी दो वक्त की रोटी का मसला हल करना होता है हेमाजी! निजामी हुकूमत से लड़ना एक तरह से आसान काम था, लेकिन आज दुनियादारी की छोटी-मोटी बातों को निपटाना ज्यादा मुश्किल हो रहा है।

हेमा : और जिस पर भी घर की दीवार पर स्वतंत्रता सेनानी का सम्मान पत्र टंगा रहेगा। जाने दीजिए, जो होता है भले के लिए ही होता है। तभी से सतीश ने ठान ली बात मन में और हाऊसिंग सोसायटी बनाने के लिए उसके प्रयत्न अधिक गतिमान हुए हैं। अपने साथ औरों के रहने का सवाल भी वह हल कर रहा है। अगले महिने तक कर्जा भी मिल जाएगा।

दास : हमेशा ही ये सर के बारे में मेरे मन में आदर की भावना रही है।

हेमा : (खीजते स्वर में) कुछ काम था आपको सर से?

दास : नहीं, वैसे काम नहीं -हाँ था थोड़ा सा - लेकिन कुछ खास नहीं।

हेमा : लो वो आ ही गये।

सतीश : (आते हुए) नमस्कार गुरुजी। (हेमा सतीश के हाथों से किताबें लेकर टेबुल पर रखती है।) बैठिए बैठिए, कब आए?

दास : अभी -दस पन्द्रह मिनट हुए होंगे। कही बाहर-गाँव गए थे शायद।

सतीश : हाँ कसारखेड़ा में शिविर चल रहा है एन. एस. एस. का। (जूते ठीक जगह रखते हुए) आपने तो शिविर में सोनल को नहीं आने दिया। (बैठकर रिलैक्स होते हुए) बहुत मन था उसका।

दास : मन तो मेरा भी करता था सर, लेकिन इन दिनों उसकी माँ उसे बाहर कही आने जाने नहीं देती।

सतीश : सचमुच सिर्फ माँ ही ना? गुरुजी भला अब सोनल क्या बच्ची रही है? बी. ए. सेकण्ड इयर में पढ़ती है।

दास : इसीलिए तो उसकी माँ को फिक्र होने लगी है।

सतीश : लेकिन आपको चाहिए कि आप उनको समझाते।

दास : कुछ फायदा नहीं।

सतीश : क्यों?

दास : स्वभाव-और क्या?

सतीश : स्वभाव? (सहज ही में बात याद आती है) बड़ी मजेदार बात हुई आज कैम्प में गुरुजी।

दास : क्या हुआ?

सतीश : नये ढंग के संडास का एक प्रोजेक्ट था। एक साहूकार के घर में। पाँच लड़कों का एक ग्रुप काम कर रहा था। बच्चों के ना कहने पर भी साहूकार ने बड़े आग्रह से उनके लिए चाय बनायी। चाय के कप आए। साहूकार ने बच्चों के हाथ में कप दिए। बच्चों ने उनमें से एक चाय का कप देखा और गुस्से के मारे सभी बिना चाय पिए ही निकल आये। आकर उन्होंने कहा कि उनमें से कोई भी उस साहूकार के घर काम करने बिल्कूल नहीं जायेगा।

दास : क्यों?

सतीश : एन.एस.एस. के इंचार्ज प्रोफेसर ने जब गहराई में जाकर छानबीन की तब पता चला कि जो चाय के कप आए थे उनमें से एक खास अलग किस्म का कप था। अछूतों के लिए जो रखा हुआ होता है।

दास : सर कुछ भी कहिए, देहात अभी तक जहाँ के तहाँ है, ज्यादा बदले नहीं है।

सतीश : वो तो बच्चों को भी मालूम है साब। हम उन्हें इस बात की पहले से ही जानकारी देकर रखते है। (ठहरता है) वह कप उस ग्रुप में एक काला बदसुरत लड़का था उसे दिया गया था और जानते है वह लड़का कौन था? अरविंद देशमुख! (सतीश हँसता है, गुरुजी गंभीर मुद्रा में) न मालूम क्या-क्या संदर्भ जगाकर बैठते हैं लोगों के दिमाग। काला बदसूरत लड़का हो तो वह अछूत ही होगा। गुस्से से तमतमाता ऐसे फूट रहा था

वह गुरुजी, बाप रें बाप। मैंने उसे सिर्फ इतना ही कहा, इस तरह गुस्सा नहीं करो देशमुख। अगर हो सके तो तुम्हारे घर में इस तरह के जितने भी खास ग्लास या कप होंगे, तोड़ डालो। क्रोध आना बड़ी अच्छी बात है गुरुजी, लेकिन सिर्फ क्रोधित होना काफी नहीं होता। इस क्रोध को ठीक रास्ता मिलना भी उतनी ही अहमियत रखता है। (गुरुजी की ओर देखकर) क्यों, आप इतने गंभीर क्यों हुए?

दास : अरविंद देशमुख याने बी.कॉम. थर्ड ईयर में है वहीं न?

सतीश : हाँ-वही आप जानते है उसे?

दास : नाना साहब देशमुख का लड़का है वह।

सतीश : ऐसा?

दास : सोनल के लिए सुझाव आया था, उनकी ओर से।

सतीश : सोनल के लिए?

दास : बहुत मालदार है। दहेज की शर्त नहीं।

सतीश : गुरुजी, आपकी सोनल अभी छोटी है। इसका कुछ ख्याल किया है आपने?

दास : नहीं, अपनी जिम्मेदारी का ख्याल अधिक करता हूँ मैं।

सतीश : क्या आपको पसंद है वह घर-लड़का?

दास : जिंदगी में सभी बातें अपनी पंसंद से थोड़ी ही होती है।

सतीश : अगर चाहो तो हो सकती है।

दास : इक्के-दुक्के के बस की ही बात है वह सर।

सतीश : किसी के भी बस की बात हो सकती है गुरुजी, उसके परिणाम भुगतने की तैयारी होना जरूरी है।

दास : आपके प्रति मेरे मन में आदर है सर। लेकिन हालत का बोझ विचार को घुमा फिराकर रख देता है। तर्क और विवेक के आधार पर चलने इतने जिंदगी के रास्ते सीधे और सरल नहीं होते कभी भी समझ में आएगी- आपके भी समझ में आएगी यह बात धीरे-धीरे अनुभव से।

सतीश : अनुभव! युवा पीढ़ी का मुँह बंद करने का आप लोगों का हमेशा ही का हत्यार है यह।

दास : ओरों की बात तो दूर रही सर, शेवंता को झूठा सर्टिफिकेट दिया जाये ऐसा नहीं लगता था मुझे, लेकिन काकाजी ने आग्रह किया और मुझे राजी होना

पड़ा।

सतीश : नहीं देना था।

दास : आप मेरी जगह होते तो क्या करते?

सतीश : राँग सर्टिफिकेट बिल्कुल नहीं देता। उसके बजाए जो बच्चे पढ़ाई में कमजोर हैं उनके एक्स्ट्रा पीरियड लेने के लिए उससे कहता।

दास : लेकिन इसमें उसका एक साल बेकार जाता।

सतीश : आपने तो उस सर्टिफिकेट की महत्ता को ही बेकार कर डाला, अगले साल भी वह डी. एड. कर सकती थी।

दास : लेकिन उसकी सहुलियत देखना मुझे ज्यादा जरूरी लगा। काकाजी की तरह।

सतीश : सहुलियत देख ली ना? फिर साहूकार में आपमें अंतर ही क्या रहा? उसने रुढ़ी और परंपरा की सहुलियत देखी। देखने से आपने शेवंता के रोजी-रोटी की सहुलियत देखी। करामत माने तो गुरुजी तात्कालिक लाभ तो होता है लेकिन उसके लिए कदम-कदम पर कितनी बड़ी कीमत चुकानी पड़ती है इस बात का ऐहसास आप नहीं कर सकते। छोड़िए, ऽआप किस काम के लिए आये थे, यह पूछना तो भूल ही गया।

दास : काम कुछ खास नहीं था लेकिन -

सतीश : बोलिए!...

दास : सरकार ने जो मकान बनाए है, सुना है, अर्जुन उन मकानों पर जबरदस्ती कब्जा करेगा।

सतीश : यह किसने कहा आपसे?

दास : तहसील में दरखास्त दी है उसने।

सतीश : फिर इसमें जबरदस्ती का सवाल ही कहाँ उठता है?

दास : आपसे कुछ बात की उसने?

सतीश : नहीं इन दिनों वह मुझसे मिला भी नहीं। हमारी मुलाकात ही नहीं हुई है।

दास : मिले तो पूछ लीजिए।

सतीश : क्या? दरखास्त दी है यह बात?

दास : दरखास्त दी यह बात तो सच्च है सर, लेकिन तहसीलदार जवाब नहीं देते। इसलिए सीधा ताले तुड़वाकर कब्जा करने जा रहा है, ऐसा लोग कहते है।

सतीश : इस तरह की हरकत अर्जुन करेगा ऐसा नहीं लगता मुझे।

दास : मुझे भी तो नहीं लगता, लेकिन पवार साहब ने बताया। पंवार अपनी, संस्था के अध्यक्ष, वो कन्ट्रॉक्टर है उस कॉलोनी के। अभी तक कम्प्टलीशन रिपोर्ट मिलनी बाकी है। इसके पहले ही अगर ऐसा कुछ हुआ तो जो सच्चे बाढ़ पीड़ित है वो बाहर ही रहेंगे और गाँवा में एक अलग ही झगड़ा फसाद खड़ा होगा।

सतीश : अर्जुन आने पर जानकारी लूँगा।

दास : सिर्फ जानकारी मत लीजिये, ध्यान दीजिये! पवार साहब हमारी संस्था के। वो हमारी मित्रता जानते है। उन्होंने ही खासकर इस काम के लिए मुझे आपकी तरफ भेजा है। चलूँ मैं अब?

सतीश : ठीक है, कितनी फिक्र करते है गुरुजी नौकरी की।

ास : ऐसी बात तो नहीं।

तीश : अजी पवार साहब की कॉलेज में मैं भी तो सर्विस करता हूँ। अच्छा। (दासराव का प्रस्थान - सतीश कुछ अनमना सा) हेमा!

हेमा : (चाय लेकर प्रवेश) जी-

सतीश : जी? काका ने तुम्हे भी लगा दी शायद यह आदत।

हेमा : क्या करती? तुमसे तो बहस कर सकती हूँ- प्रतिवाद कर सकती हूँ पर-

सतीश : पर काकाजी से प्रतिवाद करना असंगत है। देखो, हेमा, एडजस्ट हो जावो, तो तुम्हारी हर बात वो मान लेंगे। प्लीज, जानता हूँ तुम्हें थोड़ी तकलीफ होंगी -

हेमा : लेकिन मैं कहाँ शिकायत करती हूँ।

सतीश : तो क्या मैं करता हूँ (दोनों हँस-हँस पड़ते है। हेमा भीतर जाती है) अर्जुन आया था?

(अर्जुन का प्रवेश)

अर्जुन : जयभीम सर!

सतीश : अरे, पधारिए आयुष्मान अर्जुनराव जाधव पधारिए। सौ साल की उम्र है तुम्हारी।

अर्जुन : सौ साल! कोई बात नहीं! सौ साल जिंदा रहने के लिए कोई विरोध नहीं है मेरा-हजारों सालों से जमीं। इस समाज के भीतर की गंदगी धोने के लिए सौ साल की उम्र भी कम पड़ेगी। छोड़िए सर, यह टॉनिक कभी खत्म होने वाला नहीं है। काका कह रहे थे आपने याद किया है।

सतीश : हाँ, आठ-पंधरा दिन से हमारी मुलाकात ही नहीं हुई। कॉलेज में भी दिखाई नहीं पड़े। सो कौन से काममें इतने फंस गए हो इसका अंदाजा ही नहीं लगा पा रहा था, इसी से काकाजी से पूछताछ की थी।

अर्जुन : फंसने की बात नहीं थी सर, बाढ़ से पीड़ित लोगों के घरों का सवाल था न, बरसात का मौसम जो सामने खड़ा है-

सतीश : तो क्या सोचा है- क्या करने जा रहे हों?

अर्जुन : करना क्या है? कॉर्लान के मकान तैयार हुए लगभग एक महिना बीत चुका है लेकिन काम पूरा करके बंटवारे की कोई हलचल दिखाई नहीं पड़ रही है इसलिए हमने...!

सतीश : क्या किया?

अर्जुन : निपटारा कर दिया आज अपने ढंग से। ताले तोड़ दिये मकानों के और मकान दे दिए बाढ़ पीड़ितों को-

सतीश : क्या?

अर्जुन : भीड़ लगी है लोगों की-भीमनगर के सभी बाढ़ पीड़ित इन मकानों पर कब्जा कर रहे है।

सतीश : काकाजी-काकाजी कहाँ है?

अर्जुन : मैंने वहीं ठहरने के लिए कहा उनको निगरानी के लिए-

सतीश : मतलब? अर्जुन सचमुच ताले तोड़कर घरों पर कब्जा किया तुमने?

अर्जुन : हाँ सर, ऐसे ही हुआ है।

सतीश : ताले तोड़े है तुमने?

अर्जुन : हाँ।

सतीश : लेकिन वो घर तो बाढ़ पीड़ितों के लिए बनवाए गए है।

अर्जुन : कब्जा करने वाले सभी बाढ़ पीड़ित लोग ही है।

सतीश : सभी?

अर्जुन : इक्का-दुक्का शायद न भी हो, लेकिन जरुतरमंद तो है ना?

सतीश : तुमने गलत काम किया ऐसा नहीं लगता तुम्हें अर्जुन?

अर्जुन : बिल्कुल नहीं सर-वो पवार हैं ना-कॉन्ट्रॉक्टर! मकान बने आज पूरा एक महीना हुआ-लेकिन वो मकान बी एण्ड सी के कब्जे में देने के लिए वह तैयार नहीं था। जानते हैं क्यों? बाढ़ पीड़ितों के नाम पर उसे अपने रिश्तेदारों की भरती करनी थी वहाँ। उसकी लिस्ट ही फाइनल नहीं हो रही

थी इसी से जानबूझकर देर कर रहा था।

सतीश : इसका क्या सबूत है?

अर्जुन : सभी बातों का सबूत नहीं दिया जा सकता।

सतीश : लेकिन यकीन कर लेना जरूरी नहीं समझा तुमने?

अर्जुन : किस तरह? और कब? जब उसके रिश्तेदार कब्जा कर बैठते तब आपको यकीन हो जाता। उस वक्त भीमनगर के लोगों के लिए घर ही बाकी नहीं रहते।

सतीश : अर्जुन तुम्हारा यह कदम गैर कानूनी है।

अर्जुन : जानता हूँ।

सतीश : अर्जुन, इसे गुंडागर्दी कहते है।

अर्जुन : सर...!

सतीश : गुंडागर्दी का मतलब समाजसेवा नहीं है।

अर्जुन : जो बेघर थे वो घरों में बस गए इसे आप गुंडागर्दी कहते है? आप भी मुझे गुंडा समझते है?

सतीश : ठंडे दिमाग से सोचो अर्जुन-कि तुम अपने साथ और कितनों को संकट की खाई में ढकेल रहे हो? अरे, अपनी हाऊसिंग सोसायटी रजिस्टर्ड हुई है। अगले महीने हमें लोन मिलेगा।

अर्जुन : लेकिन क्यो? यही घर सबके नाम पर क्यों नहीं करवा सकते वो?

सतीश : कल क्या होगा इसका कुछ विचार किया तुमने?

अर्जुन : कल की बात कल! कल का किसने देखा है?

सतीश : ठीक से सोच लो अर्जुन। आने वाले समय के बारे में सोचो-तुम बहादुर हो-बुद्धिमान हो-लेकिन कानून से बेपरवाह रहना किसी के लिए भी अच्छा नहीं रहेगा।

अर्जुन : जो होगा सो होगा सर-

सतीश : अरे, वास्तव में जो बाढ़ पीड़ित हैं उनके बारे में भी तो सोचो-चिढ़कर कहेंगे लोग कि तुम जाति पर उतर आगे हो।

अर्जुन : ऐसा कौन कहेगा? गुरुजी? दासराव गुरुजी कहेंगे? असल में कौन है बाढ़ पीड़ित? हम नहीं तो क्या दासराव गुरुजी बाढ़ पीड़ित है? और है ना उनका भी नाम है बाढ़ पीड़ित लोगों की लिस्ट में-

सतीश : क्या कहते हो? गुरुजी का नाम बाढ़ पीड़ित लिस्ट में?

अर्जुन : और यही लोग मुझे क़म्युनल ठहारायेंगे? भीमनगर की बस्ती-टूटी-फूटी झोपड़ियों में रहती थीं-बरसात सिरपर आ खड़ी है, मैंने उन लोगों का इंतजाम किया सब के बारे में सोचने का ठेका नहीं ले रखा है मैंने- मुझे नहीं सोचना है सबके बारे में। मैं सिर्फ मेरे जाति के लोगों को हद तक सोचूंगा बस।

हेमा : अर्जुन किसी ने अपमान किया है तुम्हारा?

अर्जुन : हाँ किया है!

सतीश : किसने?

अर्जुन : मेरी जाति ने, जिस जाति में अपनी इच्छा से पैदा नहीं हुआ हूँ उस जाति ने! पढ़ना भी नहीं है मुझे। बेरोजगार क्या कम पड़े है इस देश में? क्या मिलेगा मुझे पढ़ लिखकर? कौन मिटायेगा मेरे नाम पर लगायी गई जाति की मोहर? पढ़े लिखे है आप, अंतरजातिय विवाह किया है? दिया रहने के लिए मकान दासराव गुरुजी ने आपको? और जिस पर तुर्रा लगाते घूमते हैं प्रोग्रेसिव होने का।

हेमा : कुछ ऐसी-वैसी बात की तुम्हारे साथ अर्जुन-गुरुजी ने?

अर्जुन : जूते की टोकर से उड़ाता हूँ मैं ऐसे गुरुजी को।

सतीश : अर्जुन।...

अर्जुन : हाँ-हाँ सोच समझकर बोल रहा हूँ मैं। प्रोग्रेसिव होने का नकाब लगाने वालों की छाती पर नाचना है मुझे। हमारे जाति का नाम लेकर भाड़ खाने वालों को बेनकाब कर उनके असली चेहरे बताने हैं मुझे। मैंने मेरा रास्ता चुन लिया है। उसका बुरा से बुरा नतीजा क्या होगा यह जानता हूँ मैं। हथकड़ी लगेगी, जेल जाना पड़ेगा-चक्की पीसनी होगी-बस इतना ही! मैं तैयार हूँ इसके लिए। (इंस्पेक्टर का प्रवेश) चलता हूँ। आईए इन्स्पेक्टर, आईए-न्याय और नीति पर चलने वाली समाज व्यवस्था से आपका तो संबंध ही बाकी नहीं। कानून की रक्षा कीजिए-वह गधा होगा, बेवकूफ होगा, बेरहम होगा लेकिन इससे आपको क्या फर्क पड़ता है? कीजिए, अरेस्ट कीजिए मुझे। इन्स्पेक्टर (सतीश से) सॉरी सर।

(अर्जुन को हथकड़ी लगाता है, पर्दा गिरते-गिरते प्रकाश अंतर्धान)।

-: दृश्य समाप्त :-

: दृश्य दूसरा:-

(स्थान वही-सुबह के ग्यारह बजे है। पूर्व घटनाओं को अब दो-ढ़ाई महिने होने आ रहे है। पर्दा उठता है। काका सोफे पर बैठे हुए हाथ में एक बड़ा सा ग्रंथ- पढ़ हरे है- जैसे कोई पोथी पढ़ रहे हों। पढ़ने में एकाग्र चित्र। अठारह-बीस साल की युवती आती है। सीधे रसोई की तरफ जा रही, काका को देखती है। काका का गंथ पढ़ना देखकर वह अचरज में पड़ती है। लौटकर काका को गौर से देखती है। थोड़े समय के लिए वहीं दुविधा में पड़े मन से टहलती है और फिर-)

सोनल : काका जी-

काका : जी? कौन है? सोनल- आव।

सोनल : मैडम नहीं हैं घर में?

काका : नहें-? लगता है बाजार हाट गई हैं, क्यों?

सोनल : नहीं। (काका फिर से पढ़ने में व्यस्त) आप यह क्या पढ़ रहे है काका जी?

काका : भगवान बुद्ध और उनका धम्म! बाबासाहब ने लिखा हुआ ग्रंथ है यह।

सोनल : धम्म?

काका : हां धम्म! धरम नहीं- वो तुम लोगों का रहता है। हमारा धर्म! मिलिंद नगर में पाठ शुरू हुआ है इन दिनों।

सोनल : मिलिंद नगर में?

काका : अपने अर्जुन ने बाढ़ पीड़ितों की जो नई बस्ती बसाई है कि नहीं, वहाँ।

सोनल : उसका नाम मिलिंदनगर है?

काका : हमने ही दिया है। महिने भर में गौतम की मूरत लाकर बिठाना है वहाँ। इन दिनों रोज रात को पाठ शुरू होता है वहाँ।

सोनल : पाठ ?

काका : जानती नहीं पाठ का मतलब? अच्छी भली बामन के घर की लड़की होकर भी पाठ का मतलब नहीं जानती?

सोनल : सो तो जानती हूँ काका लेकिन इस ग्रंथ का पाठ?

काका : क्यों? पाठ क्या हरिइजय, पांडव परताप का ही होना ऐसा कहीं लिखा है क्या? वो हिन्दुओं में होता है। बुद्ध लोग इसी का पाठ करते हैं। (सोनल भीतर जाती है) हां नहीं समझोगी, समझ ही नहीं सकोगी। रोज

के तौर-तरीके नहीं जानते तुम लोग- तुमको हमारा धर्म क्या समझ में आएगा खाक।

सोनल : (काका के अंतिम वाक्य कर लौटते हुए) मुझ से कुछ भूल हुई है काका?

काका : भूल? यहाँ आ। (आती है) कॉलीज में पढ़ती है- पढ़ती है न, कौन सी क्लास?

सोनल : सेकंड इयर बी.ए. (ठहर कर) अं. मतलब चौहदवीं क्लास।

काका : चौहदवीं में पढ़ती है। पर बड़े आदमी से मिले तो जयभीम कहना इतनी सीधी सी बात नहीं जानती-हूँ बोल (हेमा दरवाजे में खड़ी) नहीं ऽऽ? नहीं खुलती न जुबान- दासराव जोशी की बच्ची है न तू, जयभीम कैसे कहोगी?

सोनल : नमस्कार काका।

काका : हां- यह हुई न बात! नमस्कार ही कहेंगी बोल-बोल नमस्कार ही बोल वही अच्छा है। नहीं तो जयभीम कहते-कहते तू भी गठायगी एखाद जयभीम वाला।

हेमा : हो गया दिन शुरू आपका। न अपना देखना ना पराया।

काका : धत् तेरे की! मुझे लगा तू यहाँ नहीं है।

हेमा : मैं न रहूँ तो इस तरह बोलने से कोई रोकटोक नहीं ऐसे ही लगता है न आपको?

काका : सूनबाई, सोनल पराई थोड़ी ही है? हमने तुझे अपना लिया बस। सोनल भी हमारी ही हो गई।

हेमा : अपना तो समझना लेकिन अपनों के मन का विचार नहीं करना। बैठरी सोनल, मैं अभी आयी।

काका : बात यह है सूनबाई, कि अंदर की बात तुम नहीं समझोगी। पर्वती का सत्याग्रह था। (हेमा बिना सुने भीतर जाती है, काका सोनल से बात करते हैं) यह तगडे जवान थे हम सब तब के मार खाये बल अभी तक पीठ पर है।

सोनल : अच्छा! काका जी, क्या आपने सत्याग्रह में भाग लिया था?

काका : इसमें कौन सी अचरज की बात है?

सोनल : ना ऐसे ही पूछ लिया।

काका : तेरा बाप दासराव वो भी तो गया था शायद जेल में क्यों? सत्याग्रह किया था इसीलिए ना?

सोनल : हां-

काका : उन्होंने कमा ली सुबेदारी-सरकार की तरफ से सर्टिफिकेट आजादी के सिपाही होने का। मैं भी गया था जेल में-सत्याग्रह भी किया था। ये ऐसा राजभोज साहब को ढांक लिया अपने शरीर से। राजभोज साहब अपने पाया बहुत बड़ा आदमी-उन पे पड़ने वाले सभी डंडे इस पट्ठे ने अपने ऊपर झेल लिए।

सोनल : दवाखाने में जाना पड़ा?

काका : हट्-असली आरबट-पारबट (मरदाऽ) खाया हुआ था- दवाखाने कौन जाता?

सोनल : मुरदाड? ये मुरदाड क्या होता है?

काका : गोस्त मरे हुए जानवर का।

सोनल : ई ऽऽ

काका : अब नहीं- तब खाता था- बचपन में-पर बाबासाहब ने कहा- छोड़ दो- ऐसाल खब्र गंदा कुछ खाने का नहीं-झटसे छोड़ दिया तब से...।

सोनल : काका जी- हमारे जमाने में ऐसा सत्याग्रह हमने नहीं देखा।

काका : अब है ही नहीं तो कहाँ से देखोगी? तुम्हारे जमाने में अब है 'घेराव' मोर्चा-मेरा सत्या- तुम्हारा सर- था। कोई तो भी आंदोलन में- कौन-सा रे?

सोनल : विकरांद

काका : वहीं-वहीं- तू तो जानती है।

सोनल : सर बताते है कभी कभी।

काका : विकरांद! हमने सत्याग्रह किया तो हमारी पिटाई हुई और इसने-इसने घेराव डाला तो-!

सोनल : तो क्या काका?

काका : (अर्थपूर्ण देखते हुए) अब पूछ लेना तेरी मैडम से। घेराव डालो कि मिली लड़की- घेराव डालो कि मिली लड़की- वा रे वा घेराव।

सोनल : (लज्जित होकर) काका जी।

काका : (हंसते है फिर ठहरकर सोनल की ओर देखते हुए) तू है न एखाद घेराव

में? हां होगी- जरूर होगी- क्या भरोसा। यहाँ आती जाती हो- तब होगी ही एखाद घेराव में ।

सोनल : (शर्मा जाती है) काका जी।

काका : सच कहूँ लड़कियों को पढ़ाना ही नहीं। बड़ी हुई कि कही न कही अटका दो। गले में डालो फंदा। हकाल देना शोहर के साथ।

सोनल : क्या बात करते हो काका जी-खुद को आम्बेडकरवादी कहलाते है और लड़किया ने पढ़ना लिखना नहीं ऐसी बात कहते है।

काका : लिखना-पढ़ना नहीं याने शादी क़े पहले नहीं-शादी होने के बाद करोना पढ़ाई जितनी करनी है। सोनल मैंने कह दिया दासराव गुरूजी से कि इस साल हाथ पीले कर दो सोनल के।

सोनल : (विषयांतर के हेतु) काका जी, अर्जुन को पकड़ कर ले गये उस दिन आप गए थे पुलिस स्टेशन पर?

काका : क्यों रे? शादी के मंडप से निकलकर ठेठ पुलिस स्टेशन क्यों पहुंच रही है?

सोनल : कहिए न गए थे क्या?

काका : गया था बोले तो-मैं ही गया था-हमारा सत्यवान तेरा सर, कहने लगा, कानून की बातें ठाने जाने की बात ही नहीं। फिर मैं ही निकला। उठा कि सिधा मिलिंदनगर पहुँचा। सबको कहा चलो पर कोई भी हिलने को तैयार नहीं। पुलिस का डर, और क्या? फिर क्या दी बाबा के नाम की सौगंध बच्चों और औरतों को, तब निकले सभी पुलिस स्टेशन। और उनके पीछे-पीछे मरद लोग। पुलिस थाने पर ये तोबा भीड़ भड़का। थानेदार भी बौखला गया। जमिन रहने के लिए मैंने अर्जी दी तो थानेदार कहने लगा तालाव सातबारा। अब इतना बड़ा पहाड़ जैसा आदमी कलेजा फैलाकर जमीन ले रहा है तो बोलता है सात-बाहर लाख। आदमी से भी बड़ा है क्या सात- बाहर। ठन गई मेरे और थानेदार के बीच। फिर आया हमारा सत्तेवान। क्या सोचा होगा मालूम नहीं, पर आया। उसने थानेदार से येस-फेस ऐसी कुछ बात की और थानेदार ने अर्जुन को छोड़ दिया। पढ़ाई काम आयी, ऐसा लगा। (याद करते हुए) बाप रे कितने बजे रे?

सोनल : ग्यारह...।

काका : निकलना होगा। मोर्चा है आज कहते है जिले का मिनिस्टर आने वाला है

उसे निवेदन देना है। अर्जुन मेरे लिए ठहरा होगा। सूनबाई (हेमा आती है) मैं जा रहा हूँ भीमनगर। (जाता है)

सोनल : मैडम, काका जी बड़े मजाकियां है, नहीं?

हेमा : पहाड़ दूर से ही अच्छे लगते है।

सोनल : आप पर कभी गुस्सा करते है?

हेमा : गुस्सा नहीं करते। कुछ भी बात करते है।

सोनल : कुछ भी?

हेमा : तू नहीं समझेगी।

सोनल : लगता है बहुत दुनिया देख ली है।

हेमा : आंदोलन में थे। तेरे सर के माता-पिता बचपन ही में चल बसे। काका ने ही उसको बड़ा किया। बड़ा मन है काका जी पर तेरे सर का।

सोनल : सर कहाँ मिले आपको?

हेमा : कौन? सतीश? अरे वो...।

सोनल : आप उनके लिए अरे, तुरे शब्द का प्रयोग करती है?

हेमा : तो क्या हुआ? विक्रांत के कैम्प में मिला।

सोनल : शादी से पहले आप जानती थी, सर कौन है?

हेमा : कौन याने? जाती- जानती थी।

सोनल : फिर भी...?

हेमा : अरी प्यार करती थी मैं उससे। उस वक्त थोड़े ही जाति पूछी थी मैंने उसे।

सोनल : फिर कैसे पता चला? आपने पूछा-?

हेमा : नहीं, उसने स्वयं होकर बताया। शादी की बात जब मैंने उटायी।

सोनल : आपको डर नहीं लगा?

हेमा : किस बात का?

सोनल : आपके माता-पिता गुस्सा करेंगे इस बात का?

हेमा : अरी, मेरे पिताजी जज है। सुधारक घराना है मेरा। देश की आजादी के आंदोलन में थे मेरे पिताजी। हाँ...माँ नाराज थी लेकिन अब नहीं। भूल गई अपनी नाराजी परसों ही आकर गए दोनों।

सोनल : काकाजी ने विरोध किया?

हेमा : विरोध? देढ़ साल तक सूरत नहीं देखी हम दोनों की।

सोनल : काकाजी ने विरोध किया? वो तो कहते हैं कि बाबा साहब के आंदोलन में थे वो।

हेमा : इससे क्या होता है? यहाँ जातिपाती के बाहर जाना क्या इतना आसान काम है? (सोनल की बात कुछ-कुछ समझमें आ रही है) लेकिन तू क्यों पूछ रही है यह सब?

सोनल : कुछ नहीं..यूँ ही-मैडम..! अर्जुन के पिताजी क्या करते हैं?

हेमा : पिताजी नहीं है, माँ है, बेचारी मेहनत मजदूरी करती है।

सोनल : इन दिनों अर्जुन यहाँ आता नहीं है?

हेमा : आता है।

सोनल : कुछेक दिनों से कॉलेज में भी दिखाई नहीं पड़ा.... वो बाढ़ पीड़ितों के घटना के बाद।

हेमा : तो क्या यहाँ मिलेगा, यह समझकर आयी थी? आज कॉलेज नहीं गई? (सोनल की ओर गंभीरता से देखते हुए) सोनल-

सोनल : (ठहरती है, मन का बोझ हल्का करने हेतु एकाएक जैसे फूट पड़ती थी) अर्जुन मुझे अच्छा लगता है।

हेमा : (क्षणभर आवाक! फिर निग्रहपूर्वक संतुलन बनाए हुए) सोनल, यह सब यही रूकना चाहिए। सोनल यह बात यही रूकेगी- आगे नहीं बढ़ेगी।

सोनल : अर्जुन बुरा लड़का है मैडम?

हेमा : अर्जुन बुरा नहीं है- बुरी है यह तेरी उमर। सपनों की यह उमर निकल जाने पर बाकी रहता है एक विरान रेगिस्तान।

सोनल : आप सुखी नहीं है मैडम?

हेमा : ऐसा कौन कहता है?

सोनल : फिर आप-

हेमा : निराशा में नहीं मैंने की वह बात-अनुभव से उभर कर आई सच्चाई बताई मैंने तुझे। मैं सुखी ही हूँ। लेकिन इसका अनुभव करने के पहले बहुत कुछ सहना पड़ता है।

सोनल : यानी क्या करना होता है?

हेमा : अपने निर्णय खुद ही लेकिन पूरी जिम्मेदारी के साथ लेने होते हैं।

सोनल : बस इतना ही ? तो मैं भी मेरी शादी का फैसला पूरी जिम्मेदारी के साथ ले रही हूँ।

हेमा : लेकिन सोनल, कुछ सोचा है, यह गाँव कैसा है और माँ बाप क्या कहेंगे, इसके बारे में भी सोचा हैं?

सोनल : आपने भी तो इसका विचार नहीं किया था।

हेमा : मेरी बात अलग थी। मेरे पिताजी स्वतंत्रता के आंदोलन में थे।

सोनल : मेरे पिताजी भी स्वतंत्रता सैनिक है...!

हेमा : लेकिन सुधारक नहीं।

सोनल : मुझे मालूम है वो जातिवाद को नहीं मानते।

हेमा : ये कैसे जाना तुमने?

सोनल : स्कूल में उन्हीं से मैंने यह जाना। और घर में भी तो देखती हूँ ना- अर्जुन कितने ही बार मेरे घर आकर गया है। उसके साथ बहुत अपनेपन का बर्ताव है उनका।

हेमा : खचाखच भरे रेल डिब्बे के भीड़ में किसी अपाहिज के लिए हमारा बर्ताव अपनेपन का ही होता है-बस! वैसे ही यह प्रासंगिक है।

सोनल : परसों तो एक अजीब हरकत की मैडम मैंने! परसों नहीं, दो ढ़ाई महीने हुए होंगे-अर्जुन को मैंने एक किताब में वह चिट्ठी रखी मैंने और पिताजी के टेबुलपर वह किताब रख दी। खुद होकर पिताजी से बात करने से डर लग रहा था न इसी से यह तरकीब...!

हेमा : उन्होंने पढ़ी चिट्ठी?

सोनल : जरूर पढ़ी होगी-

हेमा : तुझे क्या पता?

सोनल : क्योंकि दूसरे दिन वह चिट्ठी उस पुस्तक में नहीं थी।

हेमा : क्या कहा तेरे पिताजी ने?

सोनल : एक अक्षर भी नहीं बोले। उनकी हाँ होनी ही चाहिए।

हेमा : ये बात अर्जुन को मालूम है?

सोनल : वहीं तो कहना चाहती हूँ। लेकिन दो महीनों से मिला ही नहीं मुझे वो। बाढ़ पीड़ितों की कॉलोनी की उस घटना के बाद।

हेमा : लेकिन तू उसे चाहती है यह तो भी मालूम है उसे?

सोनल : मालूम क्यों न होगा? मुझे सुनाई दे इतनी ऊंची आवाज में उसका नाम लेकर उसके दोस्त मुझे चिढ़ाते है- क्या इस पर से उसके ध्यान में नहीं आयी होगी बात?

हेमा : सोनल-ये सारी ख्याली दुनिया तेरे मन की है। बंद हो जाना चाहिए सब कुछ ये। मैं कहती हूँ इसलिए...!

सोनल : मैडम आप? आप ये कहती है? कितनी आस लिए मैं आपके पास आई थी और...!

अर्जुन : (प्रवेश कर).काकाजी! (उसे देखकर सोनल हेमा के आडे छिप जाती है। लेकिन अर्जुन उसकी ओर नफरत भरी निगाह से देखकर अनदेखा करता है) काका कहाँ है मैडम?

हेमा : तेरे पास ही ज़ाने के लिए घर से गए अभी - अभी। कल किस बात के लिए मोर्चा है?

अर्जुन : और किस बात के लिए? मिलिंदनगर के वही सवाल-घर चाहिए। झोपड़ पट्टी में रहने वालों की माँगे और क्या हो सकती है। घर चाहिए। (जान-बूझकर सोनल की ओर देखकर) स्वतंत्रता सेनानियों का राज चल रहा है देश में तब अछूत और दलितों को घर मिले या न मिलें क्या फर्क पड़ता है उनके लिए?

हेमा : ऐसी टेढ़ी बातें क्यों करता है? कॉलेज क्यों नहीं जा रहे हो आजकल-

अर्जुन : क्या रखा है कॉलेज़ में? जानबूझकर गुंडागर्दी करने वाले हम लोग-अच्छे घरों की बहु बेटियों की छेड़छाड़ करने वाले-भला पढ़ाई करने के लायक ही कहाँ है? और मेरे कॉलेज न जाने से सभी ऊँची खानदान की लड़कियों को छुटकारा मिला होगा। (सोनल इस बात से शुरू में बौखला जाती है-फिर दु:खी होती है- गर्दन झुकाकर चलने लगती है) ठहरों सोनल, किसलिए आई थी यहाँ?

हेमा : अर्जुन! (सोनल एक बार उसकी आँखों में देखती है- फिर गर्दन झुकाकर खड़ी-निश्चल)

अर्जुन : अब और क्या बाकी है? मैडम के पास भी उल्टी-सिधी बातें करने, शिकायत करना? वो भी मुझे भला बुरा कहें-फटकारें, यही ख्वायश है ना तुम्हारी। इस घर से भी मैं बेघर हो जाऊँ ऐसा लगता है तुम्हें-है न? बता किसलिए आयी थी यहाँ?

हेमा : अरे अर्जुन-क्या हो गया है तुझे?

अर्जुन : लेकिन सर याने तुम्हारे पिताजी नहीं है। मैडम को क्या तुम्हारे पिताजी जैसी समझती हो? मेरा कहना सुने बगैर तुम्हारे पिताजी की तरह चाहे जैसी उल्टी सीधी बातें हीं सुनायेंगी वो तुझको।

हेमा : दासराव गुरूजी ने तुमसे कुछ कहा अर्जुन?

अर्जुन : कहा? मेरी बेइज्जती की- इसने झूठी शिकायत की मेरी उनके पास-कहा कि मैंने इसे पत्र लिखे इसका पिछा करता हूँ- मैं ही नहीं मेरे सारे दोस्त इसकी बदनामी करते फिरते है। क्या समझती है अपने आपको ये- इंग्लैण्ड की महारानी या विश्वसुंदरी? घर बुलाकर मेरी बेइज्जती? बोल- बाप जब बोल रहा था तब तो बाहर तक नहीं कदम रखा अब बोल...!

हेमा : तुम गलत समझ रहे हो अर्जुन-गलतफैमी हो रही है-

अर्जुन : गलत फैमी? थी, मैडम गलतफैमी थी-लेकिन अब नहीं- आप ही पूछीए इसे-मैंने कभी इससे ऐसी-वैसी बात की? झोपड़ी में रहता हूँ इसलिए मैं बेहया-बेर्शम-मेरा कोई नहीं इसलिए, आवारा गरीब हूँ, इसलिए वाहियात? ठोकर मारता हूँ ऐसे इज्जत वालों को थूकता हूँ ऐसे मालदारों पर-
(सोनल सह नहीं पाती-निकल जाती है। हेमा अस्वस्थ)

हेमा : शांत हो जाओ अर्जुन-

अर्जुन : और क्या कहा इसके बाप ने जानती है? मुझे पढ़ाया है उन्होंने इसलिए कितनी इज्जत थी मेरे दिल में उनके लिए लेकिन समझ ही नहींसका कि क्लास में इतनी सुहावनी बातें करने वाले इंसान के छाती में कलेजा ही उल्टा होगा। कहा-महार भले हो पढ़ लिख ले लेकिन क्या आंबेडकर थोड़े ही होंगे? तुम कितने भी पढ़ो लिखो फिर भी तुम्हारी आदतें नहीं जाने वाली--सभ्यता नाम की चीज तुम लोगों को मालूम ही नहीं- इतना भर ही कहते तो चुपचाप सह लेता मैं, लेकिन आगे कहा, उस गोड़घाटे की कृपा है इसलिए बहुत इतराता है। कहाँ से ले आया एक औरत कौन जाने और यहाँ सबको मारे गर्दन उठाउठाकर कहता है मेरी पत्नी ब्राम्हण है। वह कहता है। वह कहता है क्या इतने से ही हम भरोसा करने वाले है। अपना बड़प्पन दुनिया को बताने के लिए चाल चला होगा वो महार। तू अपनी अक्कल अपने पास ही रख मेरी लड़की की तरफ आँख उठाकर देखने की कोशिश भी की तो आँख ही निकालकर हाथ में रख दूँगा। (ठहरता है) सरकार के सम्मान पत्र का तमगा क्या मिला जो भी मुँह में आये बकने देने को सनद लगती है क्या उसे-इधर पेट में जहर कितना लबालब भरा हुआ। सड़ा हुआ दिमाग है, बम्मन साला-ये बम्मन जात कभी पेटका पानी तक हिलने नहीं देंगे-चलता हूँ मैं।

हेमा : ठहरो अर्जुन-एक सवाल का जवाब दो। (हरेक शब्द पर जोर देते हुए) तुम सोनल को चाहते हो? (ठहरकर) उसे प्यार करते हो? (अर्जुन हेमा

की आँखों में देखकर गर्दन झुका लेता है) बोलते क्यों नहीं? मुझे जवाब चाहिए- (अर्जुन जाने के लिए तैयार) अर्जुन, मेरे सवाल का जवाब?

अर्जुन : किसी को नहीं चाहता मैं अब। भूल गया था मैं अपने आपको लेकिन अच्छा ही हुआ ठीक समय पर होश में आया। अब नहीं फसूँगा। आपका तो क्या उसी की तरफ से बोलोगी।

हेमा : अर्जुन, मेरे सामने जो तुमने कहा, वही गुरुजी के सामने कहा या...!

अर्जुन : नहीं

हेमा : उसे रोती हुई चली गई देखा तुमने? नहीं जब बोल रहे थे उस वक्त सामने मैं खड़ी थी, इसका तो भी लिहाज किया? नहीं क्यों? अरे, अपने से बाहर निकल कर देखते-तेरा अपमान हुआ, कबूल है, लेकिन इसके लिये जो भी सामने आए उसका अपमान करेगा तू? आखिर किसने दिया है ये अधिकार तुझे? क्या अंतर है गुरुजी और तुम लोगों में? उन्हें स्वतंत्रता सैनानी की सनद मिली इसलिए दिल में जो आता कहते चले जाते है ऐसा कहता है तू, और तू जन्म से अछूत है दलित है इसलिए औरों को चाहे वो बातें सुनाने का हक मिला यह समझता है तू? (दरवाजे में सतीश)

अर्जुन : हाँ हाँ हूँ मैं अछूत-दलित क्या आज पता चला आपको? मैं दलित हूँ दलित रहकर ही जिऊँगा लेकिन दलितों के लिए जियूँगा। (ढोंग धतुरे नहीं करूँगा किसी भी तरहके झूठा नकाब नहीं चढ़ाऊँगा चेहरे पर) चलता हूँ मैं। (जाने के लिए मुड़ता है सामने सतीश खड़ा-हेमा-अर्जुन कहकर अंदर चली जाती है)

सतीश : कहाँ चले?

अर्जुन : 'घेराव' है कल पालकमंत्री का, उसकी मीटिंग है आज-

सतीश : अच्छा बैठो थोड़ी देर।

अर्जुन : मुझे देर हो रही है सर।

सतीश : जानता हूँ मुझे भी 'घेराव' के बारे में ही तुमसे कुछ बात करनी है। (काका आते है)

काका : अब यहाँ क्या बात करते हो भैया। कब से इकट्ठे हुये है लोग वहाँ, चल।

सतीश : ठहरिये काका-आप जा रहे हें कल मोर्चे में।

काका : हाँ।

सतीश : बैठिए। (दोनों भी बैठते है)

अर्जुन : लेकिन देर हो रही है सर।

सतीश : मैं तुम लोगों को रोकूँगा नहीं-हाँ आज किनका घेराव है?

अर्जुन : किनका याने? हमारा।

सतीश : बाढ़ पीड़ितों का एक और मोर्चा निकलेगा कल-जानते है? उन्हें वो घर मिलने चाहिए इसलिए।

अर्जुन : ऐसा किसने कहा आपसे?

सतीश : कल-कॉलेज बंद करने का निर्णय लिया है बच्चों ने। बाढ़ पीड़ितों के मोर्चे को सहानुभूति जताने के लिए। मोर्चा तहसील ऑफिस पर जायेगा, तुम्हारा?

अर्जुन : रेस्ट हाऊस पर।

सतीश : दलितों को छोड़कर सभी एक हुए है इस प्रश्नपर।
(सभी सवर्ण समाज इस बात पर संघटित हुआ है।)

काका : ऐन मौके पर ये सभी सवर्ण एक हो जाते है-मुझे लगा कोई नई बात सुना रहा है।

सतीश : आग को और भड़काओं नहीं काका। गाँव में तनाब की हवा है। ज्यादा पुलिस फोर्स भी आ चुका है।

काका : डराता है? पुलिस क्या गोली चलायेगी? इतने सब लोगों पर? बाल बच्चों पर?

सतीश : दबाव डालने का रास्ता मोर्चा नहीं है काका।

अर्जुन : कौन दबाव डाल रहा है सर? हमारी माँगों के लिए शांतिपूर्ण मोर्चा निकालने का मतलब दबाव है? दबाव डाल रहा है वो आपका पवार-आपकी कॉलेज कमेटी का अध्यक्ष-कान्ट्राक्टर है ना उस कॉलोनी का। दो लाख रुपए अटके है उसके और ऊपर से उसके रिश्तेदारों को घर नहीं मिले-

सतीश : हाँ लेकिन अपनी बात के लिए वो कानून का सहारा लेता है। बाढ़ पीड़ितों को आगे कर रहा हैं गाँव को साथ ले रहा है, ये सब खुद बाहर रहकर-

अर्जुन : मैंने भी बेघर लोगों को इकट्ठा किया है। उसमें भी बाढ़ पीड़ित कुछ लोग है और फिर मैं किसी की आड़ में रहकर क्यों करूं सब? मेरे मन में

कोई पाप नहीं है। आमने-सामने खड़ा होकर माँग करूँगा क्योंकि मेरी माँग न्याय पर खड़ी है।

सतीश : दलितों को छोड़कर और भी जो बाढ़ पीड़ित है उनके बारे में क्या कहना है तुम्हारा?

अर्जुन : दीजिए ना, उनको भी दीजिए घर-

सतीश : लेकिन अब घर कहाँ बचे है?

अर्जुन : नये घर बनवाकर दीजिए।

सतीश : अर्जुन तुम कानून की परवाह करने को तैयार नहीं हो, लोगों की परवाह करने को तैयार नहीं हो-एक भूमिका बनाने के बहाने ही क्यों न हो लेकिन अन्य जातियों का विचार करने को तैयार नहीं हो-इस हालत में सबको कहाँ ले जाओगे तुम? अर्जुन संख्या के बलबूते पर जो लड़ाई होती है वह इंसाफ की लड़ाई नहीं होती- वह होती है हुल्लड़बाजी। इसमें बली चढ़ाया जाता है आम आदमी। औरों की बात छोड़ दो-लेकिन हमें सावधानी से लड़नी होगी अपनी लड़ाई।

काका : ओह सत्तेवान किससे कह रहे हो? मुझसे? जेल होगी और क्या होगा मैं भी जाकर आया हूँ जेल-दादासाब गायकवाड़ ने सत्याग्रह किया था बहुत बड़ा सत्याग्रह था। इतना बड़ा गाँधी ने भी नहीं किया होगा इत्ता बड़ा। किसलिए किया था सत्याग्रह मालूम है? गौरान की जगह बंजर जमीन गरीबों को मिले इसलिए। हजारों खाली पेट और नंगे पैर ग़रीब गये जेल-लाठियाँ झेली-उनके बाल-बच्चे भूख से चिल्लाते रहे और आखिर में क्या हुआ? मिली जमीन गरीबों को? नहीं मिली। ये अर्जुन्याने चमत्कार किया-एक दिन में सबको घर मिल गए। अब होने दे जेल-क्या फिक्र है? अरे तेराही शार्गिद है वो पर बहुत अकलमंदी से काम कर रहा है। शाबाश कहकर उसकी पीठ थपथपा-डाँट क्यों रहा है? पढ़ लिखकर क्या फायदा है तेरा...!

सतीश : काका, आप हमेशा से ही मुझे 'किताबी' मानते आए हो-ये सच है कि मैं आप जैसा कार्यकर्ता नहीं हूँ, लेकिन मेरे कुछ प्रश्नों के उत्तर आप ही दीजिए। महाड़ के सत्याग्रह आंदोलन में दस हजार कार्यकर्ता थे, थे? हर एक के हाथ में लाठी थी। लड़ने का जोश था और शरीर में हाथी की ताकत थी, पत्थर फेंकने वाले सनातनी ब्राम्हणों की संख्या कितनी थी? पाँच -पच्चीस अगर चाहते तो सारा महाड़ गाँव बेचिराग

कर सकते थे "सत्याग्रही" याने कार्यकर्ता। बस बाबा साहब के 'हां' भरने की देर थी। लेकिन ऐसा नहीं हुआ पाँच-पच्चीस पागल सिरफिरों के पथराव को बाबा साहब ने एक गाली तक नहीं दी- क्यों? अपने नेता की रक्षा करने के लिए पत्थर झेलें अपनी छाती पर सत्याग्रही कार्यकर्ताओं ने लेकिन जवाब में एक ने भी हाथ नहीं उठाया। ऐसा क्यों हुआ? क्यों किया ऐसा बाबा साहब ने? वह उनकी तात्कालिक पराभव थी काका, लेकिन उन्होंने एक बात बिल्कुल ठीक और ढंग से समझी थी। दलितों के संघ शाक्ति के उदयमान होने का क्षण था। ऐतिहासिक ब्राह्मणों को छोड़ अन्य जाति के लोगों ने सहायता के लिए बढ़ाया हाथ उन्होंने नकारा उन्हें समूह शक्ति नहीं चाहिए थी इसलिए नहीं बल्कि इसलिए कि वह चाहते थे कि जो भी शाक्ति संचय हो वह उनके विचारों के प्रति श्रद्धा रखता हो- इसीलिए उन्होंने दी हुई मदद स्वीकार नहीं थी। क्योंकि उन्होंने शर्त रखी थी कि बाबा साहब अपने आंदोलन में ब्राह्मण जाति को न रखें। कानून का सहारा लेकर और जहाँ कानून कमजोर पड़ रहा हो, वहाँ जन शक्ति के विचार को आह्वान कर बाबा साहब जिए। वे चतुर राजनीतिज्ञ थे। लेकन राजनीति का उपयोग सत्ता की कुर्सी प्राप्त करने के लिए नहीं आंदोलन अधिक मज़बूत अधिक गतिमान करने के लिए किया। अर्जुन, हम उस युगपुरुष के अनुयायी हैं इस बात को हमें भूलना नहीं होगा। छोटे मोटे फायदों का विचार करना हमारे लिए लाभ सिद्ध नहीं होगा-अरे, बाबा साहब ने कहा था- मेरे इस रथ को उन्नती के मार्ग पर अगर तुम आगे नहीं ले जा सके तो कोई बात नहीं लेकिन कम से कम उसे अवनती के रास्ते पीछे नहीं ले जाओं।

अर्जुन : आपकी राय में मुझे क्या करना चाहिए सर?

सतीश : फिलहाल मोर्चा नहीं निकालो, हो सके तो कुछ सवर्ण बाढ़ पीड़ितों को अपने में समालों।

अर्जुन : अव इमनें से एक भी बात होना असंभव है सर- एक तोसब लोग अब मोर्चे के लिए वहा जमा हुए हैं...।

सतीश : मैं तुम्हारे साथ चलता हूँ। हम मोर्चो की तारीख बदलेंगे।

अर्जुन : लेकिन आपने जैसे कहा अगर प्रति मोर्चा निकलने वाला है इस बात की जानकारी उनको मिली होगी और वो गुस्से से बौखला- जिद पर उतर आये होंगे-ऐसे में मोर्चे का फैसला बदलना कायरता होगी।

सतीश : किसकी? तुम्हारी? या उनकी?

अर्जुन : ठीक है सर। मोर्चे का फैसला बदल दे तो भी सवाल तो वैसा ही बना रहेगा। इतना ही नहीं बल्कि हमारे खिलाफ मोर्चा निकालनेवालों को तो यही लगेगा कि हमें उनकी माँग मंजूर है।

सतीश : लेकिन दोनों भी मोर्चे निकले तो इसका परिणाम क्या होगा, जानते हो?

अर्जुन : लाठी चार्ज होगा— गोली चलेगी, पाँच-दस जख्मी होंगे या एखाद शहीद होगा।

सतीश : यह तो तात्कालिक परिणाम है- लेकिन दूर की बात सोची है तुमने? अगर काका ने नहीं सोची तो कोई हर्ज नहीं लेकिन तुम भी नहीं सोचोंगे तो ये बात बहुत खतरनाक होगी।

अर्जुन : खतरे का डर मुझे मत दिखाईए सर।

सतीश : खतरा तुम्हें तो है ही लेकिन उससे कहीं ज्यादा दलित पीड़ित लोगों के आंदोलन को है इस बात पर तुम सोचों यह तुमसे मैं कहना चाहता हूँ- अगर ऐसा नहीं हुआ तो आगे चलकर गरीब दलितों को सबकी सहानुभूति खोनी पड़ेगी।

अर्जुन : ठीक है सर (उठता है) काका जी आपने क्या तय किया है?

काका : और क्या तय करना है? चल (निकलने लगते है) इन नौकरी पेशा लोगों का ऐसा ही है अर्जुन ऐन मौके पर हैबत खा जाते हैं।

(हेमा दरवाजे में आकर खड़ी-खड़ी सुनती है- काका आगे और अर्जुन पीछे-पीछे चले जाते है। सतीश काका और अर्जुन जिस दिशा से गए उधर देखता है। फिर हताश होकर कुर्सी पर आ बैठता है। हेमा पास आकर सतीश के बालों में अंगुलियाँ सहलाती हुई)

हेमा : निराश हो गए?

सतीश : अं- नहीं- उदास-उदासी छा गई थोड़ी सी-

हेमा : हर तरफ यही चल रहा है कहाँ तक और कैसे रोकोंगे तुम उसे? तुम राजनीति खेलने वाले थोड़े ही हो?

सतीश : इसी से तो उदास हुआ हूँ- हालात को संभालने वाली काबू में रखने वाली राजनीति तो खत्म हो गई। अब-हालात का फायदा उठाने वाला ही आज नेता बन रहा है। जो फायदे की लालच बतलायेगा उसी के पीछे जाते है अब लोग- तुझे क्या लगता है?आज अर्जुन के पीछे

खड़ी दलित जनशक्ति कल उसका साथ देगी? अर्जुन ने उन्हें घर दिलवाएं- बिना संघर्ष के- अनायास-कल अर्जुन से बड़ी लालच दिखाने वाला आयगा और यही लोग अर्जुन को बाहर फेंक देंगे। फिर अर्जुन की दशा क्या होगी जानती हो? एक तोवह फ्रस्ट्रेड होगा या राजनीति के खेल में एखाद बड़े खिलाड़ी का खिलौना बनकर रह जाएगा और और दलितों के आंदोलन में-दलितों के संगठन में नहीं जनता कैसी और कितनी जगह से दरारें पड़ेगी?

और दलितों का संगठन कितने टुकड़ों में बांट जाएगा प्रलोभन के मोहक हत्यार के शिकार- (अपने आप में खो जाता है)

हेमा : तुम्हारा कर्त्तव्य तुमने किया- उसे समझाया अंत में यही सच है कि हर किसी को अपने फैसले खुद ही करने पड़ते हैं।

सतीश : (भौचका सा- फिर धीरे-धीरे बात जैसे समझ में आ रही है) सच्च है आखिर हर किसी को अपने फैसले खुद ही करने होते है। खुद ही करने होते है- खुद ही करने होते है।

(धीरे-धीरे पर्दा गिरता है)

अंक दो

दृश्य एक

दूसरा दिन दलितों का मोर्चा निकल पड़ा है हेमा खिड़की से झांक रही है सतीश आता है शायद वह कालेज से लौटा है कुछ उदास सा किताबें टेबल पर रख देता है कुर्सी पर बैठता है, कुछ कुछ अपने ही सोंच में डूबा हुआ। मोर्चा चला जाना है। हेमा पलटती है और सतीश को देखकर आश्चर्यचकित होती है।

हेमा : अरे, तुम कब आए?

सतीश : ये क्या अभी-अभी....।

हेमा : कालेज में आज कुछ खास बात हुई?

सतीश : खास बात! नहीं-वैसे तो कोई खास बात नहीं- लेकिन बाढ़ पीड़ितों को सपोर्ट करने के लिए सवर्ण लड़के कालेज बंद करने निकले-उनका नेता कौन है जानती हो?

हेमा : कौन है?

सतीश : अरविंद देशमुख।

हेमा : दासराव गुरूजी का जमाई राजा-?

सतीश : अहं एन.एस.एस. के कैम्प में साहूकार की तरफ से अपमानित हुआ वह नवयुक जिसे साहूकार ने अछूत समझकर खास कप में चाय दी थी।

हेमा : वो कैसे, क्या इतना एक्टिव हुआ?

सतीश : उस घटना के बाद मुझे लगा था कि वह अंतमुर्ख होगा- लेकिन अपने अहंकार को ठेंस पहुँचते ही खुद ही उच्च जाति की दुहाई देने निकल पड़ा और क्या? (ठहरकर सोंचते हुए) तुझे वो विजय कुंडकर याद है- दो साल पहले जिसका जिक्र किया था- वह कवि-

हेमा : याद है- बहुत ही सुंदर कविताएं लिखता था।

सतीश : कमिटेड कविता लिखता था। माँ-बाप का प्यार नहीं मिल पाया- दलित साहित्य की हर एक संगोष्ठी में उपस्थित रहता- जाति-पाती के लोग, रिश्तेदार किसी ने भी मदद नहीं की, इसलिए उनके बारे में बात करते वक्त उसका मन नफरत से और कड़वाहट से भर जाता था। उसकी बेसहारा जिंदगी में मैंने झांक कर देखा इसलिए कितना आदर थ उसके मन में मेरे लिए, आज भी है- शिक्षक है वह अब लेकिन अब क्या

करता है जानती हो? उसकी हर कविता के बाद कवि के नाम की मुद्रा होती है विजय कुंडकर- और आगे ब्रकेट में बिना भूले छपा रहता है 'पाटील' (विवाद पूर्ण) जानती हो किस लिए! उसकी जात 'मराठा' है। कवि के नाते जो प्रतिष्ठा उसे मिल रही है वह अब काफी नहीं हैं उसके लिए जन्म से प्राप्त बड़पन की प्रतिष्ठा भी अपने साथ वह जोड़ना चाहता है। आज मिला था मैंने पूछा 'ऐसा क्यों?' तो सिर्फ हंस दिया- हेमा, लग रहा है जीने की इस लड़ाई में हम नाकाम होते जा रहे है। इस लड़ाई में हम संदर्भहीन बनते जा रहे है।

हेमा : अब उठो अंदर चलो... चाय बनाती हूँ

सतीश : नहीं में थोड़ी देर यही बैठूंगा तुम चाय ले आओं।

हेमा : कितने नर्व्हस हो गए हो?

सतीश : ना-।

हेमा : मैं अभी आती हूँ चाय लेकर (जाती है सतीश मेज पर पड़े पेपर उठाता है इतने में दासरांव गुरू जी प्रवेश करते हैं।)

दासराव : अंदर जाऊं सर।

सतीश : आईए-आईए दासराव गुरूजी क्या आपको भी छुटी मिल गयी-

दासराव : (बैठते हुए) और क्या? सारे शिक्षक गए है मोर्चे में भाग लेने के लिए इसलिए सोचा अकेला ही स्कूल में बैठकर क्या करूंगा? आया आप के पास इधर उधर की बातें करने तो रास्ते में शेवंता मिली।

सतीश : शेवंता? क्यों! वह नहीं गयी मोर्चे में?

दासराव : मोर्चे में? उसे कौन आने देगा।

सतीश : क्यों? मोर्चे में तो औरतें और बच्चे भी शामिल हैं?

दासराव : वह तो है? लेकिन वह (अंग्रेजी में लिखना है) ना?

सतीश : मैं नहीं समझा।

दासराव : मुझे भी क्या पता। वह कह रही थी।

सतीश : क्या।

दासराव : मिलिंदनगर में हर घर से घर का टैक्स वसूल किया जाता है। महिने के पच्चीस रुपए उसने दो महिने से एक पैसा तक नहीं दिया।

सतीश : कौन लेता है यह टैक्स।

दासराव : और कौन? अर्जुन-अर्जुन ही लेता है।

सतीश : अर्जुन घर का टैक्स वसूल करता है?

दासराव : अब उसने इतने सारे लोगों को घर दिए है इसलिए लेता होगा टैक्स उसमें अचरज की तो कोई बात नहीं- अब शेवंता गरीब है। उसके पास पैसे नहीं होंगे तो अर्जुन भी उसे कब तब घर में रहने देगा?

सतीश : याने अर्जुन ने उसे घर से बाहर निकाल दिया?

दासराव : वह भी मजबूर हुआ होगा शेवंता का सामान रास्ते पर पड़ा या घर को ताला लगा हुआ सामान की देखभाल लिए कोई नहीं था इसलिए सड़क पर ही घूम रही थी आसपास वालों से कह रही थी काका जी से बात करेगी।

सतीश : अर्जुन का यह बर्ताव भयानक है। (हेमा तीनों को चाय लेकर आती है) हेमा, मिलिंदनगर की बस्ती से अर्जुन घर का टैक्स वसूल करता है। काका ने तुमसे कुछ कहा इस बारे में।

दासराव : अजी, काकाजी को तो यह बात मालूम ही नहीं होगी। मैं आपके कानों पर यह बात डाल दूं इस लिए दौड़ा दौड़ चला आया, क्यों कि आपकी इमेज जरूर अलग है सर, हम आपको आगे बात नहीं...।

सतीश : सोच समझ की योग्यता क्या सिर्फ ब्राह्मणों में ही होती है गुरू जी (चाय देते हुए) लीजिए, चाय-लिजिए हेमा ने बनाई है (चाय लेकर अपनी जगह जाकर बैठता है) काका कहते है वह सच है। लोग अपनी जात भूलते नहीं है। (हेमा बातचीत में शरीक होने के इरादे से वहीं बैठ जाती है)

दासराव : लोगों का क्या रहता है सर कि आप उनसे कितना ही अच्छा बर्ताव रखों-फिर भी उनकी बोलचाल से कई एक बातें जाती ही नहीं है। अब काका जी गए है ना मोर्चे में, तो लोग क्या कहते है बताऊं? गोड घाटे सर ने ही उकसाया होगा वो नौकरी करते है- और फिर पवार साहब कालेज कमेटी चेयरमेन है।

सतीश : डरपोक समझते है लोग मुझे?

दासराव : नहीं आपको नहीं जी- लेकिन काका जी ने भी तो आपकी बात माननी चाहिये।

सतीश : क्यों माननी चाहिए? वो आर.पी.आय. के पुराने कार्यकर्ता हैं। मैं कभी भी राजनीति में नहीं था। विकांद जिस दिन (पालिटीकल पार्टी) बनी उसी दिन

मैंने उस संगठन से त्याग पत्र दिया। काका की अपनी खुद की भी तो राय हो सकती है।

दासराव : हां लेकिन लोगों को कहाँ मालुम है ये सारी बातें?

हेमा : आप तो जानते है-फिर आपको क्या कहना है यह तो बताईए?

दासराव : हम क्या हेमाजी, आपसे जैसा हमारा अध्ययन थोड़ी है।

सतीश : इसमें अध्ययन की क्या जरूरत है गुरूजी, समाचार पत्र पढ़ो तो भी समझ में आ सकती है ये बातें दो सगे भाई अलग-अलग पार्टियों में हैं- कितने उदाहरण चाहिए। एक ही घर में रहते हुए बाप और बेटा अलग-अलग राजनीति को मानने वाले हैं। कितने उदाहरण चाहिए?

दासराव : हाँ-है ना, बिल्कुल हैं।

सतीश : लेकिन यहाँ पर आप उनके बारे में इस तरह नहीं सोचेंगे-क्योंकि पैंथर, माँस मूमेंट आर.पी. आय-इनका एक साधारण विशेष बना है। आपके मन में दलित-दलित है ना।

हेमा : क्यों बिना मतलब सिर दर्द मोल ले रहे हो? गुरुजी विष्णु पंत रानडे यह नाम आपने सुना है कभी।

दासराव : हाँ, सुना सा लगता है-अपने...!

हेमा : अपने डिस्ट्रक के सेशन जज हैं मेरे पिता जी हैं वो।

दासराव : ऐसा? अरे ना! वा: वा: वा:

हेमा : वो मेरे घर आएंगे, तब आपको बुलाऊँगी मैं। परिचय करवा दुँगी।

दासराव : जरूर जरूर-

हेमा : नहीं.... अपने अर्जुन के पास मेरे पिताजी के बारे में पूछताछ की ऐसा मालूम हुआ-

दासराव : मैंने...!

हेमा : अर्जुन को क्या पता! मुझे ही पूछ लिया होता-

दासराव : लेकिन मैंने अर्जुन के पास इस तरह की कोई बात नहीं की- किसने कहा आपसे? अर्जुन ने?

हेमा : नहीं-सोनल ने, उसने अर्जुन को लिखा हुआ पत्र आपने पढ़ा न उसके बाद -(दासराव परेशान)

सतीश : क्या मामला है हेमा!

हेमा : आपको पता लगेगा ही-दासराव गुरुजी बताएंगे न-

दासराव : हाँ, मुझे लगा ही था- सोनल यहाँ जरूर-कुछ न कुछ इस तरह की बात करेगी।

हेमा : झूठ है तो?

दासराव : लेकिन वह कब आई थी?

हेमा : मतलब अब आप उसे धमकावोंगे-आप उसकी शादी तो कर रहे है यह बात साफ सफ उसे बता दीजिए...!

दासराव : देखिए हेमाजी-

हेमा : हम क्या आंतरजातीय विवाह केन्द्र कें संचालक लगते है आपको?

दासराव : बात ऐसी नहीं है हेमाजी!

हेमा : आपने अर्जुन से जो कहा वो सब जानती हूँ मैं-

दासराव : मेरे पास इससे दूसरा चारा नहीं था- हेमाजी! ये गाँव है आप जानती है... और मेरे सगे संबंधी क्या कहेंगे-?

हेमा : ज्यादा झूठ बोलने की जरूरत नहीं है। आप दिखागी पड़ते है उतने सीधे-सादे नहीं है गुरुजी पत्र पढ़ा सोनल का लिखा हुआ और गालियाँ दी अर्जुन को आपने-क्यों? बताईए-आपके पास उसका लिखा एक भी पत्र है।

दासराव : मैं भड़का, उस वक्त वो चुप रहा-इसलिए...!

हेमा : वो सोनल को चाहता है।

सतीश : हेमा?

हेमा : सच है यह-इसलिए उन दोनों के बीच अगर कोई पत्राचार हुआ हो तो वह निकाल लेना चाहते ये गुरुजी-और यह सब करते वक्त सोनल को इसकी भनक तक न लगे इसका भी उन्होंने खास ख्याल रखा- क्योंकि अपनी बेटी के सामने अपनी Progressire प्रगतिशील इमेज को भी इन्हें कायम रखना था- अपना स्वार्थ - अपनी प्रतिष्ठा अपना मतलब किस तरह संभालना चाहिए, यह अच्छी तरह आपको मालूम है।

दासराव : चलता हूँ सर-हेमाजी अभी बहुत गुस्से में है- मैंने जो कहा और जो कहा ही नहीं, ऐसी उटपटांग बातें शायद अर्जुन ने कहीं होगी इनसे-चलते हैं (जाने लगता है)

हेमा : और देखिए, सोनल बालिग है यह बात समझ लीजिए-

दासराव : शायद वो वक्त नहीं आएगा-हेमा जी! (जाते है-)

सतीश : हेमा कितनी आपेसे बांहर हो गई थी तुम! बीच में टोकने की मेरी भी हिम्मत नहीं हुई- क्या बात है, क्या है?

हेमा : कुछ नहीं!

सतीश : मुझे भी नहीं बताओगी?

हेमा : (आँखों में पानी भर आया) अर्जुन को बुलाकर गुरुजी ने उसके जाति का नाम लेकर तो गंदगी उछाती है- लेकिन - लेकिन

सतीश : लेकिन क्या हेमा?

हेमा : न जाने कहाँ से उठा लाया एक औरत को गोड़घाटे और यहाँ कहता फिरता है कि वह बम्मन है। इस तरह की मेरे बारे में भी कहता है यह आदमी। हमेशा घर आता है। चिकनी चुपड़ी बातें करता हैं और दिमाग इतना सडियल गंदगी से भरा हुआ। और इस पर अपने आषको शिक्षक समझता है। स्वतंत्रता सैनिक कहलाता है।

सतीश : मन को शांत करो हेमा! मीठी-मीठी बातें करने- वालों के मन में क्या छिपा रहता है यह पहचानना इतना आसान नहीं है। उनके स्वार्थ के आड़े जब हम आते है तब भीतर की गंदगी इसी तरह खुलकर उभर आती है।

हेमा : (अपने आपसे) काकाजी का अपना अलग ढंग, उन्हें लगता है, उनकी जाति की लड़की का नुकसान करने ही मैं इस घर में आई।

सतीश : काका तो पुराने जमाने के है- उनको ठीक से तुम्हें समझना होगा-जो कुछ कहना है पीठ पीछे नहीं कहेंगे कभी।

हेमा : (अपने आप जैसे बोल रही हो) सोनल को लगता है मैं उसे साहस दूँ। क्योंकि मैंने अंतरजातीय विवाह किया है- और अर्जुन? इतना दिर रात इस घर में आता जाता है, लेकिन गुस्से में न जाने कैसी-कैसी बातें कह डाली- महार कहने से वह गाली है तो बम्मन कहने से-क्या वह सम्मान बन जाता है? जाती पाती को लाँघकर मैंने विवाह किया है- जान बूझकर उसका उलाहना मेरे लिये तो एक गाली बन जाता है- मेरा मखौल उड़ाने के लिए हर कोई अपने जाति के विषैले नाखूनों से मुझे नोचते चला जाता है। कभी जान-बुझकर -कभी अंजाने में-इरादा कुछ भी हो लेकिन हर एक घाव एक-एक जख्म छोड़ जाता है- है

किसी को परवाह? लगता है किसी को इसकी परवाह नहीं है। इसमें हमारी भूल है? (यकायक स्तब्ध) जिस सच्चाई को मैंने खुली आँखों से अपनाया है उसे सहन करने की आत्मिक शक्ति भी मुझे ही जुटानी पड़ेगी। सतीश, मेरे दुर्बल क्षणों में तुम मुझे समझलो, साहस दो सिर्फ साहस दो....!

अर्जुन : सर, सर, काका नहीं घर लौटे? (हेमा भीतर जाती है-तेजी से-अर्जुन आता है सतीश अपने आपको स्थित करते हुए)

सतीश : क्या हुआ? क्या बात है? मोर्चा तो ठीक से निकला न?

अर्जुन : नहीं सर, मोर्चे के तो बारा बज गए-मिलिंद नगर की बस्ती के घरों से सामान सड़क पर फेंक बस्ती को आग लगाई जा रही है।

सतीश : और पुलिस! पुलिस क्या कर रही है।

अर्जुन : पुलिस! गोली चला रही है। फायरिंग भी न भड़क उठे कहीं वें-वह मंत्री आया ही नहीं। उधके उधर ही दुम दबाकर भाग गया-हालत काबू से बाहर हो गए है।

सतीश : और तुम? हालत काबु के बाहर हो रही थे-उस वक्त तुमने क्या किया? भाग आये वहाँ से? इस सारे अनर्थ के लिये तुम ही जिम्मेदार हो यह जानते हो तुम? आज मोर्चा नहीं निकालो यह कहा था मैंने, लेकिन तुमने सुना नहीं-दलितों को भड़काया उकसाया और अब जबकि बस्ती झुलस रही है उस वक्त पुलिस पर सारी जिम्मेदारी धकेलकर ऊपर से उन्हें गाली-गलौज करने के लिये तुम आजाद हो, लेकिन उन बेसहारा कमजोर लोगों पर यह आपत्ति तुम्हारे कारण आयी है।

अर्जुन : चार दिवारों से सुरक्षित घर में बैठकर बातें करना आसान है सर,... जिनकी पूरी जिंदगी सुशंखों से बनी झुग्गी झोपड़ियों में बीत जाती है उनके माथे पर विचार और विवेक छत बनकर उन्हें नहीं आधार देते- हमारे लिये बनाए मकानों में दासराव जोशी जैसे लोग दिन दहाड़े रहने वाले होंगे तो वह हम क्यों कर बरदास्त करेंगे? आप करेंगे? किराये पर घर देने के लिये भी इस आदमी ने नकारा आपको-हराम खोर साला-उसका तो उसका है ही लेकिन हमारा भी उसी का? फिर हमारा क्या है सर यहाँ? क्या है? हमारी सिर्फ एक ही बात है सर-वेदना! अत्याचार और बेइंसाफी के पैरों तले रौंधते जा रहे हम-खत्म होने को आयें हम- फिर भी हमें ही विचार करना होगा- समझदारी बतानी पड़ेगी। नहीं-नहीं बनेगी यह

बात सर, होगा ऐसा-बहुत बड़ी जंग और जंग में सब कुछ जायज होता है। विजय की ओर ले जाने वाला रास्ता ही एकमात्र सच्चाई है।

सतीश : हाँ-दासरात्र जोशी का उन घरों पर कुछ भी हक नहीं यह बात किसी को भी माननी पड़ेगी- लेकिन शेवंता? उसका क्या? वह तो दलित भी है और बाढ़ पीड़ित भी फिर भी वह मोर्चा में नहीं थी! क्यों?

अर्जुन : आपसे किसने कहा? शेवंता यहाँ आयी थी?

सतीश : मतलब-शेवंता मोर्चे में नहीं थी। क्यों?

अर्जुन : सर मैं आपसे-

सतीश : मैं बताता हूँ। शेवंता मोर्चे में शामिल नहीं थी-क्योंकि उसने घर का टैक्स नहीं दिया था। ठीक? इसलिये दलितों के तरफदार अर्जुनराव जाधव इन्होंने उसे घर के बाहर निकाल दिया। उसको सामान सड़क पर फेंक दिया- उसे मोर्चे में आने से मना किया-पचास रुपए पचास रुपये नहीं दे पायी इसीलिये शेवंता को घर छोड़ना पड़ा। रास्ते पर आना पड़ा। पचास रुपये नहीं दे पायी इसलिये अन्याय और अत्याचार के बोझ से दब गई- तो भी चलेगा ऐसा सोच समझकर आपने फैसला किया। अर्जुन किस बात का नशा है यह?

...मिलिंद नगर के दलित अछुतों के तुम देवता बने हो या उनके गले का हार-तुम इस तरह से पैसा जमा करते हो? तुम से तो फूटपाथ पर रहने वाले गुंडे ज्यादा अच्छे। कम से कम उनका यंह पेसा तो है। पेट भरने का धंधा। किसलिये, किस लिये यह पैसे वसूल करते थे तुम अर्जुन?

अर्जुन : घरों का मामला पेंडिंग रखने के लिये पैसे देने पड़ते थे सर... मैं भी तो कहाँ से लाता? सभी से लेकर जमा करता था? बम्बई कई बार आना जाना हुआ। कहाँ से लाता उसके लिये पैसा? बाकी और लोग सोच समझकर देते थे ना? क्या वह बेवकूफ थे? और फिर शेवंता के पास पैसे नहीं थे यह बात नहीं थी- वह पैसा देने के लिये तैयार नहीं थी। इकट्ठा दिये गये पैसों का हिसाब लेने के लिये तैयार बैठी थी।

सतीश : उसमें क्या गलत बात की उसने?

अर्जुन : मैंने किसे और इतने पैसे घूस में दिये यह सबको बता कर या- उसे थोड़ा धमकाना ही मेरा उद्देश्य था- और ऐन मोर्चे के वक्त उसने हिसाब का मसला उठाया सबके सामने-अगर मोर्चा फिसल जाता तो-

सतीश : देखो अर्जुन- ठीक से सोचो-शेवंता को छोड़कर बाकी के सभी लोग चुपचाप टैक्स देते थे ना? हम किसलिये यहाँ पैसा दे रहे है इस बात की

जानकारी सभी लोगों को अगर थी तो उनको हिसाब बताने में हर्ज ही क्या था? काका जानते है यह बात? कहाँ है काका? काका (खुद बाहर निकालना चाहता है सामने काका प्रवेश करते है। माथे पर जख्म साथ सुभान नाम का कार्यकर्ता-शेवंता की बात उन्हें मालूम हो चुकी है। वह आते ही अर्जुन आगे बढ़कर उन्हें सहारा देना चाहता है- वह उसे झटक देते है। उसकी ओर तुच्छतापूर्ण दृष्टि डालकर)

काका : हट जा- हाथ मत लगा तुझे-

अर्जुन : काका....

सतीश : क्या बात है काका? क्या हुआ?

काका : पूछ इस अर्जुन को। मिलिंद नगर में गोली चली-उसमें शेवंता चल बसी रे सतीश-!

सतीश : क्या, शेवंता चलबसी-लेकिन।

काका : उसे घर से बेघर किया इसने-पचास रुपये... पचास रुपयों के लिये उसकी जान लेली रे-रांड़वे थी। पढ़ लिखकर अपने बलबुते पर खड़ी रही वह, पर..!

अर्जुन : काका -

सतीश : शांत रहिए काका, मन को शांत रखिए- (काका को आधार देता है- अर्जुन गुनेगार की तरह कोने में खड़ा है। काका सिर पकड़कर बैठ जाते है-विषण्ण होकर)

दृश्य लोप

अंक दो

दृश्य दो

सुबह के ग्यारह बज चुके है पंधरा दिन बीत गये है। मंच पर प्रकाश आता है, मंच पर कोई भी नहीं इतने में काका आते है, उनके पेशानी पर जख्म का निशान, हाथ में है मोमबत्ती का पुड़ा, कुछ और एक बड़ा पैक, काका इन सब जीचों को ठीक से रखते है, पैक में से कोई मूर्ति निकालते है टेबल पर रखकर मनोभाव से पूजा करते है, हेमा बाहर से आती है, काका को पूजा मग्न देखकर रुकती है, मूर्ति देखकर बहुत प्रसन्न होती है।

हेमा : सुंदर-बहुत सुंदर है।

काका : सुंदर है-बम्बई से लायी गई है खास-अपने सतीश ने पता दिया था- 400 की है। (फूल चढ़ाते हैं) खास मिलिंद नगर के बोध बिहार के लिए मंगायी थी (विश्वास छोड़कर) पर अब क्या फायदा..... (करुण दृष्टि से हेमा की ओर देखते हैं)

हेमा : (बरसक भाव से) काका! (क्षणभर स्तब्धता)

काका : हिम्मत नहीं हारा हूँ सुनवाई-अपना सतीश हाऊसिंग सोसायटी बना रहा है न यह भगवान बुद्ध की मूरत वहाँ बिठाएंगे (रुककर तू भी पूजा कर-यह हमारा भगवान है-तुम्हारा नहीं-तुम्हारा भगवान करता है भेद, आदमी-आदमी में करता है अपना पराया लेकिन यह तू पूजा करेगी तो न नहीं कहेगा (हेमा के होठों पर मुस्कान-वैसे ही खड़ी है) क्या हुआ? (भूल ध्यान में आती है) हाँ, बौद्ध-काका 'हो गया दिन शुरू तुम्हारा' (हंसते हैं) सुनवाई कुछ भी कह, पर आदत नहीं जाने वाली, मरते दम तक रहने वाली है अब-मत कर-अगर मन नहीं है तो मत कर पूजा-मेरी कोई जबर्दस्ती नहीं है। (हेमा हार हाथ में लेती है) हाँ-हार नहीं पहनाओ-फूल रख फूल-हार फोटो के लिए है- बाबा साहब के-बौद्ध की मूतर को तो फूल ही चढ़ाते है।

हेमा : (फूल अर्पण कर) हार क्यों नहीं काका?

काका : नियम ही है वैसा-

हेमा : सो तो जानती हूँ- पर क्यों?

काका : अब मुझे तो भी कहाँ मालूम? भन्तेजी को पूछूंगा और बताऊँगा- (हेमा हंसती है) क्यों हंसी रें!

हेमा : कुछ नहीं-ऐसे ही-

काका : (बाबा साहब के फोटो को हार पहनाते हुए) मैं जानता हूँ, तू क्यों हंस रही है वो-

हेमा : ऐसा?

काका : तुम्हारे हनुमान है न उसको रूई के फूलों की ही माला क्यों चढ़ाते है? अ! नियम ही है वैसा- है कि नहीं? वैसे ही यह भी नियम है!

हेमा : समझ गई-अब चलिए-खाना खा लीजिए -(अंदर जाती है। काका बुद्ध मूर्ति की ओर देखते हैं। दरवाजे में दासराव गुरुजी खड़े)

दास : काका जी-

काका : कौन है भई-गुरुजी..! जयभीम-

दास : नमस्कार!

काका : आईए गुरुजी-बैठिए-

दास : नहीं अब बैठूँगा नहीं-मिलिंद नगर जा रहा था- आज कार्यक्रम है न वहाँ? सोचा जाते जाते देख लूँ आप हैं या नहीं-आपके साथ ही चलूँगा-

काका : मिलिंद नगर? अब कहाँ है बचा मिलिंद नगर-

दास : इन दिनों आप नहीं गए वहाँ? घरों की मरम्मत चल रही है-रंग-रंगोटी चल रही है।

काका : कौन कर रहा है?

दास : सरकार और कौन?

काका : और बस्ती जलाई किसने?

दास : अब वह क्या कह सकते हैं काकाजी-पाँच पच्चीस लोगों को पकड़ा है-केस सेशन कोर्ट में है-

काका : कौन है ये लोग? उसी मंत्री के सगे संबंधी लोग ही न?

दास : अ हाँ-वैसा कहने में कोई हर्ज नहीं-

काका : तो मिलिंद नगर काहे को कहते हो अब-जल गया वह। सरकारी नगर कहो अब सरकारी नगर-

दास : सुना है घर पीछे कपड़े बरतन और ऊपर से पाँच पाँच सौ रुपये अनुदान देने वाले हैं।

काका : ले-लो कहना-

दास : जिले के मंत्री के हाथों-

काका : अब आयेगा वह। उस दिन आने को क्या हुआ था। अगर आता तो काहेको यह रामायण की कथा होती-

दास : अर्जुन कहाँ है?

काका : मुझे क्या मालूम?

दास : सुना है वही ऊपर तक बात ले गया और यह काम किया।

काका : किया होगा-

दास : आप नहीं जानते-?

काका : हो सके तो और जरा ऊपर जा कहना-और कहना ले आ शेवंता की जान वापस-! वह तो मुफ्त में गई बेचारी।

हेमा : (भीतर से) काका-

काका : जी-

हेमा : अरे, दासराव गुरुजी, आप कब आये?

काका : बस-इतनें में ही-

हेमा : कुछ खास बात!

दास : मिलिंद नगर जा रहा था प्रोग्राम के लिए-काकाजी तो नहीं जा रहे है। सोचा था एक से दो हो जाते-

हेमा : आपका भाषण है शायद वहाँ-

दास : है न-अब गाँव का पुराना आदमी हूँ। बुलाये हैं कभी-कभी याद से-हेमाजी अगले सप्ताह, सुना है, कोर्ट यहाँ आ रहा है? .... के लिए।

हेमा : हो सकता है।

दास : कोर्ट, मतलब रानडे साहब का आगमन हो रहा है। ऐसी बात कानों पर आयी है। कुछ दिन पहले आपने कहा था कि आप उनसे मेरा परिचय करवाएंगी। अगर संदेशा मिले तो अवश्य आऊँगा।

हेमा : पिताजी अगर कोर्ट के काम से आने वाले होंगे तो मेरे घर नहीं आएंगे। रेस्ट हाऊस से ही वापस लौट जाएंगे।

दास : ऐसा है?

हेमा : अगर आप मिलना चाहते है तो रेस्ट हाऊस जाकर ही मिलिए।

दास : ठीक है।

हेमा : क्या अरविंद देशमुख मुल्जिम है?

दास : नहीं (बात की नाक समझ में आती है) नहीं-नहीं उनसे मिलने में मेरा वैसा कोई मतलब नहीं था हेमाजी-मैंने सोचा, बस, यूँही मिल लूँ-परिचय हो जायेगा- अब आज्ञा मुझे?

(दासराव जाते हैं)

हेमा : चलिए काका-

काका : चलो-

हेमा : बहुत चालक आदमी है। पेट में का पानी तक हिलने नहीं देता।

काका : दासराव ना? बम्मन है। (हेमा आँखों से ही जैसे डाँटाती है- दोनों भी हँसते हैं। भीतर जाते हैं। सतीश का प्रवेश- अनमनासा-बुद्ध मूर्ति की ओर ध्यान जाता है-पास जाकर एक टक देखता है-बूट निकालकर कोने में फेंकता है और रिलेक्स होता है।

सतीश : हेमा-

हेमा : (बाहर आती हुई) बीच में ही आगए?

सतीश : मूर्ति आयी शायद-काका कहाँ है?

हेमा : खाना खा रहे हैं-लेकिन तुम इस वक्त कैसे? कॉलेज नहीं है? क्या बात है?

सतीश : नहीं-कोई खास बात नहीं,

हेमा : तबियत तो ठीक है न? छुट्टी ली?

सतीश : चार दिन से लड़कों का बहिष्कार था-वैसे थोड़ा थोड़ा चल ही रहा था लेकिन आज विस्फोट हुआ-

हेमा : क्या चल रहा था?

सतीश : डरपोक साले! इतना घबराते हैं स्टूडेंट्स से-

हेमा : कौन?

सतीश : और कौन? हमारे कॉलेज! पिछले चार दिनों से अर्जुन को कॉलेज से डिसमिस करने की माँग कर रहे थे लड़के-

हेमा : अर्जुन को डिसमिस करने की? क्यों?

सतीश : उस पर 302 के तहत केस चल रहा है इसलिए। शेवंता की मौत का जिम्मेदार ठहराया है पुलिस ने उसे-कहते हैं-बच्चे उसकी दहशत खाते हैं। वह खूनी है इसलिए उसे कॉलेज में नहीं आने देना चाहिए- प्रिंसीपल भी वैसे ही-गुनगुनी पालिसी वाला सच तो यह है कि पहले ही दिन उन्होंने बच्चों को साफ-साफ कह देना चाहिए था कि जब तक कोर्ट से

फैसला नहीं आयेगा तब तक उसे गुनाहकार नहीं माना जासकता। सजा होने तक कानून भी हर किसी को निर्दोष ही मानता है। इसके बजाये बच्चों को मनाते रहे। इन दिनों वह कॉलेज ही कहाँ आता है? इतनी जिद करने की क्या आवश्यकता है- बंस! बच्चे तो और भी इतराने पर उतर आये।

हेमा : पवार साहब ने भीतर से उगसाया होमा बच्चों को-

सतीश : ऐसा नहीं होता है हेमा-पवार साहब क्यों कर बच्चों को उकसाएंगे? प्रिंसिपल ही उनको खुश करने का चांस ले रहे हैं और क्या।

हेमा : तो क्या पवार साहब इस केस से बिल्कुल तटस्थ होंगे, ऐसे लगता है तुम्हें?

सतीश : कम से कम आज के हालात में इन्वोल्व होना उनके हित में नहीं है। गाँव में पहले ही तनाव बना हुआ है और साथ ही बाढ़ पीड़ितों की कॉलोनी का उनका लास्ट पेमेन्ट अभी तक पेंडिंग में है इस लिए जहाँ तक हो सके यह केस उन्हें समझदारी और समझोते से निपटाना है- उसके बगैर उनकी पेंडिंग रकम उन्हें वापस नहीं मिलेगी।

हेमा : फिर बच्चे इस हद तक कैसे गये?

सतीश : बात यह हुई, कल प्रिंसिपल साहब ने डिसिप्लीन कामेटी की बैठक बुलाई। प्रोफेसर लोगों ने उनका रुख देखा और उनकी हाँ में हाँ मिला थी- वैसे भी अर्जुन कॉलेज में आता ही कहाँ है? मतलब हर एक की एक ही मान्यता-अर्जुन गुनाहगार है लेकिन इन दिनों वह कॉलेज में नहीं आता है इसलिए वैसी कोई चिंता की बात नहीं है। मैंने उनकी इस भूमिका बांधने पर ही कठोर आलोचना की। साफ-साफ शब्दों में बताया- जब तक अर्जुन का गुनाह सिद्ध नहीं होता तब तक कॉलेज से आप उसको निकाल नहीं सकते- बौखला गए सब। फिर एक ने कहा,- 'वह लगातार अपसेंट है यह कारण दिखाकर निकाल दीजिए। मतलब फिर से नया चोर रास्ता। मैंने कहा, अगर ऐसा है तो जितने भी लड़के साल भर अपसेंट रहे हैं उन सभी को निकाल देना होगा। फिर तीसरे महाशय ने एक नई चाल सुझाई। कोर्ट का निर्णय जब तक नहीं आता है तब तक उसे सस्पेंड करना ठीक रहेगा। मध्यम मार्ग-! चमड़ी बचाऊ नीती का ही दूसरा नाम मध्यम मार्ग रखा उन्होंने उनका तर्क था कि ऐसा करने से बच्चों का भी समाधान होगा और अर्जुन को भी सजा मिलने जैसी बात होगी। मैंने उसका भी विरोध किया- सस्पेंड करने की बात पर मैं अकेला एक तरफ-आखिर मैंने कह दिया, अगर अर्जुन को सस्पेंड करने का

निर्णय लिया गया तो डिसीप्लीन कमेटी से मैं रिजाइन करता हूँ। बस-मीटिंग समाप्त-!

हेमा : सतीश, वास्तव में अर्जुन निर्दोष है ऐसा लगता है तुम्हें?

सतीश : देखो, वह रेस्ट हाऊस की भीड़ में था- शेवंता जख्मी हुई लिमिंद नगर में- इन दो स्थानों में फासला देढ़ मिलोमीटर-कैसे संभव है उसका शेवंता की हत्या में सहभाग...? अर्जुन गर्म दिमाग का जरूर है लेकिन दुष्ट नहीं- अर्थात् मुझे क्या लगता है यह बात कोई महत्व नहीं रखती कोर्ट क्या फैसला करता है इस पर सब कुछ निर्भर करता है।

हेमा : (बाहर लड़कों की आवाजें-........ सतीश, गोड़घाटे मुर्दाबाद-अर्जुन जाधव-कॉलेज से हटाओ-)

सतीश : लड़के क्या करना चाहते हैं? तुम अंदर जाओ, में देखता हूँ। (हेमा भीतर आती है। काका धोंती से हाथ पोंछते हुए बाहर आते हैं)

काका : क्या हुआ? बाहर क्या गड़बड़ी है? (फिर से घोषणा)

सतीश : बाहर मत जाईये काका-अंदर जाईये-

काका : तुम मुर्दाबाद-? कौन है वो-? अरे अंदर आओ-

सतीश : काका, आप अंदर बैठिए-

काका : पर हुआ क्या? कौन है ये लोग?

सतीश : (दरवाजे के पास जाकर) जो कुछ कहना होगा वह तुममें से कोई एक आकर कहेगा.... (घोषणा) सलोगन्स देने हैं तो मेरा कोई विरोध नहीं है। लेकिन अगर बात करना चाहते हो तो कोई एक आगे आये-

एक : हमें कुछ सवाल पूछने हैं।

सतीश : ऐसा? अंदर आओ -(धांधली सी मची है)

दूसरा : नहीं, हम यही से पूछेंगे।

एक : जाव रे-तुम दोनों जाओ-

सतीश : आओ-अंदर आओ - (दो छात्र भीतर आते है- बाहर से आवाज जल्दी आओ रे)

सतीश : हमारी बात पूरी होने तक स्लोगन नहीं होंगे आप-चाहते है न मैं बात करूं? (शांत) आओ ऐसे अंदर आओ-बैठो-

पहला : हम बैटने नहीं आये-

सतीश : बात करने आये हो, बैठकर बात करो-

दूसरा : (वैसे ही खेड़े) अर्जुन के प्रस्ताव का क्या हुआ?

पहला : क्या आपने उसे डिसमिस करने के लिये विरोध किया?

सतीश : अकेले मैंने नहीं-सभी ने विरोध किया।

दूसरा : आप झूठ बालते हैं-

सतीश : डिसमिस करने की बात कानून में ही नहीं बैठती इसलिए सभी ने विरोध किया- लगता है तुम्हारी जानकारी पूरी नहीं है।

पहला : झूठ, कौन बोल रहा है? आप या प्रिंसिपल साहब-

सतीश : खुद प्रिंसिपल साहब ने आपसे यह कहा-मैंने विरोध किया वह अर्जुन को सस्पेंड करने के बारे में-

दूसरा : मतलब विरोध तो किया ही न?

सतीश : सस्पेंड करने के सवाल पर-

दूसरा : वहीं- क्यों किया विरोध? सबकी रिक्वेस्ट क्यों ठुकरायी?

सतीश : रिक्वेस्ट? यह रिक्वेस्ट है तुम्हारी? संगठित होकर कॉलेज बंद करना, अर्जुन को अगर नहीं निकाला गया तो क्लासेस नहीं होने दोंगे इस तरह की धमकी देना, क्या इसे रिक्वेस्ट कहते हो तुम लोग?

दूसरा : तो और क्या करतें? आठ दिन तक कहकर देखा, फिर लिखित में दरखास्त दी-तो भी आपकी डिस्पिलीन कमेटी चुपचाप बैठी रही- क्या करेंगे फिर? यह रिक्वेस्ट नहीं तो और क्या थी?

तीसरा : (बाहर से) आओ रे बाहर- देर हो रही है। पवार साहब के पास जायेंगे। देखेंगे कैसे नहीं डिसमिस करते-

सतीश : पवार साहब से मिलने वाले हैं?

पहला : हाँ-लेकिन उसके पहले आपसे मिलने आये थे। एक खूनी लड़के के साथ हम क्लास में कैसे बैठें? आप तो संस्कार का बड़ा दिखावा करते हैं न?

सतीश : अर्जुन खूनी है यह बात साबित नहीं हुई है अभी-

दूसरा : और क्या साबित होना बाकी है? हमारे बाप और रिश्तेदारों के हाथों में हथकड़ियाँ पड़ी हैं उसकी वजह से!

सतीश : आग लगाने के सिलसिले में पड़ी हैं हथकड़ियाँ, तुम्हें लगता है? उन्होंने आग लगाई है? लेकिन पुलिस ने तो उन पर इल्जाम लगायाहै तो क्या इतने भर से आप अपने बाप और रिश्तेदारों को घर से निकाल दोंगे,

तीसरा : (दरवाजे में आकर) क्या बहस लगाई रे? चलो अपने को सच और झूठ की सिर्फ छानबीन करनी थी- सिर्फ पता करना था कि इन्होंने विरोध किया कि नहीं? मालूम हुआ न?

सतीश : मेरे विरोध करने से क्या होता है? अंतिम निर्णय लेने का अधिकार तो

आखिर प्रिंसिपल साहब का ही होता है। कहो उनसे कि निर्णय लें और अर्जुन को सस्पेंड करें।

तीसरा : ताकि दलितों पर अन्याय किया जा रहा है यह कहने के लिये आपको अच्छा मौका मिले। उठो रे, ये क्या अर्जुन के खिलाफ थोड़े ही बोलने वाले हैं?

सतीश : (अनावर क्रोध से)............ ! दिमाग ठिकाने पर है तुम्हारा।

तीसरा : जाधव को निकालो-एक खूनी को हटा दो ये माँग की हमने तो आप तो हमारे बाप दादाओं को घर से बाहर निकाल देने की सलाह दे रहे हैं हमें- और ऊपर से हमारा ही दिमाग ठिकाने पर है या नहीं यह सवाल कर रहे हैं-? वा खूब, चलो मैं निकाल-(दरवाजे के पास आकर घोषणा देता है 'सतीश गोडघाटे'-सामूहिक प्रतिसाद' 'मुर्दाबाद्-जातिवादी हथकंडों का-धिक्कार करो- धिक्कार करो- भीतर के दो छात्र चले जाते हैं- घोषणा दूर तक सुनाई देती है- सतीश अपनी जगह टूटा हुआ-खड़ा है काका पास आकर पीठ पर हाथ रखकर-)

काका : बैठ जा-सतीश- बैठ जा बेटे-

सतीश : क्या करूं कुछ समझ में नहीं आता काका?

काका, देख सतीश, मैं तो ठहरा अनपढ़ आदमी-ये बातें मेरी समझ के बाहर है- लेकिन एक बात पक्की है-जात सिर्फ अपनी जात के तरफ ही मुड़ेंगी-

सतीश : काका, क्या इन बातों को आप सचमुच नहीं समझ सकेंगे? इन लड़कों के बाप, चाचा, भाई भतीजे उस आग की घटना में मुल्जिम है।- बाढ़ पीड़ित हैं। एक तो उनके लिए बनाये गये मकान उन्हें नहीं मिले और ऊपर से हथकड़ियाँ पड़ी-

काका : उन्होंने क्या घर नहीं जलाए-आग नहीं लगाई?

सतीश : बहकावे में आए और जलाये घर.... हैं, लेकिन वे भी गरीब ही हैं। यहाँ जूझ रहे हैं गरीब दूसरे गरीबों के विरोध में और वह भी कानून हाथ में लेकर-

काका : तुझे क्या करना है सब गरीबों को इकट्ठा करके? गरीब है इसलिय क्या बस्ती को आग लगाते हुए उनके हाथ रुके? अर्जुन कानून तोड़ा था न? उन्होंने आग लगा देनी थी पुलिस चौकी को पर नहीं दलितों की बस्ती को आग लगाई अच्छूतों के मकानों को-दहकते शोलों में जलाया सांस लेती-जीती जागती शेवंता को-हम दलित-कभी नहीं भूलेंगे यह लोग-

सतीश : कितने आसान जवाब हैं काका तुम्हारे पास। इससे एक फायदा जरूर है। कितना भी बड़ा विनाश सामने खड़ा हो आप लोग भीतर से टूटते नहीं- अटूट रहते हो- कार्यकर्ता ऐसे ही होने चाहिए। सोचने की जिम्मेदारी बने बनाये तैयार जवाबों को दूसरों के कंधों पर डालकर अपने आप अलग-मुक्त!

काका : ए-ए...... मुझे गधा कहता है रे? अरे तेरी भाषा में गधा ही कहा न तुने मुझे? सतीश, हम है अनपढ़-अनाड़ी हम भला क्या सोचेंगे? सोचेंगे बाबासाहब-तेरे जैसे पढ़े लिखे-पंडित-

अर्जुन : जयभीम काका-

काका : (उसकी तरफ देखकर) वह आया एक और पढ़ा लिखा-

अर्जुन : क्या हुआ?

काका : कुछ भी तो नहीं- पढ़े लिखे लोगों के अकल के बारे में बात कर रहा था कि तू आया-

अर्जुन : वहाँ सब लोग आपका इंतेजार कर रहे हैं। (मूर्ति की ओर ध्यान जाते ही) आ गई बुद्ध भगवान की मूर्ति? वा! बहुत अच्छी है। (मूर्ति को फूल अर्पित करता है) आप नहीं आयेंगे काका? प्रोग्राम है आज। बस्ती में सबको, बर्तन, कपड़े और पाँच पाँच सौ रूपये मिलने वाले हैं।

काका : जिले के मिनिस्टर के हाथों? तब तो बहुत भड़का था उसपे? गालियाँ दे रहा था।

अर्जुन : हाँ दूँगा-गालियाँ दूँगा। अगर यही भाषा उनके समझ में आती है तो गालियाँ भी दूँगा।

सतीश : अर्जुन फिर से भूल कर रहे हो तुम-उन्हें गालियाँ देकर तुम उनकी ही मदद लोगे? उनको तो वहीं चाहिए-उन्हें गालियाँ देने से दलित लोग तेरे पीछे रहेंगे और तुम उनके पीछे रहोगे तो किसलिए मना करेंगे? वे...

अर्जुन : तो क्या अपने घर से दे रहे हैं? सरकार का पैसा है। हमारा पैसा है। हमें ही देते हैं-हम पर कोई उपकार नहीं करते-

काका : फिर उनके गले में फूल मालाएँ डालकर उनकी पूजा काहे को करता है रे! आग भी लगायेंगे वो ही और बुझाएँगे वहीं-क्या इंसाफ है? काहेको बड़बोलपन जताता है मेरे को?

अर्जुन : क्या बुरा किया है मैंने? आखिर आग में जले भुने लोग किस तरह जिंदा रहेंगे? गाँव वाले तो उनको दरवाजे खड़ा नहीं होने दे रहे थे।

काका : अच्छा है न वहुत अच्छा है। अब बन जा उनका नेता-मुखिया-

सतीश : काका मन को शांत रखो और अंदर जाओ आराम करो- डॉक्टर ने क्या कहा है- ज्यादा बोलना नहीं-

काका : कहाँ बोल रहा हूँ? पन्द्रह दिन में पहली बार मुँह खोला है और वो भी अर्जुन्या आया है इसलिए-

अर्जुन : काका यह मूर्ति मैं ले जाऊँ?

काका : खबरदार-खबरदार, उसको हाथ लगाया तो-तेरे चंदे के सारे पैसे वापस ले जा मैं वह मूर्ति वहाँ नहीं ले जाने दूँगा।

अर्जुन : लोगों को पता चल गया है कि काका के यहाँ मूर्ति आ गई है- बहुत आग्रह है उनका-

काका : कुछ हया और शर्म है कि नहीं उनको? सरकार से पैसे भी लेते हैं और यह मूर्ति भी ले आने की बात करते हैं। और तू भी बेहया की तरह माँग रहा है।

अर्जुन : पेट मजबूर करता है काका सबको (काका अनावर क्रोध से फूट पड़े पड़कर)

काका : पेट! अरे पेट क्या तुम्हीं को है? कुत्ते और बिल्लियों के पेट होते हैं। रास्ते पर की रंडी भी पेट भरती है। विदी के सुअर के भी पेट होता है गधे। हमें पेट नहीं था? नहीं था? बाबा ने कहा मर जाना पर नहीं छूनेका- छोड़ दिया हमने-क्या खाते थे- मुर्दाड़ ही खाते थे नहीं, पर छोड़ दिया- बहिष्कार किया गाँव वालों ने- काम देना बंद किया- रोटी मजदूरी बंद की- सब दरवाजे बंद किये पर मूरदाड़ खाना बंर याने बंद- हाथों में लाठियाँ लिये गाँव वाले पीछे पड़े पर नहीं झुके- बिल्कुल नहीं झुके। चंदा जमा करते नहीं फिरे- बाल बच्चों को लेकर पहाड़-पत्थरों में छिपते रहे- तरोठा की झाड़-पत्तियाँ खायी- खेभड़े खाए- गोबर में से दाने चुनचुनकर बच्चों को खिलाया और जब कुछ नहीं मिला पानी भर लिया पेट में और पेट की आग बुझायी- और तू मुझसे पेट की बात करता है? चंदे के पैसे सिर्फ 'ऊपर' देने के लिए नहीं वसूल किए तूने अर्जुन्या-खुद के लिए भी उसमें से पैसा लिया- नहीं तो शेवंता को तू घर से बाहर निकालता ही नहीं- कम पड़ते पैसे तो मुझसे माँग लेता- पर मुझे पता चलेगा इस डर से-चुपचाप वसूली की न तूने? धत तेरी की।

सतीश : काका, शांत रखो-अपने आपको- शांत रखो-

काका : क्या होगा? मौत ही आयगी न? अच्छा होगा वही-

सतीश : ऐसा मत कहिए काका, अर्जुन अब तुम जाओ-

अर्जुन : मुझ पर नहीं, सो इल्जाम लगा रहे हैं काका जी-

सतीश : ठीक है लेकिन यह वक्त नहीं है उनको समझाने का-

काका : सतीश, कलेजा इतना बड़ा हुआ था इस अर्जुन्या की हिम्त देखकर, हाथी की ताकत आ गई थी इन बूढ़ी हड्डियों में। सोचा, निकला, एक तोभी जवाँ मर्द निकला- मेरे जैसे पढ़े लिखे बेकार साबित हुए, किसी काम के नहीं रहे, पर इसने बधाई थी उम्मीद- पर हट- सतीश, अरे दादासाब सत्ता के पीछे भागे तब तक गम खा गया रे मैं-फिर भंडारे भी गया- रुपवते ने भी वहीं रास्ता पकड़ा- गवई खोब्रागेड़ नहीं गए। पर इस वक्त की हवा आयी कि घूम फिर कर सब उसी जगह- मुसलाधार पानी में गढ़ी जहाँ के तहाँ ढह गई- सब तरफ यहाँ सब तरफ-किचड़ ही किचड़-दलदल ही दलदल-उम्मीद ही पस्ता हो गई-पर इन नये छोकरों के करतूत देखे और लगा फिर से खड़े होने के दिन आ रहे हैं-

... पर ये भी उसी रास्ते पर चला गया- जाव-जाव सब, जाने दो सबको- जाने दो- पर यह काका बाबा की असली औलाद है। हारफूल तुम ही ले लो- पकड़ लो किसी के भी पैर पकड़ना है तो.... मैं झुकने वाला नहीं हूँ - नहीं झूकुँगा-

... कौन होता है रे मुझे पाँच सौ रुपये देने वाला वह जिले का मिनिस्टर- कहता है पालक मंत्री- किसका? किसका पालक? ले, ले तू ही जा लेले जो भी मिले वह- बन जा मुखिया- सरदार..... यह पट्ठा टूट जायेगा पर झुकेगा नहीं- खबरदार, अगर कोई इस मूरत को छूयेगा तो-तेरे जैसे हत्यारे का तो साया भी इस पर नहीं पड़ेगा-शेवंता को तूने मारा है- एक रांडमूंड की जान ली है तूने- निकल जा-निकल जा यहाँ से- हट-दूर हो जा-दूर हो जा-दूर-.....।

(हाथ हवा में उठाते हैं और गिरने को हैं। सतीश काका को सहारा देने का प्रयत्न करने के लिए दौड़ता है- हेमा पानी लाती है- काका दिवान पर पैर फैलाते हैं और गर्दन गिर जाती है। सतीश के क्रंदन की आवाज- अर्जुन सहित-सभी पात्र स्थित- मिसरण के स्वर पार्श्व में उभर आते हैं-

बुद्धं सरणं, गच्छामि
क्षमाँ सरणं गच्छामि
संघ सरण गच्छामि

(धीरे-धीरे अंधेरा होता है।)

अंक दो

दृश्य तीन

काका की मृत्यु के बाद छः महीने बीत चुके हैं। दीवार पर काका का फोटो, स्टूल पर वहीं मूर्ति। कुछ देर बाद हेमा आती है काका के फोटो को ताजे फूलों का हार से सजाती है। बुद्धमूर्ति की बड़ी मनोभाव से पूजा करती है, पूजा के पश्चात दरवाजे पर आकर रुकती है, शायद सतीश का इंतजार कर रही हो, सतीश आया नहीं। कुछ निराश होकर कोच पर बैठती है, आने वाले नए मेहमान के लिए ऊन के मोजे बुनने लगती है। सतीश आता है, बिल्कुल धीरे से और अचानक उसके कंधों पर हाथ रखता है-

सतीश : डर गई?

हेमा : (उसका हाथ पकड़े रखकर) कितनी देर लगा दी?

सतीश : (सामने आकर बैठते हुए) थोड़ी देर हुई- नाराज हो?

हेमा : अं, हं.... तुम नहीं रहते तो यह घर अकेली को जैसे खाने को उठता है।

सतीश : हं-अब अकेली थोड़े ही हो? अच्छा खासा चार महीने का साथी है तुम्हारे पास- (हेमा लजाती है) वा! कितने दिनों बाद इतना सुंदर शरमाती देख रहा हूँ।

हेमा : (डांट भरती हुई) क्यों प्रोफेसर सतीश गोडघाटे जी-आज रोमांटिक मूड में हो क्या?

सतीश : अहं-अब रोमांटिक कहाँ- पारिवारिक मूड कहो-

हेमा : इसलिए इतनी जल्दी लौटे हो? आज मेरा उपवास था-

सतीश : उपवास?

हेमा : पूनम है आज.... पूनम के दिन मैं उपवास रखती हूँ।

सतीश : यह नया प्रेमलाप है?

हेमा : नया नहीं है? छह महीने हो गए तुम्हें ही आज पता चला है। काका गये तब से हर पूनम को मैं उपवास रखती हूँ।

सतीश : मुझे कभी नहीं बताया-

हेमा : इसमें बताने की क्या बात है- मुझे लगा बस रख लिया उपवास-

सतीश : किसलिए?

हेमा : यूँ ही- (सतीश का ध्यान काका के फोटो की ओर जाता है)

सतीश : काका के तस्वीर को ताजे फूलों का हार-? और यह क्या? बुद्ध मूर्ति की पूजा की। एक बात पुछू?

हेमा : पूछो

सतीश : नाराज तो नहीं होओगी?

हेमा : पूछो ना!

सतीश : हेमा मूर्ति की पूजा दिल से की तुमने?

हेमा : बुद्ध की मूर्ति जिस दिन लायी गई उस दिन भी मैंने फूल चढ़ाये थे-लेकिन काका का मन रखने के लिए- आज अगर पूजा नहीं भी करती तो किसे बुरा लगने वाला था?

सतीश : इसका अर्थ है तुमने सच्चे भक्ति भाव से पूजा की।

हेमा : इन दिनों पूजा करना अच्छा लगता है। यह अगर तुम्हें सच्चा भकितभाव लगता हो, तो मुझे कोई आपत्ति नहीं है।

सतीश : यू आर विक्रांदियन-तुम कभी पूजा पाठ नहीं किया करती थी।

हेमा : सो वॉट? अब करने का मन करता है- करती हूँ- तुम्हें क्या लगता है मैं प्रतिगामी बन रही हूँ।

सतीश : अकेलापन घेर लेता है इसलिय यह सहारा ढूँढ लिया?

हेमा : मुझे नहीं मालूम-मतलब मैं बता नहीं पाऊँगी-तर्क से-

सतीश : मुझे अच्छा लगे, इसलिये तो कहीं यह सब नहीं कर रही हो? तुम जानती हो, काका पर मेरी बहुत श्रद्धा थी।

हेमा : (चिढ़ती है) वहाँ बुद्ध के बजाये गणेश की मूर्ति लाकर रख दी तो भी चलेगी।

सतीश : तुम चाहो तो गणेश की मूर्ति ले आओ हेमा- मैं नहीं रोकूँगा तुम्हें-

हेमा : तुम्हें बुरा लगेगा इसलिए बुद्धमूर्ति को गणेश समझकर मैंने पूजा की ऐसा लगा तुम्हें? मेरे कहने का यह अर्थ नहीं था सतीश- किसी को अच्छा लगे यह समझकर मैंने बुद्धमूर्ति को फूल नहीं चढ़ाये, यही मैं तुमसे कहना चाहती थी। इन दिनों, सच कहती हूँ- मन करता है पूजा करने को- मन कैसा हाल्का हल्का सा लगता है- मन का बोझ कम होने का अनुभव करती हूँ।

सतीश : I am sorry Hema-

हेमा : आज क्या हो गया तुम्हें!

सतीश : शायद दोहद है ये? (अपने आप से ही) पुनर्जन्म-

हेमा : पुनर्जन्म!

सतीश : काका आ रहे हैं क्या हमारे घर? इसीलिए क्या तुम्हारा मन करता है बुद्धपूजा को?

हेमा : कितना सोचोंगे सतीश? जीवन ही सारी गुत्थ्यिाँ तर्क से सुलझे यह तुम्हारा हठ है ना, इसीलिए होता है ऐसा- लीव इन- चलो अंदर चले-यह उदासी-

सतीश : मैं उदास नहीं हूँ हेमा- एक जिज्ञासा है मन में? काका को आंतरीक शक्ति मिलती होगी ऐसी बातों से- अब तुम कर रही हो- तो क्या तुम भी आत्म शक्ति का अनुभव करती हो? बस! इतना ही जानना चाहता मैं -(अपने आप में खोया सा)

हेमा : इन दिनों यह आंतरिक शकित -आत्म शक्ति के बारे में बारबार क्यों सवाल उठाते हो? कॉलेज में कुछ ऐसी वैसी बात हुई-थोड़ी देर पहले तो अच्छा खास रोमांटिक मूड था- क्या कह रही हूँ मैं सतीश-

सतीश : अं? क्या? (सोनल दरवाजे पर खड़ी)

सोनल : मैडम में अंदर आऊँ?

सतीश : अरे सोनल, आओ, कितने दिनों बाद आ रही हो?

सोनल : नमस्कार सर-

सतीश : नमस्कार बैठो ना- (सोनल बैठती है) क्या कहते हैं तुम्हारे बाबा?

सोनल : कुछ नहीं-

सतीश : आए नहीं वे भी इधर बहुत दिनों से-

सोनल : हाँ....!

सतीश : पढ़ाई ठीक से चल रही है न!

सोनल : हाँ!

सतीश : परीक्षा के लिए पन्द्रह दिन बाकी हैं - सेकेण्ड ईयर है इसलिए बेफिकर नहीं रहोगी- समझी!

सोनल : जी-!

हेमा : क्योंरी खुलकर बोलती क्यों नहीं - (सोनल फिर भी चुप) यूँ ही आयी थी-? मैंने खूब डाँटा अर्जुन को- उसके मन में बहुत गलत फैमी-

सोनल : मैडम (आँसू रोकने की कोशिश करती है- फिर धीरज इकट्ठा कर) मुझे आशीर्वाद दीजिए मैडम- मुझे शक्ति दीजिए- (पाँव छूती है) सर, आपका भी आशीर्वाद चाहिए।

हेमा : यह क्या चल रहा है? बिल्कुल दुल्हन की तरह विदाई दे रही हो?

सोनल : हाँ अरविंद से मेरी शादी पक्की हुई है। आज मंगनी है।

हेमा : सोनल!

सोनल : मेरे मर्जी ही बात पक्की हुई है मैडम-किसी ने जबर्दस्ती नहीं की

हेमा : अर्जुन निर्दोष है- वह खूनी नहीं है- कोर्ट ने उसे निर्दोष घोषित किया है-

सोनल : वह एक पागलपन था मैडम-मेरे बाद दो बहनें हैं-चलती हूँ- (जाने लगती है)

हेमा : ठहरो सोनल! मुझे सच बता, सचमुच यह निर्णय तेरा अपना है?

सोनल : हाँ अब चलू-

(सोनल जाती है। जाते समय आँखें पोंछ लेती है। हेमा सतीश हताश होकर एकदम बैठ जाते है।)

हेमा : यह सब क्या हो रहा है?

सतीश : यह तो होना ही था हेमा-

हेमा : ऐसी बात नहीं है सतीश - सिर्फ एक दूसरे को समझ नहीं सके समझा नहीं सके, इसलिए दोनों के मन में उभर आया-प्यार का अंकुर अपनी जगह सूख गया- दोनों ही एक दूसरे से प्यार करते थे लेकिन अपनी अपनी जगह अडे रहे- कम से कम एकबार खुले मन से बात करते तो हमारी छाँव चाहिए थी दोनों को थोड़ी सी-

सतीश हम कुछ नहीं कर सकते हेमा..... कुछ नहीं... हम शादी भी हम रोक नहीं सकते और ना ही दोनों के बीच की गलतफैमी दूर कर सकते हैं। बहुत देर हुई हमें... और जो कुछ हुआ वह एक तरह से अच्छा ही है हेमा-अर्जुन के प्रति उसका लगाव ज्यादा नहीं बढ़ पाया यह अच्छा ही हुआ। अर्जुन के स्वभाव से जुड़ जाना सोनल के लिए बहुत कठिन हो

जाता, क्योंकि इस तरह के चढ़ाव उतार सहना उसकी क्षमता के बाहर है- अर्जुन आया इन दिनों?

हेमा : नहीं- लेकिन वह नहीं जानता होगा अब तक-

सतीश : और जान भी ले तो खामोशी से चुपचाप सह लेगा- मैं उसे जानता हूँ- लोग सिर्फ उसका गर्म दिमाग ही जानते हैं। चलो अंदर चलते हैं। (हेमा उठती है। आधार के लिए उसके कंधों पर हाथ रखती है- दोनों भी धीरे-धीरे भीतर के दरवाजे तक पहुँचते है उसी समय दासराव गुरुजी दौड़े-छोड़े हाँफते हुए आते है)

दासराव : गोडघाटे सर-गोडघाटे सर-मेरे सोनल को बचाईए-सोनल को बचाइए-प्लीज!

सतीश : क्या हुआ गुरुजी? क्या हुआ सोनल को?

दासराव : उधर दंगा फसाद हुआ है और अर्जुन उसे भगा ले गया- उसके साथी उठा ले गए सोनल को-

हेमा : .... तुम झट से ....

दासराव : नहीं हेमाजी-मैं सच्च कह रहा हूँ। देखने वालों ने ही मुझे बताया-

सतीश : पहले ठीक से बताईए गुरुजी क्या हुआ?

दास : आज कोर्ट का फैसला हुआ। सेशन्स कोर्ट का-

सतीश : जानता हूँ-आगे बोलिए-

दास : सभी मुल्जिम छोड़ दिये गए हैं।

सतीश : आगे?

हेमा : तुम जानते थे सतीश -? मुझे नहीं बताया-

सतीश : ठहरो हेमा-आगे क्या हुआ?

दास : अभी शाम की एस. टी से गाँव पहुँचे लोग और पहुँचे वो ही नारे लगाते हुए-

सतीश : आगे?

दास : आगे क्या हुआ जानता नहीं मैं- लेकिन चौराहे पर यदाकदा मारपीट शुरू हुई-सोनल की माँ ने बताया कि वह यहाँ आयी है- इसलिए मैं जल्दी से इधर आने के लिए निकला तो चौराहे पर दंगा फसाद शुरू हो चुका था- बच्ची के लिए जान हथेली पर लिए इधर भाग निकला-लेकिन रास्ते में

मुझे रोककर दो चार लोगों ने बताया कि अभी-अभी सोनल को भगाकर ले गए आज उसकी मंगनी की रस्म है सर, उसकी जिंदगी बर्बाद हो जायेगी सर-मेरा घर लुट जायेगा-अर्जुन को आप ही कह सकते हैं- सिर्फ आप ही-

हेमा : अर्जुन का नाम ही आप क्यों ले रहे हैं गुरुजी-

दास : लोगों ने यही बताया-

सतीश : कौन? किसी एक का नाम तो बताईए-

दास : नाम का मुझे कहाँ पता है सर- इधर आते वक्त दो चार लोग चिलाये बस! (बाहर धूममची है उसकी आवाजें-पुलिस की सीटियाँ- सायरन- फिर पुलिस इन्स्पेक्टर नायक- आते हैं- तीनों को देखते हैं- घर को तलाश लेने की नजर से देखकर)

नायक : अर्जुन जाधव यहाँ आया था?

सतीश : नहीं!

नायक : शायद आयेगा- पुलिस की गाड़ी उसने जला दी और कहीं तो भी छिपकर बैठा है। (दासराव की ओर देखकर) आप इस वक्त यहाँ कैसे गुरुजी? (दासराव द्विधा मन स्थिति में, चुप एक बार सतीश की ओर और फिर नायक की ओर देखते है।)

दास : कुछ नहीं -यूँ ही-

सतीश : हमेशा गुरुजी मेरे तरफ आते जाते है।

नायक : लेकिन आज बाहर दंगा फसाद है-

दास : मुझे मालूम नहीं था-पहले ही आया था मैं-

नायक : ठीक है। अब थोड़ी देर यही रूक जाईए। ओके!

(दरवाजे तक पहुँचकर बाहर देखते हुए) यहाँ नहीं है वह मिलिंद नगर में ही उसे ढूंढो। मैं चौराहे की तरफ जाता हूँ। (अंदर आते हुए) मिस्टर गोडघाटे मैं वापस आता हूँ थोड़ी देर में। ओके? (जाता है-पुलिस की गाड़ी जाने का आवाज)

सतीश : गुरुजी, पुलिस इन्स्पेक्टर नायक से आप झूठ क्यों बोले?

दास : मुझे डर लगा सर। आप ही अर्जुन को खोजकर निकालेंगे मेरी इज्जत चौराहे पर मत आने दीजिए सर- आज उसकी मंगनी है।

हेमा : इसका मतलब गुरुजी, हर हाल मे आप अपनी ही इज्जत का विचार करेंगे?

सतीश : चलिए-

हेमा : कहाँ जा रहे हैं?

सतीश : अर्जुन को ढूँढने।

हेमा : बाहर दंगा फसाद चल रहा है।

सतीश : सोनल के जिंदगी का सवाल है।

हेमा : रुक जाओ इतनी जल्दबाजी करने की जरूरत नहीं है।

(अर्जुन आता है)

अर्जुन : मुझे थोड़ा आसरा दीजिए मैडम-मेरे पीछे पुलिस लगी है।

दास : पूछिए-पूछिए उसे-

सतीश : अर्जुन-

अर्जुन : तुम-? तुम यहाँ हो गुरुजी? सर, पुलिस मेरा पीछा कर रही है। प्लीज!

सतीश : तुमने सोनल को भगाया-

अर्जुन : किसने कहा यह? गुरुजी ने? उसके लिए वे यहाँ आए है?

सतीश : सच क्या है?

अर्जुन : वह बाद में बताऊँगा। चौराहे से भागते हुए देख लिया है पुलिस ने मुझे-

सतीश : मैं तुझे सहरा नहीं दूँगा। तू कुछ सुधारेगा यह समझकर तेरे पहले अपराध के लिए मैंने जमानत दी थी।

अर्जुन : मैडम, आप सर से कहिए-

सतीश : गुनाह करना और फिर पुलिस से डर कर भागना- किसलिए?

अर्जुन : मैंने कोई गुनाह नहीं किया- कोई नहीं-(पुलिस गाड़ी की आवाज) सर, प्लीज मैं बाद में आपको सब कुछ बताऊँगा।

सतीश : मैं खुद तुझे पुलिस के हवाले करूँगा-

अर्जुन : सर-आज काका होते तो-तो उन्होंने मुझे इस तरह लावारिश नहीं छोड़ दिया होता-

हेमा : अर्जुन-अंदर जाओ-

सतीश : हेमा, यह क्या कर रही हो तुम?

हेमा : उसे थोड़ा समय दो-वह कोई वहशी जानवर नहीं है।

नायक : (अर्जुन भीतर जाता है- नायक का तेजी से प्रवेश) अर्जुन आया? (वातावरण में एक मूक तनाव) चौराहे से इस तरफ भागते हुए मैंने खुद उसे देखा है।

हेमा : नहीं वह यहाँ नहीं आया-

नायक : गोडघाटे सर, क्या सचमुच अर्जुन यहाँ आया नहीं?

सतीश : (निग्रहपूर्वक) नहीं-

नायक : सर, अगर मैं चाहूँ तो घर की तलाशी ले सकता हूँ।

सतीश : लीजिए-

नायक : नहीं मेरा आप पर भरोसा है। आप कानून और व्यवस्था के आडे कभी नहीं आएंगे। चलता हूँ मैं (जाने लगते हैं। हालत काबू में आगए हैं- अगर आप घर जाना चाहते हों तो मैं आपको घर छोड़ता हूँ गुरुजी)-

दासराव : अ? नहीं-नहीं जाऊँगा थोड़ी देर बाद-

नायक : टीक है। जैसे आपकी मर्जी- लेकिन अर्जुन को छिपाना भी बहुत बड़ा जुर्म है सर, यह मत भूलिए- वह आया तो मेरे हवाले कीजिए। (नायक जाते हैं। वैन जाने की आवाज। अर्जुन बाहर आता है।)

अर्जुन : थेंक यू मैडम, बड़ी मेहनबानी हुई- धन्यवाद लेकिन धन्यवाद तो काका का करना होगा- उनका नाम लिया तब ही तो आसरा मिला यहाँ मुझे.... कुछ भी गुनाह नहीं किया मैंने?

हेमा : फिर छिपे क्यों?

अर्जुन : पुलिस का पीछा टालने के लिए पकड़ने से पहले जमानत लेने के लिए-

हेमा : क्या हुआ-ठीक ठीक से बताओ-

अर्जुन : सबूत नहीं मिला इसलिए हमारी बस्ती जलाने वाले निर्दोष छोड़ दिये गए- आपके पिताजी ने ही यह फैसला किया-बहुत गर्व है ना आपको अपने पिता पर सर, आपका भी बहुत भरोसाहै कानून पर-

सतीश : तो इसलिए तुमने आग लगाना शुरू किया-

अर्जुन : हाँ (स्तब्धता) गुनाहगारों को छोड़ दिया गया- कानून की नजर से बच क्या निकले, हमें नीचा दिखाने का जैसे हुकूम ही साथ लाये- आते ही गालियों की बौछार शुरू की उन्होंने बस में आकर, कहाँ थी पुलिस? हम

बेखबर थे- उकसाया उन्होंने हमको और चौराहे में आकर मेरे एक दोस्त को अकेला पकड़कर पीटा-खबर पाते ही भागते दौड़ते हम आये तो दो पुलिस पानटपरी के सामने पान चबाते खड़े-- और यह कानून के रखवाले दास! आपका कहना है ना सर, कि कानून हाथ में नहीं लेना चाहिए- किसने लिया कानून हाथ में? हमने! क्या कर रहे थे कानून के पहरेदार! जुल्म सहने की भी एक हद होती है सर- अत्याचार की सीमा हद से बढ़ जाने पर कहीं लूटमार हुई, कहीं पथराव हुआ- कहीं आग लग गई कि फिर से कानून का इल्जाम इन्हीं गरीबों पर! कहाँ का इंसाफ है यह? शेवंता को जिंदा जलवाएंगे वो और उसका इल्जाम मुझ पर? ये वहीं थे न जिन्होंने मुझे फंसाया देख लूँगा-देख लूँगा अब! बच निकलने का एक टेकनिक होता है सर, मैं जान गया हूँ वह-मुझे मेरा रास्ता मिल गया है। All ok is the beck Defenee! आंदोलन के लिए संघर्ष के बिना और कोई चारा नहीं है सर! (जाने लगता है)

हेमा : ठहरो अर्जुन- सोनल के बारे में तुमने कुछ नहीं बताया-

अर्जुन : हाँ दासराव गुरुजी शायद उसी के लिए आये हैं? कौन सी चिट्ठियाँ लिखी थी मैंने सोनल को गुरुजी? कहिए-कब और कौन से मेरे दोस्तों ने उसके साथ छेड़छाड़ की? तुम गुरुजी नहीं हो- शिक्षक नहीं हो-आजादी के जंग में लड़े सिपाही भी नहीं हो-डरपोक चूहे हो। मीठी छूरी! क्या कहा था तुमने मैडम के बारे में बताईए, अब मैडम के सामने-बताईए-

दास : देखो अर्जुन मैंने भूल की थी वह-लेकिन मेरी सोनल मुझे लौटा दो।

अर्जुन : मतलब? फिर से मेरी बदनामी करने यहाँ आये थे आप?

दास : सोनल कहाँ है अर्जुन?

हेमा : कहाँ है सोनल?

अर्जुन : क्या आप सब लोग यह समझते है कि मैंने सोनल को भगाया? मैडम, सोनल उसके अपने घर में सुरक्षित है।

दास : क्या?

अर्जुन : कैसे हुड़दंगबाजी में भी मैंने उसे पहचान लिया उसकी भी शेवंता कर डालते वो भड़वे मैंने ही मेरे दास्तों की मदद से उसे घर पहुँचाया।

दास : उपकार बहुत उपकार है अर्जुन मुझ पर- मैं इसे कभी नहीं भुलूँगा। (जाते जाते लौटकर कह जाते हैं) जिंदगी भर नहीं भूल सकता।

अर्जुन : मैं सोनल से प्यार करता था मैडम- उस दिन साफ साफ नहीं कह सका- आज कहता हूँ वह भी मुझसे प्यार करती थी। मैं जान गया था लेकिन बात करने की हिम्मत नहीं कर सका। आज उसकी मंगनी है। भीड़ में भी बहुत सारी बातें कर रही थी- उसके घर उसे पहुँचा सका- इस बात की बहुत खुशी है मुझे- मन जैसे फूल की तरह खिल उठा। लेकिन जो हुआ सो ठीक ही हुआ- उसका विवाह निश्चित हुआ। अगर वह शादी के लिए मुझसे कहती तो भी मैं तैयार नहीं होता-सोनल फूलों के पंख से आया एक तूफान था मैडम- वह मुझे मेरे आंदोलन से, संघर्ष से दूर ले जाती- और मैडम मुझे आंदोलन से मुँह मोड़ना नहीं है- अच्छा अब चलता हूँ।

सतीश : ठहरो अर्जुन-तुम जिसे आंदोलन समझते हो वह एक विस्फोट है। सर्वनाशी विस्फोट!

अर्जुन : विस्फोट- सर्वनाशी विस्फोट! और अब जो हो रहा है इसे कौन सा नाम देंगे आप? बस्तियों को आग लगाने वाले खुलेआम छूट जाते हैं, यह सर्वनाश नहीं है? जाता हूँ सर-वक्त मिला तो सिद्धांत की बातें करने जरूर आऊँगा। उतना ही दिल बहल जायेगा मेरा और आपको भी बहुत कुछ करने का संतोष मिलेगा-

... कीमत चुकानी पड़ती है, अगर आंदोलन में उतरना है तो कीमत चुकानी पड़ती है- आप ही ने कहा था बार-बार सर, कीमत चुकानी याने क्या? नौकरी और प्रतिष्ठा को संभालते हुए बदनामी का सामना करना? और वह भी चर्चा और भाषण देकर-फिर सभी का! (अर्जुन जाता है। सतीश खड़ा रहता है मुँह पर जैसे कोई तमाचा मार गया हो-सन्नाटा-हेमा पास आकर उसके पीठ पर हाथ रखती है।)

सतीश : सच है उसकी बात, कीमत चुकानी पड़ती है। हेमा! कीमत चुकानी पड़ती है यह तो मैं भी जानता था- उसके लिए तैयार भी था- लेकिन इसका यह तो मतलब नहीं कि हर चीज खत्म हो जाये- कौन चुकायेगा कीमत इस सर्वनाश की? कैसे? नहीं हेमा, कहीं कुछ गलत हो रहा है- कहीं तो भी गलती पर हैं हम- क्या गलत है- कहाँ गलती है? काका ने मुझे पढ़ाया-पढ़ा लिखा-कर बड़ा किया- मुझमें सोचने की, विचार करने की ताकत पैदा हो- लेकिन मैं सिर्फ सोचता ही रहा और इस व्यवस्था में बेकार सिद्ध हुआ-कुछ भी नहीं कर सकता। सीधे-सीधे ना आतंकवादी बन पाता हूँ और ना ही किड़ों-मकोड़ों की तरह जी सकता हूँ। हेमा, इंसान की अच्छाईयों-परखे गेरा विश्वास ही उठता जा रहा है।

हेमा : मनुष्य की अच्छाईयाँ कभी मरती नहीं सतीश- तुम्हें काम करना है ना? सोचता तो अर्जुन सोल से बदला ले सकता था- लेकिन उसने ऐसा नहीं किया- उसे हिफाजत से उसके घर पहुँचा दिया-

सतीश : सच है हेमा, उस नये अंकुर को ही संभालना होगा- इस तरह किनारे पर खड़े रहकर नहीं- उसके साथ हाथ मिलाकर। चले, अर्जुन की मैं जमानत करूँगा- चलो।

उठता है। हेमा उसे सहारा देती है- दोनों जाते है।

गीत

(दृश्य फ्रीज)

परदा

परिशिष्ट

दलित लेखकों की कुछ कृतियाँ

(1) काव्य

❖ स्वामी अछूतानन्द हरिहर - अधिवंश का डंका, ❖ वीरांगना झलकारी बाई - बिहारी लाल हरित, ❖ शम्बूक-मंगलदेव बिशाख, ❖ एक लव्य- माता प्रसाद, ❖ भीम सतक-माता प्रसाद, ❖ अम्बेडकर (महाकाव्य)- बाबूलाल सुमन, ❖ एकलव्य एवं अन्य कविताएँ-श्याम सिंह शशि, ❖ दलित पचासा- मंसाराम विद्रोही, ❖ सफदर का बमान-मोहनदास नैमिषराय, ❖ आग और आन्दोलन- मोहनदास नैमिषराय, ❖ अम्बेडकर की कविताएँ-कंवर भारती, ❖ सतह से उठते हुए चेतना के स्वर- डॉ. एन. सिंह, ❖ यातना की आँखें- दयानन्द बटोही, ❖ सुनो ब्राह्मण-मलखान सिंह, ❖ टुकड़े-टुकड़े डंस- डॉ. कुसुम वियोगी, ❖ उठ रे बंधुआ- डॉ. कुसुम वियोगी, ❖ सदियों के संताष- ओम प्रकाश वाल्मीकि, ❖ बस बहुत हो चुका-ओम प्रकाश वाल्मीकि, ❖ हीरामन-डॉ. धर्मवीर, ❖ पीड़ा जो चीख उठी (संपादित)- राजपाल सिंह राम, ❖ सवालों का सूरज-पुरुषोत्तम सत्यप्रेमी, ❖ दखल देती कविता-पुरुषोत्तम सत्यप्रेमी, ❖ मैं गूँगा नहीं था-जय प्रकाश कर्दम, ❖ क्रांति अभी शेष है-डॉ. लाल चन्द्र राही, ❖ करीत के काँटे-राम शिरोमणि होरिल, ❖ मैं क्रौंच हूँ- श्यौराज सिंह बेचैन, ❖ दलित चेतना- कंवर लाल खद्योत, ❖ सूखी घास पर शबनम-ओम प्रकाश मेहरा, ❖ हार नहीं मानूँगी-ईश कुमार गंगा ...., ❖ नियति नहीं यह मेरी- सुदेश तनवर, ❖ शब्द थके ज़रूर हैं- चिरंगी लाल कटारिया, ❖ खामोश नहीं हूँ मैं-असंग घोष, ❖ दलित मंजरी- कर्मशील भारती, ❖ समय बहुत कम है-निशांत, ❖ गुनगुनी धूप में बैठकर-शरद कोकाश, ❖ दलितों में दलित-हरिकिशन संतोषी, ❖ पदचाप- रजनी तिलक, ❖ ललकार-रणजीत सिंह, ❖ अनुभूति से अभिव्यक्ति तक-विपिन बिहारी, ❖ अंगुरी के पाग-बाबूलाल मधुकर, ❖ दहकते स्वर-श्यामलाल सभी, ❖ भीख नहीं अधिकार चाहिए-सुरेश पंजम, ❖ मुट्ठी- अरविन्द कुमार-राही, ❖ बिरसा-जियालाल आर्य, ❖ पत्थर उठाते हाथ- अ.ल.उके, सूरज के ❖ वंशधर-चन्द्रकान्त गौराल, ❖ उजाले की ओर- भीमराव रणवीर।

(2) उपन्यास

❖ बन्धनमुक्त-रामजी लाल सहायक, ❖ अमर ज्योति-डी.पी. वरुण, ❖ पहला खत- डॉ. धर्मवीर, ❖ छप्पर-जय प्रकाश कर्दम, ❖ जस तस भई सबेर-सत्य प्रकाश, ❖ मिट्टी की सौगंध-प्रेम कपाड़िया, ❖ मुक्ति पर्व-मोहनदास नैमिषराय, ❖ प्रस्थान- परदेशी राम वर्मा, ❖ प्रेमयात्रा तथा गावित-श्रवण कुमार, ❖ भूमि पुत्र-राणा प्रताप, ❖ नागपर्व-गुरु चरण सिंह, ❖ डूब जाती है नदी-गुरु चरण सिंह, ❖ रमरतिमा-बाबूलाल मधुकर, ❖ पूर्ण सत्य-हरकिशन संतोषी, ❖ दूध का कर्ज-अरुण कुमार अरुण देव, ❖ काली रेत-ओम प्रकाश वाल्मीकि।

(3) नाटक

❖ राम राज का न्याय-अछूतानन्द, ❖ मायाराम-अछूतानन्द, ❖ इन्साफ-नन्दलाल जैसवार, ❖ चालीस एकांकी नाटक-माता प्रसाद, ❖ कठौती मैं गंगा-डॉ एन. सिंह, ❖ शम्बूक बध-लसई सिंह यादव, ❖ जनम जनम के कारावासी-वीर सिंह, ❖ हेलो कामरेड-मोहनदास नैमिषराय, ❖ क्या तु खरो दोगे- मोहनदास नैमिषराय, ❖ दो चेहरे-ओमप्रकाश वाल्मीकि, ❖ जब रोम जल रहा था- कंवल भारती, ❖ नीरो वंशी बजा रहा है- कंवल भारती, ❖ नयका मोर-बाबूलाल मधुकर।

(4) वैचारिक पुस्तकें

❖ दलित एजर्सन एंड बहुतन समाज पार्टी- अ. पर्सपेक्टिव ऑफ विलो-विवेक कुमार:उदय सिंन्हा ❖ दलित न्यू कल्चरल कॉन्टेक्स फार एन ओल्ड मराठी वर्ल्ड कान्ट्रीब्यूशन टू एशियन स्टडीज, ❖ दलित पैंथर्स मूवमेन्ट इन महाराष्ट्र : ए सोशियालॉजिकल अप्रोजल : लता मुरुगकर, ❖ एसेज आन दलित इन इंडिया-नन्दू राम, ❖ दलित साहित्य का सौन्दर्य शास्त्र - ओम प्रकाश वाल्मीकि, ❖ कबीर के आलोचक-धर्मवीर, ❖ कबीर के अन्य आलोचक-धर्मवीर, ❖ सन्त रैदास एक विश्लेषण-कंवल भारती, ❖ लोकतंत्र में भागीदारी का सवाल-कंवल भारती, ❖ भारतीय संविधान बनाम वाल्मीकि रामायण- डॉ. के.एम. पन्त, ❖ भारतीय संविधान बनाम महाभारत -डॉ. के.एम. पन्त, ❖ भारतीय संविधान बनाम मनुस्मृति -डॉ. के.एम. पन्त, ❖ भारतीय संविधान बनाम गीता -डॉ. के.एम. पन्त, ❖ भारतीय संविधान बनाम रामचरित मानस -डॉ. के.एम. पन्त, ❖ भारतीय संविधान बनाम हिन्दूवादी साहित्य -डॉ. के.एम. पन्त, ❖ दलित चेतना-डॉ आनन्द वास्कर, ❖ हिन्दी साहित्य दलित आन्दोलन-डॉ. चन्द्र कुमार वरठे, ❖ हिन्दी दलित साहित्य में सामाजिक-सांस्कृतिक चेतना- डॉ. जय प्रकाश कर्दम, ❖ दलितपत्रकारितापरअम्बेडकरका प्रभाव-श्यौराज सिंह बेचैन, ❖ हिन्दी उपन्यासों में दलित वर्ग- डॉ. कुसुम मेघवाल, ❖ दलित साहित्य का सौन्दर्य शास्त्र-शरण कुमार लिम्बाले, ❖ आधुनिकता के आईने में दलित-सं. अभय कुमार दुबे, ❖ सामाजिक क्रांति क्यों और कैसे-डॉ. नवल वियोगी, ❖ इक्कीसवीं सदी में अम्बेडकरवाद- डॉ. रघुवीर सिंह, ❖ दलित कहाँ जायें- जियालाल आर्य, ❖ अम्बेडकर विरोधियों के चक्रव्यूह में -मोहनदास नैमिषराय, ❖ दलित साहित्य सृजन के संदर्भ में- डॉ. पुरुषोत्तम सत्यप्रेमी, ❖ दलित साहित्य और अश्वेत साहित्य- डॉ. चमनलाल, ❖ स्वतंत्रता संग्राम के दलित क्रांतिकारी- मोहनदास नैमिषराय।

(5) प्रमुख हिन्दी दलित आत्म कथाएँ–

❖ मैं भंगी हूँ-भगवानदास, जूठन-ओम प्रकाश वाल्मीकि, ❖ झोपड़ी से राजभवन-माता प्रसाद, हमारा जीवन-बेबी काम्बले, ❖ दोहरा अभिशाप-कौशल्या बैसंतरी, ❖ अपने-अपने पिंजरे-मोहनदास नैमिषराय, ❖ मेरे गुनाह-श्रवण कुमार, ❖ तिरस्कृत-सूरजपाल चौहान, ❖ घूंट अपमान के-सूरजपाल चौहान, ❖ मेरी मंजिल मेरा सफर- डॉ. डी.आर. जाटव।

(6) प्रमुख हिन्दी दलित कहानी संग्रह-

❖ आवाजें-मोहनदास नैमिषराय, ❖ सलाम-ओम प्रकाश वाल्मीकि, ❖ घुस पैठिये- ओमप्रकाश वाल्मीकि, ❖ सुरंग-दयानन्द बटरोही, ❖ द्रोणाचार्य एक नहीं-कावेरी, ❖ साग और कहानियाँ- ठाकुर प्रसाद राही, ❖ चन्द्रमौलि का रक्त बीज-सत्य प्रकाश, ❖ हैरी कब आएगा-सूरजपाल चौहान, ❖ चार इंच की कलम-कुसुम वियोगी, ❖ पुटूस के फूल- प्रहलाद चन्द्र दास, ❖ अमिशहा लोक- आर.एम.एस. विजयी, दलित अन्तर्द्वन्द्व-स्वरूप चन्द, ❖ हिस्से की रोटी-शत्रुघ्न कुमार, ❖ तीन महाप्राणी-बुद्ध शरण हंस, ❖ टूटता बहम-सुशीला टाकभौरे, ❖ अनुभूति के घेरे- सुशीला टाकभौरे, ❖ अपना मकान-विपिन बिहारी, ❖ पुनर्वास-विपिन बिहारी, ❖ आधे पर अन्त-विपिन बिहारी।

(७) कुल संपादित दलित कहानी संग्रह-

❖ डॉ. कुसुम वियोग द्वारा संपादित- समकालीन दलित कहानियाँ, चर्चित दलित कहानियाँ, दलित महिला कथाकारों की कहानियाँ, ❖ डॉ. एन. सिंह द्वारा संपादित- काले हाशिए पर, यातना की परछाइयाँ, ❖ रमणिका गुहणा द्वारा संपादित - दूसरी दुनिया का यथार्थ, ❖ डॉ. रजत रानी मीनू द्वारा संपादित-हाशिए के बाहर।